Dufour
Geschichte der Prostitution

ERSTER BAND.

Die vorchristliche Zeit

ERSTER TEIL:

Altertum. Griechen. Die römische Republik

Deutsch von Adolf Stille

Fünfte Auflage

Verlegt bei
DR. P. LANGENSCHEIDT
Gross-Lichterfelde-Ost

Umschlagbild: Johannes Baeck, Der verschwenderische Sohn (17. Jhdt.)
© Corbis (Archivo Iconografico)
Reprint der deutschen Originalausgabe
Druck und Bindung: GGP Media, Pößneck
ISBN 3-8218-0884-5

Verlagsverzeichnis schickt gern:
Eichborn Verlag, Kaiserstraße 66, D-60329 Frankfurt am Main
www.eichborn.de

Geleitwort

von Staatsanwalt Dr. Erich Wulffen-Dresden.

„Grad und Art der Geschlechtlichkeit eines Menschen reicht bis in den letzten Gipfel seines Geistes hinauf.“ Dieses Wort, das Friedrich Nietzsche, der ernste Forscher in sexuellen Problemen, in „Jenseits von Gut und Böse“ geprägt hat, ist von der modernen physiologischen Psychologie naturwissenschaftlich als wahr erwiesen worden. Wir wissen, dass der Geschlechtssinn des Individuums ein höchstorganisiertes Zentrum in der Grosshirnrinde, diesem Sitze der gesamten psychischen Lebenstätigkeit, besitzt. Wir wissen, dass die Entwicklung und Reife des Geschlechtssinnes der höchsten psychischen Entfaltung im Menschen vorausgehen. In diesem Sinne begreifen wir den tiefen Zusammenhang zwischen Geschlechtlichkeit und Geistigkeit im Sündenfalle des alten Testamentes; als Adam und Eva vom Baume der Erkenntnis gegessen hatten, erkannten sie, dass sie nackt waren. Wir wissen, dass erst der Geschlechtssinn den Menschen zur Entwicklung aller höheren Triebe befähigt hat, zur Bildung des Eltern- und Familientriebes und aller weiteren sozialen Triebe, aus denen wieder seine höchsten psychischen Leistungen, die ethischen, sittlichen und ästhetischen Gefühle erwachsen konnten.

Führen uns auf diesem Wege Naturwissenschaft und Psychologie zu der Annahme, Nietzsches Wort könne nicht nur für das Individuum, sondern müsse auch für ganze Völker, ja für die gesamte Menschheit Geltung haben, so setzen uns Geschichte und Kulturgeschichte in den Stand, diese Hypothese durch die Erfahrung zu beweisen. Grad und Art der Geschlechtlichkeit eines Volkes und der Menschheit spiegeln sich nun nirgends so deutlich wider, als in der Geschichte der Verirrungen, denen ihre Geschlechtlichkeit im Laufe der Jahrhunderte und Jahrtausende verfallen ist. Die Geschichte dieser geschlechtlichen Verirrungen ist aber mit der Geschichte der Prostitution identisch.

Somit ist die Geschichte der Prostitution als integrierender Bestandteil der gesamten Kulturgeschichte gegeben. Wenn auch das Wort „Prostitution“ — nach Dufour's Ausspruch — wie mit einem glühenden Eisen eine der traurigsten Schwächen der Menschheit brandmarkt, so wird sich ihrer Kenntnis doch niemand entziehen dürfen, der die Menschheit in ihrer wahren und vollen Geistigkeit erkennen und verstehen will.

Der Vorwurf, dies sei eine Beschäftigung mit Unsittlichkeiten, kann also den Freund der Wahrheit nicht treffen. Wer Menschen erkennen und begreifen lernen will, dem darf nichts Menschliches verborgen bleiben. Und besonders bei unserem Autor müssen wir den Heroismus anerkennen, mit dem er — wie er selbst hervorhebt — trotz der grossen Schwierigkeiten, die sich der Bearbeitung und Darlegung eines solchen Stoffes entgegenstellten, in seiner „Geschichte der Prostitution" als erster eine ausführliche Behandlung dieses kulturhistorisch so wichtigen Gebietes zu unternehmen wagte. Auch ihm mag, wie dem Wahrheitssucher Faust, das Problem vorgeschwebt haben: „Vermesse dich die Pforten aufzureissen, an welchen jeder gern vorüberschleicht!"

Es sind die wunderbarsten Enthüllungen, welche die Geschichte der Prostitution uns bringt. Das klassische Altertum der Griechen und Römer ist mit dieser Prostitution so eng verwachsen, dass ohne deren Kenntnis seine höchsten Geistesblüten unverständlich bleiben. Wie wir die Antike in den Schulen und später im Leben als Laien kennen lernen, ist sie eine völlig einseitige Darstellung. Wir müssen uns vielmehr klar werden, wie alle Künste, ja selbst die Philosophie gewissermassen aus prostituiertem Boden hervorwucherten, wie die Künstler, die Bildhauer, Maler und Dichter, wie Philosophen und Redner zu ihren Grosstaten, die wir noch heute bewundern, nicht von ihren ehelichen Frauen, sondern von den Hetären, den Angehörigen der Prostitution, begeistert wurden; wie diese Hetären es waren, die mit unendlichen Summen die Künste unterstützten und ihre Schöpfungen bezahlten, ja wie zu ihrer eigenen Verherrlichung Denkmäler der Kunst errichtet wurden. Erst hierdurch wird uns der dionysische Geist des Altertums, wie ihn Nietzsche uns predigt, als eine einzige laute Bejahung des Lebens, d. h. der Lebensquelle, der Fruchtbarkeit und der Geschlechtlichkeit, offenbar. Die Antike mit ihrer Götterwelt, mit ihrer Philosophie und ihren Künsten atmet immer und überall Geschlechtlichkeit, die dem Menschengeschlechte in seiner damaligen Jugendzeit als das Wichtigste und Wertvollste im Himmel und auf Erden erschien. So wurde der unbändigste Naturtrieb des Menschen doch in eine ästhetische und naive Hülle gekleidet, die erst bei den derberen Römern allmählich immer durchsichtiger wurde und endlich ganz fiel.

Auch die Erscheinung und der Sieg des Christentums können nicht voll gewürdigt werden, wenn es nicht als eine Bekämpfung des Fleisches, der masslosen Unsittlichkeit, welche das Volk der Griechen und Römer im innersten Marke angefressen hatte, mithin besonders als eine Bekämpfung der auf dem Gipfel stehenden Prostitution aufgefasst wird. Aber auch dieser gewaltigsten Lehre, die je über die Erde gegangen ist, war eine Überwindung des geschlechtlichen Urtriebes der Menschheit, der bis heute immer und überall eine Ableitung in der Prostitution suchte und fand, nicht beschieden. Bald sehen wir auch die christlichen

Priester ihr dienen und die Klöster zu Stätten der Unzucht herabsinken. Das christliche Königtum, der grossen Masse ein Vorbild, tritt bei allen Völkern in den Pfuhl der Prostitution; wieder blühen die Künste aul prostituiertem Boden unter dem Schutze der Herrscher, der Päpste und Grossen. Auch die meisten anderen Gebiete menschlicher Betätigung werden in die Geschichte der Prostitution verflochten. Die Gesetzgebung vor allem, die bereits einen Solon zum Begründer des ersten Dicterions in Athen werden liess, ist fortdauernd mit der Regelung der Ehe und der Prostitution befasst, und die Kriminalität wird von der Prostitution beständig stark beeinflusst. Durch die Geschichte der Medizin zieht sich die Erscheinung der Prostitution wie ein roter Faden. Die Auffassung der Zeitgenossen über Geschlechtlichkeit und Prostitution wird abermals zum Gradmesser der gesamten zeitlichen Kultur. Die Prostitution hat die ganze Entwicklung der Städte und des mittelalterlichen Staates Schritt für Schritt begleitet. Noch einmal steigt sie mit ihren Ungeheuerlichkeiten auf einen Gipfel, und wir wagen nicht zu entscheiden, ob das Altertum erreicht oder übertroffen worden ist.

Aber die Nachwirkungen der Reformation und die Revolution mit ihrem Gefolge von Aufklärungen geben dem Kampfe gegen die Prostitution neue Waffen. Die geläuterte Geistigkeit der christlichen Völker tritt ihre Herrschaft an. Ein Wunderbares begibt sich. Es bahnt sich eine Scheidung zwischen der Geschlechtlichkeit und der Geistigkeit der Menschen an, zwar anfangs nur zaghaft, aber immerhin deutlich, zuweilen wieder für Zeiten verwischt, aber immer wieder stärker hervortretend. Die höchsten Leistungen der Geistigkeit, die edelsten Blüten der Wissenschaften und Künste beginnen unabhängig von der Geschlechtlichkeit und Prostitution der Allgemeinheit zu werden, was sie es bis dahin niemals waren. Hierin liegt der unvergleichliche Fortschritt. Nur der einzelne wissenschaftlich oder künstlerisch Schaffende birgt vielfach in seinem Innern noch die geheimnisvolle Verwandtschaft zwischen Geistigkeit und Geschlechtlichkeit gleichsam von der Jugendzeit des Menschengeschlechtes her. Wir sahen ja auch, dass sie im Individuum physiologisch begründet ist und in gewisser Beziehung immer begründet sein wird. Mit dieser beginnenden Scheidung von Geistigkeit und Geschlechtlichkeit verliert die Abart der letzteren, die Prostitution, als Kulturfaktor stark an Bedeutung. Sie stellt in ihrer Allgemeinheit hauptsächlich die physiologische und psychologische Ableitung der unbändigen organischen Materie dar. Sie tritt in anderen Formen auf und nimmt eine soziale Färbung an. Der Zusammenhang zwischen Kriminalität und Prostitution wird wissenschaftlich erörtert. Gemäss der allgemeinen Milderung unserer Sitten scheinen sich auch die Auswüchse der Prostitution zu mildern.

Es ist klar: Wer einen solchen Stoff zum Gegenstande einer Darstellung wählt, wird in die Lage kommen, sittlichen Schmutz und Verderbnis usführlich zur Erörterung zu ziehen. Wenn aber auch in Dufour's

Werk die umfangreiche und schwierige Materie in einer dem grossen gereiften und gebildeten Publikum leicht fasslichen Form geboten wird, weil es eben gilt, auch dieses Publikum über die Geheimnisse der Kulturgeschichte aufzuklären, so müssen wir dem Autor doch mit Nachdruck bestätigen, dass ihm hierbei jede tadelnswerte Nebenabsicht ferngelegen hat. Freilich ist die „Geschichte der Prostitution" trotzdem nicht für die Kinderstube und Schuljugend bestimmt, ebenso wenig auch eine Lektüre für unreife Jünglinge. Pierre Dufour und seine Übersetzer bzw. Bearbeiter haben ihre Aufgabe aber mit vornehmer Zurückhaltung gelöst, und jede Anstössigkeit, die ausserhalb der wissenschaftlichen Zwecke lag, ist taktvoll vermieden worden. Schon die Ausführlichkeit und Sorgfalt der Darstellung, die überall auf wissenschaftlichen Unterlagen ruht, belehrt über die sittlichen Absichten der Autoren; das Sensationelle des Stoffes ist wunderbar abgeschliffen. Die Darstellung der antiken Prostitution, welche mit ihrer Entwicklung, mit ihren Kräften und Wirkungen als ein abgeschlossenes Ganzes lichtvoll sich aufbaut, entbehrt der Grösse nicht. Jeder, der die Prostitution, diese geheime Macht des Altertums, zum ersten Male in solcher Auffassung kennen lernt, wird überwältigt sein von den wunderbar verschlungenen Wegen der Kultur. Die mittelalterliche und die neuere Prostitution, die eine bis in die Jetztzeit fortgeführte Darstellung gefunden haben, bieten nicht minder wertvolle Bausteine zu einer wissenschaftlichen, umfassenden Darstellung der Gesamtkultur dieser Epochen.

Der moderne naturwissenschaftliche Gedanke, wie ihn ein Wilhelm Wundt uns entwickelt hat, geht auch in der Geschichte der Prostitution siegreich hervor. Auch in ihr zeigt sich, dass nicht, wie die Materialisten lehren, die Materie das wahre Wesen der Dinge bedeutet, dass diese Bedeutung vielmehr der dem Menschen innewohnenden Geistigkeit zukommt. Indem wir feststellten, dass die Geistigkeit des Menschen sich von seiner Geschlechtlichkeit und von der Prostitution zu lösen im Begriffe steht, bewiesen wir zugleich die Richtigkeit jener naturwissenschaftlichen Lehre. Und damit bekennen wir uns auch wieder zu dem so oft und wohl bisweilen so gern missverstandenen Friedrich Nietzsche, der das sexuelle Problem als das einer vergeistigten Geschlechtlichkeit fixiert hat. Auch diese grösste Frage der Gegenwart und Zukunft, die Frage nach der neuen Sittlichkeit des Menschengeschlechts, kann also nur der verstehen und beantworten, der die Geschichte seiner Prostitution begriffen hat. In diesem Sinne geben wir Dufour's Arbeit gern das Geleit in die Öffentlichkeit!

Vorwort.

Bis zum Erscheinen der „Histoire de la Prostitution“ von Pierre Dufour fehlte es an einer ausführlichen Behandlung dieser kulturhistorisch so wichtigen Materie. Die grossen Schwierigkeiten, die sich der Bearbeitung und Darlegung des hierauf sich beziehenden Stoffes entgegenstellen, mögen wohl viele von der Vornahme dieser Arbeit zurückgeschreckt haben, so reich sonst die Weltlitteratur an kulturgeschichtlichen Werken ist. Die Verlagsbuchhandlung glaubte den Wünschen und den Bedürfnissen Vieler entgegen zu kommen, indem sie sich zur Herausgabe einer deutschen Bearbeitung des angeführten Werkes entschloss und der reiche Beifall, der diesem bereits bei der Ankündigung zukam, bewies, dass sie sich in ihren Erwartungen nicht getäuscht habe.

Manches des ursprünglichen Inhalts musste aus gewichtigen Gründen hier in etwas gemildeterer Form wiedergegeben werden, manches auch, namentlich soweit es die Darstellung älterer französischer Verhältnisse betrifft, beträchtlich gekürzt werden. Dagegen wurde die Darstellung, die bei Dufour mit dem Zeitalter Heinrichs IV. für Frankreich abbricht und auch die Verhältnisse bei den andern Völkern Europas etc.

nicht erörtert, sorgfältig fortgesetzt und bis auf unsere Tage ergänzt, wie es ursprünglich in der Absicht Dufours lag. Die vorhergegangenen Teile dieses Werkes haben dessen Fortsetzung gewisse Grenz- und Grundlinien vorgeschrieben, die ohne Schädigung der Einheitlichkeit des Werkes nicht wesentlich überschritten werden durften.

Und nun ein Wort, um der falschen Prüderie und der echten Heuchelei von vornherein zu entgegnen: Die „Geschichte der Prostitution" ist nicht für die Kinderstube bestimmt, keine Lektüre für unreife Jünglinge oder überreife Lüstlinge. Es liegt in der Beschaffenheit der Sache, dass hierbei sittlicher Schmutz und Verderbnis ausführlicher in Erörterung gezogen werden musste, was überall ohne tadelnswerte Nebenabsicht, ohne Hintergedanken, rein vom kulturgeschichtlichen Standpunkt aus betrachtet geschehen ist. Dieses Werk will nicht die Sittenverderbnis fördern, nicht dem Sinneskitzel dienen, mag auch die Darstellung so gehalten sein, dass die umfangreiche und schwierige Materie auch dem grossen gereiften und gebildeten Publikum leichtfasslich geboten ist. Dieses Werk will vielmehr Moral fördernd wirken, was nur durch eine offene klare und wahre Aussprache geschehen kann. „Die Krankheiten der Gesellschaft," sagt Stuart Mill, „können ebenso wenig wie körperliche Krankheiten verhindert oder geheilt werden, ohne dass in klaren Worten darüber gesprochen wird."

Möge dieses Werk die Aufnahme und den Erfolg finden, welche die Herausgeber dafür erhoffen und mit grossen Mühen und Kosten dafür angestrebt haben.

Einleitung.

Wenn es schon schwer ist, das Wort „Prostitution“ zu definieren, so ist es noch viel schwieriger, ihre Geschichte in alter und neuer Zeit zu schreiben. Das Wort „Prostitution“, das wie mit einem glühenden Eisen eine der traurigsten Schwächen der Menschheit brandmarkt, wird sowohl im übertragenen wie im eigentlichen Sinne gebraucht, und es erscheint ebenso oft in der Umgangs- wie in der Schriftsprache, ohne seine eigentliche und wahre Bedeutung zu haben. Die gelehrten Verfasser des „Dictionnaire de l'Académie“ (Auflage von 1835) haben für das Wort keine bessere Erklärung gefunden als folgende: „Völlige Hingabe zur Unzucht.“ Vor ihnen hatte sich Richelet mit einer noch allgemeineren Erklärung begnügt: „Liederliche Lebensführung“, aber selbst wenig befriedigt von dieser Definition, deren Unzulänglichkeit grosse Bescheidenheit verrät, hatte er ihren Sinn durch eine weniger zweideutige Redensart ergänzt: „Es ist dies eine nicht eheliche Hingabe, die ein Mädchen oder ein Weib von ihrem Körper macht zu Gunsten eines Mannes, damit dieser von ihr verbotene Genüsse habe.“ Die Redensart, in welche die Verfasser des „Dictionnaire de l'Académie“ ihre Erklärung eingekleidet haben, sagt absolut nicht alles, was das Wort „Prostitution“ in sich schliesst, weil die Hingabe, um die es sich handelt, sich unter gewissen Umständen auf beide Geschlechter erstrecken kann, und weil die von der Religion oder der Moral verbotenen Genüsse oft von dem Gesetze anerkannt oder geduldet sind. Wir sind daher der Ansicht, dass das Wort „Prostitution“ auf seine Wurzel (prostitum) zurückgeführt werden muss, und sich also auf alle Arten des unzüchtigen Handels mit dem menschlichen Körper erstreckt.

Dieser Handel mit der menschlichen Sinnlichkeit, den die Moral verabscheut, hat zu allen Zeiten und bei allen Völkern bestanden; er hat sich den Sitten und dem Gedankenkreis der einzelnen Völker angepasst; er hat gewöhnlich den Schutz des Gesetzgebers erhalten; er hat seinen Einzug in die bürgerlichen Gesetzbücher gehalten und selbst bisweilen in die religiösen Gebräuche; er hat fast immer und überall, um uns so auszudrücken, sein Bürgerrecht erobert; und er besteht noch in unseren Tagen, trotz der herrschenden philosophischen Vollkommenheit der Gesellschaft; er ist das notwendige Hilfsmittel der Polizeien der Städte, er ist der unkeusche Wächter der öffentlichen Sittlichkeit, er ist die traurige und unentbehrliche Zuthat der wilden Leidenschaften des Menschen.

Man muss gestehen, dass die Prostitution eine der schimpflichsten Plagen der Menschheit ist; aber diese Plage, die so alt wie die Welt selbst ist, hat sich bald in dem Schatten des häuslichen Herdes, bald in dem Geheimdienste der heidnischen Tempel, bald unter dem sicheren Schutze gesetzlicher Duldung zu bergen gewusst; diese schändliche Plage, die bald mehr bald weniger die soziale Gesellschaft zersetzte, hat in der Philosophie der Alten und in der christlichen Religion ein gewaltiges Linderungsmittel, wenn auch kein vollständiges Heilmittel, gefunden; und in demselben Masse, wie das Volk aufgeklärter und sittlich besser wurde, verminderte das unvermeidliche Uebel der Prostitution seine Kraftäusserungen und stellte in gewisser Beziehung seine Verheerungen ein. Doch ist nicht zu hoffen, dass sie gänzlich verschwinden wird, weil die schändlichen Triebe, denen sie entgegenkommt, unseliger Weise dem Menschengeschlechte angeboren sind; aber man darf mit Sicherheit voraussagen, dass sie sich eines Tages tief in ihre geheimen Lasterhöhlen zurückziehen und nicht mehr die Blicke der anständigen Welt verletzen wird.

Schon jetzt sieht die Prostitution in jeder Hinsicht, sowohl in Deutschland wie in allen anderen Ländern mit geordneter Verwaltung, nach und nach die Zahl ihrer Vertreter und ihrer Opfer mehr abnehmen; sie zieht sich, als wenn sie für das Schamgefühl zugänglich wäre, vor den Erörterungen des moralischen Verstandes zurück; sie dankt nicht ab, aber sie sieht sich ihres Thrones beraubt und hüllt sich in die Falten ihres Hurenkleides ein, ohne mehr auf eine Rückeroberung ihres unkeuschen Reiches zu hoffen. Der Augenblick ist nicht mehr weit, wo sie vor sich selbst erröten wird, wo sie für immer das Heiligtum der Sitten verlassen wird, wo sie allmählich in Dunkelheit und Vergessenheit geraten wird. Es giebt solche Krankheiten, sowohl des menschlichen Herzens, wie des Körpers, die verschwinden, indem sie sich selbst verzehren, und die ihre verderbliche, ansteckende Wirkung unter dem Einfluss eines geordneten Lebens verlieren. So ist der Aussatz fast nur noch dem Namen nach bekannt, und wenn man auch hie und da noch vereinzelte Spuren dieser entsetzlichen Pest des Mittelalters antrifft, so erkennt man doch mit Freuden, dass sie nicht mehr die Kraft sich auszubreiten und um sich zu greifen hat. Vom Flusse, der einst unter der gesamten Bevölkerung wütete, und der jetzt kaum noch hie und da eine Person befällt, haben wir allein noch die fürchterlichen Berichte.

Die Stunde ist also gekommen, wo man eine Geschichte der Prostitution schreiben kann, da sie mehr und mehr sowohl im Gedächtnis des Menschen, als in den Sitten der Völker zu verblassen beginnt. Die Geschichte beschäftigt sich mit den Zeiten, die vergangen sind. Sie bringt zu Grabe getragene Ereignisse wieder ans Tageslicht, sie belebt und erweckt das Vergangene zur Belehrung der Gegenwart und der Zukunft, sie verleiht der Ueberlieferung Leib und Seele. Der vielseitige und wunderliche Gegenstand, den wir mit Hilfe der Gelehrsamkeit und unter der Kritik der strengsten Vernunft behandeln wollen, dieser kitzliche Gegenstand, der stets argwöhnisch betrachtet wurde, heftet sich von allen Seiten an die Geschichte der Religionen, der Gesetze und der Sitten. Aber er ist beständig von den Schriftstellern unberücksichtigt geblieben, die sich mit den Sitten, den Gesetzen und den Religionen alter und neuer Zeiten beschäftigten. Altertumsforscher allein, wie Meursius, Laurentius, Musonius u. a. m. haben gewagt, sie in lateinischer Sprache zu behandeln, wo die Zunge des Juvenal und des Petronius nach Belieben den Forderungen des Wohlanstandes sowohl in Worten als auch in Handlungen trotzen konnte.

Was uns nun anbetrifft, so werden wir, obgleich auch wir uns zu den Altertumsforschern rechnen dürfen, doch nicht vergessen, dass wir Deutsch schreiben und uns an ein gebildetes Publikum wenden, das die Sache wohl kennen lernen, aber auch gleichzeitig mit Anstand behandelt sein will. Wir werden niemals vergessen, dass das Werk, welches wir zu Nutzen der Wissenschaft schreiben, auch gleichzeitig der Moral dienen soll, und dass seine Hauptaufgabe darin bestehen soll, einen Fehler verabscheuenswert zu machen, indem es seine Schändlichkeiten ans Licht zieht. Die Lacedämonier zeigten der Jugend den hässlichen Anblick trunkener Sklaven, um sie die Trunksucht fliehen zu lernen. Gott bewahre uns davor, wieder auf diesen Abweg der Liebe zu geraten, selbst wenn er sich bei den Völkern des Altertums im Blumenschmucke zeigt. Und gerade darin wollen wir uns von den Archäologen und eigentlichen Gelehrten unterscheiden, dass wir nicht wie sie keine Rücksicht auf das Sittliche der Handlungen nehmen und unbekümmert darum philosophische Schlüsse ziehen. Sie berichten in langen Auseinandersetzungen z. B. über den Kult der Isis, der Astarte, der Venus und des Priap; sie enthüllen dabei die gröbsten Ungeheuerlichkeiten, sie schildern dabei die schändlichsten Dinge, aber sie vergessen am Schlusse unsere Gedanken wieder zu erheben und unsern Geist zu beruhigen, indem sie diesen unzüchtigen und verwerflichen Bildern die keuschen Lehren der Philosophie und die wohlthätige Wirkung des Christentums entgegenhalten.

Die Prostitution lässt sich in alter wie in neuer Zeit in drei unterschiedliche Formen teilen, oder sie lässt sich auf drei verschiedene Stufen stellen, die drei verschiedenen Abschnitten im Leben der Völker angehören: erstens die gastliche Prostitution, zweitens die heilige oder religiöse Prostitution und drittens die legale oder staatlich anerkannte Prostitution. Diese drei Benennungen fassen ziemlich gut die drei Arten von Prostitution zusammen, die Rabutaux mit folgenden Worten in einer gelehrten Abhandlung über den Gegenstand, den wir im Begriffe sind nach ihm unter allgemeineren Gesichtspunkten zu behandeln, charakterisiert: „Ueberall, soweit uns die Geschichte zu dringen erlaubt, bei allen Völkern und zu allen Zeiten, sehen wir, als mehr oder minder allgemeine Thatsache, das Weib in der schimpflichsten Sklaverei, gezwungen, sich ohne Wahl und ohne Gefallen den ungestümen Begierden hinzugeben, die es entflammte und anreizte. Wahrlich, indem der letzte Funke von Moral erlischt, verliert die edle und süsse Gefährtin des Mannes in dieser dunkeln Nacht die letzten Spuren ihrer Würde und wird durch diesen tiefen Fall selbst dem, der sie besitzt, gleichgültig, sie sinkt, wie irgend ein beliebiger Gegenstand, zum einfachen Geschenke der Gastfreundschaft herab: die heiligen Bande, denen die Freuden des häuslichen Herdes und die Annehmlichkeiten des Familienlebens entstammen, haben bei diesen entarteten Völkern keine Bedeutung und keine Kraft mehr. Manchmal, zum Beispiel im alten Orient und bei fast allen Völkern, die hierin aus der alten Ueberlieferung geschöpft haben, wurde dieses Keuschheitsopfer der Frau noch in schimpflicher Weise mit den Lehrsätzen eines ungeheuerlichen Naturglaubens zusammengebracht, der alle Leidenschaften entzündete, indem er sie zu göttlichen Dienstleistungen erhob. So entstand ein heiliger Brauch eines eigenartigen und entarteten Kultus, und der Lohn, welchen die unkeuschen Priesterinnen erhielten, wurde als Opfergabe den Göttern dargebracht. Bei anderen Völkern endlich, die eine moralisch höhere Stufe einnahmen, überwies dieses unheilvolle Laster den starken Trieben der Sinne und ihren cynischen Wünschen eine eigene, auf die niedrigste Stufe verwiesene Klasse von Weibern. Diese unglücklichen Weiber, die zwar geduldet, aber übel angesehen waren, waren gezwungen, aus der Wollust und der Schande ein Handwerk zu machen."

Also betrachtet Rabutaux die Prostitution als eine schmachvolle Sklaverei, während wir sie als einen schmählichen Handel ansehen. Und in der That erscheint sie uns in ihren drei Hauptformen mehr als Folge eines Handels als des sklavischen Druckes, denn sie geschieht immer freiwillig und ohne Zwang. Gastlich erscheint sie als Tausch aus guter Lebensart mit einem Fremden, einem Unbekannten, der jedenfalls ein Gast und Freund wurde; religiös erwirbt sie für die geopferte Keuschheit die Gunst Gottes und den Segen des Priesters; legal richtet sie sich ein und wird ausgeübt wie irgend ein anderes Gewerbe: wie dieses hat sie ihre Rechte und Pflichten, sie hat ihre Ware, ihre Läden und ihre Kunden; sie verkauft und zieht Vorteil, und wie die anständigsten Handelszweige hat sie kein anderes Ziel als Gewinn und Nutzen. Um diese drei Arten von Prostitution als Folge von moralischer oder physischer Knechtschaft ansehen zu können, müssten die Gastfreundschaft, die Religion und das Gesetz sie gewaltsam geschaffen haben, sie müssten ihnen die Notwendigkeit ihres Bestehens aufdrängen trotz allen Widerstandes und Widerstrebens der Natur. Aber zu keiner Zeit war das Weib in dem Grade Sklavin, dass sie nicht frei über ihren Körper hätte verfügen können, gleich ob am häuslichen Herde, ob im Heiligtume des Tempels oder ob im Bordell der Stadt.

Die wahre Prostitution hat an dem Tage ihren Einzug in die Welt gehalten, an dem das Weib sich als Ware verkaufte, und dieser Handel ist, wie die meisten Handelsarten, einer Menge der verschiedensten Bedingungen unterworfen gewesen. Wenn das Weib sich den Wünschen ihres Herzens oder dem Verlangen ihrer Sinnlichkeit gehorchend hingab, so war das Liebe oder Geilheit, aber noch keine Prostitution, die wägt und rechnet, schachert und handelt. Wie die Liebe und die Vergnügungssucht, so beginnt auch die Prostitution mit dem Ursprung der Völker und mit der Kindheit der Gesellschaft.

Im Zustand der einfachen Natürlichkeit, als die Menschen erst begannen, sich gegenseitig aufzusuchen und sich zu vereinigen, war die willkürliche Vermischung der Geschlechter die unvermeidliche Folge ihrer ungebildeten Rohheit, die noch keine anderen Vorschriften kannte als die des Instinktes. Das tiefe Dunkel, in dem die menschliche Seele noch herumtappte, verhüllte ihr die einfache Kenntnis von Gut und Böse. Doch konnte schon da die Prostitution bestehen. Das Weib willigte ohne Zweifel ein, sich dem Verlangen des Mannes zu überlassen, selbst wenn sie seine Glut nicht teilte, um ein Stück Wildpret, das er getötet, oder einen Fisch, den er gefangen hatte, von ihm zu erhalten; für eine schimmernde Muschel, für eine leuchtende Vogelfeder, für einen glänzenden Stein bewilligte sie ohne Reiz und ohne Verlangen einem wilden Ungestüm die Rechte der Liebe. Diese wilde Prostitution ist, wie man sieht, älter als jede Religion und jedes Gesetz, und dennoch gab in diesen Urzeiten der

Kindheit der Völker das Weib keinem Zwange nach, sondern nur ihrem freien Willen, ihrer eigenen Wahl und ihrer Habsucht. Als sich die Menschen in Völkerstämme zusammenzogen, als eine wirkliche Ehe sie in Familien gliederte, als das Bedürfnis nach Liebe und gegenseitigem Schutz feste und dauernde Vereinigungen schuf, brachte die Gastfreundschaft eine andere Art Prostitution hervor, die gleichfalls älter als alle religiösen und moralischen Satzungen sein muss. Die Gastfreundschaft war die Anwendung einer Vorschrift, die vielleicht dem Menschenherzen von Geburt aus innewohnt, und die mehr einer selbstsüchtigen Vorsorge, als der uneigennützigen Regung entstammte, welche inzwischen die christliche Nächstenliebe geschaffen hat: „Behandle deinen Nächsten wie du selbst von ihm behandelt sein willst." Und wahrlich fühlte der Mensch mitten in den Wäldern, in denen er lebte, besonders die Notwendigkeit, immer und überall bei seinesgleichen einen Platz am Feuer und am Tische zu finden, wenn seine Jagdzüge und ziellosen Wanderungen ihn weit weg von seiner Reisighütte und seinem Tierfelllager führten. Es war also die Erkenntnis des allgemeinen Nutzens, die aus der Gastfreundschaft einen heiligen Gebrauch und ein unverletzliches Gesetz machte. Der Gast wurde bei allen alten Völkern mit Freude und Achtung begrüsst. Seine Ankunft schien ein gutes Vorzeichen; seine Anwesenheit brachte dem Dache, unter dem er geweilt hatte, Glück. Für diesen glücklichen Einfluss, den er mit sich brachte, und den er überall da, wo er sich aufgehalten hatte, zurückliess, musste man ihm doch Gerechtigkeit dadurch widerfahren lassen, dass man sich mit allen zu Gebote stehenden Mitteln bemühte, ihm zu gefallen und ihm angenehm zu sein. Der Ehemann überliess freiwillig sein Bett und sein Weib dem Gaste, den die Götter ihm sandten, und das Weib, das sich willig dem Brauche fügte, welcher ihrer Launenhaftigkeit und Neugierde schmeichelte, überliess sich mit Freuden diesem kitzlichen Akte der Gastfreundschaft. Es ist wahr, dass sie hierzu durch die Hoffnung auf ein Geschenk geführt wurde, welches ihr oft am andern Morgen der Gastfreund bei seinem Abschied von ihr bot. Dies war aber nicht der einzige Vorteil, den sie aus dieser anerkannten Prostitution zog, welche ihr von ihren eigenen Eltern und ihrem Gatten vorgeschrieben wurde, sie konnte auch das Glück haben, die Umarmungen eines Gottes oder eines Genius zu empfangen, der sie zur Mutter machte und mit einer ruhmvollen Nachkommenschaft versah. Denn in allen Religionen, sowohl in denen Indiens wie in denen Griechenlands und Aegyptens, war es allgemein anerkannte Glaubenssache, dass die Götter in menschlicher Gestalt unter den Menschen wandelten und ihren Aufenthalt nahmen. Der Reisende, der Bettler, mochte er noch so hässlich und missgestaltet sein, der ein Familienglied von dem Augenblicke wurde, wo er die Schwelle des Hauses oder des Zeltes überschritt und sich daselbst im Namen der Gastfreundschaft als Herr einrichtete, konnte er nicht Brahma,

Osiris, Jupiter oder sonst ein anderer verkleideter Gott sein, der zu den Sterblichen herab gestiegen war, um sie in der Nähe zu sehen und sie zu prüfen? Fand sich das Weib dann nicht durch die Umarmungen der Gottheit geläutert? So also hatte sich die gastliche Prostitution, die bei allen Naturvölkern bekannt war, durch Ueberlieferung und Gewohnheit in die Sitten der alten Civilisation verpflanzt.

Die heilige Prostitution entstand fast gleichzeitig mit dieser ersten Prostitution, welche in gewisser Beziehung ein Bestandteil des Kultus der Gastfreundschaft war. Sobald die Religionen aus der Furcht, welche der Anblick der grossen Naturereignisse im Menschenherzen erregte, entstanden waren, sobald Donner und Blitz, Sturm, Erdbeben und das wildwogende Meer hatten die Götter erfinden lassen, bot sich die Prostitution selbst diesen schrecklichen und unversöhnlichen Göttern an, und der Priester nahm für sich selbst eine Opfergabe in Anspruch, welche die Götter, die er vertrat, nicht geniessen konnten. Die dummen und leichtgläubigen Menschen opferten auf den Altären das Beste, was sie hatten: die Milch ihrer Kühe, das Blut und das Fleisch ihrer Tiere, die Früchte und Erträgnisse ihrer Felder, die Beute ihrer Jagd und ihrer Fischerei, die Werke ihrer Hände; die Weiber zögerten nicht, sich selbst als Opfer dem Gotte darzubringen, das heisst seinem Bilde oder seinem Priester. Der Priester oder das Bild, der eine oder das andere, empfing die Gabe, sei es nun die Jungfräulichkeit der mannbaren Tochter oder die Keuschheit des verheirateten Weibes. Die heidnischen Religionen waren dem Zufall und der Phantasie entsprungen. Sie richteten sich in ihren Glaubenssätzen und Vorschriften nach den jeweiligen Sitten und passten sich den Staatseinrichtungen der einzelnen Völker an. Die Philosophen und die Priester hatten dieses Werk schlauen Betrugs mit Klugheit vorbereitet und vollendet; aber sie hüteten sich wohl, auf den alten Brauch der heiligen Prostitution einen Druck auszuüben; sie brachten nur mehr Ordnung darein, indem sie die Leitung ihrer Ausübung übernahmen. Diese Ausübung umgaben sie mit geheimen und eigenartigen Gebräuchen. Die Prostitution wurde von da ab ein Bestandteil der Kulte gewisser Götter und Göttinnen, welche sie befahlen, sie duldeten oder dazu anfeuerten. Daher stammen die Mysterien von Lampsakus, von Babylon, von Paphos, von Memphis, daher der schändliche Handel, den man an den Tempelpforten trieb, daher die ungeheuerlichen Götzenbilder, denen die Jungfrauen in Indien sich preisgaben, daher endlich die unsittliche Herrschaft, welche die Priester sich unter dem Schutze ihrer unzüchtigen Götter anmassten.

Die Prostitution musste unbedingt von der Religion in die Sitten und die Gesetze der Völker übergehen, und so entstand die legale Prostitution, welche in der Gesellschaft festen Fuss fasste und sie bis ins Mark verdarb. Diese Prostitution war vielhundertmal gefährlicher als die, welche sich im Schatten der Altäre und heiligen Haine verbarg, denn sie zeigte sich unverhüllt vor aller Augen und deckte sich nicht einmal mit dem Vorwande der allgemeinen Notwendigkeit: ihre Tochter war die Ausschweifung, welche alle andern Laster erzeugt. Nur deshalb hatten die Gesetzgeber, welche die grosse Gefahr erkannten, welche die Gesellschaft lief, den Mut, sich gegen die Prostitution aufzulehnen und sie in weise Grenzen zu verweisen. Einige versuchten unnützer Weise sie ganz zu ersticken und zu vernichten, aber sie wagten es doch nicht, sie bis in die unverletzlichen Asyle zu verfolgen, welche ihr die Religion bei bestimmten Festen und bei gewissen feierlichen Gelegenheiten bot. Ceres, Bacchus, Venus und Priap beschützten sie vor der Macht der Obrigkeit, ausserdem war sie auch schon so tief in die Gewohnheiten des Volkes eingedrungen, dass es unmöglich war, sie daraus zu entfernen, ohne an den Wurzeln der religiösen Lehrsätze zu rütteln. Nur eine ganz neue Religion konnte die Aufgabe der Gesetzgeber ermöglichen helfen, die heilige Prostitution aus der Welt zu schaffen und dadurch auch der legalen Prostitution einen heilsamen Zügel anzulegen. Dies war das Werk des Christentums, welches die Sinnlichkeit vom Throne stiess und den Sieg des Geistes über die Materie verkündete.

Und doch hat Jesus Christus, nach seinen Evangelien, die Ehre einer Dirne wiederhergestellt, indem er Magdalena aufhob und dieser Sünderin den Genuss des göttlichen Wortes zukommen liess. Er erzählte ihr das Gleichnis von den klugen und thörichten Jungfrauen. Gleichzeitig aber wies er durch die feierliche Einführung der Zeit der Busse und Reue auf die Schamhaftigkeit und die Enthaltsamkeit hin. Seine Apostel und deren Nachfolger kündeten, um die alten Götzen der Unkeuschheit vollends zu stürzen, der christlichen Welt an, dass der wahre Gott nur mit keuschen Seelen Gemeinschaft haben und nur in einem aller Unzucht baren Körper Mensch werden könne. In dieser Zeit der fortgeschrittenen Civilisation bestand die gastliche Prostitution nicht mehr. Die heilige Prostitution, welche zum erstenmal errötete, schloss sich in ihre Tempel ein, welche ihr ein neuer, reinerer und weniger sinnlicher Kult streitig machte. Das bedrohte, von allen Seiten angegriffene Heidentum versuchte nicht einmal einen seiner Lieblingsgebräuche, die Prostitution, zu verteidigen, welche die öffentliche Meinung mit Entrüstung zurückwies. Also hatte die heilige Prostitution, wenigstens in der Oeffentlichkeit, zu bestehen aufgehört, ehe noch das Heidentum völlig seinen Kult und seine Tempel verloren hatte. Die Religion des Evangeliums hatte ihre Anhänger gelehrt, vor sich selbst Achtung zu haben; die Keuschheit und die Enthaltsamkeit wurden von nun an unerlässliche Tugenden eines Jeden; sie waren nicht mehr wie früher, ein Vorzug einiger Philosophen. Die Prostitution hatte nunmehr weder Grund noch Gelegenheit, sich einen religiösen Mantel umzuhängen oder sich in irgend einen dunkeln Winkel des Tempels zu verbergen. Allein, während der vielen Jahrhunderte, in denen sie so tief in die religiösen Bräuche eingedrungen war, hatte sie den Tempeldienern so viele heimliche Freuden verschafft, dass sie hie und da noch in einigen Klöstern ihr Leben fortsetzte, und dass sie die Urheberin des unzüchtigen Kultes einiger. Heiligen wurde. Es war immer noch Priap, den der grosse, dumme Haufe unter dem Namen St. Guignolet oder St. Grelichon anbetete: es war in den ersten Zeiten des Christentums noch immer die heilige Prostitution, welche unfruchtbare Weiber in direkten Verkehr mit den phallustragenden Statuen dieser unkeuschen Seligen brachten.

Aber die edle Moral Christi hatte die Geister erleuchtet, die Leidenschaften beschwichtigt, das Sittlichkeitsgefühl angestachelt und die Herzen gereinigt. In den ersten Zeiten dieses neuen Glaubens konnte man die Ueberzeugung haben, dass die Prostitution ebenso aus den Sitten, wie aus den Gesetzen verschwinden, und dass es gänzlich unnötig sein würde, gesetzliche Dämme diesem schmutzigen Strome entgegenzusetzen. St. Augustin vergleicht ihn mit den Kloaken, die in den glänzendsten Palästen angelegt sind, um alle ansteckenden Krankheitsstoffe abzuführen und die Gesundheit der Luft zu sichern. Die neue Gesellschaft, die sich mitten aus der alten Welt erhob, führte einen so erbitterten Krieg gegen die Prostitution, dass diese sich auf Gnade und Ungnade ergeben musste. Bischöfe, Synoden und Konzilien gaben sie überall dem Hasse der Gläubigen preis und zwangen sie, sich in den Schatten zu verbergen, um Geld- und Körperstrafen zu entgehen. Aber die christlichen Gesetzgeber hatten eine zu hohe Meinung vom Ansehen der Religion, sie hatten es zu eilig, alle Auswüchse der fleischlichen Lüsternheit zu unterdrücken, sie hatten zu wenig mit den Trieben, den Neigungen und den Temperamenten der Menschen gerechnet: die Prostitution konnte nicht verschwinden, ohne die Ruhe und Ehre der anständigen Frauen in grosse Gefahr zu bringen. Sie trat von da an frecher denn je in ihrem unrühmlichen Reiche auf, und sie verachtete oft das Gesetz, welches sie nur ungern duldete, weil dieses sie in den engsten Grenzen hielt und sich alle Mühe gab, sie den Augen der Anständigen zu entziehen. Es war also die christliche Weltanschauung, welche ihr noch die besten und beachtetsten Grenzen zog. Indem das Christentum die Ehe zu einer streng sittlichen Einrichtung erhob und die Stellung der Frau dem Manne gegenüber auf gleiches Niveau brachte, sodass der Mann sie als Genossin vor Gott und den Menschen betrachtete, verdammte es die Prostitution, ausserhalb der Gesellschaft in ihren geheimen Lasterhöhlen und unter dem Druck einer öffentlichen Brandmarkung zu leben.

Trotz der Strenge des Gesetzes, das die Prostitution zwar duldete, aber sie beständig bedrohte und verfolgte, war doch ihre Existenz keine unsichere oder unvorteilhafte: sie war wohl aus den Städten verbannt, aber sie fand eine Zuflucht in den Vororten, an den Kreuzungen der Strassen, hinter den Hecken und auf dem platten Lande. Sie hattte mitten unter dem Volke als Abzeichen gewisse Farben, die für unehrlich galten.

einen bestimmten Schnitt der Kleidung, den sie allein tragen durfte, aber auf diese Art trug sie ihr Schandgewerbe öffentlich zur Schau. Sie schreckte wohl die frommen und keuschen Leute ab, aber sie zog dafür die jungen Wüstlinge, die alten Sünder und die Landstreicher an sich. Man kann also sagen, dass sie stetig auf der Bahn des Lebens dahin schritt, selbst wenn die sittlichen oder religiösen Bedenken eines Königs, eines Fürsten oder einer Behörde die Absicht erkennen liessen, sie gänzlich zu verbieten oder durch eine übermässige Strafe zu unterdrücken. Die Gesetze, welche ihre Abschaffung verordneten, waren selbst selten von langem Bestande. Dieses soziale, notwendige Uebel blieb beständig am Körper der Nation haften wie ein unheilbares Geschwür, welches die Aerzte überwachen und an seinem Umsichgreifen hindern. Diese Rolle spielt die Prostitution seit mehreren Jahrhunderten in allen Ländern, wo es eine vorsorgliche und einsichtsvolle Polizei giebt. Deshalb muss man sie auch eine legale Prostitution nennen: die Religion verbietet sie, die Moral verabscheut sie, aber das Gesetz erkennt sie an.

Die legale Prostitution umfasst nicht nur die untergeordneten Geschöpfe, welche sich offen zu ihrem verworfenen Gewerbe bekennen und sie öffentlich ausüben, sondern auch alle die Weiber, die ohne rechtliche Anerkennung und Befugnis sich den Vergnügungen des zahlenden Publikums hingeben, also ebenfalls mit ihren Reizen in verschiedenem Grade und unter mehr oder minder verächtlichen Namen Handel treiben. Es giebt also doch, um uns genauer auszudrücken, zwei Arten legaler Prostitution; diejenige, die dem Gesetz bekannt ist, und die dessen gebührende persönliche Anerkennung besitzt, und diejenige, die dem Gesetz unbekannt ist, und die nur durch die stillschweigende Duldung des Gesetzes besteht; die eine verborgen und versteckt, die andere offen und anerkannt. Nach dieser Teilung der Prostitution in zwei Hauptklassen, welche von der wohlwollenden Gesinnung der bürgerlichen Gesetze Nutzen ziehen, kann man auf die Unmasse der verschiedenen Unterarten dieser heimlichen Prostitution schliessen, über welche die Gesetze die Augen zudrücken, und welche der unschlüssige Moralist dem Urteil der öffentlichen Meinung unterstellt, die sich kaum mit ihr beschäftigt. Immer mehr verliert die Prostitution ihren eigentlichen Charakter, den des zur Gewohnheit gewordenen Handels, immer weiter entfernt sie sich von dem Schandpfahl, an welchen ihr Geschick sie nach dem Gesetze fesselte; wenn sie einmal die noch unbestimmten Grenzen ihres schändlichen Handels überschritten hat, schweift sie unergreifbar in dem weiten Spielraume der Galanterie und der Vergnügungssucht umher. Man sieht, dass es nicht leicht ist, die Grenzen der legalen Prostitution genau zu bestimmen, da man bis jetzt weder weiss, wo sie beginnt, noch wo sie endet.

Dies muss sich aber immer dem Geiste unserer Leser tief einprägen, dass ein ungeheurer Abstand die Prostitution der Alten von der der Jetztzeit trennt. Diese ist rein legal, mehr geduldet als erlaubt, und unterliegt dem doppelten Tadel der Religion und der Moral; jene hingegen war, obschon auch sie von den Philosophen verurteilt wurde, doch durch die Sitten und die Lehren der Religion geheiligt. In der vorchristlichen Zeit ist die Prostitution überall, unter dem häuslichen Dache, im Tempel und auf der Gasse zu finden; unter der Herrschaft des Evangeliums hingegen wagt sie nur zu gewissen Nachtstunden und an bestimmten, ihr vorbehaltenen Orten sich zu zeigen, die weit von dem Aufenthalt anständiger Leute entfernt liegen. Später jedoch nahm sie, um die Freiheit zu haben auch am hellen Tage zu erscheinen und der Sittenpolizei zu entgehen, Vorrichtungen, Kleidungen und Namen an, die weder die Augen noch die Ohren verletzten, und sie machte sich eine züchtige Maske um das Recht zu erlangen ihr Handwerk frei, ohne Aufsicht und ohne Ueberwachung ausüben zu können. Aber zu allen Zeiten erhob die öffentliche Meinung, selbst wenn das Gesetz zu schwach oder stumm war, gegen diese scheinheiligen Vermummungen der legalen Prostitution Einspruch

Wir haben durch das vorhergesagte schon ziemlich deutlich den Plan des Werkes durchblicken lassen Das Werk ist die Frucht eingehender Forschung und völlig neuer Studien. Was nun den Zweck dieses Werkes anbelangt, halten wir es nicht für angebracht darauf zu bestehen ihn verständlich zu machen; bei einem derartigen Gegenstand muss sich ein Schriftsteller, der sich ebenso wie seine Leser achten will, daran halten ein Laster verabscheuenswert zu machen, selbst wenn es sich unter dem verführerischsten Aeusseren zeigen sollte. Es genügt uns dies Laster hassenswert erscheinen zu lassen, seine traurigen Folgen und fürchterlichen Lehren zu zeigen. Unser Werk ist kein Buch strenger und starrer Moral, es ist vielmehr eine seltsame Geschichte, reich an Bildern, deren Nacktheit, die besonders die von den griechischen und römischen Schriftstellern im Ueberfluss gelieferten zeigen, wir möglichst verschleiern wollen. Aber man wird sehen, dass zu allen Zeiten und in allen Ländern die Philosophen und Gesetzgeber mit ihren weisen Warnungen Einsprache gegen die Ueberhandnahme der sinnlichen Leidenschaften erhoben. Moses predigte Keuschheit in seinem Gesetze, das er den Juden gab; Solon und Lykurg wüteten gegen die Prostitution in dem wollüstigen Vaterlande der Kurtisanen; der römische Senat brandmarkte die Wollust im Angesichte der schmutzigen Mysterien der Isis und Venus; Karl der Grosse, Ludwig der Heilige, alle Könige, die sich als „Hirten der Menschen“ betrachteten, um diesen schönen Ausspruch Homers zu gebrauchen, arbeiteten daran, die Sitten ihrer Völker zu reinigen und die Prostitution in einer verborgenen und entehrenden Knechtschaft zu halten. Dies war nur die wachsame Thätigkeit der Gesetze. Zu derselben Zeit aber predigte die Philosophie in ihren Lehren und Schriften Enthaltsamkeit und Scham. Pythagoras, Plato, Aristoteles,

Cicero liehen eine hinreissende und überzeugende Stimme der reinen Moral. Als das Evangelium die Ehe wieder zu Ehren gebracht hatte, als die Keuschheit eine religiöse Vorschrift wurde, konnte die christliche Philosophie nur die Ratschläge der heidnischen Philosophie wiederholen. Seit achtzehn Jahrhunderten schleudert der Stuhl Petri Donner und Blitz in den Pfuhl der Prostitution. Hier ist Schmutz und Finsternis, dort eine heilige Flut, die das Herz von seinen Flecken reinigt, ein lebenspendendes Licht, das von Gott ausgeht.

Das gesamte Werk ist in vier Abteilungen geteilt, welche zusammen die vollständige Geschichte der Prostitution in alter und neuer Zeit bei allen Völkern darstellen.

Die erste Abteilung, welche uns die Prostitution in ihren drei verschiedenen Formen, den Forderungen der Gastfreundschaft, der Religion und der Gesetzgebung folgend, zeigen wird, umfasst nur das griechische und römische Altertum. Die Quellen und der Stoff dieses ersten Abschnittes sind in so überflüssiger und reicher Menge vorhanden, dass er für sich allein, wenn er alle die Erörterungen, welche er zulässt, aufnehmen wollte, den Umfang von mehreren Bänden erreichen könnte. Die Briefe des Alciphron, die Deipnosophisten des Athenaeus und die Dialoge des Lucian lassen uns den Verlust der geschichtlichen Abhandlungen weniger vermissen, welche Gorgius, Ammonius, Antiphanes, Apollodor, Aristophanes und andere griechische Schriftsteller über das Leben und die Sitten der Dirnen oder Hetären geschrieben haben. Meursius, Maronius und mehrere moderne Schriftsteller und Gelehrte, unter anderen der Professor Jakobs in Gotha, haben dieses Thema in ihren gelehrten Werken zu behandeln für würdig gefunden. Das alte Rom hat uns kein eigens einem Stoffe gewidmetes Werk hinterlassen, welcher ihm dennoch nicht fremd war; aber die verschiedenen lateinischen Schriftsteller, die Dichter hauptsächlich, bieten mehr Material, als wir verwenden können werden. Ferner haben gelehrte Pedanten, wie Laurentius, Choveronius und andere nicht ermangelt die Geheimnisse der römischen Prostitution zu sammeln und zu erörtern. Wir haben so wenig Veranlassung über die Prostitution bei den Aegyptern, den Juden und den Babyloniern zu sprechen, dass wir kein Bedenken tragen dem griechischen Altertum die Kapitel vorzusetzen, welche wir diesen alten Völkern widmen werden, bei denen die gastliche Prostitution so tiefe Spuren hinterlassen hatte.

Die zweite Abteilung unseres Werkes beschäftigt sich ausschliesslich mit Frankreich. Wir folgen darin, der Geschichte der Prostitution seit den Zeiten der alten Gallier bis zu unseren Tagen. Wir werden wohl einige kaum erkennbare Spuren der heiligen Prostitution antreffen; aber vor allem ist es die legale Prostitution, die wir diesem Teile unseres Werkes aus der Geschichte der Jurisprudenz, der Politik, der Religion und der Sitten herausholen werden. Dieser Gegenstand der hohen Moral ist nur für die Zeit der Gegenwart behandelt worden. P. Duchalet, der Beobachter, aber nicht Geschichts- und Altertumsforscher war, hat die Prostitution nur hinsichtlich der Verwaltung, der Gesundheit und Statistik betrachtet und bearbeitet. Die Werke derselben Art, wie das seinige, welche von A. Béraud und von Sabatier veröffentlicht wurden, schliessen einige historische Thatsachen mehr ein als die umfangreiche Abhandlung über die Prostitution in der Stadt Paris; aber sie haben nur Bedeutung für diesen Gegenstand hinsichtlich der Gesetzgebung. Die Geschichte der Sitten und ihrer verschiedenen Erscheinungen ist noch zu schreiben, und wir haben sie Stück für Stück aus den Geschichtswerken, den Chroniken, den Dichtern und allen Schriftstellern gezogen, welche gelegentlich eine Thatsache, eine Einzelheit, eine Beobachtung die Bezug auf ein so grosses und umfangreiches Thema hat, welches wir zum erstenmale behandeln, angeführt haben. Einige Seiten des Traité de la Police von Delamarre, des Repertoire de Jurisprudence von Merlin, Encyclopädien und gleichartige Sammlungen, das war alles, was über diesen Stoff vorhanden war, ehe die gelehrte Monographie, welche Rabutaux als Anhang zu dem grossen Werke: „Das Mittelalter und die Renaissance" veröffentlichte, erschien. Herr Rabutaux schränkte seine gelehrte Arbeit ein, der er den Namen „Le service des Moeurs" gab. Wir fügen hier die Geschichte der Prostitution in Frankreich und das gemilderte Gemälde ihrer äusseren Erscheinung und ihres geheimen Kultus nach den authentischen Quellen hinzu. Wir werden, die Fackel der Wissenschaft in der Hand, in die Schlupfwinkel der Rue Baville hoc oder de Hulen eindringen; wir werden durch die erotischen Schriften des achtzehnten Jahrhunderts in die „kleinen Häuschen der Mureinen" eingeführt werden; wir werden uns in die königlichen Gärten des Parc aux Cerfs einschleichen, wir werden mit verhülltem Gesicht in die verpesteten Kämmerchen des Palais-Royal hinabsteigen; und immer und überall werden wir mit Flammenschrift auf das Gemäuer folgendes Urteil schreiben, verständlicher als das am Fest des Belsazar war: „Ohne Sitten giebt es weder Gott, noch Vaterland; weder Friede noch Glück."

Die dritte Abteilung dieses Werkes ist der Geschichte der Prostitution im übrigen Europa vorbehalten. Italien, Spanien, England, Deutschland und die sonstigen Länder werden abwechselnd ihren Teil zu dem Sittenbilde beitragen, das wir den Zeiten und Ländern entsprechend wechseln sehen werden.

Die vierte Abteilung dieser Geschichte endlich, die so oft schmerzbereitend und herzzerreissend ist, wird uns in die aussereuropäischen Länder führen, nach Asien, nach Afrika, nach Amerika und Australien. Wir werden vergeblich nach einem Volke suchen, welches nicht, als unabwendbares Uebel, den Aussatz der Prostitution mit sich herumschleppte.

Wir betonen von vornherein, dass die Lektüre unseres Werkes von grossem Einfluss und wahrem Nutzen sein wird. Man wird dabei beständig der Vorsehung danken lernen, welche uns erlaubt hat, zu einer Zeit zu leben, in der die Prostitution in unseren Sitten verblasst und die Gefühle für Ehre und Tugend von selbst in unserer Brust entstehen. Man muss sehen, was die Prostitution bei unseren Vätern war, um beurteilen zu können, welche sozialen Verbesserungen uns jeder Tag bringt, die in der Zukunft ihre wohlthätigen Wirkungen nur vermehren können. Die Prostitution ist eine öffentliche Krankheit. Ihre Symptome beschreiben, nach ihren Ursachen forschen, heisst ein Heilmittel bereiten.

F. S. Pierre Dufour.

I. Kapitel.

Der alte Orient.

Chaldäa, die Wiege der heiligen und gastlichen Prostitution. — Babylon. — Venus-Melitta. — Unsittliche Gebräuche der Babylonier. — Mysterien des Melittakultus. — Kultus der Venus Urania auf der Insel Cypern. — Der Prophet Baruch und Herodot. — Heilige Prostitution der babylonischen Weiber. — Opfer um Venus günstig zu stimmen. — Der heilige Hain der Prostitution. — Sittliche Verwilderung der Babylonier. — Ihr Raffinement in den Künsten der Wollust und ihren Vergnügungen. — Unzüchtigkeit der babylonischen Matronen und ihrer Töchter bei Gelagen. — Heilige Prostitution in Armenien. — Tempel der Venus Anaitis. — Serail von Buhlern und Buhlerinnen. — Gäste der Venus. — Heilige Gehege. — Priesterinnen der Anaitis. — Heilige Prostitution in Syrien. — Kult der Venus, des Adonis und des Priap. — Die Astarte der Phönizier. — Nächtliche Feste und schamlose Ausschweifungen, die unter dem Schutze und zu Ehren der Astarte stattfanden. — Die Göttin der Sidonier. — Heilige Prostitution auf der Insel Cypern. — Die Töchter von Amathunt. — Cypris, die Geliebte des Königs Cinyras, des Gründers des Tempels zu Paphos. — Phallus als Sühnopfer dargebracht. — Die hermaphrodite Venus zu Amathunt, die sogenannte „Doppelte Göttin". — Die geheimen Mysterien des Astartekult. — Die Bachstelze. — Liebestränke der Magier. — Die heilige Prostitution in den phönizischen Kolonien. — Die Tochterhütten zu Sicca Veneria. — Hauptmerkmale

des Venuskultus nach Angabe St. Augustins. — Hermaphroditenkult in Kleinasien. — Die Feste zu Ehren des Adonis in Byblos. — Die Arten des Adoniskultus. — Die phallustragende Adonisstatue. — Die Tempel der Venus Anaitis zu Zela, Comanes, Susa und Ekbatana. — Die heilige Prostitution bei den Parthern und bei den Amazonen. — Weichlichkeit der Lydier. — Schamlose Ausschweifungen der lydischen Mädchen. — Grabmal des Königs Alyattes, Vaters des Kroesus, fast ganz von Einkünften der Dirnen erbaut. — Musizierende und tanzende Prostituierte folgen dem lydischen Heere. — Orgien der alten Perser in Gegenwart ihrer Eheweiber und ehelichen Töchter. — Die 329 Konkubinen des Darius.

In Chaldäa, der alten Wiege des Menschengeschlechts, müssen wir auch die ersten Spuren der Prostitution suchen. Der eine Teil Chaldäas, welcher im Norden an Mesopotamien stösst und das Land Ur, Abrahams Heimat, einschliesst, hatte eine wilde, kriegerische Bevölkerung, die inmitten ihrer Berge keine andere Beschäftigung als die Jagd kannte. Dieses Jägervolk übte zuerst die Gastfreundschaft und die damit verbundene gastliche Prostitution, die in gleicher Weise ihre kindliche, wie rohe Denkweise zum Ausdruck bringt. Im andern Teile, der an das wüste Arabien grenzt und sich in fruchtbaren Ebenen und fetten Weiden ausbreitet, führte ein Hirtenvolk, sanften und friedlichen Charakters, inmitten seiner zahllosen Herden ein Wanderleben. Es beobachtete die Sterne, es schuf Wissenschaften, es stiftete Religionen und errichtete mit diesen die heilige Prostitution. Als der berühmte Herrscher und Eroberer Nimrod, den die Bibel einen „grossen Jäger vor dem Herren“ nennt, beide Landschaften und Völker Chaldäas unter seinem Scepter vereinigte, als er im Jahre 1402 nach Erschaffung der Welt — nach mosaischer Zeitrechnung — Babylon am Euphratufer gründete, vollzog sich allmählich, unter dem Einflusse der Gewohnheit, die Vermischung der Religionsanschauungen, der Denkweise und der Sitten der verschiedenen Stämme seiner Unterthanen, ohne dass er diese Verschmelzung gewaltsam herbeiführte. Und so wurden denn heilige und gastliche Prostitution bald ein und dasselbe im Gedankenkreise der Babylonier und zugleich eine der wichtigsten Erscheinungen im Venus- oder Melittakultus.

Hören wir Herodot, den wahren Vater der Geschichtsschreibung, den ältesten Sammler historischer Ueberlieferungen: Die Babylonier haben ein sehr schändliches Gesetz: Jede Frau, die in ihrem Lande geboren ist, muss sich einmal in ihrem Leben in den Tempel der Venus begeben und sich daselbst einem Fremden überlassen. Ein Teil von ihnen hält es aber aus Stolz, den ihnen ihr Reichtum einflösst, unter ihrer Würde, sich mit den andern auf gleiche Stufe gestellt zu sehen, und diese lassen sich in geschlossenen Wagen vor den Tempel fahren. Dort bleiben sie sitzen, hinter sich eine grosse Menge von Dienern, die sie begleitet haben. Die grosse Mehrzahl aber setzt sich, das Haupt von Schnurenkränzen umwunden, im Tempelgarten nieder. Es ist ein beständiges Kommen und Gehen. Man sieht nach allen Himmelsrichtungen durch ausgespannte Seile getrennte Gänge führen, in denen sich die Fremden ergehen und die Weiber erwählen, die ihnen am besten gefallen. Wenn eine Frau einmal an diesem Orte Platz genommen hat, darf sie nicht eher nach Hause zurückkehren, als bis ihr ein Fremder Geld in den Schoss geworfen und mit ihr ausserhalb des geweihten Raumes Umgang gepflogen hat. Der Fremde muss, wenn er ihr das Geld zuwirft, dazu sagen: Ich rufe die Göttin Melitta an. Die Assyrier nennen nämlich die Venus Melitta. Wie gering auch die Summe sein mag, niemals darf sie zurückgewiesen werden, das Gesetz verbietet es, denn dieses Geld wird geopfert. Sie muss dem ersten, der ihr ein Geldstück zuwirft, folgen und darf keine Person zurückweisen. Wenn sie endlich durch die Preisgabe ihres Körpers an einen Fremden ihren Verpflichtungen gegen die Göttin nachgekommen ist, kehrt sie nach Hause zurück; und niemals wird sie sich darnach, soviel man ihr auch bieten möchte, verführen lassen. Diejenigen Weiber, die eine schöne Figur oder ein schönes Angesicht haben, verweilen nicht lange im Tempel, die hässlichen dagegen bleiben länger, weil sie dem Gesetz nicht bald genügen können; ja einige bleiben sogar drei oder vier Jahre dort. (Herod. I. 199).

Diese heilige Prostitution, die sich mit dem Kultus der Melitta oder Venus Urania auch auf der Insel Cypern und in Phönizien ausbreitete, ist eine historisch beglaubigte Thatsache, so ungeheuerlich, so wunderbar und unwahrscheinlich sie auch erscheinen mag. Der Prophet Baruch, den Herodot nicht benutzt hat, und der sich zweihundert Jahre vor dem griechischen Geschichtsschreiber mit Jeremias darüber beklagte, erzählt dieselben schändlichen Vorgänge im Jeremiasbrief an die vom König Nebukadnezar in die babylonische Gefangenschaft geführten Juden in folgender Weise: Die Frauen sitzen, umgürtet von Stricken, am Rande der Wege und verbrennen wohlriechende Opfergaben. Wenn nun eine von ihnen durch einen Fremden zum Beischlaf aufgefordert wird, so schmäht sie ihre Nachbarin, dass jene nicht wie sie selbst für würdig erachtet worden ist, von diesem Manne besessen zu werden und die Umgürtung ihrer Schnüren gelöst zu sehen. (Baruch Cap. 19.) Diese Schnürengürtel, diese Knotengeflechte, die den Leib der Frauen, welche sich der Venus geweiht hatten, umgaben, sind ein Symbol der Schamhaftigkeit und sollen andeuten, dass diese nur durch ein gebrechliches Band, das die stürmische Liebe bald zerreissen wird, geschützt ist. Jeder, der sich mit einer dieser geweihten Frauen vermischen will, muss die Enden dieser Schnüren ergreifen und so seine Eroberung unter die Bäume fortziehen, die ihren Schatten über die Vollendung der Mysterien breiten. Das Venusopfer wurde von der Göttin besonders gern empfangen, wenn der Opfernde bei der Umarmung stürmisch alle hindernden Bande brach. Die Gelehrten, die diese berüchtigte Baruchstelle erklären, sind über die Art der von den Geweihten vorher zur Günstigstimmung der Venus verbrannten Opfergaben noch nicht einig; nach den einen war es ein Opferkuchen aus Gerste und Weizen, nach andern ein Liebeszauber, der Verlangen entzünden und zum Vergnügen anregen sollte; nach einer natürlicheren Erklärung endlich handelte es sich nur um die wohlriechenden Beeren der Weihrauchpflanze.

Herodot hat um das Jahr 440 v. Chr, die heilige Prostitution der babylonischen Weiber mit eigenen Augen gesehen; als Fremder warf er ohne Zweifel auch ein Geldstück in den Schoss einer schönen Babylonierin. Drei und einhalb Jahrhundert später war ein anderer Reisender, Strabo, Zeuge dieser Unsittlichkeiten, und er berichtet, dass alle Weiber Babylons einem Orakelspruch gehorchten, indem sie ihren Leib einem Fremden, den sie als Gast betrachteten, überliessen: Mos est . . cum hospite corpus miscere, lautet die lateinische Uebersetzung seines griechisch geschriebenen Geographiewerkes. Diese Prostitution fand nur in dem einen Heiligtum statt, wo sie in der ersten Zeit der Gründung Babylons eingesetzt worden war. Der eigentliche Tempel der Melitta war selbst viel zu klein um alle Verehrer der Göttin zu fassen, aber rund um ihn herum war ein dazu gehöriger, breiter Landstrich, der mit Hütten, Hainen, Teichen und Gärten besetzt war: dies war das eigentliche Heim der Prostitution. Die Frauen, die sich hier aufhielten, befanden sich auf geweihtem Boden, sicher vor den Blicken des Vaters oder Gatten, die sie hätten beunruhigen können. Herodot und Strabo erwähnen nicht, dass die Priester etwas von den Gaben der Verehrerinnen der Melitta für sich behalten hätten, aber Baruch zeigt uns, dass die babylonischen Priester durchaus nicht die Männer waren, die sich etwas hätten entgehen lassen.

Man wird einsehen, dass der beständige Anblick der geheiligten Prostitution die Sitten Babylons untergraben musste. Und in der That war diese gewaltige, mit mehreren Millionen Einwohnern bevölkerte Stadt, die einen Umkreis von fast siebzig km. hatte, bald eine Brutstätte der entsetzlichsten Wollust geworden. Sie wurde bei der Eroberung durch die Perser im Jahre 331 v. Chr. teilweise zerstört; aber weder die Vernichtung einiger Riesenbauten, noch die Plünderung der Paläste und Gräber, noch die Zerstörung der Mauern konnten die von der Prostitution verpestete Luft reinigen, die hier, in ihrer wahren Heimat, solange fortbestand, als sie ein Dach zu ihrer Unterkunft fand. Auch Alexander der Grosse war über die Liederlichkeit Babels entsetzt, als er in dasselbe kam, um es zu erobern und seinen Tod darin zu finden. „Es giebt nichts verdorbeneres als dies Volk," berichtet Quintus Curtius, einer der Geschichtsschreiber der Eroberung Babylons, „und nichts raffinierteres in den Künsten der Wollust und Sinnlichkeit: Väter und Mütter duldeten, dass sich ihre Töchter ihren Gästen um Geld überliessen, und Gatten waren hinsichtlich ihrer Ehefrauen nicht weniger duldsam. Die Babylonier gaben sich hauptsächlich der Völlerei und den daraus entstehenden Lastern hin. Die Frauen erschienen am Anfange ihrer Orgien bescheiden; dann aber entledigten sie sich ihrer Kleider Stück für Stück bis auf einen spärlichen Rest und endlich waren sie, wenn die Scham nach und nach völlig verschwunden war, ganz nackt. Es waren dies nicht etwa öffentliche Dirnen, die sich so preisgaben, nein es waren dies Weiber der edelsten Abkunft und ihre Töchter."

Das Beispiel Babylons fand Nachahmung, und der Melittakult verbreitete sich mit der ihn begleitenden Prostitution in Asien und Afrika bis tief nach Aegypten sowohl wie nach Persien. In jedem dieser Länder führte die Göttin einen andern Namen, und mochte auch ihr Kult neue Formen zeigen, so erschien doch die heilige Prostitution immer darunter

In Armenien betete man die Venus unter dem Namen Anaïtis an. Man hatte ihr einen Tempel nach dem Vorbild des Melittatempel in Babylon errichtet. Um diesen Tempel lag ein grosses Gebiet, in welches eingeschlossen eine dem Dienste der Göttin geweihte Bevölkerung lebte. Fremde allein hatten das Recht die Schwelle dieser Art Serail beiderlei Geschlechts zu überschreiten, und daselbst eine galante Bewirtung zu beanspruchen, die niemals verweigert wurde. Wer immer in dieses Liebes-Dorado zugelassen wurde, musste nach altem Brauch durch ein Geschenk die ihm bewilligten Gunstbezeugungen bezahlen; wie es aber keinen Brauch giebt, der nicht früher oder später zu einer Zeit des Verfalles in Vergessenheit geriete, so zwang auch dort oft die Frau den Gast der Venus, den sie mit ihren Liebkosungen geehrt hatte, ein beträchtlicheres Geschenk anzunehmen, als sie selbst von ihm empfangen hatte. Die Diener und Dienerinnen dieses geheiligten Geheges waren die Söhne und Töchter der edelsten Familien des Landes, sie traten, je nach dem Gelübde ihrer Eltern auf kürzere oder längere Zeit in den Dienst der Göttin. Wenn die Töchter den Tempel der Anaïtis verliessen, liessen sie alles, was sie im Schweisse ihres Körpers hatten erwerben können, daselbst zurück; sie brauchten nicht über das Handwerk, das sie getrieben hatten, zu erröten, und es fehlte ihnen später keineswegs an Gatten, die im Tempel Erkundigungen über das Verhalten der jungen Priesterinnen daselbst einzogen. Diejenigen, welche die grösste Zahl von Fremden empfangen hatten, wurden am meisten zur Ehe begehrt. Auch muss noch berichtet werden, dass man beim Anaïtiskult den Liebhaber soviel als möglich nach Alter, Gestalt und sonstigen Vorzügen auswählte, um die Göttin und ihre Verehrer zu befriedigen. Strabo hat uns diese köstliche Einzelheit, die wir bei anderen Venuskulten nicht wieder finden werden, mitgeteilt.

Die verschiedenen Venusarten waren in ganz Syrien bekannt, und hatten überall ihre Prostitution mit gewissen Unterschieden im Ceremoniell eingerichtet. Die Venus versinnbildlichte und vergöttlichte unter ihren verschiedenen Namen den weiblichen Organismus, die weibliche Empfängnis, die weibliche Natur. Es war daher ganz einfach in derselben Weise den männlichen Organismus, die männliche Zeugungskraft, die männliche Natur zu vergöttern und zu personificieren. Die Männer schufen den Venuskult, die Weiber errichteten den des Adonis, dessen sinnlicher Teil der des Priap wurde Man sieht im Altertume beide Kulturformen, eine neben der andern, in bester Eintracht blühen. Die Verbreitung dieser beiden Kulte, die oft in einen einzigen aufgingen, indem sich beide miteinander mischten, ist besonders den Phöniziern zuzuschreiben. Die phönizische Venus führte den Namen Astarte. Sie hatte Tempel, zu Tyrus, zu Sidon und den sonstigen grösseren Städten Phöniziens, die berühmtesten aber waren die zu Heliopolis in Syrien und Aphaka am Libanon. Astarte zeigte beide Geschlechter an ihren Statuen, um gleichzeitig Venus und Adonis darzustellen. Diese Mischung beider Geschlechter drückt sich noch deutlicher aus in der Verkleidung der Männer in Weiber und umgekehrt, die bei den nächtlichen Festen vorgenommen wurde. Die schmählichsten Ausschweifungen fanden unter dem Schutze dieser Verkleidungen statt; begleitet von dem Klange von Musikinstrumenten, von Klappern und Trommeln, leitete der Oberpriester selbst die Feier. Diese ungeheuerlichen Vermischungen, die unter dem Schutze der „Guten Göttin“ stattfanden, erzeugten eine Menge Kinder, die niemals ihre Väter kennen lernten, und die ihre Mütter, wenn die Reihe, oft schon im zarten Alter, auch an sie kam, bei den Mysterien der Astarte wiederfanden. Es gab dennoch ausser der heiligen Prostitution noch eine Art ehelicher Verbindung, die Männer und Weiber eingingen, bis endlich die Phönizier als ruhmvollstes Opfer der Gastfreundschaft ihre jungfräulichen Töchter preisgaben. Dieser schmachvolle Zustand, den nicht einmal sein Alter entschuldigen kann, dauerte bis ins vierte Jahrhundert unserer Zeitrechnung; und erst Konstantin der Grosse schaffte Ordnung, indem er ihn gesetzlich untersagte, die Astartetempel zerstörte und an Stelle des Heliopolis schändenden Tempels eine christliche Kirche errichtete.

Diese Astarte, die die Bibel die „Göttin von Sidon“ nennt, fand eine nicht minder unkeusche Kultstätte auf der Insel Cypern, wohin die Phönizier frühzeitig mit ihrem weit verbreiteten Handel die heilige Prostitution brachten. Man sagte, Venus, die Meeresentsprossene, habe, wie der glänzende Stern Urania, den die chaldäischen Hirten in schönen Sommernächten daselbst untergehen sahen, sich als irdisches Reich die Insel Cypern gewählt, die ihr die Götter bei ihrer Geburt als Anteil überliessen; so erzählt die griechische Tradition durch den Mund Homers. Diese Astarte der Phönizier, diese Urania der Babylonier, hatte auf ihrer Insel zwanzig berühmte Tempel; die beiden wichtigsten waren der zu Paphos und der zu Amathunt, wo die heilige Prostitution in grösserem Masse als sonst irgendwo ausgeübt wurde. Und dennoch waren gerade die Töchter von Amathunt keusch gewesen, und hatten selbst dann noch auf ihrer Keuschheit verharrt, als Venus auf dem Schaume der Wellen an ihr Gestade gespült wurde. Sie verspotteten diese neue Göttin, die ihnen völlig nackt erschien, und die erzürnte Göttin befahl ihnen zur Sühne ihres schlechten Empfanges sich jedem Ankömmling preiszugeben; sie gehorchten mit so grossem Widerwillen dem Befehle der Venus, dass die Schützerin der Liebe sie in Steine verwandelte. Dies war eine Lehre, die sich die Töchter Cyperns kein zweites Mal geben liessen; sie gelobten sich daher der Prostitution zur Ehre ihrer Göttin, und wandelten am Abend am Gestade des Meeres einher, um sich an die Fremden, die auf ihrer Insel landeten, zu verkaufen, so war es noch im zweiten Jahrhundert, zu Justins Zeiten, der über diese Uferpromenaden der jungen Cyperinnen berichtet; aber zu dieser Zeit wurde nicht mehr wie ursprünglich der Ertrag der Preisgebung der Göttin dargebracht, sondern sie stapelten diesen Schandlohn in einer Truhe auf, damit er eine Mitgift bilde, die ihrem künftigen Gatten gehörte, und die dieser ohne Erröten empfing.

Auch bei den Venusfesten, die eine ungeheure Menge eifriger Verehrer nach Cypern führten, fehlte es nicht an Akten oder wenigstens Andeutungen der Prostitution. Man hat dem Könige Cinyras die Gründung des Tempels von Paphos zugesprochen, und die Priester dieses Ortes behaupteten, Cypris, die Beischläferin dieses Königs, habe einen solchen Ruf in der Ausübung des Liebeshandwerkes sich erworben, dass die Göttin gewünscht habe, man solle ihr deren Namen beilegen. Die Venus, die man zu Paphos verehrte, war also ebenso wie die babylonische Melitta eine Personifizierung des weiblichen Wesens; ebenso brachte man ihr unter anderen Opfergaben, unter dem Namen Καρπώσις, d. h. Erstlinge, einen Phallus oder eine Geldmünze dar. Die Eingeweihten begnügten sich nicht mit dieser sinnbildlichen Darstellung. Die Göttin wurde ursprünglich als Kegel oder Pyramide aus weissem Steine dargestellt, die erst später in eine Frauengestalt umgeformt wurde. Die Statue im Tempel von Amathunt hingegen zeigte eine bärtige Frauengestalt, die bei weiblichem Habitus männliche Genitalien hatte. Diese Venus war also hermaphrodit, wie Macrobius berichtet (putant eandem marem ac fœminam esse.) Darauf beruft sich auch Catullius, der sie die doppelte Göttin von Amathunt (duplex Amathunsia) nennt. Die geheimsten Vorgänge in der Verehrung dieser Astarte spielten sich in dem heiligen Haine ab, der ihren Tempel umgab; in diesem ewig grünen Haine vernahm man das Girren des Iynx oder der Frutilla, des heiligen Vogels der Göttin. Dieser Vogel, dessen Fleisch die Zauberer zu ihren Liebestränken gebrauchten, ist wahrscheinlich kein anderer als unsere gewöhnliche Bachstelze. Die glückliche Insel hatte noch andere Tempel, wo der Venuskultus in derselben Weise gehandhabt wurde: zu Cinyria, zu Tamascus, zu Aphrodisium und zu Idalia besonders nahm die heilige Prostitution dieselben Ursachen, wenn nicht dieselben Formen, in Anspruch.

Von Cypern aus eroberte sie nach und nach alle Inseln des Mittelmeeres; sie drang bis nach Griechenland und Italien vor. Die Handelsflotten der Phönizier brachten sie überall dahin, wo sie Waren aus- oder einführten. Aber jedes Volk, das diesen Kult, der seinen Leidenschaften schmeichelte, annahm, fügte einige Züge seiner eigenen Sitten und seines Charakters bei. In den phönizischen Kolonien behielt die heilige Prostitution das üppige und kaufmännische Aeussere bei, das dieses Handelsvolk kennzeichnet. Zu Sicca Veneria, auf karthagischem Gebiete, war der Venustempel, den man auf tyrenisch Succoth Benoth oder Töchterhütten nannte, ein wahres Asyl für die Prostitution, wo die Töchter des Landes mit Hilfe ihrer Körper ihre Mitgift erwarben (injuria corporis sagt Valerius Maximus.) Sie galten nicht nur als ehrbarere Frauen, wenn sie dies feile Gewerbe getrieben hatten, sondern sie verheirateten sich auch besser. Man kann Bibelstellen anführen, die besagen, dass dieser Tempel, ebenso wie die der Astarte zu Sidon und Askalon, völlig umringt war von kleinen Zelten, in denen sich die jungen Karthagerinnen dem Dienste der phönizischen Venus weihten. Sie strömten in solcher Anzahl von allen Seiten dort zusammen, dass sie sich gegenseitig beeinträchtigten und nicht so schnell, wie sie vorhatten, nach Karthago zurückkehren konnten, um dort einen Gatten zu finden. Die Venustempel waren meist hoch gelegen, mit freiem Ausblicke aufs Meer, damit die Seefahrer, wenn sie von der Reise ermüdet waren, von weitem, wie einen Leuchtturm, die Wohnung der Göttin, wo ihnen Ruhe und Vergnügen winkte, bemerken konnten. Es ist leicht einzusehen, dass die gastliche Prostitution sich zuerst zu Gunsten der Seeleute längs der Küsten, wo sie leicht landen konnten, entwickelt hat. Diese Prostitution wurde eine heilige, als der Priester einen gewissen Teil vom Gewinn haben wollte, und sie mit dem Schleier der besonderen Schutzgöttin bedeckte. Der heilige Augustin hat in seinem „Reich Gottes" die Hauptarten des Venuskultus genau angegeben, indem er drei verschiedene Göttinnen Venus für die eine annimmt; die der Jungfrauen, die der Eheweiber und die der Dirnen, die unkeusche Göttin, der die Phönizier, wie er mitteilt, die Keuschheit ihrer Töchter vor der Hochzeit opferten.

Ganz Kleinasien ward entzündet durch die Verbreitung eines Kultus, der die Sinnlichkeit und die fleischlichen Lüste zu göttlichen Diensten erhob. Dieser Kult vereinigte oft Adonis und Venus. Adonis, dem die Hebräer den Namen „Weltschöpfer, Adonaï" beilegten, stellt das zeugende Geschlecht dar, ohne welches das weibliche Geschlecht unfruchtbar bleibt. So bedeuten die Leichenfeiern, die man zu Ehren dieses Jagdhelden veranstaltete, den ein Eber getötet, und den Venus, seine göttliche Geliebte, so schmerzlich beweinte, die Erschöpfung der physischen und materiellen Kräfte, die durch damit getriebenen Missbrauch verloren gingen und nur durch eine Periode völliger Ruhe wiedererlangt werden konnten. Während dieser Feste, die vor allem zu Byblos in Syrien gefeiert wurden, versammelte sich eine ungeheure Menschenmenge aus allen Ländern um den grossen Venustempel; hierbei mussten die Frauen entweder ihre Haare oder ihre Keuschheit der Göttin zum Opfer bringen. Man feierte zunächst ein Trauerfest, bei dem man den Adonis beweinte und sich gegenseitig mit der Hand oder mit Ruten schlug; diesem folgte dann ein Freudenfest, das die Wiederauferstehung des Adonis verkündete. Dabei stellte man am hellen Tage unter der Tempelthüre die phallusgeschmückte Statue des neubelebten Gottes auf, und sofort mussten alle anwesenden Weiber entweder ihre Haare dem Scheermesser oder ihre Körper der Prostitution hingeben. Diejenigen, die der Erhaltung ihrer Haare den Vorzug gegeben hatten, wurden auf eine Art Markt gebracht, wohin nur die Fremden dringen durften; sie standen daselbst während eines ganzen Tages zum Verkauf und gaben sich diesem schmachvollen Handel so oft hin, als man sie dafür bezahlen wollte Alles Geld, das sie an diesem mühseligen Tage erworben hatten, verwendeten sie dann zu einem Opfer für die Venus. Auf diese Weise feierte man die Liebe der Venus und des Adonis. Man könnte darüber in Erstaunen geraten, dass sich die Landeseingesessenen für einen Kult begeisterten, der ihre Weiber völlig als Opfer des Schanddienstes der Venus in Anspruch nahm; man muss aber auch in Rechnung ziehen, dass die Fremden, für die diese Mysterien besonders errichtet zu sein schienen, nicht geringeres Interesse an ihrer Erhaltung hatten. Der Venuskult war dadurch für die Weiber an den Ort gebunden, für die Männer aber überall heimisch, da sie der Reihe nach die verschiedenen Feste und Tempel der Göttin besuchen konnten, und überall Nutzen aus diesen Vergnügungspilgerschaften und Wirt und Fremdling erwachsenden Abenteuern schöpfen konnten.

Und wahrlich überall in Kleinasien gab es Venusfeste und die heilige Prostitution waltete bei allen Festen der Göttin, die die Namen Melitta, Anaïtis, Astarte, Urania, Mitra oder sonst einen symbolischen Namen führte. Es gab in Paphos, zu Zela und zu Comanes zwei Tempel der Venus-Anaïtis, die zu ihren Festen eine Unzahl glühender Verehrer herbeizogen. Diese beiden Tempel hatten ausserordentliche Reichtümer angesammelt durch die Einnahmen, die sie aus den Orgien gezogen hatten, welche zur Ableistung von Gelübden von den Bewohnern der ganzen Umgegend gefeiert wurden (causa votorum, sagt Strabo) Während der Feste boten die Tempelzugänge von Comanes den Anblick eines ungeheuren, von allen Nationen besuchten Festplatzes, ein wunderliches Gemisch von Sprachen und Trachten. Die Weiber, die sich der Göttin weihten und mit ihrem Körper Geld erwarben (corpore quæstum facientes) waren so zahlreich wie in Korinth, nach Strabos Bericht, der Zeuge dieser

Völkerzusammenkunft gewesen ist. Dasselbe geschah zu Susa und Ekbatana in Medien, bei den Parthern, die die Schüler und Nachahmer der persischen Sinnlichkeit und des persischen Luxus wurden, bis hin zu den Amazonen, die sich für ihre sonstige Keuschheit entschädigten, indem sie die fremden Ausschweifungen in den Dienst der Venus aufnahmen, die sie dennoch die keusche Venus nannten. Besonders aber in Lydien gewann die heilige Prostitution einen grossen Einfluss auf die Sitten. Diese Lydier, die sich rühmten, alle Glücksspiele erfunden zu haben und sich ihnen mit wildem Feuer widmeten, lebten in der grössten Weichlichkeit, der beständigen Ratgeberin der Wollust. Jedes Vergnügen war ihnen willkommen; sie suchten nicht erst nach einem religiösen Vorwande und veranstalteten nicht erst heilige Feste dazu. Sie beteten bald die Venus mit allen unzüchtigen Gebräuchen an, die ihr Kult angenommen hatte. Ihre Töchter weihten sich nicht nur der Venus, sondern trieben auch ausserdem auf eigene Rechnung die schändlichste Prostitution: „Sie gewinnen dadurch ihre Mitgift," sagt Herodot, „und treiben dies Geschäft bis sie heiraten." Diese auf so schändliche Weise erworbene Mitgift gab ihnen das Recht, sich einen Gatten zu wählen, der nicht immer die Ehre einer solchen Wahl zurückweisen durfte. Es scheint, dass die lydischen Mädchen keine schlechten Geschäfte machten, denn als es sich darum handelte, für ihren König Alyattes, den Vater des Königs Krösus, ein Grabmal zu errichten, brachten sie mit den Kaufleuten und Künstlern Lydiens die Kosten dazu zusammen. Dieses Grabmal war etwas Grossartiges und Inschriften gaben an, welchen Anteil jede der drei Klassen seiner Stifter beim Bau gehabt hatte. Die Dirnen hatten nämlich eine beträchtlichere Summe geliefert als die beiden andern, und der Teil des Monumentes, der auf ihre Kosten gebaut worden war, war um vieles grösser, als der, der auf Kosten der Kaufleute und Künstler errichtet werden konnte.

Als die Lydier von den Persern überwunden worden waren, teilten sie ihren Siegern das Gift der Prostitution mit. Von den Lydiern, die in ihrem Lager eine Unmenge Tänzerinnen und Musikantinnen zu halten pflegten, die wunderbar in den Künsten der Wollust geübt waren, lernten die Perser Wert auf diese Frauen zu legen, die die Lyra, die Handtrommel, die Flöte und die Harfe spielten. Die Musik wurde also Reizmittel zur Wollust, und es gab kein grösseres Gelage, bei dem nicht Klänge von Musikinstrumenten, schlüpfrige Gesänge und unzüchtige Tänze der Dirnen zur Trunkenheit und Wollust angereizt hätten. Diesen schändlichen Anblick, diesen Anfang einer zügellosen Orgie ersparten die alten Perser nicht einmal ihren Eheweibern und ehelichen Töchtern, die an diesen Festen unverschleiert, nur mit Blumen bekränzt, teilnahmen, sie, die sonst im Innern ihrer Häuser eingeschlossen lebten und nicht einmal zum Tempel der Metra, der persischen Venus, unverhüllt zu gehen wagten. Erhitzt vom Weine, begeistert durch die Musik, hingerissen durch die wollüstigen

Darstellungen der Musikantinnen, verloren diese Jungfrauen, diese Matronen, diese Eheweiber bald alle Zurückhaltung, und in Gegenwart ihrer Väter, Gatten, Brüder und Kinder empfingen und erwiderten sie Händedrücke und erliessen die schändlichsten Herausforderungen. Jedes Alter, jedes Geschlecht, jeder Rang gab sich unter dem Einfluss eines allgemeinen Taumels der Ausschweifung hin. Die Lieder, die Schreie, die Tänze verdoppelten sich, und die heilige Scham, auf deren Auge und Ohr man keine Rücksicht mehr nahm, entfloh und verhüllte sich mit den Falten ihres Gewandes. Eine entsetzliche Unordnung herrschte alsdann im Festsaale, der zum gemeinen Bordell herabsank. Dieses Gelage dauerte in gleicher Weise mit seinen wollüstigen Unterbrechungen fort, bis der Morgen die Fackeln erbleichen liess, und die Teilnehmer allmählich schlaftrunken auf die silber- und elfenbeingeschmückten Polster hinfielen. So die Erzählung, die uns Macrobius und Athenæus von diesen scheusslichen Festen geben, die Plutarch dadurch wieder zu Ehren zu bringen sucht, dass er behauptet, die Perser hätten ein wenig zu stark den Parthern nachgeahmt, die sich mit Feuer allen Reizungen des Weines und der Musik überliessen.

Endlich hatten die Perserkönige, schon im grauen Altertume, tausend musizierende Konkubinen, die zu ihrem Gefolge gehörten, und Parmenio, der Feldherr Alexanders des Grossen, fand noch beim Gepäck des Darius nach der Niederlage von Arbela deren dreihundertneunundzwanzig, die zurückgeblieben waren, sowie zweihundertundsiebenundsiebzig Köche, sechsundvierzig Kranzflechter und vierzig Weihrauchmacher, als letztes Ueberbleibsel seines Luxus und seiner Macht.

II. Kapitel.

Das alte Aegypten.

Die Prostitution in Aegypten durch Gesetze geordnet. — Geilheit der Aegypterinnen. — Ihr unvergleichliches Geschick im Erregen und Befriedigen der Leidenschaften. — Ruf der aegyptischen Buhlerinnen. — Kultus des Osiris und der Isis. — Osiris, das Sinnbild der männlichen Natur. — Isis, das Sinnbild der weiblichen Natur. — Die geheimnisvolle Getreideschwinge, das heilige „Tau" und das Auge ohne Augenbrauen. — Die Festzüge des Osiris. — Die nährende Kuh, die Cistophoren und der Phallus. — Die Umzüge der Isis. — Die heilige Prostitution in Aegypten. — Die unzüchtige Einführung der Neulinge beiderlei Geschlechts den aegyptischen Priestern vorbehalten. — Ansicht des heiligen Epiphanius über diese geheimen Gebräuche. — Isisfeste zu Bubastis. — Schamloses Gebaren der Weiber auf der Fahrt dorthin. — Unterirdische Gewölbe, in denen die Einführung in die Mysterien der Isis stattfanden. — Missbrauch der Leichen junger Frauen durch die Einbalsamierer. — Rhampsinit oder Rhamses giebt seine Tochter preis um den Dieb seines Schatzes ausfindig zu machen. — Schlauheit dieses Diebes, dem er seine Tochter zur Frau giebt. — Die Tochter des Cheops und die grosse Pyramide. — Die mittlere Pyramide. — Die Pyramide des Mycerinus und die Buhlerin Rhodopis. — Geschichte der Rhodopis und ihres Geliebten Charaxus, des Bruders der Sappho. — Die Eisenspangen im Tempel des Apollo zu Delphi. — Rhodopis Dorica. — Aesop geniesst die Gunst dieser Buhlerin

für eine seiner Fabeln. — Der König Amasis, der Adler und der Pantoffel der Rhodopis. — Epigramm des Pausidippos. — Naukratis, die Stadt der Dirnen. — Die Dirne Archidice. — Die Ptolemäer. — Ptolemäus Philadelphus und seine Buhlerinnen, Kleäna, Mneside, Pothyne und Myrtion. — Stratonice. — Die schöne Bilistice. — Ptolemäus Philopator und Irene. — Die Buhlerin Hippaea oder die Stute.

Trotz seiner Weisen und seiner Priester, die eifrig Moral predigten, blieb auch Aegypten nicht von der Geissel der Prostitution verschont. Es hatte zuviel nachbarlichen Verkehr und Handelsbeziehungen mit den Phöniziern, um nicht einige Züge einer Religion anzunehmen, die zu ihm wie der Purpur und der Weihrauch von Tyrus und Sidon gebracht wurde. Es liess die Lehre unberücksichtigt und nahm nur den Kult an; und obgleich Venus unter ihrem eigenen Namen keine Wohnstätte im Reiche der Isis und des Osiris fand, herrschte doch seit den ältesten Zeiten die Prostitution fast öffentlich mitten in den Städten, ja selbst im Innern der Tempel. Es war dies keine gastliche Prostitution, der häusliche Herd der Aegypter blieb den Fremden immer unnahbar, da sie den Aegyptern Furcht einflössten. Es war dies auch keine heilige Prostitution, da die Frauen, welche sich ihr überliessen, keine religiöse Handlung damit vollbrachten; sondern es war die legale Prostitution in ihrer ganzen ursprünglichen Unbefangenheit. Die Gesetze erlaubten, schützten, ja rechtfertigten selbst die Ausübung dieses schmählichen Handels. Ein Weib, welches sich verkaufte, war gleichsam eine Händlerin, und der Mann, der sie für Geld erwarb, billigte, oder missbilligte wenigstens nicht diesen schmachvollen Handel, den jene aus Habsucht einging. Die Aegypterin war ebenso habgierig wie die Phönizierin, aber sie gab sich nicht die Mühe ihre Habsucht unter dem Mantel einer religiösen Handlung zu verbergen. Sie besass in gleicher Weise ein glühendes Temperament, als ob die sengenden Strahlen ihrer aethiopischen Sonne in ihre Adern gedrungen wären; sie besass aber vor allen Dingen, wenn man hierin dem Ktesias Glauben beimessen darf, auf dessen Zeugnis sich Athenaeus beruft, unvergleichliche Eigenschaften und Geschicklichkeiten die Begierden, welche ihr entgegengebracht wurden, aufzuregen, zu entflammen und zu sättigen. So genossen die Buhlerinnen Aegyptens einen gewissen Ruf, den sie mit aller Gewalt in der ganzen Welt zu behaupten suchten.

Die aegyptische Religion war, wie alle Religionen des Altertums, eine Personifizierung der befruchtenden und gebärenden Natur, der sie die Namen Osiris und Isis beilegte. Dies waren ursprünglich die einzigen Gottheiten Aegyptens. Osiris, der Sonnengott, ist das männliche, die Erdgöttin Isis das weibliche Prinzip. Apulejus, der in die Mysterien der Göttin eingeweiht war, lässt sie folgende Rede halten: „Ich bin die Natur, die Mutter des Alls, die Herrin aller Elemente, der Anfang der Zeit, die Fürstin der Götter, die Königin der Toten, die allererste Bewohnerin des Himmels, das gleichmässige Bild der Götter und Göttinnen, ich bin die einzige Göttin, die in der ganzen Welt verehrt wird, unter vielen Formen, mit mannigfachen Bräuchen, unter verschiedenen Namen. Die Phönizier nennen mich Mutter der Götter, Venus von Paphos die Cyprer . . .“ Isis war also niemand anders als Venus, und ihr Geheimkult, der durch eine Menge von Bildern bezeichnet ist, versinnbildlicht die Rolle, welche das Weib oder das weibliche Prinzip im Weltall spielt. Muss dann Osiris nicht das Bild des Mannes oder der männlichen Natur sein, die mit der weiblichen Natur zusammenwirken muss, um sie zu befruchten, dass sie gebären und hervorbringen kann? Ochs und Kuh waren daher die Symbole der Isis und des Osiris. Die Priester der Göttin trugen daher bei den feierlichen Umzügen die mystische Getreideschwinge, ausgestattet mit Korn und Kleie, die aber nur das erste behält und das zweite auswirft. Die Priester des Gottes trugen das heilige „Tau“ (τ) oder den Schlüssel, der die bestverwahrtesten Schlösser öffnet. Dieses τ stellt das männliche Glied dar, die Schwinge oder Aehre die weiblichen Geschlechtsteile. Dazu kommt noch das Auge, mit oder ohne Augenbrauen, welches an die Seite des τ bei den Attributen des Osiris tritt, um die Beziehungen der beiden Geschlechter anzudeuten. Ebenso trugen bei den Festzügen der Isis, unmittelbar hinter der säugenden Kuh, junge geweihte Mädchen, die Cistophoren, die geheimnisvollen Cisten, Binsenkörbchen, gefüllt mit runden oder länglichen, in der Mitte durchlochten Kuchen; nahe bei den Cistophoren schritt eine Priesterin, die in ihrem Busen eine kleine goldene Urne barg, in welcher sich der Phallus befand, der nach Apulejus „das heilige Bild der höchsten Gottheit und das Werkzeug der allergeheimsten Handlungen“ war. Dieser Phallus, der beständig und unter allen Formen bei ägyptischen Kulten wiedererscheint, war die bildliche Darstellung eines Teiles des Körpers des Osiris, und zwar des Teiles, welchen Isis nicht wiederfinden konnte, als sie die zerstreuten Glieder ihres Gatten sammelte, den der verhasste Typhon, der Bruder des Opfers, getötet und verstümmelt hatte. Man kann sich also leicht einen Begriff vom Kultus des Osiris machen, wenn man eben die Dinge in Betracht zieht, welche dabei als geheimnisvolle Symbole galten.

Die heilige Prostitution musste bei einem derartigen Kulte die weiteste Verbreitung haben; aber sie wahr wohl, wenigstens in der ältesten Zeit, für den Priester vorbehalten, der daraus eine der ergiebigsten Einnahmequellen seines Tempels machte. Sie trat zügellos bei den Einweihungen auf, denen Waschungen, Ruhe und Enthaltsamkeit vorausgingen. Der Gott und die Göttin hatten ihren Dienern unumschränkte Gewalt gegeben, welche diese rein materiell ausnützten, wobei sie sich der Mühe unterzogen die Neueingeweihten beiderlei Geschlechts in die infamsten Ausschweifungen einzuführen. Der heilige Epiphanius sagt mit grosser Bestimmtheit, diese im Geheimen betriebenen Ceremonien wären eine Anspielung auf die Sitten der Menschen vor Errichtung der gesellschaftlichen Ordnung gewesen. Sie bestanden also in freier Vermischung beider Geschlechter und allen Zügellosigkeiten der gröbsten Wollust. Herodot erzählt uns, wie man sich auf die Feste der Isis, die zu Bubastis unter dem Namen Diana verehrt wurde, vorbereitete: Man begiebt sich, sagt er, dahin zu Wasser, Männer und Weiber durcheinander gemischt; in jedem Boot befindet sich eine grosse Anzahl Personen beiderlei Geschlechts. Während der ganzen Fahrt klappern einige Frauen mit Castagnetten, während einige Männer Flöte spielen, die übrigen Männer und Frauen singen und klatschen in die Hände. So oft man bei einer Stadt vorbei kam, näherte sich das Boot dem Ufer. Unter den Frauen fuhren die einen fort mit den Castagnetten zu spielen, die andern hingegen schrieen aus Leibeskräften und stiessen Schimpfworte gegen die Weiber der Stadt aus. Die einen schickten sich an zu tanzen, die andern hoben, indem sie aufrecht standen, in unzüchtiger Weise die Kleider auf." Die Obscönitäten waren nur Schattenbilder im Vergleich zu denen, welche sie rund um den Tempel zu verüben vorhatten, wohin alljährlich 700000 Pilger kamen, um sich den unglaublichsten Ausschweifungen zu überlassen.

Diese schrecklichen Vermischungen in denen sich der Isis-Kult erging, verbargen sich in den unterirdischen Räumen, wohin nur der Eingeweihte nach einer Prüfung- und Reinigungszeit gelangen konnte. Herodot, der Berichterstatter und Zeuge dieser Prostitution, welche ihm die Priester Aegyptens gerühmt hatten, sagt genug hierüber, dass wir auch das, was er uns verschweigt, ahnen können: „Die Aegypter sind die ersten, die durch eine heilige Satzung das Handeln mit Weibern an heiligen Stätten verboten haben, oder auch daselbst einzutreten, nachdem einer ein Weib erkannt hat ohne sich zuvor gewaschen zu haben. Fast alle andern Völker, mit Ausnahme der Aegypter und Griechen, hatten Verkehr mit den Weibern an heiligen Orten, oder traten wenigstens, wenn sie sich von einem solchen erhoben, ohne sich gewaschen zu haben in diese ein. Sie gehen von der Voraussetzung aus, dass es sich hierbei mit dem Menschen wie mit allen Lebewesen verhält Man sieht, sagen sie, die wilden Tiere und die verschiedenen Vogelarten sich sowohl in den Tempeln, als auch an sonstigen, den Göttern geweihten Orten begatten; wenn aber diese Handlung der Gottheit unangenehm wäre, würden selbst die Tiere sie nicht daselbst vornehmen." Herodot, der diese Ansicht nicht teilt, hat sich enthalten, die Geheimnisse der ägyptischen Priester ans Licht zu ziehen, die er zu Memphis, Heliopolis und Theben erlebt hatte. Er hat uns indirekt mit den häuslichen Sitten und Staatsgebräuchen Aegyptens bekannt gemacht; aber aus gewissen Andeutungen, die er gelegentlich macht, kann man schliessen, dass die Verderbnis bei diesem alten Volke auf ihrem Höhepunkte angekommen war. So überliess man die Leichname junger und schöner Frauen erst drei oder vier Tage nach dem Tode den Einbalsamierern, und dies darum, weil man befürchtete, dass diese die Leichen missbrauchten: „Man erzählt, sagt Herodot, dass man einen auf frischer That mit einer kürzlich verstorbenen Frau ergriffen habe."

Die ägyptische Königsgeschichte zeigt uns ferner noch zwei eigenartige Beispiele von legaler Prostitution im Werke Herodots. Rhampsinit oder Rhamses, der um 2244 v. Chr. regierte, wandte, um den geschickten Dieb, der seinen Schatz geplündert hatte, zu entdecken, ein Mittel an, welches ich nicht glauben kann, sagt Herodot, dessen Leichtgläubigkeit oft auf die Probe gestellt worden ist: „er gab seine leibliche Tochter preis, indem er ihr befahl sich in einem Bordell niederzusetzen und daselbst alle Männer in gleicher Weise anzunehmen, die kommen würden, aber sie zu verpflichten, bevor sie ihnen ihre Gunst bewilligte, ihr mitzuteilen, was das schlechteste und das schimpflichste gewesen, das sie in ihrem Leben gethan hätten." Der Dieb nahm den Arm einer Leiche, steckte ihn unter seinen Mantel und kam um der Königstochter einen Besuch abzustatten. Er ermangelte nicht sich als Urheber des Diebstahls zu rühmen. Die Prinzessin suchte ihn festzuhalten, aber da sie im Dunkeln war, ergriff sie nur den Arm der Leiche, während der Lebende den Ausgang gewann. Diese neue List erwarb ihm in so hohem Grade die Achtung Rhampsinits, dass der König den Dieb begnadigte und ihn in Folge mit der vermählte, die er bereits in einem verrufenen Ort ihn hatte erkennen lassen. Diese arme Prinzessin hat ohne Zweifel in einem besseren Zustande das Bordell verlassen, als die Tochter des Cheops, der 12 Jahrhunderte v. Chr. König von Aegypten war. Cheops liess die grosse Pyramide bauen, die 20 Jahre Arbeit und ungeheure Summen kostete. „Durch diese Ausgaben erschöpft," so erzählt Herodot, „verstieg er sich auf den Punkt der Schamlosigkeit, seine leibliche Tochter in einem Bordell preiszugeben und ihr zu befehlen von ihren Liebhabern eine gewisse Summe Geld zu verlangen. Sie führte nicht allein die Befehle ihres Vaters aus, sondern sie wollte auch selbst ein Denkmal hinterlassen: sie bat daher jeden, der sie zu besuchen kam, ihr einen Stein zu dem Werke, das sie vorhatte, zu geben. Und von diesen Steinen sagten mir die Priester, baute man die mittlere der drei Pyramiden." Die moderne Wissenschaft hat noch nicht berechnet, wie viel Steine zu dieser Pyramide gehört haben.

Die Errichtung einer Pyramide, so teuer sie war, scheint die Mittel einer Buhlerin nicht überstiegen zu haben. So schreibt man allgemein in Aegypten, trotz Chronologie und Geschichte, die Erbauung der Pyramide des Mycerinus der Buhlerin Rhodopis zu. Diese Buhlerin war von Geburt keine Aegypterin, aber sie machte ihr Glück, lange Zeit nach der Herrschaft des Mycerinus in Aegypten. Rhodopis, welche unter Amasis, 600 Jahre v Chr. lebte stammte aus Thracien. Sie war Mitklavin des Fabeldichters Aesop bei Jadmon in Samos. Sie wurde von Samos nach Aegypten durch Xanthus gebracht, der auf ihre Unkosten ein ziemlich verworfenes Gewerbe trieb, da er sie gekauft hatte, damit sie zum Nutzen ihres Herren das Geschäft einer Buhlerin ausübe. Sie hatte sonderbares Glück, und ihr Ruf zog ihr eine Menge Anbeter zu, unter denen Charaxus von Mytilene, der Bruder der berühmten Sappho, so sehr von diesem reizenden Mädchen eingenommen wurde, dass er ihr eine beträchtliche Summe als Lösegeld gab. Auch als sie frei geworden war, verliess Rhodopis Aegypten nicht, wo ihre Schönheit und ihre Talente ihr zu ungeheuren Reichtümern verhalfen. Von diesen machte sie einen wunderlichen Gebrauch, denn sie liess für den zehnten Teil ihrer Schätze eiserne Spangen machen, die sie, man weiss nicht für welches Gelübde, dem Tempel zu Delphi weihte, wo man sie noch zu Herodots Zeiten sehen konnte. Dieser besonnene Geschichtsschreiber spricht von diesen eisernen Spangen als von einer Sache, die noch niemand erkannt hatte, und versucht nicht den Sinn dieser wunderlichen Gabe zu erraten. Zur Zeit des Plutarch zeigte man nur noch den Platz, wo sie gelegen hatten. Die Volksüberlieferung hat sowohl die Spangen im Tempel des delphischen Apollo verwechselt wie die Pyramide des Mycerinus, die mehrere Jahrhunderte vor der Anfertigung der Spangen gebaut wurde, und die, wie alle Welt in Aegypten behauptet, auf Rechnung der Rhodopis zu setzen ist. Nach den Einen habe sie die Arbeit bezahlt, nach den Andern (Strabo und Diodorus Siculus schliessen sich anscheinend dieser irrigen Meinung an) haben sie ihre Verehrer auf gemeinsame Kosten bauen lassen um ihr zu gefallen, woraus man schliessen muss, dass diese Buhlerin eine Vorliebe für die Pyramiden hegte.

Rhodopis, welche die Griechen Dorica nennen, und Dorica war in ganz Griechenland berühmt, eröffnete die Reihe ihrer Anbeter mit Aesop, welcher, so verunstaltet und hässlich er auch war, nur eine seiner Fabeln hergab um die Gunst dieser schönen Tochter Thraciens zu erkaufen. Der Kuss des Dichters bringt ihr Glück. Der schöne Charaxus, dem sie ihre Freiheit und den Grund ihrer Reichtümer verdankte, bestimmt sie, sich in der Stadt Naukratis niederzulassen, wo er sie bei jeder Reise, die er nach Agypten unternahm, um daselbst Wein einzuführen und zu verkaufen, besuchte. Rhodopis liebte ihn hinlänglich, um ihm so lange treu zu sein, als er sich in Naukratis aufhielt, und die Liebe hielt ihn länger daselbst zurück als sein Handel. Einst, während seiner Abwesenheit, sass Rhodopis auf einer Terrasse, betrachtete den Nil und suchte am Horizonte nach dem Segel des Schiffes, dass ihr ihren Charaxus wieder zuführen sollte; einer ihrer Pantoffel war von ihrem ungeduldigen Fusse herabgeglitten und lag glänzend auf einem Teppiche; ein Adler erblickte ihn, ergriff ihn mit seinem Schnabel und nahm ihn mit sich in die Luft. In eben dieser Zeit hielt der König Amasis, umringt von seinen höchsten Würdenträgern, Hof zu Naukratis. Der Adler, welcher den Pantoffel der Rhodopis ergriffen hatte, ohne dass diese etwas davon merkte, liess diesen in den Schoss des Pharao fallen. Niemals hatte dieser einen so kleinen und so reizenden Pantoffel gesehen. Er stellte sofort Nachforschungen nach dem hübschen Fusse an, dem er gehörte, und als er ihn gefunden hatte, indem er alle Frauen des Reiches den göttlichen Pantoffel probieren liess, wollte er Rhodopis zu seiner Maitresse haben. Nichtsdestoweniger entsagte sie auch als Maitresse des Amasis dem Charaxus nicht, und Griechenland feierte in den Liedern seiner Dichter die Liebe der Dorcia, welche Sappho, die Schwester des Charaxus, mit bittern Vorwürfen verfolgt hatte. Pausidippus hat in seinem Werke über Aethiopien folgendes Epigramm der Geliebten des Charaxus gewidmet: „Ein Band hält deine langen Flechten empor, wollüstige Düfte entströmen deinen wallenden Gewändern, so rot, wie der Wein, der in den Bechern glänzt, flichst du den schönen Charaxus in deine reizenden Arme. Die Verse der Sappho bezeugen und sichern deine Unsterblichkeit; Naukratis bewahrt dein Andenken, so lange die Schiffe freudig dahinschwimmen in den Fluten des gewaltigen Nil."

Naukratis war die Stadt der Buhlerinnen; alle, die von dort kamen, schienen aus den Lehren der Rhodopis Nutzen gezogen zu haben. Ihre Anmut und ihre Verführungskünste bildeten lange Zeit die Unterhaltung Griechenlands, welches oft seine Wüstlinge nach Naukratis sandte, und welches von dort wunderbare Berichte über die Prostitution brachte. Nach Rhodopis erlangte eine andere Buhlerin, Archidice, durch dieselben Mittel ebenfalls grosse Berühmtheit; aber nach dem Zeugnisse Herodots hatte sie weniger Zulauf als ihre Vorgängerin. Dennoch weiss man, dass sie einen so hohen Preis für ihre Gunst forderte, dass selbst sehr Reiche sich durch die Bezahlung zu Grunde richteten; und sehr viele richteten sich auf diese Art zu Grunde. Ein junger Aegypter, der unsinnig in diese Buhlerin verliebt war, wollte sich ebenfalls für sie zu Grunde richten, aber da sein Vermögen nur mittelmässig war, wies Archidice Geld und Liebhaber zurück. Er gab aber nicht nach; er rief Venus um Hilfe an, die ihm im Traume unentgeltlich gewährte, was er gern in Wirklichkeit so teuer bezahlt hätte. Er begehrte ferner nichts. Die Buhlerin vernahm, was ohne sie vorgegangen war, und rief ihren zahlungsunfähigen Schuldner vor die Obrigkeit, indem sie von ihm den Preis für den Traum forderte. Die Obrigkeit urteilte in diesem streitigen Punkte mit grosser Weisheit: sie ermächtigte Archidice zu träumen, dass sie bezahlt, und dieser also nichts mehr schuldig sei.

Die Blütezeit der Buhlerinnen in Aegypten scheint die Zeit der Ptolemäer im 3. Jahrhundert v. Chr. gewesen zu sein; aber unter diesen Mädchen waren die einen Griechinnen, die andern kamen aus Asien; fast alle hatten als Flötenspielerinnen begonnen. Ptolemäus-Philadelphus hatte deren eine grosse Menge in seinem Dienste. Die eine, Kleäna, diente ihm als Schenkin, und er liess ihr Statuen errichten, welche sie in leichter Kleidung mit einem Becher oder rithon in der Hand darstellten; eine andere, Mneside, war eine seiner Musikantinnen; ferner Pothyne bezauberte ihn durch ihr anmutiges Geplauder; endlich Myrtion, die er aus einem Bordell für Nilschiffer gezogen hatte, berauschte ihn mit gemeinen Sinnesgenüssen. Dieser Ptolemäus bezahlte ihm geleistete Dienste freigebig, und so liess er das Andenken der Stratonice, die bei ihm in liebevoller Erinnerung stand, durch ein Grabmal ehren, obgleich sie eine Griechin und keine Aegypterin war Dieser wollüstige König hegte keinen Widerwillen gegen die Griechen. Er hatte von Argos die schöne Bilistice, die aus dem Stamme der Atriden war, kommen lassen, und sie brachte ihre Abstammung auf die lustigste Weise, die sie kannte, in Vergessenheit. Ptolemäus Euergetes, der Sohn des Philadelphus, verteilte seine Liebe nicht mehr so sehr, wie er aus dem Beispiel seines Vaters hätte lernen können. Er begnügte sich mit Irene, die er von Ephesus mitgebracht hatte, wo er Statthalter gewesen war, und die ihre Ergebenheit so weit trieb, mit ihm zu sterben. Ptolemäus Philopator ergab sich völlig einer schlauen Buhlerin, Namens Agathoklea, die unter seinem Namen in Aegypten herrschte, ebenso wie in seinem Schlafzimmer. Ein anderer Ptolemäer konnte sich nicht einer untergeordneten Hetäre enthalten, die er Hippäa oder die Stute benannte, weil sie sich zwischen ihm und dem Futtermeister seiner Pferde teilte. Er liebte vor allem mit ihr zu trinken; als sie eines Tages mit grossen Zügen trank, rief er lachend und sie auf den Hinteren schagend aus: „Die Stute hat zuviel Heu gefressen!“

III. Kapitel.

Das Volk Israel.

Die gastliche Prostitution bei den Juden. — Die Kinder der Engel. — Die Sündflut. — Sodom und Gomorrha. — Die Töchter Loths. — Die bei den Patriarchen bestehende legale Prostitution. — Joseph und das Weib des Eunuchen Potiphar. — Thamar giebt sich ihrem Schwiegervater Juda preis. — Der Hurenmarkt. — Die fremden Weiber. — Der König Salomo erlaubt den Dirnen, sich in den Städten niederzulassen. — Wehruf des Propheten Hesekiel über Jerusalem, die grosse Hure. — Gesetze des Moses. — Welche Arten von Prostitution und unter welchen Bedingungen Moses sie erlaubte. — Handel, welchen die Juden unter sich mit ihren Töchtern trieben. — Unbeugsamkeit des Moses hinsichtlich der widernatürlichen Unzucht. — Gründe, die Moses bestimmten, die Jüdinnen von der legalen Prostitution auszuschliessen. — Das XVIII. Kapitel des Levitikus. — Geheime Krankheiten, denen die jüdischen Weiber unterworfen waren. — Durchgreifende Vorsichtsmassregeln, die Moses ergriff, die Gesundheit der Juden zu sichern. — Turteltauben, Sühnopfer der Flusskranken zur Erlangung ihrer Heilung. — Das Gesetz des Argwohns. — Die Kuchen des Argwohns und die bitteren Tränke des Fluches. — Die heilige Prostitution bei den Juden. — Kultus des Moloch und Baal-Phegor. — Unzüchtige, abergläubische Gebräuche und unkeusche Opfergaben. — Die Molochdiener. — Die Weichlinge und Geweihten. — Ihre schamlosen Mysterien. — Das Hundsgeld. — Die geweihten Weiber. — Die den Ausschweifungen der Juden entsprungenen Krankheiten. — Zambri

und die Dirne von Midian. — Die von Moses vertriebenen Weichlinge erscheinen unter den Königen Judas wieder. — Asa vertreibt sie wiederum. — Maacha, die Mutter Asa's, Oberpriesterin des Priap. — Die von neuem zurückgekehrten Weichlinge werden von Josua decimiert. — Unzucht der Israeliten mit den Töchtern Moabs. — Sitten der Dirnen der Moabiter. — Feldzug gegen die Midianiter. — Ermordung der gefangenen Frauen auf Befehl des Moses. — Gesetz des Moses über die Jungfräulichkeit der Töchter. — Mittel der Juden die Jungfräulichkeit festzustellen. — Strafen auf Ehebruch und Notzucht. Der Kauf einer Jungfrau. — Die Beischläferin des Moses. — Züchtigung der Maria, Schwester des Moses, durch den Herrn. — Moses Empfehlungen an die Juden hinsichtlich der Freuden der Liebe. — Die Tochter Jephtas. — Die Kundschafter des Josua und die Dirne Rahab. — Samson und die Hure von Gaza. — Delila. — Der Levite von Ephraim und seine Kebse. — Schandthat der Benjamiten. — Das junge, jungfräuliche Mädchen des Königs David. — Unzucht des Königs Salomo. — Seine siebenhundert Frauen und dreihundert Beischläferinnen. — Charakteristisches Bild der Prostitution zur Zeit Salomos, seinem Werke „Die Sprüche" entnommen. — Die Propheten Jesaia, Jeremia und Hesekiel. — Der Tempel Gottes zu Jerusalem ein Handelsplatz der Huren. — Jesus vertreibt sie aus dem Hause des Herrn. — Maria Magdalena bei dem Pharisäer. — Jesus vergiebt ihr ihre Sünden wegen ihrer Reue.

Die Hebräer, die aus Chaldäa stammten, hatten daselbst die Sitten eines Hirtenvolkes angenommen; es ist daher mit Bestimmtheit anzunehmen, dass bei ihnen in den ältesten Zeiten die gastliche Prostitution bestand, und zwar sowohl beim jüdischen Volke, wie bei den chaldäischen Hirten und den Jägern. Man findet hie und da in den heiligen Büchern Spuren davon. Die heilige Prostitution hingegen war von Grund aus gegen die mosaïschen Religionsanschauungen, und Moses, dieser grosse Gesetzgeber der es sich so sehr angelegen sein liess, seinen entarteten und verdorbenen Stammesgenossen einen Zügel anzulegen, zwang sie sogar im Namen Gottes die schlimmsten Auswüchse der legalen Prostitution zu unterdrücken. Daher kommt das grausige Strafsystem, welches er mit blutigen Lettern auf seine Gesetzestafeln schrieb, und welches kaum genügte, die ungeheuere Zügellosigkeit der Söhne Abrahams im Zaume zu halten.

Die ältesten Beispiele, die vielleicht die gastliche Prostitution aufzuweisen hat, muss man in der Genesis suchen. Zur Zeit des Noah waren die Kinder Gottes oder die Engel auf die Erde herabgestiegen um die Töchter der Menschen zu erkennen, und sie zeugten mit ihnen Kinder, die gewaltige Leute wurden. Diese Engel kamen abends um ein Obdach unter dem Zelte eines Patriarchen zu erbitten, und hinterliessen daselbst bei ihrer Abreise, mehr oder minder befriedigt von dem, was sie gefunden hatten, lebende Andenken an ihren Besuch. Die Genesis sagt uns nicht, an welchen Erkennungszeichen man einen Engel von einem Menschen unterscheiden konnte, höchstens, dass er sich nach Ablauf von neun Monaten durch die Geburt eines Riesen offenbarte. Diese Riesen erbten aber nicht die Tugenden ihrer Väter, denn die Bosheit der Menschen wurde nur noch grösser, und zwar in dem Masse, dass der Herr, aus Zorn, den Anblick eines so entarteten und verderbten Menschengeschlechts haben zu müssen, beschloss, es mit Ausnahme Noahs und seiner Familie zu vernichten. Die Sündflut erneuerte wohl das Angesicht der Erde, aber die Leidenschaften und Laster, welche Gott hatte vernichten wollen, entstanden von neuem und vervielfältigten sich mit den Menschen. Selbst die Gastfreundschaft wurde nicht mehr als heilige Pflicht in den unsittlichen Städten Sodom und Gomorrha geachtet. Als die beiden Engel, die dem Abraham die Botschaft gebracht hatten, dass sein Weib Sarah, im Alter von 120 Jahren, ihm einen Sohn gebären würde, nach Sodom kamen und im Hause Loths einkehrten um daselbst die Nacht zuzubringen, umringten die Einwohner Sodoms vom jüngsten bis zum ältesten das Haus und riefen Loth zu: „Wo sind die Männer, die diese Nacht zu dir gekommen sind? Lass sie herausgehen, damit wir sie erkennen.“ — „Ich bitte euch; liebe Brüder,“ antwortete Loth, „thut ihnen kein Uebel. Ich habe zwei Töchter, die noch keinen Mann erkannt haben; ich will sie heraus führen, und ihr mögt mit ihnen thun, wie es euch gefällt. Aber fügt kein Unrecht diesen Männern zu, denn sie sind in den Schatten meines Hauses gekommen. Sollte Loth, der auf diese Weise die Ehre seiner Töchter der Gastfreundschaft zum Opfer brachte, nicht freiwillig seinen beiden Gästen gewährt haben, was er gezwungen einer rasenden Menge anbot? Was nun seine beiden Töchter anlangt, so konnte sie der Anblick des Unterganges von Sodom und Gomorrha nicht genügend schrecken, um ihnen Sinn für Enthaltsamkeit einzuflössen; sie missbrauchten eine nach der andern in schändlicher Weise die Trunkenheit ihres unglücklichen Vaters.

Es ist wohl die hässlichste Unzucht, aber sie fällt noch nicht unter die legale Prostitution, welche sich auf Grund eines Handels vollzieht, und die das Gesetz nicht verwirft und die Sitte autorisiert. Diese Art von Prostitution tritt bei den Juden schon in den Zeiten der Erzväter, achtzehn Jahrhunderte v. Chr., auf, damals als der keusche Joseph, Sklave und Aufseher bei dem Eunuchen Potiphar in Aegypten, den unzüchtigen Forderungen des Weibes seines Herren widerstand und ihr lieber seinen Mantel als seine Ehre überliess. Einer der Brüder Josephs, Juda, der vierte Sohn Jakobs, hatte nacheinander zwei Söhne, die ihm eine Chananiterin geboren hatte, an ein Mädchen Namens Thamar verheiratet. Diese beiden Söhne, Her und Onan, waren ohne Hinterlassung von Nachkommen gestorben, und ihre Witwe beabsichtigte den dritten Bruder Sela zu heiraten; aber Juda liess sich diese dritte Heirat nicht sonderlich angelegen sein, da ihm die beiden vorhergehenden unfruchtbar gebliebenen Ehen ein böses Omen zu sein schienen. Thamar, welche mit ihrem Schwiegervater unzufrieden war, der sich ihr gegenüber verpflichtet hatte, sie mit Sela zu verheiraten, griff zu einem einzig dastehenden Mittel, um zu erproben, ob sie Mutter werden könne. Als sie erfahren hatte, dass Juda auf die Höhen von Thimnath zog, um daselbst seine Schafe zu scheeren, legte sie ihre Witwenkleider ab, bedeckte sich mit einem Schleier und hüllte sich darein; hierauf setzte sie sich an einem Kreuzwege auf die Strasse, welche Juda einschlagen musste. „Als Juda sie sah, erzählt die Genesis (Kapitel 38) glaubte er, sie wäre eine Hure, denn sie hatte ihr Gesicht verdeckt, damit man sie nicht erkennen könne. Und er ging auf sie zu und sprach zu ihr: Erlaube, dass ich mit dir gehe! Denn er wusste nicht, dass sie seine Schwiegertochter sei. Sie antwortete ihm: Was willst du mir geben für meine Umarmung? Er sagte: Ich will dir ein Zicklein von meiner Herde schicken. Da sprach sie: Ich will thun, was du verlangst, wenn du mir ein Pfand giebst, bis du mir das Versprochene schickst! Und Juda antwortete ihr: Was willst du, das ich dir als Pfand gebe. Sie erwiderte: Deinen Ring, deine Spange und den Stab, den du in deinen Händen hältst. Er näherte sich ihr und sie wurde sogleich befruchtet. Darauf stand sie auf, ging fort, nahm den Schleier ab, den sie angelegt hatte, und zog ihre Witwenkleider wieder an. Inzwischen schickte Juda ein Zicklein durch einen seiner Hirten, der ihm sein Pfand wieder bringen sollte; aber der Hirt fand das Weib nicht, in deren Händen das Pfand geblieben war, und er fragte die Vorbeigehenden: Wo ist die Hure, die an diesem Kreuzwege sass? Und sie antworteten: Es hat keine Hure an diesem Ort gegeben. Und er kehrte zu Juda zurück und sagte ihm: Ich habe sie nicht gefunden, und die Leute des Ortes sagten mir, dass niemals eine Hure an diesem Orte gesessen habe. — Nach einiger Zeit kam man zu Juda und meldete ihm, dass seine Schwiegertochter schwanger wäre, und er befahl, man solle sie als Ehebrecherin verbrennen; aber Thamar offenbarte ihn als Vater des Kindes, das sie trug, indem sie ihm seinen Ring, seine Spange und seinen Stab wiedergab.

Dies ist ohne Zweifel das älteste Beispiel legaler Prostitution, welches uns die Geschichte liefern kann, denn diese Handlung, welche Moses mit allen für sie charakteristischen Nebenumständen erzählt, geht zurück auf das Jahr 2100 v. Chr. Wir sehen, dass schon damals die jüdische Prostituierte in die Falten eines Schleiers gehüllt am Rande des Weges sass und sich ihrem schamlosen Gewerbe mit dem ersten besten, der sie bezahlen wollte, überliess. Dies war im grauen Altertume die Rolle, welche die Prostituierte bei den Hebräern spielte. Die heiligen

Bücher sind voll Stellen, aus denen wir lernen, dass die Kreuzwege den Dirnen als Handels- und Marktplatz dienten. Sie hielten sich daselbst bald unbeweglich auf, eingehüllt in ihre Schleier wie in ein Leichentuch, bald räucherten sie, mit leichtfertigen reichgeschmückten Gewändern angethan, Weihrauch und sangen wollüstige Lieder, wozu sie sich mit der Leier, der Harfe, oder der Handtrommel begleiten, oder zu den Klängen der Doppelflöte tanzten. Diese Dirnen waren keine Jüdinnen, oder doch nur in den seltensten Fällen, denn die Schrift nennt sie „fremde Weiber"; sie waren Syrierinnen, Aegypterinnen, Babylonierinnen und andere, welche sich in der Kunst der Sinnesentzündung auszeichneten. Das mosaische Gesetz verbietet den Jüdinnen ausdrücklich als Hülfstruppen der Prostitution zu dienen, die es den Männern gestattet, da es dieselben nicht verdammt. Es ist daher leicht verständlich, warum die „fremden Weiber" sich nicht im Innern der Städte preisgeben durften, und warum die Hauptstrassen das Vorrecht hatten der öffentlichen Ausschweifung einen Unterschlupf zu gewähren. Nur unter der Regierung Salomos machte man eine Ausnahme von diesem Gebrauche, da dieser den Dirnen gestattete sich mitten in den Städten anzusiedeln. Aber weder vorher noch nachher sah man sie in den Strassen und an den Ecken Jerusalems, sie boten sich nur längs der Landstrassen feil. Daselbst errichteten sie ihre Zelte von Tierfellen oder von schreiendfarbigen Stoffen. Fünfzehn Jahrhunderte nach dem Abenteuer der Thamar sagt der Prophet Hesekiel in seiner bilderreichen Sprache zu der grossen Hure Jerusalem: „Du hast ein Bordell errichtet und alle Kreuzwege zu Stätten der Unzucht gemacht, am Eingange jeder Strasse hast du das Zeichen deiner Feilheit aufgestellt, und du hast abscheulichen Missbrauch mit deiner Schönheit getrieben, und du hast dich weggeworfen an jeden Vorübergehenden (divisisti pedes tuos omni transeunti, sagt die Vulgata) und hast deine Hurerei vervielfätigt."

Der Aufenthalt der Hebräer in Aegypten, wo sehr verdorbene Sitten herrschten, vollendete die Umänderung der ihrigen und führte sie zu den Anfängen der Kultur zurück: sie lebten in einer schrecklichen Unordnung, als Moses sie aus der Knechtschaft führte und ihnen ein kirchliches und bürgerliches Gesetzbuch gab. Moses musste, als er die Juden in das gelobte Land führte, seine Zuflucht zu der grausamsten Strenge nehmen, um die Auswüchse der moralischen Verderbnis, die das Volk Gottes schändete, zu bekämpfen. Vom Gipfel des Berges Sinai liess er folgende Worte, die der Herr unter Donner und Blitz verkündete, vernehmen: „Du sollst keine Unzucht treiben! Du sollst nicht begehren deines Nächsten Weib!" Sodann verschmähte er es nicht, selbst im Namen Jehovas, die Formen einer Art Prostitution zu ordnen, die im Grunde aus der Sklaverei stammen. „Wenn einer seine Tochter als Sklavin verkauft, sagt er, soll sie nicht nach Art der andern Knechte den Dienst ihres Herren verlassen können. Findet sie nicht Gnade vor den Augen des Herren, dem sie überliefert wurde, so soll er sie zurückschicken; aber er soll nicht die Macht besitzen sie unter fremdes Volk zu verkaufen, wenn er ihrer ledig sein will. Hat er sie jedoch seinem Sohne verlobt, so soll er sie halten wie seine eigene Tochter. Nimmt er aber hierzu eine andere, soll er für ihre Mitgift und Kleidung sorgen und soll ihr nicht den Preis ihrer Keuschheit abrechnen (pretium puditiæ non negabit.) Thut er keines von diesen drei, so soll sie frei ausgehen ohne Lösegeld! Aus dieser Stelle, welche die Ausleger auf die verschiedenste Art erklären, geht auf das deutlichste hervor, dass bei den Juden, wenigstens vor der endgültigen Festsetzung der Tafelgesetze, der Vater das Recht hatte, seine Tochter einem Herren als Sklaven zu verkaufen, der sie auf eine, durch den Verkaufskontrakt festgesetzte Zeit, zu seiner Konkubine machen konnte. Man sieht also aus dieser einzigen gesetzlichen Bestimmung, dass die dergestalt zum Vorteil ihres Vaters verkaufte Tochter persönlich keinen Nutzen aus der gezwungenen Hingabe ihres Körpers zog, mit Ausnahme des Falles, wo der Herr nach ihrer Verlobung mit seinem Sohne, sie durch eine andere Konkubine ersetzen wollte. Es ist also deutlich bewiesen, dass die Hebräer untereinander Handel mit der Preisgebung ihrer Töchter trieben.

Moses, dieser weise Gesetzgeber, der zu den Hebräern nur durch den Mund Gottes sprach, hatte vollauf mit diesen unverbesserlichen Sündern zu thun. Er liess ihnen aus Klugheit eine Art Entschädigung für das, was er ihnen nahm: die Freiheit, Handel mit fremden Dirnen zu treiben; aber er war unerbittlich hinsichtlich der Verbrechen der Bestialität und der Sodomie. „Derjenige, welcher fleischlichen Umgang mit einem Tiere gehabt hat, soll mit dem Tode bestraft werden," sagt er im Exodus (Kapitel 22.) „Du sollst nicht bei einem Knaben liegen, wie bei einem Weibe," sagt er im Levitikus (Kapitel 18), „denn es ist ein Greuel; du sollst auch nicht bei einem Tiere liegen, noch dich mit ihm verunreinigen. Das Weib soll sich nicht einem Tiere preisgeben, noch sich mit ihm vermischen, denn es ist ein Frevel." Indem Moses gegen diese widernatürliche Unzucht eifert, kann er nicht umhin, die Juden in Schutz zu nehmen, welche sie nicht erfunden hatten, noch sich ihr hingaben nach Art der andern Völker. „Die Völker, die ich austreiben will vor euch, haben sich mit allen diesen Schändlichkeiten befleckt," ruft das Haupt Israels aus, „das Land, das sie bewohnen, ist dadurch verunreinigt, und ich will sie für ihre Missethat bestrafen, und das Land wird seine Bewohner ausspeien." Moses, der weiss, wie hartnäckig sein Volk in seinen hässlichen Gebräuchen ist, fügt an sein Gebot eine Drohung, um den entarteten Sinnen einen heilsamen Zügel anzulegen: „Und wer nur einen einzigen dieser Frevel begangen hat, der soll ausgestossen sein aus der Mitte meines Volkes!" Dies ist noch nicht genug um die Schuldigen zu schrecken; Moses kommt noch verschiedene Male auf die Strafe zurück, die man ihnen auferlegen soll: „Es sollen beide Urheber der Frevel, eines wie das andere, des Todes sein, gesteinigt oder verbrannt, der Mann und das Tier, das Tier und das Weib, der Knabe und sein männlicher Beischläfer.“ Moses hat also nicht vorausgesehen, dass sich das weibliche Geschlecht ähnlichen Verirrungen überlassen könne. Und immer stellt er den Juden die Notwendigkeit vor Augen, anders zu sein als die Heiden, welche sie aus dem Lande Chanaan vertreiben wollen: „Und folgt nicht den Satzungen dieser Heiden, sagt der Ewige, denn sie haben die Frevel begangen, die ich euch verbiete und ich habe einen Greuel an ihnen gefunden.“ (Levitikus 20.)

Der ersichtlichste Zweck der mosaischen Gesetze war, soviel als möglich die Entartung und Entnervung der jüdischen Rasse durch Ausschweifungen zu verhindern, welche schon ihr Blut so sehr verdorben und ihre Natur geschwächt hatten. Diese Ausschweifungen waren von besonders grossem Nachteile auf die Entwickelung der Bevölkerung und der öffentlichen Gesundheit. Dieses waren sicher die beiden Hauptgründe, die den Gesetzgeber bestimmten, die gewerbsmässige Unzucht nur bei fremden Weibern zu dulden. Er verbietet sie unbedingt den jüdischen Frauen: „Du sollst deine Tochter keine Hurerei treiben lassen, sagt er im Levitikus (Kapitel 19), damit das Land nicht besudelt werde, noch voll Unkeuschheit sei.“ Er spricht sich noch viel deutlicher im Deuteronomium (Kapitel 23) aus: „Und es soll keine Hure geben unter den Töchtern Israels, und keinen Ehebrecher unter seinen Söhnen“ (Non erit meretrix de filiabus Israel nec scortator de filiis Israel). Diese beiden Bestimmungen des mosaischen Gesetzes regelten die Prostitution bei den Juden, als sie in Palästina angesiedelt und als geschlossenes Volk unter der Regierung der Richter und später der Könige befestigt wurden. Die Stätten der Unzucht wurden von Fremden, meist Syriern, gehalten. Die Freudenmädchen, um diesen landläufigen Ausdruck zu gebrauhen, waren also Ausländerinnen, meist Syrierinnen. Die Gründe, welche Moses zum Ausschluss des jüdischen Weibes von der Gewerbsprostitution bestimmten, sind hinreichend in den Kapiteln des Levitikus dargelegt, in denen er ungescheut die ekelerregenden Gebrechen aufzählt, denen alsdann die Weiber seines Stammes unterworfen sein würden. Daher kommen alle die Vorsichtsmassregeln, die er trifft, um die Ehen gesund und fruchtbar zu machen. Man kann sich das Kapitel 18 des Levitikus, in dem alle die Frauenspersonen aufgezählt sind, deren Blösse ein Jude, ohne sich gegen die Gebote des Ewigen zu vergehen, nicht aufdecken durfte (turpitudinem non discoperies), nicht anders erklären: „Niemand nähere sich seiner Mutter, um bei ihr zu schlafen! sagt der Herr.“ Ebenso konnte kein Jude, ohne sich strafbar zu machen, seine Mutter oder seine Stiefmutter, seine Schwester oder Stiefschwester, seine Tochter, Enkelin oder Stieftochter, seine Tante mütterlicher oder väterlicher Seits; seine Bruders- oder Schwestertochter erkennen. Moses glaubte mit Nutzen die Verwandtschaftsgrade anzugeben, deren Vereinigung als unstatthaft und als der physischen Entwickelung noch schädlicher als der moralischen Ausbildung zurückzuweisen sei. Und aus eben diesen Gründen war der Verkehr mit einer Frau zur Zeit ihrer Periode so streng untersagt worden, dass das mosaische Gesetz ihn unter Umständen mit dem Tode bestrafte. Die Gefahr war eben bei den Juden viel grösser, als sonst irgendwo.

Diese Jüdinnen, so schön sie waren mit ihren mandelförmigen, schwarzen Augen, mit ihren wollüstigen Korallenlippen und ihren Perlenzähnen, mit ihrem üppigen, schmiegsamen Leib, mit ihren festen, vollen Busen, mit all den Schätzen ihrer schwellenden Formen, diese Jüdinnen, von denen die Sulamith im Hohen Lied uns ein so verführerisches Bild giebt, waren, wenn man Moses darin Glauben schenken darf, gewissen geheimen Krankheiten unterworfen, in denen manche medicinische Altertumsforscher die Kennzeichen venerischer Erkrankungen erkennen wollen. Und sicher ist, dass diese Krankheit weder von Neapel noch von Amerika stammt. Es würde aber unklug und sehr gewagt sein, sich über einen so heiklen Gegenstand weitläufig zu äussern; jedenfalls kann man es nur billigen, dass Moses strenge Vorsichtsmassregeln ergriff um die Gesundheit der Juden zu schützen und zu verhindern, dass ihre Nachkommenschaft bereits im Keime verdorben würde. Nach anderen, wenig oder gar nicht medicinisch gebildeten, ohne Zweifel aber sehr streng religiösen Erklärern handelt es sich nur um den Blutfluss und um Hæmorrhoïden in diesem schrecklichen fünfzehnten Kapitel des Levitikus, das in zartester Uebersetzung folgender Weise beginnt: „Jeder Mann, dessen Fleisch einen Fluss hat, der soll unrein sein durch diesen Fluss, und in gleicher Weise soll die Unreinlichkeit seines Flusses sein.“ Der Text der Vulgata lässt keinen Zweifel über die Art dieses Flusses, ausser über seinen Ursprung: Vir, qui patitur fluxum seminis, immundus erit; et hunc indicabitur huic vitio subiacere, cum per singula momenta adhæserit carni ejus atque concaverit fœdus humor. Und dies kam also dennoch vor, obwohl Moses so peinliche Waschungen und so strenge Proben denen vorgeschrieben hatte, die, um den Ausdruck der strenggläubigen Bibelüberlieferung beizubehaten, einen Fluss hatten. Der Kranke, der alles, was er berührte, unrein machte, und dessen Kleidung nach Mass ihrer Verunreinigung gewaschen werden musste, begab sich am achtzehnten Tage seines Flusses zur Tempelpforte und opferte zwei Turteltauben oder zwei Tauben, die eine für seine Sünde, die andere als Sühneopfer Diese beiden Tauben, welche das Heidentum ihrer glühenden und vielfältigen Liebkosungen wegen der Venus geweiht hatte, sollten ganz sicher die beiden Urheber des betreffenden Sündenfalls darstellen, der so verhängnisvolle Folgen gehabt hatte. Dieses Sühnopfer heilte den Kranken nicht, der so lange von Israel gesondert und vom Tempel des Herrn fern blieb, bis sein Fluss sich verloren hatte. Moses stellte daher ordentliche Polizeiverordnungen auf, um so viel als möglich zu verhindern, dass eine unsaubere Krankheit, die die Quellen der

Vermehrung bei den Hebräern verstopfte, durch Ueberhandnehmen seine Verheerungen vermehre und schliesslich das ganze Volk Israel verseuche.

Diese Krankheit hatte sich indessen, während des Aufenthaltes Israels in der Wüste, in so hohem Grade verschlimmert, dass Moses alle die aus dem Lager trieb, die damit behaftet waren (Numeri Kapitel 5). Es geschah auf den Befehl des Herrn, dass die Israeliten ohne Erbarmen alle Aussätzigen und alle Flusskranken austrieben. Man kann sich denken, dass diese Unglücklichen, denen der Ewige ohne Zweifel nicht die Wohlthat des himmlischen Manna zukommen liess, durch Kälte und Hunger, wenn nicht durch ihre Krankheit zu Grunde gingen. Auf diese ekelhafte und widerwärtige Krankheit darf man auch das Eifersuchtsgesetz zurückführen, das Moses zur Beruhigung der Ehegatten feststellte, welche ihre Frauen beschuldigten ihre Gesundheit durch Begehen eines Ehebruches gefährdet zu haben, dessen verhängnisvolle Folgen sie bemerkt hatten. Unbeschwichtbare Klagen brechen beständig über diesen Punkt im jüdischen Familienleben aus. Der Gatte beargwöhnt sein Weib und sucht den Beweis für seinen Argwohn im beiderseitigen Gesundheitszustande. Die Frau schwört vergebens, dass sie nicht unrein sei, und wirft ihrerseits oft dem Manne das Unrecht vor, was dieser ihr zuschob. Dann begaben sich Mann und Frau vor den Priester, der Mann übergab für sein Weib einen Gerstenmehlkuchen ohne Oel, genannt Eifersuchtskuchen, die beiden Gatten standen aufrecht vor dem Ewigen, der Priester legte den Kuchen in die Hände der Frau und hielt in den seinigen bitteres Wasser, das er zu der Verfluchung brauchte: „Wenn kein Mann bei dir geschlafen hat, sprach er, und wenn du dich nicht verunreinigt und beschmutzt hast, solange du in der Gewalt deines Mannes bist, soll dieser bittere Trank dir nicht schaden; wenn du aber, solange du in deines Mannes Gewalt bist, dich beschmutzt und verunreinigt hast, und ein anderer als dein Gatte bei dir geschlafen hat, so überliefere dich der Ewige dem Fluche, dem du dich durch deinen Eid unterworfen hast, und dieses Wasser da, das die Verwünschung in sich einschliesst, soll, wenn es in deine Eingeweide tritt, deinen Leib platzen und deine Schenkel brechen lassen.“ Das Weib antwortete mit Amen und trank den bittern Trunk, während der Priester den Kuchen sich reichen liess und ihn auf dem Altare darbrachte. Wenn das Weib später ihren Leib schwellen und ihre Schenkel verdorren sah, so war sie des Ehebruches überführt und wurde ehrlos in den Augen Israels. Ihr Gatte hingegen, den alle Welt als makelloses Opfer beklagte, sah sich gerechtfertigt, wenn auch nicht geheilt. Denn obwohl er keinen bitteren Trank in Gegenwart des Priesters zu trinken brauchte, hatte er doch den grösseren Teil der ekelhaftesten Krankheiten und schrecklichen Unfälle zu ertragen, die der Fluch auf sein sündiges Weib häufte. Wenn diese aber ihre Unschuld durch den günstigen Zustand ihres Leibes und ihrer strotzenden

Schenkel dargethan hatte, brauchte sie nicht mehr die Vorwürfe ihres Gatten zu fürchten, und sie konnte Mutter werden.

Wie man sieht, beschäftigte sich Moses nicht allein damit, die Israeliten sittlich besser zu machen, sondern er war auch bemüht, die Keime ihrer gefährlichsten Krankheiten zu ersticken, und er vertraute seine Satzungen der öffentlichen Gesundheitspflege der Priesterschaft des Tempels des Herrn an. Allein die Israeliten nahmen bei ihrem engen Verkehre mit den fremden Nachbarstämmen, den Moabitern, Ammonitern, Chanaanitern und all diesen mehr oder minder verdorbenen und heidnischen Völkern, den Geschmack, die Gebräuche und die Laster ihrer Gäste oder Verbündeten in sich auf. Nun aber blühte die tollste Prostitution bei den unkeuschen Nachkommen Loths und seiner Töchter. Die heilige Prostitution hatte überhaupt ihre zügellose Herrschaft in dem Kulte der Heidengötter ausgebreitet, welche die Einwohner dieses Landes mit einem geradezu verzweifelten Wahnsinne anbeteten. Moloch und Baal-Phegor waren die schrecklichen Götzen dieser Prostitution, die das jüdische Volk einzuführen sich beeilte. Man hatte gut gegen die Hurer wüten, ihr Beispiel wurde nichtsdestoweniger von denen nachgeahmt, die sich zu den Lüsten des Fleisches hinreissen liessen. Auf diese Art blieben eine Menge unzüchtiger, abergläubischer Gebräuche in den Sitten der Hebräer, obgleich die Tempel des Baal und des Moloch zerstört worden waren und keine unsittlichen Opfer mehr empfingen. Moses hat im Kapitel zwanzig des Levitikus und im Kapitel drei und zwanzig des Deuteronomium ein Schandmal diesem abscheulischen Kultus und den Abtrünnigen, welche ihn zur Schmach des wahren Gottes trieben, aufgedrückt: „Wer von den Kindern Israels oder von den Fremden, die in Israel wohnen, seines Samens dem Bilde des Moloch opfert, der soll mit dem Tode bestraft werden, das Volk soll ihn steinigen.“ So spricht der Ewige zu Moses, indem er ihm befiehlt, diejenigen, die mit Moloch Hurerei getrieben haben, aus der Mitte Iraels auszurotten. Im Deuteronomium ist es Moses allein, der ein Verdammungsurteil ausspricht, ohne jedesmal eine bestimmte Strafe für die einzelnen Unkeuschheiten anzusetzen, die sich mehr auf Baal als auf Moloch beziehen: „Du sollst im Tempel des Herrn nicht den Erwerb der Hurerei und kein Hundsgeld darbringen, welches Gelübde du auch gemacht habest, denn diese beiden Dinge sind ein Greuel vor Gott, deinem Herrn.“

Die Weisen haben sich viel Kopfzerbrechen darüber gemacht zu entdecken, wer die beiden Moabiter Moloch und Baal-Phegor gewesen sind; sie haben aus dem Talmud und dessen jüdischen Komentaren die wunderlichsten Einzelheiten über diese Beiden und den ihnen geweihten Kult geschöpft. Also Moloch wurde als ein Mann mit einem Stierkopfe dargestellt, der mit ausgebreiteten Armen darauf wartete, dass man ihm ein Opfer darbrachte, Getreidekörner, Turteltauben, Lämmer, Hammel, Kälber, Stiere und Kinder. Diese sieben verschiedenen Opfergaben fanden ihren

Platz in den sieben Höhlungen, die sich mitten in dem Leibe dieses gefrässigen Erzgottes befanden. Er war auf einen gewaltigen Ofen aufgestellt, den man anbrannte, um ihn auf diese Art mit einem Male die sieben verschiedenen Opfer verzehren zu lassen. Während dieses Sühnopfers machten die Priester des Moloch einen Höllenlärm mit Becken und Trommeln um das Geschrei der Opfer zu übertäuben Wenn nun diese Schandthat stattfand, die der Gott Israels verfluchte, überliessen sich die Molochdiener Dingen, die des Vaterlandes des Onan würdig waren, und begeistert durch das taktmässige Getöse ihrer Musikinstrumente schwankten sie um das glühende Bild herum, das rot durch den Dampf durchleuchtete. Sie stiessen wahnsinnige Schreie aus und gaben, um mit der Bibel zu sprechen, ihre Nachkommenschaft dem Moloch hin. Dieser Greuel nistete sich gleichfalls in Israel ein, welchen einige unsinnige Thoren in den Kult des Gottes der Juden einzuführen wagten, nnd so sein Heiligtum besudelten. Der Zorn des Moses war daher ein gerechter, und er wiederholte folgende Worte des Ewigen: „Ich will mein Gesicht wenden gegen die, welche mit Moloch buhlen, und ich will sie ausrotten aus der Mitte meines Volkes.“ Dieser Moloch oder Molec war niemand anders als die Melitta der Babylonier, die Astarte der Sidonier, die griechische Venus, die vergötterte Weiblichkeit. Daher die Opfergaben, welche man ihm darbringt: Getreidekörner, um die Keime des Lebens anzudeuten; Turteltauben, um die Zärtlichkeit der Liebe zum Ausdruck zu bringen; Lämmer, als Bilder der Fruchtbarkeit; Widder, um die Unbändigkeit der Sinne darzustellen; Kälber, um den Reichtum der nährenden Natur wiederzugeben; Stiere, als Sinnbilder der schöpferischen Kraft; und endlich Kinder, um den Zweck des wahren Kultus der Göttin zu zeigen. Es ist leicht einzusehen, dass die treuen Molochanbeter in schändlichster Uebertreibung des religiösen Eifers, wenn sie ihm keine Kinder anbieten konnten, ihm einen unkeuschen Ersatz für dieses grausame Opfer brachten. Doch scheint es, dass der Kult dieses unsauberen Moloch weniger Beliebtheit bei den Juden hatte als der des Baal-Phegor

Baal-Phegor oder Bel-Phegor war der Hauptgott der Midianiter. Er wurde von den Hebräern mit einer Leidenschaft aufgenommen, die hinreichend für die Unsauberkeit seiner Mysterien zeugt. Dieser Schandgott hielt oft dem Gotte Abrahams und Jakobs das Gleichgewicht. Sein abscheulicher Kult, begleitet von den fürchterlichsten Ausschweifungen, wurde niemals völlig im jüdischen Volke ausgerottet, das ihn verstohlener Weise in den Wäldern und Bergen ausübte. Dieser Kult war ohne Frage der des Adonis oder des Priap. Bildnisse, die den Gott darstellen, fehlen uns leider vollständig. Kaum dass einige jüdische Schriftsteller sich erkühnen die Ueberlieferungen über Baal, seine Bilder und seine Verehrung mitzuteilen. Wir müssen uns darauf beschränken, durch einen verhüllenden Schleier die schändlichen Bilder anzusehen, die Selden, der Abbè Mignot und Dulaure mit gelehrter Hand darzustellen unternommen haben. Nach Selden.

der sich auf die Gewährschaft des Origines und des heiligen Hieronymus beruft, war Belphegor bald dargestellt als ein riesiger Phallus, in der Bibel species turpitudinis genannt, bald als Bildsäule mit über dem Kop aufgehobener Kleidung, als ob sie ihre Schamgegend zur Schau stellen wollte (ut turpitudinem membri virilis ostenderet); nach Mignot war die Baalstatue ein ungeheuerer Zwitter; nach Dulaure endlich war sie nur bemerkenswert durch die Attribute des Priap. Aber alle diese Gelehrten, die sich auf die heiligen Schriften und die Erläuterungen der Kirchenväter stützten, sind einig in Bezug auf die heilige Prostitution, welche den Hauptbestandteil dieses scheusslichen Kultus bildete. Die Priester des Gottes waren schöne, junge Leute, ohne Bart, welche ihren Körper enthaarten und mit wohlriechenden Oelen einrieben. Sie trieben einen gemeinen Handel mit ihrer Unkeuschheit im Heiligtum des Baal. Die Vulgata nennt sie effoeminati; der hebräische Text bezeichnet mit Kedechim, das ist soviel wie „Geweihte.“ Bisweilen waren diese Geweihten nur Mietlinge, welche dem Tempeldienste beigegeben waren. Die gewöhnliche Beschäftigung bestand in mehr oder weniger thätiger Ausübung ihrer verrufenen Mysterien; sie verkauften sich den Verehrern ihres Gottes und legten auf seinen Altären den Lohn ihrer Preisgebung nieder. Noch nicht genug damit, sie hatten auch Hunde, die zu demselben Schandzweck dressiert waren, und den Ertrag, den sie aus dem Verkaufe oder der Vermietung dieser Tiere zogen, verwendeten sie gleichfalls als Tempeleinkommen. Bei gewissen Feierlichkeiten endlich, welche Nachts, wenn die Sterne ihr Antlitz zu verhüllen und vor Entsetzen zu verbergen schienen, im Schatten der heiligen Haine begangen wurden, griffen sich Priester und Geweihte mit Messerstichen an, bedeckten sich mit Hautrissen und Schnittwunden und fielen endlich, erhitzt durch den Wein und berauscht von den Klängen ihrer Musikinstrumente, allmählig in ein Meer von Blut.

Aus diesem Grunde also wollte Moses keine Haine bei den Tempeln dulden; aus diesem Grunde verbietet er, indem er selbst über die Schändlichkeiten errötet, denen er den Fluch des Himmels androht, im Hause des Herrn den Erwerb der Preisgebung und das Hundsgeld darzubringen. Die effoeminati bilden eine Sekte mit festen Gebräuchen und Einweihungsfeierlichkeiten. Diese Sekte vermehrte sich beständig im Geheimen, so grosse Anstrengung der Gesetzgeber auch machte sie zu vernichten. Sie überlebte den Untergang ihrer Bilder und drang sogar bis in den Tempel des Herrn ein. Die Enstehung dieser effoeminati ist sicher auf die grosse Verbreitung der verschiedenen Geschlechtskrankheiten zurückzuführen, welche das Blut der Weiber verdarben, und deren Berührung sehr gefährlich machten, bevor Moses sein Volk gereinigt hatte, indem er alle ausstiess und der Verdammnis weihte, die von jenen unkeuschen Leiden befallen waren: Aussatz, Krätze, Blutfluss und allen andern Flussarten. Als die öffentliche Gesundheit sich etwas erholt hatte, begnügten sich die Juden, die sich dem Baaldienste hingaben, nicht mehr mit diesen Effoeminaten; und als diese sahen, dass sie weniger gesucht wurden, kamen sie auf den Gedanken, um eine Minderung ihrer Kulteinnahmen zu verhüten, dem Baal in gleicher Weise eine Weibergemeinschaft zu weihen, welche sich zu seinen Gunsten preisgeben musste. Diese Weiber, welche in der Bibel gleich ihnen Kedeschoth genannt werden, hielten sich mit ihnen unter den Eingängen und im Innern der Tempel auf, sondern sie wohnten unter bunten Zelten an der Strasse, welche zum Tempel führte, sie bereiteten sich auf ihre Preisgebung vor, indem sie Weihrauch verbrannten oder Liebestränke verkauften oder musizierten. Dies waren die „fremden Weiber," die ihr Handwerk auf eigene Rechnung betrieben, als der Baaltempel nicht mehr bestand um ihre Gaben in Empfang nehmen zu können. Sie waren es, welche von ihrer Kindheit an zu ihrem schimpflichen Priesteramt erzogen wurden und ausschliesslich der jüdischen Prostitution dienten.

Die heilige Prostitution beginnt also bei den Juden zur Zeit des Moses, welcher sie nicht abzuschaffen vermochte und taucht hie und da in den heiligen Büchern bis zur Zeit der Makkabäer auf. Als das Volk Israel zu Sittim im Lande der Moabiter, also fast im Angesichte des gelobten Landes, lagerte, gab es sich der Unzucht mit den Töchter Moabs hin (Numeri Kapitel 25), die es zu ihren Opfern einluden; es wurde in den Baal-Phegordienst eingeweiht. Der Ewige rief Moses und befahl ihm alle diejenigen, welche dem Baal Phegor geopfert hatten, zu hängen. Eine schreckliche Krankheit, welche von den Ausschweifungen der Israeliten ihren Ursprung hatte, decimierte sie, und 24000 waren bereits an dieser Krankheit gestorben. Moses versammelte die Richter Israels um sie aufzufordern, das Volk von den Schuldigen zu säubern, welche diese Geisel Gottes getroffen hatte: „Und siehe ein Mann aus den Kindern Isreals, mit Namen Zambri, liess sich in Gegenwart seiner Brüder mit einer Dirne des Landes Midian ein, vor den Augen Moses und der ganzen Versammlung der Richter, welche vor den Thüren der Stiftshütte weinten. Als Phineas, der Enkel Aarons, diese Schandthat sah, erhob er sich, ergriff einen Speer, trat hinter Zambri in die Kammer der Unzucht und durchstach beide mit einem Stosse, den Mann und das Weib, in der Gegend der Geschlechtsteile." Diese rasche Justiz liess das Uebel weichen, welches Israel verheerte, und besänftigte den Zorn Gottes. Aber das sittliche Uebel hatte tiefere Wurzeln als das physische geschlagen, und die Schändlichkeiten, des Baal-Phegordienstes erschienen oft wieder inmitten des Volkes Gottes. Sie wurden nie frecher als unter den Königen von Juda. Während der Regierung des Rehabeam 980 v Chr., „liessen die effoeminati sich im Lande nieder und trieben alle die Greuel der Heiden, welche der Herr von den Kindern Israels ausgetrieben hatte." Asa, einer der Nachfolger Rehabeams, vertilgte die Hurer (effoeminati) und reinigte sein Land von den Götzenbildern, welche es verunreinigten. Er vertrieb sogar seine eigene Mutter, Maacha, welche den Mysterien des Priap (in sacris Priapi) vorstand, und zerstörte den Tempel, welchen sie diesem Gotte errichtet hatte, von Grund aus, dessen schändliche Statue (simulacrum turpissimum) er in Trümmer schlug. Josaphat, welcher nach ihm regierte, vernichtete den Rest der Hurer, die sich noch den energischen Verfolgungen seines Vaters Asa hatten entziehen können. Indes schoben die Baalspfaffen ihre Rückkehr nicht lange hinaus, und die Baaltempel erhoben sich von neuem; seine Bilder beleidigten von neuem das öffentliche Schamgefühl, denn noch zwei Jahrhunderte später führte der König Josia einen unversöhnlichen Krieg wider die falschen Götter und ihren Kult, welcher sich in Jerusalem dem Dienste des Herren beigesellt hatte. Die Tempel wurden zerstört, die Bildsäulen zur Erde gestürzt, die Unzuchtshaine ausgerottet und verbrannt. Josias liess auch die Hurenzelte nicht stehen, welche diese Schandbuben sogar im Innern des Tempels Salomos ausgebreitet hatten, und die, von den Händen der dem Baal geweihten Weiber verfertigt, der fremden Prostitution als Unterschlupf dienten.

Ein alter jüdischer Erklärer der Bücher Mosis fügt viele Sittenzüge, die ihm die Ueberlieferung gab, dem 25. Kapitel der Numeri zu, in welchem die Ausschweifungen der Israeliten mit den Töchtern der Moabiter erwähnt werden. Diese Mädchen hatten Zelte errichtet und Buden (officinæ) eröffnet von Bet-Aiximot bis Ar-Ascalez. Daselbst verkauften sie alle Arten Schmuckgegenstände, und die Hebräer schmausten und zehrten mitten in diesem Hurenmarkte. Wenn nun einer von ihnen um Luft zu schöpfen umherging, so rief ihn eine Dirne ins Innere des Zeltes, in welchem sie sich niedergelassen hatte: „Komm und kaufe mir etwas ab!" Und er kaufte. Am nächsten Tage kaufte er wiederum, und am dritten Tage sprach sie zu ihm: „Tritt ein, mein Auserwählter! Du bist hier Herr." Alsdann trat er ein in ihr Zelt und fand daselbst einen Krug ammonitischen Weines, der auf ihn wartete: „Ist es dir gefällig, diesen Wein zu trinken?" sprach sie zu ihm. Und er trank, und der Wein entzündete seine Sinne, und er sprach zu der schönen Tochter Moabs: „Küsse mich!" Sie sprach, während sie aus ihrem Busen ein Bild des Phegor (ohne Zweifel einen Phallus) zog: „Mein Gebieter, wenn du willst, dass ich dich küsse, so bete meinen Gott an." — „Was!" schrie er, „wie kann ich diese Götzendienerei auf mich nehmen?" — „Was thuts?" sprach die Zauberin, „es genügt, dass du dich vor diesem Bilde entblössest." Der Israelite hütete sich wohl, einen solchen Handel zurückzuweisen, er entblösste sich, und die Moabiterin hatte den ersten Schritt gethan, ihn in den Kult des Baal-Phegor einzuweihen. Es genügte also, um Baal als wahren Gott anzuerkennen und ihn anzubeten, dass man sein Haupt vor ihm entblösste. Daher behielten auch die Juden, aus Furcht in seiner Gegenwart mit blossem Haupte zu erscheinen, ihre Kappen im Tempel und vor dem Allerheiligsten auf. Diese Töchter Moabs waren vielleicht nicht so ganz unschuldig an den Plagen, welche Israel infolge des Götzendienstes trafen, den sie veranlasst hatten. Denn, als nach einem siegreichen Feldzuge, welchen Moses gegen die Midianiter unternommen hatte, alle Männer mit der Schärfe des Schwertes getroffen worden waren, liess er auch einen Teil der Weiber, die in Gefangenschaft geraten waren, töten: „Diese sind es," sprach er zu den Feldherren, „sie allein sind es, welche auf Beleams Rat die Kinder Israel abwendig gemacht und euch zur Sünde wider den Herrn geführt haben, indem sie euch das Bild des Phegor zeigten." Er liess also schonungslos alle Weiber töten, die ihre Jungfräulichkeit verloren hatten. (mulieres quæ noverunt viros in coitu.)

Moses beschäftigt sich an zwanzig Stellen seiner Bücher sehr eingehend mit der Jungfräulichkeit der Mädchen. Diese war eine unerlässliche Mitgift, welche das jüdische Weib ihrem Gatten zubringen musste, und man darf wohl glauben, dass die Juden, so gering auch sonst ihre Kenntnisse von medizinischen Dingen waren, bestimmte Mittel, die Jungfräulichkeit nachzuweisen, kannten, Mittel, die angaben, dass sie bestand, und solche, die angaben, dass sie bestanden hatte. Wenn nun ein Mann (Deuteronomium Kapitel 28), nachdem er sein Weib geheiratet hat, sie anklagte, sie sei nicht als Jungfrau in das Ehebett gestiegen, dann traten der Vater und die Mutter der Angeklagten vor die Aeltesten, welche ihren Sitz unter den Thoren der Stadt hatten, und zeigten die Zeichen der Jungfrauschaft ihrer Tochter, indem sie das Hemd ausbreiteten, welches sie in der Brautnacht getragen hatte. In diesem Falle legte man dem Gatten Schweigen auf, und er konnte nichts mehr gegen eine so gut beglaubigte Jungfräulichkeit vorbringen. Im andern Falle aber, wenn das arme Weib keine derartigen Beweise darbringen konnte, lief sie Gefahr, als überführt angesehen zu werden, dass sie ihre Pflicht verletzt habe, und alsdann verurteilt zu werden, weil sie im Hause ihres Vaters gehurt habe. Man führte sie vor dieses Haus und tötete sie durch Steinwürfe. Moses hatte, wie fast alle Gesetzgeber, die Todesstrafe auf den Ehebruch gesetzt. Die Notzucht nun wurde ebenfalls, wenn sie mit einem verlobten Mädchen begangen worden war, mit dem Tode bestraft, und das Weib wurde mit dem Manne, der sie beschimpft hatte, getötet, ausser wenn das Verbrechen im freien Felde begangen worden war. Im andern Falle wurde angenommen, diese Unglückliche habe gar nicht oder doch nicht laut genug um Hülfe geschrieen. Wenn das Mädchen den Verlobungsring noch nicht empfangen hatte, so wurde der Schänder ihr Gatte, weil er sie erniedrigt hatte, (quia humilavit illam), jedoch mit der Bestimmung, dem Vater seines Opfers fünfzig Silberlinge zu zahlen; dies nannte man den Preis der Jungfrauschaft. Moses, der viel nachsichtiger gegen die Männer als gegen die Weiber war, schrieb diesen eine so strenge Keuschheit vor, dass ein verheiratetes Weib, die ihren Gatten im Streite mit einem andern Manne sah, ihm nicht zu Hilfe kommen konnte, ohne befürchten zu müssen, ihre Hand zu verlieren, denn man schlug einem verheirateten Weibe die Hand ab, das zufällig oder aus sonst einem Grunde die Geschlechtsteile eines Mannes berührte; nun hatten aber die Juden die Gewohnheit, bei ihren Streitereien sehr oft zu dieser fürchterlichen Angriffsart ihre Zuflucht zu nehmen, welche zu nichts geringerem führte, als die jüdische Rasse zu entmannen. Um nun diese gefährlichen Kämpfe zu verhindern, schloss Moses alle Entmannten vom Besuche des Tempels aus; gleich auf welche Weise sie entmannt worden waren (attritis vel amputatis testiculis et abscisso veretro, Deuteronomium Kapitel 23). Aber alle diese strengen Vorschriften des Gesetzes fanden nur bei den jüdischen Weibern Anwendung, die fremden Weiber hingegen, was sie auch in oder mit Israel trieben, wurden nicht im geringsten beunruhigt, und Moses selbst wusste den Wert dieser Fremden so wohl zu schätzen, dass er, obgleich älter als hundert Jahre, eine als Weib oder vielmehr als Beischläferin nahm. Es war dies eine Aethiopierin, welche nicht den Gott der Juden anbetete, darum aber dem Moses nicht weniger gefiel. Maria, die Schwester dieses Lieblings Gottes, hatte allen Grund, ihre üble Nachrede über diese Aethiopierin zu bereuen: denn Moses betrübte und der Herr erzürnte sich darüber: Maria wurde aussätzig, weiss wie Schnee, darum, dass sie Uebles gesprochen hatte von der schwarzen Beischläferin des Moses. Er, der selbst nicht immer mit dem besten Beispiele voranging, hätte keinen sonderlichen Erfolg damit gehabt, wenn er den Juden eine Enthaltsamkeit auferlegte, die zu halten ihm selbst zu schwer schien. Er befahl ihnen daher nur Mässigkeit in den sinnlichen Genüssen und Keuschheit im öffentlichen Handeln. Es war also nach seinem Gesetze die Liebe eine Art Geheimdienst, die nur mit bestimmten Beschränkungen der Zeit, des Ortes und der Sittlichkeit verrichtet werden durfte. Ausserdem mussten noch viele Vorsichtsmassregeln im Interesse des öffentlichen Wohles beobachtet werden: die jüdischen Weiber waren erblichen Krankheiten unterworfen, welche der übermässige Geschlechtsgenuss verschlimmern und vermehren konnte; die Familien hatten, indem sie sogenannte Inzucht trieben, ihr Blut verschlechtert und verdorben. Da die Unmässigkeit der Hauptfehler der Juden war, befahl der Gesetzgeber, ihnen nur, da er sie doch nicht völlig keusch und tugendhaft machen konnte, sich in ihren Begierden und Genüssen zu mässigen: „Es sollen die Kinder Israels, spricht der Herr zu Moses, Purpurstreifen am Saume ihrer Mäntel tragen, damit der Anblick dieser Streifen sie an die Befehle des Herrn erinnere und ihre Augen und Sinne von der Hurerei abwende." (Numeri Kapitel 15.).

Die Ausländerinnen oder Freudenmädchen waren in Israel nicht so verschrieen, dass ihre Söhne nicht Aemter und Würden im Volke des Herren hätten erlangen können: so wurde der tapfere Jephta von einer Hure zu Galaad geboren, und nichts destoweniger war er einer der angesehensten Kriegsführer der Israeliten. Ein Erklärer der heiligen Schrift hat die Behauptung aufgestellt, dass Jephta zur Sühne für die Feilheit seiner Mutter die Jungfräulichkeit seiner einzigen Tochter dem Herrn geweiht habe. Man kann schwerlich glauben, dass Jephta seine Tochter in seiner wahren Bedeutung geopfert haben soll, und man muss ohne Zweifel in diesem menschlichen Sühnopfer nur ein hinlänglich verständliches Sinnbild erblicken: die Tochter Jephtas beweint mit ihren Gefährtinnen zwei Monate lang ihre Jungfrauschaft, bevor sie das Witwenkleid anlegt und sich dem Dienste des Herrn weiht. Ein anderer Erklärer, welcher sein Augenmerk mehr auf die Altertumsforschung richtet, sieht in dieser Zurückziehung der Tochter in das Gebirge eine Einweihung in den Kult des Baal-Phegor, der seine Tempel, seine Statuen und seine heiligen Haine auf hoch gelegenen Orten hatte, wie ja die Bibel oft sagt. Jephta hatte seine Tochter der Prostitution geweiht, das ist mit andern Worten dem Handwerk, welches seine Mutter getrieben hatte. Endlich bezeugen die Bücher Josua und der Richter, dass man keine so unversöhnliche Abneigung gegen die Prostitution hatte. Als Josua zwei Spione nach Jericho schickte, kamen diese nachts in das Haus eines Freudenmädchens, Namens Rahab, und „schliefen daselbst", sagt die Bibel. Diese Frau wohnte an der Mauer der Stadt wie alle Frauen ihrer Zunft, die nicht im Innern der Städte wohnen durften. Man kommt im Auftrage des Königs von Jericho um sich dieser Spione zu bemächtigen, allein Rahab verbirgt sie auf dem Dache ihres Hauses und hilft ihnen schliesslich, als sie die Stadt mittels eines Taues verlassen. Diese Spione versprachen ihr für sich und alle, welche bei der Einnahme Jerichos unter ihrem Dache weilen würden, Gut und Leben. Josua nimmt keinen Anstand, dieses Versprechen, welches seine Spione der Hure gegeben haben, zu halten, die bei dem folgenden Blutbade geschont wurde, ebenso wie ihr Vater, ihre Mutter, ihre Geschwister und alle, die ihr zugehörten. „Sie hat inmitten der Kinder Israel gewohnt bis an den heutigen Tag," sagt der Verfasser des Buches Josua, welcher allem Anschein nach keinen Anstoss an dem Aufenthalt eines Freudenmädchens in Israel fand. Sie war wahrlich nicht die einzige, und die heilige Schrift hat oft Gelegenheit von diesen Geschöpfen zu sprechen.

Wir wollen uns nicht bei der Geburt Samsons aufhalten, in welcher man einige Spuren heiliger Prostitution finden könnte, wir wollen nicht ausführlich erzählen, wie seine Mutter unfruchtbar war, und wie ein Mann Gottes, mit einem Angesicht gleich dem eines Engels, zu dieser unfruchtbaren Frau kam, um ihr anzukündigen, dass sie einen Sohn gebären würde; wir wollen nur zeigen, dass Samson, dieser Erwählte Gottes, in die Stadt Gaza ging, daselbst eine Hure sah und bei ihr eintrat. Dennoch liess ihn der Herr nicht im Stiche, denn mitten in der Nacht erhob sich Samson mit solchen Kräften ausgerüstet, als wenn er ruhig geschlafen hätte, und riss die Thore von Gaza ein und trug die Thorflügel auf den Gipfel des Berges. Darauf liebte er ein Weib mit Namen Delila, die in einem Zelte am Bache Cidron wohnte. Es hielt sich daselbst noch eine Hure auf, und der Verrat derselben, welchen die Philister für Geld erkauft hatten, beweist, das sie keinen Grund hatte, mit der Freigebigkeit ihres Geliebten zufrieden zu sein. Der Herr tadelte den Gebrauch nicht, den Samson von seiner Stärke machte, aber er verliess ihn von dem Augenblicke an, wo das Scheermesser das Haupt dieses Nazareners seines Schmuckes beraubt hatte. Auch Delila verliess ihn und ruhte nicht mehr an seiner Brust. Die Juden durften damals Konkubinen in ihren Häusern halten, ohne den Zorn des Gottes ihres Erzvaters Abraham, der ja auch die seinige gehabt hatte, zu erregen. Auch Gideon hatte ein Kebsweib, welche ihm einen Sohn gebar, ausser den siebenzig Söhnen, die ihm seine Weiber geboren hatten. Wir kommen nun zu dem Leviten von Ephraim, der ein Kebsweib im Lande Bethlehem genommen hatte, die hatte gehurt mit ihm, wie die protestantische Bibelübersetzung lautet, und sie verliess ihn um zurückzukehren zu ihrem Vater. Da geschah es zu ihrem Unglücke, dass dieser Levit sich aufmachte sie zu suchen: bei seiner Rückkehr machte er Gebrauch von der Gastfreundschaft, welche ihm ein guter Greis der Stadt Gibea anbot, und trat mit seinen beiden Eseln, seiner Kebse und seinen Dienern in das Haus dieses Alten ein, um daselbst die Nacht zuzubringen. Die Reisenden wuschen ihre Füsse, assen und tranken; aber als sie sich schlafen legen wollten, umringten die Einwohner Gibeas — diese waren Kinder Jemini (Jebusiter) aus dem Stamme Benjamin — das Haus, klopften an die Thüre und riefen dem Wirte zu: „Führe uns den Mann heraus, der bei dir eingekehrt ist, damit wir ihn benützen (ut abutamur eo.)" Der Alte ging zu dieser Rotte Kinder Belials und sagte ihnen: „Brüder, begeht keine solche hässliche That, dieser Mann ist mein Gast, und ich muss ihn schützen. Ich habe aber eine jungfräuliche Tochter, und dieser Mann hat ein Kebsweib; ich will euch diese beiden Weiber ausliefern, und ihr mögt mit ihnen euren Willen treiben, aber ich bitte euch, befleckt euch nicht durch solch ein unnatürliches Verbrechen, indem ihr diesen Mann missbraucht." Die Rasenden wollten auf nichts hören; endlich führte der Levite seine Kebse heraus und übergab sie den Benjamiten, welche dieselbe die ganze Nacht hindurch missbrauchten. Am folgenden Morgen liessen sie sie laufen, und diese Unglückliche, erschöpft wie sie durch diese unmenschliche Misshandlung war, konnte sich nur mit Mühe bis zu dem Hause schleppen, in dem ihr Geliebter schlief; sie fiel tot, mit auf der Schwelle ausgebreiteten Armen nieder. In diesem traurigen Zustande fand sie der Levite, als er sich am andern Morgen auf den Weg machen wollte. Obgleich er sie in gewisser Beziehung selbst preisgegeben hatte, verlangte er doch glühend sie zu rächen. Israel ergriff Partei für diese Konkubine und rüstete sich gegen die Benjamiten, welche fast gänzlich ausgerottet wurden. Was von dem schuldigen Stamme übrig geblieben war, würde keinen Nachwuchs gehabt haben, wenn nicht die andern Stämme, welche geschworen hatten, keine ihrer Töchter diesen Kindern Belials zu geben, auf den Gedanken gekommen wären, die Töchter von Jabes und Gilead zu Gefangenen zu machen und die Töchter von Silo in Kanaan aufzugreifen, um das Land wieder zu bevölkern, welches dieser entsetzliche Vernichtungskrieg in eine Einöde verwandelt hatte. Die Benjamiten heirateten also Fremde und Götzendienerinnen.

Diese Fremden zögerten ohne Zweifel keinen Augenblick, den Kult des Moloch und Baal-Phegor in Israel wiederherzustellen, wie es viel später die Konkubinen des Königs Salomo gleichfalls thaten. Unter diesem Könige, der tausend Jahre v. Chr. regierte und das Volk der Juden auf die höchste Stufe seiner Macht erhob, wurde die Sittenfreiheit bis an die äusserste Grenze gebracht. Der König David hatte sich in seinen Greisenjahren damit begnügt, ein junges, jungfräuliches Mädchen zu sich zu nehmen, welches für ihn sorgen und ihn nachts in seinem Bette erwärmen musste. Trotz dieser unschuldigen Anwandlung eines alterserstarrten Greises zog sich dennoch der Herr nicht von ihm zurück, und suchte ihn noch oftmals heim. Salomo aber liess sich nach einer rühmlichen und herrlichen Regierungszeit, durch das Feuer seiner fleischlichen Begierden fortreissen; er liebte ausser der Tochter des Pharao von Aegypten, welche er zum Weibe genommen hatte, allerlei fremde Weiber, Moabiterinnen, Ammoniterinnen, Idumäerinnen, Sidonierinnen und andere, welche ihm der Gott Israels als gefährliche Sirenen zu fliehen befohlen hatte. Aber Salomo überliess sich wie wahnsinnig seinen Ausschweifungen (His itaque copulatus est ardentissimo amore.) Er hatte siebenhundert Weiber und dreihundert Kebsweiber, welche sein Herz vom wahren Gotte abwendeten. Er betete also zu Astarte, der Göttin von Sidon, zu Kamor, dem Gotte der Moabiter, und zu Moloch, dem Gotte der Ammoniter. Er errichtete diesen Götzen Tempel und Bildsäulen auf den Jerusalem gegenüberliegenden Höhen: er streute ihnen Weihrauch und brachte ihnen gottlose Opfer dar. Diese, der Venus, dem Adonis und dem Priap unter dem Namen Astarte, Kamor und Moloch dargebrachten Opfer besorgten als Priesterinnen die Weiber und Konkubinen Salomos. Es gab in der That unter der Regierung dieses prachtliebenden und weisen Königs eine solche Menge fremder Weiber, welche inmitten Israels von ihrer Unzucht lebten, dass auch die beiden Heldinnen, die in dem berühmten Richterspruch des Salomo auftraten, Dirnen waren. Die Bibel lässt diese beiden Weiber von schlechtem Lebenswandel (meretrices) vor dem Throne des Königs erscheinen, der zwischen ihnen entscheidet und ihren Streit schlichtet, ohne ihnen die geringste Verachtung zu bezeugen.

In dieser Zeit also hatte die Prostitution bei den Juden ein gesetzlich anerkanntes und geschütztes Bestehen. Die fremdem Weiber, welche sozusagen das Monopol der Ausübung der Unzucht hatten, hatten sich selbst in das Innere der Städte eingeschlichen, und sie übten darin ihr schimpfliches Gewerbe öffentlich und frech, ohne irgend eine körperliche- oder Geld-Strafe befürchten zu müssen. Zwei Kapitel der Sprüche Salomonis, das fünfte und das siebente, geben ungefähr ein Bild, auf welche Art sie in dieser Zeit die Prostitution betrieben. Man könnte gewisse Stellen des fünften Kapitels anführen, aus denen hervorgeht, dass auch diese Fremden nicht von den schrecklichen Krankheiten, welche von den Ausschweifungen herstammten, verschont geblieben sind, und dass sie diese oft den Wüstlingen mitteilten, welche daran zu Grunde gingen. (quando consumpseris carnes tuas) „Der Honig tropft von den Lippen einer Hure," sagt Salomo, „und ihr Mund ist glätter als Oel; aber sie lässt Wunden, bitterer als Wermut, und schärfer als das zweischneidige Schwert . . .! Wende dich ab von ihrer Stimme und, nahe dich nicht der Schwelle ihres Hauses, aus Furcht deine Ehre einem Feinde zu überliefern und den Rest deiner Tage einem schlimmen Uebel, dass du nicht erschöpfest deine Kräfte zu Gunsten einer Hure, und nicht bereicherst ihr Haus mit deinem Vermögen." Im siebenten Kapitel sieht man eine Unzuchtsscene, welche sich in ihren Einzelheiten wenig von denen unterscheidet, die sich in unseren Tagen unter dem wachsamen Auge der Polizei abspielen. Es ist dies sicher eine Scene, welche Salomo von einem Fenster seines Palastes mit angesehen hat, und die er nach der Natur mit der Feder eines Dichters und Philosophen gemalt hat: „Von einem Fenster meines Hauses," sagt er, „habe ich durch die Gitter gesehen, und ich sah die Menschen, die mir sehr klein erschienen. Und ich sah einen unverständigen Jüngling, der ging daher auf der Gasse, und er näherte sich dem Hause an der Ecke als der Tag zur Neige ging, in der Dämmerung der Nacht, und als es dunkelte. Und siehe da, es begegnete ihm ein Weib, geschmückt, wie es die Huren sind, stets bereit, die Seelen zu fangen, lächelnd, unstät und so ruhelos, dass ihre Füsse nie in ihrem Hause bleiben können; jetzt ist sie an der Thür, jetzt auf der Strasse, jetzt an der Ecke der Strasse, wo sie ihre Schlingen aufstellt. Sie ergreift den jungen Menschen, sie küsst ihn, sie lächelt ihn an mit lockender Miene: „Ich habe Dankopfer den Göttern deinetwegen versprochen," sagt sie zu ihm, „heute wurden meine Gelübde erfüllt. Deshalb bin ich herausgegangen, dich zu treffen, voll Verlangen nach deinem Anblick, und ich habe dich gefunden. Ich habe mein Bett mit bunten Bändern geknüpft, ich habe es mit schönen ägyptischen Teppichen bedeckt, ich habe es geräuchert mit Myrrhe, Aloe und Zimmet. Komm, dass wir uns im Vergnügen berauschen, erfreuen wir uns an unseren glühenden Küssen bis der Morgen graut. Denn mein Mann (vir) ist nicht zu Hause, er ist weit fort auf die Reise gegangen und hat mit sich einen Sack Silber genommen, und er wird vor dem Vollmonde nicht zurückkehren." Und sie hat diesen jungen Menschen gefangen mit solchen Worten und mit der Verführung ihrer Lippen, und sie hat ihn schlieslich mit sich fortgeführt. Und er folgt ihr wie ein Stier, der zum Opferaltar geführt wird; wie ein Lamm, das da spielet, ohne zu ahnen, dass man es knebeln will, und es erst merkt, wenn der tötliche Stahl ihm sein Herz durchbohrt; wie der Vogel, der sich selbst ins Netz stürzet, ohne zu wissen, dass es an sein Leben geht. So höret denn auf mich, meine Kinder, und achtet auf die Worte meines Mundes: Lasst euer Herz nicht führen auf den Weg dieser Unreinen, und lasst euch nicht abbringen vom rechten Pfade auf ihre Bahnen, denn sie hat viel Menschen schwer verletzt und zu Grunde gerichtet, und die Stärksten sind gefallen durch sie." Salomo, der inmitten seiner Orgien mit seinen Beischläferinnen die Mysterien des Moloch und des Baal feierte, der grosse König Salomo hatte sicher seine eigenen Sprüche vergessen Nichtsdestoweniger bereute er seine Sünden und starb im Frieden mit dem Herrn.

Die Geissel der Prostitution blieb beständig, wie der Aussatz, an der jüdischen Nation haften, und zwar nicht allein die legale Prostitution, welche das mosaische Gesetz aus Rücksicht auf die Reinheit der häuslichen Sitten duldete, sondern auch die heilige Prostitution, welche mitten in Israel durch die Gegenwart so vieler ausländischer Weiber, die im Glauben an Moloch, Kamor und Baal-Phegor erzogen waren, aufrecht erhalten wurde. Die Propheten, welche der Herr unablässig erweckte, um sein Volk zu zügeln und zu bessern, fanden es immer mit Opfern zu den Göttern Moabs und Ammons auf den Höhen der Berge und im Schatten der heiligen Haine beschäftigt; die Luft hallte wider von den zügellosen Gesängen und sie erfüllte sich mit den Düften des Weihrauchs, welchen die Dirnen verbrannten. Es gab Unzuchtszelte an den Ecken aller Strassen und selbst an den Thoren des Tempels des Herrn. Das schändliche Schauspiel der Prostitution muss beständig die Augen der Propheten verletzt haben, denn ihre Weissagungen spiegeln aller Orten ihre unkeuschen Bilder wieder. Jesaja sagt zur Stadt Tyrus, die mit allen Völkern der Erde gebuhlt hatte: „Ergreife deine Zither, o Dirne, die du in Vergessenheit gekommen bist, tanze um die Stadt und singe und lass deine Saiten ertönen, damit man sich deiner wieder erinnere!" Man sieht aus dieser Stelle, dass die fremden Weiber Musik machten, um ihre Handelsbereitschaft anzukündigen. Jeremias sagt zu Jerusalem, welches wie eine rossige Stute aus allen Teilen die Düfte sinnlicher Liebe ausdünstet: „Hure, du bist umhergeirrt auf allen Hügeln, und hast dich preisgegeben unter allen Bäumen!" Jeremias zeigt uns unter den hässlichen Bildern jene unreinen Kinder Israels, welche sich mit Wollust im Hause einer Hure beschmutzten, und welche die Unterhändler der Prostitution wurden (Mœchati sunt et in domo meretricis luxuriabuntur; equi amatores et emissarii facti sunt.) Als die Juden in die babylonische Gefangenschaft geführt wurden, hatten sie keinen Grund, in Erstaunen zu geraten über die Unzucht und wollüstige Entartung, welche sie beim Kulte der Melitta zu sehen bekamen, da sie diese bereits unter dem Namen Moloch kannten. Jeremias zeigt ihnen mit heiligem Unwillen die Priester, welche mit der Prostitution Handel trieben, die Götter, welche sie beschirmten, das Opfergeld, mit dem die Dienste der Hure bezahlt wurden, und die Dirne, welche auf dem Altar das Hundertfache von dem opferte, was sie als Lohn für ihre Bereitwilligkeit empfangen hatte (Dant centum et ex ipso prostitutis, et meretrices ornant, et iterum, cum receperint illud a meretricibus, ornant duos mos.).

Von dieser Zeit an kann aber Israel auf dem Gebiete der Prostitution allen den Völkern als Lehrmeister dienen, welche es darin unterrichtet hatten, da es sie darin übertraf. Der Prophet Hesekiel giebt uns ein entsetzliches Gemälde von der Verworfenheit der Juden. In seinen fürchterlichen Weissagungen giebt es nur schlechte, für jedermann geöffnete Orte, an allen Wegen aufgespannte Hurenzelte, Häuser der Sünde und Unzucht; man hört nur von Dirnen, welche bekleidet in Seide und Spitzen, leuchtend von Schmuck und duftend von Wohlgerüchen einherstolzieren; man erblickt nur schändliche Hurenscenen. Die grosse Hure Jerusalem gab sich den Kindern Aegyptens hin wegen ihrer schönen Gestalt, und gab den Buhlern, welche ihr Genüge gethan hatten, Geschenke, anstatt von ihnen einen Lohn zu verlangen: „Und ich will dich in die Hände derer geben, mit denen du dich gemein gemacht hast,“ spricht zu ihr der Herr, „und sie sollen dein Bordell zerstören und sollen deinen Zufluchtsort vernichten; und sie sollen dich deiner Kleidung berauben, und dir nehmen deine goldenen und silbernen Gefässe, und sollen dich lassen nackt und mit Schande bedeckt!“ Jerusalem musste schon auf dem höchsten Grade der Verworfenheit angekommen sein, da ihm der Prophet mit dem Schicksal Sodoms drohte. Den meisten Kummer musste aber die Prostitution den Männern Gottes machen, welche beharrlich ihre Zuflucht unter dem Dache des Tempels Salomos suchte. Dieser Tempel war noch zur Zeit der Makkabäer, also ein und einhalb Jahrhundert v. Chr. der Handelsplatz der Dirnen, welche ihre Kunden daselbst suchten. (Templum luxuria et concessationibus gentium erat plenum et scortantium cum meretricibus.) Man darf wohl annehmen, dass sich der Zustand bis zu der Zeit nicht änderte, wo Jesus die Händler aus dem Tempel vertrieb, und obgleich sich die Evangelisten nicht über die Art des Handels äussern, von welchen Jesus das Haus des Herrn reinigte, sagt doch das Buch der Makkabäer, das hundert Jahre früher geschrieben wurde, deutlich genug, welcher Art er sein konnte. An einer andern Stelle, im Markusevangelium, wird von Taubenhändlern gesprochen, und es ist bestimmt, dass diese der Venus und dem Moloch geheiligten Vögel nur da waren, um den Liebhabern als Opfergaben zu dienen. Das Argwohnsgesetz, welches Moses so poetisch ausersonnen hatte, schrieb den Gatten das Opfer dieser Tauben nicht vor, sondern nur dasjenige von Gerstenmehlkuchen.

Jesus, der unerbittlich gegen die Schmarotzer des Heiligtums war und ihre Schachertische umstürzte, zeigt sich doch voll Duldsamkeit gegen die Weiber, wie wenn er Mitleid mit ihrer Schwäche hätte. Als ihn die Samariterin auf einem Brunnenrande sitzend fand, dieses Weib, welches fünf Ehemänner gehabt hatte, und mit dem sechsten Manne im Konkubinat lebte, macht ihr Jesus keinerlei Vorwurf, sondern unterhält sich gemütlich mit ihr, während er das Wasser trinkt, das sie ihm aus dem

Brunnen geschöpft hatte. Die Jünger Jesu staunten, als sie ihn in Begleitung eines solchen Weibes sehen und sprachen verächtlich: „Warum spricht er mit solch einem Geschöpf?“ Die Jünger waren viel unduldsamer als ihr göttlicher Meister, denn sie hätten gern eine andere Ehebrecherin nach dem Gesetze des Moses gesteinigt, als Jesus diese mit folgenden Worten rettete: „Wer von euch ohne Sünde ist, der werfe den ersten Stein auf sie!“ Endlich scheute sich der Menschensohn nicht, eine Dirne öffentlich frei zu sprechen, weil sie sich ihres elenden Gewerbes schämte. Als er in Kapernaum im Hause des Pharisäers zu Tische sass, kam ein Weib von schlechten Lebenswandel (peccatrix), die in der Stadt wohnte, herbei mit einer Vase von Alabaster, gefüllt mit wohlriechendem Oele; sie benetzte die Füsse des Heilandes mit ihren Thränen, sie salbte sie mit Oel und trocknete sie mit ihren Haaren. Als dies der Pharisäer sah, sagte er bei sich selbst: „Wenn er ein Prophet wäre, würde er wohl wissen, wer dieses Weib ist, denn sie ist eine Sünderin.“ Jesus wendete sich zu diesem Weibe und sagte ihr mit engelhafter Güte: „Deine Sünden, so gross und zahlreich sie sind, sind dir vergeben, denn du hast viel geliebt.“ Diese Worte Jesu sind auf viele Weisen erklärt und gedeutet worden; aber sicher ist, dass der Sohn Gottes, der sie verkündet hat, nicht damit beabsichtigte die Sünderin zu ermutigen, ihre frühere Lebensweise fortzusetzen. Er trieb aus diesem Weibe, das Maria Magdalena hiess, sieben Dämonen, welche es besassen, und welche vielleicht nur sieben Wüstlinge waren, mit denen sie Umgang hatte. Magdalena wurde von Stund an ein heiliges Weib, eine würdige, reuige Sünderin; sie heftete sich an die Sohlen des göttlichen Erlösers, der sie befreit hatte, sie folgte ihm unter Thränen bis nach Golgatha; sie setzte sich beständig schluchzend vor sein Grab. Sie war es, der Christus zuerst erschien, wie um ihr eine besondere Auszeichnung für ihre Reue und einen schlagenden Beweis für die Vergebung ihrer Sünden zu geben. Diese Sünderin wurde zu dem Rang einer Heiligen erhoben, und wenn sie sich auch während des ganzen Mittelalters als Schutzheilige der Dirnen nicht sehr geehrt fühlen konnte, welche ihre Bekehrung nicht nachahmten, so tröstete sie wenigstens dieselben durch ihr Beispiel und zeigte ihnen selbst im tiefen Dunkel ihrer verworfenen Lasterhöhlen noch den Weg zum Himmel. (Remittuntur ei peccata multa, quoniam dilexit multum.)

IV. Kapitel.

Die Griechen.

I.

Die heilige Prostitution in Griechenland. — Die griechischen Venusarten. — Venus-Urania. — Venus-Pandemos. — Pitho, die Göttin der Ueberredung. — Solon lässt von den Einkünften des Bordells, das er zu Athen gegründet hatte, einen Tempel der Göttin der Prostitution errichten. — Die Tempel der Venus-Vulgativa zu Theben und Megalopolis. — Opfer der Harmonia, Tochter des Kadmus, für Venus-Pandemos. — Venus-Dirne oder Hetära. — Die Befreiung der Stadt Abydos durch eine Dirne. — Tempel der Venus-Hetära zu Ephesus auf Kosten einer Dirne erbaut. — Die Simoethen. — Tempel der Venus-Buhlin zu Samos, von Einkünften der Prostitution erbaut. — Venus Peribasia oder Venus, die Wickelfrau. — Venus Salacia oder die unkeusche Venus. — Ihre Statue aus Quecksilber von Dädalus. — Opfergaben der Dirnen an die Venus-Wickelfrau. — Venus-Melanis oder die Schwarze, die Göttin der Liebesnacht. — Ihre Tempel. — Venus-Mucheia oder die Göttin der Diebeshöhlen. — Venus Kastnia oder die Göttin der unkeuschen Paarung. — Venus-Skotia oder die Finstere. — Venus-Derceto oder die Schnellläuferin. — Venus-Mechanitis oder die Handwerkerin. — Venus-Kallipyge oder die Göttin mit den schönen Lenden. — Ursprung des Kultes der Venus-Derceto. — Urteil des Paris. — Ursprung des Kultes der Venus-Kallipyge. — Die Adphrodisien und die Aloennen. — Die 1000 Dirnen im Venustempel zu Korinth. — Opfer von fünfzig Dirnen, vom Dichter Xenophon von Korinth der Venus gespendet. — Umzug der geweihten Weiber. — Geschäfte der Dirnen in den Venustempeln. — Die kleinen Mysterien der Ceres. — Der Priester Archias. — Kottine, die berühmte Buhlerin von Sparta. — Feier der Adonisfeste. — Venus-Leaena oder Venus-Lamia.

Die heilige Prostitution bestand in Griechenland von der Zeit an, seit es daselbst Götter und Tempel gab; sie geht also bis zum Ursprung des griechischen Heidentums zurück. Die Theogonie, welche die hellenische Rasse mehr als achtzehn Jahrhunderte vor der Neuzeit geschaffen hatte, war nur eine poetische Allegorie, und zwar eine Allegorie auf die Liebesspiele im Weltall. Alle Religionen haben dieselbe Grundlage gehabt; überall war es die weibliche Natur, welche nach befruchtender Berührung mit der männlichen Natur sich entfaltete und gebar; überall waren es Mann und Weib, die man mit den bezeichnenden Attributen ihres Geschlechts zu Göttern erhob. Griechenland empfing nun von Asien den Venuskult zugleich mit dem des Adonis, und als ob es an diesen beiden Liebesgöttern nicht genug gehabt hätte, vervielfältigte es dieselben unter einer Menge verschiedener Namen, sodass Venus fast überall ihre Tempel und Statuen hatte. Die Priester und die Dichter, die es sich angelegen sein liessen übereinstimmend die Geschichte ihrer Götter zu erfinden und zu beschreiben, entwickelten nur ein einziges Thema, das der sinnlichen Lust. In dieser kunstvoll aufgebauten und entzückenden Mythologie erschien Amor jeden Augenblick mit verschiedenem Charakter, und die Geschichte jedes Gottes und jeder Göttin war weiter nichts als ein wollüstiger Hymnus zu Ehren der Sinne. Man sieht ohne Mühe ein, dass die Prostitution, welche sich in so mannigfacher Gestalt in der langen Reihe der Verwandlungen der Götter und Göttinnen zeigt, ein Spiegelbild der griechischen Sitten zur Zeit des Gyges und Inachus sein musste. Ein Volk, dessen religiöse Glaubenssätze nur eine Menge unzüchtiger Sagen waren, konnte dies jemals keusch und zurückhaltend gewesen sein?

Griechenland nahm schon im Heroenzeitalter den Kult des gottgewordenen Weibes und Mannes an, und zwar in der Form, in welcher ihn Babylon und Tyrus zu Cypern ausgebildet hatten. Dieser Kult wanderte von dieser Insel aus, die ihm ganz besonders geheiligt war, um sich von Insel zu Insel über den ganzen Archipel zu verbreiten und bald auch von dem Festland, von Korinth, Athen und allen andern Städten des jonischen Gebiets Besitz zu ergreifen. Später verloren Venus und Adonis in dem Masse, wie sie im Vaterlande des Orpheus und Hesiod heimisch wurden, einzelne Merkmale ihres chaldäischen und phönizischen Ursprungs, sie schickten sich, sozusagen, in eine höhere und raffiniertere Civilisation, die aber nicht weniger sittlich verdorben war. Venus und Adonis sind mehr verhüllt, als sie es in Kleinasien waren; aber unter diesem Kulte wurden Freiheiten und Kniffe der Wollust geübt, welche man vielleicht in den heiligen Gärten der Melitta und den geheimnisvollen Hainen des Belphegor nicht kannte. Die näheren Nachrichten fehlen uns, um die Verehrung der griechischen Venusarten in allen ihren Einzelheiten vorführen zu können, besonders für die Zeiten, welche der Blütezeit Griechenlands vorangingen. Die Dichter bieten nur hie und da zerstreute Züge, welche, selbst wenn sie alles angeben sollten, doch nichts genaues sagen. Die Philosophen meiden alle Einzeldarstellungen und verbreiten sich aufs Geratewohl in die undeutlichsten moralischen Allgemeinheiten; die Geschichtsschreiber bringen nur vereinzelte Thatsachen, bei denen sich selten eine aus der anderen erklärt; die bildlichen Darstellungen endlich sind mit Ausnahme einiger Münzen und Inschriften sämmtlich verloren gegangen. Wir haben nur ziemlich zahlreiche Aufzeichnungen über die Hauptarten der Venus, deren Namen und Attribute sich eng an den Gegenstand heften, welchen wir behandeln. Die einfache Aufzählung dieser Venusarten wird es uns ersparen auf mehr oder minder durch Beweise oder Wahrscheinlichkeitsgründe gestützte Mutmassungen zurückzukommen. Die heilige Prostitution hatte, selbst als sie nicht mehr zu Gunsten der Tempel und der Priester ausgeübt wurde, in den religiösen Gebräuchen und Sitten die deutliche Spur ihrer Herrschaft hinterlassen.

Die Venus, welche diese Prostitution sozusagen versinnbildlichte wurde Pandemos genannt. Sokrates sagt im Symposion des Xenophon, dass es zwei Venusarten giebt, eine himmlische und eine irdische oder Pandemos. Der Kult der ersteren ist rein, der der zweiten sündig. Sokrates lebte fünf Jahrhunderte v. Chr. als skeptischer Philosoph, der selbst die Religionen seinem strengen Urteil unterstellte. Plato spricht in seinem Symposion gleichfalls von zwei Venusarten, aber er ist weniger hart in Hinsicht auf die Pandemos. „Es giebt zwei Arten der Venus,“ sagt er, „die eine sehr alt, ohne Mutter, die Tochter des Uranos, woher ihr Name Urania stammt, und eine andere, jüngere, die Tochter des Zeus und der Dione, welche wir Venus-Pandemos nennen.“ Es ist die Allerwelts-Venus (παν = alles, jedes, δῆμος = Volk, Haufe). Sie war die erste Gottheit, welche Theseus durch das Volk anbeten liess, das er in den Mauern Athens versammelt hatte. Auch das erste Bild der Göttin wurde auf dem öffentlichen Platze dieser ihrer Geburtsstadt errichtet. Die alte Statue, welche schon nicht mehr existierte, als Pausanias seine Reise nach Griechenland schrieb, und die durch eine andere, eines griechischen Bildhauers würdigere und ohne Zweifel ehrbarere, als die erste, ersetzt worden war, gab eine beständige Anregung zur Prostitution. Die Gelehrten sind sich noch nicht klar über die Stellung, welche der Künstler ihr gegeben hatte, aber man kann wohl annehmen, dass die Stellung Bezug auf die Haupteigenschaft der Göttin hatte. Theseus liess, um diesen Charakterzug noch deutlicher hervortreten zu lassen, neben die Statue der Pandemos diejenige der Pitho, der Göttin der Ueberredung setzen. Diese beiden Göttinnen sagen dass was man sie ausdrücken lassen wollte, so gut, dass man zu jeder Stunde des Tages und des Nachts vor ihren Bildern erschien, um durch schmählichen Handel seinen Gehorsam gegen sie öffentlich zu bekennen. Als ferner Solon durch die Einkünfte des Staatsbordells, welches er gegründet hatte, das nötige Geld zur Errichtung eines Tempels der Göttin der Prostitution zusammengebracht hatte, liess er diesen Tempel den beiden Statuen gegenüber bauen, welche zu ihren Füssen eine Menge feuriger Verehrer versammelten. Die Dirnen von Athen zeigten sehr grossen Eifer für die Feste der Pandemos, welche am vierten Tage jeden Monats sich erneuten, und die dem wunderbarsten Uebermass religiösen Eifers Raum gewährten An diesem Tage übten die Dirnen ihr Handwerk nur zu Gunsten der Göttin aus und brachten das Geld, welches sie unter der Obhut der Pandemos gewonnen hatten, als Opfer dar.

Dieser Tempel, den der weise Solon der Venus-Pandemos geweiht hatte, war nicht der einzige, welcher Zeugnis von der kultlichen Prostitution in Griechenland ablegte. Es gab deren ferner zu Theben in Böotien und zu Megalopolis in Arkadien. Derjenige zu Theben stammte aus der Zeit des Kadmus, des Gründers dieser Stadt. Die Ueberlieferung erzählt, dass die Statue, welche man in diesem Tempel sah, aus den ehernen Sporen der Schiffe gemacht worden sei, die den Kadmus ans thebische Gestade getragen hatten. Es war dies eine Opfergabe der Harmonia, der Tochter des Kadmus; diese den Freuden der Liebe günstige Prinzessin hatte sich vorgenommen der Göttin eine symbolische Gabe zu weihen, und bestimmte für sie eben diese Sporen oder Schnäbel von Metall, welche in den Ufersand eingerammt waren, um die Besatzung herausgehen zu lassen. Im Tempel zu Megalopolis war die Statue der Göttin von zwei anderen begleitet, welche die Pandemos in zwei verschiedenen, anständigeren und weniger nackten Darstellungen wiedergaben. Diese Statuen der Pandemos hatten sämmtlich ein ziemlich freches Gesicht, darum wurden sie nicht aufbewahrt, als die Sitte selbst den Göttinnen Schleier anlegte. Diejenige zu Elis, wo die Pandemos gleichfalls einen berühmten Tempel hatte, war durch den berühmten Bildhauer Skopas erneuert worden, welcher ihre Stellung vollständig änderte und sich nur mit einem leicht zu erratenden Attribut begnügte; er setzte seine Venus auf den Rücken eines Ziegenbockes mit goldenen Hörnern.

Venus wurde an zwanzig Orten Griechenlands unter dem Namen Hetära oder Porne, Genossin oder Dirne, verehrt. Dieser Name weist hinreichend auf die Dankesabstattungen hin, die man ihr spendete. Ihre gewöhnlichen Verehrer waren die Dirnen und deren Liebhaber. Diese sowohl wie jene liessen es sich nicht entgehen ihr Opfer anzubieten, um ihren Schutz zu erhalten. Diese Venus, so unanständig sie auch war, bringt dennoch ein historisches Ereignis in Erinnerung, welches für die Dirnen ehrenvoll ist, sich aber unglücklicher Weise an viele berühmte Tempel Griechenlands heftete. Nach einer Ueberlieferung, auf welche die Stadt Abydos stolz war, wurde diese Stadt, als sie einst zu fremder Knechtschaft gezwungen worden war, von einer Dirne befreit. Eines Tages berauschten sich bei einem Feste die fremden Soldaten, welche die Herren der Stadt als Aufseher und Thorwächter in dieselbe gelegt hatten, in einer Orgie mit den Dirnen von Abydos und schliefen beim Tone der Flöten ein. Eine der Dirnen bemächtigte sich der Schlüssel der Stadt, schlüpfte dann über die Mauer hinaus und machte sich auf, ihre Mitbürger vom Zustande der Besatzung zu benachrichtigen; diese bewaffneten sich, töteten die eingeschlafenen Posten und vertrieben den Feind aus ihrer Stadt. Zum Andenken an ihre wiedergewonnene Freiheit errichteten sie einen Tempel zu Ehren der Venus-Hetära. Auch zu Ephesus hatte diese Göttin einen Tempel, aber man weiss nicht, ob dessen Ursprung ebenso ehrenvoll ist, wie der des Tempels zu Abydos. Jeder ihrer Tempel erzeugte eine für ihn besonders geltende Ueberlieferung. Derjenige des Vorgebirges Simas am Pontus Euxinus war auf Kosten einer schönen Dirne gebaut worden, welche daselbst wohnte und am Ufer des Meeres wartete, bis ihr Venus, die aus dem Schosse der Wogen hervorgegangen war, Reisende zuschicken würde. Zum Andenken an diese Priesterin der Venus-Hetära nannten sich die Dirnen im Umkreise dieses Vorgebirges, das die Matrosen zum Dienste der Göttin einlud und ihnen seine diesem Kulte geweihten Grotten zur Verfügung stellte, „Simoethen." Der Tempel der Venus-Dirne zu Samos, die man die Göttin des Rohres oder Sumpfes nannte, war von dem Gelde erbaut worden, welches die Hetären, die Perikles bei der Belagerung von Samos dahin gefolgt waren, durch ihre Prostitution erworben hatten, indem sie daselbst Handel mit ihren Liebkosungen zu enormen Preisen trieben. (Ingentum ex prostituta forma quæstum fecerant, sagt Athenäus, dessen griechischer Wortlaut noch kräftiger als diese lateinische Uebersetzung ist.) Obgleich nun Venus den Namen Hetära führte, hatten doch die Feste, welche man in Magnesia unter dem Namen Hetäriden feierte, keinen Bezug auf sie; sie waren zu Ehren des Jupiter Hetairos und des Argonautenzuges eingesetzt worden.

Doch begnügte man sich nicht damit, der Venus den Namen Dirne zu geben, sondern man legte ihr noch andere Namen bei, welche nicht minder mit diesen ihren Lieblingspriesterinnen, welche sie anfeuerte und unter ihren Schutz nahm, im Zusammenhange standen. So deutete zum Beispiel der Name Peribasia, auf lateinisch Divaricatrix, auf die Bewegungen hin, welche das Vergnügen herausfordern und es beeinflussten. Diese Venus wurde namentlich bei den Argivern angebetet, wie uns der heilige Clemens von Alexandria berichtet, der naiv genug sagt, dass dieser wunderliche Name: Wickelfrau (Umklammerin), ihr beigelegt worden wäre a divaricandis cruribis. Die Peribasia der Griechen wurde bei den Römern die Salacia oder Venus-Lubrica, die auch noch andere ähnliche und bisweilen noch bezeichnendere Namen annahm. Dädalus, der berühmte Erbauer des Labyrint auf Kreta hatte aus Neigung für wunderliche mechanische Dinge dieser Göttin eine Statue von Quecksilber geweiht. Die verschiedenen Opfergaben, welche man der Peribasia darbrachte, symbolisierten die Eigenschaften, die man ihr beilegte. Diese Gaben, die nicht selten sehr reich ausfielen, entsprachen dem Stande der Frauen, welche sie am Altar niederlegten, oder am Postamente der Statue aufhingen. Meistenteils waren dies Phallus aus Gold, Silber, Elfenbein oder Perlmutter; auch wertvolle Schmuckgegenstände wurden hierzu verwendet, und vor allem Spiegel aus poliertem Silber, mit getriebenen Verzierungen und Inschriften. Die Spiegel galten immer als Attribute der Göttin und der Dirnen. Man stellte die Göttin sowohl mit einem Spiegel, als auch mit einer Vase oder Parfümbüchse in der Hand dar: denn, sagt der griechische Dichter, „Venus ahmt nicht nach der Pallas, die sich wohl bisweilen badet, nie sich aber salbt.“ Die Dirnen welche ein grosses Interesse daran hatten, sich Venus günstig zu erhalten, beraubten sich aller der Toilettengegenstände, welche für sie von besonderem Werte waren. Ihre erste Gabe wird ihr Gürtel gewesen sein; sie besassen Kämme, Zangen zum enthaaren, Nadeln und andern kleinen Kram von Gold und Silber, den sich ehrbare Frauen nicht erlaubten, und den die Venus-Dirne ohne Bedenken von ihren irdischen Nachahmerinnen annehmen konnte. So ruft der Dichter Philetaires mit Begeisterung in seinem Korinthiastes (Hurenjäger) aus: „Es hat einen guten Grund, dass man in ganz Griechenland Tempel zu Ehren der Venus-Dirne und keine der Venus-Ehefrau sieht!“

Venus hatte in Griechenland auch noch andere Benennungen, die sich auf gewisse Einzelheiten ihres Kultes bezogen, und die Tempel, welche man ihr unter diesen, oft recht anstössigen Namen errichtete, waren besuchter und reicher als diejenigen der keuschen und der gewappneten Venus. Bald betete man sie unter dem Namen Melanis oder die Schwarze als Göttin der Liebesnacht an. Es war dies die Göttin, welche Laïs erschien um sie den Kunstgriff zu lehren, durch den ihr die Liebhaber an allen Seiten mit herrlichen Geschenken nahten. Sie hatte Tempel zu Melangis in Arkadien, zu Oranikum bei Korinth, zu Thespis in Böotien, und diese Tempel waren von Gehölzen umgeben, welche für das Tageslicht undurchdringlich waren, und in deren Dunkel tappend man nach Abenteuern suchte. Bald nannte man sie Mucheia oder die Göttin der Höhlen, Kastnia oder die Göttin der unzüchtigen Paarung, Skotia oder die Finstere, Derceto oder die Läuferin, Kallipyge, oder die Göttin mit den schönen Lenden, etc. Venus, die Göttin der Liebe oder vielmehr der Wollust, hatte für jede ihrer zahlreichen Gestaltungen eine eigene Mythologie, die immer geistreich erfunden und allegorisch erdacht war. Sie stellte stets das Weib dar, welches die Pflichten seines Geschlechts erfüllt. So war sie, als sie Derceto oder die Göttin Syriens wurde, vom Olymp in das Meer gefallen und daselbst einem grossen

Fische begegnet, der sich bereit zeigte sie an die syrische Küste zu bringen, wo sie ihren Retter belohnte, indem sie ihn unter die Sterne versetzte; um diese Fabel natürlich zu erzählen, darf man sich nur vorstellen, dass eine schöne Syrierin bei einem Schiffbruche verunglückte und durch einen Wüstling gerettet wurde, der sich von ihr hatte fesseln lassen. Ihr Name Derceto drückt ihr Scheiden und ihr Wiederkommen zur syrischen Küste mit dem Wüstlinge aus, der sie in sein Schiff aufgenommen hatte. Die Priester der Derceto hatten der Allegorie eine geheimnisvolle Form gegeben. Nach ihnen hatte sich in den dem Chaos gleichzeitigen Tagen ein riesengrosses Ei vom Himmel losgelöst und war in den Euphrat gerollt; die Fische trieben dieses Ei bis ans Ufer, Tauben brüteten es aus, und Venus schlüpfte daraus hervor: deshalb also waren Fische und Tauben der Venus heilig; aber man weiss nicht welcher Fischgattung die Göttin ihre Auszeichnung zukommen liess. Endlich gab es eine Venus-Mechanitis oder die Bewegliche, deren Statuen von Holz waren mit Füssen, Händen und einem Gesichte von Marmor; diese Statuen bewegten sich durch eine verborgene Triebkraft und nahmen die wunderlichsten Stellungen an.

Diese Göttin war ohne Zweifel, selbst unter ihren verschiedenen Erscheinungen, die Göttin der Schönheit; aber die Schönheit, welche in ihr vergöttert wurde, war weniger die Schönheit des Angesichts als diejenige des Körpers, und die Griechen legten auch, da sie grössere Liebhaber der Bildhauerkunst als der Malerei waren, mehr Wert auf die Schönheit der Form, als auf die der Farbe. Die Schönheit des Gesichtes war in der That, man kann sagen, fast unwillkürlich, allen Göttinnen des griechischen Götterhimmels gemeinsam, während die Schönheit des Körpers ein göttliches Attribut der Venus war. Als der trojanische Hirte Paris den Apfel der Schönsten der drei streitenden Göttinnen zuerkannte, traf er erst seine Wahl, als er sie ohne jede Hülle gesehen hatte. Venus stellte also nicht die Schönheit der Seele, die Seele des Weibes, dar, sie repräsentierte nur die sinnliche Schönheit, den weiblichen Körper. Die Dichter und Bildhauer teilen ihr daher einen sehr kleinen Kopf zu mit niedriger, schmaler Stirn, dafür aber einen sehr langen, schlanken Körper und eben solche Glieder, alles voll und biegsam. Die Vollendung der Schönheit der Göttin beginnt besonders beim Anfang der Lenden. Die Griechen hielten sich in Bezug auf die Schönheit für die ersten Kenner der Welt. Und doch war es nicht Griechenland, sondern Sicilien, das einen Tempel der Venus-Kallipyge errichtete. Dieser Tempel verdankte seinen Ursprung einem Urteil, welches weniger Aufsehen erregte als das des Paris, denn die streitenden Parteien waren keine Göttinnen, und der Richter hatte nicht nötig unter dreien zu entscheiden. Zwei Schwestern aus der Umgegend von Syrakus badeten sich eines Tages und stritten sich über den Preis der Schönheit; ein junger Syrakusaner, der gerade vorbei ging und die Streitobjekte sah, ohne selbst gesehen zu werden, beugte seine Kniee zur Erde, wie vor Venus selbst, und rief aus, die ältere habe den Sieg davon getragen. Die beiden Gegnerinnen entflohen halbnackt. Der junge Mann kehrte nach Syrakus zurück und erzählte, noch ganz von Bewunderung hingerissen, was er gesehen hatte. Sein Bruder, verwundert über diese Erzählung, erklärte, dass er sich mit der jüngeren Schwester begnügen würde. Endlich sammelten sie das Wertvollste, was sie besassen, begaben sich zum Vater der beiden Schwestern und baten ihn, sie zu Schwiegersöhnen zu nehmen. Die Jüngere, welche aufs heftigste betrübt und beunruhigt war, war in Krankheit verfallen. Sie verlangte eine Revision der Angelegenheit, und beide Brüder riefen einmütig aus, dass sie beide gleich berechtigt zum Siege wären, je nachdem der Richter die eine von der, die andere von jener Seite betrachtete. Die beiden Schwestern heirateten die beiden Brüder und brachten nach Syrakus den Ruf ihrer Schönheit mit, der sich daselbst nur noch vergrösserte. Man überhäufte sie mit Geschenken, und sie sammelten ein so grosses Vermögen, dass sie der Göttin, welche die Quelle ihres Glückes gewesen war, einen Tempel errichten konnten. Die Statue, die man in diesem Tempel bewundern konnte, hatte die geheimen Reize der beiden Schwestern in sich vereint, und diese Vereinigung beider Modelle zu einer einzigen Statue hatte das vollendetste Urbild der kallipygischen Schönheit gebildet. Es ist der Dichter Kerkides von Megalopolis, der dieses Bild unsterblich gemacht hat, ohne die beiden Originale gesehen zu haben. Athenäus berichtet dieselbe Anekdote, deren durchsichtiger Schleier offenbar die Geschichte zweier syrakusanischen Dirnen verbirgt.

Wenn die Dirnen der Venus Tempel errichteten, waren sie also befugt, wenigstens in den ältesten Zeiten Griechenlands, Opfer der Göttin darzubringen und thätigen Anteil an ihren Festen zu nehmen, abgesehen von einigen Feierlichkeiten, wie den Aphrodisien und den Alönnen, welche sie sich als ihr völliges Eigentum bewahrten, und die sie bei geschlossenen Thüren feierten. Sie verrichteten selbst bisweilen die Dienste der Priesterinnen in den Tempeln der Venus, sonst waren sie daselbst als Hilfsarbeiterinnen beigesellt, um die Priester zu ernähren und die Altareinnahmen zu vermehren. Strabo sagt bestimmt, dass der Tempel der Venus zu Korinth mehr als tausend Dirnen besass, welche die Frömmigkeit der Verehrer der Göttin ihr geweiht hatte. Es war in Griechenland ein allgemeiner Brauch auf diese Art der Venus eine bestimmte Zahl junger Mädchen zu weihen, wenn man sich die Göttin günstig stimmen wollte, oder wenn man seine Wünsche von ihr erhört sah. Als Xenophon von Korinth zu den olympischen Spielen reiste, gelobte er der Venus fünfzig Hetären zu weihen, wenn sie ihm den Sieg verleihen würde; er wurde Sieger und kam seinem Versprechen nach. „O Herrscherin Cyperns," ruft Pindar in der zu Ehren dieser Opfergabe gedichteten Ode aus, „Xenophon kommt um in dein geräumiges Heim eine Schar von fünfzig jungen Mädchen zu führen!" Dann wendet er sich an diese: „O schöne Töchter, die ihr alle Fremden empfangt und ihnen Gastfreundschaft gewährt, Priesterinnen der Göttin Phito im reichen Korinth, ihr seid es, die durch Weihrauchbrände vor dem Bilde der Venus und durch Gebete zur Mutter der Liebe uns oftmals ihre himmlische Hilfe erfleht, und uns Augenblicke der Wonne verschafft, welche wir auf wollüstigem Pfühle geniessen, wo die zarte Frucht der Schönheit gepflückt wird!" Dieses Dirnenweihen der Venus war besonders in Korinth üblich Wenn die Stadt eine Bitte der Göttin vorlegen wollte, verfehlte sie niemals ihr „Geweihte" zu geloben, die als erste den Tempel betraten und ihn als letzte verliessen. Nach Cornelius von Heraklea hatte sich Korinth bei gewissen wichtigen Veranlassungen der Venus durch einen unzählbaren Zug von Dirnen in der Gewandung ihres Handwerks dargestellt.

Die Verrichtungen dieser „Geweihten" in den Tempeln und Hainen der Göttin sind hinreichend durch einige bildliche Darstellungen festgestellt, welche in dieser Hinsicht weniger verschwiegen sind als die gleichzeitigen Schriftsteller. Die Malereien auf den beiden Trinkgefässen und den beiden Vasen, welche Lajard nach den Beschreibungen de Witte's und Lenormand's anführt, lassen uns keinen Zweifel darüber, dass die heilige Prostitution ohne Unterbrechung im Kulte der Venus bestand. Eine dieser Vasen, die zu der berühmten Sammlung Durand gehörte, stellt einen Tempel der Venus dar, in dem eine Dirne durch die Vermittelung eines Sklaven die Anträge eines myrtenbekränzten Fremden empfängt, der ausserhalb des Tempels steht und eine Börse in der Hand hält Auf der zweiten Vase sitzt ein Fremder, gleichfalls mit Myrten bekränzt, und scheint mit einer vor ihm im Tempel stehenden Dirne zu handeln. Lajard teilt noch dieselbe Bedeutung einem geschnittenen Steine zu, der in mehrere Fächer geschliffen ist, von denen fünf Tiergestalten tragen, welche auf den Kult der orientalischen Venus Bezug haben, und deren sechste eine Dirne darstellt, welche sich im Spiegel betrachtet, während sie sich einem Fremden überliefert. Aber das, was in den Tempeln und heiligen Hainen selbst vorging, hat keine erkennbaren Spuren bei den Autoren des Altertums hinterlassen, da sie nicht gewagt haben, die Mysterien der Venus ans Licht zu ziehen.

Wenn die Dirnen im Kulte der Venus auch eine Hauptrolle spielten, so konnten sie sich nur von weitem demjenigen der andern Göttinnen zugesellen; so feierten sie im Innern ihrer Häuser, nach der Weinlese, die Alœnnen, oder die Feste der Ceres und des Bacchus. Es waren ausgelassene Gastereien, die das Rituel dieser Feste ausmachten, bei denen sich die Dirnen mit ihren Buhlern vereinigten um zu schmausen, zu trinken, zu lachen, zu singen und zu scherzen. Beim nächsten Feste der Alœnnen, schreibt Megare an Bacchis in den Briefen des Alkyphron, „wollen wir bei Kolyt zusammen kommen, dem Geliebten der Thessala, um daselbst gemeinsam zu schmausen, sieh, dass du auch hinkommst." „Wir nähern uns den Alœnnen," schreibt Thaïs der Thessala, „und wir werden uns alle bei mir versammeln, um die Festnacht zu feiern." Diese Feste, welche man die kleinen Mysterien der Ceres nannte, gaben einen Vorwand zu Ausschweifungen, die mehrere Tage und Nächte hindurch dauerten. Es scheint, dass in gewissen Tempeln der Ceres, zum Beispiel in Eleusis, die Dirnen, deren Anblick und Annäherung die ehrbaren Frauen flohen, es zu Wege gebracht hatten einen eigenen Saal für sich zu eröffnen, in den einzutreten sie allein das Recht hatten, ohne Priester, und wo eine von ihnen den religiösen Bräuchen vorstand, welche ihre Genossinnen, ebenso wie die Vestalinnen, mit ihrer Gegenwart, keuscher als gewöhnlich, ausschmückten. Während dieser Ceremonien gaben die alten Dirnen den Anfängerinnen Unterricht in der Kenntnis und der Ausübung der Mysterien der „Guten Göttin". Der Priester Archias, der es gewagt hatte der Ceres von Eleusis im Saale der Dirnen, ohne Genehmigung ihrer Oberpriesterin, ein Opfer darzubringen, wurde von Demosthenes der Gottlosigkeit angeklagt und vom Volke verurteilt.

Alle Götter und alle Göttinnen nahmen zu allen Zeiten und an allen Orten die Opfergaben an, welche ihnen die Dirnen darbrachten, ohne dass diese gewagt hätten, in Person jemals in die Tempel einzudringen, deren Thür ihnen verschlossen blieb. Die berühmte Dirne Kottine, welche sich einen solchen Namen machte, dass man nach ihr das Bordell benannte, in welchem sie gelebt hatte, bei der Säulenhalle, gegenüber dem Bacchustempel, weihte zu Ehren eines ihrer spartanischen Geliebten einen kleinen ehernen Stier, der auf dem Giebel des Tempels der Minerva von Chalkis aufgestellt wurde. Dieser geweihte Stier befand sich noch zur Zeit des Athenäus an seinem Platze. Aber es gab noch eine Gottheit, die sich naturgemässerweise weniger streng gegen die Freudenmädchen zeigte; es war dies Adonis, zum Gotte erhoben von Venus, welche ihn geliebt hatte. Die Feste des Adonis waren ausserdem so eng mit denen der Göttin verbunden, dass man kaum noch den einen anbeten konnte, ohne der anderen zu huldigen. Adonis hatte auch zu allen Zeiten einen grossen Anteil an den Gaben der heiligen Prostitution gehabt, bevor sein Kult sich mit dem des Priap vermengte. Die Dirnen aller Gattungen zogen also Nutzen aus den Adonisfesten, welche überall eine grosse Menge Fremde anzogen, die hinkamen um unter dem Schutze des Gottes und zu seinem Nutzen in den Hainen, welche seine Tempel umgaben, ihren Handel zu treiben. „An dem Orte, wohin ich dich bringen will, sagt ein Verdinger einem Koch, den er eben unterbringen will, „ist eine Stätte der Wollust (πορνεων): eine berühmte Hetäre feiert daselbst mit einer zahlreichen Schar von Genossinnen die Adonisfeste." Die Athener fanden, trotz der gerechtfertigten Missachtung, die ihre Moralisten dem Leben und Treiben der Dirnen zollten, sie nicht weniger als passend in ihrem Olymp als in ihren Tempeln, denn sie errichteten Altäre und Statuen der Venus-Leæna und der Venus-Lamia, um diese beiden Beischläferinnen des Demetrius, des Städteeroberers, zu vergöttern.

V. Kapitel.

Die Griechen.

II.

Gründe, welche Solon bestimmten in Athen ein Bordell zu errichten. — Nachrichten des Geschichtsschreibers Nikander von Kolophon über diesen Punkt. — Solon vom Dichter Philemon aus eben diesem Grunde als Wohlthäter des Volkes begrüsst. — Von Solon bestimmter Preis für die Preisgebung. — Die Bordelldirnen als Dienerinnen der Oeffentlichkeit betrachtet. — Solons Verordnungen für die Dirnen Athens. — Oeffentliche Schmäuse von Hippias und Hipparch eingesetzt. — Verordnungen des Tyrannen Pisistratus über die der öffentlichen Wollust geweihten Tage. — Schändliche Laster der Athener. — Häusliche Sitten der Frauen in Sparta und Korinth. — Freies Leben der spartanischen Frauen. — Unnützlichkeit der Dirnen in Sparta. — Gleichgültigkeit des Lykurg hinsichtlich der Unkeuschheit der Weiber und Mädchen. — Der Besuch der Dirnen als etwas Natürliches betrachtet. — Moralische Mission der komischen Dichter und Philosophen. — Der Areopag zu Athen. — Gesetzgebung über die Prostitution zu Athen. — Schwierige Lage, in welche die Dirnen durch die Gesetze kamen. — Bacchis und Myrrhina. — Euthias klagt die Dirne Phryne der Gottlosigkeit an. — Der Anwalt Hyperides bewirkt ihre Freisprechung. — Erkenntlichkeit der Dirnen gegen Hyperides. — Die Dirne Theokris, Priesterin der Venus, auf Anklage des Demosthenes zum Tode verurteilt. — Isäus. — Beschlüsse des Areopag zu Athen hinsichtlich der Dirnen. — Die Hetäre Nemäa. — Traurige Lage der Kinder der Konkubinen und Dirnen. — Herkules, der Gott der unehelichen Geburt. — Schändlichkeit des Gesetzes gegen die Bastarde. — Die Hetärengespräche des Lucian. — Der Redner Aristophon und der komische Dichter Kalliades. — Ungeheuerliche Einzelheiten der athenischen Gesetze. Untergeordnete Aufsichtspersonen der Stadtbehörden und der Polizei. — Ihr Dienst.

Die heilige Prostitution, die in allen Tempeln Athens zu der Zeit bestand, in welcher Solon den Athenern Gesetze gab, veranlasste den Gesetzgeber sicher, die legale Prostitution einzuführen. Als die gastliche Prostitution, die im Heroenzeitalter in Griechenland bestanden hatte, verschwunden war ohne Spuren in den Sitten zu hinterlassen, und die Ehe von der Gesetzgebung so sehr begünstigt wurde, schien die eheliche Geburt eines Kindes so unbedingt nötig, um in der Republik Ehren erlangen zu können, dass die Erinnerung an die Besuche und Fleischwerdung der Götter keinen Einfluss mehr auf die eheliche Treue und die Achtung vor der Familie ausüben konnte. Solon sah die Altäre und die Priester durch die Einkünfte der Prostitution der „Geweihten“ sich bereichern, welche sich nur an Fremde verkauften, er wollte naturgemäss dieselben Vorteile dem Staate verschaffen, und zwar durch dieselben Mittel, indem er sie aber in diesem Falle den Vergnügungen der athenischen Jugend dienen liess und gleichzeitig der Sicherheit der ehrbaren Weiber. Er gründete also als Institut des allgemeinen Wohles ein grosses Bordell, in dem Sklavinnen, welche von den Mitteln des Staates gekauft und auf seine Kosten unterhalten wurden, täglich Tribut von den Lastern der Bevölkerung erhoben, und mit ihrer Unkeuschheit an der Vermehrung der Einkünfte der Republik arbeiteten. Man hat sehr oft versucht, in Ermangelung historischer Beweise, welche die Ueberlieferung thatsächlich stützten, den weisen Solon von der moralischen Verantwortung, die Wollust in Athen gesetzlich eingeführt zu haben, zu befreien. Man hat behauptet, dass dieser grosse Gesetzgeber, dessen Gesetzbuch Schamgefühl und Keuschheit atmet, sich nicht selbst habe Lügen strafen können, indem er seinen Mitbürgern die Thore der Wollust öffnete. Aber bei einer Angelegenheit dieser Art, die unter der Würde eines Geschichtsforschers zu liegen schien, muss die Ueberlieferung, welche Athenäus sammelte, und die in dieser Weise in den Geschichtswerken seiner Zeit aufgeführt wurde, wie ein Echo dieses Bordelles angesehen werden, welches Solon zum Gründer gehabt hatte und sich dieses Ursprungs rühmte.

Nikander von Kolophon hat in seiner heute verloren gegangenen Geschichte Athens fest behauptet, dass Solon in seiner Nachsichtigkeit gegen die Begierden einer unbändigen Jugend nicht allein Sklavinnen kaufte und in öffentlichen Häusern unterbrachte, sondern auch einen Tempel der Venus-Dirne von dem Gelde erbaute, welches die unkeuschen Bewohnerinnen dieser Häuser gesammelt hatten. „O Solon!" ruft der Dichter Philemon in seinen „Delphiern" aus, einer Komödie, welche nicht auf uns gekommen ist, „o Solon! Du wurdest hierdurch der Wohlthäter deiner Mitbürger; du sahest in einer solchen Anstalt nur das Heil und die Ruhe des Volkes. Es war anders unbedingt nötig in einer Stadt, wo die stürmische Jugend sich nicht enthalten kann den gebieterischsten Gesetzen der Natur zu gehorchen. Du verhinderst grosses Unheil und unvermeidliche Unordnungen, indem du in gewissen Häusern zu diesem Zwecke bestimmte Weiber unterbrachtest, welche du für die Bedürfnisse der Allgemeinheit gekauft hattest, und die ihrem Gewerbe gemäss gehalten waren jedem, der bereit war, sie zu bezahlen, ihre Gunst zu bewilligen." Dieser Lobpreisung, welche die Dankbarkeit dem komischen Dichter abnötigte, fügt Athenäus nach Nikander zu, dass der Preis, den Solon festgesetzt hatte, ein mittelmässiger war, und dass die Dicteriaden angesehen wurden, als ob sie öffentliche Dienste verrichteten: „Der Handel, den man mit ihnen trieb, riss weder zur Rivalität noch zu Racheakten hin. Man fand bei ihnen weder Verzögerung, noch Geringschätzung, noch Weigerung!" Man verdankte ohne Zweifel dem Solon selbst das innere Reglement dieser Anstalt, die lange Zeit wie die anderen Staatseinrichtungen verwaltet wurde, und die ohne Zweifel an ihrer Spitze, im Anfang wenigstens, eine gewichtige Magistratsperson hatte.

Man kann ohne sonderlichen Aufwand von Scharfsinn finden, dass die öffentlichen Dirnen damals vollständig von der Bürgerbevölkerung und dem bürgerlichen Leben getrennt waren; sie gingen nicht aus der ihnen vom Gesetze bestimmten Stätte heraus, sie zeigten sich niemals bei den religiösen Festen und Feierlichkeiten; wenn man ihnen im beschränkten Masse erlaubte auf der Strasse zu erscheinen, so mussten sie ein bestimmtes, sie kenntlich machendes Kostüm tragen und sich streng von bestimmten Orten fern halten, wo ihre Anwesenheit Aergernis oder allzugrosse Aufmerksamkeit hätte erregen können. Als Fremde hatten sie überdies kein Recht in der Stadt irgend ein Eigentumsrecht geltend zu machen, und diejenigen, welche Athenerinnen von Geburt waren, verloren, wenn sie sich der Prostitution gewidmet hatten, alle die Vorrechte, welche mit ihrer Geburt verbunden waren. Wir haben die Gesetze nicht mehr, die Solon gab um die legale Prostitution einzurichten, aber man darf ruhig annehmen, dass ebendies einen wichtigen Bestandteil derselben bildete, was sich auch hinreichend durch eine Menge Thatsachen bestätigt findet, die wir hie und da in den Werken der griechischen Schriftsteller entdecken. Doch liess das solonische Gesetz in seiner Strenge gegen die Weiber in den grossen, auf

Staatskosten unterhaltenen Dicterien so nach, dass bereits weniger als hundert Jahre nach dem Tode des Gesetzgebers die Dirnen von allen Seiten in die griechische Gesellschaft eingebrochen waren und sich ungeniert selbst auf dem Markte unter die ehrbaren Frauen mischten. Hippias und Hipparch die Söhne des Tyrannen Pisistratus, der 530 Jahre vor Beginn unserer jetzigen Zeitrechnung in Athen herrschte, setzten öffentliche Gelage ein, welche das ganze Volk an einer Tafel vereinten, und an diesen Festen waren die Dirnen berechtigt, an der Seite der Matronen Platz zu nehmen, denn die Söhne des Tyrannen hatten die Absicht das Volk nicht zu bessern, sondern vielmehr zu verderben und zu unterjochen. So kamen, um uns des Ausspruches Plutarchs zu bedienen, die Freudenmädchen dahin wie die Wogen. Und wie uns der griechische Historiker Idomenes berichtet, dessen Werke uns nur aus Fragmenten bekannt sind, befahl Pisistratus, auf dessen Antrieb diese Orgien stattfanden, dass an diesen, der öffentlichen Ausschweifung geweihten Tagen die Felder, die Weinberge und Gärten aller Welt geöffnet sein sollten, damit ein jeder daselbst sein Teil vom Vergnügen nehmen könne ohne gezwungen zu sein, erst in das Solonische Dicterium zu gehen und sich in dessen Mysterien zu verbergen.

Der Gesetzgeber Athens hatte zwei wichtige und dringende Gründe die Prostitution so zu regeln, wie er es gethan hat: zunächst beabsichtigte er die Ehrbarkeit der Jungfrauen und Eheweiber vor Gewaltthat und Beleidigung sicher zu stellen, dann hatte er zum Ziele die Jugend von den schändlichen Sünden abzubringen, welche sie entehrten und ihr sittliches Gefühl abstumpften. Athen war der Schauplatz aller Wollüste. Die widernatürlichste Unzucht verbreitete sich auf eine erschreckende Weise und drohte den sozialen Fortschritt zu hemmen. Konnten diese Wüstlinge, die kaum mehr Menschen waren, noch gute Bürger sein? Solon wollte ihnen Gelegenheit verschaffen den Bedürfnissen ihrer Sinne zu genügen, ohne dass sie sich den Zügellosigkeiten ihrer krankhaften Einbildung zu überlassen brauchten. Er konnte aber doch nur einen Teil seiner Mitbürger bessern, die anderen aber nahmen, ohne auf ihre sündigen Gewohnheiten zu verzichten, den Gebrauch einer zwar natürlicheren, aber nicht weniger verderblichen Wollust an. Der Zweck Solons wurde aber in dem Punkte erfüllt, dass die Sicherheit der verheirateten Weiber nichts mehr von den Lüstlingen zu fürchten hatte. Die legale Prostitution war damals noch, sozusagen, in Kinderschuhen, und sie zählte noch keine grosse Kundschaft; man kannte sie kaum, und man gewöhnte sich nur allmählich daran, aber man überliess sich ihr mit Feuer, nachdem man die ersten Versuche mit ihr gemacht hatte. Und so werden bald die Gesetze des Solon durch die Bedürfnisse der allgemeinen Ausschweifung über den Haufen geworfen und allmählich unter dem Einfluss der Verderbnis der Sitten vernichtet, welche nicht reiner wurden, wenn sie auch ihre Rohheit ablegten. Aber der häusliche Herd blieb, in Athen wenigstens, unverdorben und heilig, das Gift der Prostitution drang nicht bis zu ihm; und selbst, als Venus-Pandemos ihre Verehrer reizte, alle Scham abzulegen, selbst als der Piraeus bis an die Thore Athens die Domäne, welche den Dirnen zustand, vergrösserte, wurde doch die Schwelle des Bürgerhauses durch die eheliche Treue geschützt. Und der Hausherr verliess sein Heim, wenn er der Pandemos ein Opfer bringen und mit seinen Freunden bei seiner Maitresse speisen wollte.

Die häuslichen Sitten der Frauen Spartas und der Weiber Korinths besonders waren nicht so anständig als die der Athenerinnen, und dennoch war in diesen beiden Städten die Prostitution keinen besonderen Gesetzen unterworfen; sie war daselbst völlig freigegeben, um diesen modernen Ausdruck zu brauchen, und sie konnte sich ungestraft unter allen Formen und allen möglichen Arten entwickeln. In Korinth, der Stadt des Handels und des Verkehrs, war das Vergnügen ein wichtiger Punkt für seine Bewohner und die Fremden, welche von allen Ländern der Welt dahin zusammen strömten; man hatte es daher für ratsam gefunden, dem Wunsche und dem Willen eines jeden sein Gesamtwohlbefinden zu überlassen. In Sparta, der Stadt der strengen republikanischen Tugenden, konnte die Prostitution nur eine zufällige Erscheinung, eine fast gleichgültige Ausnahme sein. Lykurg hatte sicherlich nicht an sie gedacht. Die Enthaltsamkeit, die Keuschheit bei den Weibern schien ihm überflüssig, wenn nicht lächerlich. Er hatte sich nur vorgenommen, die Männer zu leiten und sie tapferer, stärker und kriegerischer zu machen; was die Frauen anbetrifft, so hatte er keinerlei Rücksichten auf sie genommen. Lykurg wollte, wie Aristoteles bestimmt in seiner „Staatskunst" sagt, Mässigung nur den Männern, nicht aber den Weibern auferlegen. Diese lebten schon vor ihm in zügelloser Unordnung und gaben sich fast öffentlich jedem Uebermasse von Wollust hin (in summa luxuria lautet die lateinische Uebersetzung des Aristoteles). Lykurg änderte nichts an diesem Sachverhalte. Die Töchter Spartas, welche eine männliche Erziehung erhielten, die ziemlich wenig im Einklange mit ihrem Geschlechte stand, mischten sich halbnackt unter die sich übenden Männer, mit ihnen laufend, ringend und kämpfend. Wenn sie sich verheirateten, beschränkten sie sich nicht mehr auf ihre Pflichten als Ehefrau; sie waren nicht anständiger gekleidet, und sie hielten sich auch nicht in grösserer Entfernung von dem Zusammensein mit den Männern. Die Männer hingegen stellten sich, als ob sie einen Unterschied der Geschlechter nicht inne würden, den die Weiber vergessen machen wollten. Ein Gatte, den man betroffen hätte, als er das Zimmer verliess, um bei seinem Weibe zu schlafen, würde darüber errötet sein, sich so wenig als Spartiate zu zeigen. Man wird einsehen, dass bei solchen Männern Dirnen völlig zwecklos gewesen sein würden. Sie erlaubten sich überhaupt keine Verirrungen des Herzens und der Sinne, denen die jungen Athener so sehr geneigt waren. Die Freundschaft der Spartiaten unter sich war nur eine Waffenbrüderschaft, ebenso rein und heilig, als die der Athener verächtlich und entehrend war. Die Weiber Spartas passten sich nicht alle dieser vollständigen Ableugnung ihres Geschlechtes und ihrer Natur an; es gab viele Mädchen und Frauen, die sich den Akten der grössten Ausgelassenheit überliessen und dies, ohne die geringste Belohnung zu verlangen. Dirnen hätten also keine Beschäftigung in einer Stadt gehabt, wo es Ehefrauen und heiratsfähige Töchter gab, welche ihnen Konkurrenz machten. Mit Recht also wirft Plato im ersten Buche seiner Gesetze dem Lykurg vor, die Unenthaltsamkeit der Weiber in Sparta gefördert zu haben, weil dieser Gesetzgeber es nicht der Mühe für wert gehalten habe, ihr ein Heilmittel zu geben, ja selbst nur den geringsten Tadel ihr anzuheften.

Die Prostitution war, wie man sieht, in den griechischen Republiken geduldet, wenn auch nicht geregelt und organisiert: man sah sie als ein notwendiges Uebel an, welches grössere Uebel bekämpfen sollte. Athenäus konnte also ruhig sagen (lib. XIII Kap. 6): „Mehrere Personen, welche an der Regierung des Staates Anteil hatten, haben über die Dirnen gesprochen, die einen von ihnen tadelten sie, die anderen aber waren voll Lob über diese Frauen.“ Es war für einen Bürger keine Schande, so hochstehend er auch durch seinen Rang oder seinen Charakter sein mochte, mit Dirnen zu verkehren, selbst vor der Zeit des Perikles, während welcher diese Art von Frauen in gewisser Beziehung über Griechenland herrschten. Man tadelte nicht einmal den Umgang, den man mit ihnen haben konnte. Ein lateinischer Schriftsteller war also bei seiner Schilderung der Sitten Athens fast im Recht, wenn er laut erklärte, dass ein junger Mann die verrufenen Häuser häufig besuchen müsse, um seine Erziehung zu vervollkommnen: non est flagitium scortari hominem adulescentulum.

Die komischen Dichter jedoch hatten ebenso wie die Philosophen die moralische Verpflichtung, die Wollust zu strafen, indem sie sie zwangen, ab und zu zu erröten; ihre Epigramme allein legten der Zügellosigkeit der Sitten, welche sie überwachten, einen Zügel an, wo das Gesetz versagte und Schweigen beobachtete: „Eine Dirne ist die Pest für den, welcher sie ernährt!“ ruft der Landmann des Aristophanes aus. — „Wenn einer jemals eine Dirne geliebt hat,“ sagt mit Nachdruck Anaxilas in seiner Neottis, „der soll mir sagen, ob es etwas gottloseres giebt.“

Nichtsdestoweniger war das Gesetz nicht immer stumm oder machtlos gegen die Weiber von schlechtem Lebenswandel, sei es nun, dass sie Hetären, Musikantinnen oder Dicteriaden waren; es verweigerte ihnen nicht nur unerbittlich alle Rechte, die mit der Eigenschaft einer Bürgerin verbunden waren, sondern es gab ihnen auch bestimmte Anweisungen über ihre Aufführung. Der Areopag richtete oft sein Augenmerk auf diese Aufführung und schritt auch oft mit unerbittlicher Strenge gegen sie ein. Es scheint nach mehreren Stellen des Alkiphron, dass sie vor dem Gesetz solidarisch behandelt wurden, und dass ein Urteilsspruch, der eine von ihnen traf, verhängnisvolle Folgen für die Gesamtheit nach sich zog. Man erfährt, dass es sich um eine Auflage handelt, welche nach den Verhältnissen jedes Weibes bemessen wurde, welches nicht berechtigt war den Titel Bürgerin zu führen. Man erreichte auf diese Art, dass sie von Zeit zu Zeit das in die Truhe des Staates abliefern mussten, was sie aus denen der Bürger genommen hatten. Diese wunderliche Gesetzesbestimmung hat dahin geführt, eine falsche Ansicht zu stärken, welche wir als das geben wollen, was sie wirklich ist. Nach gewissen Gelehrten hätten die Dirnen Athens eine Genossenschaft gebildet, eine Innung, die sich aus den verschiedenen Arten der Weiber, welche das gleiche Handwerk betrieben, zusammengesetzt habe und streng durch Statuten und Regeln, welche auf ihr hässliches Gewerbe Bezug hatten, geordnet gewesen wäre. Aus diesem Grunde konnte der Areopag die gesammte Genossenschaft für die Vergehen eines seiner Mitglieder verantwortlich machen. Dieses Tribunal forderte die Sache vor sich, wenn eine Dirne einen Bürger veranlasste, eine verbotene Handlung zu begehen, und auch dann, wenn ihr Einfluss schädlich auf die Jugend wirkte, sei es nun, dass sie diese veranlasste, ihr Vermögen zu verschwenden oder sich dem Staatsdienste zu entziehen, oder dass sie diese zur Gottlosigkeit führte. Die Anklagen waren mitunter sehr schwere, und es bedurfte nur des Hasses oder der Rachsucht eines unwürdigen Liebhabers, um ein schreckliches Unheil auf ein Weib zu wälzen, welches keine Hilfe fand und unverteidigt verurteilt werden konnte. „Versuche von Euthias, etwas von dem, was du ihm gegeben hast, beizutreiben,“ schreibt die liebenswürdige Bacchis an ihre Freundin Myrrhina, „und du wirst sehen, ob du nicht angeklagt wirst die Flotte angebrannt zu haben oder den Grundgesetzen des Staates ungehorsam geworden zu sein!“ Es war eben dieser elende Euthias, der die schöne Phryne der Gottlosigkeit anklagte, aber der Anwalt Hyperides fürchtete sich nicht die Verteidigung dieser Dirne zu übernehmen, welche ihn gut bezahlte, als er ihre Freisprechung bewirkt hatte. „Dank sei den Göttern,“ schrieb ihm naiv Bacchis in Folge dieses denkwürdigen Prozesses, „unser Stand ist anerkannt worden durch die Lösung dieses unbilligen Prozesses. Du hast das heiligste Recht auf die Erkenntlichkeit aller Dirnen erlangt. Wenn du noch einwilligst die Rede aufzuzeichnen und zu veröffentlichen, welche du für Phryne gehalten hast, verpflichten wir uns dir ein goldenes Standbild an dem Orte Griechenlands aufzustellen, welchen du wählen wirst.“ Die Geschichte sagt nicht, ob Hyperides seine Verteidigungsrede veröffentlichte, und ob die Dirnen sammelten, um ihm in irgend einem Tempel der Venus-Pandemos oder der Venus-Peribasia ein goldenes Standbild zu errichten. Eine gegen eine einzelne Dirne erhobene Anklage verbreitete also Schrecken unter dem ganzen Stande, dem die Angeklagte angehörte, denn diese Anklage bezweckte kaum nur eine Erpressung. Eine alte Dirne, mit Namen Theokris, die sich auch mit Magie und Verfertigung von Liebestränken beschäftigte. wurde auf Anzeige des Demosthenes zum Tode verurteilt, weil sie den Sklaven geraten habe ihre Herren zu betrügen und ihnen auch die Mittel hierzu gesagt habe. Und doch war gerade diese Theokris als Priesterin in einem Venustempel angestellt. Es war gelegentlich des Prozesses der Phryne, dass Bacchis in folgenden Worten auf dies Ereignis zurückkam: „Wenn wir deshalb, weil wir nicht das Geld erlangt haben, welches wir von unseren Liebhabern forderten, und weil wir unsere Gunst denjenigen gewähren, welche uns anständig bezahlen, der Gottlosigkeit gegen die Göttin schuldig sind, dann dürfen wir auf alle Vorteile unseres Gewerbes verzichten und keinen Handel mehr mit unseren Liebkosungen treiben."

Die Anklage der Gottlosigkeit war die häufigste gegen die Dirnen, und diese Anklage war um so fürchterlicher, als sie sich nur auf unbestimmte und leicht zu entstellende Dinge bezog. Die Dirnen erfüllten in gewissen Tempeln und bei bestimmten Festen die Funktionen von Priesterinnen, nichtsdestoweniger konnte ihre Anwesenheit in einem Tempel als Gottlosigkeit betrachtet werden: „Es ist nicht erlaubt," sagt Demosthenes in seiner Rede gegen Neära, „es ist einem Weibe, das man bei einem Ehebruch ertappt hat, nicht erlaubt, in unsere Tempel einzutreten, obgleich unsere Gesetze einem Fremden und einer Sklavin den Aufenthalt darin gestatten, sei es nur der Schaulust wegen, sei es, um darin zu beten. Die des Ehebruchs überführten Frauen sind es allein, denen der Eintritt in die Tempel untersagt ist." Vor Demosthenes hatte der Redner Isäus, welcher der Lehrer dieses grossen Redners war, über denselben Gegenstand vor Gericht gesprochen und feierlich erklärt, das ein öffentliches Weib, das aller Welt zur Verfügung stehe, und deren ganzes Leben eine Kette von Ausschweifungen sei, weder ohne Gottlosigkeit in das Innere eines Tempels eintreten noch bei den geheimen Mysterien des Kultus helfen könne. Diese unglücklichen Weiber sahen sich so unablässig unter dem Vorwande der Gottlosigkeit den richterlichen Verfolgungen ausgesetzt, sie waren sozusagen vogelfrei, und der Areopag, vor welchem man sie auf Antrieb ihrer mächtigen Feinde schleppte, machte sich über ihre Verurteilung ebensowenig Gewissensbisse, als über ihre Freisprechung. Ein Beschluss des Areopag hatte den Dirnen und Sklavinnen verboten feierlichen Spielen entnommene Namen zu führen, und dennoch gab es zu Athen eine Dirne, welche sich Nemäa nennen liess, weil ihr Geliebter sich bei den Nemäischen Spielen ausgezeichnet hatte, und vielleicht auch, weil sie sich selbst unter dem Schutze des Herkules gefiel. Allein der Areopag liess sie walten und sprach ihr nicht einen Namen mit so guter Vorbedeutung ab. Ein anderer Beschluss des Areopag hatte den Dirnen gleichfalls verboten die Feste des Gottes gleichzeitig mit den Matronen und freien Weibern oder Bürgerinnen zu feiern. Bei den Aphrodisien jedoch vermischten sich, wie Athenäus, auf das Zeugnis des Dichters Alexis gestützt, erzählt, die freien Weiber mit den Dirnen zu Tisch bei den öffentlichen Festschmäusen, welche der Venus zu Ehren gefeiert wurden. Also heftete sich die Gottlosigkeit überall und immer den Dirnen an, auf Schritt und Tritt, welche ihren Schlingen nur durch Glück oder vielmehr durch List entgingen. Diese schwierige Lage, die man ihnen bereitete, um Herr über sie zu sein, macht die Zahl und den Reichtum der Opfer verständlich, welche sie den Göttern weihten, um deren Schutz zu erlangen.

Das Gesetz ersparte den Dirnen keine Erniedrigung. Die Kinder welche sie gebaren, ebenso wie die Kinder der Konkubinen, teilten ihre Schmach. Es war diese Geburt ein Flecken, von dem man sich nur reinigen konnte, wenn man dem Staate rühmlich gedient hatte. Die persönliche Lage der Dirnen unterscheidet sich wesentlich von derjenigen der Konkubinen, und doch war das Schicksal der Kinder beider fast gleich. Die Bastarde sahen sich, wer immer ihre Mutter war, (und die Zahl der Bastarde war in Athen, der Zahl der Dirnen entsprechend, sehr gross) von der freien Bevölkerung ausgeschlossen: sie hatten zwar keine besondere Kleidung unterscheidende Abzeichen, aber schon in ihrer Kindheit spielten sie und übten sie sich auf einem Felde, das zum Tempel des Herkules gehörte, den man als den Gott der unehelichen Abkunft betrachtete. Wenn sie das Mannesalter erreicht hatten, besassen sie keine Fähigkeit zu erben, sie hatten kein Recht vor dem Volke zu sprechen, sie konnten keine Bürger werden. Endlich waren die Bastarde der Dirnen (Plutarch erwähnt diese Thatsache in seinem Leben des Solon), um die Schmach voll zu machen, nicht verpflichtet, die Urheber ihres Daseins zu ernähren. Der Sohn war zu keiner Sohnespflicht gegen seinen Vater und seine Mutter gehalten, weil diese gleichfalls keine Vater- oder Mutterpflichten gegen ihn zu erfüllen hatten. Daraus wird verständlich, warum die meisten Mädchen ihre neugeborenen Kinder auf der Strasse aussetzten und sie so dem Staate anvertrauten, der gegen sie weniger stiefmütterlich war. Diese Kinderaussetzungen waren so gewöhnlich, dass die ehrenwerte Ausnahme auffällt, welche Lucian in seinen Hetärengesprächen eine seiner Heldinnen machen lässt, die zu ihrer Genossin sagt: „Er muss mir mein Kind ernähren, denn glaube nicht, dass ich das aussetzen werde, mit dem ich niederkomme.“ Unter dem Archontenamte des Euklid liess der Redner Aristophon ein Gesetz publizieren, dass jeder für einen Bastard erklärt werden solle, der nicht nachweisen könne, dass er von einem freien Weibe oder einer Bürgerin geboren sei. Später brachte ihn, um ihn wegen dieser Härte gegen die Bastarde aufzuziehen, der Komödiendichter Kalliades auf die Bühne und stellte ihn selbst als den Sohn der Dirne Chloris dar.

Als Solon die Prostitution regelte, hatte er heilsame Dämme angelegt und sich vorgenommen die elenden Wollustkünstler fernzuhalten, welche sich ein schändliches Gewerbe daraus machten, die Mädchen und Knaben zu verderben. Es bestand also ein Gesetz hinsichtlich der Prostitution, welches uns nur aus der Anführung bekannt ist, welche Aeschines in einem seiner Dialoge macht: „Wer an einem junge Manne oder an einem Weibe, die dem freien Stande angehören, zum Kuppler wird, soll mit dem Tode bestraft werden!" Bald aber milderte man dieses Gesetz und erfand Mittel, die seinen wahren Charakter entstellten; und zwar so, dass die Todesstrafe durch eine Geldbusse von zehn Drachmen ersetzt wurde, während die Strafe für den Diebstahl oder den Raub eines freien Weibes hundert Drachmen betrug. Man behielt die Todesstrafe nur im Wortlaut des Gesetzes bei, und so wurden selbst, wie Plutarch berichtet, die verdorbenen Weiber, welche ein öffentliches Gewerbe daraus machten die Lüstlige mit Maitressen zu versorgen, nicht unter die Art von Schuldigen gerechnet, welche dieses Gesetz treffen musste. Es war gegenstandslos, dass Aeschines die Anwendung eines Gesetzes forderte, welches niemals vollständig durchgeführt war. Es war in der That sehr schwer die Grenze zu ziehen, wo das Verbrechen begann, hinsichtlich dessen dieses schreckliche Gesetz aufgestellt worden war, denn der Brauch berechtigte in Griechenland einen Liebhaber eine Maitresse mit sich zu nehmen, vorausgesetzt, dass diese damit einverstanden war, und ihre Eltern kein Hindernis in den Weg legten. Es genügte also, wenn man zuvor die Einwilligung des Vaters oder der Mutter eines Mädchens, welches man besitzen wollte, sich verschaffte Man gewann sie also im Voraus an dem Tage, an welchem die Entführung stattfinden sollte, und sie leisteten nur zum Scheine Widerstand. Wenn ein junges Mädchen oder dessen Mutter von einem Manne ein Geschenk empfangen hatte, so wurde dieses Mädchen nicht mehr als Jungfrau angesehen, seine Jungfräulichkeit mochte immerhin unberührt sein, aber man schuldete ihr weder mehr dieselbe Rücksicht noch dieselbe Achtung, als wenn sie bereits mit der Prostitution ihres Körpers den Anfang gemacht hätte.

Der Areopag, welcher über die Dirnen und ihre verhassten Schmarotzer zu Gericht sass, wenn ein Verbrechen ihm durch die Stimme des Volkes oder eines Bürgers gemeldet worden war, geruhte nicht, sich mit den einfachen Vergehen zu beschäftigen, welche diese unreine den schlechten Sitten gewidmete und den strengsten Vorschriften der Polizei unterworfene Bevölkerung begehen konnte. Die Kenntnisnahme von den Vergehen, welche bei der Ausübung der Prostitution vorkamen, gehörte sicher vor die untergeordneten Aufsichtspersonen der Verwaltung und der Polizei. Diese mussten auf die Einhaltung der Vorschriften betreffs der Kleidung, welche die Dirnen tragen mussten, der Orte, die zu ihrem Aufenthalte und ihren Spaziergängen bestimmt waren, der Steuern, welche ihr schimpfliches Gewerbe trafen, und endlich auf alle Gebräuche ihres öffentlichen Auftretens Obacht geben.

VI. Kapitel.

Die Griechen.

III.

Die verschiedenen Arten der Dirnen Athens. — Die Dicteriaden, die Auletriden, die Hetären. — Pasiphaë. — Verschiedener Rang der Weiber von schlechtem Lebenswandel. — Demosthenes gegen die Dirne Neära. — Beträchtliche Steuereinnahme von der Prostitution. — Der Pornikontelos vom Staate an Spekulanten verpachtet. — Die Kollekteure des Pornikontelos. — Stunden, zu denen die Dirnen ausgehen durften. — Der Hafen Piraeus zum Feld der Prostitution bestimmt. — Der Keramikos, der Markt der eleganten Prostitution. — Einzig dastehende Sitte: Schändung der Gräber des Kerameikos. — Der Hafen Phaleron und der Marktflecken Skiron. — Der grosse Platz des Piraeus. — Themistokles von vier Hetären an Stelle von Pferden gezogen. — Unzüchtige Zeichen der Bordelle. — Die kleinen Mietshäuser der Hetären — Brief der Panope an ihren Gatten Euthibul. — Sittenpolizeiliche Vorschriften betreffs der Kleidung der Prostituierten. — Das geblümte Kostüm der Dirnen Athens — Luxusgesetze. — Kostüm der Dirnen Spartas. — Schreckliches Gesetz des Zaleucus, Schülers des Pythagoras, gegen den Ehebruch. — Suidas und Hermogenes. — Luxusgesetz des Philipp von Macedonien. — Gewöhnliches Kostüm der Athener von Rang. — Kostüm der Dirnen in Sparta. — Unterschied dieses Kostüms von dem der Weiber und Töchter der Spartiaten. — Charakteristischer Geschmack der griechischen Dirnen. — Gesetzliche Herabwürdigung der Weiber, die sich zu Dienerinnen der Prostitution machten. — Gewöhnliche Verderbtheit dieser Dienerinnen.

Die Dirnen Athens bildeten mehrere Klassen, welche sich in der Weise von einander unterschieden, dass sogar die Sittengesetze, welche sie in Ordnung hielten, sich in ihrer Fassung den verschiedenen Arten der Freudenmädchen anpassen mussten. Es gab drei Hauptarten, die sich in mehr oder weniger gleiche Unterarten weiterteilten: Die Dicteriaden, die Auletriden und die Hetären. Die ersteren waren gewissermassen die Sklavinnen der Prostitution, die zweiten waren ihre Helferinnen, die dritten endlich ihre Königinnen. Es waren Dicteriaden, die Solon in die öffentlichen Freudenhäuser sammelte, wo sie für einen gewissen, vom Gesetzgeber bestimmten Preis jedem gehörten, der in ein solches Haus eintrat, das man Dicterion nannte zum Andenken an Pasiphaë, die Gemahlin des Minos, des Königs von Kreta (Dictae), die sich in den Leib einer ehernen Kuh einschliessen liess, um in dieser Umhüllung die Liebkosungen eines wirklichen Stieres zu empfangen. Die Auletriden oder Flötenspielerinnen hatten ein freieres Leben, weil sie die Festgelage besuchten um ihre Kunst auszuüben, wenn man sie dazu gerufen hatte; sie drangen also ins Innere der Wohnungen ein und nahmen teil am Privatleben der Bürger; ihre Musik, ihre Gesänge und ihre Tänze hatten allein den Zweck die Sinne der Gäste aufzureizen und zu entflammen, welche sie bald an ihrer Seite sich setzen liessen. Die Hetären waren ohne allen Zweifel Dirnen, welche Handel mit ihren Liebkosungen trieben, sich schamlos jedem preisgaben, der sie bezahlte, aber sie bewahrten sich doch noch einen bestimmten Rest von freiem Willen, sie verkauften sich nicht dem ersten besten, sie liessen Gunst und Hass walten, sie verzichteten niemals auf ihre freie Entscheidung, sie gehörten nur dem, der ihnen zu gefallen oder angenehm zu sein gewusst hatte. Uebrigens konnten sie sich durch ihren Geist, ihre Bildung und ihren ausgesuchten Geschmack oft mit den hervorragendsten Männern Griechenlands auf gleichen Fuss stellen.

Diese drei Klassen von Dirnen hatten unter sich nicht die geringsten Beziehungen, es sei denn allein der Zweck ihres Gewerbes: sie dienten alle drei zur Befriedigung der sinnlichen Gelüste der Athener, vom edelsten bis zum geringsten. Es gab Unterschiede in der Prostitution wie im Volke selbst, und die stolze Hetäre des Keramikos unterschied sich ebenso von der gemeinen Dicteriade des Piräus, wie der schönheitsstrahlende Alkibiades sich von einem dicken Lederhändler unterschied. Wenn wir nur wenige und unvollkommene Dokumente über die gesetzlichen Bestimmungen besässen, welche die Wollust in Athen regelten, so könnten wir sie leicht durch eigene Schlussfolgerungen vervollständigen, wenn wir die verschiedenen Lebensweisen der Weiber vergleichen, die mit ihrem Körper Handel trieben. Die Hetären, diese reichen und mächtigen Damen, welche unter ihre Anbeter Heerführer, Staatsbeamte, Dichter und Philosophen zählten, unterstanden fast nur dem Areopag. Die Auletriden und Dicteriaden hingegen waren für gewöhnlich Subalternbeamten unterstellt, die Dicteriaden, die einer Art schimpflicher Sklaverei unterworfen waren, aber nur dann, wenn sie sich überhaupt das Recht bewahrt hatten ausserhalb der Mauern ihrer gemeinen Gefängnisse Richter zu haben. Die meisten Dicteriaden und Auletriden waren Fremde, gewöhnlich von dunkler und unfreier Geburt; und wenn doch einmal eine Athenerin durch Unglück, eigene Schuld oder Thorheit in diese verworfene Klasse von Dirnen sank, so hatte sie auf ihren Namen, ihren Rang und ihr Vaterland verzichtet. Die griechische Hetäre hingegen, die nicht derselben Schande unterworfen war, bestand bisweilen darauf ihren Titel als Bürgerin zu bewahren, und es bedurfte nichts geringeres als eines Urteiles des Areopag um ihn ihr zu nehmen. Als Demosthenes seine Rede gegen die Hetäre Neära hielt, rief er mit Unmut aus: „Ein Weib, das sich den Männern überlässt, das überallhin denen folgt, die es bezahlen, wessen ist die nicht fähig? Muss sie sich nicht jedem Verlangen derjenigen fügen, denen sie sich preisgiebt? Ein solches Weib, das öffentlich und allgemein im ganzen Lande als Dirne bekannt ist, soll, wie ihr es haben wollt, eine Bürgerin sein?“

Es scheint, als ob alle Dirnen, gleich welcher der drei Klassen sie angehörten, als einem öffentlichen Dienste geweiht und unter absoluter Abhängigkeit vom Volke stehend betrachtet wurden, denn sie durften das Gebiet der Republik nicht verlassen, ohne die Erlaubnis dazu nachgesucht und erhalten zu haben. Diese Erlaubnis gewährten die Archonten oft nur unter Bedingungen, welche eine grosse Sicherheit für ihre Rückkehr boten. In gewissen Umständen wurde die Genossenschaft der Dirnen als für den Staat nützlich und nötig erklärt. Und in der That hatten sie sich in Athen und Attika bald in dem Masse vermehrt, dass die Steuer, die jede alljährlich an die Staatskasse zahlen musste, für diese eine beträchtliche Einnahme bildete. Diese Sondersteuer (pornikotelos), die uns der Redner Aeschines als sehr alt darstellt, ohne ihre Einführung dem Solon zuzuschreiben, wurde alljährlich an Spekulanten verpachtet, welche die Mühe übernahmen sie zu erheben. Für die Zahlung dieser Umlagen erkauften die Dirnen das Recht der Duldung und des öffentlichen Schutzes. Man begreift, dass eine derartige Steuer zunächst die edle und schamhafte Gesinnung der tugendhaften Bürger verletzte, aber man gewöhnte sich schliesslich daran, und die städtische Verwaltung errötete nicht, oft aus dieser schimpflichen Geldquelle zu schöpfen. Die Pächter dieser Steuer vernachlässigten natürlich nichts um möglichst viel Gewinn herauszuschlagen. Man darf also annehmen, dass sie eine

Menge Luxusverordnungen erfanden, welche den Vorteil hatten die alten Geldstrafen zu häufen und neue zu schaffen. Die Dirnen und die Einnehmer des pornikotelos waren beständig in Fehde: Die Erpressungen der einen schienen in demselben Masse zuzunehmen, als die Fügsamkeit der anderen resignierter wurde. Und so wuchs alljährlich die Prostitution im gleichen Verhältnis mit dem Erträgnisse ihrer Steuer.

Athenäus behauptet bestimmt, dass die öffentlichen Weiber, wahrscheinlich nur die Dicteriaden, nicht eher ihre Wohnung verlassen durften, bis die Sonne untergegangen war, zu einer Zeit also, wo eine Matrone nicht mehr wagen durfte, sich auf den Strassen zu zeigen, ohne ihren Ruf preiszugeben. Aber man darf diese Stelle des Athenäus nicht wörtlich nehmen, denn alle Dirnen, welche im Piraeus wohnten, also ausserhalb der Mauern der Stadt, ergingen sich Abends und Mittags am Hafen. Es ist möglich, dass diese Weiber nur am Ende des Tages in die Stadt gelassen wurden, um daselbst ihre Einkäufe zu machen, aber nicht um sich darin preiszugeben, wenn das Dunkel sie mit einem keuschen Schleier bedeckte. Auf keinen Fall aber durften sie nachts in das Innere der Stadt gehen, und sie zogen sich eine Strafe zu, wenn man sie nach einer bestimmten Stunde noch dort antraf. Es war ihnen also verboten, inmitten des Aufenthaltes der friedlichen Bürger einen Akt der Wollust zu begehen. Diese Sitte bestand in den Städten des Orients seit dem frühesten Altertume, und sie hielt sich in Athen, solange der Areopag die legale Prostitution in Grenzen hielt. Der Hafen Piraeus war dieser Prostitution als Feld bestimmt worden. Er bildete eine Art Stadt, zusammengesetzt aus Fischerhütten, Waarenlagern, Kneipen, Bordellen und kleinen Lusthäuschen. Die ewig wechselnde Bevölkerung dieses Vorortes Athens bestand aus Fremden, Lüstlingen, Spielern und Müssiggängern; dies war für die Dirnen eine gewinnbringende und treue Kundschaft. Sie wohnten unter ihren gewöhnlichen Dienern und brauchten nicht in der Stadt Abenteuer unter den strengen Augen der Obrigkeit und der Matronen zu suchen. Sie befanden sich wunderbar wohl im Piraeus und strömten dorthin von allen Ländern der Welt zusammen. Dieser Andrang, welcher den Interessen aller schädlich war, veranlasste einige von ihnen den Schauplatz ihrer Promenaden zu verlegen: die stolzesten und glücklichsten näherten sich Athen und stellten sich auf dem Keramikos zur Schau.

Der Keramikos, dessen sich die Hetären bemächtigten, indem sie den Piraeus den Flötenspielerinnen und den Dicteriaden überliessen, war nicht der schöne Stadtteil von Athen, welcher seinen Namen von Keramos, dem Sohne des Bacchus und der Ariadne ableitete, sondern es war eine Vorstadt, welche den Garten der Akademie und die Grabmäler derjenigen Bürger einschloss, die mit den Waffen in der Hand gefallen waren. Er breitete sich längs der Umfassungsmauer vom Thore des Keramikos bis zum Thor Dipylon aus; daselbst gewährten grünende Baumgruppen und mit Statuen und Inschriften gezierte Säulengänge erfrischenden Schutz gegen die Hitze des Tages. Die Dirnen der obersten Ordnung kamen dahin um zu promenieren oder sich an irgend einem Platze hinzusetzen, welchen sie sich anmassten, als ob sie ihn von den erlauchten Toten, welche daselbst ruhten, erobert hätten. Er wurde bald der anerkannte Markt der eleganten Prostitution. Man ging hierhin, um sein Glück zu versuchen, man machte daselbst Bekanntschaften, man gab sich daselbst Rendezvous, man trieb endlich daselbst Liebeshändel. Wenn ein junger Athener eine Hetäre bemerkt hatte, deren Gunst er geniessen wollte, schrieb er an die Mauer des Keramikos den Namen dieser Schönen unter Hinzufügung einiger schmeichelhafter Epitheta. Lucian, Alkiphron und Aristophanes machen Andeutungen von diesem wunderlichen Gebrauche. Die Dirne schickte ihren Sklaven aus, welcher die am Morgen angeschriebenen Namen lesen musste, und wenn der ihrige sich darunter befand, brauchte sie sich nur in der Nähe dieser Inschrift aufzustellen, um anzudeuten, dass sie gesonnen sei, einen Liebhaber anzunehmen. Dieser brauchte sich nur mehr zu zeigen und seine Bedingungen zu stellen, welche allerdings nicht immer angenommen wurden, denn die Hetären von Ruf hatten nicht alle dieselbe Taxe, und sie erlaubten sich bisweilen, ihre Launen zu haben. Dann hatten die Liebeserklärungen keinen anderen Erfolg, als diejenigen in Verlegenheit zu bringen, welche sie gemacht hatten. Es ist leicht einzusehen, dass die Dirnen sich durch eine derartige Weigerung und Verachtung unversöhnliche Feinde schufen.

Die Dicteriaden und die Flötenspielerinnen, sowie die Hetären der untersten Ordnung versuchten, als sie sahen, dass die vorteilhaftesten Galanterien auf dem Keramikos in Scene gingen, ebenfalls dorthin zu kommen, oder wenigstens sich ihm zu nähern; sie verliessen allmählig den Hafen Piraeus, den Hafen Phaleron, den Flecken Skiron und die Umgegend Athens um den Platz den Hetären der Aristokratie streitig zu machen, die ihren Markt weiter rückwärts verlegten und schliesslich in der Stadt ihre Zuflucht nahmen. Die Gesetze, welche ihnen verboten, daselbst in Dirnenkleidung zu erscheinen, wurden in der Praxis abgeschafft, da man doch aufhörte, sie in Anwendung zu bringen. Man sieht also die verächtlichsten Dirnen die Zugänge der Porta Dipylon anfüllen und daselbst ihren schändlichen Handel ruhig treiben. Die schattigen Laubgänge und Rasenflächen des Keramikos, welche die Grabmäler umgaben, begünstigten nur zu sehr die Ausübung der Prostitution, welche sich dieses berühmten Friedhofes bemächtigt hatte. „Es ist dort am Thore des Keramikos," sagt Hesychius, „wo die Dirnen ihre Hütten aufgeschlagen haben." Lucian spricht sich auf folgende Weise aus: „In der Ecke des Keramikos, rechts vom Thore Dipylon ist der grosse Markt der Hetären." Man verkaufte und kaufte zu jedem Preise, und oft überliess sich die Verkäuferin gleich auf der Stelle, im Schatten irgend einer Marmorsäule, welche einem berühmten Bürger, der auf dem Schlachtfelde geblieben war, errichtet wurde, ihrem

Käufer. Abends, unter dem Schutze der Dunkelheit, bot die blanke Erde oder ein Laublager eine beständige Arena für die schändlichen Kämpfe der Wollust, und nicht selten hatte ein verspäteter Wanderer, welcher in einer mondlosen Nacht über den Keramikos schritt und längs des Gartens der Akademie seine Schritte beschleunigte, geglaubt, die Manen um die entweihten Grabmäler herum seufzen zu hören.

Die Einwanderung der öffentlichen Dirnen in den Keramikos hatte aber den Piraeus nicht völlig entvölkert, es blieb noch eine grosse Zahl derartiger Weiber in dieser gewaltigen Vorstadt, welche ihre Bewohner aus den Reisenden und Kaufleuten aller Teile der damals bekannten Welt zusammensetzte. Es gab deren selbst im Hafen Phaleron und im Flecken Skiron, wohin ebensoviele Dirnen wie Fremde strömten. Ihr Hauptcentrum war ein grosser Platz, welcher sich nach dem Hafen öffnete und zugleich eine Aussicht auf die Burg gewährte. Dieser Platz, der von Häuschen umgeben war, in denen man nur Würfelspieler, Langschläfer und verkommene Philosophen erblickte, füllte sich gegen Anbruch der Nacht mit einer Menge Weiber, welche fast alle aus dem Auslande stammten. Die einen waren verhüllt, die anderen halbnackt, alle aber riefen, entweder stehend und unbeweglich, manche auch sitzend, oder laufend und umherjagend, schweigend oder stichelnd, frech oder bescheiden, die Wünsche der Vorübergehenden an. Der Tempel der Venus-Pandemos, den Solon an dieser Stelle errichtet hatte, schien die Aufsicht über den Handel, der daselbst getrieben wurde, zu führen. Wenn die Dirnen einen Widerstrebenden überwinden wollten, wenn sie einen höheren Preis erzielen wollten, wenn sie Handgeld haben wollten, immer riefen sie Venus unter dem Namen Pitho an, obgleich diese Pitho in der griechischen Mythologie eine von der Venus vollständig verschiedene Göttin war: man vermengte sie eine mit der anderen, gerade als ob man andeuten wollte, dass die Ueberredung von der Liebe untrennbar wäre. Schliesslich konnte man im Heiligtume des Tempels die Marmorstatuen beider Göttinnen glänzen sehen, welche darin mitten in ihrem Liebesreiche aufgestellt waren. Es wurden wohl auch die Verträge, welche man im Namen der Venus und ihrer Genossin eingegangen war und geschlossen hatte, sodann unter der Thür des Tempels, oder am Meeresstrande, oder auch am Fusse der langen Mauer, welche Themistokles gebaut hatte, um den Piraeus mit der Stadt Athen zu verbinden, unterzeichnet.

Der Name des Piraeus und des Keramikos waren von so gutem Klange in der Prostitution und der Hetärenwelt, dass Themistokles, der Sohn einer Dirne, selbst seine Geburt schamlos öffentlich ausposaunte, indem er vom Piraeus zum Keramikos in einem herrlichen Wagen spazieren fuhr, welcher anstatt von Pferden, von vier Dirnen gezogen wurde. Athenäus erzählt diese unglaubliche Geschichte nach dem Zeugnis des Idomeneus, welcher selbst daran zweifelte. Mehrere Erklärer haben in dieser von Athenäus herrührenden Stelle nicht ein Viergespann von Dirnen gesehen, sondern sie meinen, es hätten Dirnen zu beiden Seiten des Themistokles in der Quadriga gesessen. Wir werden also im Zweifel sein, ob wir gegen Athenäus selbst aufrecht erhalten sollen, dass Themistokles ein so wunderliches Ding, Dirnen als Vorspann des Wagens zu benutzen, ausgedacht habe. Ausser den Ausschweifungen unter freiem Himmel, kamen im Piraeus auch solche vor, welche sich hinter geschlossenen Thüren abspielten. Das grosse Dicterion, welches Solon nahe beim Tempel der Pandemos gegründet hatte, hatte bald nicht mehr den Bedürfnissen der sittlichen Verderbnis genügt. Eine Menge andere waren aufgethan worden ohne einen Verstoss gegen die Gesetze zu begehen, welche ihnen ihren Schutz gewährten, und welche die Prostitution an Spekulanten verpachtete. Die Bordelle, welche man bei jedem Schritte in den Strassen des Piraeus und der anderen Vorstädte antraf, machten sich durch ihre Zeichen kenntlich, welche überall dieselben waren und sich nur durch ihre Grösse unterscheiden: es war immer das obscöne Attribut des Priap, welches die schlechten Orte charakterisierte. Es war also unmöglich darin einzutreten, ohne laut zu bekennen, dass man einen solchen Ort gesucht habe. Ein griechischer Philosoph bemerkte einst einen Jüngling, welcher sich in eine dieser Höhlen schleichen wollte, er rief ihn bei seinem Namen, und als der junge Mann errötete und seinen Kopf senkte, rief ihm der Philosoph zu: „Mut! Dein Erröten ist der Anfang der Tugenden!“ Ausser den öffentlichen Häusern gab es daselbst auch Häuschen. welche die Hetären mieteten um darin ihr Gewerbe zu treiben. Sie wohnten nicht beständig in denselben, sondern verweilten nur einige Tage und Nächte mit ihren Freunden darin. Es fanden in diesen Unterkunftstätten der Wollust auch Schmäuse, Tänze und Musikaufführungen statt, zu denen man nur zugelassen wurde, wenn man seinen Teil bezahlte Alkiphron hat einen Brief der Panope an ihren Gatten Euthibul angeführt: „Dein Leichtsinn, deine Unbeständigkeit, dein Hang zum Vergnügen bringen dich dahin mich zu vernachlässigen, ebenso wie deine Kinder, damit du dich ganz der Leidenschaft überlassen kannst, welche die Galene, diese Fischertochter, dir einflösst, die von Hermione gekommen ist um ein Häuschen zu mieten und ihre Reize am Piraeus zur Schau zu stellen, wo sie zum Nachteil der gesammten armen Jugend Handel damit treibt. Die Ehemänner gehen zu ihr, um mit ihr zu buhlen, sie überhäufen sie mit Geschenken, welche sie nie zurückweist, sie ist ein Abgrund, der alle verschlingt.“

Die Sittenpolizei, welche den schmachvollen Handel der Prostitution auf gewisse Stadtteile beschränkte, hatte sie zu der schmählichen Verpflichtung gezwungen, wie die Sklaven bestimmte Kleidung zu tragen, welche den Zweck hatte, sie überall kenntlich zu machen. Die Kleiderordnung für die Prostituierten scheint in allen Städten Griechenlands, sowie in denen der Kolonien, bestanden zu haben. Es waren bestimmte Farben vorgeschrieben, welche in gewisser Beziehung den öffentlichen Argwohn auf die Weiber lenkten, welche sie trugen, aber diese Farben waren verschieden zu Athen, zu Sparta, zu Syrakus oder sonstwo. Er war wahrscheinlich Solon, der zuerst den Sklavinnen, welche er der Prostitution weihte, ein besonderes Kleid bestimmte. Dieses Kostüm war voraussichtlich grellfarbig gestreift, weil die Weiber, welche der Gesetzgeber zum Gebrauche der Republik aus dem Oriente hatte holen lassen, sich zunächst in ihr Nationalkostüm gekleidet gezeigt hatten, also in verschiedenfarbigen Woll- und Seidenstoffen. Das Gesetz des Solon war also nur die Sanktionierung eines alten Brauches, und der Areopag bestimmte, als er dieses Gesetz formulierte, dass die Dirnen künftighin geblümte Kleider tragen sollten. Daher kamen wohl die verschiedenen Arten von Kleidung, welche jede ihrem Geschmacke anzupassen sich angelegen sein liess, je nachdem sie den Wortlaut des Gesetzes auslegte. Nach den Einen durften sie öffentlich nur erscheinen mit Kränzen und Gewinden von Blumen; nach Anderen mussten sie auf ihre Kleider gemalte Blumen tragen; bald begnügten sie sich mit einem Blumenaufputz von schreienden Farben, bald bekleideten sie sich mit Purpur und Gold: sie glichen Körbchen mit frischen Blumen. Aber die Kleiderordnung setzte diesem zügellosen Luxus Grenzen, sie verbot ihnen einfarbige Kleider zu tragen, kostbare Stoffe zu verwenden, wie zum Beispiel Scharlach, und Goldschmuck anzulegen, wenn sie ihre Häuser verliessen. Das Verbot von Purpurgewändern und Goldschmuck war aber nicht für die Dirnen aller Städte Griechenlands geltend, denn in Syrakus war es nur anständigen Frauen verboten Kleider mit Pupurkanten und buntschreienden Farben und Goldschmuck zu tragen, Dinge, welche der Prostitution als Aushängeschild dienten. In Sparta bestanden dieselben Verbote für die Weiber von Stand: „Ich lobe die alte Stadt der Lakedämonier," sagt der heilige Clemens von Alexandria (Paedagog. lib. II. cap. X.) „die den Dirnen erlaubte geblümte Gewänder und goldenes Geschmeide zu tragen, während sie den Eheweibern den Toilettenluxus verbot, welchen sie nur den Dirnen zuerteilte." Athenäus giebt im 25. Buche seiner Historien eine Stelle des Philarchus an, der ein ähnliches Gesetz, welches bei den Syrakusaern bestand, verbürgt. Zusammenstellung mehrerer Farben, Purpurbänder und Goldstickereien waren die Bestandteile des Gewandes, welches die syrakusanische Dirne zu tragen verpflichtet war

Wir sahen schon oben, dass sich die Dirnen der Bibel seit dem grauesten Altertume mit Blumen und leuchtenden Stoffen putzten: Solon stellte sich also nur in Einklang mit den Sitten des Orients, als er den Dirnen vorschrieb ihr orientalisches Kostüm beizubehalten. Zaleucus, der Gesetzgeber der Lokrer that nichts anderes, als dem System des Solon zu folgen, als er die Prostituierten einer griechischen Kolonie zwang als Zeichen ihrer Schande gleichfalls geblümte Kleider zu tragen, wie uns Diodorus Siculus berichtet. Zaleucus, ein Schüler des Pythagoras, war ziemlich wenig nachsichtig gegen die sinnlichen Leidenschaften, und wenn er die Prostitution unter beschimpfenden Bedingungen duldete, so geschah dies nur um keine Entschuldigung für den Ehebruch aufkommen zu lassen, den er bestrafte, indem er dem Schuldigen Teile die Augen ausstechen liess. Suidas spricht in seinem Lexikon von geblümten Dirnen, das soll nach seiner eigenen Erklärung heissen: „bekleidet mit geblümten Gewändern, welche buntfarbig zusammengestellt, oder mit verschiedenen Farben bemalt waren, denn es bestand ein Gesetz in Athen, welches den Prostituierten befahl geblümte Kleider zu tragen, mit Blumen oder verschiedenen Farben geschmückt, damit dieser Putz die Dirnen auf den ersten Blick kenntlich mache.“ Es ist anzunehmen, dass die Dirnen Athens sich mit Rosen bekränzt zeigten, als die Goldkränze ihnen bei Strafe einer Geldbusse verboten waren: „Wenn eine Dirne,“ sagt der Rhetor Hermogenes in seiner Rhetorik, „Goldschmuck trägt, soll dieser Schmuck zu Vorteil des Staates eingezogen werden.“ Man konfiszierte in derselben Weise wie die Goldkränze auch die goldgestickten Gewänder, welche eine Dirne öffentlich zu tragen wagte. Ein Gesetz Philipps von Makedonien setzte eine Busse von tausend Drachmen, etwa achthundert Mark unserer Münze, für die Dirne fest, welche sich den Anschein einer Fürstin gab, indem sie ein goldenes Diadem trug. Diese Kleiderordnungen wurden ohne Zweifel nur selten angewandt, und die reichen Hetären, die gelehrt und gebildet wie Königinnen Griechenlands waren, hatten sicher nichts von diesen Polizeivorschriften zu fürchten, denen allein die Dicteriaden und Auletriden mit aller Strenge unterworfen waren.

Die gewöhnliche Kleidung der Athenerin von Stand unterschied sich wesentlich von derjenigen der Fremden von schlechter Lebensführung. Diese Kleidung, gleichzeitig vornehm und züchtig, setzte sich aus drei Kleidungsstücken zusammen, der Tunika, dem Untergewand und dem Mantel. Die weisse Tunika, aus Linnen, oder Wolle gefertigt, wurde mit Knöpfchen auf den Schultern geschlossen, sie wurde unter dem Busen mit einem breiten Gürtel zusammen gehalten und fiel in wallenden Falten bis auf die Füsse herab. Das Unterkleid, kürzer als die Tunika, befestigte man um die Hüften durch ein breites Band, an seinem unteren Ende war es, wie die Tunika, von Streifen oder Kanten von verschiedenen Farben eingefasst; bisweilen wurde es mit Aermeln versehen, die einen Teil des Armes bedeckten. Der Mantel von Tuch, bald in Form einer Schärpe gerafft, bald sich über den Körper ausbreitend, schien nur dazu bestimmt zu sein, die Formen besser hervortreten zu lassen. Man hatte anfangs, wie uns Barthélemy in seiner „Voyage du jeune Anacharsis“ erzählt, wertvolle Stoffe verwendet, welche der Glanz des Goldes erhöhte, oder wohl auch asiatische Stoffe, auf denen sich die schönsten Blumen in ihren natürlichen Farben zeigten; aber diese Stoffe wurden bald nur noch für die Kleidung aufgespart, mit der man die Statuen der Götter bekleidete oder die man auf dem Theater anwendete. Um endlich den Gebrauch dieser geblümten Stoffe den ehrbaren Frauen unmöglich zu machen, befahl das Gesetz den Weibern von schlechtem Lebenswandel sich ihrer zu bedienen. Diese Weiber hatten sozusagen das Vorrecht der Unbescheidenheit, sie konnten auf der Strasse erscheinen mit fliegenden Haaren, mit entblösstem Busen und den übrigen Körper kaum von einem Gazeschleier verhüllt. In Sparta hingegen mussten die Dirnen reichlich mit schleppenden und mit Goldstickereien bedeckten Gewändern bekleidet erscheinen, weil das Kostüm der Lakedämonierinnen ebenso einfach als ungezwungen war. Dieses Kostüm bestand nur aus einer kurzen Tunika und einem engen, bis an die Füsse fallenden Rocke; die jungen Mädchen aber, welche an allen Uebungen der Kraft und Gewandheit, welche die spartanische Erziehung der Männerwelt auferlegte, teilnahmen, waren noch leichter bekleidet; ihre ärmellose Tunika wurde auf den Schultern mit Metallspangen geschlossen und durch einen Gürtel bis zum Knie aufgeschürzt, sie öffnete sich auf jeder Seite ihrer unteren Hälfte, sodass ein grosser Teil des Körpers unbedeckt blieb: weil nun diese schönen und kräftigen Mädchen sich im Ringen, Laufen und Springen übten, so würden die schlüpfrigsten Dirnen keinen Vorteil vor ihnen gehabt haben.

Eine Mode endlich, welche am besten die griechischen Dirnen charakterisiert, obwohl sie nicht von der Kleiderordnung vorgeschrieben wurde, war die gelbe Farbe ihrer Haare. Sie färbten sie mit Safran oder auch mit anderen Pflanzen, welche das Schwarz, das sie gewöhnlich zeigten, in Blond verwandelten. Der komische Dichter Menander macht sich über diese blonden Haare lustig, welche bisweilen falsch waren, richtige Perrücken aus den Haaren nördlicher Völker oder auch aus vergoldeten Haaren zusammengesetzt. Der heilige Clemens von Alexandria sagt wörtlich, dass es für ein züchtiges Weib eine Schande sei, ihre Haare zu färben und ihnen eine blonde Farbe zu geben. Man kann aus dieser Stelle des heiligen Clemens schliessen, dass die anständigen Frauen diese Haartracht nachgeahmt hatten, welche sich die Dirnen erdacht hatten um den Göttinnen zu gleichen, welche die Dichter, Maler und Bildhauer mit Haaren von Gold darstellten. Dieser raffinierte Schmuck erforderte ohne Zweifel die dienstfertige Hilfe mehrerer Dienerinnen, die in den Künsten der Toilette erfahren waren, und dennoch verbot ein altes Gesetz in Athen den Dirnen sich von bezahlten Weibern oder von Sklavinnen bedienen zu lassen. Dieses Gesetz, welches man nur selten in Anwendung brachte, entehrte ein freies Weib, das sich in den Sold einer Dirne gestellt hatte, und entzog ihr den Titel und die Rechte einer Bürgerin, indem es sie als Sklavin zu Gunsten des Staates einzog. Es schien, als ob eine Bürgerin schon durch den Dienst bei einer Dirne allein selbst eine Dirne würde und sich eignete im Dicterion des Staates verwendet zu werden. Aber trotz dieses strengen Gesetzes fehlte es den Dirnen nie an Dienerinnen, und diese, ob jung oder alt, waren gewöhnlich verdorbener als die Prostituierten selbst, deren schimpflichem Gewerbe sie Beistand leisteten.

VII. Kapitel.

Die Griechen.

IV.

Griechische Schriftsteller, die Abhandlungen über die Hetären verfasst haben. — Geschichte berühmter Dirnen von Kallistrates. — Die Deipnosophisten von Athenäus. — Aristophanes von Byzanz, Apollodor, Ammonius, Antiphanes, Gorgias. — Die Thalatta von Diokles. — Die Korianno von Herekrates. — Die Thais von Menander. — Die Klepsydra von Eubul. — Die hundert fünf und dreissig berühmten Hetären Athens. — Einteilung der Dirnen durch Athenäus. — Freie Dicteriaden. — Die Wölfinnen. — Beschreibung eines Dicterion nach Xenarch und Eubul. — Preisliste der Bordelle. — Beschäftigungen in einem Dicterion. — Die pornobosceioi oder Besitzer eines Dicterions. — Die alten Dirnen oder Matronen. — Ihre Schlauheit im Verführen junger Mädchen. — Lob der Freudenmädchen von Athenäus. — Die Dicterien Freistätten. — Verschiedene Lohnsätze der Hetären niederen Ranges und der freien Dicteriaden. — Phryne von Thespiae. — Die Triefäugige. — Lais. — Der Bauer Anicetos und die habsüchtige Phoibiane. — Habsucht der Dirnen. — Der Fischer Thallussion. — Ursprung der Beinamen einiger Dicteraden. — Die Sphinx. — Der Schlund und die Lausige. — Die Flickerin, die Fischerin und das Hühnchen. — Der Arkadier und der Gärtner. — Die Säuferin, die Laterne, die Dohle, das Mutterschwein, die Ziege, die Wasseruhr etc.

Es war ein so grosser, sozialer Abstand zwischen der Lebensweise einer Dicteriade und einer Hetäre, dass die erstere, unter die Klasse der Sklaven, Freigelassenen und Fremden verwiesen, im Dunkel der Wollust ein namenloses Dasein führte, während letztere, wenn auch des Ranges und Titels einer Bürgerin beraubt, inmitten der bedeutendsten und gelehrtesten Männer Griechenlands lebte. Man darf also annehmen, dass die Schriftsteller, Dichter und Moralisten, welche gewaltige Bände über die Dirnen ihrer Zeit schrieben, es unter ihrer Würde hielten, sich mit den Dicteriaden zu beschäftigen, mit Ausnahme einiger weniger dieser Unglücklichen, deren auffallender Charakter und ungewöhnliche Sitten die Aufmerksamkeit der Sammler erotischer Anekdoten mehr erregte. Diese Anekdoten bildeten die Lieblingsunterhaltung der Lüstlinge Athens. Daher hatten sich einige Schriftsteller bemüht, sie in einem Werke zu sammeln, unglücklicherweise ist von dieser, der Geschichte der Prostitution gewidmeten Sammlung uns nichts geblieben, als einige Trümmer und verstreute Stellen; die Athenäus im XIII. Buch seiner Deipnosophistæ (Gelehrtengastmahl) kümmerlich zusammengelesen hat. Wir würden ohne Zweifel ebenfalls nichts besonderes über die Dicteriaden in den Schriften gefunden haben, welche Aristophanes, Apollodor, Ammonius und Gorgias in verschiedenen Litteraturformen über die Dirnen Athens verfasst hatten. Es waren die Hetären, und noch dazu nur die berühmtesten derselben, welche sich bemühten, den Stoff für diese pornographischen Sammelwerke zu liefern. Kallistratus hatte eine Geschichte der Dirnen mit derselben Wahrheitsliebe verfasst, wie Plutarch seine Lebensläufe berühmter Männer. Machon hatte die „bons mots“ der Modehetären gesammelt; viele Komiker hatten die Ausschweifungen dieser mehr galanten als öffentlichen Weiber auf die Bühne gebracht: so Diokles in seiner Thalatta, Herekrates in seiner Korianno, Menander in seiner Thaïs, Eubul in seiner Klepsydra. Doch wenn wir auch die zahlreichen Schriften noch besässen, welche uns Athenäus nur vermissen lässt, so würden wir über die Dicteriaden dennoch nicht besser aufgeklärt sein, da diese in ihrem schimpflichen Handwerke aufeinanderfolgten, ohne persönliche Spuren ihrer Schande zu hinterlassen. Selbst diejenigen, welche verdient hätten, auf Grund ihrer Laster und ihrer Abenteuer berühmt zu werden, erweckten nur Verachtung im Gedächtnisse des Menschen.

Aristophanes von Byzanz, Apollodor und Gorgias zählen nicht mehr als hundertfünfunddreissig Hetären auf, welche in Athen in Ansehen standen und deren Thaten und Handlungen auf die Nachwelt kommen konnten. Aber aus dieser kleinen Zahl von Berühmtheiten lässt sich nur um so besser auf die grosse Menge der Weiber schliessen, welche in Athen der Prostitution dienten ohne den Ehrgeiz zu besitzen und nach der Ehre zu streben, in der Geschichte erwähnt zu werden, und die sich damit begnügten, durch ihre Schande Geld zu sammeln. Es gab nach den Aussagen des Athenäus in Athen eine so ungeheuere Menge von Dirnen, dass keine Stadt, so bevölkert sie auch sein mochte, jemals soviel hervorbringen konnte. Athenäus begreift in dieser Verallgemeinerung, unter dieser Menge, sowohl Dicteriaden als auch Hetären und Flötenspielerinnen mit ein. In seiner Bemühung indess, unter den Freudenmädchen diese drei Arten zu unterscheiden, scheint Athenäus noch die Dicteriaden in zwei Klassen zu teilen, welche er zur untersten Ordnung der Hetären (μετὰ ἑταίρων) macht, und eine andere, welche die Bevölkerung der verrufenen Häuser bildet (Τὰς ἐπὶ τῶν οἰκημάτων). Wir sind geneigt, aus diesem Unterschiede in der Bezeichnung zu schliessen, dass die Dicteriaden, welche ihren bezahlten Dienst den Freudenhäusern widmeten, und sich in diesen öffentlichen Instituten zur Miete stellten, verschieden waren von denen, welche sich für eigene Rechnung verkauften und sich in den Schenken, bei den Barbieren, in den Säulengängen, auf freiem Felde und an den Grabmälern preisgaben. Diese niedrigen Bacchantinnen, welche man Abends an abgelegenen Plätzen umherschleichen sah, hatten den Beinamen „Wölfinnen" erhalten, sei es, weil sie ihren Raub im Dunkeln suchten wie die hungrigen Wölfe, oder weil sie ihre Anwesenheit oder den Zustand ihrer Bereitwilligkeit durch die Schreie der roten Bestien ankündigten. Dies ist wenigstens die Etymologie, welche Denys von Harlikarnassus für die natürlichste hält.

Die eingeschlossenen Dicteriaden waren fast immer ausländische, nur zum Nutzen eines Spekulanten gekaufte Sklavinnen; die freien Dicteriaden hingegen waren meist Griechinnen, welche Laster, Trägheit oder Unglück zu dieser Stufe der Verworfenheit hatte sinken lassen. Sie suchten gewöhnlich, mit einem Rest von Schamgefühl, das entehrende Handwerk, von dem sie lebten, zu verbergen. Diese Unglücklichen, die bei ihren Mondscheinpromenaden auf den Zufall allein angewiesen waren, trafen auf ihren nächtlichen Eroberungszügen selten mehr als Matrosen, Freigelassene und Strolche, die nicht minder verworfen waren als sie selbst. Man ahnt wohl, dass sie sich Mühe gaben, so lang als möglich der Schmach der geblümten Kleider und der blonden Perrücke zu entgehen, welche ihnen öffentlich den Stempel der Dirne aufdrückte. Sie mussten an die Stellen der Abzeichen etwas anderes setzen, um die Kunden anzulocken, weil sie sich nicht offen zeigten und im Schatten riefen, wohin diese gehen mussten, um sie im Finstern tappend zu suchen. Wenig von Bedeutung war es natürlich bei der Natur ihres Handels, ob sie jung oder alt, hässlich oder hübsch, nett angezogen oder zerlumpt waren, die Nacht deckte alles, und der halbtrunkene Kunde verlangte nicht deutlicher beim Handel zu sehen. In den Dicterien hingegen, über welche eine Art städtische Polizei ausgeübt wurde, unterliess man in dieser Hinsicht nichts, und man zog selbst mit Wohlgefallen alles ans Licht, was die Insassinnen des Ortes besser empfehlen konnte. Xenarch in seinem Pentathlos und Eubul in seiner Pannychis zeigen uns diese Weiber nackt, aufrechtstehend und im Heiligtum der Wollust in einer Reihe aufgestellt. Ihre ganze Kleidung bestand nur aus einem langen durchsichtigen Schleier, welcher dem Auge keinerlei Hinderniss bot. Einige hatten, um die Geilheit anzustacheln, das Gesicht verschleiert, den Busen in ein feines Gewebe eingehüllt, welches seine Form deutlich wiedergab, und den übrigen Körper unbedeckt. Eubul vergleicht sie mit den Nymphen, welche der Eridanos in seinen reinen Wogen spielen sah. Aber nicht etwa am Abend, sondern am hellen Tage (in aprico stantes) brachten die Dicterien alle ihre unkeuschen Schätze ans Licht. Diese Schaustellung von Nacktheiten diente den Freudenhäusern noch besser als der gemalte oder aus Stein gehauene Phallus, welcher ihre Thüren zierte, als Kennzeichen, doch hatte man nach anderen Archaeologen diesen wollüstigen Anblick nur im inneren Hofe.

Es gab ohne Zweifel mehr oder minder verschwenderisch ausgestattete Dicterien in Athen, besonders als die Prostitution in Pacht gegeben wurde, ursprünglich aber herrschte in allen diesen, zu Gunsten der Staatseinkünften errichteten Instituten die republikanischste Einfachheit. Der Preis war für alle Besucher gleich, und dieser Preis war nicht sehr hoch. Philemon lässt ihn in seinen Adelphen allein auf einen Obolus steigen, was etwa sechzehn Pfennigen unserer Münze gleickommt. „Solon hat also Weiber gekauft,“ sagte Philemon, „und setzte sie an Orten nieder, wo für alles, was sie brauchten, Sorge getragen war; sie mussten allen, die danach, Verlangen trugen, zugänglich sein.“ Folgendes sagt er gleichfalls in seiner einfachen Weise: „Keine Uebereilung, seht alles! Habt ihr nichts von dem, was uns glücklich macht? Die Thür geht auf, wenn ihr es wünscht; es kostet nur einen Obolus. Also tretet ein, man wird keine Umstände machen, keine Ziererei, man wird sich nicht verstecken; diejenige, welche ihr gewählt haben werdet, wird euch in ihre Arme nehmen, wann ihr wollt und wie ihr wollt!“. Eubulus dichtete seine Komödien, von denen wir nur noch Bruchstücke haben, 370 Jahre v. Chr., und zu seiner Zeit war der Eintrittspreis in die Dicterien noch nicht sehr erhöht worden, ja noch mehr, trotz der Billigkeit hatte man absolut keine Gefahr zu laufen, da ja die Fürsorge Solons seiner Stiftung eine freie Apotheke beigefügt hat: „Da sind schöne Mädchen,“ sagt Eubulus, „die du für weniges Geld zum Vergnügen kaufen kannst, und das ohne alle und jede Gefahr.“ (A quibus tuto ac sine periculo licet tibi pauculis nummis voluptatem emere; aber die lateinische Uebersetzung spricht nicht so deutlich als der griechische Text.) Wir wissen also nichts genaues über den Tagespreis in den Freudenhäusern Athens, aber wir können annehmen, dass dieser Preis oft geschwankt hat, je nach der Steuer, welche der Staat den Dicterienpächtern auferlegte. Diese verrufenen Orte nun waren nicht allein von Matrosen und Kaufleuten, welche die Handelsflotte von allen Ländern in den Piraeus führte, besucht, selbst die angesehensten Bürger scheuten sich nicht, wenn sie trunken waren, oder der

Wollustteufel sie erfasst hatte, den Mantel vor dem Gesichte, sich in die von Solon gegründeten Toleranzhäuser zu schleichen. Die Thür dieser Häuser blieb Tag und Nacht offen; sie war nicht, wie die anderen, von einem in der Vorhalle angeketteten Hunde bewacht; ein wollener Vorhang von schreiender Farbe hinderte die Vorübergehenden, ihre neugierigen Blicke in den von offenen Säulenhallen umgebenen Hof dringen zu lassen. Unter diesen Hallen beschäftigten sich die Weiber stehend, sitzend oder liegend mit dem Reinigen ihrer Nägel, dem Glätten ihres Haares, oder damit, sich zu schminken, sich zu enthaaren, sich zu parfümieren, ihre physischen Fehler zu verheimlichen und ihre geheimsten Reize ins beste Licht zu setzen. Gewöhnlich hatte sich eine alte Thessalierin, die etwas hexenhaftes an sich hatte und Liebestränke oder Parfüm verkaufte, hinter den Vorhang gehockt; ihre Aufgabe war, die Besucher einzuführen, nachdem sie sich Kenntnis von ihrem Geschmacke und ihrem Angebote verschafft hatte.

Es scheint nicht, dass die Zahl der Dicterien durch die Solonischen Gesetze und den Areopag beschränkt wurde. Die Privatindustrie hatte, wenigstens ausserhalb der Stadt, das Recht, Etablissements dieser Art zu schaffen und sie nach Gutdünken des Unternehmers einzurichten, wofern nur die Steuer an die Staatskasse pünktlich bezahlt wurde, und diese Umlage musste, aller Wahrscheinlichkeit nach, festgesetzt sein und war für jeden Kopf der Dicteriaden zahlbar. Man findet keinerlei Andeutungen darüber, welche vermuten liessen, dass sie nach dem Verhältnisse steigend gewesen wäre. Ein Dicterion von Ruf brachte seinem Eigentümer gute Einkünfte. Dieser konnte nur ein Fremder sein, oft aber verwendete auch ein Bürger Athens, von Gewinnsucht besessen, sein Geld zu dieser niedrigen Spekulation und bereicherte sich von dem Erträgnisse der öffentlichen Unsittlichkeit, indem er unter falschem Namen ein Prostitutionshaus ausbeutete. Die komischen Dichter machten sehr oft, ohne Rücksicht auf die anständigen Leute zu nehmen, aufmerksam auf die Gefälligkeiten der habsüchtigen und nichtswürdigen Menschen, welche ihre Häuser zu Athen, der Prostitution vermieteten; man nannte den Herren eines verrufenen Hauses pornoboskeion. Die Konkurrenz vervielfältigte die Unternehmungen dieser Art, und selbst die alten Dirnen, welche nichts mehr durch sich selbst verdienten, dachten darüber nach, wenigstens aus ihren Erfahrungen Nutzen zu ziehen. So entstanden also Schulen, welche in den Vorstädten Athens errichtet wurden. Man lehrte darin offen die Künste und Geheimnisse der Prostitution, ohne dass die Obrigkeit sich bemüht hätte, die Unterdrückung dieser Unsitte zu veranlassen. Die Herrinnen dieser Unzuchtsschulen warben für ihre Rechnung Unglückliche, welche sie bisweilen erst verführt hatten, und die Erziehung, die man diesen Schülerinnen gab, musste den Titel „Matrone“ rechtfertigen, welchen sich ihre entarteten Lehrmeisterinnen frecher Weise beilegten, Alexis hat in seiner Komödie, Isostasion, von der Athenäus einige Bruchstücke aufbewahrt hat, ein treffliches Bild von den Künsten gegeben, welche diese Matronen anwendeten, um ihre Schülerinnen umzuwandeln: „Sie nehmen bei sich junge Mädchen auf, welche noch nicht auf der Höhe ihres Handwerks stehen, und bald formen sie diese derartig um, dass sie nicht nur eine andere Gesinnung, sondern auch eine andere Figur und ein anderes Aussehen bekommen. Ist eine Novize klein, so heftet man eine dicke Korksohle an ihre Schuhe. Ist sie zu gross, lässt man sie sehr dünne Schuhe tragen, und lernt ihr beim Gehen den Kopf in die Schultern zu ziehen, wodurch etwas ihre Grösse vermindert wird. Hat sie zu schmale Hüften, bindet man ihr ein Kleidungsstück darum, welche sie derart hervortreten lässt, dass alle, welche sie so sehen, sich nicht enthalten können, auszurufen: Meiner Treu! sieh die schönen Hüften! Hat sie einen vorstehenden Bauch, zwängt man ihr den Leib zurück mittels jener Stäbchen, welche an den Maschinen, die man bei Theateraufführungen anwendet, ihren Erfolg zeigen. Hat sie rotes Haar, färbt man es ihr mit Russ schwarz, hat sie schwarzes, bleicht man es mit Bleiweiss, hat sie eine zu blasse Farbe, färbt man sie mit Schminke. Wenn sie aber eine besondere Schönheit an irgend einer Körperstelle hat, enthüllt man an Festtagen diese natürlichen Reize. Wenn sie ein schönes Gebiss hat, zwingt man sie zu lächeln, damit der Beschauer merkt, wie schön ihr Mund ist, und wenn sie nicht lächeln will, hält man sie den ganzen Tag zu Haus mit einem Myrthenzweig zwischen den Lippen, wie es gewöhnlich die Köche haben, wenn sie ihre Geisköpfe auf dem Markte verkaufen: dadurch ist sie endlich gezwungen, ob sie mag oder nicht, ihr Gebiss zu zeigen." Die Matronen zeichneten sich in allen Künsten der Koketterie und der Toilette aus, die zum Ziel hatten, die Wünsche und die Neugierde ihrer Kunden rege zu machen; sie begnügten sich in ihrer Kunst nicht damit, den Augen zu gefallen, sondern sie lernten ihren Schülerinnen alles das, was die Wollust an raffinierten, sonderbaren und schamlosen Dingen erfinden konnte. Und so macht Athenäus, der vielleicht von Hörensagen spricht, diesen Weibern des Vergnügens eine Schmeichelei in folgenden Worten: „Du wirst zufrieden sein mit den Weibern, welche in den Dicterien arbeiten." (*τας ἐπὶ τῶν οικημάτων ἐργάζεσθαι.*)

Die Dicterien, welcher Art sie auch sein mochten, genossen das Vorrecht der Unverletzlichkeit; man betrachtete sie als eine Art Asylstätten, wo sich der Bürger unter dem Schutze der öffentlichen Gastfreundschaft befand. Niemand hatte des Recht; dahin einzudringen, um daselbst einen Gewaltakt auszuführen. Die Schuldner waren daselbst in Sicherheit vor ihren Gläubigern, und das Gesetz errichtete eine Art moralische Schranke zwischen dem bürgerlichen Leben und dem verborgenen Treiben, das beim Eintritt in die Dicterien begann. Ein verheiratetes Weib durfte nicht in diese unverletzliche Zufluchtsstätte dringen, um ihren Mann zu suchen, ein Vater hatte nicht das Recht, dahin zu gehen, um seinen Sohn zu ertappen. Kurz, hatte der Gast einmal die Schwelle dieser geheimnisvollen Höhle überschritten, so war er darin gewissermassen geheiligt und verlor für die ganze Zeit, die er darin zubrachte, seinen individuellen Charakter, seinen Namen und seine Persönlichkeit. „Das Gesetz erlaubt nicht," sagt Demosthenes in seiner Rede gegen Neära, „jemanden auf dem Ehebruche zu ertappen bei den Weibern, welche an einer Stätte der öffentlichen Unzucht weilen, oder welche sich niedergelassen haben, um denselben Handel auf einem öffentlichen Platze zu treiben." Gleichwohl, waren diese Prostituierten Fremde, Sklavinnen oder Freigelassene. Aber nicht sie waren es, welche das Gesetz schonte und zu achten schien, sondern die Bürger, welche kamen, um unter dem Schutze des Gesetzes, gewissermassen auf Grund eines stillschweigenden Uebereinkommens, eine Handlung zu begehen, welche sie nur sich selbst gegenüber zu verantworten hatten. Man muss annehmen, dass in Griechenland das Vergnügen einen Teil der Religion und des Kultus ausmachte, und aus diesem Grunde hatte auch Solon den Tempel der Venus-Pandemos an die Seite des ersten Dicterions Athens gestellt, damit die Göttin gleichzeitig beides überwachen konnte, sowohl das, was im Tempel, als auch das, was im Dicterion vorging. Nach der Annahme der glühenden Verehrer der Venus war ihr der Mann geheiligt, solange er sich der Ausübung ihres Kultus widmete, und dies geschah sowohl in den Tempeln als in den Dicterien.

Weit mehr Einzelheiten haben uns die alten Schriftsteller aufbewahrt über die nicht eingeschlossenen Dicteriaden und über die Hetären der niedrigsten Klasse, welche entweder die Strassenprostitution betrieben oder sich frech in ihren eigenen Wohnungen preisgaben. Wir wissen nicht nur, wie die verschiedenen Preise für ihre Gunstbezeugungen waren, wie die gewöhnliche Art ihrer Liebesverhältnisse, wie die einzelnen Phasen ihres unzüchtigen Lebens, sondern wir kennen selbst ihre Spitznamen und den Ursprung derselben, welche etwas zu frei vielleicht ihre geheimen Sitten charakterisieren. Der Lohn einer freien Dicteriade und Hetäre unterster Ordnung war weder ein fester, noch selbst nach der Schönheit und den Verdiensten einer jeden abgestufter. Dieser Lohn wurde nicht immer in Gold oder Silbermünzen bezahlt, er nahm gewöhnlich die Form eines Geschenkes an, welches die Dirne meist vor ihrer Hingabe forderte, und nur bisweilen erst, nachdem sie sich preisgegeben hatte. Dieser Lohn war überdies von grosser Wichtigkeit, da nach ihm anfangs der Rang bestimmt wurde, welchen sich die Dirne in der Schar der Hetären beimass; das wahre Ansehen aber, welches diese Weiber unter sich beanspruchen konnten, und welches ihnen die Männer ihrer Kundschaft gewöhnlich zukommen liessen, war vielmehr die Folge ihres Geistes, ihrer Talente und ihrer Kenntnisse. Diejenigen, welche in den Schenken unter trunkenen Matrosen und rauhbrüstigen Fischern lebten, waren nicht gut in der Lage, grosse Summen zu fordern: die einen begnügten sich mit einem Korbe Fische, die anderen mit einem Kruge Wein. Sie hatten auch ihre Launen, und den einen Tag gaben sie sich umsonst hin, zur

Ehre der Venus, um am folgenden sich doppelt bezahlen zu lassen. Die Dirnen des Lucian weihen uns in alle diese Verschiedenheiten des Preises ein, welchen sie bald mit gebieterischem Tone forderten, bald aber auch mit der bescheidensten Stimme erbaten. „Hat man je gesehen," ruft mit Entrüstung eine dieser Dirnen des Striches aus, „dass einer eine Dirne während der ganzen Nacht zu sich nimmt, und ihr fünf Drachmen als Lohn giebt!" (ungefähr vier Mark). Eine andere dieser Hetären, Charikleia, war so gutmütig und gefällig, dass sie alles bewilligte und nichts forderte; Lucian erklärt in seinem Toxaris, dass man niemals ein Mädchen von so gutem Gemüte gesehen habe.

Wenn die Hetären der Kneipen der Piraeus gefallen und irgend ein Geschenk erhaschen wollten, nahmen sie die zärtlichste Miene, die süsseste Stimme und die reizendste Stellung an. „Seid ihr alt," sagt Xenarch in seinem Pentathlos nach der Mitteilung des Athenäus, „rufen sie euch Väterchen, seid ihr jung, werden sie euch mit Brüderchen anreden." Man muss die Ratschläge hören, welche die alte Dirne im Lucian ihrer Tochter giebt: „Du bist dem Chereas treu, und du empfängst keinen andern Mann, du hast die zwei Minen des Bauherrn aus Acharne zugewiesen, eine Mine des Antiphon," etc. Nun hat aber eine Mine einen Wert von achtzig Mark unserer Münze, und man weiss, nicht, ob man mehr staunen soll über die Freigebigkeit des Bauherrn aus Acharne oder über die Treue dieser Hetäre zu ihrem Geliebten. Machon, der sorgfältig die „Bons mots" der Dirnen gesammelt hat, erzählt uns, dass Moerichus die Phryne von Thespiæ kaufte, die schliesslich mit einer Mine sich begnügte, also mit achtzig Mark: „Das ist viel!" sagte ihr Moerichus, „die letzten Tage hast du nur zwei Goldstater (ungefähr zweiunddreissig Mark) von einem Fremden genommen!" — „Jawohl," antwortete ihm lebhaft Phryne, „warte bis ich in guter Laune bin, dann werde ich von dir nichts mehr fordern." Gorgias hat in seinem Werke über die Dirnen Athens eine Hetäre der untersten Ordnung erwähnt, mit Namen Leme, das heist Triefäugige oder Schilchern; diese war die Maitresse des Redners Iphatokles, und dennoch gab sie sich jedem beliebigen für zwei Drachmen, etwa anderthalb Mark in unserer Zeit, preis, daher bekam sie auch die Spitznamen Didrachma und Parorama. Endlich empfing Lais, wenn man darin den Athenäus Glauben schenken darf, als sie alt geworden, nicht mehr als einen Goldstater oder achtzehn Mark von den wenigen Besuchern, welche wissen wollten, bis zu welchem Punkte der Erniedrigung eine durch Schönheit berühmt gewesene Hetäre fallen konnte. Es war dies im allgemeinen das Schicksal aller Dirnen: nachdem sie sich auf die höchste Stufe des Glückes und des Ansehens unter den Hetärenkreisen aufgeschwungen hatten, nachdem sie zu ihren Füssen Dichter, Feldherren, ja selbst Könige gesehen hatten, stiegen sie schnell die Sprossen dieser erkünstelten Glücksleiter wieder hinab und kamen mit dem Alter in Verachtung, Verlassenheit und Vergessenheit. Das Dicterion eröffnete dann diesen Trümmern von Schönheit und Liebe eine letzte Zuflucht. Auf diese Art sieht man die Glycera enden, welche vom Dichter Menander geliebt worden war. Glücklich waren diejenigen, welche sich etwas gespart hatten, um sich ein unabhängiges und ruhiges Alter zu sichern, wie Skione, Hippaphesis, Theoklea, Psamathe, Lugiska, Antheia und Philyra auf das Hetärengewerbe verzichteten, ehe dieses ihnen den Abschied gab. Lysias preist in seiner Rede gegen Laïs laut die Hetären glücklich, welche noch jung versuchen anständige Frauen zu werden.

Die Dirnen, welche sich nicht in den Dienst der Dicterien gestellt hatten, liessen sich oft so reichlich bezahlen, selbst von Fischern und Kaufleuten, dass diese armen Opfer sich gänzlich ausrauben liessen, und sich schliesslich doch von anderen ersetzt sahen, welche bald wiederum anderen Platz machen mussten. „Du hast vergessen," ruft traurig der Bauer Anicetos der habsüchtigen Phoibiane zu, die sich durch seine Geschenke bereichert hatte und ihn nicht mehr eines Blickes würdigte, „Du hast vergessen die Feigenkörbe, die frischen Käse, die schönen Hennen, welche ich Dir schickte? All Deine Wohlhabenheit, welche Du geniesst, stammt sie nicht von mir? Mir bleibt nichts als die Schande und das Unglück." Alkiphron, welcher uns diesen Brief als Zeugnis der schrecklichen Habsucht der Dirnen aufbewahrt hat, nennt uns auch den Fischer Thalasserus, der verliebt in eine Sängerin ist, welcher er alle Tage den Fisch, den er gefangen hatte, schickt. Athenäus zitiert einen Vers des Anaxilus, welcher in seiner „Neottis" ein treffliches Bild von den Dirnen seiner Zeit entworfen hat: „Wahrlich diese Hetären sind wie die Sphinx, welche, weit entfernt deutlich zu sprechen, ihre Gedanken nur durch Rätsel ankündigt. Sie schmeicheln auch, sie sprechen zu euch von Liebe und Vergnügen, die sie euch gewähren wollen, aber schliesslich heisst es: Mein Lieber, ich brauche einen einfüssigen Schemel, einen Dreifuss, einen vierfüssigen Tisch, eine kleine Sklavin mit zwei Füssen. — Derjenige, welcher dies merkt, der rette sich vor diesen Einzelheiten wie ein Oedipus und schätze sich für sehr glücklich, dass er vielleicht der einzige ist, welcher trotz alledem einem Schiffbruche entronnen ist. Der aber, welcher hofft, mit wahrer Gegenliebe bezahlt zu werden, der wird die sichere Beute eines Ungeheuers." Diese Stelle des griechischen Dichters, welcher wie so viele andere verloren gegangen ist, hat dem Kommentator den Glauben eingeflösst, dass der Beiname „Sphinx", welcher die Hetären im allgemeinen bezeichnete, wegen ihrer rätselhaften Sitten auf sie angewendet worden wäre, aber dieser Spitzname wurde ihnen vielmehr deshalb beigelegt, weil sie solange auf den öffentlichen Plätzen und an den Ecken der Strassen herumstanden, wo sie sich wie eine Sphinx hinhockten und gewöhnlich in die Falten ihrer Schleier gehüllt, unbeweglich und schweigend verharrten. Mag es nun sein, wie es will, die Sphinx wurde das Wappen der Freudenmädchen.

Wir kommen nun zu den einzelnen Spitznamen der Dirnen. Sie waren selten zweideutig, und um sie zu verstehen, braucht man sich nur genau an die Umstände zu erinnern, welche sie hervorgerufen hatten. Diese Beinamen waren selten schmeichelhaft für die, welche sie führten. So nannte man die verführerische Sinope, als sie noch nicht verwelkt war, Abydos oder Abgrund; Phanostrate, die nach den Worten Apollodors von Byzanz niemals eine feine Kundschaft hatte, gab sich nach und nach einem solchen Grade von Unsauberkeit hin, dass sie den Spottnamen Phteropyle erhielt, weil man sie in ihren müssigen Stunden auf den Strassen sitzen sah, beschäftigt mit dem Ungeziefer, welches sie quälte. Diese beiden Dicteriaden hatten sich, die eine durch ihre Läuse, die andere durch ihren wenig empfehlenden Spottnamen, eine Art städtischer Berühmtheit erworben, welche ihnen immer Neugierige zuführte, und die Demosthenes bewog, sie in seinen Reden vor der Volksversammlung zu erwähnen. Antiphanes, Alexis, Kallikrates und andere Schriftsteller haben es gleichfalls nicht verschmäht, von dem Abgrund und der Lausigen zu reden. Diese beiden waren zwei zu bekannte Typen, welche eine Sammlung der Hetären niedrigster Ordnung vervollständigten. In dieser Sammlung treten auch die Flickerin, die Fischerin und das Hühnchen auf. Letztere gackerte wie eine Henne, welche den Hahn lockt. Jene lauerte den Männern am Wege auf und angelte sie gleichsam mit einem Angelhaken, an der dritten endlich liess sich sozusagen nichts mehr flicken, sie war von ihren früheren Liebschaften bis auf die Knochen abgenutzt. Antiphanes, welcher in seinem Werke die verschiedenen Eigenschaften dieser Dicteriaden aufgezeichnet hat, fügt ihnen unangebrachter Weise, den Arkadier und den Gärtner bei, welche wir uns nicht als Weiber vorstellen können. Athenäus spricht noch von der Läuferin, welche immer voll Wein war und sich niemals zu sehr erhitzte, um ordentlich trinken zu können Synaris hatte den Zunamen Laterne erhalten, weil sie nach Oel roch; Theokleia, die Krähe, weil sie schwarz war, Kallysto, ihre Tochter, die Sau oder das Mutterschwein, weil sie beständig grunzte; Niko die Ziege, weil sie einen gewissen Thallus, der sie liebte, zu Grunde gerichtet hatte, so gewandt wie eine Ziege die Zweige eines Oelbaumes (θαλλος) abweidet; endlich die Klepsydra, deren wahren Namen man nicht kennt, hatte sich in der Art kostbar gemacht, dass sie jedem Besucher nur soviel Zeit bewilligte, als nötig ist, ein Stundenglas zu leeren, etwa eine Viertelstunde nach einigen Erklärern, eine Stunde nach den freigebigsten. Eubul hatte eine Komödie über diesen Punkt und das Mädchen, welches den Wert der Zeit so gut kannte, geschrieben.

Athenäus, der mit beiden Händen in einer Menge Bücher, die wir nicht mehr besitzen, wühlen konnte, charakterisiert die Dicteriaden vielfach durch ihre Spitznamen, so dass deren ganze Geschichte aus diesen mehr oder minder zweideutigen Spitznamen geschöpft ist. Er zählt mit aller

Ruhe eines Gelehrten, der nicht zu befürchten hat den Stoff zu erschöpfen, die Spottnamen auf, die ihm seine Gewährsmänner Timokles, Menander, Polemon und alle griechischen Pornographen lieferten: Die Amme, das ist Korone, die Tochter der Nanno, welche ihre Liebhaber unterhielt. Die Aphoai waren die beiden Schwestern Anthis und Stragonion, berühmt durch ihre weisse Haut, ihre dünne Taille und ihre grossen Augen, denen sie den Namen eines Fisches (ἀφρόη) verdankten. Der Brunnen war Pausanias, welche eines Tages in ein Weinfass fiel: „Die Welt geht unter noch zur Stunde!" rief die Hetäre Glycera aus, welche durch ihre Bonmots berühmt war, „denn der Brunnen ist in eine Tonne gefallen!" Athenäus und Lucian geben noch mehrere Hetären der untersten Ordnung an, welche nur durch ihre Spitznamen bezeichnet sind: Astra oder der Stern, Cymbalium oder die Cymbel, Konallis oder die Barbe, Cerope oder die Schleppenträgerin, Lyra oder die Leier, Nikion oder die Fliege, Gnome oder die Sittenrichterin, Iskade oder die Feige, Ischas oder die Barke, Lampyris oder der Johanniswurm, Lysa oder die Beute, Melissa oder die Biene, Neuris oder die Darmsaite, Demonasse oder die Gemeine, Krokale oder das Sandkorn, Dorkas oder die Hindin, Krobyle oder die Haarlocke und gleichartige. Einige Dicteriaden hatten Spottnamen, welche sich von selbst erklären wie Chimära, Gorgo und ähnliche; wieder andere, wie Doris, Euphrosine, Myrtale, Lysidis, Korinna und andere entgingen der Ehre eines bezeichnenden Zunamens.

Gewöhnlich heftete sich der Spottname an ein mehr oder minder beissendes oder mehr oder minder schmeichelhaftes Epigramm, welches ihn besser verbreitete, als wenn er in Erz oder Marmor gegraben worden wäre. Das Epigramm lief von Mund zu Mund, und mit ihm der Spitzname, den er als einen unauslöschlichen Stempel für das Mädchen zurückliess, welches ihn verdient hatte. So sang der Dichter Ammonides um sich über eine Dicteriade zu beklagen: „Dass sie doch käme sich nackt zu zeigen, ihr würdet fliehen bis über die Säulen des Herkules." Ein anderer Dichter fügte hinzu: „Ihr Vater war der erste, der davon lief," und sie wurde Antipatra genannt Zwei andere hatten die wunderliche Gewohnheit sich zu wehren, denn sie wollten im Sturme erobert sein, wie um vor sich selbst die Schande ihres Handels zu verbergen. Timokles war überrascht, bei einem öffentlichen Frauenzimmer Widerstand zu finden, und nannte sie die Jungfrau (Κορίσκη) und die Kämpferin (Καμετύπη von Καμέω ich schmiede, und Τύπη, der Schlag), indem er ihr folgende Verse widmete: „Wahrlich eine Nacht an der Seite der Koriske oder der Kametype zuzubringen ist wie zum Gotte erhoben werden. Welche Festigkeit! Welche Weisse! Welche zarte Haut! Welcher Athem! Welcher Reiz in ihrem Widerstand! sie kämpfen gegen ihren Sieger: er muss ihre Gunst rauben, man wird geohrfeigt: eine liebliche Hand schlägt uns . . . o Wonne!"

VIII. Kapitel.

Die Griechen.

V

Gefahren für die Jugend durch den Verkehr mit den untergeordneten Hetären. — Was der Dichter Anaxilas über die Hetären sagt. — Bild, das er vom Hetärismus entwirft. — Kenntnis der verworfenen Weiber in der Anwendung der Schminke. — Paideros. — Dryantides an sein Weib Chronion. — Art, auf die sich die Dirnen das Gesicht zurichteten. — Die Maler der Dirnen, Pausanias, Aristides und Niophanes. — Brief der Thaïs an Thessala über Megara. — Liebe des Charmides zur alten Philemation. — Die alten Hetären. — Wie die Hetären die Vorübergehenden anlockten. — Ratschläge der Krobyle an ihre Tochter Korinna. — Die Hetäre Lyra. — Vorwürfe der Mutter der Musarion an ihre Tochter. — Die Sklavin Salamina und ihr Herr Gabellus. — Simalion und Petala. — Gespräche zwischen der Hetäre Myrtale und Dorion, ihrem verschmähten Liebhaber. — Die Kaufleute Bithyniens. — Opfer der Dirnen an die Götter. — Die Dikteriade Lysidis. — Wunderliches Opfer, welches diese Prostituierte der Venus-Pandemos brachte. — Die Erklärer der griechischen Anthologie. — Erörterung des geflügelten Wortes: Man geht nicht ungestraft nach Korinth. — Das Wort Okime. — Dionys, der Tyrann von Korinth. — Von wo die zahlreichen Dirnen Korinths genommen waren. — Das Wort λεσβιάζειν. — Die Liebe auf phönizische Art. —

Die schönen Werke der Lesbierinnen. — Theoretische Vorschriften der Hetären. — Allgemeines Gesetz der Dirnen. — Briefe des Aristaenetus. — Schliche der Hetären um Opfer zu fangen. — Nochmals die Mauern des Keramikos. — Der Kachymus der Dirnen. — Schändliches Gewerbe der Nikarete, der Freigelassenen des Charisius. — Ihre Schülerinnen. — Höherer Preis freier Mädchen und verheirateter Weiber — Strafbarkeit des Ehebruchs. — Die Strafe des schwarzen Rettigs. — Das Gesetz des Draco. — Philomene. — Liebes- und Schlaftränke. — Die Zauberinnen Thessaliens und Phrygiens. — Geheime Bräuche, welche die Anfertigung eines Liebestrankes begleiteten. — Melissa. — Verschiedenheit der Liebestränke. — Geheime Operationen. — Schutztränke. — Eifersucht und Brotneid der Dirnen unter sich. — Die lesbische Liebe. — Sappho, Urheberin der unzüchtigen Entwikelung, welche diese Liebe hatte. — Gespräche zwischen Kleonarion und Leäna. — Megilla und Demonasse.

Die wirklichen Dicteriaden Athens waren für die Jugend und auch für das reifere Alter weniger gefährlich als die untergeordneten Hetären, denn nichts kam der Gier und Habsucht dieser schmutzigen Wesen gleich, die keinen anderen Gedanken zu haben schienen, als junge, unerfahrene Leute und thörichte Greise zu Grunde zu richten. Solon wollte ohne Zweifel der Habsucht dieser freiwilligen Buhlerinnen einen Zügel anlegen, indem er die Einrichtung sklavischer Dirnen schuf. Er glaubte durch diese Einrichtung viel für die Sitten gethan zu haben, welche gleichzeitig die Zeit und die Börse der Bürger schonte. Aber diese Dicteriaden waren arme Gefangene, ausserhalb Griechenlands gekauft und aus allen Ländern zusammen gelesen; sie hatten oft nicht die geringste Kenntnis der griechischen Gebräuche, sie kannten nichts von der Stadt, die Minerva gegründet, wo sie ihre schändliche Arbeit verrichteten; sie sprachen nicht einmal die Sprache der Stadt, wohin sie als Waren gebracht worden waren; ihre Schönheit und die mehr oder minder geschickte Anwendung, die sie davon zu machen wussten, waren kein genügendes Anlockungsmittel für die Athener, die selbst bei ihren Vergnügungen verlangten, dass ihr Geist mindestens ebenso sehr in Anspruch genommen werde wie ihre physischen Sinne. Die Hetären unterster Ordnung konnten also nicht leicht in die Verlegenheit kommen, bei den Athenern keine Liebhaber mehr zu finden, und vor allem hatten sie mehr Stammgäste als die Sklavinnen in den Dicterien. Diese Hetären, meist aus der Hefe des Volkes hervorgegangen, von Jugend auf durch die verderblichen Ratschläge ihre Mütter und Erzieherinnen verdorben, waren selten so schön und wohlgebildet wie die Dicteriaden, aber sie hatten als natürliches Hilfsmittel ihren Geist, und selbst ihre Verderbtheit nahm anziehende Formen an, sie waren witzig, lebhaft und lustig. Ihre Herrschaft richtete sich leicht ein durch das Gespräch über die unglücklichen und unklugen Opfer, welche sie zuvor durch das Vergnügen angezogen und bezaubert hatten. Man fürchtete sie, man zeigte auf sie mit Fingern wie auf lebende Klippen, aber immer wieder scheiterten an diesen Klippen die weisesten Lotsen, die geschicktesten Ruderer, die festesten Schiffe. Diese beständigen Schiffbrüche der Ehre, der Tugend und des Vermögens machten den Ruhm und die Freude der kläglichen Sirenen aus, welche sie verursacht hatten: „Wenn sich jemand schon einmal in den Netzen einer Hetäre fangen liess,“ sagt der Dichter Anaxilas in seiner Komödie „Neottis“, „der nenne mir ein Geschöpf, das ebensoviel Grausamkeit besitzt. Wahrlich was ist im Vergleich zu jener ein unbezwinglicher Drache, eine Chimära, die Feuer aus der Nase schnaubt, eine Charybdis, eine Scylla, dieses dreiköpfige Seeungeheuer, eine Sphinx, eine Hydra, eine Löwin, eine Schlange? Was sind die geflügelten Harpyien: Nichts! Es ist unmöglich der Bosheit dieser abscheulichen Brut gleichzukommen, denn sie übertrifft das Schlechteste, was man sich denken kann!“ Diese Hetären seit ihrer Kindheit durch die Lehren der alten Vetteln verdorben, bewahrten sich kein menschliches Gefühl. Jung, hatten sie bisweilen Lust sich mit einem einzigen Liebhaber zu begnügen, solange dieser Geliebte sie so bezahlte, wie zwanzig andere. Schliesslich gaben sie sich aber an eine möglichst grosse Zahl hin und trugen nur Sorge möglichsten Vorteil von der beständigen Hingabe zu erzielen. Sie rieten den Unglücklichen, welche nichts mehr besassen sie zu bezahlen, und welche gezwungen waren, entweder auf sie zu verzichten oder vor keinem verbrecherischen Mittel zurückzuschrecken um ihre Maitresse sich zu erhalten, zu Diebstahl, Betrug, ja selbst zu Mord, wenn es sein musste. Es waren nicht allein die Söhne achtbarer Familien, die Erben berühmter Namen, junge Redner, Dichter, angehende Philosophen, welche die Hetären des Piraeus ausplünderten, sondern auch Matrosen, Soldaten, Bauern, Spieler vor allem, die sich nobeler zeigten, Kaufleute und Verschwender. Wunderbarer Weise besassen diese Weiber, deren Einfluss so viel Macht hatte, manchmal nur eine zweifelhafte Schönheit, welke, frisch angestrichene Reize abstossendes Lächeln und ekle Küsse. Anaxilas giebt uns ein wenig einladendes Bild der Hauptmonstra der Hetärenzunft seiner Zeit: „Sieh dort diese Plaggon,“ sagt er, „die reine Chimära, welche die Fremden durch Eisen und Feuer vernichtet, an die dennoch ein einziger Ritter letzlich das Leben gewagt hat, denn er ging weg, beladen mit allen Schätzen des Hauses. Dann die Synope ist die nicht eine zweite Hydra: sie ist alt und hat zur Nachbarin Gnathäna mit den hundert Köpfen! Worin aber unterscheidet sich die Mannion von der Scylla mit ihren drei Rachen? Sucht sie nicht einen dritten Liebhaber zu ergattern, nachdem sie schon zwei erwürgt hat; doch sagt man, er habe sich mit Hilfe der Ruder gerettet. Bei der Phryne sehe ich gar nichts, was sie von der Charybdis unterscheidet, hat sie nicht Schiffer und Kahn hinabgeschlungen? Ist die Theano nicht eine glatte Sirene, welche Augen und Stimme von einem Weib hat, aber Amselbeine!" Diese Stelle der griechischen Komödie, welche noch Athenäus vor Augen lag, weiht uns in die Erniedrigung des Hetärengewerbes ein, und wir sehen darin als Hetären unterster Ordnung solche auftreten, die in ihren guten Tagen die gesuchtesten, reichsten und einflussreichsten Dirnen Griechenlands gewesen waren. Plaggon, Synope, Gnathäna, Phryne, Theano wurden alt und unterschieden sich in nichts mehr von den Wölfinnen und Sphinxen des Keramikos.

Wir finden an hundert Stellen Belege dafür, dass die Abgelebtheit den verworfenen Weibern nicht als unverbesserlicher Fehler erschien, sei es, dass sie bewundernswerte Kenntnisse in der Kunst hatten, die Spuren des Alters zu verbergen, sei es, dass sie sich der öffentlichen Ausschweifung weniger durch ihr vorteilhaftes Aeussere als durch den Ruhm ihrer Erfahrung in der Wollust empfahlen. Jung oder alt, runzelig oder nicht, sie machten sich ein Gesicht mit Paideros, einer Art Schminke aus den Blättern einer dornigen Pflanze Ägyptens, oder aus der Wurzel der Akanthus; dieses Pflanzenrot mit Essig angerieben gab der gelbsten Haut die frische Farbe eines Kindes, die Runzeln musste man aber vorher ausfüllen mit Fischleim oder mit Bleiweiss, so dass die Haut glatt und eben ward um die glänzende Farbe der Jugend aufzunehmen, welche man darauf mit einem weichen Pinsel strich. Das Schminken des Gesichtes galt als ein Kennzeichen der Prostitution. „Verlangst du," ruft in den Briefen des Alkiphron Dryantides seinem Weibe Chronion zu, „dich mit den Weibern in Athen auf eine Stufe zu stellen, deren bemaltes Gesicht ihre schlechten Sitten verkündet? Die Schminken, die rote sowohl wie die weisse, streiten in ihren Händen mit der Kunst der berühmten Maler, so erfahren sind sie sich die Farbe zu geben, von der sie glauben, dass sie am besten zu ihren Absichten passt!" Da die öffentlichen Dirnen sich in der Nähe nur Abends beim Scheine einer Laterne oder Fackel und bei Tag nur in der Ferne, halb verhüllt, vor der Thür oder im Fenster zeigten, zogen sie Vorteil von dem wunderbaren Glanze, welchen die Kosmetika ihrem Teint verliehen. Es genügte also, dass der Schein hervorgerufen wurde, und dass der Dumme, welcher sich an ihre Sohlen heftete, in der Dunkelheit ihrer Höhle durch den ersten Eindruck erhitzt blieb. Die enge Zelle, in welche die Dirne ihr Opfer führte, liess nicht genug Licht in die Dunkelheit dringen, dass die Entzauberung einer Erkenntnis der Toilettengeheimnisse hätte folgen können. Als die ehrbaren Frauen, ohne Zweifel um ihren Gatten die Liebe zu den Hetären streitig zu machen, den unglücklichen Ehrgeiz hatten, die Künste der Koketterie ihren Nebenbuhlerinnen nachzuahmen, waren ihre Versuche darin so ungeschickt, dass ihr Erfolg zu ihrer Beschämung oft das Gegenteil des Erwarteten wurde. „Unsere Weiber," sagt Eubul in seiner Komödie; „die Blumenmädchen," „bedecken sich nicht die Haut mit Weiss, sie bemalen sich nicht mit Maulbeersaft, wie ihr es in dem Masse thut, dass man, wenn ihr im Sommer ausgeht, von euren Augen zwei Tintenbäche fliessen sieht, und der auf den Hals fallende Schweiss Rinnen in der Schminke bildet. Eure Haare vollends, die in die Stirne gekämmt sind, zeigen durch den weissen Puder, mit dem sie bedeckt sind, ganz die Farbe des Alters."

Wenn der Gebrauch der Schminke auch bei den untergeordneten Hetären allgemein war, so bot doch die Art ihrer Herstellung und Anwendung unendliche Verschiedenheiten, welche den verschiedenen Stufen einer wirklichen Kunst entsprachen. Man darf annehmen, dass die Anfängerinnen sich malen liessen, bis sie es gelernt hatten sich selbst zu schminken. Und wahrlich in einem Lande, wo man die Marmorstatuen mit lebenswahren Farben bemalte, konnte man fordern, dass die Gesichter der Menschen mit derselben Wahrheit bemalt wurden. Wir glauben also, dass die Künstler, die man Dirnenmaler (*πορνογράφοι*) nannte, wie z. B. Pausanias, Aristides und Niophanes, welche Athenäus angiebt, sich nicht damit begnügten Porträts von Hetären zu malen und ihre erotischen Kunstschulen wichtig zu machen; sie hielten es unter Umständen nicht unter ihrer Würde, die Gestalt einer Dirne zu bemalen, wie sie in den Tempeln die Statuen der Götter und Göttinnen bemalten. Nach den Vorschriften eines griechischen Dichters musste die Schönheit unaufhörlich wechseln um immer Schönheit zu sein, und es sind thatsächlich die beständigen Veränderungen der Physiognomie, welche die Glut des Verlangens erhalten. Wenn eine Dirne die Kunst sich selbst zu malen gelernt hatte, so bildeten Übung und Geschmack sie bis zur Vollendung in dieser Kunst aus, worin jede sich bemühte zu glänzen, aber nicht alle den gleichen Erfolg hatten. In den Briefen des Alkiphron schreibt Thaïs an ihre Freundin Thessala über Megara: „Sie spricht sehr unverschämt von der Schminke, deren ich mich bediene, und von dem Rot, mit dem ich mein Gesicht bemale. Sie hat also den traurigen Zustand vergessen, in dem ich sie gesehen habe, als sie nicht einmal einen Spiegel besass? Wenn sie wüsste, dass ihr Teint so gelb wie Wachholderholz ist, würde sie dann über mich zu sprechen wagen?" Man merkt also, dass alle Hetären geschminkt waren: die ältesten stellten so eine Art Gleichheit unter sich her, und sie bewahrten unter anderem Vorteile, welche die jüngeren nur durch eine lange Uebung im Handwerke erwerben konnten. Daher also kam es, dass oft eine junge, schöne Hetäre sich eine alte, hässliche Dirne vorgezogen sah, ein Vorzug, den sie sich nicht erklären konnte, und den sie Zaubertränken zuschob. In den Gesprächen des Lucian ist Thais erstaunt, dass der Liebhaber der Glycera diese Gorgone wegen verlassen hatte: „Welchen Reiz hat er an welken Lippen und hängenden Backen gefunden?" sagt

Thais. „Ist es ihr guter Geruch, weshalb er sie genommen hat, oder wegen ihrem kahlen Kopf und ihrem langen Gänsehals?“ — In denselben Gesprächen macht sich Tryphäna über die alte Philemation lustig, der man den Beinamen „Meisenkasten“ gegeben hatte: „Hast du wohl ihr Alter und ihre Runzeln bemerkt?“ sagt Tryphäna — „Sie schwört, dass sie zweiundzwanzig Jahre alt ist,“ antwortet Charmides. — „Aber glaubst du ihren Worten mehr als deinen Augen? Siehst du nicht, dass ihr das Haar um die Schläfen zu bleichen beginnt? Wenn du sie erst ganz nackt gesehen hättest? — Sie hat es mir niemals erlauben wollen. — Mit Recht, denn sie hat einen Körper, gefleckt wie ein Leopard.“

Diese alten Hetären stellten sich, wenn sie sich gemalt und geputzt hatten, an ein hohes Fenster, welches sich auf die Strasse öffnete, und von da riefen sie die Vorübergehenden an, während sie einen Myrtenzweig in den Fingern hielten, den sie wie eine Zauberrute hin und her schwenkten oder an ihre Lippen führten. Einer der Vorübergehenden blieb stehen, die Dirne gab das bekannte Zeichen, sie näherte den Daumen dem Ringfinger, so also, dass die halbgeschlossene Hand einen Ring bildete, als Antwort auf dieses Zeichen brauchte der Mann nur den Zeigefinger der rechten Hand in die Luft zu heben, und sogleich verschwand das Weib um mit ihm zusammenzukommen. Dann begab er sich an die Thür, und im Atrium fand er eine Dienerin, welche ihn, den Finger auf dem Mund, schweigend in ein Zimmer führte, welches nur durch die Thür erleuchtet wurde, wenn man den dichten Vorhang, der sie bedeckte, entfernte. In dem Augenblicke, wo der neue Gast die Schwelle überschreiten wollte, hielt ihn die Magd am Arme zurück und forderte ihm den von der Herrin des Ortes festgesetzten Preis ab. Er musste ihn ohne zu handeln bezahlen, darnach konnte er in das Zimmer eindringen und der Vorhang fiel hinter ihm zu. Die Dirne, die er nur am Fenster halb gesehen hatte, erschien ihm im Dunkel dieser Zelle, wohin nur eine schwache Dämmerung durch den Vorhang drang, wie eine Vision. Es handelte sich also nicht um Jugend, Frische, glänzende und reine Schönheit in diesem wollüstigen Dunkel, welches nichts günstiges für die Körperformen hatte, sondern alles das unnütz machte, was die Berührung allein nicht empfing. Wenn das Alter kam, welches den alten Dirnen das glückliche Vorrecht, sich für jünger auszugeben raubte, indem es ihre Fülle nahm und ihr Fleisch welk machte, verzichteten sie doch noch nicht ganz auf die Einnahmen ihres Handwerkes, da sie sich dann der liebevollen Erziehung junger Hetären widmeten und so noch von der Prostitution lebten. Sie hatten auch zur Not noch zwei einträgliche Berufszweige: sie machten Zaubertränke für die Liebhaber und Kosmetika für die Dirnen, oder sie verrichteten die Dienste einer Hebamme. Phœbiane, welche noch nicht alt war, schrieb an den alten Anicetus, welcher sie hatte umarmen wollen: „Eine meiner Nachbarinnen, welche in Kindsnöten ist, schickt zu mir und lässt mich holen, und ich gehe eiligst mit meinen Instrumenten für die Entbindungskunst zu ihr."

Diese Hebammen, die Anfertigerinnen von Liebestränken waren auch erfahren in der Kunst ein junges, unschuldiges Mädchen zu verführen und zu verderben. Die Briefe des Alkiphron und die Gespräche des Lucian strotzen von der galanten Beredsamkeit dieser alten Ratgeberinnen der Wollust. Gewöhnlich ist es die Mutter, welche ihre eigene Tochter preisgiebt, und die sich, nachdem sie die Jungfräulichkeit dieser unschuldigen Opfer vernichtet hat, noch Mühe giebt ihre Seele zu besudeln: „Es ist kein so grosses Unglück," sagt die schändliche Krobyle zu ihrer Tochter Korinna, welche die Alte einem reichen, jungen Athener überlassen hatte, „aufzuhören ein Mädchen zu sein und einen Mann zu erkennen, der uns für seinen ersten Besuch eine Mine (etwa achtzig Mark) giebt, für die ich dir ein Halsband kaufen will!" Sie freut sich also zu sehen, dass ihre Tochter so bereitwillig ein Handwerk beginnt, welches allen beiden die Armut fernhalten wird. „Was werde ich dafür zu thun haben?" fragt unschuldig Korinna. — „Was du soeben gethan hast," antwortet die Megäre, „und was deine Nachbarin auch thut." — „Aber die ist ja eine Dirne!" — „Was thuts? Du wirst reich werden wie sie, wirst wie sie eine Menge Anbeter haben. Du weinst, Korinna? aber du siehst doch, wieviel es Hetären giebt, welchen Zulauf sie haben, welchen Reichtum sie besitzen?" Schliesslich folgen die Ratschläge der Mutter, welche ihrer Tochter die Auletride Lyra, die Tochter der Daphnis als Vorbild zeigt: ihren Geschmack für Putz, ihr anziehendes Benehmen, ihre Fröhlichkeit, welche das zärtlichste Lächeln hervorzaubert, ihr sicheres Auftreten haben sie bald in Ansehen gebracht, wenn sie zugestimmt hat, sich für einen annehmbaren Preis zu einem Schmause zu begeben, so betrinkt sie sich nicht, sie berührt bescheiden die Speisen, sie spricht ohne Voreiligkeit und schwätzt nicht zu viel. „Sie hat nur Augen für den, welcher sie hingeführt hat, das ist es, was sie liebenswürdig macht; wenn er sie endlich ins Bett führt, ist sie weder hitzig noch ungezogen, sie giebt sich nur Mühe zu gefallen, seinen Besitz sich zu sichern. Es giebt niemanden, der sie nicht deshalb gelobt hätte. Ahme ihr in allen Stücken nach, und wir werden glücklich sein!" Die Tochter erschrickt nicht allzusehr über die Bedingungen, welche ihre Mutter ihr stellt um sich zu bereichern. „Aber," sagt diese als Erwiderung, „sind alle, welche unsere Gunst bezahlen, so wie der Lakritus, welcher gestern die meinige erhielt?" — „Nein," versetzte Krobyle mit Ernst, „es giebt unter ihnen schönere, ältere und auch hässlichere." — „Und muss ich diese ebenso liebkosen wie die andern?" — „Diese besonders, denn sie geben mehr. Die schönen Knaben sind nur sich selbst gut. Denke nur daran dich zu bereichern. Hierauf schickt sie die Mutter ins Bad, denn Lakritus muss diesen Abend wiederkommen.

Die Mutter des Musarion hatte es nicht mit einer Unkundigen zu thun, die sich mit geschlossenen Augen führen lässt, denn sie ist keine Anfängerin im Lieben mehr. Die Tochter liebt den Chaireas, welcher ihr keinen Heller giebt, für den sie sich ihren Schmuck und ihre Kleidung kaufen könnte: Eine Dirne, welche die Thorheit begeht zu lieben, liebt nicht halb. Die alte Mutter, welche unwillig ist über diese Liebe, welche, statt fruchtbringend, hinderlich ist, ist nahe daran, eine ihrer unwürdige Tochter zu verfluchen: „Geh, schäm Dich!" ruft sie ihr voll Zorn und Unwillen zu, „du ganz allein von allen Dirnen erscheinst ohne Ohrgehänge, ohne Halsband und ohne Tarentinische Kleider!" — „Nun! meine Mutter!" ruft Musarion in ihrer Eigenliebe als Frau äusserst verletzt aus, „sind sie etwa glücklicher oder schöner als ich?" — „Sie sind vernünftiger, sie verstehen besser ihr Handwerk, sie glauben nicht an die Worte eines Milchbartes, dessen Schwüre nur auf den Lippen haften. Zu dir, neue Penelope, treue Geliebte eines Einzigen, lässt du keinen andern als den Chaireas. Letzlich bot dir ein arkanischer Bauer, er war noch jung, zwei Minen, den Preis des Weines, welchen ihn sein Vater in der Stadt hatte verkaufen lassen, und hast du ihn nicht mit einem beleidigenden Lächeln zurückgewiesen? Du willst nur mit deinem zweiten Adonis schlafen!" — „Was! den Chaireas fahren lassen wegen einem Lümmel, der den Duft eines Bockes ausdünstet! Chaireas ist ein Apoll und der Arkaner ein Silen." — „Nun ja, der war ein Lümmel gut, aber Antiphon, der Sohn des Menekrates, der dir eine Mine bot, ist ein feiner Athener, jung und liebenswürdig wie Chaireas?" — „Chaireas hat mir gedroht, ich töte euch alle zwei, wenn ich euch zusammen finde." — „Alberne Drohung! Er wird dich noch den Liebhabern verleiden, und bewirken, das du aufhörst als Dirne zu leben, um die Sitten einer Priesterin der Ceres anzunehmen. Doch lassen wir das Vergangene, jetzt kommen die Aloennen, das ist ein Festtag, was hat er dir gegeben?" — „Meine Mutter, er hat nichts." — „Er sollte also allein keine Mittel finden, seinen Vater durch einen Spitzbuben von Sklaven bestehlen zu lassen? Von seiner Mutter Geld zu verlangen, ihr im Falle der Weigerung zu drohen, sich mit der nächsten Expedition einzuschiffen? Aber er ist immer da uns zu belagern, ein geiziges Ungeheuer, das weder selbst etwas geben will, noch erlauben, dass uns andere etwas schenken!" Musarion will nicht hören, und ihrer Mutter zum Trotz fährt sie fort sich von ihm ausplündern zu lassen, solange sie ihn liebt.

Die Dirnen Griechenlands waren aber nicht oft so uneigennützig wie Musarion, und wenn sie ihre Zeit mit Liebeleien verloren hatten, holten sie diese bald wieder ein, indem sie die in Kontribution setzten, welche sie nicht liebten. Man trat bei ihnen nur mit der Börse in der Hand ein, und man ging fast nie mit voller Börse fort. Sie hatten sehr verschiedene Preise, und oft weigerten sie sich sogar, aus Widerwillen oder Launenhaftigkeit, sich um irgend einen Preis zu verkaufen. Was Xenarch in seiner, von Athenäus citierten Pentathla sagt, bezieht sich nicht auf die Hetären, sondern auf die Dicteriaden: „Es giebt unter ihnen welche von schlankem, von gedrungenem, von langem und von kurzem Wuchse, junge, alte und mittlere. Man kann unter allen wählen, und in den Armen derjenigen geniessen, welche man als die Liebenswürdigste gefunden hat, ohne dass man nötig hat, die Mauern im Sturme zu nehmen oder eine List anzuwenden um bis zu ihnen zu gelangen. Sie sind es, die euch entgegenkommen und sich um das Vorrecht, euch in ihrem Bette zu empfangen, streiten werden!" Die Hetären, selbst die der Matrosen und der Leute aus dem Volke, machten immer von ihrem freien Willen Gebrauch, und schlossen, auch wenn sie keinen bevorzugten Liebhaber hatten, gewissen Kunden ihre Ohren und ihre Thür. Eine einfache Sklavin, Salamina, welche Gabellus aus der Bude eines hinkenden Kaufmanns gezogen hatte, und die er zu seiner Beischläferin machen wollte, widerstand den Nachstellungen dieser dicken Persönlichkeit, welche ihr einen unüberwindlichen Abscheu einflösste: „Die Todesstrafe schreckt mich weniger als der Gedanke, dein Bett zu teilen," sagt sie ihm. „Ich bin nicht die letzte Nacht entflohen; ich hatte mich in dem Garten verborgen, als du mich gesucht hast. Eingeschlossen in eine Kiste, habe ich mich dem Schrecken deiner Umarmung entzogen. Wahrlich ehe ich sie ertrage, habe ich beschlossen, mich aufzuhängen. Ich scheue den Tod nicht und fürchte mich nicht, es offen zu sagen. Dein Athem vergiftet mich. Scheer dich zum Teufel! Vielleicht kannst du einig werden mit einer alten Dorfschönheit, schmutzig, zahnlos und gesalbt mit ranzigem Oele!" Alkiphron sagt uns nicht, ob sich Salamina schliesslich an die gewaltige Gestalt des Gabellus gewöhnt hat. Die Kaufleute, welche Sklavinnen verkauften, die sie zur Liebe erzogen und abgerichtet hatten, nannte man andropodocapeloi. Diese Sklavinnen, deren Hüften mit geknoteten Schnüren und Bändern umgeben waren, zeichneten sich durch geheime Vorzüge aus, welche der athenische Lüstling mit einer skandalösen Neugierde aufsuchte.

Viele Hetären hatten ihre Laufbahn als Sklavinnen begonnen, bis sie ein Liebhaber, eingenommen von ihren Reizen oder aus Dankbarkeit für ihre Dienste, losgekauft hatte, oder bis sie sich selbst mittels der Geschenke, die ihnen gemacht worden waren, befreit hatten. Meistens behielten sie den schmutzigen und habsüchtigen Charakter der Sklavinnen bei, sie steigerten nach und nach den Preis für ihre Gunst in demselben Masse, wie das Glück sie mehr und mehr begünstigte. Nachdem sie ihr Handwerk in einem Dicterion gelernt hatten, wo die Hausordnung nicht mehr als einen Obolos pro Kopf zu nehmen erlaubte, forderten sie bald eine oder zwei Drachmen, wenn sie erst einmal frei waren; bald, auch hiermit nicht zufrieden, einen Goldstater, eine Mine war ihnen eine Kleinigkeit, und am Ende verlangten sie gar ein Talent, also sechstausend vierhundert Mark in unserer Münze, wenn sie in Mode waren. Die Steigerung ihres Preises fand sehr schnell statt, wenn sie schön, schlau und ränkevoll waren. Aber dieses Glück war von keinem langen Bestande, wenn es ihnen an Geist und Klugheit fehlte; man sah sie dann rasend schnell auf die niedere Stufe der ungebildeten Hetären sinken, wo sie sich mit einigen Drachmen begnügen mussten, welche sie mit Mühe der Armut oder Knickerei ihrer ungeschliffenen Besucher abnötigten. Man hatte sie mitten in einem Gefolge von Sklaven und Eunuchen in den prächtigsten Sänften spazieren tragen sehen, man hatte sie geschmückt mit Halsbändern, Ohrgehängen, Fingerringen, goldenen Nadeln, frisch und parfümiert, in Gaze und Seide gesehen; jetzt traf man sie kurz darauf wieder, mit schmutzigen Lumpen bedeckt, das Haar in Unordnung, die Arme abgemagert, die hängende Brust voll Falten, unter den langen Säulengängen des Piraeus sitzend oder um die Grabmäler des Keramikos umherstreichend. Der Uebermut dieser Geschöpfe im Glücke liess ihre Erniedrigung im Unglücke nur noch grösser erscheinen. Es genügte ein Prozess, eine Krankheit, ein Vergehen, wie Trunkenheit oder Spiel, um diesen jähen Sturz herbeizuführen. Man beklagte sie nicht, wenn man sie in Verfall geraten und auf die tiefste Stufe des Elends und der Verachtung sinken sah, denn sie waren in den Augenblicken ihres Glanzes ohne Mitleid und ohne Herz gewesen. Wie viele Thränen, wie viele Vermögensverluste, wie viele Verzweiflung hatten sie verursacht! Trotz ihres Lasters, trotz ihrer Schamlosigkeit hatten sie zu oft wahre Leidenschaften hervorgerufen!

Die Briefe des Alkiphron sind voll von Klagen der unglücklichen Liebhaber, welche sich betrogen oder verabschiedet sahen, und von Spott der grausamen Dirnen, welche sie abweisen und quälen. Da ist Simalion von der Petala zu Grunde gerichtet, dort ist es der Fischer Anchenius, der um seine Maitresse zu besitzen nahe daran ist, aus ihr sein Weib zu machen; wieder anderswo, in den Gesprächen des Lucian, ist es Myrtale, die sich über den Dorion, nachdem sie ihn ausgeplündert hat, lustig macht: „Als ich dich mit Geschenken überhäufte," sagt der jammernde Dorion, „da war ich dein Vielgeliebter, dein Gatte, dein Herr, ich war alles für dich, seit ich aber nichts mehr besitze, seit du die Eroberung des Kaufmanns aus Bithynien gemacht hast, ist deine Thür mir verschlossen. Vor dieser unerbittlichen Thür vergiesse ich vergebens meine Thränen, er aber ist allein bei dir, die ganze Nacht, berauscht von deinen Liebkosungen." „Was? Du behauptest mich mit Geschenken überhäuft zu haben?" versetzte lachend Myrtale; „ich habe dich ruiniert, sagst du? Zählen wir alles auf, rechnen wir alles zusammen, was du mir gegeben hast." — „Ja zählen wir es auf Myrtale. Zunächst ein Paar sikyonische Schuhe, macht zwei Drachmen." — „Du hast dafür zwei Nächte bei mir geschlafen." — „Ferner bei meiner Rückkehr aus Syrien habe ich dir eine Vase voll phönizischer Pomade mitgebracht, die mich, ich beschwöre es beim Neptun, ebenfalls zwei Drachmen kostete." — „Und ich, ich hatte dir bei deiner Abreise einen Matrosenkittel gegeben, welchen der Epirer bei mir hatte liegen lassen." — „Der Epirer hat ihn wieder erkannt und ihn mir wieder abgenommen, nicht ohne Kampf, das mögen die Götter bezeugen! Als ich von Bosporus wieder kam, habe ich dir Zwiebeln von Cypern mitgebracht, sowie fünf Salzfische und acht Barsche, ferner noch acht trockene Schiffbrote, einen Krug karische Feigen, und endlich noch habe ich dir, undankbares Ding, von Petasä vergoldete Halbschuhe gebracht. Ich erinnere mich auch eines guten Käses von Gynthium." — „Das Ganze ist wert fünf Drachmen!" — „Was! Myrtale, das ist alles, was ich besass! Unglücklicher Schiffer, der von seinem Lohne leben musste! Jetzt stehe ich dem rechten Flügel der Ruderer vor und du verachtest mich! Habe ich nicht kürzlich bei den Festen der Aphrodite auch für dich eine Drachme Silber zu den Füssen der Venus gelegt! Habe ich nicht deiner Mutter zwei Drachmen für die Schuhe gegeben, und der Lyde bald zwei oder drei Obolen? Also richtig zusammen gerechnet ist dies das Vermögen eines Matrosen!" Myrtale kann nur lachen, indem sie die reichen Geschenke, welche sie von ihrem bithynischen Kaufmann erhalten hat, zur Schau stellt: Halsbänder, Ohrringe, Teppiche, Geld, und ihm den Rücken kehren mit den Worten: O glückliche Geliebte des Dorion! Sicher wirst du Zwiebeln von Cypern und Käse von Gythium erhalten!" Petala, welche ebenfalls einen bithynischen Kaufmann suchte, aber noch keinen gefunden hatte, schrieb an Simalion, dessen weinerliche und knickerige Liebe sie belästigte: „Geld, Kleider, Schmuck, Sklavinnen, das ist es, was meine Lage und meine Stellung fordert. Meine Väter haben mir kein Landgut in Nurinante hinterlassen, ich habe keinen Anteil an den Minen von Attika. Die wenig lohnenden Einkünfte der Vergnügungen, die nur zu spärlichen Geschenke der Liebe, welche nur unter Seufzen diese Menge geiziger und fühlloser Liebhaber darbringt, sind all mein Reichtum. Ich lebe schon ein Jahr mit dir, verzehrt von Unlust und Langeweile. Nicht einmal Parfüm ist auf meinem Haare! Diese alten und groben Stoffe aus Tarent bilden meinen ganzen Schmuck. Ich wage nicht vor meinem Genossinnen zu erscheinen. Kann ich etwas finden, wovon ich an deiner Seite leben könnte? . . . Du weinst! zu gütig! Ich brauche einen Liebhaber, der mich ernährt. Du weinst! Welche Lächerlichkeit! Bei der Venus! er betet mich an, sagt er, ich muss mich ihm hingeben, er kann nicht ohne mich leben! Was, hast du keinen goldenen Becher, kannst du kein Silber deinem Vater stehlen, nicht die Ersparnisse deiner Mutter?" Es kam nur zu oft vor, dass ein junger Mann, verblendet durch seine Leidenschaft, diesen verhängnisvollen Einflüsterungen nachgab und seine

Eltern bestahl, um die Habgier einer Hetäre zu befriedigen, welche ihn nicht liebte und unerbittlich zurückstiess, wenn sie nichts mehr von ihm ziehen konnte. Anaxilas hatte also Recht, wenn er in einer seiner Komödien sagte: „Von allen wilden Tieren ist keins gefährlicher als eine Hetäre!"

Wie gross auch die Habsucht der Dirnen war, so beschenkten sie doch die Altäre der Götter und Göttinnen mit Opfern und Geschenken; dafür erflehten sie aber auch von den Göttern nichts, als verliebte und ergebene Herzen zu finden, schöne Verehrer und Wohlthäter. Sie sorgten sich nur um ihren Luxus und hofften, wenn sie eine Opfergabe in den Tempel brachten, dass ihnen der Gott oder die Göttin dieses Tempels einen reichen Alten aus Asien oder Afrika als fette Beute schicken würde. Ihre Freigebigkeit, selbst gegen die Herren der Vorsehung, war also nur eine Spekulation und eine Art Wucher. Deshalb gingen sie hin, wenn sie ein gutes Geschäft gemacht und einen Dummen gefunden hatten, der Gottheit zu danken, der sie dieses glückliche Geschick zu verdanken glaubten. Sie knauserten nicht mit den Göttern und Priestern, in der Hoffnung, bald wieder durch neue Vorteile belohnt zu werden. Die Mutter der Musarion, welche wütend darüber war, dass ihre Tochter sich nicht von Chaireas bezahlen liess, rief spöttisch: „Wenn wir noch so einen Liebhaber wie den Chaireas finden, müssen wir der Venus-Pandemos eine Ziege opfern! Der Venus-Urania eine Färse! Der Venus-Gärtnerin eine andere Färse! Wir müssen einen Kranz der Göttin des Reichtums opfern!" Die Dicteriade Lysidis, welche sich der Allerwelts-Venus verdingt hatte, machte ihr ein wunderliches Geschenk, welches an die allegorischen Spangen erinnert, welche die Dirne Rhodopis dem Tempel des delphischen Apollo geweiht hatte: „O Venus! Lysidis bietet dir diesen goldenen Sporn, welcher an einen sehr schönen Fuss gehörte. Er hat mehr als ein träges Reittier angefeuert und, obgleich er ihn mit viel Behendigkeit gebrauchte, niemals dem Ross einen blutigen Schenkel gemacht; das stolze Tier gelangte an das Ziel seines Laufes, ohne dass er nötig gehabt hätte, es zu spornen. Sie hängt diese Waffe mitten in deinem Tempel auf!" Die gelehrten Erklärer der griechischen Anthologie sind ziemlich unschlüssig geblieben hinsichtlich dieses Spornes, der nach den einen den Stachel des Vergnügens und den Reiz der Wollust darstellt, nach den andern die ungeduldige Bitte einer Dirne, welche die Börse ihrer Kunden erschöpft hat, nach wieder anderen ein Werkzeug weiblicher Lüsternheit, welches einer schamlosen Einbildungskraft zu Hilfe kam. In Korinth weihte sich die Hetäre selbst der Venus, welche den Niessbrauch dieser heiligen Prostitution hatte.

In Korinth waren die Dirnen in noch grösserer Zahl vorhanden als in Athen, daher das berühmte Sprichwort, welches das ganze Altertum durchlief und in wenig veränderter Bedeutung auf uns kam: „Es ist nicht jedes Mannes Sache, nach Korinth zu gehen." Man giebt für dieses Sprichwort verschiedenen Ursprung an, jeder aber bezieht sich auf die in dieser Stadt so berühmten Dirnen. Aristophanes erklärt in seinem „Plutus" das Sprichwort, in dem er sagt, dass „die Weiber Korinths die Armen verschmähten und die Reichen aufnahmen." Strabo ist deutlicher, indem er erzählt, dass die Kaufleute und Seeleute, welche während der Venusfeier zu Korinth landeten, soviel Schönheiten unter den Geweihten der Göttin fanden, dass sie sich vollständig zu Grunde richteten, ehe sie einen Fuss in die Stadt gesetzt hatten. Strabo giebt das Sprichwort in einer Wendung an, welche dem Sinne seiner Erklärung entspricht: „Man geht nicht ungestraft nach Korinth." Die Dirnen aller Länder und Klassen strömten in diese reiche Stadt, wo man in den Tempeln der Venus öffentlich Schülerinnen zur Prostitution erzog. Der Handel der Wollust war auch der lebhafteste und ausgebreitetste, welcher in diesem grossen, volksreichen Stapelplatze des Welthandels stattfand. Alle oder doch fast alle Weiber übten das Handwerk der käuflichen Liebe aus, jedes Haus glich einem Bordell. Eine Dirne, die an der Thür sass, betrachtete eines Tages die Schiffe, welche ankamen, und lauerte auf neue Opfer; man machte ihr Vorwürfe über ihre Faulheit und sagte ihr, sie würde besser thun, Wolle zu spinnen oder Leinwand einzufassen, als so die Hände in den Schoss zu legen: „Was sprichst du von Faulheit," sagte sie, „es hat mir nicht viel Zeit gekostet, alle Leinwand zu gewinnen, die für das Segelwerk dieser Schiffe langen kann!" Sie verstand darunter, bemerkt Strabo, dass sie die Kapitäne bewogen hatte, ihre Schiffe zu verkaufen, um sie zu bezahlen. Der komische Dichter Eubul hatte in seiner Komödie „die Schwänzer" (κερκῶπες) einen armen Teufel darstellt, welcher lustig gestand, dass man ihn auf diese Art ausgeplündert habe: „Ich ging nach Korinth," sagt er, „wo ich mich zu Grunde richtete, indem ich ein Gemüse ass, das man Okime (Dirne und auch Basilienkraut) nennt, und ich wurde so närrisch, dass ich fast meinen Mantel dort verlor." Der Dichter spielt mit dem doppelten Sinne des Wortes Okime, welches sowohl Dirne wie Basilienkraut bedeutet, und er bringt durch diese bildliche Anspielung in Erinnerung, dass dieses wohlriechende Kraut die Lieblingspflanze des Skorpion sei. Als der Tyrann Dionys aus Syrakus vertrieben wurde und verachtet und unglücklich seinen Aufenthalt in Korinth nahm, suchte er einen Schirm gegen die Verachtung, welche er einflösste, und gegen das Elend, in welches er mehr und mehr geriet, er brachte also, nach dem Berichte Justins, den ganzen Tag in den Kneipen und Bordells zu, in denen er von Okime lebte und sich mit allen Schändlichkeiten besudelte.

Diese geilen und unermüdlichen Königinnen der Prostitution, weit entfernt aus Korinth zu stammen, waren seit der grauesten Vorzeit dahin von Spekulanten und Matronen der Wollust gebracht worden.

Sie kamen meistens aus Lesbos und den andern Inseln Kleinasiens: Tenedos, Abydos, Cypern, wie um der Ueberlieferung zu huldigen, welche die Venus aus dem Schaume des ägäischen Meeres entstehen liess. Man brachte aber auch eine grosse Anzahl aus Milet und Phönizien, welches die feurigsten Dirnen lieferte, aber die wollüstigsten, wenigstens die erfahrensten in den Künsten der Wollust waren die Lesbierinnen, sodass man ihnen zu Ehren ein neues griechisches Wort geschaffen hatte, das man von ihrem Namen ableitete: λεσβιάζειν, welches nicht nur Liebe geniessen lassen, sondern mit Kunst geniessen lassen bedeutet. Die Phönizierinnen hatten gleichfalls das Vorrecht der griechischen Sprache ein Wort zu geben, welches dieselbe Bedeutung, wenn auch nicht denselben Sinn hatte: φοινικίζειν, Liebe auf phönizische Art geniessen lassen. Dies war eine Schmeichelei, auf welche die Dirnen ehrgeizig waren, woher sie auch stammen oder von wem sie auch immer erzogen sein mochten. Milet galt als Pflanzschule der Tänzerinnen und Flötenspielerinnen, der Auletriden, welche in Griechenland bei den Gelagen dienten. Lesbos und Phönizien aber schickten die Hetären, welche Korinth in seinem Busen aufnahm, wie ein ungeheueres Frauenhaus, wo die Prostitution ihre öffentliche Schule hatte. Homer giebt unter den Geschenken, welche Agamemnon dem Achilles bieten lässt (Ilias IX) mit Wohlgefallen an: „Sieben Weiber, wohlgeschickt zu den schönen Werken der Liebe, sieben Lesbierinnen, die er für sich selbst gewählt hatte, und die über alle Weiber den Sieg der Schönheit davontrugen.“ Die schönen Werke, welche die Geschicklichkeit dieser Lesbierinnen ausmachten, waren nicht dieselben, welche die keusche und kunstfertige Penelope zu machen verstand.

Ausser diesen geheimen Verrichtungen der Liebe, die von Jugend auf das eifrige Studium der Dirnen ausmachten, setzte sich ihre moralische Erziehung, wenn man bei dieser Gelegenheit diesen Ausdruck anwenden darf, zusammen aus gewissen unanständigen Vorschriften, welche für alle Arten der Prostituierten galten, von der feilsten Bordelldirne an bis zur grossen Hetäre der Aristokratie. Es war sicherlich nicht Solon, der dieses allgemeine Gesetzbuch der Dirnen verfasst hatte. Man stösst ab und zu bei den griechischen Erotikern auf die hauptsächlichsten Lehren, denen sich alle Dirnen unterwarfen, und die man in drei gesonderte Abschnitte teilen konnte: 1. Die Kunst, Liebe zu erwecken, 2. die Kunst, sie zu mehren und zu erhalten und 3. die Kunst, möglichst viel Geld daraus zu ziehen. „Es ist dienlich,“ sagt in den Briefen des Aristaenet eine der geschickteren in ihrem Handwerke, „jungen Männern einige Schwierigkeiten zu machen, und ihnen nicht alles zu bewilligen, was sie fordern. Dieser Kunstgriff vermindert den Ueberdruss und unterhält das Verlangen eines Liebhabers zu dem Weib, das er liebt, und macht ihm ihre Gunstbezeugungen immer neu. Aber man darf die Sache nicht zu weit treiben:

der Liebhaber verlässt sie sonst, macht andere Pläne und neue Bekanntschaften; die Liebe verfliegt mit eben solcher Leichtigkeit, wie sie gekommen ist." Aristaenet, der immer Philosoph war, und es nicht unter seiner Würde hielt, sich von den Dirnen unterweisen zu lassen, hat dieselbe Lehre noch in einem anderen Briefe gebracht: „Die Freuden," sagt er, „auf die man noch hofft, sind in der Einbildung voll Süssigkeit, von unaussprechlichem Liebreiz, sie erfachen und erhalten die ganze Lebhaftigkeit des Verlangens. Hat man sie aber erlangt, macht man kein Aufhebens mehr davon." Lucian bestätigt in seinem Gespräche derjenigen, welche sich in den Dienst der Grossen stellen, die Taktik der Hetären, welche etwas ihren Liebhabern verweigerten: „Nur selten," sagt er, „gestatten sie einige Küsse, weil sie aus Erfahrung wissen, dass der Genuss das Grab der Liebe ist, aber sie lassen nichts aus den Augen, was die Hoffnung und das Verlangen verlängern kann." Auf diese Art also erregten die Hetären die Liebe, reizten sie an, liessen sie sich entfalten und Wurzel fassen. Sie waren nicht weniger erfinderisch sie heraus zu fordern, und die Mittel, welcher sie sich bei diesem Kunstgriff bedienten, waren um so raffinierter je höher der Stand war, dem der Mann, welchen sie ködern wollten, angehörte, oder die Dirnenordnung war, zu welcher sie selbst zählten.

Mochte eine Hetäre noch so ungeübt sein, sie hatte doch Gewohnheiten an sich Männer anzulocken. Ihre Blicke, ihr Lächeln, ihre Stellungen und ihre Handbewegungen waren mehr oder weniger anziehende Köder, welche sie um sich auswarf. Jede kannte sehr wohl, was sie verbergen und was sie zeigen musste; bald heuchelte sie Zerstreutheit und Gleichgültigkeit, bald lief sie auf ihre Beute los und ergriff sie im Sprunge um sie nicht mehr loszulassen; bald suchte sie das Gedränge, bald die Einsamkeit auf. Ihre Schlingen änderten ihre Form und ihr Aussehen je nach dem Wildpret, welches sie zu fangen gedachte. Sie hatten alle ein herausforderndes, wollüstiges Lächeln, das schon von weitem unzüchtige Gedanken erweckte, indem es zu den Sinnen sprach, und das in der Nähe Elfenbeinzähne glänzen liess, Korallenlippen erzittern machte, neckische Grübchen in den Wangen hervorzauberte und eine Alabasterbrust schwellte. Das war der Kachymus, den der heilige Clemens von Alexandria als Lächeln der Dirnen bezeichnet. In einer höheren Stellung hatte die Hetäre auch ein anständigeres Verführungsverfahren. Sie schickte ihren Sklaven oder ihre Sklavin aus um an die Mauern des Keramikos mit Kohle den Namen des Mannes zu schreiben, welchen sie fangen wollte. Hatte sie sich ihm erst einmal bemerkbar gemacht, so schickte sie ihm Sträusschen, welche sie getragen hatte, Früchte, in welche sie gebissen; sie liess ihn durch Boten wissen, dass sie nicht mehr schlafen könne, dass sie keinen Appetit mehr habe, dass sie unaufhörlich seufze. Ein Mann, so kalt und ernst er auch sein mag, ist selten fühllos gegen eine Leidenschaft, die er einzuflössen glaubt. „Sie läuft ihm entgegen und umarmt ihn,“ erzählt Lucian in seinem Toxaris, „sie hält ihn fest, wenn er fortgehen will, sie giebt sich den Schein, als ob sie sich nur für ihn putze, und weiss rechtzeitig Thränen, Schmollen und Seufzer unter die Lockungen ihrer Schönheit und den Zauber ihrer Stimme und ihrer Lyra zu mischen.“ Dies waren die Künste, welche eine wohlausgelernte Hetäre niemals ermangelte mit fast stets sicherem Erfolge ins Werk zu setzen. Diese Künste der Koketterie und Täuschung wurden gewöhnlich von alten Weibern, früheren Dirnen, den Neulingen beigebracht, welche sie auf ihre Rechnung ausbildeten.

Die berühmte Neära war auf diese Art von einer gewissen Nikareta einer Freigelassenen des Charisias und von dem Weibe des Hippias, des Koches des Charisias, ausgebildet worden. Nikarete kaufte sieben kleine Mädchen: Antia, Stratole, Aristokleia, Melanira, Phila, Isthmiade und Neära. Sie war sehr geschickt schon im zartesten Kindesalter die zu erkennen, welche sich durch Schönheit auszeichnen würden: „Sie verstand es ausgezeichnet sie wohl zu erziehen,“ sagt Demosthenes in seiner Rede gegen Neära, „dies war ihr Geschäft und davon lebte sie.“ Diese sieben Sklavinnen nannte sie ihre Töchter, um den Glauben zu erwecken sie wären freigeboren, und um so mehr Geld von denen zu ziehen, welche sich mit ihnen einlassen wollten; sie verkaufte fünf- oder sechsmal die Jungfernschaft einer jeden und schliesslich verkaufte sie sie selbst. Aber diese Sklavinnen hatten so gute Lehren empfangen, dass sie nicht zögerten, sich für ihr Geld loszukaufen und zu ihrem eigenen Nutzen das Geschäft einer Dirne zu betreiben. Die Gunstbezeugungen eines freien Mädchens wurden besser bezahlt als die einer Sklavin und Freigelassenen. Der Preis wurde noch höher, wenn die Hetäre sich für ein verheiratetes Weib ausgab, weil der Ehebruch nach dem Gesetze mit dem Tode bestraft wurde. Aber dieses Gesetz wurde fast niemals angewendet. Der Schuldige wurde nur der Willkür des beleidigten Gatten überlassen, welcher sich meist damit begnügte, ihm eine Tracht Prügel geben zu lassen. Die Todesstrafe wurde gewöhnlich ersetzt durch eine Geldsumme, mit welcher er unter dem Namen Entschädigung den Ehebruch loskaufte und sich von einer ebenso schmerzhaften, wie lächerlichen Strafe befreite, denn wenn er nicht zahlte, überlieferte ihn der Gatte der Gnade der Sklaven, welche ihn grausam schlugen und ihm einen grossen schwarzen Rettig in den Hintern keilten. Dies war nach Athenäus die Strafe des Ehebruchs, eine Strafe, welche die Orientalen in der des Pfälens annähernd erhalten haben. Es geschah oft, dass man die Furcht vor der Strafe des schwarzen Rettigs brandschatzte, indem man Dummköpfen weiss machte, sie hätten diese Strafe verwirkt, da sie unwissentlich einen Ehebruch begangen hätten. Nichts war leichter, als sich einen wütenden Gatten zu denken, wenn man glaubte, dass das Weib auf frischer That ertappt worden sei: „Ach

Venus! verehrungswürdige Göttin!" ruft der Dichter Anaxilas aus, „welchen Gefahren setzt sich der aus, welcher sich in euere Arme wirft, wenn man an die Gesetzte des Drako denkt! Was wagt man selbst, wenn man nur einen Kuss auf euere Lippen drückt!" Es schien also trotz der Gesetze des Drako Eheweiber zu geben, welche ohne Wissen ihrer Männer das Hetärengewerbe trieben. Megara sagt in einem Briefe an ihre Freundin Bacchis, einem Brief, den der Rhetor Alkiphron damals verspottete, ausdrücklich, dass Philumene, obgleich sie jung verheiratet war, sich bei einer Wollustfeier einfand, wo sie sich den schändlichsten Ausschweifungen überliess! „Sie war heimlich dahin gekommen," sagt sie, „indem sie ihren lieben Gatten in den tiefsten Schlaf versenkte, mit einem Schlaftrunke."

Diese Schlaftränke waren ebenso wie die Liebestränke besonders im Gebrauch bei den Dirnen und den Wüstlingen, deren einzige Beschäftigung die Wollust war. Es waren, wie vorher erwähnt wurde, alte Weiber, welche diese Tränke herstellten und verkauften. Die Bereitung dieser Tränke galt als ein Zauberwerk, und die Alten, welche im Besitze dieses Geheimnisses waren, verdankten es gewöhnlich den Zauberinnen Thessaliens und Phrygiens. Theokrit und Lucian haben uns einige der geheimnisvollen Bräuche, welche die Zusammenstellung eines Liebestrankes begleiteten, aufbewahrt, und Lucian lässt uns deutlich den häufigen Gebrauch derselben erkennen, welchen die Dirnen davon machten, gleich ob sie Liebe oder Hass erwecken wollten. Verlassen von ihrem Geliebten, der ihr die Gorgone vorzog, schrieb Thais diese Treulosigkeit den Tränken zu, welche die Mutter der Gorgone zu bereiten verstand: „Die kennt," sagt sie, „die Geheimnisse aller Zauberinnen Thessaliens; der Mond steigt auf ihren Ruf herab. Man hat sie mitten in der Nacht in der Luft fliegen sehen." Daher kam der Reiz, welcher den armen Treulosen blendete, deshalb blieben ihm die Runzeln und die Hässlichkeit des Ungeheuers verborgen, welches er nur durch magische Einwirkung liebte. Um ihren Geliebten Charinus wiederzuerlangen, den ihr Symmike entführt hatte, bat Melissa die Bacchis ihr eine Magierin zuzuführen, die ein Weib liebenswert machen könne, welches man verabscheue, und ein geliebtes Weib hassenswert: „Ich kenne," sagt Bacchis gerührt von dem Schmerze ihrer Freundin, „eine syrische Zauberin, die deine Angelegenheit gut besorgen wird. Es ist dieselbe, welche mich nach Verlauf von vier Monaten mit Phanias wieder ausgesöhnt hat. Ihre Zauberei hat ihn wieder zu meinen Füssen zurückgeführt, als ich schon daran verzweifelte, ihn je wieder zu sehen." — „Und was verlangt die Alte?" fragt Melissa, „erinnerst du dich dessen?" — „Ihre Kunst ist nicht so teuer, Melissa. Man giebt ihr eine Drachme und ein Brot; man fügt ferner zu sieben Obolen, Salz, Parfüm, eine Fackel, eine Schale voll Getränk, welches sie allein trinken muss. Man braucht auch einige Dinge, die von deinem Geliebten stammen, ein Kleid, Schuhe, Haare oder etwas ähnliches." — „Einen von seinen Schuhen habe ich noch." — „Dieses Weib hängt das Ganze an einer Rute auf, reinigt es mit Dämpfen, die das Parfüm ausströmt, und wirft das Salz ins Feuer. Sie nennt alsdann die beiden Namen. Hierauf zieht sie einen Ball aus ihrem Busen, welchen sie sich drehen lässt, und sagt schnell ihren Zauberspruch, der aus mehreren barbarischen Worten besteht, die einen erbeben machen." Es gab mehrere Arten von Zaubertränken: solche, die Liebe erweckten, solche, die Hass erzeugten, solche die die Männer impotent und die Weiber unfruchtbar machten, endlich solche, die den Tod herbeiführten. Die Anwendung dieser Zaubertränke war mehr oder weniger gefährlich, denn mehrere enthielten wirkliches Gift, und dennoch nahmen die Hetären im Interesse ihrer Pläne und Leidenschaften beständig ihre Zuflucht hierzu. Aristoteles erzählt, dass ein Weib einen jungen Mann einen Liebestrank nehmen liess, der daran starb. Der Areopag, vor welchem dieses Weib angeklagt wurde, verurteilte sie nicht, aus dem Grunde, weil sie nicht die Absicht gehabt habe, ihren Geliebten zu töten, sondern seine erloschene Liebe anzufachen. Die Absicht mache den Mord. Schliesslich verkaufte man bei den Dirnen, ebenso wie Liebestränke, auch Heilmittel, welche die Folgen verhinderten: so galt nach Dioskorid die Wurzel des Saubrotes, gestampft und in Pillen gedreht, als Universalmittel gegen die fürchterlichsten Zaubertränke.

Wollte man einen Mann impotent oder ein Weib unfruchtbar machen, brachte man ihnen Wein bei, in welchem man eine Meerbarbe erstickt hatte. Wollte man einen treulosen Liebhaber zurückführen, so knetete man einen Kuchen aus ungesäuertem Mehl und verbrannte ihn dann in einem Feuer, welches man von Thymian und Lorbeerästen unterhielt. Um Liebe in Hass umzuwandeln, belauschte man den Mann oder das Weib, bei dem die Wandlung vorgenommen werden sollte. Man beobachtete die Fussspuren dieser Person und setzte, ohne dass diese etwas davon merkte, den rechten Fuss dahin, wo jene den linken gehabt hatte und umgekehrt, wobei man ganz leise murmelte: „Ich schreite auf dir, ich bin über dir." Die Zauberin sprach, wenn sie bei einer Beschwörung ihren Zauberball drehte, folgende Worte: „Wie sich der Erzball dreht unter dem Schutze der Venus, möge mein Geliebter sich drehen auf der Schwelle meines Hauses." Bisweilen warf sie in das bei der Zauberei verwendete Kohlenbecken ein Wachsbild, dem der Name der Person, die man den Gluten der Liebe überliefern wollte, beigelegt ward. „So wie ich dieses Wachs unter dem Schutze des Gottes schmelzen lasse, den ich anrufe," murmelte die Beschwörerin, „so soll vor Liebe das starre Herz schmelzen, das ich entflammen will." Dies waren feierliche Zaubereien, begleitet von Opfern und geheimnisvollen Bräuchen. Gewöhnlich aber begnügte man sich mit einem Tranke oder einer Salbe, die aus gewissen

Kräutern oder bestimmten narkotischen, kühlenden, krampfstillenden oder aphrodisischen Droguen zusammengesetzt waren. „Der Gebrauch der Liebestränke ist sehr gefährlich," schreibt Myrrhina an Nikippe, „oft sogar ist er verhängnisvoll für den, der ihn einnimmt. Doch was thuts! — Dyphilos soll entweder leben und mich lieben oder Thessala lieben und sterben." Die Dirnen fragten bei ihrem Aberglauben in Liebe, Glück, Ehrgeiz oder Rachsucht oft auch die Thessalierinnen um Rat, um die Zukunft zu erfahren, um den Ausgang eines begonnenen Abenteuers kennen zu lernen, um ins Dunkel der Vorsehung einzudringen. Glycera spricht in einem Briefe an den Dichter Menander von einem phrygischen Weibe, welches „mittels gewisser Binsenrohre, die sie während der Nacht ausbreitet, vorauszuahnen versteht; aus der Bewegung dieser Rohre ist sie über den Willen der Götter so genau unterrichtet, als wenn diese ihr selbst erschienen wären." Diesem Zaubervorgang mussten verschiedene Reinigungen und Opfer voraus gegangen sein, wozu man sich des männlichen Weihrauches, länglicher Pillen aus Styrax und bei Mondschein aus den Blättern des wilden Wurzelkrautes gemachter Kuchen bediente. Man nahm seine Zuflucht zu diesem Zauber um Nachrichten von einer abwesenden Maitresse oder einem fernen Geliebten zu erhalten. Die Tränke vollends, welche gebraut wurden, um Liebe zu erregen, waren so kräftig und gefährlich, dass schon ihr mässiger Genuss die Raserei der Mänaden und Korybanden hervorbrachte, und dass der Missbrauch dieser Liebeserreger Wahnsinn oder Tod verursachte.

Die Hetären hegten gegenseitig Eifersucht, Missgunst und Hass, welche sie oft zu derartigen Racheakten führten. War z. B. einer Hetäre ihr reicher und schöner Geliebter abspenstig gemacht worden, so nahmen die beiden Rivalinnen in ihrem Kampfe auch zu den wenigst anständigen Mitteln ihre Zuflucht, um nur zu einem Triumph ihrer Eitelkeit zu gelangen. Diese Weiber trugen kein Bedenken, sich auf Kosten der Andern zu bereichern und ihre Wünsche zu befriedigen. Sie waren ewige Rivalinnen und häufig unversöhnliche Feindinnen. Als Gorgone ihrer vorgeblichen Freundin Glycera den Geliebten weggefischt hatte, tröstete diese Thaïs mit den Worten: Es ist dies ein Streich, welchen wir uns ziemlich oft spielen, wir andern Dirnen." Hierauf schliesst sie mit folgenden Ausdrücken: „Gorgone wird ihn rupfen, wie du ihn gerupft hast, und wie du inzwischen einen andern rupfen wirst." Diese Uebersetzung Perrot d'Albancourt's ist ausdrucksvoller als der griechische Text Lucians, welcher sich begnügt zu sagen: „Du wirst eine andere Beute dafür finden.!" Trotz des Unrechts, welches sich die Hetären bei jeder Gelegenheit zufügten, blieben sie dennoch Freundinnen, oder sie entzweiten sich vielmehr aus Politik nicht. Es bestand ein Korpsgeist, ein gemeinsames Interesse, welches sie zusammenhielt und sie wieder zusammenführte, wenn sie sich für einige Zeit veruneinigt hatten. Sie verabscheuten sich indes im Grunde ihres Herzens nur noch mehr, ungeachtet ihres Lächelns, ihrer Liebkosungen und gegenseitigen Schmeicheleien. Hingegen liebten sie sich rasend, wenn sie sich einmal liebten, und nichts war unter den Dirnen häufiger als die lesbische Liebe. Diese Liebe, die Griechenland ohne Missbilligung und Tadel duldete, hatte weder die Strafe des Gesetzes noch den Fluch der Religion zu fürchten. Sowohl bei den Dicteriaden, wie bei den eingesperrten Hetären herrschte diese Wechselliebe (ἀνεϱος) mit ihrem ganzen Ungestüm. Eine Dirne, welche diesen widernatürlichen Geschmack hatte (τϱιβας) flösste den Männern nur Abscheu ein, aber sie verbarg ihnen sorgfältig ein Laster, welches nur zuviel Nachsicht unter ihren Genossinnen fand. Man schreibt der Sappho die skandalöse Entwickelung zu, welche die lesbische Liebe genommen hatte, und ebenso die philosophischen Theorien, unter denen sie sich wie ein auf ein Dogma gestützter Kult eingerichtet hatte. Sappho wurde bestraft, weil sie die Männer verachtet hatte durch die Liebe, welche ihr Phaon eingeflösst hatte ohne sie zu erwidern. Das Unheil aber, welches Sappho durch ihre Lehren und ihr Beispiel erzeugt hatte, pflanzte sich in den griechischen Sitten fort, steckte alle Hetärenklassen an und drang bis in die Weibergemächer der keuschen Jungfrauen und ehrwürdigen Matronen.

Wir wollen nicht mehr, als was Lucian über diesen heiklen Punkt anführt, sagen, und wir werden hierbei die aller dezenteste Uebersetzung wählen. Das Gespräch der Kleonarium und der Leäna ist wie ein Gemälde, das einer der Dirnenmaler Athens nach der Natur gefertigt hat: „Kleonarium: Eine schöne Nachricht, Leäna! Man sagt, du seist die Geliebte der reichen Megilla geworden, dass ihr einig seid, und dass . . . Aber was ist das? Du wirst rot? Sollte es wahr sein? — Leäna: Es ist wahr, ich schäme mich dessen . . . Es ist eine eigentümliche Sache! — Kleonarium: Ah! Wie! bei der Ceres! und was fordert unser Geschlecht? Was treibt ihr denn? Wohin führt diese Ehe? Ach! du bist meine Freundin nicht, wenn du mir dies Geheimnis verschweigst. — Leäna! Ich liebe dich wie jede andere, aber Megilla ist wirklich wie ein Mann. — Kleonarium: Ich verstehe nicht; sollte sie eine Tribade sein? Man sagt Lesbos sei voll solcher Weiber, die sich dem Verkehr mit Männern entziehen und deren Stelle bei den Weibern einnehmen. — Leäna: Es ist etwas wahres an der Sache. — Kleonarium: Erzähle mir doch Leäna, wie du dazu gekommen bist, ihre Leidenschaft anzuhören, sie zu teilen, ihr zu genügen? — Leäna: Megilla und Demonassa reiche Korintherinnen, ergriffen von derselben Leidenschaft, feierten eine Orgie. Ich wurde hingeführt, um zur Begleitung meiner Lyra zu singen. Die Lieder und die Nacht schritten vorwärts: es war Zeit zur Ruhe; sie waren trunken. Da sagte Megilla: Leäna, es ist Zeit zum Schlafengehen, komm leg dich hierher, zwischen uns! — Kleonarium: Hast du's angenommen? . . . .

Nun und dann? — Leäna: Sie küssten mich zuerst wie ein Mann, nicht nur auf die Lippen, sondern auch in den geöffneten Mund. Ich fühlte mich in ihre Arme gezogen, sie liebkosten meinen Busen; Demonassa biss mich bei ihrem Küssen Wahrlich ich hatte keine Ahnung, wohin das alles führen sollte. Endlich warf Megilla erhitzt ihren Kopfputz zurück und presste mich und bedrohte mich wie ein junger Athlet, und ich . . ich rege mich auf. Aber sie: Frisch! Leäna, hast du einen schönern Jungen gesehen? — Einen Jungen, Megilla? Ich sehe hier keinen. Hör auf, mich als Weib anzusehen, ich heisse heute Megillus, ich habe Demonassa geheiratet. Ich hielt an mich, um nicht zu lachen. Ich wusste nicht, schöner Megillus, sagte ich ihr, dass du hier wie Achilles unter den Jungfrauen von Skyros wärest. Nichts fehlt dir ohne Zweifel an dem, was einen jungen Helden kennzeichnet, und Demonassa hat es versucht. — Beinahe Leäna, und diese Art von Genuss hat auch ihre Süssigkeiten. — Du bist also einer von den Hermaphroditen mit doppelten Geschlechtsgliedern . . (wie einfältig ich war, Kleonarium) . Nein ich bin Mann in jeder Hinsicht. — Dies ruft mir die Erzählung einer boeotischen Flötenspielerin ins Gedächtnis: ein Weib aus Theben wurde in einen Mann verwandelt, und dieser Mann wurde später der berühmte Seher Teiresias. Sollte dir ein ähnlicher Unfall begegnet sein? — Keineswegs Leäna, ich bin scheinbar wie du, aber ich fühle in mir die zügellosen Leidenschaften und die heissen Wünsche des Mannes. — Das Verlangen, ist das alles? — Bitte, überlasse dich meinen Gluten, Leäna, du wirst sehen, meine Leidenschaften sind wie die eines Mannes, ich habe selbst etwas vom Manne, bitte überlasse dich mir, du wirst es empfinden. Sie bat mich lange, sie machte mir zum Geschenk ein wertvolles Halsband und ein durchsichtiges Kleid. Ich gab mich ihrem Verlangen hin: sie umarmte mich hierauf wie ein Mann: sie hielt sich für einen solchen, küsste mich, bewegte sich heftig hin und her und erlag unter der Schwere des Vergnügens. — Kleonarium: Und was waren deine Gefühle Leäna? Wo? Wie? — Leäna: Verlange nicht den Schluss von mir. Eine wahre Schmach . . Bei der Urania! ich werde es nicht entdecken."

IX. Kapitel.

Die Griechen.

VI.

Die Flötenspielerinnen. — Die Tänzerinnen. — Verschiedene Wollustarten der Flötenspielerinnen. — Leidenschaft der Athener für die Flötenspielerinnen. — Raserei, welche sich der Flötenspielerinnen bei den Festen bemächtigte. — Die Flötenbläserin Bromidia.— Missmut des Polybos über den Reichtum verschiedener öffentlicher Weiber. — Die Tänzerinnen des Königs Antigonus und die arkadischen Gesandten. — Worin sich die Flötenbläserinnen von ihren Rivalinnen in der Prostitution unterschieden. — Philene und Dyphile. — Vereinigungen der Flötenbläserinnen. — Die kallypischen Feste. — Oeffentliche Schönheitskämpfe, veranstaltet von Kypselos. — Herodike. — Die Chrysophoren oder Goldträgerinnen. — Gemälde der nächtlichen Feste, wo die Auletriden sich Schönheitskämpfen überliessen. — Brief der Auletride Megara an die Hetäre Bacchis. — Kampf zwischen Myrrhina und Pyrallis. — Philomene. — Die jungen Leute als Zuschauer zu den Orgien der Dirnen zugelassen. — Das Gastmahl der Tribaden. — Brief der Hetäre Glycera an die Hetäre Bacchis. — Liebe der Joessa zu Lysias. — Pythia. — Gewöhnliche Uneigennützigkeit der Auletriden. — Kosten der Liebkosungen einer Modeflötenbläserin. — Brief der Philomene an Kriton. — Brief der Betala an ihren Liebhaber

Simalion. — Frohsinn der Auletriden. — Missgeschick der Parthenis. — Der Bauer Gorgus und Krokale, seine Maitresse. — Ursprung der Spottnamen berühmter Auletriden. — Der Quendel. — Der Vogel. — Die Glänzende. — Der Herbst. — Die Leimrute. — Die Blume. — Der Weissling. — Das Netz. — Das Vorgebirge. — Synoris, Eukläa, Graminäa, Hierokläa etc. — Die feurige Phormesium. — Nemeas. — Phylia. — Liebe des Alkibiades zu Simoethe. — Antheia. — Nanno. — Urteil der drei Kallipygien. — Lamia. — Leidenschaftliche Liebe des Demetrius Poliorketes, Königs von Macedonien, zu dieser berühmten Auletride. — Brief dieser Dirne an ihren königlichen Liebhaber. — Eifersucht der anderen Maitressen des Demetrius: Leäna, Chrysis, Antipyra und Demo. — Geheime Liebeshändel der Lamia berichtet von Machon und Athenäus. — Ursprung des Beinamens Lamia oder Nachtgespenst. — Die Gesandten des Demetrius am Hofe des Lysimachus, Königs von Thracien. — Epigramm des Lysimachus auf Lamia. — Antworten des Demetrius. — Briefe der Lamia an Demetrius. — Urteil des Bocchoris, Königs von Aegypten, zwischen einem jungen Aegypter und der Hetäre Thonis. — Wunderlicher Einfall der Lamia über dieses Urteil. — Steuererpressungen des Demetrius zu Gunsten der Lamia. — Was den Athenern die Seife für die Toilette dieser Dirne kostete. — Ungeheuerer Reichtum der Lamia. — Gebäude, welche auf ihre Kosten errichtet wurden. — Der Dichter Polemon im Solde der Lamia. — Herrlichkeit der Feste, welche Lamia dem Demetrius gab. — Wie sie sich für deren Aufwand bezahlt machte. — Tod der Lamia. — Niedrigkeit der Athener, welche sie vergötterten und ihr zu Ehren einen Tempel errichteten. — Hartherziger Ausspruch der Demo, der Rivalin der Lamia.

Unter den Dirnen, die wir nach Lucian und Athenäus aufgeführt haben, waren mehrere Flötenspielerinnen, und, wie wir schon gesagt haben, als wir die Hauptarten der griechischen Freudenmädchen aufzählten, bildeten die Flötenspielerinnen eine Abteilung für sich unter dem, was wir die Genossenschaft der Dirnen nannten. Sie hatten mehr oder weniger in die Augen fallende Aehnlichkeiten mit den Dicteriaden und Hetären, im allgemeinen aber unterschieden sie sich von beiden in gleichem Masse, denn sie waren weder in öffentlichen Häusern untergebracht, noch gehörten sie dem ersten besten an; anderseits durfte man bei ihnen nicht die Zerstreuung für Geist und Bildung suchen, die man bei den meisten Hetären antraf; endlich hatten sie, auch wenn sie sich durch die Prostitution bereicherten, ein Gewerbe, welches sie ernähren konnte. Dieses Gewerbe war an sich bisweilen ziemlich einträglich. Deshalb empfingen sie also nicht die Bezeichnung Dirne, obgleich sie alles thaten, sie zu rechtfertigen. Es galt in ihren Augen immer als ein Beweis ihrer Freiheit und unabhängigen Stellung, dass sie den Titel ihres Gewerbes führten. Sie nannten sich also Flötenspielerinnen und machten sich unter dem Schutze dieses Namens keine Gewissensbisse, mehr Dirne zu sein als das, wofür sie sich ausgaben. Man hat gesehen, das sich die Flötenspielerinnen unter Umständen mit den Schandthaten der Tribaden vertraut machten, man hat auch gesehen, welche Ratschläge Musarion von ihrer Mutter empfing. Diese Weiber waren eben auch alle bereit, die Leidenschaften zu befriedigen, welche sie erregt und angestachelt hatten. Aber nichtsdestoweniger war eine Auletride im eigentlichen Sinne keine Hetäre. Diese hielt sich ausserdem für etwas viel besseres als eine Auletride, die sie als eine Tänzerin, welche ein Handwerk ausübte, betrachtete; jene hingegen hielt nicht viel von der Dirne, deren Beruf es war, einen Teil der Begierden und Entzückungen einzuernten, welche sie sich selbst rühmte, mit ihrem Tanz und Flötenspiel hervorgerufen zu haben.

Vergebens hatten alte Dichter, die vielleicht nur schlechte Flötenbläser waren, sich bemüht, das Instrument den schönen Händen zu entreissen, indem sie eine schlaue Fabel ersannen, nach der Pallas sich zornig zeigt über die Verunstaltung, welche das Gesicht beim Flötenspiel erlitt, und den Gebrauch des Instrumentes ächteten, welches die Nymphen Gesichter schneiden liess. Die Zahl der Auletriden vermehrte sich dennoch, und ihre Anwesenheit bei den Festen wurde absolut unentbehrlich. Man hatte bald erkannt, dass die Flötenspielerinnen, wenn sie ihre Wange aufgeblasen, ihre Lippen geschlossen und für einen Augenblick die Harmonie ihres Gesichtes gestört hatten, nicht weniger liebenswürdig waren, als wenn sie ihre Instrumente abgelegt und ihre Concerte beendet hatten, um einen mehr oder weniger thätigen Anteil am Feste selbst zu nehmen. Ausserdem hatten die meisten dieser Musikantinnen gelernt, auf ihre Schönheit zu achten und die Doppelflöte sowohl wie die einfache zu spielen, ohne ihre wollüstige Physiognomie durch unschöne Anstrengungen und Bewegungen zu stören.

Nicht alle Flötenbläserinnen waren Tänzerinnen, nicht alle Tänzerinnen spielten die Flöte: „Ich habe euch vorher,“ sagt Aristagoras in seinem Mammecythus, „von den schönen tanzenden Dirnen gesprochen (ὀρχαστρίδας ἑταίρας), ich werde nichts mehr hiervon sagen, auch nicht von jenen Flötenspielerinnen welche kaum mannbar die stärksten Männer entnerven, wofür sie sich gut bezahlen lassen!“ Diese Flötenspielerinnen hatten nach dem Ausspruche des Dichters ein Verfahren, das fähig war selbst einen Herkules zu erschöpfen und die Wohlbeleibtheit eines Silen verschwinden zu lassen. Die Wüstlinge, welche die Raffinements des asiatischen Luxus versucht hatten, konnten sich nicht mehr davon losreissen, und wenn am Ende eines Gelages alle ihre Sinne durch die Klänge der Flöten überreizt waren, wurden sie oft von einer Art Liebeswahnsinn ergriffen und stürzten sich mit Fäusten aufeinander, bis der Sieg entschieden hatte, welchem die Flötenbläserin gehörte: „Um dies zu billigen," ruft der Komiker Aristophanes aus, „muss man oft bei diesen Gelagen gewesen sein, wo jeder seine Zeche bezahlt und daselbst eine Anzahl Schläge um eine Dirne einsteckt und austeilt." Mit jemehr Wut man gekämpft hatte, je dichter und schallender die Hiebe gefallen waren, desto grösser war auch der Stolz der Königin der Schlacht, und desto grösser war der Lohn ihres Siegers, dessen Gesundheit alle Schläge vergüten musste, und der sich mit Rosen krönte. Die Leidenschaft der Athener für die Auletriden wurde auf die Spitze getrieben, und, wenn man dem Theopomp in seiner Philippika Glauben schenken darf, so tönte ganz Griechenland von einem Ende bis zum andern von Flötenklängen und Faustschlägen wieder. Die Auletriden waren im allgemeinen weniger eigennützig als die Hetären und auch liebenswürdiger. Sie gaben nichts auf die Kunst einen galanten Antrag abweisen zu können. „Wende dich nicht an die grossen Hetären, wenn du ein Vergnügen haben willst, du wirst es leichter unter den Flötenspielerinnen finden!" Dies ist der Rat, welchen Epikrates in der Anti-Laïs seinen Mitbürgern giebt. Es ist klar, dass die ehrbaren Frauen niemals bei diesen Orgien zugegen waren, und dass der Eintritt einer Auletride in einen Festsaal für sie das Zeichen zum Verlassen desselben war, noch ehe sie einen Ton der Flöte gehört hatten.

Diese Flötenspielerinnen erregten eine derartige Aufregung durch ihre lüsterne Musik, dass die Tischgenossen sich ihrer Fingerringe und Halsketten beraubten, um sie ihnen anzubieten. Eine geschickte Flötenspielerin hatte nicht genug Hände um die Gaben alle anzunehmen, welche man ihr bei einem Gastmahle anbot, wo ihre Musik alle Köpfe verdreht hatte. Theopomp hatte in einem heute verloren gegangenen Werke über die in Delphi vorgekommenen Diebstähle folgende Inschrift abgeschrieben, die man auf einer marmornen Votivtafel bei den Eisenspangen der Dirne Rhodopis las: „Phayllos, der Tyrann der Prokrer, gab der Flötenbläserin Bromiade, der Tochter der Diniade, ein Karcherion (gondelartiges Trinkgeschirr mit Fussgestell) aus Silber und ein Kyssibion (Epheukranz) aus Gold." Bei manchen Gelagen ging alles goldene und silberne Tafelgeschirr dahin, und jedesmal, wenn die Flötistin berauschendere Töne, die Tänzerin rhythmischere Tänze erfand, entstand ein Regen von Blumen, von Schmuck und von Münzen, welche sie im Vorbeigehen mit wunderbarem Geschicke aufhoben. Diese Art von Dirnen bereicherte sich also viel schneller als alle anderen, und sie häuften sowie sie in Ruf kamen, beträchtliche Vermögen auf. Polybos war unwillig, dass die schönsten Häuser Alexandriens die Namen der Myrtion, der Mnesis und der Pothyne trugen: „Und doch waren," sagt er, „Mnesis und Pothyne Flötenspielerinnen und Myrtion einer jener öffentlichen Frauen, die zur Schande verurteilt sind, und die wir Dicteriaden nennen." Myrtion waren ebenso gut wie Mnesis und Pothyne die Maitresse des Ptolomaeus Philadelphus.

Königs von Aegypten, gewesen. Es gab kein Alter, keinen Rang, keinen Stand, welche einen Schutz gegen das Blendwerk der Tänzerinnen und Musikantinnen gebildet hätten. Athenäus erzählt, dass arkadische Gesandte zum Könige Antigonus geschickt wurden, welcher sie mit vieler Achtung empfing und ihnen ein glänzendes Mahl auftragen liess. Diese Gesandten waren ernste, ehrwürdige Greise. Sie setzten sich zu Tische und assen und tranken in ernster, schweigsamer Weise. Als aber plötzlich phrygische Flöten das Zeichen zum Tanze gaben, als Tänzerinnen, in durchsichtige Schleier gehüllt, in den Saal eintraten, sich sanft auf den Zehen schaukelten, allmählich ihre Bewegungen beschleunigten, erst ihr Haupt, dann den Busen und endlich den ganzen Körper entblössten bis auf eine Schambinde, welche ihre Lendengegend verhüllte, und ihre Tänze mehr und mehr glühend und schlüpfrig wurden, da regten sich die Gesandten bei diesem ungewöhnlichen Schauspiele so auf, dass sie keine Rücksicht auf die Gegenwart des Königs mehr nahmen, welcher vor Lachen ohnmächtig wurde, und sich auf die Tänzerinnen stürzten, welche sich auf diesen Empfang vorbereitet hatten und sich den Pflichten der Gastfreundschaft unterwarfen.

Man sieht aus den Hetärengesprächen, dass die Auletriden ein weicheres Herz hatten als ihre Rivalinnen in der Prostitution. Lucian scheint Gefallen daran zu finden, sie, in ihrer Jugend wenigstens, als leidenschaftliche und edelmütige Geliebte darzustellen, welche nichts von ihren Liebhabern forderten und sich selbst bisweilen für sie aufopferten. Da ist Musarion, die zwei ionische Halsbänder verkauft hat um den Chaireas zu ernähren, welcher ihr die Heirath versprochen hat, da ist Myrtium eifersüchtig auf Pamphilos, der sie zur Mutter gemacht hat, und zittert, dass sie diesen teuren Geliebten die Tochter des Steuermannes heiraten sehen soll: „O Pamphilos! Du giebst mir das Leben zurück!“ ruft sie aus, als sie merkt, dass ihr Argwohn grundlos sei. „Ich würde mich aus Verzweiflung erhängt haben, wenn diese Hochzeit zu Stande gekommen wäre!“ Da ist Philene, gleichfalls eifersüchtig, aber mit mehr Grund, die sich an ihrem treulosen Dyphilos rächt, indem sie alles thut, was ihm Eifersucht einflössen kann. „Was war das gestern für eine Thorheit von dir?“ fragt die Mutter der Philene. Was ist dir denn bei diesem Feste eingefallen? Dyphilos hat mich soeben aufgesucht, er vergoss Thränen, er beklagt sich über deine Beleidigungen: dass du betrunken warst, dass du trotz seines Verbotes getanzt habest, dass du seinem Genossen Lamprias einen Kuss gegeben habest, und als du seinen Verdruss darüber sahest, ihn ganz wegen des Lamprias verlassen habest, um den du deinen Arm schlangst, dass er indessen vor Ungeduld verging, und dass du endlich dich die Nacht geweigert habest sein Bett zu teilen; dass er weinte, dass du dich aber auf des Nachbarbett legtest und nicht aufhörtest ihn die ganze Nacht durch deine Lieder und deine Weigerung zu betrüben!“

Philene rechtfertigt ihr Betragen durch die Beleidigungen des Dyphilos, welcher sich während des Festes den Anschein gegeben habe, ihr die Thais vorzuziehen, die Maitresse des Lamprias. „Er sah meine Unruhe, meine Gesten warnten ihn, er nahm die Thais beim Ohre, zog sie zu sich hinüber und gab ihr einen feurigen Kuss auf die Lippen, von denen er sich garnicht mehr losmachen zu können schien. Ich weinte, er lachte. Er sprach leise mit Thais, lange Zeit, und ohne Zweifel über mich Thais sah mich an und lachte ebenfalls. Die Ankunft des Lamprias allein konnte ihr Entzücken endigen. Damit er mir ja keinen Vorwurf machen konnte, stand ich auf und legte mich während des Mahles an seine Seite. Thais tanzte zuerst und zeigte ihre Wade mit Vorliebe, als wenn sie allein ein schönes Bein hätte. Lamprias blieb ruhig, aber Dyphilos ergoss sich in Schmeicheleien und fand kein Ende die Grazie ihrer Bewegungen und den Einklang aller ihrer Schritte zu rühmen, dass ihr Fuss dazu geboren sei, den Schlusstakt anzugeben, dass ihre Wade wunderschön sei und tausend andere Anzüglichkeiten. Man hat das alles von der Sosandra von Kalamis gesagt, aber nicht von der Thais da, die du ja kennst, denn du hast sie im Bade gesehen. Sie ging bis zur Beleidigung, indem sie sagte: Mag auch sie einmal tanzen, wenn sie nicht fürchtet ihre dünnen Spindeln leuchten zu lassen! Was soll ich dir sagen, meine Mutter? Ich erhob mich und tanzte. Die Tischgesellschaft klatschte Beifall; Dyphilos allein, nachlässig hingelehnt, hielt beständig, bis zum Ende des Tanzes, die Augen auf die Decke des Saales geheftet.“ Philene wollte also den Dyphilos ärgern, indem sie sich stellte, als ob sie den Lamprias vorzöge, und sie hatte soviel Glück den Treulosen in Verzweiflung zu setzen, dass ihre Mutter, als erfahrene Dirne, ihr den Rat geben zu müssen glaubte: „Ich erlaube dir die Rache, aber keine Beleidigung. Ein beleidigter Liebhaber wird entfremdet und gegen einen eingenommen. Denke an das Sprichwort: Der zu straff gespannte Bogen bricht!“

Wenn die Auletriden Geliebte hatten, erlaubten sie sich auch untereinander intime Verbindungen, welche ganz den Verlauf der zügellosesten Liebe hatten. Es war dies die lesbische Liebe, in welcher von Megilla und Demonassa unterrichtet zu werden Leäna, noch unschuldig, wenn schon Flötenspielerin, eingewilligt hatte. Wir haben bereits gesehen, welcher Art die Lehren dieser beiden Dirnen waren. Wir haben alle Ursache anzunehmen, dass die Tänzerinnen und Musikantinnen weniger auf die Männerliebe gaben als auf die, bei welcher sie alle Kosten allein trugen. Diese Frauen, von früher Jugend an in den Künsten der Wollust geübt, kamen bald zu den Ausschweifungen, wohin sie die Einbildung ihrer Sinne führte. Ihr ganzes Leben war ein beständiger Kampf der Schlüpfrigkeit, wie ein beharrliches Studium der sinnlichen Schönheit. In der Lage ihre eigene Nacktheit zu sehen und mit der ihrer Genossinnen zu vergleichen, fanden sie Geschmack daran und schufen sich wunderliche und feurige Genüsse ohne Hilfe ihrer Geliebten, welche sie oft kalt und fühllos liessen. Die geheimnisvollen Leidenschaften, welche sich so bei den Auletriden entzündeten, waren gewaltthätig, schrecklich, eifersüchtig und unversöhnlich. Man muss in den Gesprächen des Lucian die schöne Charmide hören, welche seufzt und sich beklagt, dass ihre Maitresse Philemation, welche sie seit sieben Jahre liebt, und die sie umlängst mit Geschenken überhäuft hat, sie verlassen und ihr einen Mann zum Nachfolger gegeben hat. Philemation ist alt und geschminkt, aber was schadet das, sie hat verstanden eine Liebe zu erregen, welche nichts beruhigen kann. Charmide hat um diese Liebe, welche sie verzehrt, zu überwinden, eine andere Maitresse zu wählen versucht: sie hat fünf Drachmen der Tryphäna gegeben, damit sie komme und bei einem Feste ihr Bett teile, bei dem sie weder ein Gericht gekostet, noch eine Schale geleert hat. Aber kaum hat sich Tryphäna an ihre Seite gelegt, als sie Charmide zurückstösst und die Berührung dieser neuen Freundin zu vermeiden scheint, welche keinen Lohn nehmen will, da man sie nicht benützt habe. „Ich habe dich gewählt, um mich an Philemation zu rächen!“ gesteht ihr endlich Charmide. „Bei der Venus!“ ruft Tryphäna, verletzt in ihrer Eitelkeit als Trybade; „ich würde nichts angenommen haben, wenn ich gewusst hätte, dass man mich nur wählt, um an einer anderen Rache zu üben! Und noch dazu an dieser Philemation! An einem Ungeheuer von Heuchelei: Leb wohl, es ist um die dritte Nachtstunde.“ „Verlass mich nicht, meine Tryphäna: wenn das wahr ist, was du sagst, wenn Philemation nichts als eine alte Vettel und geschminkt . . . . . ich werde ihr nicht mehr ins Gesicht schauen können.“ — „Frage deine Mutter, ob sie mit ihr ins Bad gegangen ist? Dein Grossvater, wenn er noch lebt, wird dir ihr Alter sagen können.“ — „Wenn es so steht, ist dies mehr als eine Schranke. Nimm mich in deine Arme, Küsse mich! Geben wir uns der Venus hin! Lebe wohl für immer, Philemation!“

Diese verdorbenen Sitten waren bei den Flötenspielerinnen so verbreitet, dass sich mehrere unter ihnen oft zu Festen vereinigten, wozu kein Mann zugelassen wurde, und wo sie sich ihren Ausschweifungen unter Anrufung der Venus-Peribasia überliessen. Bei diesen Festen, welche man die Kallypischen nannte, wurden mitten unter rosenbekränzten Bechern vor einem reizenden Gerichtshofe halbnackter Frauen Schönheitskämpfe geliefert, wie an den Ufern des Alphäus zur Zeit des Kypselos, siebenhundert Jahre vor Christus. Der aus Korinth verbannte Kypselos baute eine Stadt und bevölkerte sie mit Parrhasiern, Bewohnern von Arkadien. In dieser, der Ceres geweihten Stadt, errichtete Kypselos Spiele oder Schönheitskämpfe, in welchen alle Frauen zum Wettkampfe aufgefordert waren, unter dem Namen Chrysophoren. Die erste welche den Sieg davon trug, hiess Herodike. Seit ihrer Gründung erneuerten sich diese denkwürdigen Kämpfe mit Pracht alle fünf Jahre, und die Chrysophoren, oder Goldträgerinnen, ohne Zweifel um anzudeuten, dass sich die Schönheit sehr teuer verkaufen würde, kamen in Menge um sich den Blicken der Richter zu zeigen, welche nur mit grosser Mühe ihre Unparteilichkeit und Kaltblütigkeit bewahrten. Es gab in Griechenland keine anderen Kämpfe dieser Art, obwohl die Schönheit daselbst überall geehrt und angebetet wurde. Aber die Dirnen gefielen sich darin, bei ihren geheimen Versammlungen ein nettes Abbild der Gründung des Kypselos vorzuführen, und sie stellten sich gleichzeitig als Richter und Partei in diesen vergnüglichen Kämpfen auf, welche sie bei geschlossenen Thüren vornahmen. Die Auletriden liebten es mehr, als alle andern Dirnen, sich derartig zu betrachten und zu beurteilen: sie gaben dadurch ihren Lieblingsneigungen ein Vorspiel. Der gewaltige Rhetor Alkiphron hat uns das Bild eines dieser nächtlichen Feste aufbewahrt, wo Tänzerinnen und Flötenspielerinnen sich nicht allein um die Palme der Schönheit, sondern auch um die der Wollust stritten. Der Abbé Richard hat in seiner Uebersetzung der Briefe des Alkiphron nur im Auszuge den berühmten Brief der Megara an Bacchis überliefert; aber Publicola Chaussard ist weniger ängstlich gewesen, und doch zeigt seine Uebersetzung, welche wir teilweise wiedergeben wollen, nicht die Kühnheit des griechischen Textes. Es ist die Auletride Megara, welche an die Hetäre Bacchis schreibt, und ihr die Einzelheiten eines herrlichen Festes schildert, bei welchem ihre Freundinnen Thessala, Thryallis, Myrrhina, Philumene. Chrysis und Euxippe zugegen waren, teils Hetären, teils Flötenspielerinnen! „Welch feines Mahl! Ich wünschte, dass die Beschreibung allein dich zur Reue anstachelt. Welche Lieder! Welche Tollheiten! Man hat die Becher bis zum Anbruch des Morgens geleert. Es gab da Wohlgerüche, Kränze, die feinsten Weine, die besten Speisen. Der ganze Festsaal war ein schattiger Lorbeerhain. Nichts fehlte dabei, nur du allein." Megara sagt nicht, wer die Königin des Festes war, und man kann annehmen, dass eine der Genossinnen, Geliebte oder Maitresse, es der Freundin ihrer Wahl gab, um ihre Liebe zu verherrlichen

„Bald erhob sich ein Wortstreit, welcher unser Vergnügen noch vergrösserte. Es handelte sich darum, zu entscheiden, ob Thryallis oder Myrrhina reicher in der Art von Schönheit wäre, welche Venus den Namen Kallipyge beilegen liess. Myrrhina liess ihren Gürtel fallen, ihre Tunika war durchsichtig, sie drehte sich, man glaubte Lilien durch einen Krystall zu sehen. Sie gab ihren Lenden eine zitternde Bewegung und lächelte, rückwärts schauend, über die Enthüllung dieser wollüstigen Formen, um die es sich handelte. Dann begann sie, wie wenn Venus selbst ihre Huldigungen empfangen hätte, ich weiss nicht welch' süsses Aechzen auszustossen, das mich noch bewegt. Doch Thryallis erklärte sich noch nicht für besiegt, sie trat ohne Zurückhaltung vor: Ich kämpfe nicht hinter einem Schleier, ich will so wie bei einer gymnastischen

Uebung erscheinen; dieser Kampf lässt keine Bekleidung zu! Mit diesen Worten lässt sie ihre Tunika fallen und spricht zu ihrer schönen Rivalin gewendet: Betrachte, o Myrrhina, diese Schwellung der Lenden, die Weisse und Feinheit dieser Haut und diese Rosenblätter, welche die Hand der Wollust auf ihre zierlichen Umrisse hingestreut hat, die ohne Dürftigkeit und Uebertreibung gezeichnet sind; bei ihrem schnellen Spiel, bei ihren liebenswürdigen Zuckungen haben diese Kugeln nicht das Zittern derjenigen der Myrrhina, ihre Bewegung gleicht dem süssen Rauschen der Wogen. — Bald verdoppelte sie die lüsternen Zusammenziehungen mit solcher Behendigkeit, dass ein allgemeiner Beifall ihr die Ehren des Sieges zuerkannte. Man ging dann zu anderen Kämpfen über: man stritt über die Schönheit, aber keine von uns wagte sich gegen den festen, gleichmässigen und glatten Bauch der Philumene in einen Kampf einzulassen, welche nicht die Mühen der Lucina kennt. Die Nacht verstrich unter diesen Vergnügungen, wir beendigten sie durch Verwünschungen gegen unsere Liebhaber und ein Gebet an Venus, die wir beschworen uns jeden Tag neue Anbeter zu verschaffen, denn die Neuheit ist der packendste Reiz der Liebe. Wir waren alle trunken, als wir uns trennten."

Megara sagt in ihrem Briefe, dass die Gelage der Hetären in der Welt Aufsehen erregten, und dass die jungen Griechen sehr neugierig waren diesen Orgien beizuwohnen, bei denen man ihnen nur die Rolle eines Zuschauers bewilligte. Meist aber wünschten selbst die schamlosesten Dirnen nicht, dass ihre geheimen Ausschweifungen den Blicken eines Mannes preisgegeben würden. Die Dirnen, welche sich nicht einmal aus Neugierde zu diesen wollüstigen Ausschweifungen hinreissen liessen, galten bei ihren Genossinnen als lächerlich, und oft kam durch diesen Rest von Scham der Argwohn auf, dass sie ihnen Mängel zu verbergen hätten. Die Flötenspielerinnen wurden von diesem Argwohne nicht berührt, weil sie sich bei der Ausübung ihres Berufes nackt zeigten; man konnte also ihrer Abscheu gegen die lesbische Liebe keinen anderen Beweggrund zuteilen, als einen festen Vorzug für die Gefühle und Vergnügungen der echten Liebe. Dies war ein Grund zum Spotte, den man ihnen nicht ersparte. „Würdest du keusch genug sein, einen einzigen Mann zu lieben?" schreibt Megara an die zarte, süsse Bacchis, die sich nicht zu dem Gelage der Tribaden hatte begeben wollen. „Solltest du ehrgeizig auf den Ruf sein, den dir so seltene Sitten geben werden, wogegen wir für jeden als feile Dirnen gelten werden? Megara war eine der wollüstigsten Auletriden ihrer Zeit, wie Bacchis die keuscheste aller Hetären war. „Deine Sitten, meine Liebe," schrieb dieser die Hetäre Glycera, „und deine Aufführung sind sehr anständig für den Stand, in welchem wir leben." Dieser Anstand war bei den Auletriden noch seltener als bei den Hetären, obgleich beide sich mit einer Art Liebe begnügen mussten, zum Manne oder zum Weibe, welche sie oft ruinierte und niemals bereicherte. Fast nie waren diese beiden Liebesarten gleichgradig bei einer Frau vertreten, aber doch kam diese Verirrung des Herzens und der Sinne bisweilen bei den Auletriden vor, die sinnlicher und leidenschaftlicher als die einfachen Hetären waren. Lucian zeigt uns in seinen Dirnengesprächen, dass eine Flötenspielerin gleichzeitig zwei fremdartige Leidenschaften hegen, und sich vor Liebe zu einem Manne verzehren konnte, während sie sich ohne Gewissensbisse der Liebe zu einer Frau überliess.

Joessa, welche von Lysias kein Geld verlangt und ihm ihre Gunst nicht verkaufte, sah sich plötzlich von diesem Liebhaber verlassen, welchem sie die herrlichsten Geschenke geweiht hatte. Sie, die sich bei dieser uneigennützigen Liebe glücklich fühlte, lebte mit Lysias so keusch wie Penelope, wie sie sich zu rühmen wagte. Sie hatte, ohne den Grund zu wissen, die Zärtlichkeit dieses jungen Mannes verloren, welchen sie durch nichts veranlasst hatte, seinen Vater zu betrügen oder seine Mutter zu bestehlen, Dinge, wozu die Dirnen nur zu oft rieten. Sie weint, sie seufzt, sie versucht den Lysias zu erweichen, welcher ihr nicht antwortet und sie über die Achseln ansieht. „Ja," sagt sie ihm, „als du mit Thrasson und Dyphilos trankst, wurden die Flötenspielerinnen Kymbalion und Pyrallis, meine Feindinnen gerufen. Dass du Kymbalion fünfmal geküsst hast, macht mir wenig aus, du erniedrigst dich ja nur selbst. Aber Pyrallis! Ich habe alle eure Zeichen belauscht. Du machtest ihr den Becher kenntlich, aus welchem du trankst, und als du ihn durch den Sklaven füllen liessest, befahlst du ihm ganz leis ihn der Pyrallis zu bringen. Du bissest in eine Frucht und warfst sie, als Dyphilos während seines Gespräches mit Thrasson nicht darauf achtete, der Pyrallis in den Busen, welche diese Gabe empfing, sie küsste und wie ein Siegeszeichen verbarg." Lysias wendet sich ab und geht seiner Wege. Pythia, die Genossin und intimste Freundin der Joessa, kommt sie zu trösten und gleichzeitig zu zanken: „Diese Männer!" ruft sie wütend aus. „Ihr Hochmut wächst mit unserer unseligen Leidenschaft!" Joessa gerät nur noch mehr in Verzweiflung; da wendet sich Pythia an Lysias und sucht ihn mit seiner Maitresse wieder auszusöhnen. „Diese Joessa, welche weint und sich verteidigt, Pythia," antwortet Lysias bitter, „sie verrät mich, ich habe sie bei einem jungen Manne liegend ertappt." — „Erstens ist sie eine Dirne," versetzt Pythia, welche die Sache sehr einfach findet; „dann aber wann hast du sie ertappt?" — „Es war um sechs Uhr," versetzte Lysias seufzend, „mein Vater, welcher meine Leidenschaft für dieses keusche Mädchen kennt, schloss mich in unser Haus ein, und gab dem Sklaven den Befehl, ohne seine Erlaubnis niemandem zu öffnen. Da ich nicht die Nacht fern von ihr zubringen wollte, rufe ich den Drimon, lasse ihn sich an der Stelle gegen die Mauer lehnen, wo sie niedriger ist, steige auf seinen Rücken und überspringe die Schranke. Ich komme hin, die Thür war geschlossen, es war um Mitternacht. Ich war nicht verwundert, hob ohne Geräusch die Thür aus (es war nicht das erste Mal) und trete geräuschlos ein. Alles schläft, ich taste mich an der Mauer vorwärts und komme an die Schwelle . . . ." — „Was wird er jetzt sagen?" murmelt Joessa. „Ceres ich sterbe!" — „Ich merke am Flüstern, dass sie nicht allein ist," fährt Lysias fort, „Ich glaubte anfangs, sie hätte sich mit ihrer Sklavin Lyde schlafen gelegt. Es war aber ganz anders, Pythia! Meine Hand, welche sich versichern will, trifft die zarte, weiche Haut eines Jünglings, nackt, parfümduftend und mit geschorenem Kopfe. O! Wenn doch meine Hand ein Schwert gehalten hätte, ich . . . Was hast du zu lachen Pythia? Ist dies denn so lächerlich?" — „Lysias!" ruft Joessa aus, „dann ist also dieses der Gegenstand deines grossen Zornes? Es war Pythia, welche an meiner Seite schlief:" „Warum ihm das sagen, Joessa?" unterbricht sie Pythia, — „Warum es verschweigen? fügt Joessa zu. „Ja mein lieber Lysias, es war Pythia! Aus Langweile wegen deiner Abwesenheit liess ich sie zu mir kommen." „Dieser geschorene Kopf war Pythia?" wirft der ungläubige Lysias ein. „Dann ist ihr Haar in sechs Tagen riesig gewachsen!" „Sie hat sich in Folge einer Krankheit rasieren lassen," antwortet Joessa, „ihre Haare fielen. Die, welche sie trägt, gehören ihr nicht. Lasse es ihn sehen, Pythia, besiege seinen Unglauben vollends. Da sieh den Spitzbuben von Jüngling, auf den Lysias eifersüchtig war!"

Die Auletriden, bei welchen Kunst und Gewohnheit die wollüstigen Triebe entfaltet hatten, waren nicht wie die Hetären von Gier nach Besitz besessen. Sie liebten das Gold nur um es auszugeben, und sie gewannen es mit ihren Flöten so leicht, dass sie nicht nötig hatten es aus einer schändlichen Quelle zu schöpfen. Wenn sie in Gegenwart von Festgenossen ihre Musik und Tänze ausübten, berauschten sie sich selbt an dem Lärme des Beifalls und duldeten gern die Rückwirkungen der Wünsche, welche sie ihrer Zuhörerschaft mitgeteilt hatten. Wenn aber einmal der Dunst des Weines verrauscht war, traten sie wieder, sozusagen, in den Besitz ihres freien Willens und wiesen es oft stolz zurück, sich wie eine Dirne versteigern zu lassen. Es gab ohne Zweifel Ausnahmen, dann aber taxierte sich die Flötenspielerin so hoch wie die grösste Hetäre. Das Briefchen der Philumene an Kriton belehrt uns, wie hoch der Preis für die Liebkosungen einer Modeflötenspielerin steigen konnte. „Warum dich quälen, und deine Zeit mit Briefen an mich verlieren? Ich brauche fünfzig Goldstücke und nicht deine Briefe. Wenn du mich liebst, wirst du sie mir ohne Zögern geben. Wenn aber der Dämon des Geizes und der Knauserei dich erfasst hat, dann langweile mich nicht länger unnützerweise. Lebe wohl!" Petala, deren Briefwechsel mit ihrem Geliebten, Simalion, wir kennen gelernt haben, war ein ebenso entschlossenes Mädchen wie ihre Genossin Philumene, aber sie hatte wenigstens das Recht anspruchsvoller zu sein, weil ihr Simalion nicht einmal soviel gab, dass sie sich ein Kleid oder Parfüm kaufen konnte. „Und ich soll mit diesem Anzuge zufrieden sein," schrieb sie ihm, „alle Tage und Nächte an deiner Seite zubringen, während ein anderer wahrscheinlich die Güte haben wird für meine

Bedürfnisse zu sorgen! . . . Du weinst, o, das wird nicht lange dauern. Ich brauche unbedingt einen andern Liebhaber, der mich besser aushält, denn ich will nicht vor Hunger sterben!" Sie beneidet das Los der Flötenspielerin Phylotis, welche der reiche Meneklid alle Tage mit Geschenken überhäuft, „O ich armes Tierchen, was habe ich für mein Teil, nicht einen Geliebten, sondern einen Heulpeter, der alles gethan zu haben glaubt, wenn er mir einige Blumen schickt, ohne Zweifel um das Grab zu schmücken, wohin mich der vorzeitige Tod bringen wird, den er verschuldet hat. Er würde mir nur sagen können, dass er die ganze Nacht geweint habe."

Diese Flötenspielerinnen und Tänzerinnen, welche man für Feste und Vergnügungen mietete, waren nicht melancholisch, und Thränen waren nicht sehr nach ihrem Geschmacke, es sei denn, dass sie eine Liebe im Herzen hatten, welche sie dann aufopfernder und gefühlvoller machte als die Jungfrauen und Eheweiber. Sie hatten stets ein Lächeln auf den Lippen, und sie luden die Zechgenossen zur Lustigkeit ein, zum Vergessen der Sorgen und zur Sorglosigkeit für das Kommende. Es war dies ein Haupterfordernis ihres Gewerbes. Ein fröhliches und ungezwungenes Gemüt brachte sie nicht weniger in Ruf als ihre Schönheit und ihr Talent: da sie mitten unter Gelagen lebten, empfingen sie die Begeisterung des Bacchus und schienen überall den Lehren der Mänaden zu folgen. Hierüber entschlüpfte folgendes sprichwörtliche Wortspiel einem griechischen Dichter: „Man findet immer Bacchus an der Thür des Kythera." Man empfing sie liebenswürdig in den Häusern, wohin man sie rief, und ihr Erscheinen war das Signal einer rauschenden Begeisterung. Dennoch wurden sie bisweilen misshandelt: man warf ihnen Trinkgeschirre an den Kopf, wenn sie Ursache eines Streites unter den Tischgenossen wurden. Sie sahen sich dann Gewaltthätigkeiten ausgesetzt, gegen welche ihnen das Gesetz keinen Schutz gewährte, weil sie Fremde oder Sklavinnen waren. Kochlis traf die Parthenis ganz in Thränen, braun geschlagen, ihre Kleidung in Fetzen, ihre Flöte zerbrochen. Hier die traurige Schilderung, welche ihr Parthenis machte. Gorgus hatte sie zu seiner Maitresse Krokale kommen lassen. Diese hatte sich dem Gorgus, einem reichen Bauern hingegeben, nachdem sie den Dinomachus, einen aetolischen Soldaten, verabschiedet hatte, der sie nicht so hoch bezahlen konnte, wie sie es verlangte. Gorgus, ein einfältiger, gutmütiger und leichtumgänglicher Mensch, der schon lange Krokale zu besitzen wünschte, hatte ihr die beiden Talente (etwa zehntausend Mark) geschickt, welche Dinomachus der Schönen zu geben sich geweigert hatte. „Sie waren also bei Tische, die Thüren waren geschlossen," erzählt Parthenis seufzend, „ich spielte Flöte. Die Mahlzeit nahm ihren Fortgang, ich spielte eine lydische Weise. Mein Bauer erhob sich um zu tanzen, Krokale klatschte Beifall. Alles war ganz nett. Plötzlich wird man durch einen grossen Lärm unterbrochen, die Hausthür wird eingeschlagen; bald stürzen sich acht starke, junge Leute, darunter Dinomachus, auf uns.

Sogleich ist alles über den Haufen geworfen, Gorgus wird geschlagen und mit Füssen getreten, nur Krokale hat das Glück, ich weiss nicht wie, sich zu ihrer Nachbarin Thespiade zu retten. Dann wendet sich Dinomachus gegen mich: Scher dich zum Styx! sagte er und seine plumpen Hände fielen auf meine Wangen und zerbrachen meine Flöte.“ Gorgus beklagte sich vor dem Gerichte, aber Parthenis, welche keine Bürgerin war, erhielt nicht einmal eine Entschädigung für ihre Flöte.

Wir haben schon einige Beinamen der Auletriden unter denen der Dicteriaden und Hetären angeführt. Sinope oder Abydos, Synoris oder die Laterne waren Flötenspielerinnen. Sie hatten dieselbe Gelegenheit wie die anderen Dirnen zur Ehre oder Schande eines Spottnamens zu kommen. Im Allgemeinen aber bezeichneten die Spottnamen, die ihnen das Volk gab, mehr eine Schmeichelei als einen Tadel: darf man daraus schliessen, dass die Auletriden mehr galten, als ihre Rivalinnen in der Wollust? Sysimbrion oder der Quendel strömte nach dem Tanze einen Geruch aus, von dem man behauptete, er gliche dem des aromatischen Quendel. Pyrallis oder der Vogel schien beim Tanze Flügel zu haben; Parene, die Glänzende, verdiente ihren Namen vor allem, wenn sie nackt war. Opora, der Herbst, welche dem Dichter Alexis Titel und Hauptrolle zu einem Lustspiele gegeben, trug nur die Früchte der Liebe. Pagis oder die Leimruthe übertraf noch ihren Ruf und liess keinen Unklugen mehr entfliegen, der auf ihren Leim gegangen war. Thalasa oder die Blume glänzte wie eine Blume; Nikostrate oder der Weissling versteifte sich darauf ein Hermaphrodit zu sein; Philemation oder das Netz fand kein Vergnügen daran Frösche zu fischen; Sigea oder das Vorgebirge war berühmt durch die Schiffbrüche der festesten Tugenden; Athenäus giebt noch viele Auletriden an, deren Namen im Gedächtnisse ihrer Liebhaber blieben. Eirenis, Euklea, Graminea, Hieroklea, Jonia, Lopadion, Mekonide, Theolyte, Thryallis etc. Die Gespräche des Lucian und die Briefe des Alkiphron haben einige andere unsterblich gemacht. Selbst Plutarch hat einige Zeilen der feurigen Phormesium gewidmet, die in den Armen eines Liebhabers starb, oder nach zuverlässigerer Quelle in denen einer Maitresse. Biographische Einzelheiten fehlen aber für die meisten Berümtheiten der Musik und Tanzkunst. Man weiss nur, dass Nemeade den Namen der Nemäischen Spiele erhalten hatte, weil sie daselbst zu Ehren des Herkules die Flöte gespielt hatte. Man weiss, dass Phylira als einfache Hetäre gelebt hatte, ehe sie Auletride wurde; man weiss, dass die berühmte Simoethe dem Alkibiades so viel Liebe einflösste, dass er sie den Megaräern wegnahm und ihre Rückgabe verweigerte, was eine öffentliche Trauer in Megara hervorrief. Man weiss, dass die junge Anthäa, um die Ausdrücke des Dichters zu gebrauchen, viel zu früh aufhörte der Venus zu opfern. Man weiss endlich, das Nanno, die Maitresse des Mimnermus, alle ihre Liebhaber zu Grunde richtete, ohne dass diese sich darüber beklagten. Schliesslich hat man in die Anthologie ein griechisches Eprigramm aufgenommen, welches uns die Beschreibung eines Schönheitskampfes giebt, dessen Heldinnen ungenannt bleiben wollten. Dieses Epigramm ist ein Ruf der Bewunderung, der dem Richter nach Fällung des Urteils entschlüpft: „Ich habe über drei Kallipygien geurteilt. Sie haben mich ihre glänzende Pracht nackt sehen lassen, sie haben mich zum Schiedsrichter gewählt. Die eine hatte Aepfel von blendender Weisse, und man bemerkte darauf Grübchen, wie auf den Wangen einer Lachenden. Die andere spreitzte die Beine und liess auf einer schneeweissen Haut schönere Farben sehen, als die der Rosen. Die Dritte erregte mit ruhiger Miene auf einer köstlichen Haut leichte Zuckungen. Wenn Paris, der Richter der Göttinnen, diese Kallipygien gesehen hätte, er würde nicht auf das geachtet haben, was ihm Juno, Minerva und Venus zeigten."

Von allen griechischen Auletriden war ohne Vergleich die berühmteste Lamia, welche leidenschaftlich von Demetrius Poliorketes, dem Könige von Macedonien (300 v. Chr.), geliebt wurde. Sie war die Tochter des Atheners Kleanor, der sie im zarten Alter zurückliess. Sie ging als Flötenspielerin nach Aegypten, wo sie so gut spielte, dass sie der König Ptolemäus in seinen Dienst nahm und sie lange Zeit darin behielt. Aber in Folge einer Seeschlacht, in der Demetrius die Flotte des Ptolemäus bei der Insel Cypern zerstreute, fiel das Schiff, worauf sich Lamia befand, in die Hände des Siegers, der von ihrem Anblicke so eingenommen wurde, dass er sie beständig allen jüngeren und schöneren Maitressen vorzog. Lamia war damals älter als vierzig Jahre und begnügte sich, wie Plutarch erzählt, nicht damit die Flöte zu spielen, sie übte offen das Handwerk einer Dirne aus. Aber von dem Tage an, an dem sie Demetrius durch seine Umarmung geehrt hatte, stiess sie alle anderen zurück. „Wahrlich, seit dieser heiligen Nacht," schrieb sie ihrem königlichen Geliebten in einem wunderbaren Briefe, den Plutarch angiebt, „bis zum gegenwärtigen Augenblicke habe ich nichts gethan, was mich deiner Güte unwürdig machen könnte, obwohl du mir unbeschränkte Macht gegeben hast, über mich zu verfügen. Aber meine Aufführung ist vorwurfsfrei; ich habe mir keine Liebelei erlaubt. Ich handele nicht an dir wie die Hetären, ich täusche dich nicht, mein König, wie sie es thun. Nein, bei der Venus Arthemis! seit dieser Zeit hat man mir weder schriftlich noch mündlich Anerbieten gemacht, denn man fürchtet und achtet dich als unüberwindlich." Lamia hatte, wie sie in ihrem Briefe sagt, mit ihrer Flöte diesen Städtebezwinger überwunden. Demetrius hatte mehrere Maitressen, welche sich gegenseitig aus der Gunst des Königs zu verdrängen suchten, ihre Schönheit, ihre Jugend, ihre Grazie, ihr Geist waren die Waffen, deren sie sich bedienten, aber ohne Erfolg gegen Lamia. Ihr Alter, welches ihr beständig in ihren Epigrammen vorgeworfen wurde, zeigte sich niemals den Augen des Demetrius. Die Eifersucht der Leäna, der Chrysis, der Antipyra und der Demo wuchs in demselben Grade wie die Liebe des Königs zu ihrer Nebenbuhlerin. Bei einem

Gelage, wo Lamia Flöte spielte, sagte Demetrius zu Demo begeistert: „Ach, wie findest du sie? — „Wie eine Alte,“ antwortete Demo spitz. Ein anderes Mal sprach Demetrius, der den Vorzug, welchen er Lamia gab, nicht verheimlichte, zu Demo: „Siehst du die schöne Frucht, welche sie mir schickt?“ — „Wenn du die Nacht mit meiner Mutter zubringen wolltest, würde dir meine Mutter eine noch viel schönere schicken, antwortete diese bissig. Demetrius gab sich den Anschein nichts zu hören. Lamia verzieh ebenfalls ihren Rivalinnen, weil sie sie nicht fürchtete, doch war sie gegen Leäna eingenommen, die alles versucht hatte, sie zu verderben.

Machon den Athenäus unter Hinzufügung einiger neuer Obscönitäten anführt, weiht uns in einige geheime Liebesabenteuer dieser alten Flötenspielerin ein. Er behauptet, Demetrius habe sich noch im Bette seiner Maitresse eingebildet sie zu hören und sei mit Wonne dem Rythmus gefolgt, durch den sie ihn bei Tische entzückt hatte. Ait Demetrium ab incubante Lamia concinne suaviterque subagitatum fuisse. Er erzählt noch, dass von allen Wohlgerüchen, die Asien aus Pflanzen zu gewinnen wusste, keiner dem Geruche des Demetrius so angenehm war als die unreinen Ausdünstungen des Körpers der Lamia (cum pudendum manu confricuisset ac digitis contrectasset). Lamia vergass es in ihrer Liebesraserei, dass sie es mit einem Könige zu thun hatte, und hielt ihn gefesselt und keuchend unter ihren glühenden Bissen. Man behauptet, daher wäre ihr Beiname Lamia entstanden, der so viel wie Nachtgespenst bedeutet, eine Art bösen, weiblichen Geistes, den man beschuldigte, das Blut schlafender Personen zu schlürfen. Die Gesandten erlaubten sich auf diese Liebestollheiten der Lamia Anspielungen, als ihnen Lysimachus die Wunden zeigte, welche er bei einem schrecklichen Kampfe mit einem Löwen erhalten hatte: „Unser Herr könnte dir auch Bisswunden zeigen von einem gefährlicheren Tiere, einer Lamia, welche sie ihm am Halse beigebracht hat.“ Demetrius war nicht weniger leidenschaftlich in seinen Liebkosungen. Bei der Rückkehr von einer Reise lief er zu seinem Vater und umarmte ihn mit solcher Herzlichkeit, dass der Greis rief: „Man sollte meinen, dass du Lamia umarmtest.“ Man behauptet, dass Demetrius von seinen Maitressen thatsächlich geliebt wurde, er liebte aber nur Lamia. Dennoch gab er sich eines Tages den Anschein, ihr Leäna vorzuziehen, aber Lamia schlang ihre Arme um seinen Hals und zog ihn süss auf ihr Bett, indem sie flüsterte: „Nun wohl! Du wirst auch Leäna haben, wenn du es verlangen wirst!“ Man nannte λεαινων in der erotischen Sprache ein schändliches Mysterium des Hetärengewerbes, und Lamia sprach, indem sie den Namen ihrer Nebenbuhlerin nannte, nur von einer lüsternen Stellung, welche ihr besser als Leäna anstand. So kannte die Liebe des Demetrius zu dieser alten Zauberin keine Grenzen mehr. Scherze wurden über diese Liebe gemacht, ohne sie zu mindern, und der König von Macedonien behauptete, wenn er auch zugestand, dass sie nicht mehr jung wäre, die Göttin Venus wäre noch viel älter, ohne deshalb weniger angebetet zu werden. Lysimachus machte sich in seinem wilden Königreiche Thraciens lustig über den wollüstigen Hof des Demetrius, den er eines Tages bekriegen und entthronen werde. „Dieser grosse König," sagte er, hat weder Furcht vor Gespenstern noch vor Larven, da er mit einer Lamia schläft." Dieses Epigramm wurde dem Demetrius hinterbracht, welcher antwortete: „Der Hof des Lysimachus gleicht einem Lustspieltheater, man sieht daselbst nur Personen mit zweisilbigem Namen wie Paris, Bithes und andere solche Narren mehr." Lysimachus wollte das letzte Wort haben: „Mein komisches Theater ist anständiger als sein tragisches," versetzte er, „man sieht daselbst weder Flötenspielerinnen noch Dirnen." — „Meine Dirne," erwiderte Demetrius, „ist keuscher als seine Penelope." Und sie wurden unversöhnliche Feinde.

Lamia benützte, um den König von Macedonien zu fesseln, Tag und Nacht zu ihrer Kunst. Nachts zwang sie ihren Liebhaber anzuerkennen, dass sie nicht ihres gleichen habe, bei Tag schrieb sie ihm zärtliche Briefe, sie unterhielt ihn mit lebhaften und geistreichen Antworten, sie berauschte ihn mit den Tönen ihrer Flöte, vor allem schmeichelte sie ihm: „Mächtiger König," schrieb sie ihm, „du erlaubst einer Dirne, Briefe an dich zu richten, und hältst es nicht für deiner unwürdig, einige Augenblicke meinen Briefen zu widmen, weil du dich selbst meiner Person geweiht hast. Mein König, wenn ich dich ausserhalb meines Hauses sehe und dich höre, geschmückt mit dem Diadem, umgeben von deinen Wachen, Speerträgern und Gesandten, dann bei Venus-Aphrodite, zittere ich und habe Furcht, dann wende ich meine Blicke von dir ab, wie von der Sonne, um nicht blind zu werden, dann erkenne ich in dir, Demetrius, den Städtebezwinger. Wie schrecklich und kriegerisch ist dein Anblick! Kaum kann ich meinen Augen trauen, und ich sage mir: O Lamia ist es denn wirklich dieser Mann, dessen Bett du teilst?" Demetrius hatte die Griechen bei Ephesus geschlagen, und Lamia feierte diesen Sieg, indem sie zu ihrer Flöte sang: „Die Löwen Griechenlands sind Füchse geworden zu Ephesus!" Demetrius verachtete die Athener, welche er besiegt hatte und verabscheute die Spartaner, die er nie bezwingen konnte. „Die abscheulichen Lakedämonier," schrieb sie ihm, „werden nie aufhören, um sich den Anschein tugendhafter Menschen zu geben, in ihren Wüsteneien und auf ihrem Taygetos unsere glänzenden Feste zu tadeln und deiner feinen Bildung die Rohheit Lykurgs entgegen zu stellen." Lamia hatte oft tolle Einfälle. Eines Nachts kam man beim Mahle auf das Urteil zu sprechen, welches man dem Aegypterkönig Bocchoris zuschrieb: Ein junger Aegypter hatte nicht soviel Geld, wie die Hetäre Thonis von ihm verlangte; er rief die Götter an, welche ihn im Traume das geniessen liessen, was ihm dieses schöne Mädchen in Wirklichkeit verweigerte. Thonis erfuhr es und verlangte ihren Lohn Es kam der Prozess schliesslich vor den Richterstuhl des

Bocchoris. Der König hörte beide Parteien an und befahl dem jungen Manne, die Summe beizubringen, welche Thonis verlangte, sie in ein Gefäss zu legen und dieses Gefäss vor den Augen der Dirne vorbeizutragen, um ihr zu beweisen, dass die Einbildung nur der Schatten der Wahrheit sei. „Was meint Lamia über dieses Urteil?" sagte Demetrius. — „Ich finde es ungerecht," versetzte Lamia, „denn der Schatten dieses Geldes stillte nicht die Wünsche der Thonis, während der Traum die Leidenschaft ihres Geliebten befriedigte."

Demetrius bezahlte königlich. Als er Herr von Athen wurde, verlangte er von den Athenern eine Summe von 250 Talenten (gegen zwei Millionen unseren Geldes) und liess diese Steuer mit solcher Strenge eintreiben, als ob er sie auf der Stelle nötig hätte. Als sie mit grosser Mühe zusammengebracht worden war, sagte er: „Man gebe sie der Lamia, dass sie sich Seife kaufen kann." Die Athener rächten sich für diese verhasste Erpressung, indem sie sagten, Lamia müsse einen sehr schmutzigen Körper haben, weil sie so viele Seife für ihre Toilette brauche. Lamia war also sehr reich, aber sie gab auch soviel aus wie eine Königin. Sie liess prächtige Bauten errichten, unter anderen die Poikile von Sikyon, die der Dichter Polemon beschrieb. Sie gab dem Demetrius Feste, welche alles überboten, was die Geschichte von denen der Könige Babylons und Persiens erzählt, und doch gab es einen von ihnen, der fabelhafte Summen ausgab, und der ebenfalls von Polemon besungen wurde. „Ich bin sicher," schrieb sie an Demetrius, „dass das Fest, welches ich dir zu Ehren am Venustage im Hause des Terippichos zu geben gedenke, nicht nur die Bewunderung der Stadt Athen, sondern ganz Griechenlands erregen wird!" Plutarch berichtet, dass sie alle Offiziere des Demetrius besteuerte, unter dem Vorwande, die Kosten dieses Gelages zu decken, welche sie sich gleichzeitig vom Könige und den Athenern zurückerstatten liess. Obgleich Athenerin, schonte sie doch weder die Börse noch das Zartgefühl ihrer Landsleute. Als sie der Tod mitten in ihren Orgien traf, beweinte sie Demetrius-Poliorketes, und die Athener erhoben sie zur Göttin, indem sie ihr einen Tempel unter dem Namen Venus-Lamia errichteten. Demetrius rief über soviel Niedrigkeit unwillig aus, dass man nicht mehr einen einzigen edlen Athener in der Unterwelt sehen werde. „Er wird es bleiben lassen, dahin zu gehen," sagte die grausame Demo, aus Furcht dort Lamia zu treffen."

X. Kapitel.

Die Griechen.

VII.

Die athenischen Konkubinen. — Ihre Rolle im ehelichen Haushalte. — Zweck, den die Dirnen im bürgerlichen Leben erfüllten. — Worin sich die Hetären von den öffentlichen Mädchen unterschieden. — Ursprung des Wortes Hetäre. — Wechselnde Bedeutung dieses Wortes. — Die Hetären der Sappho. — Die guten Freundinnen oder grossen Hetären. — Ihre soziale Stellung. — Die Hausfreundinnen und die Philosophinnen. — Vorzug, den die Athener den Dirnen vor ihren Eheweibern gaben. — Bild einer ehrbaren Frau vom Dichter Simonides. — Die neun Arten von Weibern bei Simonides. — Die anständigen Frauen. — Grundsätze des Plutarch. — Gesetz der Ehescheidung. — Alkibiades und sein Weib Hipparete vor den Archonten. — Vorteile der Hetären vor den Ehefrauen. — Einfluss der Dirnen auf Litteratur, Wissenschaft und Kunst. — Heilsame Wirkung der Prostitution auf die griechischen Sitten. — Die jungen Knaben. — Die beiden Portraits des Alkibiades. — Die Auletride Drose und der Philosoph Aristaenet. — Die Philosophen, Verderber der Jugend. — Thaïs und Aristoteles. — Die gewöhnlichen Vergnügungen der Hetären und die aussergewöhnliche Liebe zur Philosophie. — Gyges, König von Lydien. — Die Ptolemäer. — Alexander der Grosse und die athenische Thaïs. — Heirat dieser Dirne. — Berühmte Männer, welche Dirnen zur Mutter hatten.

Wir haben Dirnen (ἑταίρας)," sagt Demosthenes in seiner Rede gegen Neära, zu unserm Vergnügen, Konkubinen (παλλακίδας) für den täglichen Gebrauch, aber Eheweiber, um uns legitime Kinder zu geben und das Innere unseres Hauses zu überwachen." Diese wertvolle Stelle des griechischen Redners macht uns mit dem ganzen System der griechischen Sitten vertraut, welche den Gebrauch von Konkubinen und Dirnen selbst an der Pforte des ehelichen Heiligtums gestatteten. Die Konkubinen, über welche man nur geringe Auskunft bei den griechischen Schriftstellern findet, waren Sklavinnen, die man kaufte, oder Dienerinnen, die man mietete, und die zur Not dazu dienen mussten, den Launen ihrer Herren genug zu thun. Er empfand dabei weder Liebe noch Wollust, es war ein einfacher Dienst, obgleich zarterer Natur als alle anderen. Daher fand es auch eine Ehefrau für nicht der Mühe wert, dadurch verletzt zu sein oder in Erstaunen zu geraten, wenn sie mit eigenen Augen im eigenen Hause sah, wie Dienerinnen oder Sklavinnen einen Akt der Sklaverei oder Unterwerfung begingen, indem sie sich ihrem Gatten preisgaben. Sie selbst, in der Ehe auf einen Zustand der Unterordnung und des Gehorsams beschränkt, hatte kein Recht, sich in derartige Angelegenheiten einzumischen, die sie nichts angingen, weil daraus nur Bastarde hervorgehen konnten. Die Konkubinen machten also einen wesentlichen Bestandteil des Haushalts bei den Ehemännern aus: sie hatten vor allem ihre bestimmte und in gewisser Beziehung anerkannte Rolle während der Krankheiten, den Kindbetten und anderen Hindernissen der wahren Ehefrau. Ihr Leben floss in Stillschweigen dahin, im Schatten des häuslichen Herdes, und sie alterten unbekannt unter ihrer Hände Arbeit, selbst wenn sie ihren Herren Söhne geschenkt haben sollten, Söhne, welche kein Recht an die Familie hatten und auch durch ihre Geburt von dem Titel eines Bürgers ausgeschlossen waren.

Die Dirnen bildeten eine von den Konkubinen völlig verschiedene Klasse, und doch erfüllten sie im bürgerlichen Leben den gleichen Zweck: sie waren Werkzeuge für das Vergnügen der Männer. Daher kam es, dass ihre Bestimmung durch den Gebrauch und die Gewohnheit, wenn nicht durch das Gesetz, geheiligt worden war. Man verstand unter der allgemeinen Benennung Dirnen alle Arten Hetären ohne Ausschluss der Dicteriaden und Auletriden. Nichtsdestoweniger aber unterschied man von öffentlichen Mädchen im eigentlichen Sinne (πόρνις) die Hetäre, von denen Anaxilas in seiner Komödie Monotropus folgende Definition giebt: „Ein Mädchen, welches mit Zurückhaltung spricht, wenn es ihre Liebkosungen denen bewilligt, welche mit ihren natürlichen Bedürfnissen ihre Zuflucht zu ihr nehmen, wird Hetäre genannt wegen ihrer Hetärie oder guten Freundschaft." Der Ursprung des Wortes Hetäre ist nicht zweifelhaft, und man ersieht aus einer Menge Stellen griechischer Schriftsteller, dass dieses anfangs anständige Wort schliesslich, nachdem es eine Reihe von Veränderungen durchgemacht hatte, eine lasterhafte Bedeutung erhielt. Es ist sicher, dass, wenigstens vor dem Fortschritte des erotischen Hetärismus, die Frauen und Mädchen von freier Geburt ihre intimsten Bekannten und besten Freundinnen Hetären nannten (φίλας ἑταίρας.) Die Ueberlieferung dieses Wortes stammt von Niobe und Latona her, welche sich nach dem Ausdrucke der griechischen Anthologie zärtlich wie zwei Hetären liebten. Wahr ist, dass später Sappho mit diesem Namen ihre Lesbierinnen bezeichnete: „Ich werde liebliche Dinge meinen Hetären vorsingen!" sagt sie in ihren Gedichten. Der wahre Sinn des Wortes Hetäre begann sich zu verunstalten. Er war jedoch noch ziemlich anständig, so dass der Dichter Antiphanes in seiner Hydra sagen konnte: „Der Mann hatte zur Nachbarin ein junges Mädchen, er hatte sie kaum gesehen, als er sich in diese Bürgerin verliebte, welche weder einen Vater noch einen Beschützer hatte. Sie war übrigens ein Mädchen, welches die anständigste Neigung verriet, wahrlich eine Hetäre." Athenäus nennt wirkliche Hetären diejenigen, „welche eine aufrichtige Freundschaft gewähren können, und allein von allen Frauen diesen Namen von dem Worte Freundschaft (ἑταιρεία) empfangen haben oder vom Beinamen der Venus selbst, welche die Athener Hetäre nennen." Das Wort wurde bald seiner wahren Bedeutung entfremdet, und man überliess es ganz als Eigentum den Weibern, die thatsächlich leicht Freundinnen Jedermannes waren. Doch gab es noch häufig Irrtümer in der Anwendung, und die Grammatiker glaubten dem abzuhelfen, indem sie einen Unterschied in der Betonung des Wortes einführten, mit welcher der Dichter Menander in folgender Weise spielt: „Was du gethan hast, ist nicht die That der Freundinnen (ἑταίρων) sondern der Dirnen (ἑταιρῶν)." Man errät sogleich den Weg, welchen das ursprünglich anständige Wort zurücklegte, wenn man den Dichter Ephippus in seiner Komödie die Liebkosungen der guten Freundinnen in folgenden Worten charakterisieren hört: „Sie küsst ihn nicht mit geschlossenen Lippen, sondern mit halboffenem Munde, wie die Vögel es thun, und erweckt seinen Mutwillen."

Die guten Freundinnen, zu denen die Dicteriaden, die Auletriden und die untergeordneten Hetären oder Strassendirnen nicht zählten, nahmen in Athen den Ehrenplatz unter den Dirnen ein. Sie herrschten, sie verdunkelten die ehrbaren Frauen, sie hatten Klienten und Schmeichler, sie übten einen beständigen Druck auf die politischen Ereignisse aus, indem sie die Männer, welche sich damit beschäftigten, beeinflussten; sie waren wie Königinnen der attischen Civilisation. Man kann sie in zwei unterschiedliche Klassen teilen, welche sich gegenseitig ergänzten: Die Vertrauten und die Philosophinnen. Diese beiden Klassen, gleich interessant und gesucht, bildeten die Aristokratie der Prostitution. Die Philosophinnen lernten durch ihr Zusammenleben mit den Gelehrten und Schriftstellern, deren Sprechweise nachzuahmen und sich in ihren Studien zu gefallen. Die weniger gebildeten oder pedantischen Vertrauten empfahlen sich auch durch ihren Geist und bedienten sich desselben ebenfalls um die hervorragenden Männer zu bezaubern, die sie durch ihre Schönheit oder durch ihren Ruf angezogen hatten. Jede dieser grossen Hetären hatte ihren Hof und ihr Gefolge von Anbetern, Dichtern, Heerführern und Künstlern; jede hatte ihre Gönner und Feinde, jede ihren Einfluss und ihre Macht. Vor allen unter Perikles und durch sein Beispiel begeisterten sich die Athener für diese Sirenen und Zauberinnen, welche viel Unheil in den griechischen Sitten anrichteten und viel Gutes für Litteratur und Kunst thaten. Während dieses Zeitabschnittes gab es sozusagen in Griechenland keine anderen Weiber, denn die Jungfrauen und Matronen blieben im Dunkel ihrer Frauengemächer, während die Hetären sich des Theaters und des Marktes bemächtigten. Diese Hetären waren meist gesunkene Bürgerinnen, Schönheiten und kosmopolitische Talente.

Der Vorzug, welchen die Athener von Rang diesen Weibern über ihre Ehefrauen einräumten, versteht sich nur zu leicht, wenn man beide mit einander vergleicht, und wenn man die Entzauberung in Betracht zieht, welche fast immer der intime Verkehr zweier Ehegatten hervorruft. Das, was einer verheirateten Frau Schande brachte, machte den Zauber einer Hetäre aus; was dieser zum Ruhme angerechnet wurde, fand man bei jener lächerlich. Die eine vertrat das Vergnügen, die andere die Pflicht. Sie blieben beide in den engen Grenzen ihrer Rolle, ohne sich gegenseitige Eingriffe in das Gebiet der anderen zu erlauben. Der alte Dichter Simonides gefiel sich darin, dass Bild einer ehrbaren Frau zu entwerfen, welche nach seiner Annahme von der Biene abstammte: „Glücklich ist der Sterbliche, welcher eine solche als Weib findet!“ sagt er. „Sie allein unter allen lässt der Unzucht keinen Zutritt in ihr Herz; sie sichert ihrem Gatten ein langes ruhiges Leben. Mit ihm in rührendem Einklange alternd, als Mutter einer zahlreichen Familie, an der sie Lust hat, ausgezeichnet unter allen Weibern, deren rühmliches Beispiel sie ist, sieht man sie nicht ihre Zeit mit leerem Geschwätze verlieren. Die Bescheidenheit herrscht in ihren Reden und scheint einen höheren Glanz ihrer Anmut zu verleihen, welche sie nie verlässt und sich über alle ihre Beschäftigungen ausbreitet.“ Diese Beschäftigungen nun bestanden in Sorgen für die Küche, in Nadelarbeiten, in Geschäften der Ehefrau als Mutter und Amme. Simonides nimmt noch neun andere Arten von Frauen an, die nach seiner Auffassung aus Bestandteilen des Schweines, des Fuchses, des Hundes, des Affen, der Stute, der Katze und des Esels geschaffen wurden: in diesen verschiedenen Arten also musste man nach diesem groben Satyriker die Hetären suchen.

„Der Name einer ehrbaren Frau,“ sagt Plutarch, „muss wie sie selbst in ihrem Hause eingeschlossen sein.“ Thukydides hatte denselben Gedanken lange vor ihm ausgesprochen: „Die beste Frau ist die, von der man weder Gutes noch Schlechtes hört.“ Dieser Grundsatz zeigt uns die Art des Lebens, welches die athenische Matrone führte. Sie verliess ihr Haus nicht, sie erschien weder bei den öffentlichen Spielen noch im Theater, sie zeigte sich auf der Strasse nur verschleiert und anständig gekleidet, bei Strafe einer Busse von 1000 Drachmen, welche ihr sonst die Gynaikonomoi auferlegten, wobei sie das Urteil an die Bäume der Keramikos anheften liessen. Ausserdem hatte sie keine Lektüre, keine andere Vorschrift; sie sprach ihre Sprache schlecht und wusste nichts von den Künsten der Höflichkeit, noch von den Aenderungen der Mode, sie kannte nicht die einfachsten Sätze der Philosophie. Sie flösste daher ihrem Gatten kein anderes Gefühl ein als eine kalte oder liebevolle Achtung. Ein Gatte, der es sich erlaubt haben würde, sein Weib leidenschaftlich zu lieben, würde sich Plutarchs Grundsatz gemäss vor aller Welt lächerlich gemacht haben: „Man kann mit einem ehrbaren Weibe nicht zugleich wie mit einer Ehefrau und einer Hetäre leben. Die Herrschaft des Weibes endete an der Thüre ihres Hauses, da wo die des Mannes begann; sie hatte also nicht das Recht ihm zu folgen und in seinem ausserhäuslichen Leben zu stören; es wurde als ihre Pflicht angesehen, das zu ignorieren, was ausserhalb ihres Hauses vorging. Dennoch konnte sie sich nach einem alten, ganz ausser Gebrauch gekommenen Gesetze bei der Behörde beklagen und die Scheidung verlangen, wenn ihr die Ausschweifungen ihres Gatten unerträglich wurden. So zog sich Hipparete, die keusche Gattin des Alkibiades, welchen sie liebte, zu ihrem Bruder zurück, als sie sah, dass der unbeständige Alkibiades sie verliess um fremde Weiber von schlechter Lebensführung zu besuchen. Sie verlangte die Scheidung. Alkibiades nahm die Sache leicht und erklärte, sein Weib müsse die Scheidungsklage vor die Archonten bringen: sie kam dahin, Alkibiades erschien ebenfalls, aber anstatt sich zu rechtfertigen, trug er die Klägerin auf seinen Armen in die eheliche Wohnung zurück. Gewöhnlich beklagten sich die Matronen nicht aus Furcht, durch ihre That sich ihrer Würde zu entäussern. Das einzige Recht, welches sie eifersüchtig wahrten, war die Legitimität der Kinder einer legalen Ehe. Demosthenes beschwört den Areopag, die Dirne Neära zu verurteilen, „damit die anständigen Frauen nicht auf gleiche Stufe mit einer Dirne gestellt werden, damit die Bürgerinnen, von ihren Eltern mit Weisheit erzogen, und auf gesetzliche Weise vermählt, nicht mit einer Fremden zusammengeworfen werden, die sich an einem Tage mehrmals und verschiedenen Männern auf die allerschändlichsten Arten, nach eines jeden Gefallen, überlässt.“

Die Hetären hatten also gewaltige Vorteile vor den Ehefrauen, blieben zwar bei den religiösen Festen abseits, sie nahmen zwar an keinem Opfer teil und gaben keinen Bürgern das Leben; aber wie vielen Ersatz hatten sie für ihren Stolz und ihre Eitelkeit als Weib! Sie bildeten den Schmuck der feierlichen Feste, der Kriegsübungen und der Theateraufführungen, sie allein fuhren in Wagen spazieren, wie Königinnen geschmückt, schimmernd in Gold und Seide, mit nacktem Busen und blossem Haupte; sie bildeten die auserlesene Zuhörerschaft bei den Gerichtssitzungen, bei den Rednerkämpfen und bei den Versammlungen der Akademie; sie äusserten ihren Beifall einem Phidias, Apelles, Praxiteles und Zeuxis, nachdem sie ihnen unnachahmliche Modelle geliefert hatten; sie begeisterten Euripides und Sophokles, Menander, Aristophanes und Eupolis, indem sie sie zum Wettkampf um die Palme des Theaters anfeuerten. Bei den schwierigsten Angelegenheiten trug man kein Bedenken, sich nach ihren Ratschlägen zu richten; man wiederholte ihre Bonsmots, man fürchtete ihre Kritik, man war ehrgeizig auf ihre Schmeicheleien. Trotz ihrer gewöhnlichen Sitten und ihres verwerflichen Handwerkes huldigten sie edlen Handlungen und Werken, grossen Charakteren und erhabenen Talenten. Ihr Tadel oder ihr Lob waren eine Strafe oder eine Auszeichnung, auf welche man gern Rücksicht nahm. Ihr liebenswürdiger, gebildeter und frischer Geist schuf um sie den Wetteifer des Schönen und das Streben nach der Wahrheit, verbreitete die Lehren des Geschmackes und vervollkommnete Litteratur, Wissenschaft und Kunst, indem er das Liebesfeuer entflammte. Hierin lag ihre Stärke und ihr Zauber. Bewundert und geliebt, spornten sie ihre Anbeter an, sich ihrer würdig zu zeigen. Sie waren ohne Zweifel die ehrlose Veranlassung vieler Ausschweifungen, vieler Verschwendung und vieler Thorheiten, sie verdarben bisweilen die Sitten und entwürdigten manche öffentlichen Tugenden; sie entkräfteten Charaktere und verschlechterten die Sitten; aber gleichzeitig gaben sie auch die Anregung zu edlen Gedanken, zu ehrenvollen Akten der Vaterlandsliebe und des Mutes, zu Werken von Geist und zu Schöpfungen der Kunst und der Poesie.

Ihr Treiben war besonders wohlthätig hinsichtlich eines schändlichen und verächtlichen Lasters, das von Kreta stammend sich über ganz Griechenland und bis tief nach Asien ausbreitete. Der Verfasser der Reise des Anarcharsis sagt mit Recht, dass die Gesetze die Dirnen schützten um schändlichere Ausschweifungen zu verhindern. Die Freundschaftsbündnisse der jungen Griechen entarteten gewöhnlich, ausser in Sparta, zu schlimmen Ausschweifungen, eine Sitte, welche allgemein war und von unwürdigen Philosophen, schändlich genug, unterstützt wurde. Solon hatte bereits sein berühmtes Dicterion gegründet und dessen Besuche mit einem Obolus belegt, um eine andere Richtung dem entarteten Geschmacke der Athener zu geben und der widernatürlichen Liebe entgegenzuarbeiten, noch mehr aber thaten dies die Hetären, als sie den Kampf gegen dieses Laster aufnahmen. Sie beschämten die, welche sich nach einem unsauberen Handel, den die Natur verdammt, ihnen näherten; sie wendeten alle Künste der Koketterie an, um den jungen Burschen vorgezogen zu werden, welche der unnatürlichen Prostitution als Hülfsmittel dienten; aber sie trugen nicht immer den Sieg davon über diese Buhlknaben, mit ihrem enthaarten Kinne, ihren wallenden Haaren, glatten Nägeln und parfümierten Füssen. Es gab unverbesserliche Sünder und auch Lüstlinge, welche sich ihnen mit der grössten Begeisterung widmeten, behielten einen Teil ihrer sinnlichen Lüsternheit für einen anderen Kult als den ihrigen übrig. Die öffentliche Meinung kam unglücklicher Weise nicht den Mahnungen und dem guten Beispiele der Dirnen zu Hilfe, welche vergebens die von den gleichgültigen Mitmenschen geduldeten Unfläthereien missbilligten. Alle Tage brachten die Sklavenhändler nach Athen und Korinth schöne, junge Knaben, die keinen andern Vorzug hatten, als ihre schöne Gestalt und physische Schönheit. Der Preis dieser Sklaven liess dennoch nicht den Wert der Hetären sinken, aber man kaufte sie oft sehr teuer um sie zu Haus als Konkubinen zu verwenden. Die öffentliche Ehrbarkeit und das eheliche Schamgefühl duldeten ruhig diesen Greuel. Selbst junge Bürger, wie Alkibiades, die sich durch ihre Körperschönheit und ihre bezaubernde Physiognomie auszeichneten, erregten oft schändliche Leidenschaften, sie wurden, statt verabscheut, verehrt, sie nahmen bei den Spielen die ersten Plätze ein, sie trugen kostbare Gewänder, welcher leicht ihre Umrisse erkennen liessen und sammelten bei ihrem Durchschreiten der Strassen das glänzendste Zeugnis der öffentlichen Verderbnis ein. Dies waren die Nebenbuhler, welche die Hetären beständig zu entthronen und zu verdunkeln suchten; dies war der Triumpf der Verderbnis, gegen welchen die Hetären unablässig Einspruch erhoben. Als sich Alkibiades, um so zu sagen, unter seinen beiden Gesichtern malen liess, nackt den Kranz als Olympiasieger empfangend und als nackter Sieger auf den Knieen der Flötenspielerin Nemäa, thaten sich die Hetären Athens zusammen, um diesen Adonis verbannen zu lassen, der ihnen so schweren Nachteil brachte. Zuweilen begnügten sie sich damit ihre Gegner durch Verachtung und Spott zu bekämpfen. In einem Gespräche des Lucian sagt die Auletride Drose, der ihr Geliebter der junge Kinias, entführt wurde: „Es ist Aristaenet, der schamloseste aller Philosophen, der ihn mir abspenstig gemacht hat!“ — „Was?“ ruft Chelidonium aus, „dieses stachelige und runzelige Gesicht, dieser Ziegenbart, den man in der Poikile unter den jungen Leuten herumlaufen sieht?“ — Drose erzählt ihr dann, dass Aristaenet, der sich dieses Unschuldigen seit drei Tagen bemächtigt hat, ihm einredet, ihn zu den Göttern zu erheben und ihn die obscönen Gespräche der alten Philosophen lesen lässt. „Mit einem Worte,“ sagt sie, „er belagert den armen jungen Mann.“ — „Mut! wir werden ihn vertreiben,“ antwortet Chelidonium. „Ich will an die Mauern des Keramikos schreiben: Aristaenet ist der Verführer des Klinias.“

Die Hetären flohen also die Philosophen, welche auf diese Art die Jugend verdarben, aber sie suchten diejenigen auf, welche eine den Weibern weniger feindliche Philosophie trieben. Sie legten aber noch grösseren Wert auf die Dichter und Komiker, weil sie in gewisser Beziehung an deren Erfolgen teilnahmen: „was würde Meander ohne Glycera sein?“ schrieb diese geistreiche Hetäre an den grossen, griechischen Komiker. „Welche andere würde dich bedienen wie ich, da ich dir deine Masken zureiche, dir deine Gewänder hinreiche. Ich weiss rechtzeitig auf der Vorbühne zu erscheinen, um zu wissen, von welcher Seite die Beifallsäusserungen kamen, und um diese zu veranlassen, indem ich in die Hände klatsche.“ Die Dichter und Komiker waren selten reich und konnten meist nur mit ihren Versen die Gunst belohnen, welche man ihnen bewilligte; aber diese Verse brachten wenigstens derjenigen Berühmtheit ein, welche sie veranlasst hatte, und sie war so sicher den Sticheleien der Dichter zu entgehen. „Ich bitte dich inständig, mein lieber Meander,“ schrieb dieselbe Glycera, „die Komödie, in welcher du mich die Hauptrolle spielen lässt, zu deinen bevorzugten Stücken zu erheben, damit, wenn ich dich nicht nach Aegypten begleite, sie mich am Hofe des Ptolemäus bekannt mache und diesem Könige zeige, welche Herrschaft ich über meinen Geliebten ausübe.“ Diese Komödie trug den Namen der Glycera selbst. Andere Dirnen wollten gleichfalls ihren Namen als Titel einer Komödie haben, und man sieht dass Anaxilas, Eubul und andere sich den Launen ihrer Maitressen fügten. Die Philosophen dagegen hatten kein ähnliches Mittel die launischen Schönen berühmt zu machen und sie in Mode zu bringen. Sie wurden daher von ihnen mit weniger Achtung behandelt, und wenn man ihnen auch nicht immer ins Gesicht lachte oder sie am Barte zupfte, kehrte man ihnen doch oft den Rücken, besonders wenn sie zu viel sprachen: „Wohl nur deshalb,“ schrieb Thais an Euthydemos, „scheinen wir dir unter den Sophisten zu stehen, weil wir nicht die Ursache der Wolkenbildung und die Eigenschaften der Atome kennen? Aber wisse, dass auch ich meine Zeit verloren habe mich mit diesen Geheimnissen eurer Philosophie vertraut zu machen, und dass ich mir dieselben mit vielleicht ebensogrosser Einsicht überlegt habe, wie euer Meister.“ Sogar dem Aristoteles wagte Thais auf folgende Weise ins Gesicht zu schlagen, indem sie ihn anklagte, er trage nur eine geheuchelte Abneigung gegen die Weiber: „Denkst du,“ sagte sie, „dass ein so grosser Unterschied zwischen einem Sophisten und einer Dirne ist? Wenn überhaupt einer da ist, so liegt er nur in den Mitteln, die zur Ueberredung verwendet werden, denn ihre Absicht ist dieselbe: zu empfangen.“ Sie wollte mit Euthydemos wetten, dass sie in einer Nacht mit dieser erkünstelten Tugendhaftigkeit fertig werden und den Aristoteles wohl zwingen würde, sich mit den „gewöhnlichen“ Vergnügungen zu begnügen. Die Dirnen waren immer im Streite mit den Philosophen, mit welchen sie sich nur aussöhnten, um sich von neuem zu verfeinden. Ihre Hauptbeschwerden gegen die Philosophen scheint besonders gegen deren Duldsamkeit oder Anhänglichkeit an die unnatürliche Liebe gerichtet gewesen zu sein.

Wenn die Philosophen nicht die Seelenstärke besassen, den Lockungen einer Dirne zu widerstehen, wie könnte man da erstaunen, dass die übrigen bedeutenden Männer Griechenlands gleichfalls ihren Verführungen unterlagen. Man führt nur sehr wenige von ihnen an, welche Herr ihrer selbst blieben in Gegenwart aller Reize der Schönheit, der Grazie der Bildung und des Geistes der Hetären. Selbst die Könige legten ihr Diadem diesen liebreizenden Herrinnen zu Füssen, wie zum Beispiel Gyges, der König von Lydien, der in seiner Trauer um eine Dirne, welche er für unvergleichlich hielt, ihr ein grossartiges Grabmal errichten liess, das so hoch gelegen war, dass man es an allen Punkten seines Reiches bemerken konnte. Unter den Königen, welche die griechischen Dirnen mit der grössten Gewandtheit unterjochten, haben wir bereits die ägyptischen Ptolemäer angeführt. Alexander der Grosse, welcher bei allen seinen Kriegszügen die athenische Hetäre Thais mit sich führte, schien mit seinem ungeheuren Reiche seinen Nachfolgern den Geschmack an griechischen Hetären und persischen Flötenspielerinnen hinterlassen zu haben. Einige dieser Favoritinnen, die geschickter oder glücklicher als ihre Nebenbuhlerinnen waren, hatten es verstanden, eine Heirat durchzusetzen. So verheiratete sich Thais nach dem Tode Alexanders des Grossen, der sie fast vergöttert hatte, mit einem seiner Feldherren, mit Ptolemäus, der König von Aegypten wurde und von ihr drei Kinder hatte. Doch waren die Hetären selten geeignet, eine grosse Nachkommenschaft hervorzubringen; die meisten blieben unfruchtbar. Nichtsdestoweniger erwähnt die Geschichte mehrere grosse Männer, welche Dirnen zur Mutter hatten: Philetäros, der König von Pergamon war der Sohn der Boa, einer paphlagonischen Flötenspielerin; der athenische Feldherr Timotheos der Sohn einer thrakischen Dirne, der Philosoph Bion der Sohn einer lakedämonischen Dirne und endlich der grosse Themistokles der Sohn der Abrotone, einer Dicteriade, die sich für einen Obolos preisgab.

XI. Kapitel.

Die Griechen.

VIII.

Die philosophischen Hetären. — Die Prostitution gefördert durch die Philosophie. — Philosophische Systeme der Prostitution. — Die lesbische Prostitution. — Die sokratische Prostitution. - Die kynische Prostitution. — Die epikuräische Prostitution. — Liebesphilosophie der Megalostrate, Maitresse des Dichters Alkman. — Sappho. — Kleis, ihre Tochter. — Sappho mascula. — Sapphische Ode übersetzt von Boileau Despréaux. — Die Schülerinnen der Sappho. — Zügellose Liebe der Sappho zu Phaon. — Einzige Quelle dieser Liebe. — Selbstmord der Sappho. — Der Sprung vom leukatischen Felsen. — Die philosophische Hetäre Leäna, Maitresse des Harmodius und Aristogeiton. — Ihr Mut während des Aufstandes. — Ihr Heldentod. — Die Athener errichten ihr zum Andenken ein Monument. — Die philosophische Hetäre Kleonike. — Der unfreiwillige Mord des Pausanias. — Die philosophische Hetäre Targelia. — Schwierige und delikate Aufgabe, womit sie Xerxes betraute. — Ihre Heirat mit dem Könige Thessaliens. — Aspasia. — Ihr Hetärengefolge. — Sie eröffnet eine Schule in Athen und lehrt darin die Beredsamkeit. — Liebe des Perikles zu dieser philosophischen Dirne. — Chrysilla. — Perikles heiratet Aspasia. — Sokrates und Alkibiades, Liebhaber der Aspasia. — Gespräch zwischen Sokrates und Aspasia. — Macht der Aspasia über den Geist des Perikles. — Kriege mit Samos und Megara. — Aspasia und das Weib des Xenophon. — Aspasia von Hermippos der Gottlosigkeit angeklagt. — Perikles vor dem Areopag. —

Freisprechung der Aspasia. — Verbannung des Philosophen Anaxagoras und des Bildhauers Phidias. — Tod des Perikles. — Aspasia verheiratet sich mit einem Kornhändler. — Vermutung der Pytagoräer über die Seele der Aspasia. — Die zweite Aspasia, sogenannte Aspasia-Milto. — Der Kyniker Orates. — Unüberwindliche Leidenschaft, die Hipparchia für diesen Philosophen hegte. — Ihre Ehe. — Kynismus der Hipparchia. — Die Behauptungen dieser Philosophin. — Bild der Schüler des Diogenes von Aristipp. — Die pythagoräischen Hetären. — Die Mathematikerin Nikarete, Maitresse des Stilpon. — Philenis und Leontium, Maitressen des Epikur. — Leidenschaftliche Liebe Epikurs zu Leontium. — Brief dieser Dirne an ihre Freundin Lamia. — Ihre Liebe zu Timarch, Schüler des Epikur. — Ihr Porträt vom Maler Theodor. — Ihre Schriften. — Ihre Tochter Danaë, Maitresse des Sophron, Statthalters von Ephesus. — Tod der Danaë. — Archeanassa von Kolophon, Maitresse des Plato. — Bacchis von Samos, Maitresse des Meneklid, etc. — Verherrlichung der Dirnen durch die Philosophen und Dichter.

Die Gründung und Ausbreitung des griechischen Hetärenwesens muss vor allem den Dirnen zugeschrieben werden, welche sich Philosophinnen nannten, weil sie den Lehren der Philosophen folgten und deren Liebesneigungen dienten. Diese philosophischen Hetären hatten auf diese Art die Prostitution unter den Schutz der Philosophie gestellt, und alle Frauen, welche aus angeborener Sinnlichkeit, aus Habsucht oder aus Trägheit ein unzüchtiges Leben führten, konnten sich auf das Beispiel und die Thaten einer Sappho, Aspasia und Leontium berufen. Es gab ohne Zweifel eine grosse Zahl Hetären, welche sich in den verschiedenen Philosophen-Schulen auszeichneten, aber die Geschichte hat nur 10 oder 12 Namen aufbewahrt, welche allein während mehr als drei Jahrhunderten die Lehre und Ausübung des Hetärismus, wenn man dieses Wort anwenden darf, im philosophischen Systeme der Prostitution bethätigten. Dieses System scheint vier Formen und vier verschiedene Phasen gehabt zu haben, die wir die lesbische, die sokratische, die kynische und die epikuräische nennen wollen. Man erkennt aus diesen Benennungen, dass Sappho, Sokrates, Diogenes und Epikur die Schützer, wenn nicht Gründer, der Lehren sind, welche die philosophischen Hetären unter ihren Anbetern zu verbreiten suchten. Sappho predigte die Frauenliebe, Sokrates die geistige Liebe, Diogenes die grobsinnliche Liebe und Epikur die wollüstige Liebe. Dies waren die vier Liebesarten, in deren Verbreitung sich die philosophischen Dirnen teilten, und welche in der Folge mehr oder weniger Anhänger unter den guten Freundinnen fanden, welchen die oberste Leitung der öffentlichen Vergnügungen zustand.

Die älteste Philosophin, welche ein Andenken in der Sagengeschichte der griechischen Dirnen zurückgelassen hat, ist Megalostrate aus Sparta, welche von dem Dichter Alkman geliebt wurde, und die 674 v. Chr.

philosophierte, dichtete und liebte. Ihre Philosophie war rein erotisch und man darf sie mit Recht als Vorläuferin des Epikuräismus betrachten. Alkman war nach dem Zeugnis des Athenäus der Fürst der erotischen Dichter, und wie er der grösste Mädchenjäger war (erga mulieres petulantissimum, sagt die zarte lateinische Uebersetzung), so war er auch der grösste Fresser, den das Altertum hervorgebracht zu haben sich rühmen konnte. Er brachte Tag und Nacht bei Tische zu, Megalostrate an der Seite, und sang beständig Liebeslieder, welche Megalostrate einstimmend wiederholte. In einem Epigramme, welches Plutarch anführt, bemerkte der lustige Alkman, dass er, wenn er in Sardes, der Heimat seiner Vorfahren, geblieben wäre, ein armer Priester der Kybele geworden sein würde, dem man die männlichen Geschlechtsteile geraubt haben würde, wogegen er als Bürger Lakedämons und Liebhaber der Megalostrate höher wäre als alle Könige Lydiens. Nach dieser schönen Philosophie, welche ihren Schöpfer nicht hinderte, als Beute der Würmer zu sterben, entstand eine Art Lücke in der erotischen Philosophie. Sappho von Mytilene erfand die lesbische Liebe und pries sie als besser denn diejenige, mit welcher sich die Weiber bisher begnügt hatten. Sappho hatte nicht immer so gedacht und das männliche Geschlecht verachtet. Sie war erst mit einem reichen Bürger der Insel Andros vermählt gewesen, namens Kerkales, und hatte von ihm eine Tochter gehabt, die sie nach ihrer Mutter Kleïs genannt hatte. Als Witwe aber redete sie sich ein, von einer Ueberreizung ihrer Gedanken und Sinne befangen, dass jedes Geschlecht sich auf sich selbst beschränken und in einer unfruchtbaren Umarmung aussterben müsse. Sie war Dichterin und Philosophin; ihre Gedichte und Gespräche warben ihr viele Anhänger, besonders unter den Frauen, welche nur zu sehr auf ihre schlechten Ratschläge achteten. Obgleich Plato sie die Schöne nennt, obgleich Athenäus hierin die Autorität Plato's anerkennt, ist doch glaublicher, dass sich Maximus Tyrius, der sie als schwarz und klein bezeichnet, sich auf bessere Quellen stützte. Ovid beschreibt sie ebenso und die gelehrte Mad. Darcies fügt dem Bilde dieser berühmten Lesbierin zu, dass sie ausserordentlich lebhafte und glänzende Augen gehabt habe. Wenn ferner Horaz ihr die Bezeichnung mascula beifügt, die von Ausonius im gleichen Sinne wiederholt wird, so richtete er sich nach der allgemeinen Ansicht, dass Sappho hermaphrodit gewesen sei, wie es die Thatsachen zu beweisen schienen.

Ohne Zweifel gab sich Sappho, die einer vornehmen Familie von Lesbos entstammte und über ein stattliches Vermögen verfügte, nicht um Geld preis, sondern sie hielt eine Prostitutionsschule, wo die jungen Mädchen ihres Frauengemaches von Jugend auf einen unnatürlichen Gebrauch ihrer keimenden Reize lernten. Man hat unnötiger Weise die Sitten und die Lehre Sapphos wieder zu Ehren bringen wollen. Es genügt die berühmte Ode, die uns unter den Resten ihrer Dichtungen geblieben ist, um selbst dem Ungläubigsten zu beweisen, dass Sappho, wenn sie kein Hermaphrodit war, mindestens eine Tribade gewesen ist. Disversis amoribus est diffamato, sagt Lilo Gregorio Giraldi in einem seiner Gespräche, adeo ut vulgo tribas vocaretur. Diese Ode, dieses Meisterstück einer hysterischen Leidenschaft, schildert das verzehrende Feuer, die Aufregung, die Unruhe, das Verlangen, die Ausschweifung und endlich die Krise dieses Lasters, das rasender und zügelloser als alle andern ist. Man kennt den Namen der Lesbierin nicht, an welche diese zügellose Ode gerichtet ist:

Glücklich, wer in deiner Nähe seufzt für dich allein,
Der durch deines Mundes Laut wird an Freuden reich,
Dem bisweilen lächeln mild zu die Lippen dein!
Kämen ihm in ihrem Glück wohl die Götter gleich?

Heiss von Ader fühl zu Ader ich die Flammen zart
Mir durchrieseln meinen Leib, wenn ich dich geschaut,
Und im süssen Seelenwallen, dass dann meiner harrt,
Findet meine Zunge, starr, weder Wort noch Laut.

Eine dunkle Wolke lagert sich mir um das Aug',
Nichts mehr hör' ich, mich erfasst Sehnen süss und herb.
Bleich und athemlos, bestürzt, und von Liebeshauch
Umweht, jäh mich Schauer fasst, ich sink', ich ersterb!

Man hat thörichter Weise zu behaupten versucht, Phaon habe die Gefühle und Empfindungen erweckt, welche Sappho in dieser herrlichen Ode, die uns den Verlust ihrer Werke so sehr beklagen lässt, zum Ausdrucke bringt. Aber diese Ode richtet sich von Anfang bis Ende an eine weibliche Person. Man muss sie also ohne den Namen der Schülerin Sapphos lassen, welche folgende Namen führten: Amyktene, Athys, Anachria, Thelesylla, Kydno, Eunika, Gongyle, Anagora, Mnaïs, Phyrrina, Kyme, Andromeda, Megara etc. Welche war es nun von diesen, die diese wundervolle Ode hervorrief, deren Aufbewahrung wir dem Rhetor Longinus verdanken? Der Abbé Barthelemy begnügt sich in seiner Reise des Anacharsis zu sagen, dass Sappho „ihre Schülerinnen ausschweifend liebte, weil sie nichts anderes lieben konnte." Die Natur hatte thatsächlich in ihr männliche Organe angelegt, wenn sie auch diejenigen ihres Geschlechtes entwickelte. Man sagt, dass die blutschänderische Liebe zu ihrem Bruder Charaxus, die Eifersucht, welche sie gegen die ägyptische Dirne Rhodopis empfand, und vor allem der Sieg ihrer Nebenbuhlerin Sappho zum Aufsuchen einer neuen Art zu Lieben geführt habe. Sie lebte also in der Gemeinschaft mit ihren Lesbierinnen und vergass, dass die Männer gegen ihr Treiben Einspruch erhoben, als Venus, um sie zu strafen, ihr den Phaon zuschickte. Sie verliebte sich sofort und hatte nicht das Glück die Verachtung dieses schönen Gleichgiltigen zu überwinden. Plinius erzählt, dass diese wahre Liebe einer wunderbaren

Quelle entsprungen sei. Phaon hatte auf seinem Wege die Wurzel des weissen Männertreu in dem Augenblicke gefunden, als Sappho daran vorbeischritt. Der alte Uebersetzer des Plinius erörtert in folgender Weise diese wunderliche Stelle der „Naturgeschichte": „Es giebt Leute, welche behaupten, dass die Wurzel des weissen Männertreu (welcher sehr selten ist) nach der natürlichen Gestalt eines Mannes oder eines Weibes geformt sei; und man nimmt an, dass ein Mann, der eine von der Form des männlichen Gliedes findet, sehr von den Weibern geliebt werden würde, auch glaubt man, dass dies allein die Sappho zur Freundschaft zu Phaon, des Lesbiers, führte." Diese „Freundschaft" war derartig, dass Sappho, in Verzweiflung über die Kälte des Phaon, sich vom leukatischen Felsen ins Meer stürzte, um ihre Liebesflammen zugleich mit dem Leben zu ersticken. Sie hatte unglücklicherweise ihre Schülerinnen zu gut ausgebildet, als dass sie auf ihre Liebesgenüsse verzichtet hätten, und ihre Philosophie, die nur ein Ausfluss der lesbischen Liebe war, hatte unaufhörlich ihre Verehrer, besonders unter den Dirnen. Einige von diesen stürzten sich ebenfalls, um den Nachstellungen der Männer zu entgehen, welche sie liebenswürdig fanden, vom Felsen von Leukas und entgingen so einer Leidenschaft, die Sappho als eine Schande und Sklaverei betrachtete.

Die Schule der Sappho war zum Glück für das Menschengeschlecht nur eine Ausnahme, die nicht gegen die wahre Liebe ankämpfen konnte. Die philosophische Hetäre Leäna, welche man nicht mit der Geliebten des Demetrius Poliorketes verwechseln darf, war nicht durch den Widerspruchsgeist der Lesbierinnen verführt worden; sie übte freimütig und ehrlich ihr Dirnengewerbe in Athen aus. Sie war die Freundin und Maitresse des Harmodios und Arïstogeiton. Sie verschwor sich mit ihnen gegen den Tyrannen Pisistratus und seinen Sohn Hippias im Jahre 514 v. Chr. Man ergriff sie und folterte sie um ihr das Geständnis der Teilnahme und die Pläne der Verschwörung abzupressen, sie aber biss sich um ihr Geheimnis sicherer zu wahren, mit ihren Zähnen die Zunge ab und spie sie ihren Henkern ins Gesicht. Man glaubt, dass sie unter den Martern starb. Die Athener errichteten, um ihr Andenken zu ehren, ein Standbild, welches eine eherne Löwin ohne Zunge darstellte und am Eingange des Tempels auf der Burg Athens aufgestellt wurde. Es ist dies nicht die einzige That von Mut und Treue, welche die Geschichte der griechischen Dirnen aufweisst. Eine andere Philosophin, Kleonike, eine Hetäre von Byzanz, hatte sich durch ihre Schönheit und mehrere moralische Schriften bekannt gemacht. Wegen ihres Rufes wünschte sie Pausanias, der Sohn des Spartanerkönigs Kleombrotos, zu seinem Vergnügen. Er verlangte, dass man ihm die schöne Philosophin zuschicke um ihm die Beschwerden des Krieges zu erleichtern. Kleonike kam Nachts im Lager an, während Pausanias schlief; sie wollte nicht, dass man ihn wecke und liess nur die Lampen auslöschen, welche nahe bei dem eingeschlafenen Feldherrn brannten. Sie schritt im

Dunkeln zum Bette des Fürsten, der durch das Geräusch einer von ihr umgeworfenen Lampe erwachte und ihr im Glauben, dass ein Mörder eingedrungen sei, seinen Dolch in den Busen stiess. Seit diesem unheilvollen Irrtum liess sich jede Nacht das Gespenst der Kleonike sehen, welches ihm diesen unfreiwilligen Mord vorwarf. Er beschwor es vergebens sich zu beruhigen und ihm zu verzeihen, es verkündigte ihm nur, dass er erst bei seiner Rückkehr nach Sparta von dieser blutigen Erscheinung erlöst werden würde. Er ging dahin, aber nur um im Tempel der Minerva Hungers zu sterben, wohin er sich vor der Rache seiner Mitbürger, die ihn der Verräterei anklagten, geflüchtet hatte. (471 v. Chr.)

Die Aera der Dirnen hatte in Griechenland mit dem Augenblicke begonnen, wo Kleonike die Verführungen der Liebe mit den Lehren der Philosophie vereinigte. Eine andere Philosophin derselben Art, Thargelia von Milet, war vom Perserkönige Xerxes, der die Eroberung Griechenlands beabsichtigte, mit einer ebenso schwierigen als delikaten Mission beauftragt worden. Diese Hetäre, gleich hervorragend durch ihren Geist und ihre Bildung wie durch ihre Schönheit und Anmut, diente dem Könige Xerxes als politisches Werkzeug: sie musste ihm die Hauptstädte Griechenlands erobern, indem sie deren Verteidigern Liebe einflösste. Sie hatte auch Glück mit dem einen Teil ihrer galanten Mission, sie fesselte nach und nach vierzehn Feldherrn, welche ihre Liebhaber wurden ohne Diener des Perserkönigs werden zu wollen. Als dieser durch den Pass von Thermopylæ in Griechenland einfiel, sah er sich gezwungen, die Städte im Sturme zu nehmen, deren Besitz ihm Thargelia gesichert zu haben glaubte. Thargelia hatte sich zu Larissa niedergelassen und den König von Thessalien geheiratet; sie hörte auf Hetäre zu sein, blieb aber Philosophin. Dieses glückliche Geschick der Dirne erregte den Ehrgeiz einer anderen Milesierin, welche sie bald in ihren Wissenschaften und ihrem Glücke überflügelte. Aspasia, wie Thargelia aus Milet stammend, heiratete, nachdem sie Dicteriade in Megara gewesen war, den Perikles, das berühmte Haupt der Republik Athen.

Aspasia war um die Mitte des 5. Jahrhunderts v. Chr. nach Athen gekommen. Sie hatte dahin ein glänzendes Hetärengefolge, welches sie gebildet hatte, und dessen Operationen sie geschickt lenkte, mitgebracht. Diese Hetären waren keine Sklavinnen, die nichts als die Künste der Wollust verstanden, sondern junge Griechinnen von freiem Stande, grossgezogen in den Lehren der Philosophie, welche ihnen ihre beredte Führerin lehrte, und eingeweiht in alle Mysterien der raffiniertesten Galanterie. Aspasia hatte so für alle Umstände die Mittel der Verführung ständig bereit, und sie übte durch Vermittlung ihrer Schülerinnen den Einfluss aus, welchen sie nicht aus ihren eigenen Hilfsmitteln ziehen wollte. Sie eröffnete ihre Schule und lehrte darin die Rethorik: die vornehmsten Bürger waren ihre Hörer und Bewunderer. Perikles, der sich von dieser Philosophin hatte bezaubern lassen, machte zu ihren Anhängern nicht allein die Feldherrn, Dichter, Redner und alle hervorragenden Männer der Republik, sondern auch die Weiber und Töchter dieser Bürger, welche die Liebe zur Rethorik gegen alles übrige unduldsam machte „Sie gingen dahin, um sie plaudern zu hören," sagt Jacques Amyot, Almonesier Karl IX. und Bischof von Auxerre in seiner naiven Plutarchübersetzung, „obgleich sie eine Schar einführte, die nicht sehr ehrbar war; denn sie hielt in ihrem Hause junge Dirnen, welche Gewinn von ihrem Körper zogen." Hierdurch gelang es ihr, Perikles, der sie leidenschaftlich liebte, zu fesseln, aber er war auch nicht gleichgiltig für die wollüstigen Reize, welche sie ihm bereitete. Aspasia zeigte sich überall in der Oeffentlichkeit, im Theater, im Tribunal, im Lyceum, auf der Promenade, wie eine Königin von ihrem Hofe umgeben; sie hatte sich übrigens ein selteneres und weniger drückendes Königreich geschaffen als alle anderen: sie allein gab den Ton in der Mode an, sie allein schrieb den Athenern und sogar den Athenerinnen Gesetze über alles vor, was sich auf Kleidung, Sprache, Ansichten und selbst Sitten bezog, denn sie brachte den Hetärismus zu Ehren und nahm ihm, sozusagen den angeborenen Makel. Die jungen Griechinnen stiegen, trotz ihrer Geburt, vom Rang einer Bürgerin zu dem der Dirnen herab und nannten sich nach Aspasia's Vorbild Philosophinnen.

Vor seiner Liebe zu Aspasia hatte Perikles Chrysilla, die Tochter des Theleus aus Korinth, geliebt, aber diese erste Liebe trennte weder seine Ehe noch trübte sie diese. Als er aber Aspasia kennen gelernt hatte, dachte es nur noch daran, seine Ehe zu lösen, um mit ihr eine neue eingehen zu können. Er bewog also sein Weib in eine Scheidung einzuwilligen, und er konnte dann nach seiner Wiedervermählung die schöne Philosophin, die man in den Kneipen die Dicteriade von Megara nannte, in sein Haus einführen. Perikles war sehr verliebt, aber garnicht eifersüchtig. Er liess Aspasia von Sokrates und Alkibiades besuchen, welche sie vor ihm besessen hatten. „Er ging niemals in die Versammlung," erzählt Plutarch, „und kehrte niemals von da zurück ohne seiner Aspasia einen Kuss zu geben." Die Erklärer haben es nicht verschmäht sich mit diesen täglichen Küssen beim Fortgehen und Heimkehren zu beschäftigen; sie haben sie so zart angenommen als Perikles sie geben konnte. Endlich wohnte Aspasia mit Sokrates oder Alkibiades allein und widmete sich nicht nur der Philosophie, während sie Perikles erwartete. Die Unterhaltung unserer Philosophen drehte sich um erotische Fragen, und man hört mit Bedauern, dass diese liebenswürdige Frau selbst ihre beiden Freunde zu den abstossensten Ausschweifungen ermutigte: „Sokrates, ich habe in deinem Herzen gelesen," sagte sie ihm, „es brennt für den Sohn der Dimomadra und des Klinias. Höre, wenn du wünscht, dass der schöne Alkibiades dich erhört, dann befolge meine guten Ratschläge." — „O herrliches Gespräch!" ruft Sokrates aus. „O Leidenschaften! . . . Ein kalter Schauer durchrieselt meinen Körper, meine Augen füllen sich mit

Thränen . . ." — „Hör auf zu seufzen!" unterbricht sie ihn; „erfülle dich mit Begeisterung! Erhebe deinen Geist auf die göttliche Höhe der Poesie, diese bezaubernde Kunst wird dir die Pforten seiner Seele öffnen. Die süsse Poesie ist der Reiz des Verstandes; das Ohr ist der Weg zum Herzen, und das Herz ist das Ganze." Sokrates, mehr und mehr bewegt, kann nur weinen und verbirgt seine kahle Stirn in seinen Händen. „Warum weinst Du, lieber Sokrates? Es bringt also beständig dein Herz in Wallung, diese Liebe, die wie der Blitz aus den Augen dieses jungen, gefühllosen Mannes zuckt? Ich habe versprochen, ihn dir zu beugen . . ." Die gefällige Aspasia scheint nicht sehr bös auf den Nachfolger gewesen zu sein, welchen ihr Sokrates geben will, sie, die die Erstlinge dieses ernsten Weisen gehabt hat. „Venus möge dich an ihm rächen!" singt der elegische Dichter Hermesianax voll Begeisterung für Aspasia. Sein tiefer Geist war nur noch mit den lüsternen Beunruhigungen der Liebe beschäftigt. Immer erfand er neue Vorwände zu Aspasia zurückzukehren, und er, der aus den schwierigsten Sophismen die Wahrheit herausfand, konnte nicht einmal die Pforte für die Abwege seines eigenen Herzens finden."

Aspasia bezeugte ihre Macht über den Geist des Perikles durch nichts besser, als durch die Durchsetzung der Kriegserklärung gegen Samos und Megara. In beiden Feldzügen begleitete sie ihren Gatten und nahm ihr Hetärengefolge mit. Zum Kriege gegen Samos riet sie im Interesse ihrer Geburtsstadt. Aspasia wollte nicht, dass die Samier, welche damals mit Milet im Streite waren, dieses einnähmen, sie versprach ihren Landsleuten Hilfe und hielt Wort. Bei Megara war die Ursache weniger ehrbar Alkibiades hatte die Schönheit der Dirne Simoethe von Megara rühmen hören; er begab sich mit einigen jungen Lüstlingen dahin und sie hoben Simoethe auf, indem sie behaupteten, im Auftrage des Perikles zu handeln. Die Megarenser übten Repressalien und fingen zwei Dirnen aus dem Hause der Aspasia weg. Diese beklagte sich bitter, und siehe, der Krieg wurde erklärt. Der megarensische Krieg war der Anfang des peloponnesischen Aspasia hielt durch ihre Gegenwart und den Liebesverkehr ihrer Mädchen den Mut der Feldherrn aufrecht; während der Belagerung von Samos besonders verdienten die Hetären durch ihren Eifer so viel Geld, dass sie aus Dankbarkeit der Venus einen Tempel an dem Thore der Stadt errichteten, welche nicht lange dem Heere des Perikles widerstehen könnte. Dieser Doppelkrieg, der ebensoviel Geld und Blut kostete, als er Ehre brachte, vermehrte sehr die Zahl der Feinde Aspasia's und steigerte deren Hass. Die ehrbaren Frauen warfen aus Aerger darüber, Dirnen, die besser zu gefallen verstanden, nachgesetzt zu werden, der Aspasia und ihren Genossinnen lebhaft vor, dass sie die Männer verführten und die eheliche Liebe trübten. Aspasia begegnete der Frau des Xenophon, welche lauter als alle anderen schrie. Sie fasste diese am Arme und fragte sie lächelnd: Wenn der Schmuck deiner Nachbarin schöner als deiner ist, würdest du ihren oder deinen lieber haben wollen?" — „Ihren," antwortete errötend die stolze Tugend. — „Wenn ihre Kleidung und ihr Putz reicher als deiner wäre," fuhr Aspasia fort, „würde dir ihrer doch besser als deiner gefallen?" —„Ja," versetzte sie ohne Zaudern. — „Aber wenn ihr Gatte besser wäre, als der deinige, würdest du diesen auch lieber haben wollen als deinen?" Das Weib des Xenophon hüllte sich schweigend in die Falten ihres Schleiers.

Indessen verdoppelten die Feinde Aspasia's ihren Spott und ihre Hinterlist. Bezahlte oder bestochene Komiker beleidigten sie auf offener Bühne: sie nannten sie eine neue Omphale, eine neue Dejanira, um das Unrecht zum Ausdruck zu bringen, welches sie dem Perikles thäte. Kratinus ging so weit, sie als unkeusche und ehrlose Konkubine zu behandeln. Später verklagte sie einer dieser Komödienverfertiger, Hermippos, vor dem Areopage wegen Gottlosigkeit, „indem er hinzufügte," sagt Plutarch, „dass sie dem Perikles als Kupplerin diente, da sie in ihrem Hause Bürgerinnen der Stadt empfinge, welche Perikles genösse." Die Klage nahm ihren Verlauf. Aspasia erschien vor dem Areopag und würde ohne Zweifel zum Tode verurteilt worden sein, wenn Perikles nicht persönlich zu ihrer Vertheidigung erschienen wäre: er nahm sie in seine Arme, bedeckte sie mit Küssen und konnte nichts als Thränen finden, aber diese Thränen hatten eine Beredsamkeit, welche die Angeklagte rettete. Dieselbe Anklage erstreckte sich auch auf Aspasia's Freunde, den Bildhauer Phidias und den Philosophen Anaxagoras, welche Perikles trotz der Thränen der Aspasia nicht vor dem Exil bewahren konnte. Als Aspasia den grossen Mann verlor, dem sie ihr Leben verdankte, blieb sie seinem Andenken nicht treu; sie gab ihm zum Nachfolger den dicken Kornhändler Lysikles, den sie zu bilden sich bemühte. Sie lehrte beständig Rethorik, Philosophie und Hetärenkunst und starb gegen Ende des 5. Jahrhunderts v. Chr. Die Pythagoräer glaubten, dass ihre Seele diejenige des Pythagoras gewesen sei, und dass diese aus ihrem schönen Körper in den des hässlichen Kynikers Krates übergegangen sei. Ihr Name war bis ins Innere Asiens gedrungen, und die Maitresse des jüngeren Kyrus, des Stadthalters von Kleinasien, wollte ebenfalls Aspasia genannt werden zur Erinnerung an die berühmte Philosophin, der sie nachzuahmen gedachte. Diese zweite Aspasia, nicht minder bedeutend durch ihre Schönheit und ihren Geist, erbte die Berühmtheit ihrer Namensgenossin. Sie teilte nacheinander das Bett der beiden Perserkönige Artaxerxes und Darius. Sie stammte aus Phönizien und hatte früher Milto geheissen. das ist Zinnober, wegen des Glanzes ihrer Farben.

Da Aspasia nach der Seelenwanderung der Kyniker Krates geworden war, wird man weniger über den Vorzug staunen, welchen die Philosophin Hipparchia diesem Kyniker gab, der wie ein Hund 350 Jahre v. Chr. lebte. Sie enstammte einer guten Familie Athens, war nicht hässlich und sehr klug und wohlerzogen; aber von dem Augenblicke an, wo sie Krates über die Geheimnisse der kynischen Philosophie hatte sprechen hören, war sie in ihn verliebt und schämte sich nicht ihren Eltern zu erklären, dass sie sich dem Krates hingeben würde. Man sperrte sie ein, sie seufzte beständig nach Krates. Ihre Familie beschwor diesen Philosophen, ihren Starrsinn zu brechen, und er gab sich redliche Mühe. Als er sah, das seine Gründe und Ratschläge keinen Eindruck auf Hipparchia machten, enthüllte er ihr seine Armut; er entblösste seinen Buckel und warf seinen Stock, seinen Zwerchsack und seinen Mantel zu Boden: „Das ist der Mann, den du haben willst,“ sagte er, „und dies die Möbel, die du bei ihm finden wirst. Ueberlege dir wohl, du kannst mein Weib nicht werden ohne das Leben zu führen, das unsere Sekte vorschreibt.“ Hipparchia antwortete ihm, sie hätte es sich überlegt und sei zu allem bereit. Krates besann sich auch und feierte vor dem angesammelten Volke seine Brautnacht in der Poikile. Von diesem Tage an heftete sich Hipparchia an die Sohlen des Krates, sie zog mit ihm herum, begleitete ihn zu Festlichkeiten, ganz gegen die Sitte der Ehefrauen, und machte sich keine Gewissensbisse, nach Bayle's Sprache: „ihm auf offener Strasse ihre eheliche Pflicht zu erfüllen.“ So wollte es die Vorschrift der kynischen Philosophie. St. Augustin bezweifelt in seinem „Reiche Gottes“ diesen schändlichen Umstand, indem er sagt: „dass er nicht glauben könne, dass Diogenes und die Anhänger seiner Schule, welche im Rufe standen, alles öffentlich zu thun, daran ein wahres und ernstliches Vergnügen fanden, wenn sie auch nur unter dem Mantel des Kynismus die Bewegungen sich Paarender nachahmten, um dadurch bei den Zuschauern Bewunderung zu erwecken.“ Mag daran sein, was will, die Hochzeit der Hipparchia und des Krates wurde durch die Kynogamien unsterblich gemacht, welche die Kyniker Athens in derselben Weise unter der Säulenhalle, der Poikile, feierten. Hipparchia war noch kynischer als ihr Krates, und Nichts konnte sie erröten machen. Eines Tages stellte sie einen Trugschluss auf, welchen der Atheist Theodor widerlegte, indem er ihr den Rock aufhob, nach den etwas gewagten Ausdrücken, deren sich Menage bei seiner Uebersetzung des Diogenes-Laertios bedient (*ἀνέσυρε δαὐτῆς θοιμάτιον.*) Hipparchia rührte sich nicht und liess ihn schalten. „Was beweisst das?“ fragte sie ihn, als sie ihn plötzlich aufhören sah. Es scheint nicht, dass die Philosophie des Diogenes viel Umstände von einer Dirne verlangte, denn nach den kräftigen Ausdrücken eines griechischen Dichters: „macht sie nicht der Duft des Parfüms küssenswert.“ Dennoch hatte Hipparchia Schülerinnen, welche ihrem schlechten Beispiele folgten und sogar die Dicteriaden erröten machten. Sie verfasste mehrere philosophische und poetische Werke, darunter Briefe, Tragödien und eine Abhandlung über die Hypothese. Es ist dies im Griechischen ein sehr freies Wortspiel, welches uns die Ethymologie verständlich machen kann (ὑπὸ unten, und θεοίς Lage). Hipparchia, obwohl

Dirne, konnte nur in der kynischen Welt Zulauf haben, denn das Bild, welches der Philosoph Aristipp uns von den Schülern des Diogenes hinterlassen hat, giebt uns eine ziemlich wenig einladende Vorstellung von den Weibern dieser Sekte: „Habt ihr keinen Grund," sagt er, „euch über diese Menschen lustig zu machen, deren Eitelkeit besteht in einem struppigen Barte, einem Knotenstocke und einem zerlumpten Mantel, unter dem sie den ungeheuren Schmutz und alles Ungeziefer verbergen, das dort wohnen kann? Was meint ihr noch zu ihren Nägeln, die den Klauen einer roten Bestie gleichen?

Die Pythagoräer waren wenigstens, trotz der Vorschriften des Sokrates, besser gekleidet und gewaschen. Die Hetären, welche sich diesen Philosophen widmeten und ihnen ergeben waren, hatten nichts abstossendes in ihrer Toilette und nahmen sich mitten in ihren Sorgen um die Philosophie Zeit auf materielle Dinge zu achten. Sie verschmähten nicht den Luxus, am wenigsten diejenigen der Sekte der Epikurs. Vor ihnen hatte der megarensische Philosoph Stilpon um die Mitte des vierten Jahrhunderts v. Chr. die Hetären in die Sekte der Stoiker eingeführt, obgleich diese Sekte die Tugend als oberstes Gut betrachtete. Stilpon begann wollüstig zu werden und behielt immer etwas davon bei, selbst wenn er seinen Schülern empfiehlt ihre Leidenschaften im Zaume zu halten. Der Grund seiner Lehre war Apathie und Trägheit. Seine Maitresse Nikarete, welche von der gleichnamigen Mutter der berühmten Neära zu unterscheiden ist, kämpfte gegen diese Lehre und teilte ihre Zeit unter die Mathematik und die Liebe. Geboren von ehrbaren Eltern, die ihr eine sorgfältige Erziehung gaben, war sie leidenschaftlich eingenommen für die Probleme der Geometrie, und sie verweigerte keinem ihre Gunst, der ihr eine algebraïsche Gleichung auflöste. Stilpon lehrte sie nur die Dialectik; andere unterrichteten sie in den Fächern der Mathematik. Stilpon betrank sich oft und schlief viel; die anderen waren um so munterer. Eine Philosophen-Schule, die Hetären zu ihren Anhängern zählte, hatte auch stets Erfolge. Wenn die Mathematikerin Nekarete den Stoïkern gute Dienste leistete, so waren Philenis und Leontium den Epikuräern nicht minder nützlich. Philenis, die Schülerin und Maitresse Epikurs, schrieb eine Abhandlung über die Physik und die Atome. Sie stammte aus Leukas und brauchte sich nicht über die Kälte ihres Liebhabers zu beklagen. Epikurs Maitresse war sie in seiner Jugend. Leontium kannte ihn nur in seinem Alter. Sie liebte ihn nicht aus Gewinnsucht und war nur auf seine Gegenliebe eifersüchtig. „Ich triumphiere, meine Königin," schrieb er ihr als Antwort auf einen ihrer Briefe, „welches Vergnügen fühle ich beim Lesen dieses Briefes!" Diogenes Laertius hat unglücklicher Weise nur den Anfang dieses Briefes aufbewahrt. Von den Briefen der Leontium haben wir nur einen einzigen an ihre Freundin Lamia, und man kann aus diesem Briefe ersehen, dass der alte Epikur mehr als einen glücklichen Rivalen hatte. Sein Verdacht und seine Eifersucht waren also nur zu gerechtfertigt Leontium bewunderte den Philosophen und verabscheute den Greis.

„Bei der Venus!“ schrieb sie an Lamia. „Wenn Adonis als achtzigjähriger Greis zurückkehren könnte, seinem Alter entsprechend geschwächt, von Ungeziefer bedeckt, und mit einem stinkenden, schmutzigen Felle bekleidet wäre wie mein Epikur, Adonis selbst käme mir unausstehlich vor.“ Epikur ist mit Grund auf seinen Schüler Timarch eifersüchtig, einen schönen jungen Kephisier, den ihm Leontium mit allem Rechte vorzog. „Da ist Timarch,“ sagt sie, „der mich zuerst in die Mysterien der Liebe eingeweiht hat; er wohnte in meiner Nachbarschaft und ich glaube, dass er die Erstlinge meiner Gunst gepflückt hat. Seit dieser Zeit hat er mich immer mit Geschenken überhäuft: Kleider, Geld, Dienerinnen, Sklavinnen, Schmuck, aus fremden Ländern brachte er; er hatte alles für mich verschwendet.“ Epikur ist nicht minder freigibig, aber er ist nicht mehr liebenswürdig und übermässig eifersüchtig; denn, während Timarch die Nebenbuhlerschaft seines Meisters duldet, kann dieser ihm nicht verzeihen, dass er jung, schön und geliebt ist. Epikur beauftragt also seine Lieblingsschüler Mermachos, Metrodoros und Polienos die beiden Liebenden zu überwachen und ihre Zusammenkünfte zu stören. „Was thust du, Epikur?“ fragt ihn Leontium, die ihn besänftigen will. „Du machst dich selbst lächerlich. Deine Eifersucht ist Stadtgespräch und Theaterspott geworden; die Sophisten machen ihre Bemerkungen über dich.“ Aber der Graubart will nichts hören, er verlangt allein geliebt zu werden. „Wäre ganz Athen mit Epikurs oder deinesgleichen bevölkert,“ ruft endlich Leontium aufs Aeusserste gebracht aus, „ich würde alle zusammen nicht soviel achten wie den kleinsten Teil Timarchs, wie die Spitze seines kleinen Fingers!“ Leontium bittet Lamia um eine Zuflucht vor den Rasereien und Zärtlichkeiten Epikurs.

Sie gönnte sich übrigens jede Zerstreuung; sie hatte gleichzeitig noch einen anderen Geliebten, den Dichter Hermesianax von Kolophon, der ihr zu Ehren eine Geschichte des Liebesdichter verfasste und ihr darin den Ehrenplatz anwies. Aber sie war mehr von der Philosophie als von der Poesie eingenommen und befand sich nirgends wohler als in dem herrlichen Garten Epikurs, wo sie sich allen Schülern dieses Meisters preisgab, dem sie gleichfalls ihre Gunst vor aller Welt gewährte. Athenäus hat nur diese Züge der Philosophin überliefert, doch kann man nach seinen Worten nicht entscheiden, wie der Maler Theodor Leontium im Nachdenken darstellte: Leontum Epikuri cogitantem, sagt Plinius, welcher dieses berühmte Gemälde lobt. Sie begnügte sich nicht, über die Lehre Epikurs zu sprechen, sie schrieb auch Werke, die durch die Eleganz ihres Stiles hervorragten. Ihre Schrift gegen den gelehrten Theophrast erregte die Bewunderung Ciceros, welcher bedauerte, soviel feinen Geschmack aus einer so schmutzigen Quelle fliessen zu sehen. Man behauptet, dass die Lehre Epikurs sie zur Mutter gemacht habe, und dass ihre Tochter Danaë, die sie Epikur zuschrieb, unter den Bäumen des Gartens dieses Philosophen geboren wurde. Trotz seines ehrwürdigen Alters glimmte doch unter seinen grauen Haaren alles Feuer eines jungen Herzens. Diogenes Laertius führt von ihm folgenden, einer glühenden Ode Sapphos gleichenden Brief an: „Ich zehre mich selbst auf; kaum kann ich dem Feuer, das mich verzehrt, widerstehen; ich erwarte den Augenblick, der dich mit mir vereinigen soll, wie ein der Götter würdiges Glück!" Leider ist dieser leidenschaftliche Brief nicht an Leontium, sondern an Pitokles gerichtet, einen Schüler des Vaters des Epikuräismus. Trotz Pitokles und Leontium hat man versucht, Epikur als den keuschesten und tugendsamsten aller Philosophen hinzustellen. Leontium überlebte ihn ohne Zweifel und glänzte noch um die Mitte des dritten Jahrhunderts v. Chr.

Ihre Tochter Danaë starb nicht als Dirne: sie war die Konkubine des Sophron, des Statthalters von Ephesus, ohne deshalb auf die Philosophie ihrer Mutter und ihres Vaters zu verzichten. Sophron liebte sie heftig, und sein Weib Laodike war auf sie nicht eifersüchtig, im Gegenteil wurde sie ihre Freundin und Vertraute. Sie gestand ihr eines Tages, dass sie Mörder beauftragt habe, sie auf einen Schlag vom Gatten und Geliebten zu befreien. Danaë beeilte sich, alles Sophron zu gestehen, welcher mit knapper Not nach Korinth entfliehen konnte. Laodike, wütend, ihr Opfer entschlüpft zu sehen, rächte sich an Danaë und befahl sie von der Höhe eines Felsens zu stürzen. Als Danaë die Tiefe des Abgrundes sah, in den man sie werfen wollte, rief sie aus: „O Götter! Mit Recht zweifelt man an eurem Sein. Ich sterbe elend, weil ich das Leben des Mannes erhalten wollte, den ich liebe, und Laodike, welche ihren Gatten ermorden wollte, lebt im Glanze des Ruhmes und der Ehre!"

Das waren die Hauptphilosophinnen der griechischen Hetären, welche der Prostitution einen Schein von Wissenschaft und einen Reiz des Geistes verliehen. Sie machten sich durch ihre Reden und Schriften zu Herren der Philosophie. Ihr Ruhm strahlte auch auf die Menge der Dirnen über, welche mit Dichtern und Philosophen verkehrten, ohne selbst Philosophinnen oder Dichterinnen zu werden. Plato liebte Archeanassa von Kolophon, Meneklid, Bacchis von Samos, Sophokles Archippe, Antagoras Bedion etc., aber diese Hetären begnügten sich in ihrem Fache zu glänzen und versuchten nicht, sich dem Geiste ihres Liebhabers zu nähern, wie Prometheus dem heiligen Feuer. Dichter und Philosophen sangen um die Wette das Lob der Dirnen.

XII. Kapitel.

Die Griechen.

IX

Die Freundinnen berühmter Männer Griechenlands. — Liebe Platos zur alten Archeanassa. — Epigramm, welches er auf die Runzeln dieser Hetäre machte. — Erklärung dieses Epigramms. — Die hippische Plaggon. — Pamphile. — Einzig dastehende Opfergabe, welche diese Dirne der Venus darbrachte. — Ihr Reitinstitut. — Venus Hippolytia. — Rivalität der Plaggon und Bacchis. — Prokles von Kolophon. — Edelmut der Bacchis. — Das Halsband der beiden Freundinnen. — Archippe und Theoris, die Maitressen des Sophokles. — Hymnus des Sophokles auf Venus. — Theoris auf Anklage des Demosthenes zum Tode verurteilt. — Archippe, die Eule. — Aristophanes, Nebenbuhler des Sokrates. — Theodote, Gottesgabe. — Sokrates, als weiser Ratgeber der Liebe. — Aristophanes von Archippe verschmäht. — Rache des Aristophanes. — Die Wolken. — Tod des Sokrates. — Lamia und Glycera, die Maitressen des Menander. — Brief der Glycera an Bacchis. — Ernstliche Liebe des Meander zu Glycera. — Zu Ehren dieser Dirne gedichtete Komödien. — Der Dichter Antagoras und die geizige Bedion. — Lagide oder die Schwarze und der Rhetor Kephales. — Choride und Aristophon. — Phyle, Konkubine des Hyperides. — Die Maitressen des Hyperides. — Euthias, der Ankläger der Phryne. — Isokrates und Lagiska. — Herpyllis und Aristos — Die Sklavin Nikarete und der Rhetor Stephanus. — Die unzüchtige Neära. — Der Herr, der Schmeichler, der Azrt und der Freund der Naïs oder Oïa. — Die Hetäre Bacchis. — Die Bemühungen dieser Dirne um Phryne vor der Klage zu retten, welche Euthias gegen sie angestrengt hatte. — Trauer, die ihr Tod verursachte. — Verzweiflung des Hyperides, ihres Geliebten. — Die gute Bacchis. — Ehrbare Sitten der Dirne Pithias. — Zartgefühl der Theodote beim Tode ihres Geliebten, Alkibiades. — Die Hetäre Medontis von Abydos. — Das Viergespann des Themistokles. — Die alte Dirne Themistonoë. — Niko, genannt die Ziege. — Epigramme der Mania, genannt die Biene oder die Tolle.

Fast alle grossen Männer Griechenlands spannten sich wie Perikles an den Triumphwagen der Dirnen. Jeder Redner, jeder Dichter hatte eine Freundin. Obgleich die Hetären, welche sich so mit der Litteratur und der Beredsamkeit beschäftigten, kein anderes Interesse hatten, als berühmt zu werden, wurden sie doch oft in ihrer Erwartung getäuscht, denn ihre Liebhaber feierten sie nur in Werken, welche sie selbst kaum überlebten oder doch nicht auf uns gekommen sind. Es sind uns daher nur wenige Nachrichten von diesen Hetären geblieben, welche uns nur durch die berühmten Namen ihrer Anbeter empfohlen werden, es aber vielleicht versäumt haben, sich selbst durch ihren anmutigen Geist bekannt zu machen. Es scheint, als ob die bedeutenden Männer, welche die Dirnen ohne Scheu liebten und zu ihren Füssen sich sehen liessen, doch fürchteten, sich vor der Nachwelt bloszustellen, wenn sie den Ruhm der Prostitution und der daraus entspringenden Laster verkünden würden. Möglicher Weise hatten auch die von den Heroen der griechischen Litteratur erwählten Maitressen kein anderes Verdienst, als eben diese Wahl und ihre sinnliche Schönheit; nicht nur heute geben geistreiche Leute schönen Statuen den Vorzug und sind von der Schönheit mehr als der Natürlichkeit eingenommen. Gerade auch die Griechen verlangten, wie schon erwähnt, vom Weibe eine vollendete Form, und ihr harmonisches Köpergefüge hatte allein mehr stumme Reize als Geist und Herz in ihre Stimme und Unterhaltung hätten legen können. Wir folgern daraus, dass die Geliebten der Dichter, Redner und Gelehrten nur schön und wollüstig waren.

Selbst Plato vernachlässigte seine Philosophie so, dass er Verse auf die Runzeln seiner Archeanassa machte, welche er, so runzelig sie war, doch heftig liebte. Sein unübersetzbares Epigramm spielt mit der Gleichheit der Konsonanten, welche das griechische Wort Runzel mit dem Wort Scheiterhaufen hat (lateinisch rogum und ruga): „Archeanassa, die Hetäre von Kolophon, weilt jetzt bei mir, sie, die unter ihren Runzeln den siegreichen Amor verbirgt. Ach Unglückliche, die sie in ihrer ersten Jugend mit ihrem Feuer berührte, schon lange seid ihr eine Beute des Scheiterhaufen!“ Man schreibt dem Dichter Asklepiades diese Verse zu, welche Platos Namen tragen, und die sich Fontenelle in einer galanten Nachahmung dem griechischen Originale möglichst ähnlich wiederzugeben bemüht:

Viel verdient hat Archeanassa, die schöne Frau;
Sie hat Runzeln ich aber schau
Auf diesen Runzeln der Liebesgötter Schar.
Die ihr sie sehen konntet, bevor noch ihr Gesicht
Bekam die kleinen Lücken, im Laufe vieler Jahr',
Ach was erduldetet ihr nicht?"

Man kann schliesslich dieses Epigramm Platos oder Asklepiades' auf zehn Arten auslegen und auf hundert übersetzen. Besser verständlich ist ein anderes Epigramm eines unbekannten Verfassers, welches auf eine andere Dirne aus Milet, in Griechenland Plaggon, in Ionien Pamphile genannt, gemacht wurde. Diese Plaggon, deren Schönheit ohne gleichen war, entführte ihren Freundinnen Philenis und Bacchis die Liebhaber. Zufrieden mit ihrem Doppelsiege bot sie der Venus eine Peitsche und einen Zaum mit folgender allegorischen Inschrift an: „Plaggon hat diese Peitsche und diese glänzenden Zügel gestiftet, sie hat sie über der Pforte ihrer Reitschule aufgehängt, wo man so gut zu Pferde steigen lernt, nachdem sie in einem Rennen die kriegerische Philenis besiegt hat, obgleich diese schon auf dem Rückwege begriffen war. Liebliche Venus, gewähre ihr die Gunst, ihren Sieg Unsterblichkeit erlangen zu sehen." Der Dichter versetzt in diesen Versen, den Liebesstreit in das Stadion, wo die Wagenrennen stattfanden. Plaggon bediente sich so geschickt der Peitsche und der Zügel, dass sie das Ziel vor Philenis erreichte, obwohl diese bereits die verhängnisvolle Säule passiert hatte und sicher glaubte den Vorteil zu wahren. Der Renner, den Plaggon in diesem denkwürdigen Kampfe bestieg, war vielleicht der Dichter selbst. Wenn Plaggon diesmal den Preis im Rennen erhielt, so war sie später weniger glücklich. Lucian erzählt uns, dass sie sich eines Tages von ihrem Geliebten ausgeplündert sah, welcher vom Pferde zum Reiter geworden war und Zügel und Peitsche gegen die Reiterin kehrte. „Ein einziger Reiter hat ihr das Leben gekostet," sagt Lucian, welcher auf die Inschrift des Venusopfer anspielt. Wir vermuten noch, dass dieser Opfergabe eine kleine Statue beigefügt war, welche die Dirne mit den Zügen der Göttin, die sie in ihrem Reitinstitute anrief, darstellte, denn ihr Name (πλαγγον) blieb seitdem den Puppen oder Wachsbildern, die man an den Thüren des Venustempel verkaufte, besonders in Troizen, wo Venus unter dem Namen Hippolytia angebetet wurde.

Plaggon wurde weniger durch ihre Reiterei als durch ihre Nebenbuhlerschaft mit Bacchis berühmt. Die schöne Hetäre von Samos, die sanfteste und anständigste aller Dirnen, hatte Prokles von Kolophon zum

Geliebten. Dieser Jüngling kam mit Plaggon zusammen und vergass Bacchis. Doch Plaggon, welche wusste, wer ihre Nebenbuhlerin sei, wollte anfangs die zarten Bitten des Prokles nicht erhören, der alles für sie, selbst Bacchis opfern wollte: „Setze meine Liebe auf die Probe!“ sagte er. „Ich werde alles thun, und koste es mein Leben.“ — „Nun gut; ich bitte dich um das Halsband der Bacchis,“ antworte Plaggon lachend. Dieses Perlenhalsband war das schönste der Welt. Die Königinnen Asiens beneideten darum die Dirne, die es Tag und Nacht trug. Der verzweifelte Prokles suchte Bacchis auf, er gestand ihr unter Thränen, dass er vor Liebe sterben müsse, so lange er ihr nicht für das, was er forderte, das Halsband der Bacchis zu geben habe. Bacchis band schweigend ihr Halsband ab und legte es in die Hände des bestürzten und unschlüssigen Prokles, der im Begriffe stand, es ihr zurückzugeben, doch die Leidenschaft siegte. Er erhob sich zitternd und floh mit dem Halsbande wie ein Dieb. „Ich schicke dir dein Halsband zurück,“ schrieb Plaggon an Bacchis, deren Edelmut sie bewunderte, „morgen werde ich dir auch deinen Geliebten zurückschicken.“ Die beiden Dirnen überboten sich in gegenseitiger Hochachtung und schlossen eine so aufrichtige Freundschaft, dass sie alles bis zum Geliebten und Halsbande zum gemeinsamen Besitz machten. Wenn man Prokles zwischen seinen beiden Maitressen sah, sagte man: „Das ist das Halband der beiden Freundinnen!“

Wir kommen auf die Maitressen der berühmten Männer zurück Der alte Sophokles hatte deren zwei, Archippe und Theoris. Letztere war Priesterin bei den Mysterien der Venus und des Neptun, sie galt auch als Zauberin, welche Tränke machte. Sie verschmähte die Liebe des berühmten Demosthenes, um dem Stolze des Sophokles zu schmeicheln, der folgende Hymne an Venus dichtete: „O Göttin, höre meine Bitte! Mach Theoris unempfindlich für die Liebkosungen der Jugend, die du begünstigst, giesse Anmut auf mein weisses Gelock; lass Theoris einem Greise den Vorzug geben. Die Kräfte des Greises sind erschöpft, aber sein Geist kennt noch das Verlangen.“ Um sich für die Verachtung an dieser schönen Priesterin zu rächen, klagte sie Demosthenes an, den Sklaven geraten zu haben, ihre Herren zu bestehlen, und er bewirkte ihr Todesurteil. Sophokles scheint die Verteidigung der armen Theoris nicht auf sich genommen zu haben. Er liebte vielleicht bereits Archippe, welche ihm den jungen Smikrines opferte. „Sie ist eine Eule,“ sagte dieser, „sie fühlt sich auf Gräbern wohl.“ Dieses Grab barg aber einen Schatz: als Sophokles hundertjährig starb, hinterliess er alle seine Habe testamentarisch dieser liebenswürdigen Eule. Die Dirnen hatten ebenso viele Gewalt über die Komödie, wie über die Tragödie. Aristophanes war der Nebenbuhler des Sokrates und hatte eine unglückliche Leidenschaft für die Maitresse dieses Philosophen, die man Theodote, Gottesgabe, nannte. Sie hatte sich von dieser Stumpfnase und Glatze einnehmen lassen und Sokrates kniefällig gebeten, ihr den untersten Platz unter seinen Geliebten und Schülern zu gewähren. „Gieb mir doch einen Trank den ich anwenden kann," hatte sie seufzend ihm gesagt, „um dich an mich zu ziehen." — „Aber ich will gar nicht zu dir gezogen werden," hatte Sokrates geantwortet; „ich verlange, dass du selbst kommst und mich suchst." — „Ich werde gern kommen, wenn du mich empfangen willst." — Ich werde dich empfangen, wenn ich niemanden bei mir habe, den ich mehr liebe als dich." — Sie wählte ihre Zeit klug, Sokrates war allein. Er fuhr fort, ihr ausgezeichnete Ratschläge zu geben, um ihr Leben als Dirne zu regeln und ihre Liebhaber lange zu fesseln, indem sie diese immer leidenschaftlicher mache. Mittlerweile hatte sie sich den Aristophanes zum Feind gemacht, indem sie sich weigerte, ihn zum Geliebten zu nehmen. Der gefährliche Dichter argwöhnte, Sokrates habe die naive Theodote gegen ihn eingenommen, und um sich dafür zu rächen, dichtete er die Wolken, worin er den Philosophen aufs heftigste angriff. Die Folge dieser Komödie war der Prozess, in dem Sokrates zum Trinken des Schierlingsbechers verurteilt wurde. Theodote beweinte das berühmte Opfer des Aristophanes. „Deine Freunde sind dein Reichtum," hatte ihr Sokrates bei seinem ersten Gegenbesuche gesagt, „es ist dies der wertvollste und seltenste Reichtum!" Theodote wollte niemals unter die Zahl ihrer Freunde den Feind, Ankläger und Henker des Sokrates aufnehmen.

Der Dichter Menander, dessen Komödien nicht wie die des Aristophanes Satyren waren, war bei den Dirnen besser angeschrieben. Lamia und Glycera stritten sich nacheinander um den Ruhm ihn zu besitzen und festzuhalten. Die eine war die Maitresse des Demetrius Poliorketes, die andere die des Harpalus von Pergamon. Man hat Bände darüber geschrieben, wie er den beiden Fürsten in der Gunst ihrer Favoritinnen habe den Rang ablaufen können. „Menander hat das verliebteste Temperament," schrieb Glycera an Bacchis, von welcher sie fürchtete ausgestochen zu werden, denn der ernsthafteste Mann konnte nur mit Mühe den Reizen der Bacchis standhalten. „Traue mir keinen ungerechten Argwohn zu, meine Liebe, und verzeihe mir die Aufregung der Liebe. Ich sehe es als eine für mein Glück sehr wichtige Sache an, mir Menander als Liebhaber zu erhalten, denn wenn es zum Bruche mit ihm käme, wenn nur seine Zärtlichkeit erkaltete, müsste ich in der beständigen Furcht leben auf die Bühne gebracht und den beleidigenden Reden eines Chremes und Dyphiles ausgesetzt zu werden." Glycera liebte den Menander wahrhaft, und dieser wurde von ihr so gefesselt, dass er die glänzendsten Anerbieten des Aegypterkönigs Ptolemäus, der ihn vergebens an sich zu ziehen suchte, abwies, um sie nicht verlassen zu müssen. Welche Freuden könnte ich im Leben noch fern von dir haben?" schrieb Menander an Glycera. „Giebt es auf der Welt etwas,

was für mich schmeichelhafter wäre und mich glücklicher machen könnte als deine Freundschaft? Dein liebenswürdiger Charakter, dein frohes Gemüt werden uns bis in unser höchstes Greisenalter die Freuden der Jugend verlängern. Verleben wir also den Rest unserer Jugend zusammen, werden wir zusammen alt, sterben wir zusammen. Ersparen wir uns den Schmerz daran zu denken, ob der Ueberlebende von uns noch einiges Glück geniessen könnte. Mögen mir die Götter Hoffnung auf ein solches Glück erhalten!“ Menander zieht die Liebe der Glycera allen Freuden des Ehrgeizes und allem Glanze des Reichtums vor: er schickt also an seine Stelle den Dichter Philemon zu Ptolemäus: „Philemon hat keine Glycera!“ schrieb er zärtlich. Glycera versuchte, durch den Beweis einer so ernstlichen Liebe gerührt, dennoch Menander zu bewegen, das Anerbieten des Aegypterkönigs anzunehmen: sie wollte nicht an Edelmut übertroffen sein, sie folgte ihm überall hin und richtete sich mit ihm in Alexandria ein: allein sie triumphierte in ihrem Herzen über ihren Sieg über Ptolemäus. „Ich fürchte mehr,“ sagte sie, „die kurze Dauer einer Liebe, die nur auf Leidenschaften gestützt ist, denn, wenn diese gewaltig sind, bricht sie leicht; wenn sie aber auf Vertrauen fusst, kann man sie für unlöslich betrachten.“ Man sollte nicht glauben, dass eine Dirne so feine Empfindungen hatte, und man kann daraus schliessen, dass bei einer alten Dirne die Liebe ebenso lange anhielt wie bei einer jungen Vestalin. Vor ihrer Liebschaft mit Menander war Glycera von Harpalus, einem der reichsten Offiziere Alexanders des Grossen königlich unterhalten worden; hingegen hatte Lamia Menander verlassen, um das königliche Bett des Demetrius zu teilen.

Menander hatte eine Komödie zu Ehren seiner Glycera gedichtet. Der Dichter Eunicus feierte seine Anthea in einem gleichnamigen Stücke. Pherekrates machte der Korianno eine nach ihr benannte Komödie zum Geschenke. Thalatta hatte gleichfalls den Ruhm in einer Komödie aufgetreten zu sein, aber der Name ihres Dichters ist schneller vergessen worden als der des Stückes. Der Dichter Antagoras, der Günstling des Antigonus, weihte ebenfalls seine Muse seiner Maitresse, der geizigen Bedion, welche nach den Worten des Simonides als Sirene begann und als Seeräuber endete. — Die Redner glühten noch mehr als die Dichter für die Dirnen, welche von ihnen gewöhnlich keinen anderen Nutzen zogen, als die Befriedigung ihrer Eitelkeit. Lagide oder die Schwarze, für welche der Rhetor Kephalos eine Lobrede im galanten Stile verfasst hatte, gab sich dem Lysias für eine feierliche Rede hin. Choride wurde von Aristophon Mutter, der selbst Sohn der Dirne Chloris war. Phyle war die Konkubine des Hyperides, welcher sie gekauft hatte, um ihr die Obhut eines Hauses, das er zu Eleusis besass, anzuvertrauen, dennoch hatte er auch fernere Beziehungen zu Myrrhina, Aristagore, Bacchis und selbst zu Phryne: Phyle war aber auch nur eine thebanische Sklavin. Myrrhina gewährte ihre

Gunst den Euthias, um ihn zu bestimmen, Phryne anzuklagen, welche sie verabscheute: „Bei Venus!“ schrieb ihr Bacchis, empört über diesen hässlichen Handel, „kannst du denn keinen anderen Liebhaber finden! Geh, kette der würdige Gegenstand deiner Liebe, der erbärmliche Euthias, dein Leben mit dem seinigen zusammen.“ Die Rhetoren und Moralisten hatten nicht geringere Neigung für die Hetären. Isokrates verzichtete auf seine Strenge um Lagiska willen; Herpyllis, welche Aristot in seinem Testamente zu bedenken würdigte, hatte ihm einen Sohn, Nikomach geschenkt. Nikarete, die Sklavin des Kassius, verdankte ihre Freiheit dem Rhetor Stephanos. Als es bei den Hetären Mode wurde, einen Rhetor oder Dichter unter den Freunden zu haben, war dies ein Platz, der in ihren Häusern niemals unbesetzt blieb und nach dem Ausspruche einer dieser Liebhaberinnen geistreicher Leute verdoppelte und verdreifachte man die Besatzung, wenn der Posten schlecht besetzt oder verteidigt war. Die berühmte Neära, welche Demosthenes der Gottlosigkeit und des Ehebruchs vor dem Tribunale des Thesmotheten anklagte, hatte gleichzeitig als Liebhaber Xeneklid, den Schauspieler Hipparch und den jungen Phrynion, den Neffen des Dichters Demochares, welcher dieselben Befugnisse wie sein Onkel hatte. Dies war noch nicht genug: Phrynion hatte noch einen Freund Stephanos: sie kamen überein, sich in die Nächte der Neära zu teilen, welche sich nicht im Geringsten vor dieser Teilung fürchtete. Sie hatte sich bei einem Gastmahle mit ihren beiden Zwillingsliebhabern bei Chabrias aus deren Armen losgemacht, um sich allen Sklaven des Hauses preiszugeben. Man muss zu ihrer Entschuldigung sagen, dass sie diese Nacht trunken war. Naïs oder Oia, mit dem Beinamen Antikyra, weil man sie beschuldigte, ihren Liebhabern Nieswurz zu trinken zu geben, hatte gleichzeitig mehrere Geliebte, welche sie unter verschiedenen Namen vorstellte: Archias war ihr Herr, Himeneus ihr Schmeichler, Nikostrates ihr Arzt und Philonides ihr Freund.

Eine der berühmtesten Hetären der Dichter und Redner war ohne Zweifel Bacchis, die Maitresse des Redners Hyperides. Sie liebte ihn so innig, dass sie jede Bekanntschaft eines anderen Mannes zurückwies, nachdem sie ihn kennen gelernt hatte. Sie war eine zarte, melancholische Seele, welche sich damit begnügte, einen zu lieben und von ihm geliebt zu werden. Sie war weder eifersüchtig noch misstrauisch auf ihre Genossinnen; sie war unfähig etwas Böses zu thun oder nur auszudenken; sie setzte bei anderen keine Schlechtigkeit voraus, weil sie selbst keine besass. Als Phryne von Euthias der Gottlosigkeit angeklagt wurde, beschwor sie Hyperides, jene zu verteidigen und setzte alles in Bewegung, sie zu retten. Man warf ihr allein von allen Dirnen vor, ihr Gewerbe schlecht zu verstehen und tugendhaft zu sein.

Man bedauerte sie allgemein, als sie in der Blüte ihrer Jahre starb; man beweinte sie als ein Muster von Güte, Liebenswürdigkeit und

Zartgefühl. „Niemals kann ich Bacchis vergessen!“ schrieb Hyperides nach ihrem Verluste, „niemals! Wie edel und grossmütig war sie in ihrer Ergebenheit! Sie veredelte den Namen Dirne. Dass sich doch alle vereinigten, ihr eine Statue im Tempel der Venus oder der Grazien zu errichten! Ihr Ruf rät dazu, denn man hört von allen Seiten wiederholen, dass sie treulose Sirenen sind, rasend, von Goldgier befallen, ihre Liebe nach dem Reichtume messend und endlich ihre Anbeter in den Abgrund aller Uebel stürzend.“ Bacchis hatte die herrlichsten Geschenke zurückgewiesen, um Hyperides treu zu bleiben, sie starb arm; sie hatte nur den Mantel ihres Geliebten, um sich in dem elenden Bette zu bedecken, wo sie noch die Spuren seiner Küsse suchte.

„Ich werde nicht mehr ihre süssen Blicke erlauern,“ sagte seufzend dieser trostlose Liebhaber, „nicht mehr das wollüstige Lächeln ihres reizenden Mundes sehen. Dahin sind die herrlichen Freuden der Nächte, in denen sie stets aufs neue die Wollust entflammte! Ihr unaussprechlich sanfter Charakter und ihre bedingungslose Hingebung. Welche Blicke! Welche Gespräche! Welche sirenenhafte Unterhaltung! Welch' reiner und berauschender Nektar in ihren Küssen! Die Verführung wohnte auf ihren Lippen. Sie vereinigte darauf allein die drei Grazien und Venus. Sie schien in die Gestalt der Venus selbst gehüllt zu sein.“ Und dennoch hatte Hyperides der Bacchis mehr als eine Rivalin gegeben. Er hatte sogar eine Zeit lang auf sie verzichtet, um sich Phryne zu widmen, der er das Leben gerettet hatte. Aber Bacchis zeigte weder Unwillen noch Groll, und wenn man sie fragte, was sie allein thäte, während Hyperides sie in den Armen einer Menge Maitressen vergässe, antwortete sie einfach: „Ich warte auf ihn.“ Die Halsbandgeschichte hatte sie in ganz Griechenland berühmt gemacht, und man nannte sie nur die „gute Bacchis“. Der Plaggon hingegen, welche doch auch keine schlechte Rolle in diesem Abenteuer gespielt hatte, verzieh man es nicht, die Liebe der Bacchis gestört zu haben, und gab ihr den Zunamen Pasiphile oder der Pfau. Der bissige Archilochus vergleicht sie in seinen Versen den Feigenbäumen, welche auf Klippen und abgelegenen Orten wachsen, und deren bittere Früchte nur den Krähen und Wandervögeln als Nahrung dienen: „So sind die Gunstbezeugungen der Pasiphile,“ sagt er, „nur für die Fremden, welche durchreisen und nicht zurückkommen.“ Es gab also unter den Dirnen doch noch eine strenge Moral.

Bacchis war nicht die einzige, welche sich Achtung in ihrem Stande verschaffte. Aristaenet und Lucian führen noch Pithias an, welche, obgleich Dirne, doch anständige Sitten hatte, sie sagen: „Niemals vergass sie die schöne und einfache Natürlichkeit.“ Eine andere, Theodote, die ohne Zweifel nicht dieselbe Schmeichelei verdiente, gab ein Beispiel zartester Ergebenheit. Sie war die Geliebte des Alkibiades, als dieser durch die Hinterlist des Pharnabazes zu Grunde ging. Fromm sammelte sie seine Gebeine, hüllte sie in kostbare Gewänder und gab ihnen ein ehrliches Leichenbegängnis. Man sieht also eine Dirne als erste Leidtragende um den Schüler des Sokrates. Gleichwohl war Alkibiades kein treuer Liebhaber, und man könnte ihm eher nachsagen, dass er die Ehre hatte, alle Dirnen seiner Zeit zu kennen. Eines Tages sprach man vor ihm und seinem Lieblinge Axiochus von Medontis zu Abydos, die er noch nicht kannte; man schmeichelte ihr dabei in Ausdrücken, welche seine Neugier erregten; er schiffte sich noch denselben Abend mit Axiochus ein, durchfuhr den Hellespont und brachte eine Nacht zwischen ihr und Axiochus zu. Viele berühmte Hetären haben uns nur ihren Namen hinterlassen. So zum Beispiel die vier Dirnen Skyone, Lamia, Satyra und Nanion, die in einem Wagen an der Seite des Themistokles erschienen, oder nach einer anderen Ueberlieferung sich an den Wagen spannten, worin der berühmte Sohn einer Dicteriade im Gewande des Herkules lag. Man nannte sie seitdem die Quadriga des Themistokles. Lucian, Athenäus und Plutarch führen uns die Namen an von Aeris Agallis, Timandra, Thaumarion, Dexithea, Malthakea und einigen anderen Berühmtheiten dieser Art. Themisthonoe, welche ihr Handwerk länger als zwölf Lustra übte, verliess ihre Liebeslaufbahn erst, als sie den letzten Zahn und das letzte Haar verlor. Diese unerschrockene Ausdauer wurde durch folgendes Epigramm der Anthologie belohnt: „Unglückliche, wohl kannst du die Farbe deines Haares verwischen, nicht verwischen kannst du die unvermeidliche Spur des Zahnes der Zeit, vergebens verschwendest du Parfüm, vergebens Bleiweiss und Schminke; die Maske verbirgt nichts mehr. Das grösste Wunder deiner Kunst ist, Hekuba in Helena zu verwandeln."

Die meisten Hetären besassen in Ermangelung von Geist und Bildung eine Schlagfertigkeit, welche rechtzeitig ein witziges Wort und noch öfter ein beissendes fand. Niko, wegen ihres Jähzorns die Geis genannt, war bekannt wegen ihrer Tollheiten, die sie Hörnerstösse nannte. Eines Tages bat sie Demophon, der Geliebte des Sophokles, um die Erlaubnis sich zu überzeugen, ob sie wie Venus Kallipyge gebildet sei: „Was willst du damit machen?" fragte sie unwillig, „Es dem Sophokles geben?" Am berühmtesten durch ihre Epigramme war aber Mania, die so beissende und stechende Spöttereien losliess, dass man sie die Biene nannte. Die Griechen sagten unter Anspielung auf ihren Namen: „das ist eine süsse Manie!" Machon hatte ein ganzes Buch voll Aussprüche von ihr gesammelt; sie war übrigens sehr schön, und verglich sich selbst mit einer der Grazien, indem sie sagte, sie sei geeignet diese auf vier zu bringen. Sie antwortete einem Verschwender, der ihre Gunst kaufte: „Ich werde dir nur meine Arme öffnen, sonst, ich kenne dich, würdest du Grund und Boden verzehren." Ein Feigling, der in einem Kampfe geflohen war und seinen Schild weggeworfen hatte, befand sich zu Tische bei ihr. „Welches Tier läuft am schnellsten?" fragte er sie, als sie einen Hasen zerlegte. — „Das ist ein Flüchtling," versetzte sie. Später erzählte sie, ohne ihn zu nennen, dass einer der anwesenden Gäste unlängst im Kriege seinen Schild verloren hätte; der, welcher sich durch diesen Spott getroffen fühlte, errötete, erhob sich und wollte fortgehen: „Ich wollte dich damit nicht treffen," sagte sie, ihn am Arme zurückhaltend, „Ich beschwöre es bei Venus! Wenn einer den Schild verlor, war es sicher der Tolle, der ihn dir geliehen hatte." Als einst Demetrius Poliorketes sie um die Erlaubnis bat, sich mit eigenen Augen von den geheimen Reizen überzeugen zu dürfen, welche sie von Venus Kallipyge hätte, und die sie dem Schäter Paris hätte enthüllen können, wenn sie zum Kampfe mit den drei Göttinnen hatte zugelassen werden können, erwiederte sie sofort mit bezaubernder Feinheit, zwei Verse des Sophokles parodierend: „Schau, stolzer Sohn des Agamemon, die Dinge, für welche du immer eine so bekannte Bewunderung hegtest." Sie hatte gleichzeitig zwei Liebhaber, Leontius und Antenor, welche sie unter den Olympiasiegern ausgewählt hatte und in einer Nacht zufrieden stellte, ohne dass einer vom andern wusste. Als Leontius dies erfuhr, machte er ihr in gereiztem Tone Vorwürfe: „Ich hatte die Laune," sagte sie ihm, „erfahren zu wollen, welche Verwundung mir zwei Athleten, beide Olympiasieger, in einer einzigen Nacht zufügen könnten."

XIII. Kapitel.

Die Griechen.

X.

Biographieen berühmter Dirnen Griechenlands. — Gnathaena. — Ihre Bons-Mots von Machon in Verse gebracht. — Ihre Gastmähler. — Ihre Nichte Gnathaenion oder die kleine Gnathaena. — Die Sittensprüche des Lynceus. — Liebhaber der Gnathaena. — Die Schneevase und die Sardine. — Wie Gnathaena es anfing, mit dem Syrier bei einem Gastmahle zu essen, das Dyphilos gab. — Tischordnung im Hause der Gnathaena. — Ihre geistreichen Antworten. — Ihre Zänkereien mit der Hetäre Mania. — Gute Antwort dieser Dirne für Gnathaena. — Das Gelage der Dexithea. — Gnathaenion. — Ihre Begebenheit mit dem alten Satrapen. — Liebhaber der Gnathaenion. — Gnathaenion und der Athlet. — Gnathaenion hippopornos. — Diogenes und der Kuppler. — Lais. — Ihre Kindheit. — Ihre Rente von Apelles. — Lais zu Korinth. — Ruf dieser Dirne. — Aussergewöhnliche Summen, die sie für ihre Gunst verlangte. — Demosthenes und Laïs. — Die Liebhaber der Laïs. — Aristipp. — Diogenes. — Laïs und Xenokrates. — Schande und Verlegenheit der Laïs. — Der Bildhauer Myron. — Laïs und Eubates. — Reichtum der Laïs. — Ihr Unglück im Alter. — Die Antilaïs. — Ihr Tod. — Ihr zu Ehren errichtete Monumente. — Die anderen Laïs. — Phryne. — Der Bodensatz der Phryne. — Warum diese Dirne den Beinamen Phryne empfing. — Ihr Amt bei den Mysterien zu Eleusis und den Festen der Venus und des Neptun. — Phryne von Euthias der Gottlosigkeit angeklagt. — Ihre Freisprechung. — Der Dirnenparasit. — Grosser Reichtum der Phryne. — Angebot dieser

Dirne an die Böotier, auf ihre Kosten das von Alexander dem Grossen zerstörte Theben wieder aufzubauen. — Der Kupido des Praxiteles. — Goldene Statue der Phryne nach ihrem Tode errichtet. — Phryne mit dem Beinamen: das Sieb. — Pythionike und Glycera. — Harpalus. — Die beiden Geliebten der Pythionike. — Tod dieser Dirne. — Das „Korn der Glycera". — Meuchelmord an Harpalus. — Bons-Mots der Glycera. — Das Monument der Prostituierten. — Tod der Glycera.

Unter allen griechischen Hetären, welche ihre Geschichtsschreiber und Lobredner gehabt haben, sind die berühmtesten in verschiedenem Sinne Gnathäna, Laïs, Phryne, Pythionike und Glycera gewesen.

Die Biographie der Gnathäna setzt sich nur aus Bonsmots zusammen, schlagfertigen Antworten und pikanten Epigrammen, welche der Dichter Machon in Verse gebracht, und die Athenäus mit solchem Wohlgefallen gesammelt hat, dass wir nur bedauern müssen, sie nicht nachahmen zu können. Die griechische Sprache ist zu geeignet für alle Freiheiten der Hetärensprache, während unsere Sprache zu schwerfällig ist, sie gleichzeitig anständig und geistreich wiederzugeben. Gnathäna, welche ihrem Witze und sprühenden Geiste nach Athenerin gewesen sein muss, lebte zur Zeit des Sophokles, Ende des 5. Jahrhunderts v. Chr. Sie war sicher eine hervorragende Schönheit, am meisten aber schätzte man an ihr immer ihre unbezwingbare Heiterkeit, gewürzt mit witzigen Bemerkungen, welche, obwohl bisweilen beissend und kräftig, doch immer ihren Reiz für die Lüstlinge hatten. Man bezahltc sie sowohl um sie zu hören, wie um sie zu sehen, und die Mahlzeiten, welche sie bei sich gab, vereinigten auf Kosten der Einzelnen die erlauchtesten Bürger Athens. Sie war also beliebt und gesucht bei allen Männern von Geschmack, lange nachdem das Alter den Preis ihrer Gunst hatte sinken lassen. Sie hatte übrigens dieser Abnahme von Liebhabern vorgebeugt, indem sie unter ihren Augen eine schöne Tochter erzog, die sie für ihre Nichte ausgab und Gnathänion oder kleine Gnathäna nannte. Diese Nichte zeigte sich ihrer Tante würdig und zog grossen Vorteil aus den empfangenen Lehren. Diese beiden Dirnen hatten wegen ihren zahlreichen Entgegnungen so grossen Ruf erlangt, dass der Samier Lynceus wunderlicher Weise in seinen Apophthegmen alle Züge von Malice oder gutem Witz aufzeichnete, welche man der Tante oder der Nichte zuschrieb. Gnathäna, welche fürchtete, auf der Bühne dem Gelächter der Männer preisgegeben zu werden, hatte sich den Komiker Dyphilos verpflichtet, aber sie ersparte ihm nicht ihre bitteren Witze und schien ihm beweisen zu wollen, dass sie im Notfalle stark genug sei, sich mit ihm in der Arena der Komödie zu messen. Dyphilos, ganz gebläht von Eitelkeit, wollte keinen Nebenbuhler anerkennen, und Gnathäna sagte ihm, um ihn in diesem Punkte zufrieden zu stellen, das thebanische Sprichwort:

„Die Brombeersträucher wachsen niemals über den Weg des Herkules!" Sie hatte ausserdem so viele Liebhaber, als sie haben konnte, und jeder von ihnen wurde zu verschiedenen Preisen zugelassen. Unter diesen Stammgästen befand sich ein gewisser Syrier, der nicht zu den freigibigsten gehörte, sich aber durch weniger kostspielige als unterhaltende Erfindungen der Galanterie auszeichnete, womit er die gute Meinung bezahlte, welche Gnathäna für ihn hegte. Bei einem Venusfeste schickte er ihr eine Vase voll Schnee und eine Sardine auf einer Platte: „Dieser Schnee ist nicht so weiss wie du," schrieb er, „und diese Sardine weniger salzig als deine Rede." Gnathäna wollte ihm eben antworten, als ein Bote von Dyphilos ankam, der für das Fest am Abend zwei Krüge thracischen Wein, zwei chiischen Wein, ein Reh, Fische, Weihrauch, Kränze, Bänder und Früchte brachte, das Ganze begleitet von einem Koche und einer jungen Flötenspielerin. „Ich will," sagte sie, „dass das Geschenk meines Syriers ebenfalls unter den Gaben des Gelages erscheint." Sie befahl daher, dass man den Schnee in den chiischen Wein schütte und die Sardine zu den anderen Fischen lege. Das Mahl wurde aufgetragen, Dyphilos erschien, die Thüren wurden geschlossen. Als der Syrier sich anmeldete, sagte man ihm, er solle sich gedulden, bis die Tafel bereit sei. Gnathäna welche ihren Syrier draussen wusste, sann auf ein Mittel, ihn hereinkommen zu lassen und Dyphilos zu verjagen. Dieser begann mit der Libation und wandte sich eben zum Trinken: „Beim Jupiter," rief er aus, „du hast meinen Wein in deinem Brunnen gekühlt; es giebt keinen zweiten in Athen, dessen Wasser so eisig ist." — „Das mag sein," antwortete sie, „und niemals wird es ihm an Wasser fehlen, wenn wir die Vorreden deiner Dramen hineinwerfen lassen." Dyphilos, hierdurch verletzt, erwiderte nichts, errötete und zog sich schweigend zurück. Gnathäna liess sofort den Syrier einführen und setzte mit ihm das Mahl fort. Sie ass mit gutem Appetit die Sardine, welche ihr der begünstigte Gast zum Geschenke gebracht hatte: „Es ist ein sehr kleiner Fisch," sagte sie, „aber er macht mir sehr viel Vergnügen."

Dyphilos war sehr empfindlich, um ihn auf einige Tage los zu werden, brauchte ihn Gnathäna nur in seinem Dichterstolze lebhaft zu kränken. Eines Tages wurde er bei der Aufführung einer seiner Komödien von den Zuhörern verhöhnt und verliess unter dem Gebrause des Spottgelächters das Theater. Er war so niedergeschlagen und verdriesslich, dass er beschloss, bei seiner Maitresse Trost zu suchen. Diese hatte über die Nacht schon anderweitig verfügt. Sie lachte noch über die Schlappe, die Dyphilos soeben erlitten hatte, als dieser bei ihr eintrat; er rief einen Sklaven und befahl ihm rauh: „Wasch mir die Füsse!" — „Zu was?" versetzte Gnathäna; „Deine Füsse dürften kaum staubig sein, denn soeben noch trug man dich auf den Schultern." Dyphilos verlangte nichts weiter und ging ganz rot und verwirrt fort. Sie hielt gewöhnlich offene Tafel, und jeder der daran teilnehmen wollte, brauchte nur seinen Teil zu bezahlen und sich der Tischordnung unterwerfen, welche die Dirne durch Dyphilos hatte in Verse bringen lassen, und die man auf Marmor geschrieben am Eingange des Festsaales las. Diese Gesetze, welche denen, die in den Philosophenschulen galten, nachgeahmt waren, begannen nach Kallimachos, der sie in seiner Rechtssammlung aufgeführt hat, folgendermassen: „Dieses Gesetz, welches für alle gleich ist, wurde in 323 Versen geschrieben." Man konnte aus diesem Anfange schliessen, dass Gnathäna anscheinend keinem ihrer Liebhaber einen Vorzug gab und alle über einen Leisten behandelte. „Sie war immer anmutig," sagt Athenäus in seiner Beschreibung von ihr. „Sie sprach mit viel Anmut." Es bedurfte nur ihres Lächelns, des Glanzes ihrer Zähne, des Feuers ihrer Blicke, um einige ihrer Witze hingehen zu lassen.

Am Ende einer Orgie, die bei ihr stattgefunden hatte, stritten sich die Tischgenossen mit den Fäusten um ihre Gunst, die sie selbst versteigerte. Einer dieser Kämpfer wurde zu Boden geworfen und musste seine Niederlage zugestehen. „Tröste dich," sagte sie ihm, „du wirst zwar nicht die Siegespalme, aber wenigstens dein Geld davontragen." Ihre Gelage endeten sehr oft mit einer Schlacht und sie gehörte dem Sieger. Einmal jedoch wollten die jungen Leute, welche sie beherbergt hatte, das Haus niederreissen, weil sie ihnen den Kredit verweigerte, sie waren ohne Geld, aber sie schrien, dass sie Spiesse und Beile hätten: „Ja doch!" sagte sie ihnen achselzuckend, „wenn ihr welche hättet, würdet ihr sie versetzen, um mich zu bezahlen." Sie achtete auf nichts so genau, als dass man sie gut bezahlte. Einmal befand sie sich in ihrem Bette mit einem schurkischen Sklaven, welcher auf seinem Rücken die Narben der Peitschenhiebe trug, die sein Herr ihm hatte geben lassen. „Du hast da böse Wunden." sagte sie ihm. — „Ja," antwortete er, „das ist das Brandmal einer Brühe, die mir auf die Schultern fiel." — „Das muss eine tüchtige Brühe von Kalbslederriemen gewesen sein," versetzte sie. — „Die Brühe war heiss," entgegnete er verwirrt; „ich war damals noch ein Kind." — „Man hat Recht gehabt, dich so zu prügeln," sagte sie, „um dich zu bessern." Ihre Gefährtinnen fürchteten mit Recht die herben Pfeile, welche sie blindlings abschoss; bisweilen stiess sie aber auf eine ebenso beissende Antwort. Sie zankte sich oft mit Mania, welche ihr an Bosheit nichts nachgab. Sie waren bekannt genug, um ihre beiderseitigen Fehler und Schwächen zu kennen. Mania litt ebenso an Blasensteinen, wie Gnathäna an Harnfluss und chronischer Erschlaffung der Aftermuskeln. „Bin ich denn schuld, dass du Steine hast?" sagte sie zornig. — „Wenn ich welche habe, Unselige," trumpfte sie Mania ab, „werde ich sie dir geben, dass du dich vorne und hinten vermauern kannst." Die Hetäre Dexithea hatte sie zum Essen eingeladen, aber kaum waren die Schüsseln auf die Tafel gesetzt, als Dexithea sie wieder wegnehmen liess und befahl, sie zu ihrer Mutter zu bringen. „Wenn ich das gewusst hätte," sagte ihr Gnathäna, „wäre ich zu deiner Mutter und nicht zu dir zum Essen gegangen." Bei demselben Mahle goss man ihr in einem sehr kleinen Becher einen sechzehnjährigen Wein ein: „Wie findest du ihn?" fragte sie Dexithea. — „Ich finde ihn sehr klein für sein Alter!" antwortete Gnathäna. Es war daselbst ein unerträglicher Schwätzer, der nicht über seine letzte Reise am Hellesponte zur Ruhe kommen konnte. „Ach was!" unterbrach ihn Gnathäna. „Du hast nicht die erste Stadt dieser Gegend besucht!" — „Welche?" fragte der Reisende. — „Sigäa", sagte sie, „die Stadt des Schweigens" (von σιγάειν schweigen). Sie wurde gleichzeitig von einem Soldaten aus Armenien und sicilischen Freigelassenen ausgehalten; der eine von beiden sagte ihr vor dem anderen: „Du gleichst dem Meere!" — „Wie meinst du das?" versetzte sie. „Vielleicht weil ich zwei garstige Flüsse aufnehme, den Lykos aus Armenien und den Eleutheros von Sicilien?"

Man sieht ein, dass Gnathänion sich ohne Mühe in der Schule ihrer Tante bilden konnte, welche sie übrigens nicht aus den Augen liess und oft mit gutem Rate unterstüzte. Sie suchten zusammen während des Venusfestes im Tempel der Göttin ihr Glück. Sie gingen eben von dort, als sie von einem alten Satrapen angehalten wurden, so runzelig und gebrochen, dass er neunzig Jahre alt zu sein schein. Der Greis bemerkte die Schönheit der Gnathänion und näherte sich Gnathäna. Er fragte, sie, was eine Nacht mit diesem schöne Kinde kostete. Gnathäna, die das Purpurgewand des Fremden sah und seinen Reichtum nach der Zahl der ihn begleitenden Sklaven bemass, antwortete 1000 Drachmen (800 Mark) — Was!" rief der Satrap, Ueberraschung heuchelnd, aus, „weil du mich von einer so grossen Menge Menschen gefolgt siehst, glaubst du mich zu fangen, und lässt mein Lösegeld so hoch steigen?" „Bei deinem Alter ist es schon viel," versetzte Gnathäna, „einmal hinzugehen" . . . — „Meine Tante," unterbrach sie Gnathänion, „machen wir keinen Preis. Du wirst mir geben, so viel du willst, Papa; aber ich wette, dass du so zufrieden mit mir sein wirst, dass du doppelt bezahlen wirst, und diese Nacht für zwei rechnen können." Gnathänion hatte zum Geliebten den Schauspieler Andronikus, welcher sie oft nur mit schönen Worten bezahlte; aber dieser Schauspieler hatte sich die Hilfe der Tante gesichert, indem er sie an ihre Liebeleien mit dem Dichter Dyphilos erinnerte. Gnathänion zog aber dem Andronikus einen reichen, ausländischen Kaufmann vor, der sie mit Geschenken überhäufte. Der Schaupieler kam mit leeren Händen und Gnathänion kehrte ihm den Rücken: „Sieh, wie stolz mich deine Tochter behandelt!" sagte er seufzend zur alten Gnathäna. — Kleiner Dummkopf," sagte diese zu ihrer Nichte, „umarme ihn, küsse ihn, wenn er es verlangt, und lasse deinen Eigensinn bei Seite." — „Meine Mutter!" versetzte Gnathänion, „muss ich einen Mann umarmen, der so wenig für unser Haus sorgt und alles, was wir haben, als sein Eigentum betrachtet?" Andronikus hatte einst mit Erfolg die Hauptrolle in den

Epigonen des Sophokles gespielt, war aber deshalb nicht reicher; am Ende des Stückes rief er, ganz mit Schweiss und Kränzen bedeckt, einen Sklaven und befahl ihm, seinen dramatischen Triumph seiner Maitresse zu melden mit der Bitte, die Kosten des Mahles zu tragen, welches er am Abend mit ihr einnehmen würde. Gnathänion empfing den Sklaven und seine Botschaft mit folgenden den Epigonen entlehnten Versen: „Unglücklicher Sklave, was willst du mir sagen!“ Und sie schloss ihm die Thür vor der Nase zu und suchte im Piraeus ihren Kaufmann auf, der sie erwartete. Ihr Anzug war nicht prächtig: sie stieg auf ein kleines Maultier und hatte als Gefolge nur drei Dienerinnen, welche auf Eseln ritten, und einen Knecht, der die Tiere antrieb. Da stiess sie in einer engen Gasse auf die prächtige Equipage eines jener Kämpfer, welche sich bei jeder Gelegenheit in den öffentlichen Spielen zeigten, um immer besiegt zu werden: „Mag Platz, Schlingel von einem Stallknecht!“ rief von Weitem der stolze Athlet mit dröhnender Stimme; „oder ich werfe das Maultier, die Esel und die Mädchen über den Haufen.“ — „Recht schön,“ spottete Gnathänion, „das wäre etwas, was dir noch nie geglückt ist, schrecklicher Held. „Als man der alten Gnathäna dieses Abenteuer erzählte, machte sie die vernünftige Bemerkung: „Was zahlt er, um dich zur Erde zu werfen?“ Diese gute Tante hatte für die Interessen ihrer Nichte immer ein Auge offen. Ein Galan glaubte nach einem abgeschlossenen: und von beiden Seiten treulich ausgeführten Handel von Gnathänion umsonst erhalten zu können, was er am Vorabende mit einer Mine bezahlt hatte „Junger Mann,“ sagte ihm ernst Gnathäna, „glaubst du, dass es bei uns genügt einmal bezahlt zu haben, wie in der Reitschule des Hippomachus?“ Man sieht, dass die alte Gnathäna in ihrem Alter gezwungen war ein Handwerk zu treiben, welches den Männern und Weibern, die es entehrte, den Beinamen hippopornos verschaffte. Diogenes sah einst einen Makler dieser Art zu Pferde, glänzend gekleidet und mit Schmuck beladen, und rief aus: „Lange habe ich den wahren Hippopornos gesucht, endlich habe ich ihn getroffen.“ Das Wort Hippopornos bezeichnet wörtlich Prostitution zu Pferde. Gnathänion führte in ihrem Alter ein geregeltes Leben und erzog nicht so schändlich eine Tochter, welche sie von Andronikus hatte, oder die doch dieser Schauspieler sich zuschrieb.

Laïs verdankte ihre Berühmtheit nicht ihrer Schlagfertigkeit, obwohl sie ebensoviel wie Gnathäna und Gnathänion besass. Es war ihre Schönheit, ihre unvergleichliche Schönheit, welche sie über alle Hetären erhob und sie in Korinth fast zu einer Gottheit machte. Sie war in Nikkara auf Sicilien geboren. Als der athenische Feldherr Nikias diese Stadt einnahm und plünderte, wurde sie als junges Kind nach dem Peloponnes geschleppt und als Sklavin verkauft. Eines Tages traf sie der Maler Apelles, als sie vom Brunnen mit einem Wasserkruge auf dem Kopfe kam; er staunte sie an, ahnte ihre künftige Schönheit und kaufte sie los. Am selben Tage führte er sie zu einem Feste, wo sich seine Freunde wunderten, ihn von einem kleinen Mädchen, statt von einer Dirne begleitet zu sehen: „Regt euch nicht auf,“ sagte er ihnen, „und staunt nicht, ich werde sie so gut anlernen, dass sie ihr Handwerk vollkommen verstehen wird, ehe noch drei Jahre vergehen.“ Appelles hielt Wort und war sicher kein Pfuscher bei der Entfaltung der Grazie und Talente der Laïs. Sie hatte sich in Korinth, der Stadt der Dirnen, niedergelassen, und ein Traum, den ihr Venus-Melanis schickte, kündete ihr ein baldiges Glück an. Der Traum verwirklichte sich. Der Ruf der Laïs verbreitete sich bis weit nach Asien, und von überall her sah man eine Menge reiche Fremde nach Korinth kommen, welche nur die Liebkosungen der Laïs suchten. Aber nicht alle erreichten das Ziel ihrer Reise. Laïs verlangte nicht nur ungeheure Summen, sondern sie wollte auch die wählen, von denen sie diese annahm; bisweilen verschenkte sie auch aus Laune ihre Gunst. Der berühmte Redner Demosthenes wollte ebenfalls wissen, was Laïs kostete; er nahm alles Geld, über das er verfügen konnte und begab sich nach Korinth. Er suchte die Dirne auf und fragte nach dem Preise einer Nacht. „10000 Drachmen;“ antwortete Laïs. „10000 Drachmen?“ versetzte Demosthenes, der sich nur auf den zehnten Teil gefasst gemacht hatte, „ich kaufe nicht so teuer die Schande und den Aerger etwas bereuen zu müssen!“ — „Und ich verlange soviel, damit ich auch nichts zu bereuen habe,“ versetzte Laïs. Demosthenes kehrte, wie er gekommen war, zurück. Dennoch liebte Laïs berühmte Männer: sie hatte gleichzeitig als anerkannte Liebhaber den feinen, liebenswürdigen Philosophen Aristipp, welcher sie bezahlte, und den groben, schmutzigen Kyniker Diogenes, der schwerlich etwas für sie übrig hatte. Sie zog diesen aber noch Aristipp vor und schien den schlechten Geruch des Diogenes nicht zu bemerken. Aristipp war nicht im geringsten eifersüchtig und wartete bei seinen Besuchen ruhig an der Thür, bis Laïs sich parfümiert hatte, nachdem sie aus den Armen des Kynikers gekommen war. „Ich besitze Laïs,“ sagte er denen, die sich über diese Einrichtung wunderten, „aber Laïs besitzt mich nicht.“ Als man ihm sagte, dass Laïs sich ihm ohne Liebe und Freude hingebe, erwiderte er mit derselben Ruhe: „Ich denke auch nicht, dass mich Wein und Fische lieben, während ich sie mit grossem Behagen verzehre.“ Man warf ihm die Duldung der täglichen Prostitution der Laïs vor und riet ihm, ihr Grenzen zu setzen. „Ich bin nicht reich genug,“ sagte er, „um mir einen so wertwollen Gegenstand allein zu kaufen.“ — „Aber“, warf man ihm entgegen, „Du ruinierst dich für sie!“ „Ich gebe wirklich viel,“ antwortete er, „für das Glück sie zu besitzen, aber ich verlange deshalb nicht, dass die anderen ihrer beraubt seien.“ Diogenes war trotz seines Kynismus eifersüchtig auf den glänzenden Philosophen Aristipp: „Der du die Annehmlichkeiten meiner Maitresse teilst,“ sagte er im eines Tages, „möchtest du auch meine

Philosophie teilen und den Zwerchsack und Mantel des Kynismus annehmen." Du hältst es also für unmöglich," versetzte Aristipp, „ein Haus zu bewohnen, das schon andere bewohnten, oder ein Schiff zu besteigen, welches schon vielen anderen Passagieren gedient hat?" — „Ganz und gar nicht!" antwortete Diogenes, beschämt über seine Eifersucht. „Also! warum staunst du, wenn ich ein Weib besuche, das andere vor mir besucht haben, und andere nach mir besuchen werden?" Aristipp besuchte alle Jahre mit Laïs die Neptunfeste zu Aegina, und während dieser Zeit, sagte er, sei die Wohnung der Dirne so sauber, wie die einer Matrone.

Diese Dirne übte eine solche Gewalt auf die beiden Philosophen, Aristipp und Diogenes, aus, dass sie glaubte, kein Philosoph der Welt könnte ihr widerstehen. Man forderte sie heraus, die Tugend des Xenokrates zu besiegen; sie nahm die Wette an in der Meinung, dass ein Schüler Platos nicht schwerer zu überwinden sein würde als ein Jünger des Sokrates. Sie hüllte sich also um Mitternacht in einen Schleier und klopfte an die Thür des Xenokrates; er öffnet und staunt ein Weib bei sich eindringen zu sehen. Nach ihrer Angabe ist sie von Räubern verfolgt; Arme, Hals und Ohren sind mit Schmuck beladen, der im Dunkeln blitzt. Er gewährt ihr bis zum nächsten Morgen Unterkunft und begiebt sich zur Ruhe, indem er ihr rät, sich gleichfalls auf eine Bank zu legen. Aber er ist kaum im Bett, als sich Laïs im ganzen Schmucke ihrer Schönheit zeigt und sich an die Seite des Philosophen legt; sie nähert sich ihm, sie berührt ihn, sie schlingt ihre Arme um ihn, sie versucht ihn durch Liebkosungen zu entflammen, aber sie lassen ihn kalt und gleichgültig; sie weint vor Wut, sie verdoppelt ihre Liebkosungen, sie scheut sich vor keiner Herausforderung. Xenokrates rührt sich nicht. Endlich stürzt sie aus diesem frostigen Lager und hüllt ihre Schande in ihren Schleier. Sie hatte ihre Wette verloren, und man verlangte die verlorene Summe: „Ich hatte gewettet einen Menschen mit Fleisch und Blut zu besiegen aber keine Statue." Ihre Schönheit war wunderbar. Da ihre Büste ebenso schön war wie ihr Gesicht, baten auch Maler und Bildhauer, welche Venus in einer ihrer würdigen Gestalt darstellen wollten, Laïs Modell für die Göttin zu stehen. Dem Bildhauer Myron war es auf diese Art geglückt, diese anbetungswürdige Dirne ohne Hülle zu sehen. Er war alt, hatte weisse Haare und einen grauen Bart, aber er fühlte sich beim Anblicke dieser Venus wieder jung, er warf sich ihr zu Füssen, er bot ihr seine ganze Habe für eine einzige Nacht, sie lachte, zuckte die Schultern und ging. Am andern Morgen liess Myron seine Haare und seinen Bart färben; er ist geschminkt und parfümiert, trägt ein prächtiges Kleid und einen goldenen Gürtel, er hat eine goldene Kette um den Hals und Ringe an allen Fingern. Er liess sich zu Laïs führen und erklärte ihr offen seine Liebe: „Mein armer Freund," versetzte Laïs, die ihn wieder erkannte und sich über seine Verkleidung lustig machte, „da verlangst du, was ich gestern deinem Vater verweigerte.“

Auch sie hatte einen Korb einzustecken, als sie sich in Eubates verliebte, den sie bei den Olympischen Spielen traf, wo er um den Preis stritt. Er war ein schöner, edler, junger Mann, der zu Kyrene ein geliebtes Weib gelassen hatte. Laïs hatte ihn kaum gesehen, als sie ihm eine Liebeserklärung in so deutlichen und dringenden Ausdrücken machte, dass Eubates ganz verwirrt wurde. Sie bat ihn, ihr Gast zu sein und bei ihr zu wohnen; er entschuldigte sich, er brauche alle seine Kräfte, um den Sieg in den Spielen davontragen zu können. Jeder Augenblick steigerte ihre Flamme, und sie zitterte, dass ihr der Gegenstand ihrer Leidenschaft entschlüpfen könnte: „Schwöre mir, mich mit nach Kyrene zu nehmen,“ sagte sie, „wenn du gesiegt hast.“ Um ihren Verfolgungen zu entgehen schwor er, und so gelang es ihm, seiner Geliebten die Treue zu wahren, sonst wäre er sicher endlich den allmächtigen Reizen der Laïs erlegen. Eubates wurde Sieger. Laïs schickte ihm einen goldenen Kranz, aber sie erfuhr bald, das Eubates nach Kyrene zurückgekehrt sei: „Er hat seinen Eid gebrochen,“ sagte sie zu einem Freunde des Eubates. — „Er hat ihn gehalten,“ versetzte dieser, „denn er hat dein Bild mitgenommen.“ Die Maitresse des Eubates war so verwundert über so viel Treue und Enthaltsamkeit, als sie das Vorgefallene erfuhr, dass sie ihrem Liebhaber zu Ehren eine Minervastatue errichtete. Um sich zu rächen liess Laïs eine andere Statue aufstellen, welche Eubates als Narcissus darstellte. Diese stolze Hetäre hatte beständig einen eifrigen Hofstaat von Schmarotzern und begeisterten Anbetern. Mehrere Städte Griechenlands stritten sich um den Ruhm ihrer Geburt. Die achtbarsten Männer hielten es für eine Ehre mit ihr verkehrt zu haben, und doch warfen ihr einige starre Moralisten ihr verwerfliches Handwerk vor. Ein tragischer Dichter spielte auf ihre Prostitution an, indem er in einem Theaterstücke sagte: „Tritt weg von hier, Schändliche!“ Laïs bemerkte ihn beim Verlassen des Theaters und fragte ihn mit zärtlicher Stimme, wen er mit diesem harten Ausspruche meine: „Du selbst gehörst zu denen, an die ich mich wende,“ sagte er barsch. — „Wirklich!“ versetzte sie heiter, „du kennst doch folgenden Vers einer Tragödie: Dies allein ist schändlich, was man dafür erkennt und doch thut.“ Dieser Vers stammte aus einer anderen Tragödie dieses Dichters, der nicht wusste, was er antworten sollte. Athenäus berichtet nach Machon, dass der Dichter, den Laïs so für seine Schmähung strafte, Euripides selbst gewesen sei, aber man müsste dann diese Anekdote in die früheste Jugend der Laïs verlegen, als sie noch im Dienste des Apelles stand, da Euripides 407 v. Chr. starb. Was auch daran sein mag, die Antwort der Laïs wurde sprichwörtlich, und als man sie missbrauchte um Schlechtigkeiten zu rechtfertigen, formte der alte Philosoph Antisthenes den Lehrsatz der Dirne in folgender Weise um:

„Was schmutzig ist, ist schmutzig, gleich, ob der, der es thut, es dafür hält oder nicht.“ Laïs nahm, statt gegen den neuen Satz zu kämpfen, ihn so an, wie ihn Antisthenes gebildet hatte: „Der Alte hat recht,“ sagte sie zu Diogenes, einem Schüler des Antisthenes, „er ist so schmutzig, wie er aussieht.“ — „Und ich?“ fragte Diogenes, in seinem Stande als Kyniker verletzt. — „Du?“ sagte sie, „das weiss ich nicht, da ich dich liebe.“

Laïs hatte ein ungeheures Vermögen zusammengescharrt, aber sie liess davon Tempel und öffentliche Gebäude errichten, sie bezahlte Maler und Bildhauer, sie richtete sich zu Grunde. Glücklicher Weise fand sie so vielen Geschmack an ihrem Gewerbe, dass sie es ohne Klage in einem Alter noch ausübte, in dem die Dirnen sich meist zurückzogen. Sie war übrigens noch sehr schön, obgleich sich der Preis ihrer Liebkosungen erstaunlich gemindert hatte. Sie tröstete sich über ihre vorzeitige Absetzung durch den Trunk. Athenäus entwirft nach Epikrates ein trauriges Bild vom Alter der Laïs, die von sich nur noch den Namen bewahrt hatte: „Laïs ist müssig und trinkt. Sie treibt sich um die Tische herum, sie scheint den Raubvögeln zu gleichen, die in der Blüte ihrer Jahre sich von den Bergen stürzen und junge Ziegen mit sich nehmen, in ihrem Alter aber auf den Giebeln der Tempel, vom Hunger gequält, hocken: das ist dann ein böses Zeichen. Laïs war in ihrem Lenze reich und stolz. Leichter gelangte man zum Satrapen Pharnabazes. Aber schau sie jezt in ihrem Winter: Der Tempel ist in Trümmer gefallen, er öffnet sich leicht, sie nimmt den ersten besten und trinkt mit ihm. Ein Stater, ein Dreiobolenstück ist ein Reichtum für sie. Sie empfängt alle Welt jung und alt. Das Alter hat ihren Uebermut so gezähmt, dass sie für einige Geldstücke die Hand hinhält.“ Diese Stelle der Komödie Antilaïs war vielleicht nur eine Uebertreibung, die ein Dichter, den sie schlecht aufgenommen hatte, aus Groll schrieb. Auch Aelian erzählt, dass sie schwer zugänglich war, ehe das Alter die Verfolgungen, deren Gegenstand sie war, aufhören liess. Man hatte sie sogar Axine genannt wegen ihrer unverschämten Habsucht. Dennoch sagt Athenäus, sie habe keinen Unterschied zwischen den Gaben der Reichen und denen der Armen gemacht. Diese Nachricht dürfte sich aber wahrscheinlich auf die Zeit ihres Lebens beziehen, wo die Ausschweifung sie in ihrem Unglücke tröstete.

Als Beweis der Vergessenheit, in welche sie am Ende ihrer Liebeslaufbahn gefallen war, kann das Dunkel dienen, welches die Zeit und die Umstände ihres Todes einhüllt. Sie war also 70 Jahre nach den einen, 55 nach den anderen; diese behaupten, sie habe sich schön erhalten, jene dagegen sagen, sie sei ganz zerfallen gewesen. Wie es auch um ihr Alter und Gesicht gestanden haben mag, die Anthologie lässt sie ihren Spiegel der Venus mit folgenden reizenden Versen widmen:

Ich gab ihn der Venus, die schön ist stets aufs Neu'!
Zu sehr fürcht' ich meinen Trübsinn.

Denn nicht kann ich sehen in diesem Spiegel treu,
Wie einst ich war, noch wie ich bin!

Bei der Art ihres Todes weiss man nicht, ob man Plutarch, Athenäus oder Plato glauben soll. Letzterer behauptet, sie sei an einer Olive erstickt. Athenäus behauptet unter Berufung auf Philetaeros, dass sie bei Ausübung ihres Hetärengewerbes starb (οὐχί λαΐς μὲν τελευτῶς ἀπέθανε βινουμένη), und Plutarch erzählt, sie sei in den jungen Thessalier Hippolochus verliebt gewesen, und sei bei der Verfolgung dieses in den Venustempel eingedrungen, wohin er sich geflüchtet hatte um den Umarmungen dieser Bacchantin zu entrinnen. Allein die Weiber des Landes, beleidigt durch diese Kühnheit und noch eifersüchtig auf ihre frühere Schönheit, umgaben den Tempel mit lautem Geschrei und töteten sie mit Steinwürfen vor dem Altare der Venus, welcher mit dem Blute dieser Dirne bespritzt wurde. Nach diesem Morde wurde der Tempel der Venus-Homiciada oder Venus- Profana geweiht. Man errichtete der Laïs ein Grabmal am Ufer des Peneios mit folgender Inschrift: Griechenland, sonst unbezwinglich und fruchtbar an Helden, ist besiegt und in Knechtschaft geführt worden durch die göttliche Schönheit der Laïs, der Tochter des Amor, gebildet in der Schule zu Korinth; sie ruht in den stolzen Gefilden Thessaliens." Korinth widmete ebenfalls ein Monument dem Andenken seiner berühmten Schülerin: Dieses Monument stellte ein Löwin dar, die ein Widder zu Boden geworfen hatte. Möglicherweise gehören die Ereignisse des Lebens der Laïs nicht alle einer Frau an: sie wurden von zwei oder drei gleichnamigen Hetären, die fast gleichzeitig lebten, durch die Geschichtsschreiber und die Volksüberlieferungen gesammelt. So hatte die Maitresse des Alkibiades, Damasanda, eine Tochter, welche Laïs hiess, und die sich durch ihre Schönheit noch bekannter, als durch ihre Galanterie machte. Plinius führt auch eine Laïs an; diese war eine Gelehrte und hatte Geheimmittel erfunden, eine Art von Tränken. um die Beleibtheit der Frauen zu mehren oder zu mindern. Sie trieb zugleich das Dirnenhandwerk mit ihren Freundinnen Salpe und Elephantis, Dirnen wie sie, und wie sie sehr geschickt in der Kunst der Kosmetik, des Abtreibens und der Liebestränke. Sie heilten auch die Wut und das Fieber und verwendeten in allen ihren Medikamenten das Menstrualblut mit mehr oder minder unschuldigen Substanzen gemischt. Korinth rühmte sich der Aufenthalt der Laïs in ihrer Blüte gewesen zu sein, aber keine Stadt Griechenlands wollte die Königin der Dirnen, alt, verfallen, vergessen, Puder, Salben und Liebestränke machend und die Liebe in Flaschen verkaufend, gesehen haben.

Gleichzeitig und nicht weniger berühmt wie Laïs lebte Phryne. Sie hatte weder einen so traurigen Verfall zu erleben noch ein so tragisches Ende. Trotz ihres ungeheuren Reichtums hörte sie niemals auf, ihn durch dieselben Mittel zu mehren, und da sie auch im Alter fast nichts von der Vollendung ihrer Formen verlor, so fand sie auch bis zu ihrem Tode

Liebhaber, welche sie reichlich bezahlten. Sie nannte dies scherzhaft: „Teuer die Hefe ihres Weines verkaufen.“ In Thespiae war sie geboren, aber sie lebte beständig in Athen, wo sie sich sehr zurückzog und sich weder auf dem Keramikos, noch im Theater, noch in der Rennbahn, noch bei religiösen oder Privatfesten zeigte. Sie ging nur verschleiert und in einer wallenden Tunika, wie die strengste Matrone, auf die Strasse. Auch in die öffentlichen Bäder ging sie nicht, sondern nur in die Werkstätten der Maler und Bildhauer, denn sie liebte die Kunst und weihte sich ihr sozusagen, da sie sich nackt dem Pinsel des Apelles und dem Meissel des Praxiteles als Modell gab. Ihre Shönheit glich einer Statue von parischem Marmor; die Züge und Linien ihres Gesichtes hatten die Reinheit, das Ebenmass und die Hoheit, welche die Einbildung der Dichter und Künstler einem göttlichen Gesichte verlieh; aber ihre matte und selbst ein wenig gelbe Blässe hatte ihr den Namen Phryne verschafft, eine Anspielung auf die Farbe des Laubfrosches: phrya, denn ihr Familienname war Mnesarete, doch war sie unter diesem kaum bekannt. Die Gemälde und Statuen, welche ihre begünstigten Maler und Bildhauer nach ihrem Modell verfertigten, erregten die Begeisterung von ganz Griechenland, welches der körperlichen Schönheit einen Kult weihte, der mit dem der Venus zusammenhing. Am bemerkenswertesten an Phryne war, dass sie sich keusch allen Blicken entzog, selbst denen ihrer Liebhaber, welche sie nur im Dunkeln besassen. Aber bei den eleusinischen Mysterien erschien sie wie eine Göttin unter der Tempelthür und liess ihre Kleidung in Gegenwart der vor Bewunderung staunenden Menge fallen, dann erst hüllte sie sich in einen Purpurschleier. Beim Feste der Venus und des Neptun warf sie gleichfalls ihre Kleidung auf den Tempelstufen ab und hatte als einzige Hülle für die Blösse ihres Leibes, der in der Sonne schimmerte, ihr langes Ebenholzhaar; sie schritt mitten durch das Volk, dass ihr achtungsvoll Platz machte, zum Meere. Phryne trat in die Wogen, um ihre Huldigung Neptun darzubringen und schritt wie Venus bei ihrer Geburt daraus. Man sah sie einen Augenblick auf dem Sande die salzigen Tropfen abschütteln, welche an ihren üppigen Lenden herabrieselten, und ihre feuchten Haare auswinden. man sagte dann, Venus sei eben ein zweites Mal geboren worden. Nach diesem Augenblicke des Triumphes entzog sich Phryne den Zuschauern und hüllte sich in ihr gewöhnliches Dunkel. Aber der Erfolg ihrer Erscheinung wurde dadurch nur noch wunderbarer, und der Ruhm der Dirne war in aller Munde. Jedes Jahr mehrte sich daher die Zahl der Neugierigen, welche zum Venus- und Neptunfeste und zu den eleusinischen Mysterien kamen, nur um Phryne zu sehen.

So viel Ruhm musste einer Dirne den Hass und die Feindschaft der ehrbaren Frauen zuziehen. Um sich zu rächen, nahmen sie endlich die Vermittlung des Euthias an, welcher Phryne belagert hatte, um das zu erlangen, was sie nur dem Gelde oder dem Geiste bewilligte Dieser

Euthias war ein Denunziant der feilsten Sorte. Er klagte Phryne vor dem Tribunale der Heliasten an, die Heiligkeit der eleusinischen Mysterien dadurch verletzt zu haben, dass sie dieselben parodiert habe, und dass sie sich beständig damit beschäftige, die besten Bürger der Republik zu verderben, indem sie diese vom Dienste des Vaterlandes fernhalte. Eine solche Anklage musste nicht nur den Tod der Angeklagten nach sich ziehen, sondern auch der Gesamtheit der Dirnen einen schändenden Verweis, eine Steuer und für einige sogar das Exil bringen. Phryne hatte zum Geliebten den Redner Hyperides gehabt, der sich damals in Bacchis und Myrrhina teilte. Phryne bat diese beiden Dirnen, Hyperides zu ihrer Verteidigung gegen Euthias zu bestimmen. Die Sache war für Hyperides von Gewicht, der, wie man wusste, Interesse hatte, Phryne, die er liebte, zu helfen, und Euthias entgegenzutreten, den er als den feigsten aller Menschen verachtete. Phryne weinte, hüllte sich in ihren Schleier und bedeckte ihren Busen mit beiden Händen. Bewegt und kummervoll breitete Hyperides seine Arme gegen sie aus, um anzudeuten, dass er sie verteidige, und als Euthias seine Anklage durch Aristogeiton hatte vorbringen lassen, ergriff Hyperides das Wort; er sagte, dass er die Sache kenne, weil Phryne seine Maitresse gewesen sei, und bat die Richter, Mitleid mit seinem Kummer zu haben. Die Stimme versagte ihm vor Seufzen, seine Augen füllten sich mit Thränen, und doch schien der kalte, schweigende Gerichtshof sich nicht rühren lassen zu wollen. Hyperides erkannte die Gefahr, in welcher die Angeklagte schwebte. Er brach in Verwünschungen gegen Euthias aus, er behauptete fest die Unschuld seines Opfers, er erzählte breit, dass Phryne nur eine fast fromme Rolle bei den Mysterien zu Eleusis habe spielen können; die Heliasten unterbrachen ihn, sie wollten das Todesurteil fällen. Da nähert er sich Phryne, reisst ihr Schleier und Tunika ab und ruft mit wohllautender Stimme das heilige Recht der Schönheit an, um diese würdige Priesterin der Venus zu retten. Die Richter sind völlig hingerissen von so viel Schönheit, sie glauben, die Göttin selbst zu sehen. Phryne ist gerettet, und Hyperides schliesst sie in seine Arme. Er war verliebter denn je, als er diese wunderbare Schönheit wiedersah, welche über die Richter mehr als seine Beredsamkeit vermocht hatte. Phryne hingegen wurde aus Dankbarkeit die Maitresse ihres Anwaltes, welcher der Myrrhina untreu wurde. Diese glaubte sich zu rächen, indem sie Partei für Euthias nahm, und diesem Sycophanten alles das bewilligte, was ihm Phryne verweigert hatte. Die Dirnen waren wütend, dass eine von ihnen dem freisprechenden Urteile zu trotzen wagte, und Bacchis lieh ihrer Meinung Worte, indem sie der unklugen Myrrhina schrieb: „Du hast dir unser aller Verachtung zugezogen, wir sind dem Dienste der Venus-Vergelterin ergeben!"

Sie schämte sich auch sogleich, einen Augenblick einer Regung von Eifersucht und Eitelkeit nachgegeben zu haben. Hyperides hatte sie verlassen und kehrte nicht zu ihr zurück. Er blieb lange von Phryne gefesselt. „Er hat eine seiner schönen Seele würdige Freundin," schrieb Bacchis an Myrrhina, „und du hast einen Liebhaber, der so viel wert ist wie du." Durch seine Verteidigung einer Dirne hatte sich Hyperides mehr Ehre und Nutzen verschafft, als wenn er die ersten Bürger der Republik verteidigt hätte. Man sprach in ganz Griechenland nur von seinem Rednertalente, man zollte unablässig dem klugen Einfalle, welcher die Ueberredung vollendet hatte, Anerkennung, Schmeicheleien, Geschenke, Danksagungen wurden ihm von allen Seiten dargebracht, und um das Glück voll zu machen: Phryne war sein. Wenn ihm die griechischen Dirnen auch keine goldene Statue errichteten, wie es Bacchis versprochen hatte, sparten sie doch nichts, ihm ihre Dankbarkeit zu bezeigen: „Alle Dirnen Athens ins Gesammt," schreibt ihm Bacchis, die Schriftführerin ihrer Genossinnen, „und jede derselben im Einzelnen, muss dir soviel Dank abstatten wie Phryne." Man kann annehmen, dass seine Rede veröffentlicht wurde, da auch die des Aristogeiton der Wortführer des Euthias, zur Zeit des Athenäus bekannt war. Man weiss auch, dass Euthias, den die Liebe allein zum Verleumder gemacht hatte, keine Ruhe fand, bis Phryne ihm verziehen hatte, und er unterschrieb, um diese Verzeihung zu erlangen, die unvorteilhaftesten Bedingungen. Bacchis hatte diesen traurigen Ausgang vorausgesehen, als sie an Phryne schrieb: „Euthias ist in dich verliebter als Hyperides. Dieser glaubt wegen des Dienstes, den er dir geleistet hat, als er dir in der kritischen Lage seinen Schutz und seine Beredsamkeit zur Verfügung stellte, von dir die grössten Rücksichten fordern zu können, und dich zu begünstigen, wenn er dir seine Liebkosungen gewährt, während die Leidenschaft des anderen wegen des schlechten Erfolges seines unseligen Unternehmens nur im höchsten Grade erregt sein kann. Höre also auf diese neuen Bitten von ihm, seine wildesten Leidenschaften; er wird dir Gold im Ueberflusse anbieten." Das Gold siegte über die Rachlust. Der Areopag, der kein Urteil in diesem Falle zu sprechen gehabt hatte, sah voraus, dass bei einer Klage derselben Art vor ihm zu denselben Verteidigungsmitteln gegriffen werden würde; er wollte nicht wie die Heliasten der Verführung ausgesetzt sein, daher veröffentlichte er ein Gesetz, welches den Anwälten jeden Kunstgriff verbot, das Mitleid der Richter zu erregen, und den Angeklagten persönlich vor dem Richter zu erscheinen, ehe das Urteil gefällt sei. Aus Furcht vor neuen Anklagen verzichtete Phryne fernerhin nicht nur auf das Vergnügen an den religiösen Ceremonien Anteil zu nehmen, sondern sie warb sich auch Parteigänger und in gewisser Beziehung auch Kreaturen im Areopage. Sie öffnete ihre Tafel und ihr Bett Schwelgern und Lüstlingen; ein Mitglied des Areopages, Gryllion, warf sich so weit weg, sich zum Parasiten dieser Dirne zu machen, nach der Darstellung des Satyrus von Olinth in seiner Pamphila wenigstens

Der Reichtum, welchen Phryne erworben hatte, übertraf den manches Königs: die Komiker Timokles in seiner Neraïs, Amphis in seiner Kuris und Posidippos in seiner Ephesierin haben über diesen schmachvoll erworbenen Reichtum gesprochen. Phryne machte aber einen anständigen Gebrauch davon, sie liess auf ihre Kosten verschiedene Monumente errichten, besonders in Korinth, welches alle Dirnen als ihr Vaterland betrachteten wegen des Geldes, welches sie daselbst gewonnen hatten. Als Alexander der Grosse Theben zerstört und seine Mauern gebrochen hatte, erinnerte sich Phryne, dass sie in Böotien geboren war, und bot den Thebanern an, ihre Stadt auf eigene Kosten neu zu erbauen, mit der einzigen Bedingung, ihr zu Ehren folgende Inschrift anfertigen zu lassen: „Theben von Alexander zerstört, von Phryne wieder hergestellt." Die Thebaner weigerten sich, ihre Schmach zu verewigen. Phryne hatte als Böoterin nicht die Gabe des Geistes vom Himmel empfangen, aber sie unterschied sich von den meisten Frauen durch ihren regen Kunstsinn. Sie huldigte sich selbst in den Werken des Apelles und Praxiteles: der eine hatte sie als Venus von Knidos dargestellt, der andere sie gemalt, wie er sie am Feste des Neptun und der Venus aus dem Meere hatte steigen sehen. Beide waren ihre Liebhaber, aber Praxiteles siegte über seinen Nebenbuhler. Phryne bat von ihm als Andenken an ihre Liebe die schönste Statue, die er je gemacht habe. „Du sollst wählen," antwortete Praxiteles; sie bat um einige Tage Frist, um ihre Wahl zu treffen. Während sich noch Praxiteles bei ihr befand, kam ein schweissbedeckter Sklave gelaufen und rief, die Bildhauerwerkstätte stehe in Flammen: „O! ich bin verloren!" rief Praxiteles, „wenn mein Satyr und mein Kupido verbrannt sind." — „Ich wähle den Kupido," unterbrach ihn Phryne. Es war dies eine List, welche sie erdacht hatte, um das eigene Urteil des Künstlers über seine Werke zu erfahren. Später schenkte Phryne dieses Meisterwerk ihrer Vaterstadt. Caligula liess es von Thespiæ nach Rom schaffen, aber Claudius befahl in einem seiner Gesetze, der Kupido solle den Thesbiern zurückgegeben werden, um die Manen der Phryne zu besänftigen, sagt das Gesetz. Die Statue hatte kaum ihren alten Platz wieder eingenommen, als sie Nero von neuem nach Rom kommen liess, wo sie bei dem grossen Brande, den Nero selbst veranlasst hatte, zu Grunde ging. So reich Phryne war, setzte sie doch ihr gewohntes Handwerk bis ins Alter der Runzeln und weissen Haare fort. Sie rühmte sich eine Pomade zu besitzen, die alle Runzeln verdecke; sie schminkte sich mit so viel Kräutern, dass Aristophanes in seiner Komödie: „Die Schwätzer", sagen konnte: „Phryne hat aus ihren Wangen eine Apotheke gemacht." Und dieser Vers wurde bei den Griechen sprichwörtlich, um ein Weib zu bezeichnen, das sich schminkte.

Man weiss nicht, wann sie starb und wo sie begraben wurde, man weiss nur von Pausanias, dass ihre Freunde, Liebhaber und Landsleute unter sich sammelten, um ihr eine goldene Statue im Tempel der Diana zu Ephesus aufzustellen. Auf dem Säulenschafte dieser Statue, der aus penthelischem Marmor war, las man: „Die Statue ist das Werk des Praxiteles.“ Sie stand zwischen den Statuen zweier Könige: Archinamus, König von Lakedämonien und Philipps, Königs von Makedonien, und trug folgende Inschrift: „Der Phryne, der berühmten Thespierin.“ Es war dasselbe Denkmal, welches der Philosoph Krates so hart beurteilte, als er ausrief: Sieh, also ein Denkmal der Unkeuschheit Griechenlands.“ Der Name Phryne war wie Laïs gleichbedeutend mit schöne Dirne geworden; mehrere Weiber dieser Klasse liessen sich Phryne nennen. Um von diesen unbedeutenden Nachahmerinnen die erste Phryne zu unterscheiden, nannte man sie die Thespierin. Herodikus führt in seiner „Geschichte derjenigen, welche auf dem Theater gehechelt worden sind,“ eine Phryne mit dem Beinamen das Sieb an, weil sie ihre Liebhaber aussiebte, wie ein Sieb, das die Kleie vom Getreide trennt. Nach Apollodors Abhandlung über die Dirnen gab es zwei Phrynen mit den Beinamen Klauxigelaos (die nach dem Lachen Weinen erregt) und Saperdion (stolzer Fisch), aber weder die eine noch die andere scheint mit der berühmten Thespierin identisch gewesen zu sein.

Wenn Phryne und Laïs die beiden berühmtesten, wenn nicht glänzendsten Vertreterinnen des Hetärismus sind, so zeigen am besten Pythionike und Glycera die Macht desselben. Pythionike und Glycera wurden beinahe Königinnen in Babylon, nachdem sie einfache Dirnen in Athen gewesen waren Erstere war nur bedeutend durch ihre Schönheit, aber sie war gründlich eingeweiht in die Geheimnisse der Wollust, welche so grossen Einfluss auf lasterhafte Naturen und heisse Temperamente haben. Glycera, nicht weniger schön, und vielleicht ebenso geschickt, war intelligenter und geistreicher. Harpalus, der Freund Alexanders des Grossen und Statthalter von Babylon, liebte beide und tröstete sich über den Verlust der ersten durch die Liebe der zweiten. Er war Schatzmeister Alexanders des Grossen, und als sein Herr sich auf dem Zuge nach Indien befand, schöpfte er gewissenlos mit beiden Händen aus dem ihm anvertrauten Schatze. Selbst die alten Könige Babylons übertraf er an Pracht, er wollte alle Genüsse haben, die Macht und Reichtum schaffen können. Flötenspielerinnen aus Milet, Tänzerinnen aus Lesbos, Kranzflechterinnen aus Cypern, Sklavinnen und Konkubinen aus allen Ländern besass er; aus Athen liess er eine Hetäre kommen, die den grössten Ruf hatte und ihre lüsternen Verrichtungen aufs Beste verstand. Pythionike hatte die Ehre für die kleinen Vergnügungen des kleinen Tyrannen Harpalus gewählt zu werden. Sie war damals die gemeinsame Maitresse zweier Brüder, der Söhne des Choerephilos, eines Salzfischhändlers, der seinem Geschäfte ein ungeheueres Vermögen verdankte. Die beiden Liebhaber der Pythionike unterhielten sie mit grossem Aufwande, und der Komiker Timokles hatte in seiner Komödie: „Die Ikarier“ den Reichtum dieser Hetäre lächerlich gemacht, welche nach den passenden

Anspielungen ihrer Genossinnen nach Seefisch roch: „Pythionike wird dich mit offenen Armen empfangen, um von dir alles das zu erhalten, was ich dir eben gegeben habe, denn sie ist unersättlich. Indess verlange eine Tonne Salzfische von ihr, sie hat immer Ueberfluss daran, weil sie sich mit zwei Heringen mit ungesalzenem Maule begnügt.“ Der Hering, dessen Verbrauch unter dem armen Volke bedeutend war, galt als ein geringer Fisch, wie auch feierlich der grosse Sophist der Kulinarischen Kunst, Archestrates, erklärt. Wir haben Pythionike als Sklavin der Flötenspielerin Bacchis gesehen, welche ebenfalls Sklavin der Hetäre Sinope gewesen war. Mit einem Male wurde sie eine Art Königin im Palaste zu Babylon, doch genoss sie dieses seltene Glück nicht lange; sie starb ohne Zweifel an Gift und der untröstliche Harpalus liess ihr ein königliches Leichenbegängnis zu Teil werden. Er hatte von ihr eine Tochter gehabt, welche später den Bildhauer und Baumeister Charikles heiratete, eben den, welchen Harpalus beauftragt hatte, zu Athen ein Grabmal der Pythionike zu errichten. Diese Favoritin hatte übrigens ihr Grab zu Babylon, wo sie gestorben war. Das Monument, welches Charikles an der Via sacra, die von Athen nach Eleusis führte, errichtete, kostete 30 Talente (etwa 200000 M.). Mehr durch seine Grösse als durch seine Schönheit lenkte es die Blicke der Reisenden auf sich: „Wer immer es sieht,“ ruft Dikaearch in seiner „Herabsteigung in die Grotte des Trophonius“ aus, „wird sich zunächst mit Recht sagen: das ist ohne Zweifel das Grabmal eines Miltiades oder Perikles oder eines Kimon oder eines anderen grossen Mannes; es wurde sicher auf Kosten der Republik gebaut oder wenigstens auf einen Beschluss der Obrigkeit hin! Wenn er aber hört, dass dieses Grabmal zum Andenken an die Hetäre Pythionike errichtet worden ist, was muss er dann von Athen denken?“ Harpalus hatte den Bau dieses Grabmals mit solchem Eifer betrieben, dass es vollendet wurde, ehe Alexander aus Indien zurückkehrte. Theopomp versichert dem Könige von Makedonien in einem Briefe, dass der Statthalter die ungeheure Summe von 200 Talenten für die Grabmäler seiner Maitresse verwendet habe. „Was!“ ruft Theopomp unwillig aus, „seit einiger Zeit sieht man zwei Monumente für Pythionike, das eine bei Athen, das andere in Babylon, und der, welcher sich dein Freund nennt, würde ungestraft einen Tempel oder einen Altar einem Weibe gewidmet haben, das sich allen preisgab, die ihre Ausgaben bestritten, und er würde ihr diesen Tempel oder Altar als der Venus-Pythionike geweiht haben! Heisst das nicht offen die Rache der Götter herausfordern und es an Achtung, die er dir schuldet, fehlen lassen?“ Alexander war aber damals zu sehr mit der Bekämpfung des Porus beschäftigt, um sich darum kümmern zu können, dass Harpalus in Babylon und Athen eine Dirne vergötterte.

Harpalus hatte übrigens Pythionike bald ersetzt: eine einfache Kranzflechterin aus Sikyon, Glycera, die Tochter der Thalanis, hatte den

Statthalter Babylons mit solchem Geschicke in sich verliebt gemacht, dass sie fast Königin von Tharsus wurde und Göttin geworden wäre, wenn Harpalus sie überlebt hätte. Aber Alexander kehrte siegreich aus Indien zurück. Er musste diejenigen seiner Offiziere bestrafen, die sich während seiner Abwesenheit wenig um seine Befehle gekümmert hatten. Harpalus war schuldiger als die anderen. Er bekam selbst Angst vor seiner ungeheueren Verschwendung und floh von Tarsos mit Glycera und allem was im Schatze geblieben war, nach Attika, wo er den Schutz der Athener gegen Alexander erflehte. Er hatte ein Heer von 6000 Söldnern aufgebracht und bot alles auf die Gunst der Athener zu erkaufen. Auf den Rat der Glycera bestach er die Redner, bezahlte das Schweigen des Demosthenes und gewann das Volk für seine Sache durch Getreidespenden, die man das „Korn der Glycera“ nannte, und das sprichwörtlich „mehr den Lohn des Verderbens als des Genusses“ bezeichnete. So wurde dieses Korn in einer satyrischen Komödie bezeichnet, deren Held Harpalus war, und die Alexander in ganz Asien geben liess um den Stolz des Harpalus zu demütigen. Man behauptet sogar er sei selbst der Verfasser dieses Stückes gewesen, in dem die Magier Babylons, Zeugen der Betrübnis des Harpalus über den Tod der Pythionike, versprechen, sie vom Aufenthalte der Schatten zum Licht zurückzuführen. Glaublicher ist aber, dass es von Python von Byzanz auf Veranlassung Alexanders gedichtet wurde. Jedenfalls hatte Harpalus kein Glück, sich mit Hilfe der Glycera eine Zuflucht in Athen zu sichern, er wurde verbannt und zog sich nach Kreta zurück unter ständiger Furcht vor Alexanders Rache, die ihm erspart blieb; aber einer seiner Hauptleute ermordete ihn, um sich der Schätze zu bemächtigen, die Harpalus selbst erst dem Makedonierkönige gestohlen hatte. Glycera gelang es zu entschlüpfen und sie kehrte, aus ihrer Höhe gefallen, nach Athen zurück, wo sie ihr altes Gewerbe wieder aufnahm. Sie war nicht mehr die Königin von Tarsos, die fast göttliche Ehren empfangen hatte und deren Bronzestatuen in den Tempeln neben denen des Harpalus gestanden hatten, sondern eine Hetäre von ziemlich reifem Alter, und etwas abgenützter Schönheit, aber auch von unermüdlichem Geiste. Lynkäus von Samos hielt ihre Bons-Mots für sammelnswert, doch besitzen wir diese Sammlung nicht mehr. Athenäus erwähnt einige davon, welche die Zeitgenossen der Glycera beschäftigten. Wir haben einige bereits angeführt, die beiden folgenden wollen wir noch zufügen: „Du verdirbst die Jugend,“ sagte ihr der Philosoph Stilpon — „Was thuts, wenn ich ihr Vergnügen mache?“ antwortete sie. „Du, Sophist, verdirbst sie auch, aber du langweilst sie.“ — Ein Mann, der ihre Gunst kaufen wollte, bemerkte Eier in einem Korbe: „Sind sie roh oder gekocht?“ sagte er zerstreut — „Sie sind von Silber!“ versetzte sie boshaft, um ihn zum Gegenstand ihrer Unterhaltung zurückzuführen.

Ihre Abenteuer in Babylon und Tarsos hatten sie in Mode gebracht;

deshalb war die Zahl der Nachfolger des Harpalus gross. Vorzüglich aber kettete sich Glycera an zwei geistreiche Männer, an den Maler Pausias und den Dichter Menander. Ersterer malte die Blumen, welche sie in Kränze und Guirlanden flocht. Er malte ein Porträt der Glycera, welches sie sitzend, einen Kranz flechtend darstellte. Dieses entzückende Bild, das man Stephanoplocos (Kranzwinderin) nannte, wurde nach Rom geschafft und von Lucullus gekauft, der es so hoch wie alle seine anderen Gemälde zusammen schätzte. Glyceras Leidenschaft für Menander dauerte länger als ihre Verbindung mit Pausias. Sie ertrug alle Launen und Grillen des Komikers, dem sie mehr eine ergebene Dienerin als eine bevorzugte Maitresse war. Menander warf ihr oft vor, dass sie eine Dirne gewesen sei und tadelte ihre Jugendsünden; er war auf die Vergangenheit eifersüchtig wie auf die Gegenwart: „Würdest du mich mehr geliebt haben,“ sagte er, „wenn ich die Schätze Alexanders gestohlen hätte?“ Sie lächelte und antwortete auf diesen Hohn nur durch erneute Sorge und Treue. Eines Tages kam er betrübt über den schlechten Erfolg eines seiner Stücke, in Schweiss gebadet, und mit trockener Kehle nach Haus. Glycera brachte ihm Milch und bat ihn sanft, sich zu erfrischen: „Diese Milch ist alt,“ sagte er, Gefäss und Hand zurückstossend, „sie widert mich an mit ihrem ranzigen ekelhaften Rande.“ Es war dies eine grausame Anspielung auf das Wachs und die Schminke, welche die Runzeln der Glycera bedeckten. „Gut!“ sagt sie heiter, „Lass dich durch das Uebel nicht hindern, lass das Obere und nimm das Untere.“ Sie liebte ihn wahrhaftig und fürchtete nur, dass ihr eine Jüngere seine Zärtlichkeit wegnehmen könnte, welche sie sich oft nur künstlich erhielt, denn Menander war veränderlich und launisch in der Liebe; dennoch liess er sich durch die leidenschaftliche Ergebenheit der Glycera fesseln, welche er in seinen Komödien unsterblich machte: „Ich will lieber die Königin Menanders, als die Königin von Tarsos sein,“ sagte sie. Nach ihrem Tode hatte Glycera kein so glänzendes Grabmal wie das Monument der Prostitution (so wurde das Grabmal der Pythionike genannt); aber ihr Name blieb im Andenken der Griechen eng mit dem Menanders verknüpft und wurde nicht weniger berühmt als derjenige der Laïs, der Phryne und der Aspasia.

XIV. Kapitel.

Die Etrusker und Römer.

Einführung in die heilige Prostitution Etruriens. — Eigenartige, physische Gestaltung der Einwohner des alten Italien. — Rom. — Die Wölfin Acca Laurentia. — Ursprung des Lupanar. — Bau der Stadt Rom auf dem von Acca Laurentia ihren Adoptivsöhnen, Remus und Romulus, überlassenen Gebiete. — Von Romulus und Remus zu Ehren ihrer Amme unter dem Namen Lupercalien eingeführte Feste. — Die Luperci, Priester des Gottes Pan. — Die Sabinerinnen und das Orakel. — Herkules und Omphale. — Die heilige Prostitution in Rom. — Die Dirne Flora. — Ihre Heirat mit Tarutius. — Ursprung der Floralien. — Die Feste der Flora und der Pomona. — Die Dirnen an den Floralien. — Cato im Cirkus. — Venus Cloacina. — Die anständigen Venusarten: Venus-Placida, Venus-Genetrix etc. — Die unanständigen Venusarten: Venus Voluptia, Venus-Lasciva, Venus-Voluntaria. — Tempel der Venus Erycina in Sicilien von Tiberius erbaut. — Die Venustempel zu Rom. — Julius Caesar's Ehrfurcht vor Venus. — Ursprung des Kultus der Venus Victrix. — Geheimnisvolle Episode der Venusfeste. — Venus Myrtea oder Murcia. Gaben der Dirnen an Venus. — Die Abendgenossenschaften der Venus. — Unzüchtige Opfer dem Kupido, Priap, Mutinus etc. von den römischen Damen dargebracht. — Die Priapeia. — Schändlicher Kult des Gottes Mutinus. — Mutina. — Die hermaphrodite Gottheit Portunda. — Tychon und Orthanes. — Schändlicher Kult, von einem Griechen im Etrurien eingeführt. Oberpriester dieser neuen Religion. — Analogie dieses Kultus mit dem der Isis. — Die Mysterien der Isis in Rom. — Die Isisfeiern. — Verdorbenheit der Isispriester. —

Bacchuskult. — Die Bacchanten und Bacchantinnen. — Schändliche Feste, welche die Gottheiten in Rom entehrten. — Der Dirnenmarkt. — Unterschied zwischen der römischen heiligen Prostitution und der heiligen Prostitution der Griechen.

Aegypten, Phönizien und Griechenland kolonisierten Sicilien und Italien indem sie daselbst ihre Religionen, Sitten und Gebräuche einführten. Die heilige Prostitution verfehlte nicht sogleich der Wanderung der Götter und Göttinnen zu folgen, welche ihre Wohnstätte änderten, ohne ihren Charakter zu verlieren. Schriftliche Zeugnisse über den Ursprung dieser Prostitution auf der Kyklopeninsel und der Halbinsel des Saturn bestehen schon seit Jahrhunderten nicht mehr, aber man hat auf etruskischen und græco-italischen Friedhöfen eine Menge gemalter Vasen gefunden, welche Scenen aus der heiligen Prostitution vor der Gründung Roms darstellen. Es sind immer dieselben Opfergaben, welche die Jungfrauen in die Tempel von Babylon und Tyrus, von Bubastis und Naukratis, von Korinth und Athen bringen. Die Geweihte setzt sich im Heiligtume bei der Statue der Göttin nieder, der Fremde bezahlt den Preis ihrer Scham, und sie legt das Geld auf den Altar, der sich durch diesen schändlichen Handel bereichert nur zu Gunsten des Priesters allein. Dies ist nach den Ascheurnen die fast unveränderliche Form, welche die heilige Prostitution in den ägyptischen, phönizischen und griechischen Kolonien annahm. Der Venuskult kam sicher daselbst zuerst zu Ehren, denn er war der anziehendste und natürlichste, aber man verzichtete vollständig auf die Namen und die Attribute der allegorischen Göttin der Weltschöpfung. Diese Namen mussten denen der römischen Theogonie so unähnlich sein, dass Varro, gestützt auf die Autorität des Macrobius, behauptet, Venus sei unter den Königen in Rom nicht bekannt gewesen. Aber Macrobius und Varro hätten sagen müssen, dass sie noch keine Tempel im Innern der Stadt des Romulus hatte, denn sie wurde in Etrurien verehrt, ehe Rom dieses Land durch einen langen Krieg unterwarf. Vitruvius behauptet in seiner Baukunst, dass nach den Lehren des Haruspices Etruriens die Venustempel nur ausserhalb der Stadt bei den Thoren stehen konnten, damit die Abgelegenheit dieser Tempel den jungen Leuten möglichst die Gelegenheit raube und die Ehre der Familienmütter sichere.

Nicht nur die heilige Prostitution bestand im alten Italien; man kann auch behaupten, dass die gastliche und die legale Prostitution gleichzeitig daselbst herrschten, erstere in den Wäldern und Gebirgen, letztere in den Städten. Die Etruskischen Vasengemälde lassen uns keine Ungewissheit über die raffinierte Verdorbenheit, die dieses Urvolk bereits ergriffen hatte. Man könnte schon genügende Folgerungen für die Ausbreitung der Prostitution aus dem Reichtume und der Manigfaltigkeit des Schmuckes der

Weiber ziehen, welcher ihrer Eitelkeit und ihren Toilettenbedürfnissen entstammte. Man ersieht aus tausenden, gemalten Versen entlehnten Beweisen, dass die Lüsternheit dieser einheimischen und ausländischen Völker keinen sozialen oder religiösen Zügel kannte. Bestialität und Päderastie waren bei allen Alters- und Rangstufen gewöhnliche Laster; nur Ceremonien bei Sühneopfern und Reinigungen stellten bisweilen deren freie Ausübung ein. Wie bei allen alten Völkern huldigte man durch Vermischung des Geschlechtes der Natur, und das Weib, dem gewaltthätigen Verlangen des Mannes unterworfen, war meist nur das geduldige Werkzeug seiner Freuden: sie wagte fast nie ihre Wahl auszusprechen und gehörte jedem, der Macht über sie hatte. Die physische Gestaltung der wilden Voreltern der Römer zeigte übrigens alles, was man bei ihrer Sinnlichkeit erwarten konnte: sie hatten männliche Glieder wie Stiere und Hunde; sie glichen den Böcken, denn sie trugen über dem After eine Art roten Haarbusch, welcher unmöglich, als Stammabzeichen in der Malerei, welche diese barbarischen Rückseiten darstellt, betrachtet werden kann. Dieser gleichzeitig fleischige und beharrte Auswuchs war der Rest eines wirklichen Tierschwanzes. Es würde schwer zu sagen sein, wann dies Merkmal tierischer Brunst völlig verschwand; in der allegorischen Bildhauerei ward es als charakteristisches Zeichen des Satyr und der Faune beibehalten. Bei Völkern, die so zur fleischlichen Liebe von Natur geschaffen waren, verband sich die Prostitution ohne Zweifel allen Akten des bürgerlichen und religiösen Lebens.

Schon in der Wiege Roms, als Romulus und Remus von einer Wölfin gesäugt wurden, finden wir die Prostitution. Nach dem alten, von Aurelius Victor, Aulus Gellius und Macrobius angeführten Geschichtsschreiber Valerius war die Wölfin nur eine Dirne, Acca-Laurentia, die Maitresse des Hirten Faustulus, welcher die Zwillinge am Ufer des Tiber ausgesetzt fand. Acca Laurentia war die Wölfin (lupa) von den Hirten der Gegend genannt worden, weil sie dieselbe oft in den Wäldern umherirrend angetroffen hatten und sie mit ihren Geschenken bereicherten. Sie hatte durch ihre Prostitution die Felder zwischen den sieben Hügeln erworben und schenkte sie ihren Pflegesöhnen, welche darauf die ewige Stadt gründeten. Macrobius sagt rückhaltlos, die Wölfin habe soviel erworben, weil sie sich ohne Wahl jedem, der sie bezahlte, preisgab (meretricio quaestu locupletam). So hatte also das römische Volk eine Dirne zur Amme und ein Lupanar zur Heimat. Lupanar war der Name der Hütte der Acca Laurentia, und seitdem nannte man auch so die Unzuchtshöhlen ihres Gleichen, welche ihr zu Ehren Wölfinnen genannt wurden. Wir haben bei den Griechen bereits Wölfinnen derselben Art gefunden. Diejenige, welche Romulus und Remus nährte und von ihrem Schandlohne den Urbesitz Roms kaufte, musste ihr Gewerbe lange ausüben: corpus in vulgus dabat, sagt Aulus Gellius, pecuniamque emerueat exeo quaestu uberem. Sie starb im Rufe einer grossen Hure, und dennoch führte man ihr zu Ehren ein Fest unter dem Namen Lupercalien ein. Wenn man ihr nie einen Tempel errichtete, so geschah dies nur aus Furcht, ihre Wohnung durch den Namen Lupanar zu entehren. Um die Lupercalien zu rechtfertigen, feierte man sie Mitte Dezember als Trauerfest am Jahrestage ihres Todes und schob sie später, aus Achtung vor der öffentlichen Meinung, dem Gotte Pan zu. Das erste Fest also, welches Romulus und Remus oder ihr Pflegevater Faustulus in Rom einführten, war die Gedächtnisfeier der Wölfin Acca Laurentia.

Dieses Fest, welches bis ins 5. Jahrhundert n. Chr. bestand, nicht ohne viele Veränderungen zu erleiden, war ganz einer Dirne würdig. Die Luperci, die Priester des Pan, durchliefen, bis auf eine Schambinde völlig nackt, mit einem blutigen Messer in der einen und einer Geissel in der andern Hand, die Strassen der Stadt, indem sie die Männer mit dem Messer bedrohten und die Weiber mit der Geissel schlugen. Diese, weit entfernt, sich den Schlägen zu entziehen, suchten sie vielmehr mit Eifer und empfingen sie mit Zerknirschung. Folgendes war der Ursprung dieses symbolischen Laufes, der ein Heilmittel gegen die Unfruchtbarkeit der Weiber war und sie schwanger machte, wenn die göttliche Geissel sie am rechten Platz getroffen hatte Als die Römer des Romulus die Sabinerinnen geraubt hatten um sich Weiber und Kinder zu verschaffen, zeigten sich die Sabinerinnen anfangs unfähig, das zu thun, was man von ihnen erwartet hatte; ihre gezwungene Vereinigung brachte keine Frucht hervor, obgleich sie sich nicht über ihre Räuber zu beklagen brauchten. Sie riefen Juno in einem dem Pan heiligen Gehölze an, und das Orakel, welches sie daselbst empfingen, flösste ihnen zuerst eine gewisse Furcht ein: „Es ist nur ein Bock nötig," sagte das Orakel, „euch Mutter werden zu lassen." Man hatte keine Mühe, diesen Bock zu finden, ein Panpriester nahm ihnen die Sorge ab, indem er einen Bock auf der Stelle schlachtete und das Fell in Riemen schnitt, mit diesen geisselte er die Sabinerinnen, welche durch diese Geisselung, die sozusagen ein Recht der Lupercalien wurde, schwanger wurden. Die lateinische Mythologie gab diesem Laufe der Luperci eine poetischeren, aber weniger nationalen Grund. Herkules reiste mit Omphale, ein Faun bemerkte sie und folgte ihnen heimlich in der Hoffnung, einen Augenblick zu erhaschen, wo Herkules seine Schöne verlassen würde, um eine seiner zwölf Arbeiten zu vollbringen. Die beiden Liebenden begaben sich in eine Grotte und assen darin. Herkules und Omphale hatten die Kleider vertauscht, um sich während des Mahles zu ergötzen. Omphale hatte sich in das Fell des nemäischen Löwen gehüllt und um die Schultern den Köcher mit den vergifteten Pfeilen gehängt; Herkules entblösste seine zottige Brust und legte das Halsband und die Armspangen seiner Geliebten an. Sie tranken und berauschten sich in dieser Verkleidung. Endlich schliefen sie auf einem Lager von trockenen Blättern ein, da drang der Faun in die Höhle und suchte tastend das Bett der Omphale. Er schlüpfte zu Herkules, nachdem er vorsichtig das Löwenfell vermieden hatte, welches ihm verhehlte, was es zufällig einschloss. Herkules erwachte und züchtigte den Kecken, der in seinem Irrtume ein wenig zu weit gegangen war. Seit diesem Abenteuer hatte Pan einen Abscheu vor jeder Verkleidung, da eine solche seinen Faun getäuscht hatte, und er befahl, um vor Irrungen dieser Art sicher zu sein, dass seine Priester an den Lupercalien nackt einherliefen. Man opferte an diesem Tage Böcke und Ziegen, welche die Luperci selbst abhäuteten, um sich mit diesen blutigen Fellen zu bedecken, die in dem Rufe standen, Verlangen zu erregen und den lüsternen Opferern des Pan ein wildes Feuer zu verleihen. Die heilige Prostitution war also der Grundgedanke der Lupercalien.

Dies war nicht das einzige Fest und der einzige Kult, durch welchen die heilige Prostitution in Rom vor dem Venuskulte eingeführt worden war. Unter der Regierung des Ancus Martius legte sich die Dirne Flora den Namen Acca Laurentia zu Ehren der Amme des Romulus und Remus bei. Sie war von wunderbarer Schönheit, aber dennoch nicht reich. Eines Nachts ging sie in den Tempel des Herkules, um den Schutz dieses mächtigen Gottes zu erlangen. Herkules offenbarte ihr im Traume, dass die erste Person, welche sie beim Verlassen des Tempels treffen würde, ihr Glück bringen würde; sie traf einen Patrizier, Namens Tarutius, der ein ansehnliches Vermögen besass. Er verliebte sich auf der Stelle in sie und heiratete sie. Als er starb, setzte er sie zu seiner Erbin ein, und Flora, welche durch diese Heirat in Mode gekommen war, nahm ihr altes Dirnengewerbe wieder auf und erlangte dadurch ein ungeheures Vermögen, welches sie dem römischen Volke als Erbe hinterliess. Ihr Vermächtnis wurde angenommen, und der Senat verordnete aus Dankbarkeit, dass der Name der Flora in die Staatsjahrbücher eingetragen würde, und dass feierliche Feste das Andenken an die Grossmut dieser Dirne fortpflanzen sollten. Später aber bedrückten diese Ehren, welche einem verworfenen Weibe gewährt wurden, das Gewissen der ehrbaren Leute, und man machte, um die Ehre der Dirne zu retten, sie zur Göttin. Flora wurde von da an die Göttin der Blumen und man feierte die Floralien im April oder Mai mit grossem Glanze. Zur Feier dieser Feste verwendete man die Einkünfte aus dem Nachlasse der Flora, und als diese nicht mehr ausreichten, verwendete man dafür seit 513 v. Chr. auch die Bussen, welche für Diebstähle bezahlt worden waren. Die Florafeste, die man Feste der Flora und Pomona nannte, bewahrten immer das Merkmal ihrer Stifterin. Die Obrigkeit hob sie mehrmals auf, aber das Volk erzwang ihre Erneuerung, wenn Dürre oder eine schlechte Ernte bevorzustehen schien. Sechs Tage lang bekränzte man mit Blumen die Statuen und Altäre der Götter und Göttinnen, die Hausthüren, die Trinkbecher und streute frisches Laub auf Strassen und Plätze; man führte Jagden auf, indem man Hasen und Kaninchen (cuniculi) verfolgte, welche die Dirnen nur lebend fassen durften, wenn sie sich unter ihre Kleider flüchteten.

Die Aedilen, welchen die Aufsicht der Floralien zustand, warfen unter das Volk einen Regen von Bohnen, trockenen Erbsen und anderen Hülsenfrüchten, welche die Menge sich mit Faustschlägen streitig machte. Ferner gaben gerade diese Feste, welche die Dirnen als ihr Eigentum betrachteten, Veranlassung zu entsetzlichen Ausschweifungen im Cirkus. Die Dirnen zogen feierlich mit Musik aus ihren Häusern, gehüllt in sehr weite Schleier, unter denen sie nackt und mit all ihrem Schmucke beladen waren. Sie versammelten sich im Cirkus vor allem Volke, welches sich rundum drängte, und warfen daselbst ihre Schleier ab. Sie zeigten sich in der unanständigsten Nacktheit, alles mit Vergnügen zur Schau stellend, was die Zuschauer zu sehen begehrten, und diese unzüchtige Darstellung mit den schamlosesten Bewegungen begleitend; sie liefen, tanzten, sprangen und kämpften wie Athleten und Possenreisser, und jede lascive Bewegung erweckte Geschrei und Beifall bei diesem rasenden Volke. Plötzlich stürzten sich unter Trompetengeschmetter gleichfalls nackte Männer in die Arena, und ein öffentliches Prostitutionsgewühl bot neue Verführungen für die Menge. Eines Tages erschien Cato, der strenge Cato, in dem Augenblicke im Cirkus, als die Aedilen eben das Signal für die Spiele geben wollten; aber die Gegenwart dieses grossen Bürgers verhinderte den Ausbruch der Orgie. Die Dirnen blieben verschleiert, die Trompeten schwiegen, das Volk wartete. Man liess Cato merken, dass er allein ein Hindernis für die Spiele sei; er erhob sich, zog die Toga vor sein Gesicht und verliess den Cirkus. Das Volk klatschte in die Hände, die Dirnen enthüllten sich, die Trompeten schmetterten und das Schauspiel begann.

Es war dies sicher die frechste Prostitution, die je unter dem Schutze einer Göttin vorgenommen wurde, aber man versteht es, da die Göttin selbst eine freche Dirne gewesen war. Der Kult der Prostitution war in den Tempeln der Venus viel anständiger. Der älteste dieser Tempel in Rom scheint derjenige der Venus-Cloacina gewesen zu sein. Als man in der ersten Zeit der Republik die grosse Kloake reinigte, die vom Könige Tarquinius gebaut wurde und zum Tiber den Unrat der Stadt leitete, fand man tief im Schlamme eine Statue stecken: es war eine Venusstatue. Man fragte sich nicht, wie sie dahin gekommen sei, sondern man errichtete ihr einen Tempel unter dem Namen Venus-Cloacina. Die Prostituierten suchten abends in diesem Tempel ihr Glück, sie versprachen einen Teil ihres Lohnes der Göttin zu opfern, deren Altar zu immer neuen Bitten und Gelübden anlockte. Venus hatte anständigere und weniger besuchte Tempel in den zwölf Regionen oder Quartieren der Stadt. Venus-Placida, Venus-Genetrix oder Erzeugerin, Venus-Vesticordia, die Herzenslenkerin, Venus-Erycina, Venus-Victrix und andere ziemlich anständige Venusarten ermunterten nicht zur Prostitution; sie duldeten sie kaum zu Nutzen der Priester, welche sich ihr insgeheim überliessen. Es gab wenig Venusarten, die an sich den geheimen Mysterien der Liebe vorgestanden hätten. Der Tempel der Venus-

Voluptia im X. Quartier war ein Schauplatz der Ausschweifung beider Geschlechter, welche daselbst die Inspiration der Göttin erwarteten. Der Tempel der Venus-Salacia oder Lascivia, dessen Lage in Rom unbekannt ist, war sehr eifrig von den Dirnen besucht, welche sich in ihrem Handwerke vervollkommnen wollten. Der Tempel der Venus-Lubentina oder Voluntaria befand sich ausserhalb der Mauern, von einem Gehölze umgeben, welches sorglich seinen Schatten über die Zusammenkünfte der Liebenden breitete. Venus wendete sich mit ihren verschiedenen Namen immer an den Sinn für das Vergnügen, wenn nicht für Ausschweifung. Doch waren ihre Tempel in Rom nicht wie in Griechenland und Kleinasien durch einen anerkannten Prostitutionshandel entehrt. Es waren daselbst nur Dirnen, welche sich aus übertriebener Frömmigkeit zum Nutzen der Göttin verkauften, in keinem Falle aber wurde auch das Opfer im Tempel selbst vollbracht, ausser wenn der Priester der Opferer war.

Man findet bei den römischen Schriftstellern nirgends, dass die Venustempel Roms Geweihte hatten, Priesterinnen, welche sich zu Gunsten ihres Altars preisgaben, wie dies noch zur Kaiserzeit in Korinth und in Athen geschah. Strabo erzählt in seiner Geographie, dass der berühmte Tempel der Venus-Erycina auf Sicilien voll Weiber war, die zum Kult der Göttin dienten und von Bittstellern geschenkt worden waren, welche ihre Gunst suchten. Diese geweihten Sklavinnen konnten sich von dem Gelde loskaufen, welches sie durch ihre Prostitution verdienten, und von dem nur ein Teil dem sie schützenden Tempel gehörte. Dieser Tempel fiel unter der Regierung des Tiberius in Trümmer, der ihn als Verwandter der Venus wieder herstellen liess, und mit neuen Priesterinnen besetzte. Die Tempel Roms hatten alle einen sehr kleinen Umfang, so dass die Zelle nur den Altar und das Bild der Göttin sowie die Opfergeräte einschliessen konnte: man ging also nicht ins Innere, und bei den Venusfesten, wie bei denen der anderen Götter fanden die Ceremonien unter freiem Himmel vor den Säulenhallen und den Stufen des Heiligtums statt. Diese Bauweise scheint jede heilige Prostitution, wenigstens im Tempel selbst, auszuschliessen. Die Römer hatten überdies, als sie die Religion der Griechen annahmen, diese ihren Sitten angepasst, und der skeptische Geist dieses Volkes passte schlecht zu dem Vertrauen und der Selbstverleugnung, welche die Offenherzigkeit und Kindlichkeit der Griechen beanspruchte, ohne lächerlich und verhasst zu sein. Die Römer glaubten nicht an die Göttlichkeit ihrer Götter. Sicher ist also, dass die Venusfeste in Rom beinahe keusch oder vielmehr anständig in allem waren, was sich auf den Kult bezog, dagegen dienten sie als Vorwand für Orgien und Ausschweifungen aller Art, die in den Häusern stattfanden. Julius Caesar, der sich rühmte, von Venus abzustammen, feuerte von neuem zum Kult seiner göttlichen Stammmutter an, er weihte ihr Tempel und Statuen im ganzen römischen Reiche; er liess ihr zu Ehren herrliche Spiele aufführen und leitete in

Person die Prunkfeste, die er wieder herstellte oder neu für sie schuf. Er beabsichtigte nicht unter seiner Herrschaft die heilige Prostitution in Kraft zu setzen, er mied auch irgend eine Ausschweifung mit Venus in Beziehung zu bringen, welche als Venus-Lubentia, Voluptia, Salacia etc. nur die Göttin der Römer war. Ausserdem hatte Venus-Pandemos nie einen Tempel in Rom.

Man betete vor allem Venus-Victrix an, welche die grosse Beschützerin des Aeneas entsprossenen Volkes zu sein schien; aber man erinnerte sich nicht einmal, bei welcher Gelegenheit Venus zuerst unter den Namen Armata angebetet worden war. Dies stammte aus Sparta und nicht aus Rom, denn Venus war, ehe sie Venus-Victrix wurde, Armata gewesen. In der Heroenzeit der Lakedämonier waren einst alle rüstigen Männer ausgerückt, um Messene zu belagern. Die belagerten Messenier gingen ihrerseits heimlich aus der Stadt und marschierten Nachts ab, um das verteidigungslose Sparta einzunehmen. Doch die Lakedämonierinnen rüsteten sich eilig und stellten sich stolz dem Feinde entgegen, den sie in die Flucht schlugen. Als die Spartiaten erfuhren, in welcher Gefahr ihre Stadt schwebte, hoben sie die Belagerung Messenes auf und eilten zur Verteidigung ihres Herdes herbei. Sie sahen von weitem das Glänzen der Helme, Panzer und Lanzen und glaubten die Messenier getroffen zu haben, sie machten sich also kampfbereit; doch als sie näher kamen, erhoben die Weiber, um sich zu erkennen zu geben, ihre Röcke und entblössten ihre Scham. Beschämt durch diesen Irrtum, stürzten sich die Lakedämonier mit offenen Armen auf die heldenhaften Frauen, und liessen ihnen nicht einmal Zeit, sich zu entwaffnen. Es entstand ein Liebesdurcheinander, aus dem der Kult der Venus-Armata hervorging. „Venus!“ ruft ein Dichter der griechischen Anthologie aus. „Venus! Die du zu lachen pflegst und Brautgemächer zu besuchen, woher nahmst du diese kriegerischen Waffen? Du findest Freude an Liebesliedern und den harmonischen Klängen der Flöten, du und dein blonder Hymenäus, zu was diese Waffen? Rühme dich nicht, den schrecklichen Mars beraubt zu haben! O, wie mächtig ist Venus!“ Ausonius lässt in seiner Nachahmung dieses Epigrammes Venus sagen: „Wenn ich nackt siegen kann, zu was soll ich denn Waffen tragen?“ Die Venus-Victrix in Rom war nackt, den Helm auf dem Kopfe und die Lanze in der Hand.

Die öffentlichen Venusfeste waren also viel weniger schamlos als die der Lupa und Flora. Sie waren lustig aber nicht obscön, mit Ausnahme eines mystischen Vorganges, der sich vor den Augen einer kleinen Zahl Bevorzugter abspielte und den Leuten, welchen man ihn mit mehr oder weniger seltsamen Einzelheiten erzälte, wie ein Wunder erschien. Der Dichter Claudius sagt uns nicht, in welchem Tempel dieses kunstreiche und unterhaltende, physikalische Spiel vor sich ging. Man legte auf ein Rosenlager eine Elfenbeinstatue der Göttin, die sie nackt darstellte, dann auf dasselbe Lager in einiger Entfernung eine stahlgerüstete Marsstatue. Nach einigen Augenblicken gingen die Mysterien vor sich: beide Statuen setzten sich gleichzeitig in Bewegung und stürzten mit solcher Gewalt aufeinander, dass sie beim Zusammenprall in Splitter zu gehen drohten, dann blieben sie eng umarmt und zitternd zwischen den Rosenblättern. Das ganze Geheimnis dieser mythologischen Scene wohnte im Bauche der Elfenbeinstatue, welche einen Magneten umschloss, dessen Anziehungskraft auf den Stahl der Marsstatue einwirkte. Aber diese Erfindung verweist auf eine Zeit von wissenschaftlicher Vollkommenheit und sehr vorgeschrittenem Raffinement. Die alten Römer verfuhren weniger künstlerisch mit ihren ersten Venusbildern. Eines von diesen war Venus-Myrtea, so genannt nach einem Myrtenwäldchen, welches ihren, wahrscheinlich am Kapitol gelegenen Tempel umgab. Die Myrte war der Venus heilig; sie diente zu den Reinigungen, welche den Hochzeitsbräuchen voraus gingen. Nach der Tradition hatten sich die Römer bei dem Raub der Sabinerinnen mit Myrten bekränzt, als Symbol der siegreichen Liebe und ehelichen Treue. Venus hatte sich ebenfalls mit Myrten geschmückt, als sie Juno und Pallas im Schönheitskampfe überwunden hatte. Man bot daher allen Venusstatuen Myrtenkränze an, und die weisen Matronen, welche nur anständige Venusarten anbeteten, hatten eine Abscheu vor der Myrte, wie Plutarch uns berichtet, weil die Myrte gleichzeitig das Symbol und die Aufforderung der sinnlichen Liebe war. Venus Myrtea nahm den Namen Murtia an, als ihr Tempel auf den Mons Aventinus, den man auch Murtius nannte, in die Nähe des Cirkus verlegt wurde. Damals scheuten sich die jungen Mädchen nicht mehr Venus-Murtia anzurufen, indem sie ihr Puppen, Terracottastatuetten oder Wachsbilder darbrachten, welche, sicher ohne Wissen der Bittstellerin, an den alten Brauch erinnerten, sich selbst der Göttin zu opfern, indem man ihr die Jungfrauschaft darbrachte. Dieses Opfer, welches so allgemein und häufig im Venus Kulte gewesen war, setzte sich noch unter symbolischer Form fort, und überall war die brutale Wirklichkeit durch eine mehr oder minder durchsichtige Anspielung ersetzt worden. So fanden die Römer, als sie Phrygien einnahmen und sich in Troas einrichteten, welches sie als Wiege ihres Stammes betrachteten, daselbst einen Brauch wieder, welcher sich dem Venuskult zugesellt hatte und die wirkliche Ausübung der heiligen Prostitution ersetzte. Die jungen Mädchen weihten sich einige Tage vor der Hochzeit der Venus durch ein Bad im Flusse Skamander, wo sich die Göttinnen gebadet hatten, um sich in Stand zu setzen vor Paris, ihrem Richter, erscheinen zu können: „Skamander," rief die Troerin aus, die sich den schmeichelnden Wogen dieses heiligen Flusses überliess, „Skamander, empfange meine Jungfrauschaft."

Der Venuskult zu Rom verlangte keine Opfer dieser Art. Ausserdem waren die Dirnen die fleissigsten Besucher der Altäre der Göttin, welche sich nach der Ethymologie ihres Namens an alle und alles wendete (quia venit ad omnia, sagt Cicero in seiner Natur der Götter; quod ad cunctus veniat, Arnobius in seiner Schrift gegen die Heiden). Die Dirnen boten ihr vorzüglich die Abzeichen und Werkzeuge ihres Handwerks an: blonde Perrücken, Kämme, Spiegel, Gürtel, Nadeln, Schuhe, Schnüre, Schellen und viele andere Dinge, welche die Geheimnisse ihres Gewerbes charakterisieren. Sie beraubten sich ihres Schmuckes und ihres Zierrats, um sie der Göttin darzubringen, welche ihren Anbeterinnen das doppelte zurückgeben sollte. Einige drückten in ihren Gaben eine uneigennützigere Dankbarkeit aus, und ihre Liebhaber waren nicht weniger kindlich in ihren Opfern: der eine brachte eine Lampe, die Zeugin seines Glückes gewesen war, der andere eine Fackel und einen Hebel, welche ihm gedient hatten, die Thür seiner Maitresse zu verbrennen und einzustossen; die meisten brachten in Gestalt eines Phallus Lampen und Votivphallen. Man opferte zu Ehren der Venus, der Mutter der Liebe, Ziegen und Böcke, Tauben und Sperlinge, welche die Göttin wegen ihres Eifers für ihren Kult in Schutz genommen hatte. Wenn auch die Ceremonien und Feste der Venus in den Tempeln die Scham nicht verletzten, berechtigten und erregten sie doch sehr zu Ausschweifungen in den Häusern, besonders bei den jungen Wüstlingen und den Dirnen. Das wildeste dieser Venusfeste fand im April statt, dem Monate der Liebesgöttin, weil alle Keime der Natur sich während dieses Monats zur Neubelebung entfalten und die Erde in gewissem Sinne ihren Schoss den Küssen des Frühlings zu öffnen scheint. Man brachte die Aprilnächte unter Laubgängen und Schutzdächern von blumengeschmückten Zweigen mit Schmausen, Trinken, Tanzen, Singen und Lobpreisen der Venus zu. Diese Nächte nannte man die Nachtwachen der Venus, und die ganze römische Jugend nahm feurigen Anteil daran, während die Greise und Eheweiber sich tief in ihre Wohnungen unter die schützenden Augen ihrer Laren zurückzogen, um nicht das Freudengeschrei, die Lieder und die Tänze zu hören. Man führte bisweilen bei diesem Aprilfeste, aber nur in ganz lockerer Gesellschaft, lüsterne Tänze und Pantomimen auf, welche die Hauptereignisse der Geschichte der Venus darstellten, so das Urteil des Paris, das Netz des Vulcan, die Liebe zu Adonis und andere Scenen dieser unkeuschen aber poetischen Mythologie. Die Darsteller dieser Pantomimen waren völlig nackt und bemühten sich bei den Aufführungen die Liebesthaten und Bewegungen der Götter und Göttinnen möglichst genau wiederzugeben, so dass Arnobius über diese Vergnügungen sagt, Venus, die Mutter des Herrschervolkes, sei eine trunkene Bacchantin geworden, welche sich allen Unkeuschheiten und Schandthaten der Dirnen überlasse (regnatoris et populi procreatrix amans saltatur Venus, et paraffectus omnes meretriciae vilitatis impudica exprimitur imitatione bacchari). Arnobius sagt ferner, dass die Göttin rot geworden sein würde beim Anblick der entsetzlichen Unanständigkeiten, die man sie mit Adonis begehen liess.

Eigenartiger Weise machten sich die hinsichtlich des Venuskultus so keuschen römischen Weiber keine Gewissensbisse, ihre Scham bei Ausübung anderer unanständigerer und schimpflicherer Kulte blosszustellen, welche sie doch nur als Götter und Göttinnen zweiten Ranges betrachteten. Sie boten Opfer dem Kupido, vor allem dem Priap, dem Mutinus, der Tutana, der Protunda und anderen Gottheiten derselben Art. Die Opfer wurden nicht nur am häuslichen Herde, sondern auch in öffentlichen Tempeln und vor den an den Strassenecken und auf den Plätzen der Stadt aufgestellten Statuen dargebracht. Nicht etwa die Dirnen wendeten sich an diesen geheimnisvollen Olymp der sinnlichen Liebe, Venus genügte ihnen mit ihren verschiedenen Namen und mannigfaltigen Gestalten, sondern die Matronen und selbst die Jungfrauen erlaubten sich die Ausübung dieser geheimen und unzüchtigen Kulte; überliessen sich ihm zwar nur verschleiert vor Sonnenaufgang oder nach Sonnenuntergang, aber sie scheuten sich doch nicht beim Anbeten des Priap und seines unsauberen Gefolges gesehen worden zu sein. Man könnte also glauben, dass sie die Reinheit ihres Herzens bewahrten mitten unter diesen unreinen Bildern, welche überall, in den Strassen, den Gärten und auf den Feldern ihre ungeheuere Obscönität, unter dem Vorwande die Diebe und Vögel zu vertreiben, zeigten. Die Zeit ist schwer zu bestimmen, in welcher dei Gott von Lampsakus in Rom eingeführt und verbreitet wurde. Sein Kult war unter den geachtetsten Frauen ausserordentlich beliebt, und schien durch keine festen Gesetze und religiösen Ceremoniels geregelt zu sein. Der Gott hatte nicht einmal Tempel mit Priestern und Priesterinnen, aber seine phallustragenden Statuen waren fast ebenso zahlreich wie seine Verehrerinnen, welche mehr oder minder erfinderisch in ihrer Ergebenheit verschiedene Formen des Kultes erfanden, welchen sie diesem schmutzigen Gotte widmeten. Priap, der in menschlicher Figur mit gewaltigen Geschlechtsteilen, die Seele des Universums und die schöpferische Kraft der Materie darstellte, war erst sehr spät in die griechische Theogonie eingelassen worden, viel später noch kam er zu den Römern, welche ihn mit seinen Bockhörnern, seinen Ziegenohren und seinem unverschämten Zeichen der Mannheit nicht sehr ernst auffassten. Die Römerinnen hingegen beehrten ihn sozusagen mit ihrer speziellen Gunst und behandelten ihn durchaus nicht als einen schwachen und lächerlichen Gott. Dieser Priap, den die Mythologen zum natürlichen Sohn der Venus uud des Bacchus gemacht haben, war doch nur eine Entartung des Mendes oder Horus der Aegypter, welcher gleichfalls die schöpferische Kraft der Welt darstellte. Aber die römischen Damen suchten die Quelle der Dinge nicht so weit: ihr Lieblingsgott war der Schutzherr der Liebesfreuden, sowohl der ehelichen als auch der sonstigen. Nur hierin unterschied er sich von Pan, mit dem er sehr viele Aehnlichkeit im Aussehen und in den Attributen hatte. Man stellte ihn meist als Herme dar und verwendete ihn zugleich als Grenzpfahl in den Gärten, den Baumpflanzungen und den Feldern, die er mit seiner Keule oder seinem Stocke beschützen sollte.

Die antiken Monumente haben uns mit den verschiedenen Opfern bekannt gemacht, welche Priap in Rom und im ganzen römischen Reiche empfing. Man bekränzte ihn mit Blumen oder Laub, man umwand ihn mit Guirlanden, man brachte ihm Früchte dar, z. B. Nüsse, als Anspielung auf die Mysterien der Ehe, Aepfel zur Erinnerung an das Urteil des Paris; man verbrannte vor ihm auf einem tragbaren Altare Weizenähren, Glockenblumen, Kichererbsen und Klettenkraut; man tanzte, man sang zur Lyra und Doppelflöte um seine Statue und überliess sich mit mehr oder minder Feuer den Einflüsterungen seiner schlüpfrigen Bilder. Das einzige, was bei seinen Opfern die ehrbaren Frauen von den Dirnen unterschied, war der Schleier, unter dem sich ihre Scham in Sicherheit glaubte. Oft wurden die Gold- oder Blumenkränze, welche man dem Gotte von Lampsakus weihte, nicht auf seinem Kopfe sondern an dem unanständigsten Teile seiner Statue aufgehängt. Cingemus tibi mentulam coronis! ruft ein Dichter der Priapeia aus. Ein anderer Dichter derselben Sammlung lobt die Dirne Telethusa, welche, durch die Prostitution reich geworden, Priap auf diese Art einen goldenen Kranz anbietet. Cingit inaurata penem tibi, sancte, corona. Sie bezeichnet Priap als heilig. Endlich erschien das Priapzeichen als figürlicher Schmuck an einer Menge Gegenstände im Privatgebrauch. Die bescheidensten Blicke waren gezwungen es beständig zu tausend verschiedenen Zwecken verwendet zu sehen und begegneten ihm nur noch mit Gleichgiltigkeit und ohne Hintergedanken. So verwendete man es zu Schellen, Lampen, Leuchtern, Schmuck, kleinen Geräten aus Bronce, Thon, Elfenbein oder Horn, vor allem zu Amuletten, welche Weiber und Kinder zum Schutze gegen Krankheit und Zauber trugen. Er war, auch in Aegypten der Schutzwächter der Liebe und Helfer der Geschlechter. Die Maler und Bildhauer gefielen sich, ihm Flügel und Pfoten oder Krallen zu geben, um anzudeuten, dass er zerreisst, davonläuft und fortfliegt in das Reich der Venus. Dieser unanständige Gegenstand hatte auf diese Art seinen obscönen Charakter verloren, und der Geist suchte nichts mehr hinter ihm, wie er den Augen kaum auffiel. Aber der Kult des Priap bot deshalb nicht weniger Gelegenheit und Entschuldigung für viele unzüchtige Geheimnisse.

Dieser Kult umfasste übrigens auch den des Gottes Mutinus, Mutunus oder Tutunus, welcher sich von Priap nur durch die Stellung seiner Statuen unterschied. Er wurde sitzend, statt stehend, dargestellt; ausserdem verbargen sich seine wenig zahlreichen Statuen in geschlossenen Räumen, von einem Gehölz umgeben, wohin profane Blicke nicht drangen. Dieser Mutinus stammte in gerader Linie von den ithyphallyschen Idol der Urvölker Asiens ab; er diente auch demselben Zwecke und setzte in Rom die ältesten Formen der heiligen Prostitution fort. Die jungen Ehefrauen wurden zu diesem Idole geführt, ehe sie zu ihrem Gatten gingen, und sie setzten sich auf seine Knie, wie um ihre Jungfräulichkeit anzubieten: in celebratione nuptiarum, sagt St. Augustin, super Priapi scapum nova nupta sedere jubebatur. Nach Lactantius schienen sie sich nicht nur auf diesen unkeuschen Sitz zu setzen: in cujus sinu pudendo nubentes præsident, ut illarum pudicitiam prior deus delibasse videatur. Diese Libation der Jungfrauschaft wurde bisweilen eine wirklich vollendete Thatsache. Später kehrten dann die verheirateten Frauen, welche ihre Unfruchtbarkeit geheilt sehen wollten, zu einem neuen Besuche des Gottes zurück, der sie nochmals auf seinen Knieen empfing und sie fruchtbar machte. Arnobius erzählt schaudernd die schrecklichen Einzelheiten dieses Opfers: Etiam ne Tutunus, cujus immanibus pudendis, horrentique fascino vestras inequitare matronas et auspicabile dicitis et optatis? Man muss auf die hässlichen Gebräuche der Religionen der Inder und Assyrer zurückgehen um ein gleiches Opfer der heiligen Prostitution zu finden; aber im Oriente hatte in der Kindheit der Welt der schöpferische und erneuernde Gott einen feierlichen Kult, in dem man ihn offen verehrte, und der die Fruchtbarkeit der Mutter Natur darstellte; in Rom dagegen verbarg sich dieser verfallene und herabgekommene Kult in dem Schatten eines Tempelchens, wohin die allgemeine Verachtung den verrufenen Gott Mutinus verwies. Dieses Heiligtum stand zuerst im Quartier Velia, am Ende der Stadt; es wurde unter Augustus zerstört, welcher diesen Rest der heiligen Prostitution abschaffen wollte. Aber der Kult dieses abscheulichen Mutinus war so tief in die Sitten des Volkes gedrungen, dass man sein Heiligtum im Gebiete Roms wieder errichten musste, um dem Verlangen der jungen Ehefrauen und verheirateten Weiber zu genügen, welche dahin nicht nur von ganz Rom, sondern von den entferntesten Punkten Italiens kamen.

Einige Gelehrte haben auf das Zeugnis des Festus hin behauptet, dass diese Kapelle des Mutinus ausser seiner Statue auch die seines Weibes, Tutuna oder Mutuna, eingeschlossen habe, welche darin nur den Mysterien der Entjungferung vorstand und sich nicht selbst auf seine Knie setzte. Die Göttin, deren aus dem griechischen abgeleiteter Name das weibliche Geschlecht ausdrückt und speziell seine Natur bezeichnet, hatte keine ehrbarere Stellung als die Bittstellerinnen, die sich an ihren Gatten wendeten. Man darf indess Mutuna nicht mit Portunda verwechseln der hermaphroditen Gottheit, welche kein anderes Heiligtum hatte als das eheliche Schlafgemach während der Brautnacht. Diese Portunda, welche S. Augustin Portundus (der zuerst stösst) zu nennen vorschlägt, wurde in das Brautbett gelegt und spielte daselbst nach Arnobius eine ebenso delikate Rolle, wie der Gatte: Portunda in cubiculis præsta est virginalem scrobem effodientibus maritis. Dies war auch noch ein Rest der heiligen Prostitution, obgleich die Göttin nicht die Jungfräulichkeit der Braut empfing, sondern den Gatten zur Opferung aufmunterte. Man liess an der ersten Nacht der Neuvermählten noch einen andern Gott und eine andere Göttin teilnehmen, die der ehelichen Keuschheit gleich feindlich waren: den Gott Subigus und die Göttin Prema. Der Gott hatte dem Gatten seine Pflichten zu lehren, die Göttin der Braut die ihrigen: ut subacta a sponso viro, liest man erstaunt im Reiche Gottes von S. Augustin, non se commoveat, quum premitur. Die kleinen Götter Tychon und Orthanes waren nur geringe Schleppenträger des grossen Priap, sie figurierten am Hofe der Venus nur als schlüpfrige Antreiber zur heiligen Prostitution.

Doch weiss man nicht, wer diese unkeuschen Götter waren, deren Namen sich kaum bei dem obskuren Lykophron und bei Diodorus Siculus finden; man weiss auch nicht, welchem speziellen Vergnügen sie vorstanden, und man kann auch keine Hypothese aufstellen, die sich auf ihr Bild oder ihren Kult stützte. Möglich wäre es, dass die Götter, die uns kein Bild zeigt, dieselben waren, welche 566 n. Gründung Roms = 186 v. Chr. ein edler Grieche niederer Herkunft, halb Priester, halb Gaukler, in Etrurien eingeführt hatte. Diese unbekannten Götter, deren Namen nicht einmal die Geschichte aufbewahrt hat, begünstigten einen so ungeheuerlichen Kult und so schändliche Mysterien, dass ein allgemeiner Unwille sich gegen sie geltend machte und sie brandmarkte und verdammte. Zuerst wurden die Weiber allein diesen neuen Göttern mit schändlichen Ceremonien geweiht, welche dennoch eine grosse Menge aus Neugierde oder Wollust zuzogen. Später wurden auch die Männer zugelassen zu der Ausübung dieses hässlichen Kultus, der ganz Etrurien vergiftete und bis nach Rom drang. Er hatte in dieser Stadt bald mehr als 7000 Eingeweihte beiderlei Geschlechts, deren Oberhäupter und Oberpriester M. C. Attinus aus der Hefe Roms, L. Opiternius aus dem Lande der Faliscer und Menius Cercinius aus Campanien waren. Sie nannten sich frech: Gründer einer neuen Religion; aber der Senat, welcher die abscheulichen Gebräuche dieses Afterkultus kennen lernte, ächtete ihn durch ein Gesetz, befahl, dass alle geweihten Instrumente und Gegenstände zerstört würden, und bedrohte mit dem Tode jeden, der wagen sollte in dieser Weise die öffentliche Moral zu verderben. Mehrere Priester, welche trotz des Verbotes des Senats den Versuch machten, wurden ergriffen und zum Tode verurteilt. Nur durch dieses strenge Verfahren konnte man die Ausbreitung eines Kultus hemmen, der sich an die rohesten Begierden der Menschen wendete. Man vermutet, dass die Spuren dieser heiligen Ausschweifungen sich niemals völlig in den Sitten und Glaubenssätzen des Pöbels Roms verwischten.

Es gab vielleicht einen inneren Zusammenhang zwischen diesem fremden Kulte, den der Senat zu vernichten suchte, und dem Isiskulte, der gleichfalls wiederholt den Aechtungen der Obrigkeit ausgesetzt war. Man weiss nicht, wann der Isiskult zum ersten Male nach Rom gebracht wurde, man weiss nur, dass er daselbst entstellt, unter einer asiatischen Form erschien, die weit von ihrem ägyptischen Originale verschieden war.

in Aegypten waren die Mysterien der Isis, der Schöpferin aller Dinge, nicht immer keusch und vorwurfsfrei, aber sie stellten allegorisch die Schöpfung der Welt und des Lebens, die Bestimmung der Menschen, das Streben nach Weisheit und das künftige Leben der Seelen dar. In Rom wie in Asien waren diese Mysterien nur Vorwände und Gelegenheiten zu Ausschweifungen aller Art. Die Prostitution besonders nahm dabei den ersten Platz ein. Aus diesem Grunde wurde auch der Tempel der Göttin in Rom zehnmal abgebrochen und zehnmal wieder aufgebaut; deshalb duldet endlich der Senat die Isispriester nur wegen des selbstsüchtigen Schutzes, den ihnen einige reiche und mächtige Bürger zusicherten; deshalb wandten sich trotz der weiten Ausdehnung des Isiskultus unter den Kaisern, alle ehrbaren Leute mit Schrecken davon ab und verachteten nichts so sehr wie die Isispriester. Apulejus giebt uns in seinem „goldenen Esel“ eine sehr zarte Beschreibung dieser Mysterien in die er eingeweiht war, deren geheime Feierlichkeiten er aber doch nicht zu veröffentlichen sich traute; er spricht von der feierlichen Prozession, bei welcher ein Priester in seinen Armen trägt: „Das verehrliche Bild der allmächtigen Göttin, das Bild, welches nichts hat vom Vogel, noch von zahmen oder wilden Vierfüsslern, und auch dem Menschen nicht ähnlich erscheint, das aber ehrwürdig durch seine Fremdartigkeit ist und geistreich charakterisiert den tiefen Mysticismus und das unverletzliche Geheimnis, in welches sich diese erhabene Religion einhüllt.“ Um das Bild, welches nichts anderes war, als ein goldener Phallus, begleitet mit den Emblemen der Liebe und Fruchtbarkeit, drängte sich eine Menge Eingeweihter, Männer und Weiber jeden Alters und Standes, bekleidet mit Linnengewändern von blendender Weisse, die Weiber ihr ölgesalbtes Haar von durchsichtigen Schleier umgeben, die Männer, bis auf die Haarwurzeln rasiert und Metallklappern schwingend. Aber Apuleius schweigt klug über das, was im Heiligtume des Tempels vorging, wo sich die Einweihung unter dem Lärm der Klappern und Glocken vollzog. Alle Schriftsteller des Altertums haben Schweigen über diese Einweihung beobachtet, welche mit der Prostitution gleich sein musste. Die Kaiser selbst erröteten nicht, sich einweihen zu lassen und hierbei zu Ehren des Anubis, des Sohnes der Isis, eine Hundekopfmaske zu tragen.

Also diese Göttin beherrschte in Rom und dem ganzen römischen Reiche die heilige Prostitution mehr als selbst Venus. Sie hatte zur Zeit der grössten Sittenverwilderung überall Tempel und Kapellen. Der Haupttempel, den sie zu Rom besass, stand auf dem Marsfelde. Seine Nebenräume, seine Gärten und seine Einweihungsgrotten müssen beträchtlich gewesen sein, denn man schätzte die Zahl der Männer und Weiber, welche an den Isisfesten feierlich zur Einweihung dahinzogen, auf mehrere Tausende. Es herrschte ausserdem in der heiligen Umgebung ein beständiger Wollusthandel, dem die mit allen Lastern befleckten und zu jedem Verbrechen fähigen Isispriester gefällig ihre Vermittlung gewährten. Diese Priester bildeten ein ziemlich zahlreiches Kollegium, welches in unzüchtiger Vertraulichkeit lebte; sie überliessen sich allen Verirrungen der Sinne, allen Zügellosigkeiten der Leidenschaften, sie waren immer trunken und vollgegessen, sie promenierten in den Strassen der Stadt mit ihren fleckigen und schmutzigen Kleidern, die Hundskopfmaske vor dem Gesicht, die Klapper in der Hand. Sie baten um Almosen, indem sie klapperten und an die Thüren klopften, und drohten denen mit dem Zorne der Isis, welche ihnen nichts gaben. Gleichzeitig übten sie das schändliche Gewerbe des Leno aus: sie befassten sich, um die Wette mit den alten Dirnen, mit allen Liebesgeschäften, Briefwechsel, Zusammenkünften, Handel und Verführung. Ihr Tempel und ihre Gärten dienten als Zuflucht allen Liebenden, die sie beschützten, und allen Ehebrechern, die sie unter ihren Kleidern und Linnenschleiern vermummten. Gatten und Eifersüchtige drangen nicht ungestraft in diese, dem Vergnügen geweihten Orte ein, wo man nur Liebespärchen sah, und nichts als durch die Klappern gedämpftes Seufzen hörte. Juvenal spricht in seinen Satyren oft von der allgemeinen Benutzung der Isisheiligtümer: „Noch vor ganz kurzem,“ sagt er in seiner IX. Satyre zu Nævolus, „besudeltest du recht regelmässig das Heiligtum der Isis mit deiner ehebrecherischen Gegenwart, auch den Tempel der Pax, wo Ganymed eine Statue hat, den geheimnisvollen Aufenthalt der Bona Dea, die Cereskapelle (denn in welchem Tempel gäben sich keine Weiber preis?) und, was du nicht zugiebst, du bindest selbst mit den Ehemännern an.“ Diese doppelte Prostitution wurde also in allen Tempeln Roms, vor allem in denen, welche als Decke für sie einen Lorbeer- oder Myrtenhain hatten, geduldet, wenn nicht anerkannt und ermuntert.

Der Isiskult vermischte sich mit dem des Bacchus, der als ein fleischgewordener Osiris angebetet wurde. Die Mythologie dieses siegreichen Gottes hatte soviele Berührungspunkte mit derjenigen der Venus, dass beide in gleicher Weise verehrt wurden, dass heisst durch Prostitutionsfeste. Man feierte die sogenannten Mysterien unter fürchterlichen Ausschweifungen. Die Lüstlinge und die Dirnen waren eifrige und begeisterte Anhänger: sie spielten die Rolle der Bacchanten und Bacchantinnen; sie liefen Nachts halbnackt, mit fliegenden Haaren, mit Weinlaub und Epheu umgürtet, Fackeln und Thyrsusstäbe schwingend, mit Cymbeln und Trommeln, Trompeten und Glöckchen durch die Strassen; bisweilen ritten sie auch als Faune verkleidet auf Eseln. Alles in diesem Bacchuskulte deutete auf Prostitution: hier trank man aus Bechern in Form des Phallus, dort befestigte man enorme Phallen am Ende des Thyrsus. Die Priesterinnen des Gottes trugen um seinen Tempel den Phallus, die Schwinge und die Ciste, wie in der Prozession des Isis, wo diese drei Zeichen die männliche und weibliche Natur, sowie deren Vereinigung darstellten. Denn die Ciste oder das Körbchen umschloss eine Schlange, die sich in den Schwanz biss, während die Kuchen darin die Gestalt des Phallus und der Schwinge hatten. Man sieht ein, dass ein völlig erotischer Kult, der so teuer der ausschweifenden Jugend war, zu unglaublichen Unordnungen führen musste. Die fröhliche, weinberauschte Schar hatte das Recht Männer und Weiber anzufallen, die sie zufällig bei ihren nächtlichen Wanderungen antraf, und sie mit ihrem rasenden Geschrei, Spottgelächter, frechen Worten und schamlosen Bewegungen zu verfolgen. Die ehrbaren Frauen verbargen sich mit Schauder in ihre Häuser, solange die Bacchanalien dauerten, und boten, wenn sie vor ihrer Thür die Tobenden vorbeikommen hörten, ihren Laren ein Opfer und riefen Juno und Puditia an. Endlich wurde Bacchus noch als hermaphroditer Gott angebetet, und bei verrufenen Winkelvereinigungen, im Hintergrunde seines Tempels, wurden die Männer zu Weibern und umgekehrt, in einer namenlosen Orgie, welche durch die heilige Trommel geordnet wurde.

Bei allen diesen schändlichen Festen, welche die Gottheiten Roms entehrten, zogen die Dirnen, treu einer Ueberlieferung, deren Ursprung ihnen gleichgiltig war, Nutzen aus ihrer Unkeuschheit (strupra) und ihrer Preisgebung (prostibula). Sie behielten bloss einen Teil ihrer Einnahmen und legten das andere auf dem Altare des Gottes oder der Göttin nieder, ohne dass die Priester direkt an diesem schimpflichen Handel, der im Umkreise des Tempels abgeschlossen wurde, teilnahmen: „Heute ist Dirnenmarkt im Venustempel," sagt eine Dirne im Poenulus des Plautus; „da versammeln sich die Käufer der Liebe; ich will mich doch dort sehen lassen."

Ad aedem Veneris hodie est mercatus meretricius;
Eo conceniunt mercatores, ibi ego me ostendi volo.

In Rom hielt man die Dirnen nicht wie in Griechenland von den Altären der Götter fern, sie besuchten im Gegenteil alle Tempel, ohne Zweifel weil sie daselbst mehr Aussichten auf Gewinn hatten. Sie bezeugten alsdann ihre Dankbarkeit der Gottheit, die ihnen günstig gewesen war, und gaben an ihr Heiligtum einen Teil des Gewinnes ab, welche sie ihr zu verdanken glaubten. Die Religion stiess sich nicht an die unreine Quelle dieser Einnahmen und Opfer; die Civilgesetzgebung mischte sich nicht in die Einzelheiten dieser unanständigen Verehrung, die Sache des Kultus war. Dank dieser Duldung oder vielmehr systematischen Verzichtleistung auf jede richterliche oder priesterliche Kontrolle bewahrte die heilige Prostitution fast ganz ihr ursprüngliches Gepräge, mit dem Unschiede jedoch, dass sie bei den Dirnen blieb und nur ein fremdes Anhängsel des Kultus wurde, statt einen unverletzlichen Teil desselben auszumachen.

XV. Kapitel.

Die Römer.

I.

Zu welcher Zeit die legale Prostitution auftrat. — Die ersten Prostituierten in Rom. — Einführung der Ehe durch Romulus. — Die vier Gesetze, die er zu Gunsten der Sabinerinnen gab. — Einrichtung des Kollegiums des Vestalinnen durch Numa Pompilius. — Tragischer Tod der Lucretia. — Abscheu und Verachtung, die bei den Urvölkern Italiens der Ehebruch erregte. — Ueber die Ehebrecherinnen zu Kumae verhängte Todesstrafe. — Die Eselstrafe. — Die Ehebrecherinnen der öffentlichen Prostitution gewidmet. — Die Ehre der Kybele durch den Esel des Silen gerettet. — Priap und die Nymphe Lotis. — Für die Aufnahme der Ehebrecherinnen bestimmte Orte. — Schauerliche Strafe, zu der diese Unglückseligen verurteilt wurden. — Die Ehe durch Confarreatio. — Die mater familias. — Die Ehefrau. — Die Ehe durch Coemptio. — Die Ehe durch Usucapio, oder die Ehe auf Probe. — Das Coelibat den Patriziern verboten. — Ein Pferd oder ein Weib. — Vibius Sasca vor den Censoren. — Die censorischen Tafeln. — Die Lex Julia. — Erklärung des Begriffes „öffentliches Weib“ durch Ulpian. — Die verschiedenen Arten und Verordnungen der römischen Prostitution. — Die vagierende Prostitution. — Die stationäre Prostitution. — Stuprum und fornicatio. — Das Lenocinium. — Lenae und Lenones. — Die Meretrices. — Die Freigeborenen. — Die Ehrloserklärung Licentia stupri, das Unzuchtspatent — — Gesetze der Kaiser gegen die Prostitution. — Komödien: die Hure und der Kuppler. —

Gesetze und Strafen gegen den Ehebruch. — Das legale Konkubinat. — Die Konkubinen. — Die Besteuerung der Prostitution. — Der Hurenwirt Vetilius. — Rede des Cicero für Coelius. — Gleichgiltigkeit gegen widernatürliche Verbrechen. — Die Lex Scantinia.

Die legale Prostitution trat in Rom erst spät nach der Gründung auf, da es Anfangs nicht genug bevölkert war, um den nützlichsten Teil seiner Bewohner der öffentlichen Unzucht zu widmen. Die Weiber fehlten den Römern in dem Masse, dass sie sich Sabinerinnen zur Ehe rauben mussten. Um Dirnen zu schaffen, waren aber noch lange nicht genug Weiber vorhanden. Man kann also sicher annehmen, dass die legale Prostitution in der Stadt des Romulus durch fremde Weiber eingeführt wurde, welche daselbst ihr Glück versuchen wollten und ihr schändliches Gewerbe frei ausübten, bis die städtische Polizei so klug wurde sie zu organisieren und ihnen Gesetze zu geben. Aber es ist unmöglich für diese Dirneninvasion in die römischen Sitten und ihr unkeusches Auftreten auf dem Theater der legalen Prostitution eine bestimmte Zeit anzugeben. Das glänzende Andenken, welches Acca Laurentia in der Erinnerung der Römer zurückgelassen hatte, verbarg sich und verschwand bald unter den Mantel der Lupercalien, und als die schöne Flora es für einige Zeit neu belebt hatte und es zu frischen Ehren zu bringen suchte, wurde es nochmals in ein Volksfest eingekleidet, dessen Unanständigkeit selbst für das Volk, das es zügellos feierte, keinen allegorischen Sinn mehr hatte. Die Obrigkeit und die Priester hatten sich übrigens geeinigt die Lupercalien dem Pan und die Floralien der Blumen- und Frühlingsgöttin zu widmen, als wenn sie sich über den Ursprung dieser Prostitutionsfeste geschämt hätten. Acca Laurentia und Flora waren also die ersten Dirnen Roms. Aber sie waren in der ebenerstandenen Stadt eine Ausnahme, und vielleicht erklärt sich aus diesem Umstande der grosse Reichtum, welchen sich beide erwarben, da es für sie keine Konkurrenz gab. Ein gelehrter Jurist des 16. Jahrhunderts, den diese Erscheinung wunderte, wollte in Acca Laurentia und besonders in Flora die einzige und offizielle Prostituierte des römischen Volkes sehen, welche, wie eine Bienenkönigin, allein ihrem Schwarme genügte. Er zog hieraus folgenden, unglaublichen Schluss, dass ein Weib, um richtig und offiziell als öffentliche Prostituierte anerkannt zu sein, sich beiläufig 23000 Männern preisgeben müsse.

Unter der Regierung des Romulus wurde die Ehe, wenn wir uns mit dem Studium des Titus Livius begnügen, derart festgesetzt, dass es keinen Vorwand zur Scheidung und zum Ehebruche mehr gab, denn die Ehe hatte in der neuen Kolonie, vom politischen Standpunkte aus, vor allem den Zweck, die Bürger am häuslichen Herde festzuhalten und eine

Familie um die Ehegatten zu schaffen. Es herrschte anfangs ein so völliger Weibermangel, dass Romulus, um diesem abzuhelfen, seine Zuflucht zu List und Gewalt nahm. Als diese Kriegslist geglückt war, und sich die Sabinerinnen wohl oder übel den Gatten, welche ihnen der Zufall gegeben hatte, gefügt hatten, waren doch noch nicht alle kräftigen Männer Roms mit Weibern versorgt, und man darf annehmen, dass die ersten zwei oder drei Jahrhunderte die Weiber in der Minderzahl unter dieser Männerhorde waren, welche aus allen Gegenden Italiens stammte und sich willkürlich in Patrizier und Plebejer geteilt hatte, die jedes für sich lebten. Die Ehe war also nötig, um diese wesentlich verschiedenen Elemente in einem gemeinsamen Mittelpunkte zusammen zu halten; sie musste aber auch fest und dauerhaft sein, um eine soziale Grundlage für den Staat zu bilden. Deshalb verurteilte und verscheuchte sie auch jede Prostitution, welche sich neben ihr nur zu ihrem Nachteile entfalten konnte. Unter solchen Umständen bedurfte natürlich die Ehe die festen Garantien, welche ihr Romulus gewährt hatte. Die vier Gesetze, welche er gleichzeitig zu Gunsten der Sabinerinnen erliess, und die auf einer Erztafel auf dem Kapitole standen, beweisen deutlich, dass man damals noch nicht die Prostitution zu fürchten hatte. Das erste dieser Gesetze bestimmte, dass die Weiber die Genossinnen ihres Gatten wurden, in Gütergemeinschaft mit ihnen lebten und an allen ihren Rechten und Ehren Anteil hätten. Das zweite Gesetz befahl den Männern, den Frauen auf der Strasse auszuweichen und sie zu ehren. Das dritte Gesetz schrieb den Männern vor, in Gegenwart des Weibes ehrbar in Worten und Werken zu sein, daher waren sie gehalten auf den Strassen der Stadt stets in einem langen Gewande zu erscheinen, das bis auf die Füsse herabfiel und den ganzen Körper umgab; wer sich nackt den Augen eines Weibes (wahrscheinlich einer Patrizierin) zeigte, konnte zum Tode verurteilt werden. Das vierte Gesetz endlich führte die drei Hauptverbrechen der Frauen an: Ehebruch, Vergiftung der Kinder, Entwendung der Schlüssel! ausser in diesen drei Fällen konnte der Ehegatte sein Weib nicht verstossen, bei Strafe all sein Gut zu verlieren, welches halb seinem Weibe und halb dem Cerestempel zufiel. Plutarch führt unter anderem zwei weitere Gesetze an, welche diese vervollständigen und erkennen lassen, wie besorgt Romulus war, die öffentlichen Sitten zu schützen und die Ehe unverletzlich zu machen. Eines dieser Gesetze überlieferte das ehebrecherische Weib der Willkür des Mannes, der mit ihr nach Gutdünken verfahren konnte, nachdem er sie ihren herbeigeholten Eltern vorgestellt hatte. Das andere Gesetz verbot den Weibern Wein zu trinken, bei Strafe wie eine Ehebrecherin behandelt zu werden. Diese Strenge passte nicht sonderlich zur Duldung der legalen Prostitution; man kann aber aus dieser starren Achtung von dem Wohlanstande schliessen, dass die Prostitution noch nicht öffentlich bestand, wenn sie überhaupt schon heimlich ausserhalb der Stadt in den Gehölzen ausgeübt wurde.

Romulus brauchte nicht die Thore seiner Stadt der Wollust zu verschliessen, da sich diese selbst im Schatten der Wälder und im Dunkel der Grotten verbarg. Auch seine Nachfolger hatten dieselbe Ansicht wie er, und beschäftigten sich gleichfalls mit der Reinigung der Sitten und Heiligung der Ehe. Numa Pompilius schuf das Kollegium des Vestalinnen; er erbaute den Vestatempel, in dem sie das ewige Feuer als Bild der Reinheit unterhalten mussten. Die Vestalinnen gelobten ihre Jungfräulichkeit dreissig Jahre zu wahren, und diejenigen, welche sich zum Bruche dieses Gelübdes verleiten liessen, liefen Gefahr, lebendig beerdigt zu werden; aber es war nicht leicht, ausser bei frischer That, sie des Sacrilegs zu überführen. Ihr Mitschuldiger, wer er auch sein sollte, starb unter den Peitschenhieben, welche ihm die anderen Vestalinnen gaben, um die Ehre ihrer Genossenschaft zu rächen. Innerhalb 1000 Jahre erlitt die Jungfräulichkeit der Vestalinnen nur achtzehn beglaubigte Verletzungen, oder man begrub vielmehr nur achtzehn Opfer, die überführt waren, das heilige Feuer der Scham ausgelöscht zu haben. Numa wollte alle Römerinnen in Vestalinnen verwandeln, da er befahl, dass sie nur lange und anständige, das heisst, lange und wallende Kleider tragen und nicht nur Busen und Nacken sondern auch das Gesicht mit Schleiern verhüllen sollten. Eine so verschleierte Römerin glich in ihrer Tunika und ihrem Leinenmantel einer von ihrem Sockel herabgestiegenen Vestastatue. Ihr langsamer, würdevoller Gang flösste nur Gefühle der Achtung ein, wie wenn sie die Göttin selbst wäre; und wenn ihr die Männer ehrerbietig Platz machten, so blickten sie ihr nur voll keuscher Bewunderung nach. Der tragische Tod der Lukretia, welche sich nicht entschliessen konnte, ihre Schande zu überleben, ist das glänzendste Zeugnis für die Sittenreinheit dieser Zeit. Das gesamte Volk stand gegen den Verbrecher auf, der das Ehebett verletzt hatte und erhob im Namen der öffentlichen Moral Einspruch. Man hat übrigens zahlreiche Zeugnisse für die Abscheu und Verachtung, welche das Verbrechen des Ehebruchs bei der Urbevölkerung Italiens erregte, obwohl sie die griechische und phönizische Verdorbenheit bereits kannte. Wenn zum Beispiel zu Kumæ in Campanien ein Weib beim Ehebruche ertappt wurde, zog man ihr die Kleider aus, schleppte sie auf das Forum und stellte sie nackt auf einen Stein, wo sie mehrere Stunden lang die Beleidigungen, den Spott und das Anspucken der Menge aushalten musste; dann setzte man sie auf einen Esel, den man unter lautem Geschrei durch die ganze Stadt führte. Man fügte ihr sonst kein Leid zu, aber sie blieb geschändet; man zeigte mit Fingern auf sie, man nannte sie ὀνοβάτις (die den Esel bestiegen hat), und dieser Schimpfname blieb ihr während des ganzen Restes ihres verachteten und elenden Lebens.

Nach gewissen Erklärern war die Strafe des Ehebruchs in Latium und den Nachbargegenden ursprünglich viel schändlicher und skandalöser als der Ehebruch selbst. Der Esel von Kumæ spielte auch in diesem eigenartigen Gerichtsverfahren seine Rolle, die aber nicht im harmlosen von der Schuldigen geritten werden bestand, nein, diese wurde öffentlich das Opfer des geilen Vierfüsslers.

Man kann sich vorstellen, dass eine so monströse Szene bei der Rohheit der Zuschauer Spott und Gelächter erregen musste. Diese Unterhaltung war würdig der Barbarei der Faune und Aboriginer, welche früher diese wilden Einöden bevölkert hatten. Die Unglücklichen welche gequetscht, gestossen und misshandelt die Brunst des Esels erduldet hatten. bildeten keinen Bestandteil der Gesellschaft mehr, sie waren nur ihre Sklaven und ihr Spielzeug, da sie Jedem gehörten, der sich zum Nachfolger des Esels machen wollte. Dies waren wahrscheinlich die ersten Prostituierten, welche zum allgemeinen Gebrauche der Landbevölkerung dienten. Hier liess man aus Anstand das obscöne Dazwischentreten des Esels verschwinden, dort hingegen bewahrte man wie ein Zeichen die Gegenwart dieses Tieres, das nicht mehr die Dienste des Henkers verrichtete. Dennoch muss man hierin den Ursprung des Eselsrittes suchen, den man im Mittelalter nicht nur in Italien, sondern auch in allen Gegenden findet, wohin das römische Recht gedrungen war. Der Esel stellte offenbar die Unzucht in ihrer brutalsten Form dar, und man überliess ihm die Weiber, welche sozusagen alle Zurückhaltung verloren hatten, indem sie einen Ehebruch begingen oder sich der öffentlichen Ausschweifung widmeten. Man kann nicht sagen, ob der Esel in alle diesen Fällen, wo er die Strafe zu vollstrecken hatte, Einsicht zeigte oder nicht. Man glaubt, dass er zu diesem, bei den Voreltern der Römer so seltenem Vorfalle, eine grosse Schelle an seinen langen Ohren trug, damit jede ihrer Bewegungen die Schande der Verurteilten offenbaren konnte. Diese Schelle war übrigens eines der heroischen Attribute des Esels des Silen, der trotz seiner hitzigen Begierde sich das Wohlwollen der Kybele verdiente, weil er ihre Ehre gerettet hatte. Sie schlief in einer abgelegenen Grotte und der unbescheidene Zephir belustigte sich damit, die Enden ihres Schleiers zu lüften. Priap ging gerade vorüber und hatte sie kaum gesehen, als er auch schon die günstige Gelegenheit sich zu nutzen machen wollte, aber der Esel des Silen störte dieses Vergnügen, indem er laut schrie. Kybele erwachte und hatte noch Zeit, den ungestümen Umarmungen Priaps zu entgehen. Aus Dankbarkeit wollte sie zum Dienste ihres Tempels den Esel geweiht haben, der sie rechtzeitig gewarnt hatte, und sie hängte ihm zur Erinnerung an die Gefahr, in der sie geschwebt hatte, eine Schelle an seine Ohren. So oft sie die Glocke läuten hörte, schaute sie um sich, um sich zu vergewissern, dass Priap nicht in der Nähe sei. Dieser fasste einen solchen Hass gegen den Esel, dass ihm nichts angenehmer war als das Opfer dieses Tieres. Nach mehreren Dichtern habe Priap den Esel selbst bestraft, indem er ihn geschunden habe um ihm das Schweigen zu lehren. Ausserdem hatte dieses bestrafte Tier sein Geschrei oder sein Geläute bei einer gleichen Gelegenheit erneuert. Priap traf in den Wäldern die Nymphe Lotis, welche wie Kybele schlief und nichts Böses ahnte; er machte sich bereit, die schöne Beute zu fassen, als der Esel zu schreien anfing und ihn in seinem Vorhaben lähmte Die Nymphe trug dies dem Esel nach, mehr noch als dem Priap. Die Römer hatten sich ohne Zweifel von der Nymphe Lotis beeinflussen lassen, denn sie hassten und verabscheuten fast den Esel, dessen blosses Erscheinen als ein böses Vorzeichen galt.

Als allmählich der Esel seiner alten Vorrechte bei der Bestrafung der Ehebrecherinnen beraubt worden war, gab man ihm einen nur zweibeinigen Stellvertreter und bisweiligen mehrere gleichzeitig. Man achtete auch die Schelle, als ein Denkmal alter Strafgewalt. Ohne Zweifel war es mehr der Brauch, als das Gesetz, welcher die eigenartige Züchtigung für die Schuldigen niederen Ranges eingeführt hatte. Denn es ist kaum anzunehmen, dass die Patrizier, selbst wenn sie persönliche Beleidigungen rächten, sich dem plebejischen Uebermute preisgegeben hätten. Es gab in verschiedenen Vierteln Roms, und zwar in den äussersten, wahrscheinlich bei den Priaphäusern, gewisse Orte, bestimmt für die Aufnahme der Ehebrecherinnen, welche dort dem erstbesten preisgegeben wurden. Es waren dies eine Art Kerker, nur durch enge Fenster erhellt und durch feste Thüren geschlossen. Unter einem niedrigen Gewölbe wartete ein mit Stroh belegtes Steinlager auf die Opfer, die man rückwärts in dieses Schandloch eintreten liess. Aussen verkündigten erhabene Eselsköpfe an der Mauer, dass der Esel noch immer den unzüchtigen Mysterien vorstände, welche in dieser Kammer vorgingen. Ein Glockentürmchen überragte das Dach dieses Gebäudes, welches vielleicht das Vorbild des Prangers der neueren Zeiten war. Wenn ein Weib auf frischer That beim Ehebruche ergriffen wurde, gehörte sie dem Volke, gleich ob der Ehemann sie preisgab, oder der Richter sie zur Prostitution verurteilte. Sie wurde unter Gelächter, Beleidigungen und den gemeinsten Berührungen fortgeschleppt; kein Lösegeld konnte sie loskaufen, keine Bitte, keine Bemühung konnte sie vor dieser schrecklichen Behandlung retten. Sowie sie um Mitternacht an dem Schauplatz ihrer Strafe angekommen war, schloss sich die Thüre hinter ihr, und man bestimmte mit Würfeln oder nummerierten Knöcheln die Reihenfolge, in welcher ein jeder Vollstrecker bei dieser unsäglichen Strafe daran kommen sollte. Jeder drang, wenn an ihn die Reihe kam, in die Zelle, und sogleich stürzte sich eine Menge Neugieriger an die Fenstergitter um das hässliche Schauspiel zu geniessen, welches der Ton der Glocke unter dem Beifallsgeschrei und dem Jauchzen der Menge verkündete. So oft ein neuer Athlet in der Ringbahn erschien, brach von allen Seiten Geschrei und Gelächter aus, und das Läuten der Glocke begann von Neuem. Wenn man dem Scholastiker Sokrates glauben darf, so war diese hässliche Prostitution im ganzen römischen Reiche bis ins 5. Jahrhundert n. Chr. im Schwunge. Der Esel fungierte nicht mehr wie ursprünglich bei den Ausschweifungen dieses Strafverfahrens, aber das Volk hatte sein Andenken bewahrt, denn es übte sich im I-a-schreien während dieses Vorganges, der oft mit dem Tode der Dulderin endete, und an den sich ein Eselsopfer auf dem benachbarten Altare des Priap schloss. Nichtsdestoweniger verachteten die Römer nicht unter allen Umständen das Tier, dessen Namen „ὄνος“ den schlechtesten Würfelwurf bezeichnete: Oft hing ein Liebhaber oder ein junger Gatte an den Säulen seines Bettes einen Eselskopf und eine Weinrebe auf, um die Heldenthaten einer Liebesnacht zu feiern oder um sich auf kommende zu rüsten. Der Esel trug die Opfergaben in den Tempel der keuschen Vesta; der Esel stieg stolz im Festzuge des Bacchus mit, und, wie ein berühmtes Epigramm sagte, wenn Priap eine Abneigung gegen den Esel gefasst hatte, so war dies aus Eifersucht geschehen.

Wie die Strafe für den Ehebruch bei den Patriziern und Plebejern verschieden war, so waren auch ihre Ehen verschieden. Romulus, trotz des Raubes der Sabinerinnen, ein ebenso weiser als gerechter Gesetzgeber, wollte aus der Ehe eine patrizische Einrichtung machen, denn er betrachtete sie als unbedingt nötig für die Erhaltung der Familien des Erbadels. Diese Ehe die einzige, mit der sich der Gesetzgeber zunächst beschäftigt hatte, hiess confarreatio, weil die beiden Gatten sich während der religiösen Feier in ein Weizenbrot (panis farreus) teilten und es zusammen als Zeichen der Vereinigung assen. Es war nötig für die Feier einer solchen Ehe, welche mit verschiedenen Vorrechten verbunden war, dass sich beide Teile vorher als Patrizier ausgewiesen hatten, und dann die auspicien befragten, welche nur dem Adel dienten. Romulus hatte sicher schon das Gesetz aufgestellt, welches 300 Jahre später die Decemviri in die Tafelgesetze aufnahmen: „Es soll den Patriziern nicht erlaubt sein mit den Plebejern Ehen einzugehen.“ Die letzteren, beleidigt durch dieses Verbot, opponierten solange, bis es aus den Bürgergesetzen gelöscht wurde. Die Ehe durch Confarreatio schien die einzig legitime oder wenigstens die einzig geachtete zu sein, weil durch sie das Weib dem Manne gleichgestellt wurde, denn sie nahm Teil an den bürgerlichen Ehren, welche ihr Gatte erworben hatte, und sie konnte, geehrt durch den Titel mater familias, ihren Gatten und ihre Kinder beerben. Die Stellung der Familienmutter zeigt also keine Spur von der Knechtschaft, welche die Frau (uxor) der Plebejer in der Ehe durch coemptio oder usucapio erduldete. Dies waren die beiden verschiedenen Formen, welche die legale Ehe bei den Plebejern hatte. Der Name coemptio sagt hinreichend, dass man einen Verkauf und Kauf versinnbildlichte. Das Weib brachte beim Eingehen dieser Ehe drei As (eine Erzmünze von etwa vier Pfennigen) zum Altar; sie gab ein As dem Gatten, den sie vor Göttern und Menschen nahm, behielt aber die beiden andern, wie um anzudeuten, dass sie sich nur ein Drittel aus der Sklaverei löste, und dass die Ehe sie nur teilweise befreie. Andere Juristen haben behauptet, dass durch diesen symbolischen Handel das Weib die Fürsorge und den Schutz ihres Gatten gekauft habe. Diese Ehe galt für die Plebejer als ebenso legitim, wie die Confarreatio für die Patrizier, obgleich die uxor nicht dieselben Vorrechte wie die mater familias genoss. Die dritte Eheform, usucapio, war eigentlich nur das legalisierte Konkubinat. Das Weib musste zum Abschluss dieser Ehe im Einverständnisse ihrer natürlichen Beschützer ein ganzes Jahr lang, ohne drei aufeinanderfolgende Nächte ausser dem Hause zu schlafen, mit einem Manne ehelich zusammen leben, den sie also auf Probe heiratete. Diese Konkubinatsehe, die in Rom nur durch die Macht der Gewohnheit bestand, wurde durch das Tafelgesetz anerkannt und so eine bürgerliche Einrichtung, wie die beiden anderen Eheformen.

Die Bevölkerung Roms, die sich aus Leuten so verschiedenen Ursprunges, Vaterlandes, Sitten und Sprachen zusammensetzte, wäre ohne Zweifel nur zu geneigt gewesen, in den schändlichsten Ausschweifungen zügel- und gesetzlos zu leben, wenn nicht Romulus, Numa und Servius Tullius eine Verfassung geschaffen hätten, in der die Ehe als Band und Grundlage der römischen Gesellschaft diente. Da aber diese Könige sich nur mit den Patriziern beschäftigten, so ersetzte das Volk das Schweigen der Gesetze über sich durch Schaffung von Gebräuchen, welche bei ihm die Stelle der Gesetze so lange vertraten, bis sie von den Konsuln oder dem Senate als Gesetze anerkannt wurden. Man kann also annehmen, dass der Plebejerehe das Konkubinat und die Prostitution vorausgegangen war zu einer Zeit, in der fremde Weiber ihr Glück in einer Stadt versuchten, in der die Männer die Mehrzahl bildeten, und zu der die beständige Kriege Roms mit seinen Nachbarn viele gefangene Weiber, welche Sklavinnen blieben oder Ehefrauen wurden in seine Mauern führten. Jedenfalls gaben Gesetz und Sitte dem Gatten Vollmacht über sein Weib. Traf sie ihn beim vollständigen Ehebruche, wie Cato sagt, so wagte sie ihn nicht einmal mit der Fingerspitze anzurühren (illa te, si adulterares, digito non contingere auderet). Hingegen konnte sie straflos getötet werden, wenn ihr Gatte sie in einer gleichen Lage fand. Die Plebejer machten nie von diesem Rechte, welches ihnen das Gesetz gewährte, Gebrauch, anders die Patrizier, für welche die Ehe eine ernste Sache war; sie übten oft selbst Gericht. Sie hatten also eine andere Anschauung von der Prostitution als das Volk, und man muss daraus schliessen, dass sie in den ersten 300 Jahren Roms keuscher und reiner gelebt haben als die Plebejer, welche vielleicht nur heirateten um die Patrizier nachzuahmen und sich ihnen gleichzustellen. Das verheiratete Weib, die Familienmutter wie die Ehefrau, hatten kein Recht die Scheidung zu verlangen, selbst nicht beim Ehebruch. Der Ehemann hingegen konnte sich in drei Fällen, die Romulus genau feststellte, scheiden: bei Ehebruch, bei Vergiftung der Kinder und bei Entwendung der Geldkastenschlüssel, also bei Hausdiebstahl.

Ausserdem hatte das Weib über seine Kinder nicht mehr Gewalt, wie über den Mann; dieser hingegen konnte über ihr Leben und ihren Tod entscheiden und durfte sie dreimal verkaufen. Diese väterliche Gewalt bestand aber nur über die legitimen Kinder, was hinreichend beweisst, dass die der Prostitution entsprossenen Kinder weder einen Vormund noch einen Helfer im Staate fanden, sie zählten zu einer Klasse mit den Sklaven und Gauklern.

Rom brauchte keine natürlichen Kinder; es that nichts für diese Armen, welche ihren Vater nicht nennen konnten und beim Namen ihrer Mutter erröteten; es wollte Bürger haben und verlangte sie von einer gesetzmässig geschlossenen Ehe. Ein altes Gesetz, welches Cicero nennt, verlangte von dem römischen Bürger in einem bestimmten Alter, wahrscheinlich dem 30. Jahre, die Ehe. Wenn ein Patrizier vor dem Censorengerichte erschien, so richteten diese vor jeder anderen Frage folgende an ihn: „Bei deiner Ehre und deinem Gewissen, hast du ein Pferd, hast du ein Weib?" Diejenigen, welche nicht befriedigend antworten konnten, wurden mit einer Geldstrafe belegt und erst ausser Klage gestellt, wenn sie mit Pferd und Weib versehen waren. Die Censoren, welche diese beiden Dinge von einem Patrizier forderten, erlaubten ihm bisweilen sich mit einem von beiden zu begnügen. Das Pferd verriet kriegerischen Geist, das Weib einen friedlichen Sinn. „Ich weiss ein Ross zu behandeln," sagte Vibius Casca auf die Frage des Censor, welcher oft sein hartnäckiges Cölibat getadelt hatte, „wie aber soll ich ein Weib behandeln lernen?" — „Ich gestehe, dass dies ein widerspenstiges Tier ist," versetzte der Censor, der demnach Scherz verstand. „Die Ehe lehrt uns diese Reitkunst." — „Ich werde mich also verheiraten," sagte Casca, „wenn das römische Volk mir Gebiss und Zügel geben wird." Dieser Censor, Metellus Numiadicus, war selbst zu wenig von den Vorzügen der Ehe überzeugt, als dass er sie anderen empfahl. Er begann eines Tages im Senate seine Rede mit folgenden Worten: „Römische Ritter, wenn es nur möglich wäre, ohne Weiber zu leben, würden wir uns alle, und sehr gern, diese drückende Last ersparen; da aber die Natur die Dinge so gefügt hat, dass wir ohne sie uns nicht überleben können, noch mit ihnen glücklich sind, so will der Verstand, dass wir das Wohl des Staates unserem Glücke vorziehen." Die Censoren, zu deren Ressort die Geldangelegenheiten und die Ehen gehörten, waren sicher vor den Aedilen mit der Ueberwachung der öffentlichen Unzucht betraut gewesen.

Servius Tullius hatte befohlen, dass jeder Einwohner Roms seinen Namen, sein Alter, den Stand seines Vaters und seiner Mutter, den Name seines Weibes und seiner Kinder, sowie ein Verzeichnis aller seiner Güter in die Register der Censoren eintragen lassen sollte. Wer sich dieser Einschreibung zu entziehen wagte, sollte mit Ruten geschlagen und als Sklave verkauft werden. Die Censorentafeln wurden im Staatsarchive, beim Libertastempel auf dem Mons Aventinus, aufbewahrt. Nach diesen Tafeln, welche alle fünf Jahre erneuert wurden, mussten die Censoren die Bewegung und Zunahme der Bevölkerung berechnen. Sie konnten die Zahl der Geburten und Eheschliessungen feststellen, aber sie hatten kein Mittel die Elemente der Prostitution zu bestimmen, weil die Weiber nicht vor ihnen erschienen, sondern daselbst nur durch ihre Väter, Gatten und Kinder vertreten waren. Es ist also sehr wahrscheinlich, dass die Prostituierten anfangs frei ihr Handwerk ausübten, selbst ohne Berührung mit den Polizeigesetzen; denn sie entschlüpften, die meisten wenigstens, der Zählung, und liefen keine Gefahr durch Feststellung der Thatsache sich bekannt zu machen. Es ist unmöglich zu sagen, zu welcher Zeit das römische Gesetz zum ersten Male das freie Weib (ingenua) von der Prostituierten unterschied und in deutlicher Weise den Begriff Dirne klar lagte. Man darf annehmen, dass diese gesunkenen Geschöpfe mehrere Jahrhunderte lang in gewisser Beziehung ausserhalb der Gesetze standen, wie wenn der Gesetzgeber ihre Nennung unter seiner Würde gehalten hätte. Auch später, wenn sie hie und da unter der Geschichte der Republik erscheinen, sind sie vor Augustus nie in den Gesetzen genannt; denn erst die Lex Julia beschäftigt sich mit ihrer Brandmarkung, und erst mehr als hundert Jahre später erklärt der gründliche Rechtsgelehrte Ulpian die Prostitution und ihre schändlichen Bestandteile. Diese Erklärung, obgleich im zweiten Jahrhundert gegeben, kann doch vielleicht als Wiedergabe der Ansichten aller Rechtskundigen, die vor Ulpian gelebt hatten, angesehen werden. Er gab also folgende Erklärung unter dem Titel: De ritu nuptiarum, im XXIII. Buche seiner Sammlung: „Ein Weib macht ein öffentliches Geschäft aus der Prostitution, nicht allein, wenn sie sich an einem Unzuchtsorte preisgiebt, sondern auch, wenn sie Kneipen oder andere Orte besucht, wo sie ihre Ehre nicht bewahrt. § 1. Man versteht unter diesem öffentlichen Handel das Handwerk der Frauen, welche sich ohne Wahl (sine delectu) dem ersten besten preisgeben. Also bezieht sich dieser Ausdruck nicht auf Ehefrauen, welche sich des Ehebruches schuldig machen noch auf Mädchen, welche sich verführen lassen: man muss ihn nur für die prostituierten Frauen gebrauchen. § 2. Ein Weib, das sich für Geld einer oder zwei Personen hingegeben hat, ist nicht anzusehen, als treibe sie ein öffentliches Geschäft mit der Prostitution. § 3. Octavenus hat recht, dass diejenigen, welche sich öffentlich preisgeben, selbst ohne Geld zu nehmen, unter die Zahl der Weiber zu rechnen sind, welche ein öffentliches Geschäft aus der Prostitution machen."

Diese Erklärung giebt sicher mit vieler Klarheit die Grundzüge der älteren, römischen Gesetze wieder, welche auf die Prostitution Bezug hatten, und obgleich wir diese Gesetze nicht mehr haben, kann man doch leicht sich über den Geist klar werden, der sie diktiert hatte. Die Prostitution umfasste übrigens verschiedene Arten und, sozusagen, verschiedene Sorten, welche ohne Zweifel in der Jura unterschieden und klassifiziert waren. So bedeutet quæstus die vagierende und bettelnde Prostitution, scortatio die stationäre Prostitution, welche ihren Kunden erwartet und zu festen Preisen empfängt. Als Akte der Prostitution selbst unterschied man: Den

Ehebruch mit einer verheirateten Frau, und zwar stuprum mit einer achtbaren Frau, welche dadurch befleckt wurde, und fornicatio mit einer unzüchtigen Frau, welche dadurch keine Einbusse erlitt. Dann gab es das lenocinium, das ist der mehr oder minder direkte Handel mit der Prostitution, die mehr oder minder dienstfertige Vermittlung, welche schamlose, erbärmliche Spekulanten auf sich nahmen, mit einem Worte, die Beihülfe und die Anreizung zu jeder Art von Wollust. Es war dies eine der verächtlichsten Seiten der Prostitution, und der Gesetzgeber trug keine Bedenken, diese feilen, verworfenen Kreaturen, welche ein Gewerbe daraus machten, durch schlechte Ratschläge oder hinterlistige Verführung die unklugen und unverständigen Opfer, von deren Schande und Entehrung sie die Hälfte als Gewinn zogen, zur Prostitution anzureizen und anzutreiben, als Prostituierte zu bezeichnen. Dieselbe Verachtung zollte das Gesetz den diesem ehrlosen Geschäfte gewidmeten Männern und Weibern, lenæ und lenones; aber es störte sie nicht in ihrem Gewerbe, indem es sie den Männern und Weibern gleichstellte, welche mit ihrem Körper handelten. Man fasste also unter der Klasse der meretrices nicht nur die Unternehmer und Unternehmerinnen zusammen, welche offene Unzuchtshäuser hielten und sich eine Aufsicht über die Prostitution anmassten, die sie förderten, indem sie entweder ihre Sklavinnen ihr überlieferten, oder Personen freier Geburt (ingenuæ) dazu einluden, sondern auch die Wirte, Schenker und Bader, welche Prostituierte männlichen oder weiblichen Geschlechts hielten und diese in den Dienst der öffentlichen Unzucht stellten, so dass also der Herr des Hauses, in dem die Prostitution zu seinem Nutzen vorgenommen wurde, an derselben mitschuldig wurde was auch sein eigentlicher Beruf war, und mit vollem Rechte die Schmach verdiente, wie die elenden Objekte seines Lenocinium.

Die Ehrlosigkeit, welche allen Agenten und Unterhändlern der Prostitution gemeinsam war, ebenso gut wie den gerichtlich verurteilten, den Sklaven, den Gladiatoren und den Possenreissern, strafte mit dem bürgerlichen Tode alle, welche mit diesem Gewerbe nur in Berührung standen; sie hatten keinen freien Genuss ihres Vermögens, sie konnten weder erben noch vererben, sie waren der Vormundschaft ihrer Kinder verlustig, sie konnten kein öffentliches Amt bekleiden, sie durften keine Klage bei Gericht einreichen, kein Zeugnis ablegen und keinen Eid vor irgend einem Gerichte schwören. Sie waren bei den feierlichen Festen der grossen Götter nur geduldet, sie sahen sich allen Beleidigungen ausgesetzt, ohne die Berechtigung zu haben sich zu verteidigen oder auch nur zu beklagen; endlich konnten die Behörden fast willkürlich über Leben und Tod dieser armen Verworfenen schalten. Wer einmal ehrlos gemacht war, wusch diesen untilgbaren Flecken nie wieder ab, „denn," sagt das Gesetz, „die Schande erlischt nicht durch die Unterbrechung." Das Gericht nahm keine Entschuldigung an, welche den Schuldigen oder die Schuldige aus dieser sozialen Entwürdigung wieder erheben konnte. Die heimliche Prostitution bot nicht mehr Sicherheit vor der Schande als die öffentliche. Nicht einmal Armut oder Not galten im Auge des Gesetzes als Entschuldigung, welches sich mit der Thatsache begnügte und sich nicht um Motive und Gründe kümmerte. Da die Thatsache an sich ehrlos machte, so genügte also als Grund hierzu die Feststellung der Thatsache, selbst in längst vergangenen Zeiten. Es gab keine Verjährung, auf die man hätte Anspruch erheben können. Wer einmal ehrlos war, blieb es auch immer, gleich wann und wo er es geworden, nichts konnte daran ändern oder mildern. Ein Sklave, welcher Mädchen besass und sich von den Erträgnissen ihrer Prostitution bereichert hatte, blieb auch nach seiner Freilassung ehrlos. Ulpian und Pomponius führen dieses bemerkenswerte Beispiel der Unauslöschlichkeit der Ehrlosigkeit im römischen Rechte an. Die Mädchen hingegen, welche während ihrer Knechtschaft durch diesen Sklaven preisgegeben worden waren, wurden nicht ehrlos, trotz des Gewerbes, welches sie gezwungen getrieben hatten. Der Kaiser Septimus Severus stellte diesen Paragraphen, den Ulpian anführt, fest. Dennoch hatte gerade unter den Kaisern die Furcht vor Ehrlosigkeit nicht einmal die Weiber freier, ja selbst edler Geburt gehindert sich der Prostitution zu widmen und zwar mit Erlaubnis des Aedilen, was man licentia stupri oder Unzuchtspatent nannte.

Die Gesetze der Kaiser wollten also das Eindringen der Prostitution in die Familien der Patrizier verhindern. Augustus, Tiberius, selbst Domitian zeigten sich gleich eifrig, die Ehre des römischen Blutes rein zu erhalten, indem sie durch strenge Vorschriften die Unverletzlichkeit und Heiligkeit der Ehe schützten, welche sie als Grundlage des Staates betrachteten. Sie richteten sich selbst übrigens nicht so streng nach den Gesetzen, welche sie ihren Unterthanen gaben. In dieser umfangreichen und peinlichen Jurisprudenz ist die Prostitution immer als Ursache des Ehebruches angenommen und mit beständig wachsender Strenge behandelt, was die Mühe des Gesetzgebers beweist, sie zu unterdrücken, auch dann, wenn der Kaiser selbst das Beispiel aller Laster und Schändlichkeiten gab. Die Lex Julia verfügte, dass ein Senator, sein Sohn oder Enkel sich weder verloben noch verheiraten konnte, wissentlich oder nicht, mit einem Weibe, dessen Vater oder Mutter das Handwerk eines Komödianten, einer meretrix oder eines Kuppler trieb oder getrieben hatte, ebensowenig konnte der Sohn, dessen Vater oder Mutter eines dieser ehrlosen Gewerbe getrieben hatte, die Tochter, Enkelin oder Urenkelin eines Senators sich verloben oder heiraten. Da aber die gesetzlich für ehrlos erklärten Personen oft ihre Wiederherstellung hätten erzwingen können, indem sie sich auf die edle Geburt und den Namen ihrer Eltern beriefen, untersagte ein Senatsbeschluss vollständig die Prostitution den Weibern, deren Vater, Grossvater oder Gatte in den Stand der römischen Ritter gehörte oder gehört hatte. Tiberius bestätigte dieses Gesetz, indem er mehrere römische Damen verbannte, unter andern die Senatorentochter Vestilia, welche sich mehr aus Wollust als aus Habsucht der öffentlichen Ausschweifung hingegeben hatte. Viele Patrizierinnen und Plebejerinnen hatten, um sich den schrecklichen Folgen des Ehebruches zu entziehen, eine Zuflucht in der Schande der Prostitution gesucht, welche sie für unverletzlich hielten, denn in den Zeiten der Republik genügte es für eine Matrone, sich für eine Dirne (meretrix) zu erklären und sich in die Listen der Aedilen eintragen zu lassen, um sie vor den Ehebruchgesetzen zu bewahren. Aber neue Vorkehrungen wurden getroffen, um diesem Uebelstand zu steuern und seine verderblichen Folgen zu vernichten: der Senat beschloss, dass jede Matrone, die ein ehrloses Gewerbe treiben würde, um der durch Ehebruch verwirkten Strafe zu entgehen, dennoch durch einen Senatsbeschluss verfolgt und bestraft werden könne. Der Gatte wurde aufgefordert, sein ehebrecherisches Weib bis in den Schoss der Prostitution und der Ehrlosigkeit zu verfolgen. Alle, welche wissentlich dieser Prostitution Vorschub geleistet hatten, der Eigentümer des Hauses, worin sie Unterkunft gefunden hatte, der Leno, der von ihr Nutzen gezogen, der Gatte selbst, der sich den Preis seiner Schande zugeeignet haben würde, sollten ebenso wie Ehebrecher verfolgt und bestraft werden. Noch mehr, der Herr oder Pächter eines Bades, einer Schenke oder selbst eines Feldes, wo das Verbrechen begangen worden war, wurden der Teilnahme angeklagt: war das Verbrechen an keinem der angegebenen Orte vor sich gegangen, so konnte noch mit gleicher Strenge nach Personen gefahndet werden, welche vermutlich den Ehebruch begünstigt hatten, indem sie den Schuldigen nicht nur eine Zuflucht, sondern auch die Mittel liehen, sich zu diesen unerlaubten Zusammenkünften zu treffen Die Obrigkeit wendete dieses Gesetz so viel als möglich an, um dem Ueberhandnehmen des Ehebruches und der Laster, welche das römische Kaiserreich ins Verderben rissen, zu steuern. Man sah Weiber, die in der ersten Ehe einen Ehebruch begangen hatten und zum zweiten Male sich vermählten, plötzlich von einem Kläger angezeigt, welcher im Namen des verstorbenen Gatten auftrat, um sie in den Armen des neuen Gatten zu entehren und zu bestrafen. Nur die Wittwe, wenn sie Familienmutter war, konnte sich ungestraft der Prostitution widmen, ohne jede Verfolgung fürchten zu müssen, selbst nicht von seiten ihrer Kinder.

Wie man sieht, beschäftigte sich die Jurisprudenz nur mit der Prostitution hinsichtlich des Ehebruches und im Interesse der Ehe, im übrigen überliess sie die Lenkung der Dirnen und der entarteten Geschöpfe, welche von deren Einkünften lebten, Polizeiorganen, welche aus der Gerichtsbarkeit der Censoren und Aedilen hervorgegangen waren. Nur die Prostitution der Ehefrauen und das schändliche Lenocinium der Ehemänner suchten die Kaiser und der Senat zu bekämpfen und zu unterdrücken, das Gesetz legte den Weibern aller Stände soweit sie nicht ehrlos waren, einen gleichen Zügel an, aber später beschränkte man sich auf die

Matronen und Familienmütter als in den meisten Patrizierhäusern der Ehebruch friedlich unter den Augen des Gatten eingezogen war, welcher ehrlos die Unkeuschheit seines Weibes ausbeutete. Die Ehe, welche das Gesetz schützen wollte, wurde mehr denn je durch die Schändlichkeiten getrübt, welche vor Gericht entschleiert werden sollten. Hier teilte ein Weib mit ihrem Gatten den Lohn des Ehebruches, dort liess sich ein Gatte für das Schweigen über den Ehebruch seiner Frau bezahlen; fast immer fügte die Gefahr der Preisgebung einen Reiz mehr hinzu. Wenn aber ein Mann, der einen Ehebruch begangen hatte, bewies, dass er zuvor nicht gewusst habe, dass es sich um eine verheiratete Frau handele, so stand er ausser jeder Klage, als ob er sich an eine einfache Meretrix gewandt habe. Man trug beiderseits Sorge, sich Schlupfwege offen zu halten und sich vor der Strenge des Gesetzes zu hüten. Daher richteten sich die Matronen, um auf Abenteuer auszugehen, wie Sklavinnen oder selbst wie Dirnen her, sie riefen so auf den Strassen die Vorübergehenden, welche sie nicht kannten, an, oder stellten sich auch ihren Liebhabern in den Weg, welche sie zufällig getroffen hatten. Dank dieser Verkleidung, welche sie frechen Reden, unzüchtigen Blicken und bisweilen unkeuschen Berührungen aussetzte, konnten sie auf den Promenaden, in den Vorstädten und längs des Tiber ihr Glück versuchen, ohne sich, ihren Gatten oder ihren Liebhaber blosszustellen. Aber, indem sie sich in anderer, als Matronengewandung zeigten, verzichteten sie auf jede Klage über die Beleidigungen, welche sie ihrem Sklavinnen- oder Dirnen-Kostüme verdankten, denn es traf eine sehr strenge Strafe diejenigen, welche ein Weib oder Mädchen in Matronen- oder Jungfrauenkleidung belästigten, sei es durch unanständige Anerbieten oder schweigendes Nachfolgen. Das Gesetz schützte nur anständige Frauen, und nahm nicht an, dass das Schamgefühl einer Dirne gegen die Angriffe, welche sie meist mehr herausforderte als abwehrte, verteidigt zu werden brauchte.

Diese Menge Gesetze und Strafen, welche die Ehebrecher bedrohten machten sie weder seltener noch heimlicher; hingegen schien die Ehe so gefährlich und beargwohnt, dass sie mehr abschreckte als anzog. Man sah die Zahl der legitimen Ehen beträchtlich abnehmen, die gesetzlich genehmigt und anerkannt waren, umsomehr als selbst die entfernteste Verwandschaft alle möglichen Ehehindernisse und Scheidungsgründe ausmachte. Hierdurch wurden die Patrizier, welche sich nicht diesen Sorgen und Gefahren aussetzen wollten, zur Ehe durch usucapio geführt, die bis dahin nur bei dem niederen Volke bestanden hatte. Die Patrizier änderten sie etwas und schufen daraus das Konkubinat, welches ein Gesetz, so dehnbar wie das Konkubinat, zuliess und als rechtlich anerkannte. Es bedurfte nicht wie bei der usucapio nur des Zusammenlebens mit dem Weibe unter demselben Dache während eines Jahres, um die Ehe vollkommen zu machen: das Konkubinat konnte dahin auf keinen Fall führen, denn es bestand nur durch den freien Willen beider Parteien; es hatte übrigens keine bestimmte Form und keinen allgemeinen Charakter. Jede, wenn sie nicht ingenua oder honesta, oder aus Patriziergeblüt war, und wenn die Verwandtschaft das Konkubinat, wie die Ehe, nicht hinderte, konnte Konkubine werden. Ein gesetzlich verheirateter Mann, gleich ob er von seinem Weibe getrennt lebte oder nicht, war doch hierdurch verhindert ein Konkubinat einzugehen, und auf keinen Fall war einem ledigen oder verwittweten Manne gestattet, gleichzeitig zwei Konkubinen zu haben. Eine Veränderung konnte er jederzeit vornehmen aber nur mit Benachrichtigung der Obrigkeit, vor der er erklärt hatte, im Konkubinate leben zu wollen. Es war also in gewissem Sinne eine Halbehe, ein auf Zeit abgeschlossener Vertrag, löslich auf den Wunsch jedes der Kontrahenten. Ursprünglich besass die Konkubine fast dieselben Rechte wie die Ehefrau, man bewilligte ihr selbst den Titel Matrone, unter gewissen Umständen wenigstens, und die lex Julia bestrafte die Beleidigungen der Konkubine ebenso streng, wie die einer ingenua oder Tochter freier Geburt, selbst dann, wenn eine Konkubine Sklavin war. Aber infolge der Sittenverderbnis vervielfältigte sich das Konkubinat in beunruhigender Weise und die Gesetze mussten ihm Regeln und Grenzen geben. Die Konkubinen wurden also des gesetzlichen Schutzes beraubt, den sie bisher genossen hatten, und der Kaiser Aurelian befahl, dass sie nur unter den Sklavinnen und Freigelassenen gewählt werden durften. Von diesem Augenblicke an war das Konkubinat nur noch eine häusliche Prostitution, welche ganz von der Laune des Mannes abhing und dem Weibe nicht die geringste Sicherheit bot. Jedenfalls waren die Kinder einer Konkubine nicht mehr legitim, als die einer wirklichen Prostitution entsprossenen oder eines vorübergehenden Handels, genannt spurei oder quaesiti, oder auch die Sprösslinge einer verbotenen Vereinigung; sie konnten nie zur Legitimation kommen, welche den Makel ihrer Geburt ausgetilgt hätte.

Die legale Prostitution war also unter allen ihren Formen und Namen (es gab selbst männliche Konkubinen) in Rom und im römischen Reiche geduldet, soweit sie sich den verschiedenen Regeln der städtischen Polizei unterwarf, und vor allem eine Steuer (vectigal) ihren Verhältnissen entsprechend dem Staate abgab. Anzunehmen ist aber, dass die alte römische Gesetzgebung es unter ihrer Würde hielt, sich ausser diesen Regeln und dieser Steuer mit der ehrlosen Bevölkerung zu befassen, welche von der öffentlichen Unzucht lebte und deren schändliche Bedürfnisse befriedigte. Ein wunderliches Ereignis bezeugt die Gleichgültigkeit der Gesetzgeber und Magistrate gegen alle elenden Agenten der Prostitution. Quintus Cäcilius Metellus Celer, der 60 v. Chr. Konsul war, weigerte sich als Praetor das Erbrecht eines gewissen, als Leno gebrandmarkten Vetilius anzuerkennen. Der Prätor modifizierte seine Weigerung durch die Erklärung: das Lupanar habe nichts gemeinsam mit einem bürgerlichen Heim, und die Elenden, welche das Lenocinium geschändet habe, wären des Schutzes der Gesetze nicht würdig (legum auxilio indignos). Man kann auch in der sehr klaren Stelle der Rede Ciceros für Coelius einen Beweiss für die vollständige Billigung finden, welche in Rom die Ausübung der Prostitution erfuhr: „Der Jugend alle Liebelei mit den Dirnen verbieten, das ist ein Grundsatz der strengen Tugend, das kann ich nicht leugnen; aber dieser Grundsatz steht wenig in Einklang mit der Schlaffheit dieses Jahrhunderts oder auch mit der gebräuchlichen Duldung unserer Vorfahren: denn, wann haben sie nicht ähnliche Leidenschaften gehabt? Wann hat man sie verboten? Wann hat man sie nicht geduldet? In welcher Zeit ist aufgekommen, dass das was erlaubt ist, nicht gestattet wäre? Man sieht, die Prostitution war erlaubt, das bürgerliche Gesetz verbot sie nur in bestimmten Ausnahmefällen; nur der öffentlichen Moral und der Philosophie gehörte die Sorge, die Sitten zu bessern und die Wollust zu zügeln; aber wie uns Cicero hören lässt, waren Philosophie und Moral gleich nachsichtig gegen die schlechten Gewohnheiten, welche ihr Alter fast ehrwürdig machte. Die Römer aller Zeiten waren zu eifersüchtig auf ihre Freiheit um Verbote oder Bestimmungen im persönlichen Gebrauche derselben zu dulden. Sie rechtfertigten so in ihren Augen die Prostitution, welche sie reichlich benutzten. Sie verlangten nur, dass die Prostituierten Sklavinnen oder Freigelassene seien, weil sie die Prostitution als eine entehrende Form der Sklaverei ansahen. Deshalb verloren auch die Männer und Weiber freier Geburt diesen vor dem Gesetze heiligen Charakter, sowie sich sich in irgend einer Weise in den Dienst der Prostitution gestellt hatten.

Wenn die Römer den natürlichen Verkehr beider Geschlechter mit einander so gern duldeten, so belästigten sie den widernatürlichen Verkehr nicht mehr, welchen die Faune von Latium erfunden hatten, wenn er nicht seit den ältesten Zeiten der Welt in allen Gegenden verbreitet und anerkannt gewesen wäre. Diese schändliche Verirrung, welche die bürgerlichen und religiösen Gesetze des Altertums, mit Ausnahme desjenigen des Moses, nicht einmal zu bekämpfen gedachten, war niemals allgemeiner, als in der Blütezeit der römischen Civilisation. Auch dies war in den Augen des Gesetzgebers eine geduldete Form der Prostitution und der Sklaverei. Der freie Mann durfte sie also nicht begehen; die Sklaven, Freigelassenen und Fremden hingegen konnten über sich frei verfügen, sich vermieten oder verkaufen, ohne dass das Gesetz sich um die Bedingungen des Kaufes oder der Miete gekümmert hätte. Die Bürger oder ingenui kauften oder mieteten, was ihnen gut dünkte, ohne dass die Natur des Handels einer gesetzlichen Untersuchung unterworfen gewesen wäre. Die einen handelten als freie Menschen, die anderen duldeten als Sklaven. Zwischen freien Männern hingegen stand die Sache anders, und das Gesetz, das alle Freiheit bewachte, trat oft dazwischen, um den Angriff auf die Freiheit eines Bürgers zu strafen. Es war wenigstens gesetzliche Annahme, dass in diesem Falle allein dem Bürger kein Recht zustehe, seine

Freiheit zu veräussern, um sich einer ihn entehrenden Handlung zu unterwerfen. So wurde im fünften Jahrhundert der Gründung Roms L. Papirius auf frischer That mit dem jungen Publius ergriffen und zu Gefängnis und einer Geldstrafe verurteilt, weil er die Person und den Charakter eines ingenuus nicht geachtet hatte. Kurze Zeit später wurde eben dieser C. Publius seinerseits für dieselbe Schuld bestraft. Das Volk duldete nicht, dass die Bürger sich wie Sklaven betrugen. Lactorius Mergus, ein Militärtribun, wurde vor die Volksversammlung gestellt, weil er mit einem der cornicularii oder Gefreiten seiner Legion ertappt worden war; er wurde einstimmig zum Gefängnis verurteilt. Notzucht an einem Manne galt als noch schlimmer als an einem Weibe, aber dieses Verbrechen zog nur dann den Tod nach sich, wenn es an einem freien Manne begangen war. Der Centurio Cornelius, der ein solches Verbrechen begangen hatte, wurde vor dem ganzen Heere hingerichtet. Dieses strenge Verfahren war erst im zweiten punischen Kriege auf Grund eines Sondergesetzes angewendet worden, als ein gewisser Caius Scantinius von C. Metellus angeklagt wurde, einen Notzuchtsversuch an dem Sohne dieses Patriziers begangen zu haben. Der Senat veröffentlichte ein Gesetz gegen die Päderasten unter dem Namen Lex Scantinia, aber in diesem Gesetze war nur von Angriffen auf freie Männer die Rede und man legte dieser Prostitution, welche das Los der Sklaven und Freigelassenen wurde, keine weitere Fessel an.

Dies war die ganze Gesetzgebung der Römer gegen die Prostitution, bis die christliche Moral neue Gesetze in das Heidentum einführte und es klärte und reinigte. Unter der Herrschaft der heidnischen Ideen stand die Prostitution in einem Zustand der Duldung, und das Gesetz hielt es unter seiner Würde, den Schleier zu lüften, welcher es den Augen der Oeffentlichkeit entzog; als aber das Evangelium die Sitten anzuformen begann, nahm der christliche Gesetzgeber das Recht in Anspruch, die legale Prostitution zu unterdrücken.

XVI. Kapitel.

Die Römer.

II.

Ausserordentliche Menge der öffentlichen Mädchen in Rom. — Ihre Einteilung in verschiedene Klassen. — Die meretrices und prostibulae. — Die alicariae oder Müllerinnen. — Die blitida. — Die bustuariae oder Friedhofmädchen. — Die casalides. — Die copae oder Kellnerinnen. — Die diobolares. — Die forariae oder Fremden. — Die gallinae oder Hennen. — Die delicatae oder Herzchen. — Die delicata Flavia Domitilla, die Gattin des Kaisers Vespasian und die Mutter des Titus. — Die famosae. — Die junices oder Färsen. — Die juvencae oder Kühe. — Die lupae oder Wölfinnen. — Die noctilucae oder noctivigilae oder Nachtfalter. — Die nonariae. — Die pedaneae oder Pflastertreterinnen. — Die Doris oder Dorides. — Verschiedene, ohne Unterschied, allen Klassen der Dirnen gemeinsame Namen. — Etymologie des Wortes putae. — Die quadrantariae. — Die quaestuariae. — Die quasillariae oder Dienerinnen. — Die ambulatrices oder Wandlerinnen. — Die scorta oder Hure. — Die scorta devia. — Die scrantia oder Nachtgeschirre. — Die suburranae oder Mädchen der Vorstadt Suburra. — Die summoenianae oder Mädchen von Summoenium. — Die schoeniculae. — Die limaces. — Die circulatrices — Die charybdes oder Abgründe. — Die pretiosae. — Der Weibersenat.

— Die Mietkinder. — Die pathici oder Dulder. — Die ephebi oder Jünglinge. — Die gemelli oder Zwillinge. — Die calamiti oder Heuchler. — Die amasii oder Liebhaber. — Die Eunuchen. — Die paedicones. — Die cinedes. — Die Tänzerinnen Flöten- und Lyraspielerinnen. — Die Gaditanerinnen. — Die ambulaiae. — Das meretricium oder die Mädchentaxe. — Makler und Unterhändler der Prostitution. — Der Leno. — Die Lena. — Die Kneipwirte und Bader. — Die Bäckereien. — Die Barbiere und Parfümeure. — Der unguentarius. — Die admonitrices, stimulatrices und conciliatrices. — Die ancillulae oder kleinen Dienerinnen. — Die perductores. — Die adductores. — Die tractatores. — Die Lupanares oder Bordellbesitzer. — Die belluarii. — Die caprarii. — Die anserarii.

Die öffentlichen Mädchen waren in Rom, wenigstens im verdorbenen und durch die Einführung griechischer und asiatischer Sitten verweichlichten Rom, zahlreicher, als sie je zu Athen oder selbst zu Korinth gewesen waren. Sie teilten sich in mehrere Klassen, die unter sich keine andere Beziehung hatten, als ihren schändlichen Handel allein. Aber unter diesen verschiedenen Dirnenarten, die von allen Ländern der Welt kamen, sucht man vergebens nach jenen Königinnen der Prostitution, nach den Hetären, die ebenso berühmt durch ihre Bildung und ihren Geist, wie durch ihre Anmut und Schönheit waren, nach den Philosophinnen, gebildet in der Schule eines Sokrates und Epikur, nach einer Aspasia, einer Leontium, welche in gewisser Beziehung den griechischen Hetärismus zu Ehren und Ruhm brachten. Die Römer waren materieller, wenn nicht sinnlicher als die Griechen. Sie begnügten sich nicht mit den Feinheiten und Raffinements der eleganten Wollust, sie erfüllten sich nicht das Herz mit Vorstellungen einer platonischen Liebe; sie hätten sich geschämt, sich an den Triumpfwagen einer Philosophin oder Künstlerin zu spannen; sie hielten es unter ihrer Würde, bei einem Freudenmädchen die keuschen Zerstreuungen einer geistreichen Unterhaltung zu suchen. Für sie bestand das Vergnügen in den plumpsten Handlungen, und da sie von Natur heissblütig, mit schlüpfriger Phantasie und herkulischer Stärke begabt waren, verlangten sie nur reelle, oft bis zur völligen Sättigung wiederholte und ungeheuerlich variierte Vergnügungen. Dieses Temperament, welches sich in der Stärke ihrer stiermässigen Halsmuskulatur ankündigte, wurde nach Wunsch durch eine Menge Buhler beiderlei Geschlechtes bedient, welche ihre Namen ihrem Gewerbe, ihren Kostümen, ihren Schlupfwinkeln und ihrem Handwerke entnommenen Einzelheiten verdankten.

Alle Weiber, welche in Rom mit ihrem Körper Handel trieben, konnten in zwei wesentlich verschiedene Hauptarten geteilt werden, in meretrices und prostibulae. Man verstand unter den meretrices diejenigen, welche nur nachts arbeiteten, unter prostibulae solche, welche sich tag und nacht ihrem Schandgewerbe widmeten. Nonius Marcellus, ein Gramatiker des 3. Jahrhunderts, hat in seinem Werke „De proprietate sermonis" alles, was für die meretrices günstig sein konnte, angeführt: „Es ist zu unterscheiden zwischen meretrices und prostibulae, da die ersteren ihr Gewerbe in einer anständigen Form ausüben, denn die meretrices haben ihren Namen von merenda (Vesperbrot), weil sie sich nur nachts preisgaben. Die prostibula leitet ihren Namen von ihrem Stabulum (Stall) ab, vor dem sie sich aufhält, um ihren Handel Tag und Nacht zu treiben." Wir nehmen an, dass die beiden Arten der öffentlichen Mädchen noch andere Unterschiede, in ihrem Lebenswandel, in ihrer Kleidung und auch in ihrer sozialen Stellung haben mussten; so sprechen die lateinischen Schriftsteller, welche die Listen erwähnen, wohin die Aedilen die Namen der Dirnen eintrugen, nur von den meretrices und scheinen die prostibulae absichtlich wegzulassen. Diese hatten eine feste Wohnung und brauchten nur ihren Namen und ihre Kleidung zu ändern, da sie zur untersten Klasse des Plebs gehörten. Die meretrices hingegen übten so ehrbar als möglich ihr unanständiges Gewerbe und begingen keine Uebertretung des Polizeigesetzes. Sie konnten übrigens als ehrbare Frauen leben, sub sole, bis zu der Stunde, wo sie sich geschützt vom Schatten der Nacht, in das Lupanar begaben, welches sie erst beim Morgengrauen verliessen. Es ist auch glaublich, dass die gute Meretrix, wie sie Plautus naïv nennt, pünktlich ihre Steuern an den Staat bezahlte und nicht durch Verleugnung ihres Gewerbes den Staat um einen Heller betrog. Aber alle Arbeiterinnen der Prostitution waren auch nicht so gewissenhaft und man kann ruhig annehmen, dass der grösste Teil, vor allem die Aermsten und Verworfensten sich keine Gewissensbisse machten, den Einschreibungen der Aedilen zu entgehen und folglich auch der Zahlung der Unzuchtssteuer. Diese Unglücklichen, selbst unter den Prostituierten die unterste Klasse, hatten nicht genug für sich, um auch den kleinsten Teil ihres Gewinnes dem Staatsschatze zu geben.

Die alicariae oder Müllerinnen waren Strassendirnen, welche ihr Glück an den Thüren der Mühlen erwarteten, besonders derjenigen, welche gewisse Kuchen von feinem Weizenmehle, ohne Salz und Hefe, verkauften, bestimmt zu Opfern für Venus, Isis, Priap und andere Götter und Göttinnen. Diese Brote, genannt coliphia und siligones, stellten unter den tollsten Formen die weibliche und männliche Natur vor. Da man ungeheuere Mengen dieser Priap- und Venus-Brote brauchte, vor allem bei gewissen Festen, schlugen die Müller Zelte auf und eröffneten auf den Plätzen und an den Strassenecken Buden; sie verkauften nur Opferbrote, aber gleichzeitig hatten sie Sklavinnen und Dienerinnen, welche sich Tag und Nacht in der Mühle preisgaben. Plautus hat in seinem Pœnulus diese guten

Freundinnen der Müllerburschen nicht vergessen: prosedas, pistorum amicas, reliquas alicarias. Die bliteae oder blitidae waren Mädchen der feilsten Art, so dass sie nicht mehr galten, als das Handwerk, welches sie auf freiem Felde trieben, ihr Name war abgeleitet von blitum-Blutkraut, ein ekelhaftes Gewächs. Suidas verzichtet nicht auf diese Etymologie, wenn er sagt: „Diese feilen Weiber heissen blitidae, wenn sie verworfen und abgestumpft sind.“ (Viles, abjectas fatuasque mulieres, vocabunt blitidas.) Nach anderen Philologen kommt dieser Name den Dirnen allgemein zu, weil sie oft grüne oder eppigfarbene Schuhe trugen. Es galt übrigens als schwere Beleidigung, eine ehrbare Frau mit blitea anzureden. Die bustuariae waren die Friedhofsdirnen; sie strichen Tag und Nacht über die Gräber (busta) und Grabhügel: sie dienten bisweilen als Totenklägerinnen und meistens zur Belustigung der Männer, welche die Scheiterhaufen herrichteten und darauf die Leichen verbrannten, der Totengräber, welche die Gräber aushoben, und der Grabwächter. Sie hatten kein anderes Bett als den Rasen, der die Gräber umgab; keinen anderen Vorhang, als den Schatten der Grabmonumente, keine andere Venus als Proserpina. Die casalides, casorides oder casoritae waren Prostituierte, welche kleine Häuschen (casae) mieteten, denen sie ihren Namen verdankten; dieser Name bezeichnete auch im Griechischen daselbe κασαυρα oder κασωρις. Die copae oder Kellnerinnen hausten in den Kneipen und Gasthöfen; sie sassen nicht immer am Eingang ihres gewöhnlichen Aufenthaltes; bald schenkten sie den Vorübergehenden, welche sich erfrischen wollten, zu trinken ein, bald zeigten sie sich am Fenster, um Kunden anzulocken, bald gaben sie ihnen Zeichen einzutreten, bald blieben sie zurückgezogen in einem abgelegenen, niedrigen Raume. Die diobolares oder diobolae waren die unglücklichsten Mädchen, meist alt, abgezehrt und lahm, welche niemals mehr als zwei Obolen verlangten, wie ihr Name sagte. Plautus erzählt in seinem Poenulus, dass die Prostitution der diobolares nur den niedrigsten Sklaven und erbärmlichsten Männern zukomme (servulorum sordidulorum scorta diobolaria). Pacuvius taxiert diese Prostitution ebenso, indem er sagt, dass die Zweipfennigshuren nichts dem verweigert hätten, der ihnen die kleinste Münze bot (nummi causa parvi). Die Forariae oder Fremden waren Mädchen, die vom Lande kamen, um sich in der Stadt preiszugeben, und mit staubigen Füssen und zerrissenen Kleidern in den engen und krummen Gassen umherirrten, um ihren armseligen Lebensunterhalt zu gewinnen. Die gallinae oder Hennen waren diejenigen, welche beim Weggehen alles aufpickten, was ihnen in den Weg kam, Bettlacken, Lampen, Vasen und selbst Hausgötter.

In der besseren Dirnenklasse waren die delicatae oder Liebchen diejenigen, welche die Ritter, Stutzer und Reichen aller Art besuchten. Sie waren überhaupt im Geldpunkte nicht empfindlich und fanden niemals, dass es nach dem freigelassenen Sklaven dem Ehebrecher oder dem Delator rieche: sie waren nur schwierig für Leute, welche ohne wohlgefüllte Börse kamen. Flavia Domitilla, welche der Kaiser Vespasian heiratete, und welche die Mutter des Titus wurde, war vorher eine Delicata gewesen. Die famosae oder Berüchtigten waren freiwillige Dirnen, die, obgleich Patrizierinnen, Familienmütter und Matronen, sich doch nicht schämten, sich in einem Lupanar preiszugeben, die einen, um eine schreckliche Brunst zu stillen, die andern um den erbärmlichen Gewinn zu haben, welchen sie für Opfer ihrer Lieblingsgottheiten ausgaben. Die junices oder Färsen und die juvencæ oder Kühe waren Dirnen, welche diese Namen ihrer Fülle, ihrer Willfährigkeit und ihrem grossen Busen verdankten. Die Lupæ oder Wölfinnen, lupanæ oder Waldläuferinnen waren so genannt worden zum Andenken an die Amme des Romulus und Remus, Acca Laurentia. Wie das Weib des Hirten Faustulus, schweiften sie nachts durch Wald und Feld, wobei sie den Ruf der hungrigen Wölfinnen nachahmten, um die erwartete Beute an sich zu locken. Der Name war im gleichen Sinne von den Dicteriaden des Keramikos zu Athen geführt worden. Er wurde später in Rom als allgemeine Bezeichnung aller Dirnen heimisch. „Ich glaube," sagt Ausonius in einem seiner Epigramme, „dass sein Vater unbestimmt ist, aber seine Mutter war bestimmt eine Wölfin." Die noctilucæ waren gleichfalls Nachtfalter, ebenso wie die noctivigilæ, oder Nachtwächterinnen, beider Beiname war von den Dichtern der Venus gegeben worden, die dadurch die Göttin zu ehren glaubten. Man nannte auch allgemein die Nachtdirnen nonariæ, weil die Bordelle sich erst um die neunte Stunde öffneten, und da die Wölfinnen nie vor dieser Stunde ihre Runde begannen. Letztere hiessen auch pedeneæ, weil sie ihre Schuhe nicht schonten, wenn sie welche hatten. Diese Wandlerinnen hatten nicht die kleinen Füsse, welche die Römer so gern sahen, und die Ovid bei seinen mythologischen Beschreibungen stets seinen Göttinnen zuerkennt.

Die Doris verdankten ihren Namen ihrer Kleidung, oder vielmehr ihrer Nacktheit, denn sie zeigten sich völlig nackt wie die Nymphen des Meeres, welche die Mythologie unter dem Namen Doris, ihrer Mutter, charakterisierte, welcher sie die wollüstigsten und üppigsten Formen gab. Juvenal macht seinen Unwillen gegen diese Doris oder Dorides Luft, welche, nach seinen Worten, sich selbst, wie ein feiler Possenreisser, der eine weise Matrone darstellt, aller Kleidung berauben, um Göttinnen darzustellen. Die öffentlichen Mädchen hatten noch verschiedene Namen, welche alle ohne Unterschied bezeichneten: mulieres oder Weiber, pallacæ vom griechischen παλλάκη, pelices, zur Erinnerung an die Bacchantinnen, welche Tuniken aus Tigerfellen trugen, prosedæ, weil sie sitzend den Augenblick erwarteten, wo man sie anrufen würde. Man nannte sie peregrinæ oder Ausländerinnen, wie sie auch stets in den hebräischen

Büchern genannt werden, weil die meisten von allen Teilen des Weltalls gekommen waren, um sich in Rom zu verkaufen, viele wurden auch dahin als Kriegsgefangene nach jeder Eroberung der römischen Adler gebracht; viele gehörten den Unterhändlerinnen und Hurenwirten, welche sie kauften und für sich arbeiten liessen. Vor ihrer völligen Verderbnis rühmten sich die Römer, nur Ausländerinnen als traurige Opfer ihrer Ausschweifungen zu haben. Diese Geschöpfe führten noch einen Namen, der sich fast in unserer Volksprache bewahrt hat: putæ oder puti, auch putilli. Dieser Name ist entweder abgeleitet von dem der Göttin Potua, oder von potus, in Anspielung auf den Liebestrank, den man aus ihrem Becher trank, oder er bezeichnete sie ironisch als Reine (putæ für puræ), oder endlich kleidet er ein obscönes Bild ein, indem man putei in puti zusammenzog, und so dem Worte, den Sinn Brunnen oder Cisterne bewahrte. Woher auch das Wort stammen mag, die Liebhaber bedienten sich seiner anfangs um ihren Maitressen zu schmeicheln. Plautus bringt in seiner Asinaria einen Liebhaber auf die Bühne, welcher diesen Beinamen mit anderen, der Naturgeschichte entlehnten anwendet: „Sag mir doch, meine kleine Ente, meine Taube, mein Kätzchen, meine Schwalbe, mein Staar, mein Sperling, mein Liebesbrunnen!" Den Ausdruck quadrantaria gebrauchte man nur als Zeichen der Verachtung für die niedrigsten Prostituierten. Man wollte dadurch den erbärmlichen Lohn bezeichnen, mit dem sie sich begnügten. Der quadrans war ein viertel römisches As, und diese kleine Erzmünze kam 16 Pfg. unserer Währung gleich und war die gewöhnliche Gebühr für ein Bad in den öffentlichen Bädern. Cicero sagt in seiner Rede für Cœlius, dass die quadrantaria von der Badegebühr herkäme. Er machte vielleicht eine boshafte Anspielung auf die Schwester seines Feindes Claudius, welche den Beinamen quadrans erhalten hatte, weil er beim Spielen mit ihr, in beider Jugend, sich vergnügt hatte ihr quadrans zuzuwerfen, welche sie in ihrem Kleide auffing, und die oft den Zweck erreichten, welchen Cicero beabsichtigte. Alle öffentlichen Mädchen waren quæstuariæ oder quæstuosæ, weil sie Handel oder Gewerbe (quæstus) mit ihrem Körper trieben. Unter Trajan stellte man eine Zählung der quæstuariæ an, welche dem Vergnügen Roms dienten, und man fand deren 32000. Plautus erklärt quæstuosa in seinem Miles: „Ein Weib, dass seinen Körper zur Schande einem andern Körper giebt (quæ alat corpus corpore)." Die quasillariæ waren arme Dienerinnen, welche auf einige Augenblicke entschlüpften, ihr Arbeitskörbchen in der Hand, und sich für einige Heller preisgaben, wonach sie nach Hause zurückkehrten und ihre Wolle weiterspannen. Vagæ waren die streichenden Mädchen, ambulatrices die Spaziergängerinnen, scorta die Dirnen der gemeinsten Art, die Felle wie man dieses Schimpfwort übersetzen muss. Die scorta devia erwarteten ihre Liebhaber bei sich und stellten sich nur ans Fenster, um sie zu rufen. Man beleidigte sie alle gleich, wenn man sie als scrantiæ, seraptæ oder scratiæ behandelte, was man in Nachttöpfe oder Nachtstuhl übersetzen muss.

Dies waren noch nicht die einzigen Benennungen, welche die Dirnen Roms im guten oder schlechten Sinne ertragen mussten. Man nannte sie auch suburranæ oder Vorstadtmädchen, weil die Vorstadt Suburra an der via sacra fast nur von Dieben und verworfenen Weibern bewohnt wurde. In den Priapeia wird unter diesen jungen Suburranerinnen, welche sich vom Lohne ihres Gewerbes freigekauft haben (de quæstu libera facta suo est), die schöne Talethusa genannt, welche durch die Prostitution reich und hässlich geworden war. Die summœnianæ waren gleichfalls Vorstädterinnen welche Summœnium, öde Strassen an der Stadtmauer, bewohnten, in denen sie Bordells oder Keller, die es daselbst gab, fanden. „Wer der Genosse des Zoïlus sein kann," sagt ein Epigramm des Martial, „speisst unter den Damen des Summœnium!" Dennoch scheint Martial in einem anderen Epigramm diesen Mädchen Gerechtigkeit widerfahren lassen zu wollen. „Die Dirne vertreibt die Neugierigen, indem sie Riegel und Vorhang vorzieht; selten giebt es in Summœnium eine offene Thür." Die schœniculæ endlich, welche dieselben entlegenen Stadtteile aufsuchten und ihre Liebkosungen an Soldaten und Sklaven verkauften, trugen Gürtel aus Binsen oder Stroh (σχοῖνος), um anzudeuten, dass sie immer verkäuflich seien. Ein Erklärer hat, auf Nachforschungen gestützt, beweisen wollen, dass die Dirnen der Sklaven und Soldaten ihre Gürtel so hoch als möglich anlegten (alticinctæ) um bei der Ausübung ihres Gewerbes nicht gehindert zu sein. Ein anderer Erklärer, ein gelehrter Jude, will in diesen schoeniculæ der Römer die babylonischen Dirnen wiederfinden, die, wie wir bei Baruch und den Propheten sahen, mit Schnüren umgürtet, am Rande der Wege sassen und Weihrauchbeeren verbrannten. Ein weiterer Erklärer, der sich auf eine Stelle des Festus stützt, behauptet, dass diese Mädchen unterer Ordnung ihren Namen einem starken Parfüme verdankten, womit sie ihren Leib bestrichen, „schœno delibutus" sagt Plautus. Die naniæ waren Zwerginnen oder Kinder, welche man schon vom 6. Jahre an zu ihrem schändlichen Gewerbe ausbildete. Die Limaces-Schnecken (dieser Name hat sich in fast allen Sprachen erhalten) hatten mehr als eine Aehnlichkeit mit diesen klebrigen und geifrigen Weichtieren, die an feuchten Orten umherkriechen, überall ihre feuchte Spur hinterlassen, wo sie gewesen und Früchte und Kräuter auffressen. Die circulatrices umfassten alle vagierenden Mädchen. Man behandelte natürlich als charybdes oder Abgründe diejenigen, welche die Gesundheit, das Geld und die Ehre der Jugend verschlangen. Die pretiosae, wenigstens die, welche ihre Gunst teuer verkauften, achteten nur auf die Börse ihrer Besucher Sowohl die Dirnen des Volkes, als die des Adels, meretrices und prostibulæ alle trugen die Kleidung ihres Standes, eine kurze Toga oder Tunika und alle hatten ein Recht auf den Namen togatae, ein Name der für sie ebenso schändlich, wie togati für die Römer ehrenvoll war. Um diese Benennung der römischen Prostituierten zu erklären, muss man daran erinnern, dass die öffentlichen Mädchen oft an einem Orte zusammenkamen. Diese Versammlungen hiessen conciones meretricium und senacula, bisweilen selbst senatus mulierum oder Weibersenat; diese Vereinigungen wurden auf der Strasse, in den Kneipen oder in den Gärten veranstaltet. Die Dirnen im grossen Stile hatten auch ihre Absteigequartiere zu Bajae, Clusium, Capua und den verschiedenen anderen Städten, wo sie badeten, um sich von ihren Anstrengungen wiederherzustellen. Sie begaben sich in so grosser Zahl in die Bäder von Clusium, dass man sagte, wenn sie zu vier oder fünf sich unterhielten und Stutzer aufmunterten: „Sieh, eine Herde clusisches Vieh (clusinum pecus)."

Es ist traurig zu erfahren, dass die meisten dieser Bezeichnungen der Dirnen gleichzeitig Verwendung fanden für die Männer, Sklaven und vor allem Kinder, welche schändliche Dienste den zügellosen Ausschweifungen Roms leisteten. Die männliche Prostitution war in Rom sicher allgemeiner und eifriger als die weibliche, aber wir haben nicht den Mut in diese verpesteten Mysterien einzudringen. Uns fehlt der Mut, einen Gegenstand zu erörtern, der sich frech in den Dichtungen des Horaz, des Catull, des Martial und selbst des Vergil breitmacht; wir wagen kaum die schändliche Sippe der Agenten und Unterhändler dieses ekelhaften Lasters aufzuführen Jeder Klasse der prostituierten Weiber entsprach eine solche der Männer, die sich nur durch ihr Geschlecht unterschied. Die lateinische Sprache bemühte sich durch den Namen die Art des Lasters eines jeden zu charakterisieren. Diese Ehrlosen waren nicht einmal durch das Gesetz entehrt, da das Polizeireglement ihnen keine besondere Kleidung vorschrieb, und der Aedil sie nicht auf seine Prostitutionslisten setzte. Man räumte ihnen in ihrer Schmach eine Freiheit ein, welche bewies, dass das Gesetz sie nicht bloss duldete sondern fast begünstigte, sofern sie nur nicht freigeboren und römische Bürger waren. Meist waren es Sklavenkinder, welche man von früher Jugend an die Befleckung dieses gemeinen Handels gewöhnte. „Man nannte Mietkinder (pueri meritorii) diejenigen, welche freiwillig oder gezwungen, sich den schändlichen Leidenschaften ihrer Herren hingaben." So erklärt ein alter Ausleger des Juvenal. In seinen Satyren kommt dieser grosse Dichter, welcher mit einem glühenden Eisen die Schande seiner Zeit gebrandmarkt hat, auf jeder Seite auf den widrigen Gebrauch zurück, dem diese unglücklichen Kinder von Geburt an unterworfen waren, eine elende Knechtschaft, die sie ohne Klage trugen. Man nannte sie pathici (Dulder), ephebi (Jünglinge), gemelli (Zwillinge), catamiti (Ganymede), amasii (Lieblinge) etc. Es würde zu langweilig und ermüdend sein, wollte man die ganze Litanei der bildlichen und bezeichnenden Namen anführen, welche die römische Sittenverderbnis geschaffen hatte, um die unglaublichen Verschiedenheiten dieser traurigen Prostitutionswerkzeuge zu malen. Es genügt zu sagen, dass die zu dieser Schande, mit dem 7. Jahre gebildeten Jünglinge, gewisse Bedingungen erfüllen mussten; vor allem eine physische Schönheit, welche sie dem weiblichen Geschlechte näherte, sie mussten bartlos und ohne Haar am Leibe sein, gesalbt mit wohlriechendem Oele, langlockig, frechstirnig, verstohlenen Blickes, lässig im Gang, unanständig in ihren Bewegungen. Alle diese feilen Vergnügungsdiener trennten sich in zwei Hauptklassen: in solche, welche immer nur passive und gelehrige Opfer waren, und solche, welche ihrerseits handelten und zur Not ihrem Maecen Unkeuschheit mit Unkeuschheit vergelten konnten. Die letzteren, deren gute Dienste auch die römischen Damen nicht verschmähten, waren meist Eunuchen (spadones), die beim Kastrieren das Glied behalten hatten. Die anderen wurden bisweilen auch der völligen Kastration unterworfen, die aus ihnen eine Art Mittelding zwischen Mann und Weib machte Darin bestand ein Raffinement, auf welches die pædicones (Päderasten) sehr lecker und eifersüchtig waren. Um nun die unglaubliche Gewohnheit bei den Römern recht zu verstehen, muss man bedenken, dass sie vom männlichen Geschlechte alle Freuden verlangten, welche ihnen das Weib geben konnte, und ausserdem noch ungewöhnliche, welche dieses von Natur zur Liebe bestimmte Geschlecht nicht hätte geben können. Jeder Bürger, auch der ernsteste und edelste, hatte in seinem Hause ein Serail junger Sklaven unter den Augen seiner Eltern, seines Weibes und seiner Kinder. Ausserdem wimmelte Rom von Buhlknaben, welche sich wie die Dirnen vermieteten, von Häusern, die dieser Art der Prostitution gewidmet waren, und von Unterhändlern, die nichts thaten, als zu ihrem Nutzen die Gefälligkeiten einer Menge Sklaven und Freigeborenen auszubeuten.

Wie diese Art Ausschweifung keine geschickteren Vertreter hatte, als gewisse Tänzer und Schauspieler, genannt Cineden (cinædi, vom griechischen κινεῖν bewegen), welche fast alle kastriert waren, so gab es auch eine Klasse von Tänzerinnen und Schauspielerinnen, von denen man die besseren für die Pantomimen der Liebesspiele auswählte. Die Flötenspielerinnen und Tänzerinnen waren in Rom ebenso gesucht wie in Griechenland und Asien; man liess sie aus diesen Ländern kommen, wo sie ihre beständige Schule hatten, welche sie in Kunst und Wollust ausbildete. Sie waren an sich keine Prostituierten; man las ihre Namen nicht in der Liste der Aedilen, wenigstens nicht im grossen Verzeichnis der Dirnen, sie empfahlen sich nur durch ihr Gewerbe, welches sie übrigens mit einer Art Wetteifer ausübten; doch verzichteten sie nicht auf andere Einnahmequellen, welche ihnen ihr Gewerbe gleichzeitig zu benutzen erlaubte. Sie unterschieden sich also von den eigentlichen Dirnen durch die Freiheit, die man ihnen liess, aus der Prostitution nicht ihr Hauptgeschäft zu machen. Sie liessen sich übrigens nur mit reichen Leuten ein und vermieteten sich auf eine Stunde oder eine Nacht, um bei Festen, Gelagen oder Orgien zu tanzen oder zu spielen. Sie unterschieden sich untereinander nicht nur durch ihre Gestalt, Figur, Farbe und Sprache, sondern auch durch die Art ihres Tanzes und ihrer Musik. Man zeichnete unter ihnen die Spanierinnen (Gaditanæ) aus, deren Gesang und Tanz wunderbar die Lüsternheit und das Verlangen selbst der kältesten Zuschauer zu erregen verstanden. „Junge schlüpfrige Mädchen aus Cadiz werden ohne Ende ihre üppigen Lenden in gewandte Bewegungen versetzen." So schildert Martial ihren Nationaltanz, dem Juvenal noch einen Zug beifügt, indem er sagt, dass sich diese Gaditanerinnen bis zur Erde hockten, wobei sie ihre Hüften erzittern liessen (ad terram tremulo descendant clune puellæ), nach ihm, mächtig zur Liebe reizend, ein glühender Stachel der Sinne. Nicht alle Tänzerinnen kamen aus Spanien: Ionien, Lesbos und Syrien hatten ihr altes Vorrecht nicht verloren, für die Wollust die erfahrendsten Tänzerinnen und Spielerinnen zu liefern. Diese nannte man ohne Unterschied: saltatrices, pidicinæ, tibicinæ. Es gab unter ihnen auch Aegypterinnen, Indierinnen und Nubierinnen; eine schwarze, gelbe oder braune Haut passte ebensogut, wie die weisseste, zu den wollüstigen Figuren des jonischen oder baktrischen Tanzes. Der bactriasmus war berühmt durch seine krampfhaften Lendenbewegungen; der ionicimotus ahmte mit schamloser Treue die Entwicklung und Vollbringung der Liebe nach. Horaz versichert uns, dass die Jungfrauen seiner Zeit vorgeschrittener, als sie ihrer Geburt und ihrem Alter nach hätten sein dürfen, die Bewegungen und Stellungen des jonischen Tanzes zu ihrem Vergnügen lernten (motus doceri gaudet ionicos matura virgo). Unter allen Fremden gab man den Vorzug den Syrierinnen (ambulaiæ), welche ihrem Namen nach zu allem bereit waren. Ein Gelage ohne sie war nicht gut. Da sie aber kein meretricium oder Mädchentaxe zahlten, liess der Aedil gegen sie keine Gnade walten, wenn sie beim Stehlen ertappt wurden, und sie erhielten erst eine Geldstrafe, dann die Rute, endlich das Exil. In diesem Falle verliessen sie Rom durch das eine Thor, um durch ein anderes zurückzukehren. Die meisten dieser Gauklerinnen arbeiteten nur für die Reichen im Inneren der Häuser; einige gaben aber auch Schaustellungen auf den Plätzen und an den Strassenecken, wo es nur des Tones einer Flöte oder des Klingelns einer Schelle bedurfte, um eine dichte Menge Volks beizulocken, welche einen Kreis um die Tänzerinnen und Musikantinnen bildete. Tänzer und Musikanten spielten genau dieselbe Rolle wie ihre Genossinnen.

Diese zügellose Prostitution in ihren tausenden Verkleidungen und

Formen ernährte und bereicherte eine Unmenge Händler und Agenten beiderlei Geschlechts, welche Unzuchtsbuden hielten oder auf mancherlei Art ihr verrufenes Gewerbe trieben, ohne etwas von der Aedilenpolizei zu befürchten zu haben, denn das Gesetz schloss die Augen über das Lenocinium, solange kein römischer Bürger sich damit befleckte. Aber das Gewerbe war so einträglich, dass Römer und Römerinnen von freier Geburt sich insgeheim der Kunst der Kuppelei widmeten, denn dies war eine wirkliche Kunst, voll Intriguen, Listen und Erfindungen. Der Name dieser verworfenen Wesen, welche nur die öffentliche Verachtung traf, war leno beim Manne, lena bei der Frau. Priscianus leitet dieses Wort von lenire ab, weil der feile Agent der Prostitution die Seelen durch süsse Schmeicheleien (deliniendo) verführt und besticht. Ursprünglich wurde leno ohne Unterschied für beide Geschlechter gebraucht, als ob der Hurenwirt weder männlich noch weiblich sei, später aber verwendete man das Wort lena, um besser die weibliche Hilfe bei diesem verworfenen Geschäfte zu bezeichnen. „Ich bin leno," sagt eine Person in den Adelphen des Terenz, „ich bin die grosse Geissel der Jugend." Zu den lenones und lenae rechnete man eine Menge verschiedener Arten, welche mit verschiedenen Arten der öffentlichen Mädchen in Beziehungen standen. Wir haben schon gesagt, dass die Müller, Wirte, Schenker und Bader, ebenso wie die Weiber, welche Bäder, Schenken, Herbergen und Mühlen hielten, sich alle mehr oder weniger mit dem Lenocinium beschäftigten. Der leno bestand in allen Ständen und verbarg sich unter allen Masken. Er hatte also kein bestimmtes Kostüm und keinen besonderen Charakter. Das lateinische Theater, das ihn stets auf die Bühne brachte, hatte ihm dennoch ein buntes Kleid gegeben und stellte ihn bartlos und kahlköpfig dar. Es muss noch unter den Gewerben, welche besonders günstig für den Handel des leno waren, desjenigen der Barbiere und Parfümeure gedacht werden. Unter gewissen Umständen sind auch tonsor und unguentarius gleich bedeutend mit Leno. Ein alter Erklärer des Petronius, der einfache, ehrliche Holländer Donza, ist auf die wunderlichsten Details der Barbierstuben Roms eingegangen, in denen der Herr eine Schar schöner, junger Knaben hielt, welche nicht nur Haare schnitten, den Leib enthaarten und Bärte stutzten, sondern von Jugend auf in der Unzucht geübt, sich teuer zu Gelagen und nächtlichen Festen vermieteten. (Quorum frequenti opera non in tondenda barba, pilisque vellendis modo, aut barba rasitanda, sed vero et pygiacis sacris cinaedice, ne nefari dicam, de nocta administrandis utebantur.) Das Geschäft der Parfümeure stand in direktem Verkehr mit der Prostitution, zu deren Gebrauch die Essenzen, wohlriechenden Oele, Riechpulver, erotischen Pomaden und alle die feinen Salben erfunden und vervollkommnet worden waren, denn Mann und Weib, Jung und Alt, parfümierte sich immer vor dem Venuskampfe, so dass man einen Ganymed durch das Wort unguentatus, gesalbt, bezeichnete. „Jeden Tag," sagt Lucius Afranius, „schmückt ihn der unguentarius vor dem Spiegel, ihn, der spazieren geht mit rasierten Augenbrauen, ausgezupften Bart, enthaarten Schenkeln, der bei den Gelagen, von seinem Liebhaber begleitet, sich in seiner langärmelichen Tunika auf das niedrigste Bett legt, der nicht nur den Wein, sondern auch die Liebkosungen des Mannes sucht (qui non modo vinosus, sed virosus quoque sit), thut der etwas anderes, als was Brauch der Cinæden ist?"

Gewöhnlich waren alle Sklaven zum lenocinium geschult, sie brauchten sich hierbei nur an die eigene Jugend zu erinnern. Die Alten besonders konnten sich nur so der Prostitution widmen. Die Dienerinnen, ancillæ, verdienten also völlig die Beinamen admonitrices, stimulatrices, conciliatrices: sie überbrachten die Briefe, verhandelten über Stunde und Nacht der Zusammenkunft, setzten die Handelsbedingungen auf, rüsteten den Platz und die Waffen des Kampfes her, spornten an, regten auf, trieben und rissen fort. Nichts glich ihrem Eifer, ausser ihrer Verschlagenheit. Es gab keine unüberwindliche Tugend, wenn sie ihre Niederlage wollten. Aber man musste ihnen viel geben und Vorteile versprechen. Auch die kleinsten Zofen, ancillulæ, gaben den geschicktesten und listigsten nichts nach. Dennoch war das eigentliche Hausgesinde weniger verderbt und verachtet als die Wollustmakler, welche nur für Geld thätig waren und keinen Herren oder Herrin zu befriedigen hatten. Ueber diese lenones sagt Assonius Pedianus in seinem Kommentar zu Cicero: „Diese Unterhändler sind Personen, welche auch, trotz der Prostituierten, zu Ehebrüchen verführen, welche die Gesetze bestrafen." Perductores hiessen diejenigen, welche ihre Opfer zum Laster und der Schande verführten, adductores, welche der Ausschweifung sozusagen neue Rekruten zuführten und sie in ihren Sold stellten, tractatores, die einen solchen Handel abschlossen. Man kann sich die Sache und den Umfang dieser Handelsschlüsse, welche alle Tage durch ihre Vermittlung zu Stande kamen, kaum denken. Ebenso wie die alten Vermittlerinnen, waren auch die Vermittler fast ausnahmslos alte Ueberbleibsel der Prostitution, welche nicht mehr genug Feuer hatten, um anderen zum Vergnügen zu dienen. Einige unterzogen sich auch den Mühen beider Professionen und verbanden beide nutzbringend.

Endlich muss man zu der verrufensten Klasse der Lenones männlichen und weiblichen Geschlechts die Herren und Herrinnen der verrufenen Häuser, die Bordellhalter (lupanarii), rechnen. Diese Prostitutionshelfer standen auf der tiefsten Stufe der Schande, obgleich der Jurist Ulpian fand, dass in den Häusern mehrerer anständiger Leute Lupanare betrieben wurden. (Nam et in multorum honestorum virorum prædiis lupanaria exercentur). Die Eigentümer der Häuser teilten nicht im Geringsten die Schmach ihrer Pächter. Die gemeinste Sorte Lupanars hielten aber die belluarii, caprarii und ansenarii. Erstere unterhielten Tiere verschi edenerArten, besondrs Hunde und Affen, die zweiten Ziegen, die dritten endlich Vögel, „die Freuden des Priap," wie Petronius sagt, und diese unreinen Tiere, zum Gewerbe ihrer Herren abgerichtet, waren gelehrige Mitschuldige der Bestialität! „Wenn die Männer fehlen," sagt Juvenal, indem er die Mysterien der Bona Dea in seiner Satyre über die Frauen beschreibt, „ist die Menade des Priap bereit, sich selbs einem kräftigen Esel unterzulegen."

Quæritur et desunt homines, mora nulla, peripsam
Quominus imposito clunem submittat asello.

Druck von E. Grüner, Bernau b. Berlin.

Dufour
Geschichte der
Prostitution

ERSTER BAND:

Die vorchristliche Zeit

ZWEITER TEIL:

Römisches Kaiserreich

Deutsch von Dr. Bruno Schweigger

Fünfte Auflage

Verlegt bei
DR. P. LANGENSCHEIDT
Gross-Lichterfelde-Ost

Kapitel XVII.

Die Lokalitäten der Prostitution in Rom. — Ihre verschiedenen Arten. — Die sechsundvierzig Lupanare zum öffentlichen Gebrauche. — Die achtzig Bäder des ersten Bezirks. — Der von Heliogabal gegründete kleine Senat der Weiber. — Die Lupanare im Bezirk des Esquilins, des grossen Circus und des Tempels des Friedens. — Die Subura. — Die gewölbten Logen des grossen Circus. — Die Hundert Zimmer des Hafens Misenum. — Beschreibung eines Lupanars. — Die Zimmer der Prostituirten. — Das Schild. — Möbelment der Zimmer. — Obscöne Bilder. — Innere Ausstattung der Zimmer. — Die Lupanare der Reichen. — Ursprung des Wortes fornicatio. — Die stabula (Ställe) oder Lupanare niedersten Ranges. — Die pergulae oder Balkone. — Die turturillae oder Taubenschläge. — Das casaurium oder das Lupanar ausserhalb der Stadtmauer. — Ursprung des Wortes casaurium. — Meritoria und Meritorii. — Die ganeae oder unterirdischen Wirtschaften. — Ursprung des Wortes lustrum. — Bewohner eines Lupanars. — Der leno und die lena. — Die ancillae ornatrices. — Die aquarii oder aquarioli. — Der bacario. — Der villicus. — Adductores, conductores und admissarii. — Kostüm der meretrices in den Lupanaren. — Festlichkeiten in den

Lupanaren bei der ersten Prostitution eines Mädchens und bei der Eröffnung eines neuen Bordells. — Domitians Gesetz über die Kastration. — Die castrati, spadones und thlibiae. — Messalina im Bordell. — Tarsias Preis der Jungfernschaft und der gewöhnliche Preis für Prostitution. — Plan eines römischen Lupanars nach Petronius. — Preise im Bordell — Abhandlung über das Schild der Tarsia. — Mietspreis eines Zimmers. — Die quadrantariae und die diabolares.

Die Lokalitäten der Prostitution waren in Rom so zahlreich und mussten so zahlreich sein, wie die Prostituirten, sie zeigten soviel Verschiedenheiten, wie ihr Name in der Regel ausdrückte; gleicherweise kennzeichneten auch die Namen der öffentlichen Mädchen die verschiedenen Arten ihres Gewerbes. Es gab, wie wir bereits gesagt haben, zwei grosse Kategorien von Mädchen, die sesshaften und die vagirenden, solche, die am Tage ihr Gewerbe trieben, und solche, die es in der Nacht ausübten; so gab es auch in der Hauptsache zwei Arten von öffentlichen Häusern; solche die lediglich für die Ausübung der Prostitution eingerichtet waren, mit dem eigentlichen Namen Lupanare, und solche die unter verschiedenen Vorwänden der Ausschweifung ein Asyl gewährten, sozusagen die Mittel um sich zu verbergen, wie die kleinen Kneipen, die Tavernen, Bäder u. s. w. Man begreift, dass diese immer verdächtigen und übelbeleumdeten Häuser nicht gleichartig geführt wurden und von der Prostitution, die hier heimlich unterschlüpfte oder frech sich niederliess, ihren besonderen Charakter, eine locale Physiognomie empfingen, wie denn auch das Leben in ihnen mehr oder weniger lebhaft, mehr oder weniger schamlos war.

Publius Victor stellt in seinem topographischen Werke über Rom die Existenz von sechsundvierzig Lupanaren fest; aber er spricht offenbar nur von den wichtigsten, die als Einrichtungen von öffentlichem Nutzen angesehen werden konnten und unter direkter Aufsicht des Aedilen standen. Sonst wäre diese kleine Zahl von Bordellen im Vergleich zu der grossen Zahl der Freudenmädchen schwer erklärlich. Sextus Rufus zählt in seiner Nomenklatur der Bezirke Roms die Lupanare nicht auf, deutet sie aber an, indem er im ersten Bezirke achtzig Bäder angiebt, ausser den Thermen des Commodus, denen des Severus und mehreren anderen Bädern, die er mit dem Namen ihrer Gründer oder Besitzer bezeichnet. Mit Namen führt er nur ein einziges Bordell an, das von Heliogabal im sechsten Bezirke gegründete mit dem unverschämten Titel des kleinen Senats der Weiber (senatalum mulierum). Bei den römischen Schriftstellern findet sich keine einzige vollständige Beschreibung eines Lupanars; aber man kann sie mit der grössten Genauigkeit nach fünf oder sechshundert Stellen aus Dichtern rekonstruiren, die ihre Leser ohne Scheu an diese Orte führen, vermutlich weil sie voraussetzten, dass sie dort zu Hause seien. Wenn auch die innere Einrichtung in allen Bordellen ungefähr gleich war, so darf man doch annehmen, dass die Ausstattung je nach den verschiedenen Quartieren, in denen die Häuser lagen, verschieden war. Die schmutzigsten und unfeinsten waren sicherlich die im fünften Bezirk, dem Esquilin, und die im elften, beim grossen Circus; die elegantesten und anständigsten waren die im vierten Bezirk, dem des Friedenstempels, der das Quartier des Amors und der Venus umfasste Die Subura im zweiten Bezirk (mons Coelius) vereinigte um den grossen Markt (macellum magnum) und die Kasernen der ausländischen Truppen (castra peregrina) eine Menge von Prostitutionshäusern, lupariae, wie sie Sextus Rufus in seiner Nomenklatur bezeichnet, und eine noch erheblichere Anzahl von Schenken, Logirhäusern, Barbierstuben (tabernae) und Bäckereien. Die anderen Bezirke der Stadt blieben von dem Gifte der lupariae nicht frei, da sie auch Bäcker, Barbiere und Wirte besassen; aber diese verrufenen Häuser blieben dort doch selten und wenig besucht, denn die Aedilen suchten sie immer in die vom Centrum der Stadt möglichst entlegenen Bezirke zu drängen, zumal ja auch die gewöhnliche Kundschaft dieser Häuser in den Vorstädten und plebejischen Vierteln hauste. Immer gruppierten sich die Lupanare vorzugsweise um die Theater, die Circusse, die Märkte und die Kasernen, um dort einen möglichst hohen Tribut von den Leidenschaften und dem Geldbeutel des Volkes zu erheben.

Der grosse Circus scheint mit Gewölben umgeben gewesen zu sein (cellae und fornices), die lediglich der Prostitution für das niedere Volk vor, während und nach den Aufführungen dienten; aber diese herkömmlich geduldeten Höhlen der Unzucht darf man nicht mit den von der aedilischen Polizei reglementierten Bordellen verwechseln. Prudentius, der uns die Leidensgeschichte der heiligen Agnes überliefert hat, sagt ausdrücklich, dass die grossen Gewölbe und Säulengänge um den grossen Circus, die ja zu seiner Zeit noch existierten, der öffentlichen Ausübung des Lasters überlassen waren; und Panvinius schliesst in seiner Abhandlung über die Circusspiele aus dieser Stelle, dass alle Circusse gleichermassen Bordelle als unerlässliche Ergänzungen besassen. Man weiss in der That, dass die Freudenmädchen, die den Festlichkeiten im Circus und den Aufführungen im Theater beiwohnten, so oft sie gerufen wurden, ihre Sitze verliessen, um Wünsche zu befriedigen. Der gelehrte Jesuit Boulenger behauptet in seiner Abhandlung über den Circus geradezu, dass die Prostitution im Circus und sogar im Theater ausgeübt wurde; er citiert folgenden Vers eines alten lateinischen Dichters zu Ehren einer im grossen Circus sehr bekannsen Courtisane: Deliciae, populi magno notissima Circo Quintilia (Quintilia, Entzücken des Volkes, die Du die Bekannteste bist im grossen Circus). In der That bildeten die Gewölbe unter den Sitzen des gewöhnlichen Volkes dunkle Schlupfwinkel für die niedere Prostitution, die nicht auf grossen

Luxus versessen war. Dieselbe Bestimmung dürfte man wohl den Ruinen eines ungeheueren unterirdischen Bauwerkes zuschreiben, die man heute noch bei dem ehemaligen Hafenort Misenum erblickt und die immer noch die Hundert Kammern (centrum camerae) heissen. Wahrscheinlich war dieses einzigartige Bauwerk, dessen Zweck unbekannt und unbegreiflich geblieben ist, nichts als ein gewaltiges Lupanar für die Mannschaften der römischen Flotte.

Für gewöhnlich waren die Bordelle aber nicht in so gigantischem Massstabe erbaut, sondern enthielten nur eine ziemlich beschränkte Anzahl von sehr schmalen fensterlosen Zellen mit nur einer Thür, die oft lediglich durch einen Vorhang geschlossen war. Der Plan eines pompejischen Hauses kann, was die Anordnung der Zellen betrifft, eine ganz gute Vorstellung von einem Lupanar geben; die Zellen gingen zweifellos auf einen Säulengang oder einen inneren Hof, der Grundriss, war also derselbe, wie in jenen Häusern, wo die gewöhnlich sehr engen und nur für ein Bett notdürftig Raum gewährenden Schlafzimmer (cubiculi) nur durch eine Thür Licht empfingen, durch die zwei Personen zugleich nicht eintreten konnten. Nur waren die Zimmer in den Lupanaren zahlreicher und lagen näher bei einander. Da das Haus während des Tages geschlossen war, so bedurfte es keines Schildes und es war lediglich überflüssiger Luxus, wenn der Hausherr das Attribut der Schamlosigkeit des Priaps an der Mauer aufhing. Abends, von der neunten Stunde ab, diente ein Kohlentopf oder eine grosse Lampe in Form des Phallus als Leuchtturm für die Kundschaft, die ihre Schritte kühn zu lasterhaftem Zweck hierher lenkte oder wohl auch zufällig angezogen wurde Die Mädchen begaben sich auf ihren Platz vor der Thür des Hauses; jede hatte ihre bestimmte Zelle, und über jeder Zellenthür befand sich ein Schild mit dem Namen, den das Mädchen nach dem Brauche ihres Gewerbes führte (meretricium nomen) Oft war auch unter dem Namen die Taxe für den Eintritt angegeben um Reclamationen von der einen oder anderen Seite zu vermeiden. War die Zelle besetzt, dann drehte man das Schild um; auf der Rückseite stand: occupata (besetzt). Eine Zelle, die nicht besetzt war, nannte man in der Bordellsprache nackt (nuda). Plautus in seiner Asinaria und Martial in seinen Epigrammen haben uns diese kulturhistorischen Details erhalten, „Mag sie doch", so sagt Plautus „über ihre Pforte schreiben: Ich bin besetzt." Das beweist, dass unter gewissen Umständen der Name von der Courtisane mit Kreide oder Kohle selbst geschrieben wurde. „Die unkeusche Kupplerin schliesst die leere Zelle" (obscena nudam lena fornicem clausit), sagt Martial. Ein schlecht verstandener Satz von Seneca hatte den Glauben erweckt, dass in manchen Lupanaren die Mädchen, die sich vor der Thüre aufhielten, das Schild um den Hals oder gar auf der Stirne trugen; aber den Satz — nomen tuum pependit in fronte; stetisti cum meretricibus — versteht man besser so: man erblickt das Schild vor der Thür (in fronte), während die Mädchen zur Seite sitzen.

Die Zimmer waren alle fast gleichartig eingerichtet; der Unterschied bestand lediglich in der grösseren oder geringeren Sauberkeit der Möbeln und in den Gemälden, die die Wände zierten. Diese Gemälde in Wasser- und Leimfarben stellten teils figürlich teils ornamental Scenen dar, die dem gewöhnlichen Zwecke des Ortes nach Möglichkeit angepasst waren: in den Bordells für das niedere Volk waren es grobe Darstellungen des Geschlechtsaktes, in den Lupanaren höheren Ranges erotische Illustrationen zu Stoffen aus der Mythologie, Allegorien auf die Kulte der Venus, des Cupido, des Priaps und der Hausgottheiten der Unzucht. Der Phallus kehrte unter den absonderlichsten Formen immer wieder; er wurde bald zum Vogel, bald zum Fisch, bald zum Insekt; er versteckte sich in vollen Fruchtkörben; er verfolgte die Nymphen unter dem Wasser und die Tauben in den Lüften; er wurde zu Guirlanden verflochten und zu Kronen verwoben. die Phantasie des Malers schien mit dem schamlosen Zeichen der Prostitution zu spielen, wie um deren Schamlosigkeit noch zu vermehren. Aber merkwürdig, auf diesen Gemälden, die dem Ort, den sie zierten, so wohl angepasst waren, erblickte man niemals das Geschlechtsorgan des Weibes isolirt, gerade wie wenn es ein schweigendes Uebereinkommen gewesen wäre, es noch an dem Orte zu respektieren, wo es am allermeisten degradirt wurde. Uebrigens fanden sich dieselben Scenen, dieselben Darstellungen oftmals in der Malerei der ehelichen Schlafzimmer: die Schamhaftigkeit der Augen existirte bei den Römern nicht, die mit der Nacktheit beinahe einen göttlichen Kultus trieben. Die innere Ausschmückung der Lupanarzellen bestach übrigens nicht durch Frische und Pracht: der Qualm der Lampen und tausend undefinirbare Flecke verunzierten die Wände, die da und dort die Spuren ihrer unbekannten Gäste trugen. Was das Meublement anbetrifft, so bestand es aus einer Matratze, einer Decke und einer Lampe. Die gewöhnlich aus rohem Binsen- oder Rohrgeflecht bestehende Matratze war oft zerfetzt und immer abgenutzt und durchgelegen; in einigen Häusern ersetzte man sie durch Kissen und sogar durch ein kleines hölzernes Bett (pulvinar, cubiculum, pavimentum); die greulich befleckte Decke war nur ein Sammelsurium von Flicken aus den verschiedensten Stoffen, das man darum cento oder Flickensack nannte. Die kupferne oder broncene Lampe verbreitete ein unbestimmtes Licht in einer von verderblichen Miasmen geschwängerten Luft, die die Verbrennung des Oels erschwerte und die Flamme verhinderte, sich über ihren qualmigen Strahlenkreis zu erheben. Das Mobiliar war absichtlich so ärmlich gewählt worden, damit niemand auf den Gedanken käme, sich etwas davon anzueignen: an diesen Orten gab es nichts zu stehlen.

Aus der Bezeichnung der Lusthäuser geht indessen mit Gewissheit hervor, dass sie nicht alle lediglich von dem niederen Volke besucht wurden; infolgedessen zeigten sich auch in ihrer inneren Einrichtung bemerkenswerte Verschiedenheiten. In den erstklassigen Lupanaren zierte ein Springbrunnen und ein Wasserbassin den viereckigen Hofraum (impluvium), um den man die Zellen oder Zimmer (cellae) eingerichtet hatte; sonst nannte man diese Zimmer wohl auch sellae, d. h. Orte zum Niedersetzen, weil sie zu klein waren, um ein Bett hineinzustellen. In den ausschliesslich für das niedere Volk bestimmten Bordellen, die nichts anderes als Höhlen und Keller waren, nannte man die Zelle endlich, da sie gewölbt war, fornix (Gewölbe); von diesem Worte, das bald dieselbe Bedeutung wie lupanar erhielt, leitete man fornicatio (Hurerei) ab, um damit anzudeuten, was sich im Dunkel der fornices abspielte. Der verpestete Geruch dieser Höhlen war sprichwörtlich; wer einmal daringewesen war, trug lange dieses ekelhafte Parfum an sich, in dem man nicht nur den Qualm und den Gestank des Oels unterschied: Olenti in fornice, sagt Horaz; redolet adhuc fuliginum fornicis, sagt Seneca. Es gab auch noch Lupanare niedersten Ranges, die man stabula (Ställe) nannte, weil dort die Besuche kunterbunt auf dem Stroh, wie in einem Stalle empfangen wurden. Die pergulae oder Balkone verdankten ihre Aufnahmen der Bauart: bei ihnen zog sich eine offene Gallerie um den ersten Stock herum, die auf die öffentliche Strasse hinausragte; die Mädchen sassen sichtbar auf dieser Art von Schaffot; bald postierte sich der Kuppler oder die Kupplerin unten an der Thüre, bald auch schauten sie hoch oben aus einem Fenster und dirigirten mit ihren Blicken die Schaar ihrer Knaben oder Mädchen. Manchmal war die pergula auch nur ein kleines niedriges Häuschen mit vorspringendem Schutzdach, unter dem die Opfer von dem einem oder anderen Geschlechte sassen. War das Lupanar von einer Art Turm oder Pyramide überragt, auf der man abends ein Fanal (Feuerzeichen) anzündete, so nannte man es turturilla oder Taubenhäuschen, weil die Tauben dort ihr Nest hatten; der heilige Isidor von Sevilla, der einmal von diesen Taubenschlägen spricht, erlaubt sich ein sehr wenig frommes Wortspiel: Ita dictus locus, quo corruptelae fiebant, quod ibi turturi opera daretur, id est peni. Das casaurium war das Lupanar ausserhalb der Stadtmauern, eine einfache stroh- oder schilfgedeckte Hütte, eine Zufluchtsstätte für die umherirrende Schaar jener Mädchen, die mit der aedilischen Polizei in Konflikt gekommen waren.

Die Lupanare hatten überdies Namen, die sich auf alle ohne Unterschied bezogen: Meritoria, so sagt der heilige Isidor von Sevilla, das sind die heimlichen Orte, wo der Ehebruch betrieben wird.“ „Ganeae, sagt der heilige Donatius, sind unterirdische Gelasse, in denen Unzucht getrieben wird; der Name kommt von dem griechischen Wort für Erde;“ „Ganei, so sagt der Jesuit Boulenger, sind Schlupfwinkel für die Prostitution, so genannt nach Analogie von ganos-Vergnügen und gyne-Frau.“ Häufig wandte man den Ausdruck lustrum im Sinne von lupanar an, und was anfangs nur ein Wortspiel war, wurde bald eine gebräuchliche

Bezeichnung, hinter der man keinen Scherz mehr suchte. Lustrum bezeichnete sowohl Sühnopfer als wildes Gehölz. Nun verbargen sich einmal die Anfänge der Prostitution in dem dichten Dunkel der Wälder, und sodann pflegten die Prostituierten, wie um ihre tierischen Sitten zu entsühnen, in jedem Lustrum eine Busse zu zahlen: daher schreibt sich der Gebrauch des Wortes lustrum für lupanar. „Diejenigen, die sich an ablegenen und anrüchigen Oertlichkeiten den Lastern des Genusses und des Nichtsthuns ergeben, verdienen, das man ihnen vorwirft, sie lebten wie die Tiere (in lustris vitam apere,") sagt Festus. Der Dichter Lucilius läst uns den wahren Ursprung dieses Ausdrucks noch besser in folgendem Vers erkennen: „Was treibst du denn, wenn du ausserhalb der Mauern an ablegenen Orten herumstreifst?" (in lustris circa oppida lustrans). Mit Recht wandte man den Ausdruck desidiabula (Faullenzerorte) auf die Lupanare an, um das Nichtsthun ihrer unglücklichen Insassinnen zu kennzeichnen. Wenn sich in einem Prostitutionshause nur Frauen befanden, dann erhielt es wohl anch den Namen Weibersenat, Markt oder Hurenhof (senatus mulierum, conciliabulum, meretricia curia etc.); je nachdem nun diese Namen in gutem oder schlechtem Sinne gebraucht wurden, vervollständigten Epitheta, die man hinzufügte, den Sinn; Plautus bezeichnet einen dieser verrufenen Orte als Unglücksmarkt. Wenn Gelegenheit geboten war der einen und der anderen Geschlechtsliebe Befriedigung zu gewähren, dann bezeichnete man die Häuser pomphaft als die Vereinigung aller Vergnügungen (libidinum consistorium).

Das Personal eines Lupanare variirte ebenso wie seine Kundschaft. Bald hatten die Kuppler oder die Kupplerin nur Sklaven oder Sklavinnen in ihrem Etablissement, die sie baar gekauft und abgerichtet hatten; bald waren sie lediglich Hausbesitzer und dienten ihren Kunden nur als Gelegenheitsmacher, um dafür einen Teil des nächtlichen Gewinnes einzustreichen; hier besorgte der Logiswirt oder die Wirtin alles, hängte die Schilder auf, feilschte um den Preis, brachte Wasser oder Erfrischungen herbei, stand Posten und bewachte die besetzten Zellen; dort wiederum vermieden diese Spekulanten sich mit diesen Einzelheiten zu befassen: sie besassen Dienerinnen und Sklaven, von denen jeder einen bestimmten Dienst zu verrichten hatte; die ancillae ornatrices (Schmuckmädchen) besorgten die Toilette der Freudenmädchen, brachten die in Unordnung geratenen Kleider wieder in Ordnung und schminkten ihnen das Gesicht wieder; die aquarii oder aquarioli (Wasserträger) servirten erfrischende Getränke, Eiswasser, Wein und Essig den Besuchern, die über Hitze oder Ermüdung klagten; der bacario war ein kleiner Sklave, der Waschwasser in einer Vase mit langen Henkeln und langem Halse (bacar) dareichte; der villicus oder Bauer hatte endlich die Aufgabe, die Preise mit den Kunden auszumachen und den Betrag einzukassiren, bevor er das

Schild an einer Zelle umdrehte. Ausserdem gehörten noch Männer und Weiber zum Hause, die zur Kuppelei (lenocinium) angestellt waren; sie mussten in der Umgebung der Lupanars herumstreifen und Kunden herbeischleppen; sie mussten die jungen und alten Lüstlinge ansprechen, aufmerksam machen und dann hereinführen: daher ihre Beziehungen als adductores, conductores und besonders admissarii. Diesen Namen erhielten die Sendlinge der Prostitution, weil sie immer bereit waren, wenn nötig die Rollen zu tauschen, und, sofern sich nur die Gelegenheit zu einem Geschäft auf eigene Rechnung bot, sich selbst zu prostituiren. In der Sprache der römischen Viehzüchter und Bauern bedeutete übrigens admissarius ganz einfach und ganz naiv den Hengst und den Stier, den man zur Stute oder Kuh führt.

Das Kostüm der Freudenmädchen in den Lupanaren war lediglich durch die Haartracht ausgezeichnet, die in einer blonden Perrücke bestand; dadurch bezeugte die Prostituirte, dass sie keinen Anspruch auf den Titel einer Matrone, einer Hausfrau, machte, denn alle Römerinnen trugen zum Zeichen ihrer freien und untadeligen Geburt schwarzes Haar. Die aus natürlichen oder aus vergoldeten und gefärbten Pferdehaaren gemachte blonde Perrücke scheint übrigens das hauptsächlichste Stück der vollständigen Verkleidung gewesen zu sein, die das Freudenmädchen anlegte, wenn es in ein Lupanar ging, wo es ja auch einen falschen oder entliehenen Namen trug. Die Freudenmädchen mussten indess auch in anderer Beziehung jede Aehnlichkeit mit ehrbaren Frauen vermeiden: so durften sie die vitta nicht tragen, jenes lange Band, mit dem die Ehefrauen ihre hochgekämmten Haare befestigten; ferner durften sie sich nicht mit der stola bekleiden, einem langen Ueberwurf, der bis auf die Fersen herabhing, weil sie ausschliesslich für die Frauen bestimmt war: „Sie (die Römer) nannten matrones diejenigen Frauen, so sagt Festus, die das Recht hatten, in der Stola zu gehen.“ Aber die polizeiliche Vorschrift über die Kleidung der Prostituirten bezog sich nicht auf das Kostüm, das sie zum Dienst in den Lupanaren anlegten. So waren sie denn zum grössten Teil nackt, ganz nackt, oder mit einem durchsichtigen Seidenschleier angethan, der nichts von ihrer Nacktheit verbarg; immer aber trugen sie die blonde Perrücke, die mit goldenen Spangen geschmückt oder mit Blumen bekränzt war. Nackt harrten sie der Besucher nicht nur in ihren Zellen oder spazierten in der Säulenhalle auf und ab (nudasque meretrices furtim conspatiantes, sagt Petronius), sondern so standen sie auch am Eingange des Lupanars, auf der Strasse, vor den Blicken der Vorübergehenden. Oft verschleierten sie auch, wie die Prostituirten von Jerusalem und Babylon, das Antlitz und liessen den Körper im übrigen ohne Hülle, oder sie bedeckten auch nur ihren Busen mit einem goldgewirkten Stoffe (tunc nuda papillis prostitit auratis, sagt Juvenal). Die Liebhaber (amatores) konnten also ganz nach Geschmack ihre Wahl treffen. Das Haus war übrigens nur schwach durch einen Kohlentopf oder durch eine Lampe, die an der Thür hing, erleuchtet, sodass auch das schärfste Auge im Bereiche der Strahlen nur unbewegliche Formen und wollüstige Bewegungen unterscheiden konnte. Im Inneren der Zellen sah man nicht viel mehr, obschon die Gegenstände dem Auge mehr genähert waren, „und manchmal, wenn die Lampe infolge von Luft- oder Oelmangel ausging, wusste man nicht einmal, so sagt ein Dichter, ob man es mit der Canidia oder mit ihrer Grossmutter zu thun hatte."

Wenn eine Unglückliche, wenn ein armes Kind sich zum ersten Male preisgab, so war das ein Fest für das Lupanar; an der Thür hing man eine Laterne auf, die ein ungewohntes Licht auf den Eingang zu dem verrufenen Ort warf; mit Lorbeerzweigen schmückte man die Front des schrecklichen Heiligtums: diese Lorbeerzweige verletzten mehrere Tage lang das öffentliche Schamgefühl; und war das Opfer gebracht, so verliess manchmal der Held dieses widerlichen Schauspiels, der dafür mehr bezahlen musste, selbst lorbeergeschmückt das Bordell. Dieser unsaubere Feind der Jungfernschaft bildete sich ein, einen schönen Sieg davon getragen zu haben, und liess ihn durch Musikanten feiern, die ebenfalls zum Personal der Freudenhäuser gehörten. Ein derartiger von den Aedilen geduldeter Brauch war eine um so blutigere Verhöhnung der guten Sitten, als die Neuvermählten, besonders im Volke, eine ähnliche Sitte beobachteten, indem sie am Tage nach der Hochzeit die Thüren ihrer Häuser mit Lorbeer bekränzten. „Ornentur postes et grandi janua lauro", sagt Juvenal. Tertullian sagt ebenfalls von einer Jungvermählten sprechend: „Möge sie kühn aus dieser mit Guirlanden und Lampen geschmückten Thür herausschreiten, wie von einem Freudenfest in öffentlichen Häusern." Man darf wohl annehmen, dass die Eröffnung und Einweihung eines neuen Lupanars mit ähnlichen Dekorationen und bei festlicher Beleuchtung stattfand.

Wenn man Martial, Catull und Petronius liesst, dann muss man voll Trauer, voll Abscheu zugestehen, dass die Prostitution von Knaben in den Lupanaren Roms viel häufiger war als die der Weiber. Domitian gebührt die Ehre, diese fluchwürdige Prostitution verboten zu haben; und wenn das Gesetz, das er gegeben gab, um sie aufzuheben nicht streng beachtet wurde, so darf man doch glauben, dass es wenigstens die beunruhigenden Fortschritte dieser Monstruositäten aufhielt. Martial widmet dem Kaiser folgenden Lobgesang, der uns einigen Ersatz bietet für das Schweigen der Geschichtsschreiber über das auf die Lupanare bezügliche domitianische Gesetz: „Der Knabe, der ehedem durch die verbrecherische Kunst eines lüsternen Sklavenhändlers verstümmelt wurde, beweint nicht mehr den Verlust seiner Mannheit, und die arme Mutter verkauft nicht mehr ihren zur Prostitution bestimmten Sohn einem reichen Händler."

Unter Domitian kastrirte man also die Kinder nicht mehr, um sie so zu Zwecken der Prostitution in Weiber zu verwandeln, und Nerva bestätigte das Edikt seines Vorgängers; aber diese Kastration wurde ausserhalb des römischen Reiches, oder wenigstens ausserhalb Roms, fleissig fortgesetzt, und Sklavenhändler brachten ohne Unterlass junge Leute, die auf die verschiedenste Weise entmannt waren, auf den öffentlichen Markt, obschon die römische Rechtsprechung das untersagte; übrigens gestattete das römische Recht den Priestern der Cybele Eunuchen zu machen und gab auch den Herrn die Macht, die Mannbarkeit ihrer Sklaven wenigstens teilweise zu beschränken. Man kannte drei Arten von Eunuchen, die alle der Unzucht dienstbar gemacht wurden: die Castraten (castrati), die nichts von ihrem Geschlechte bewahrt hatten; die Spadonen (spadones), denen nur das kraftlose Glied geblieben war; die Thliebien (thlibiae), die durch den Druck einer grausamen Hand, statt durch einen scharfen Stahl, entmannt worden waren.

Wir finden bei den römischen Schriftstellern nur drei Beschreibungen des Innern eines Lupanars und dessen, was sich dort abspielte. Die berühmteste führt uns mit Messalina an den verrufenen Ort, wo sie sich den Maultiertreibern Roms hingab: „Sobald sie den Kaiser im Schlafe wähnte — so erzählt Juvenal in seinem bewunderten Gedichte, das keine Prosa wiederzugeben vermag — dann erhob sich die kaiserliche Hure, die die Matratze der Prostituirten dem Bette des Cæsars vorzuziehen wagte, begleitet von einer einzigen Sklavin. Ihre schwarzen Haare unter einer blonden Perrücke verborgen, eilt sie in ein sehr besuchtes Freudenhaus, dessen geflickten Vorhang sie zur Seite schiebt; sie belegt dort eine Zelle, die für sie reserviert ist; nackt, Hals und Gesicht bedeckt mit golddurchwirktem Schleier, giebt sie unter dem falschen Namen Lysisca, der über ihrer Thür angeschrieben steht, den Körper preis, der dich getragen hat, edler Britannicus! Mit verführerischem Gebahren empfängt sie die Eintretenden und fordert ihnen den Lohn ab; und dann, das schamloseste aller Weiber, giebt sie sich den zahlreichen Männern. Wenn endlich der Kuppler seine Mädchen entlässt, dann geht auch sie fort, noch unzufrieden, obschon sie als letzte ihre Zelle geschlossen hat; ermattet von so viel Lust, aber noch nicht gesättigt, zieht sie sich zurück, dass Gesicht voller Schweiss, die Augen erloschen, ganz geschwärzt vom Schwalch der Lampe; so trägt sie ins kaiserliche Bett den Pesthauch des Lupanars.“ Der stolze Zorn des Dichters leuchtet aus diesem Gemälde hervor und lässt seine Grauenhaftigkeit fast verschwinden.

Nach Juvenal heisst es ziemlich tief hinabsteigen, wenn man einen einfachen Commentator zitiert Symphosianus, der über die Geschichte des Appollonius von Tyrus geschrieben hat, jenen mit Fabeln durchsetzten griechischen Roman, den alle mittelalterlichen Litteraturen übernommen und popularisirt haben: „Das junge Mädchen, so erzählt

Symphosianus, warf sich dem Kuppler zu Füssen und schrie: „Erbarmet Euch meiner Jungfräulichkeit, gebt meinen Körper nicht preis und entehrt mich nicht durch das schimpfliche Schild über der Thür!" Aber der Kuppler ruft den Diener der Freudenmädchen und befiehlt ihm: „Eine Sklavin soll kommen und sie schmücken, und dann schreibe man auf das Schild: „Wer Tarsia entjungfern will, soll ein halbes Pfund Silber zahlen; später soll jeder, der da kommt, sie haben können um ein Goldstück." Diese Stelle wäre noch bedeutsamer für die römische Sittengeschichte, wenn man den genaueren Sinn der Worte mediam libram und singulos solidos kennen würde, von denen die ersten den besonderen Preis der Jungfernschaft, die anderen den gewöhnlichen Betrag für die Preisgabe bezeichnen

Petronius hat uns im Satyricon die Beschreibung eines römischen Lupanars hinterlassen: „Endlich ermüdet vom Lauf und schweisbedeckt, treffe ich ein kleines altes Weib, das grobes Gemüse feilhielt: „Sagt mir, Mütterchen, so begann ich, könnt Ihr mir nicht zeigen, wo ich wohne?" Entzückt von einer so ursprünglichen Höflichkeit entgegnet sie: „Wie sollte ich es nicht wissen" Darauf erhebt sie sich und schreitet mir voran. Ich glaubte, es sei eine Wahrsagerin; aber bald, als wir an einen ganz abgelegenen Ort gelangt waren, schlug diese liebenswürdige Alte einen hässlichen Vorhang auseinander: „Hier ist es, sprach sie, wo ihr wohnen müsst." (Hic, inquit, debes habitare) Als ich noch erklärte, das Haus nicht zu kennen, erblickte ich Männer, die unter nackten Huren herumwandelten, und auch deren Schilder. Spät, zu spät begriff ich, dass ich in ein Freudenhaus geführt worden war. Voll Abscheu vor der Tücke dieses verfluchten alten Weibes, verhüllte ich mein Antlitz mit dem Mantel und floh mitten durch das Lupanar zu der entgegengesetzten Thür (ad alteram partem)." Diese letzten Worte der Erzählung beweisen uns, dass ein Freudenhaus für gewöhnlich zwei Thüren hatte, eine, durch die man eintrat, und eine, durch die man sich entfernte; zweifellos gingen sie nach verschiedenen Strassen, um die Gewohnheiten derjenigen, die sich dorthin begeben, besser zu verbergen. Man kann den Schluss daraus ziehen, dass es für den geachteten Mann eine Totschande war, solche Orte zu besuchen, trotz der Toleranz römischer Sitten in diesem Punkte. Nach verschiedenen Autoritäten, die das Zeugnis von Petronius bestätigen, ist übrigens sicher, dass man nicht hineinging und es nicht verliess, ohne das Haupt bedeckt oder das Gesicht verborgen zu haben; einige trugen zu dem Zweck eine Maske oder eine bis über die Augen herabgezogene Kapuze, andere verhüllten sich den Kopf mit der Toga oder dem Mantel. Seneca spricht im Glücklichen Leben von einem Freigelassenen, der die verrufenen Häuser frech, hüllenlos, sogar mit unbedecktem Gesichte besuchte (inoperto capite). Capitolinus zeigt uns ebenfalls einen sittenlosen Kaiser, der

Nachts die Tavernen und Freudenhäuser besucht, das Haupt bedeckt mit einer gewöhnlichen Maska (obtecto capite cucullo vulgari).

Die Bezahlung der Freudenmädchen war nicht ein für alle mal bestimmt, vielmehr hatte jedes Mädchen ein Schild mit seinem Namen und seinem Preise. Er war nicht polizeilich festgesetzt, sondern schwankte je nach den Vorzügen und dem Rufe des Mädchens, das auf dem Schilde genannt war. Indessen giebt uns Petronius eine genaue Einzelheit, auf Grund deren wir wissen, um wieviel man eine Zelle in einem Lupanar vermietete: „Während ich die ganze Stadt durchirrte, sagt Ascylt, ohne zu entdecken, an welchem Ort ich mein Nachtlager verlassen hatte, wurde ich von einem Bürger von ehrbarem Aussehen angesprochen, der mir in sehr gefälliger Weise den Führer zu machen versprach. Nachdem wir durch winkelige Gässchen gegangen waren, führte er mich an diesen verrufenen Ort, wo er mir seine unanständigen Anerbietungen machte, indem er seine Börse zog. Schon hatte die Dame vom Hause einen As für die Zelle empfangen (jam pro cella meretrix assem exegerat)." Wenn die Miete für eine Zelle nur einen As (ungefähr 1,50 Mk.) kostete, so darf man annehmen, das auch das Uebrige nicht eben teuer war. Und in der That erzählt uns Juvenal ganz ausdrücklich, dass sich Messalina, wenn sie den Lohn verlangte, (aera proposcit), mit einigen Kupferstücken begnügte. An anderer Stelle haben wir schon von Prostituirten gesprochen, die sich nur auf zwei Obolen und auf ein Viertelass (quadrans) einschätzten, woher sie den Beinamen quadrantariae und diobolares empfingen. Festus erklärt ihren Namen folgendermassen: Diobolares meretrices dicuntur, quae duobus obolis ducuntur. Die Konkurrenz hatte die Preise der Prostitution so tief gesenkt.

Kapitel XVIII.

Bis in welche Zeit die Einrichtung der legalen Prostitution in Rom zurück reicht. — Von der Registrirung der Prostituirten. — Was Tacitus über den Zweck dieser Registrirung berichtet. — Frauen und Töchter von Senatoren, die die licencia stupri, Freiheit des ausserehelichen Geschlechtsverkehrs, verlangen. — Vorteile, die Staat und Gesellschaft aus der Registrirung der Protituirten zogen. — Die Steuer für jede Prostituirte nach den Registern des Aedilen festgesetzt. — Vereidigung der Freudenmädchen vor den Aedilen. — Warum die Einzeichnung der Freudenmädchen in die Listen beim Aedilen vorgenommen wurde. — Von den Amtsbefugnissen des Aedilen in Sachen der Prostitution. — Strassenpolizei. — Die vagirende Prostitution. — Julia, des Augustus Tochter. — Aedilische Polizei in den öffentlichen Häusern. — Die pblebejischen Aedilen und die grossen patricischen Aedilen. — Was mit einem Aedilen geschah, der sich Zutritt zu dem Freudenmädchen Mamilia erzwingen wollte. — Von den verschiedenen Orten, an denen geheime Prostitution getrieben wurde. — Die öffentlichen Bäder. — Die Frau des Consuls in den Bädern

von Teanum. — Luxus und Verderbtheit in römischen Bädern. — Die beiden Geschlechter in den öffentlichen Bädern. — Die Bäder Scipios. — Die balneatores (Bademeister) und aliptes (Badediener). — Die Ausschweifungen der Domitianischen Hofgesellschaft in den öffentlichen Bädern. — Freibäder für das niedere Volk. — Bäder der Aristokratie und der Reichen. — Duldung der Prostitution in den Bädern. — Diener und Dienerinnen in den Bädern. — Fellatrices und fellatores (Ausüber der lesbischen Liebe). — Der fellator Blattara und die fellatrix Thaïs. — Zoïla. — Die Kneipen. — Schlechter Ruf der Besucher. — Beschreibung einer römischen popina (Garküche). — Das stabalum (Stall). — Die Schenken. — Nächtliche Hausrevisionen des Aedilen. — Die Backstuben. — Aedilische Lupanarpolizei. — Uebertretungen, Geld- und Leibesstrafen. — Was Messalina riskirte, indem sie das Gewerbe eines Freudenmädchen im Lupanar ausübte. — Von der Einführung einer Frau in ein verrufenes Haus. — Die Beauftragten des Aedilen. — Eröffnungs- und Schliessungsstunde der Lupanare und anderer öffentlicher Häuser. — Die Freudenmädchen im Circus. — Die Prostitution im Zusammenhang mit den Theatern. — Die schweifende Prostitution. — Die Aedilen stellen die Mauern der Häuser und Denkmäler unter den Schutz des Aesculaps, um sie vor der Beschmutzung durch die Passanten zu schützen. — Schamlosigkeit der Gassen- und Winkelprostitution Roms. — Catull findet seine Lesbia unter diesen Weibern wieder. — Ulpians Unterscheidung zwischen dem Anruf und der Verfolgung. — Gesetzliche Macht der Väter und Vormünder über ihre Söhne und Mündel, die sich der Unzucht ergaben. — Die adventores (Gäste). — Die venatores (Jäger). — Des Alkinous Jugend. — Die salaputii (Zwerge). — Die semitarii (Die auf dem Seitenwege). — Adultor, scortator und moechus (Ehebrecher und Buhle). — Heliogabal in den Lupanaren. — Vorschriften über den Aufwand der Freudenmädchen. — Kostüm der Freudenmädchen. — Ihre Haartracht. — Verbot, Goldstaub für ihr Haar zu verwenden. — Blaues und gelbes Haar. — Nationaltracht der Prostituirten von Tyrus und Babylon. — Der kleine Freund. — Die Mitra, die Tiara und der Nimbus. — Ursprung dieser drei Haartrachten. — Verbot der Sänften und Wagen für die Prostituirten. — Carmenta, die Erfinderin der römischen Wägen. — Tragsessel und Sänfte. — Die cella und das octophorum. — Ambulante Bordelle. — Lex Oppia.

Man kann weder mit Bestimmtheit sagen, wann die legale Prostitution in Rom anhub, noch wann sie den polizeilichen Vorschriften, der besonderen Jurisdiction der Aedilen, unterstellt wurde. Wahrscheinlich aber befassten sich diese Behörden vom Ursprung der Aedilität ab, der bis ins Jahr 260 nach der Gründung der Stadt zurückdatirte, damit, der Strassenprostitution gewisse Grenze zu setzen und für sie im öffentlichen Interresse gewisse Rechtsnormen aufzustellen. Leider sind nur einige zerstreute, zweifelhafte und fast verwaschene Grundzüge dieser Vorschriften auf uns gekommen; immerhin gestatten sie uns noch ihre Klugheit und Gerechtigkeit zu bewundern. Man könnte fast sagen, dass keine einzige der modernen Polizeivorschriften für Frauen von schlechtem Lebenswandel von der römischen Aedilität übersehen worden war. Diese vom Volke gewählte Behörde hatte bereits erkannt, dass es darauf ankomme, diesen degradirten Frauenzimmern die grösstmögliche Freiheit zu lassen, sie aber daran zu hindern, eine Art frecher Herrschaft über die ehrbaren Frauen auszuüben; deshalb hatte sie es sich angelegen sein lassen, der Prostitution gewissermassen den Charakter einer öffentlichen Einrichtung zu geben, indem sie ihr Unterscheidungsmerkmale vorschrieb, sie in aller Augen „unehrlich" machte, um ihr die Lust und die Mittel zu nehmen, sich zu Unrecht die Vorrechte der Tugend und des ehrbaren Lebenswandels anzueignen. Indem man es unmöglich machte, dass ein Freudenmädchen für eine ehrbare Frau gehalten wurde, schützte man diese gleichzeitig vor einer Verwechslung mit jenem Die erste Aufgabe der Aedilen war also, das Freudenmädchen zu einer Anmeldung seines unehrlichen Gewerbes zu zwingen, indem es um das Recht nachsuchen musste, sich ihm offen hinzugeben mit jener obrigkeitlichen Genehmigung, die man licentia stupri (Genehmigung des unehelichen Geschlechtsverkehrs) nannte. Das ist der Ursprung der Registrirung der Freudenmädchen in den Listen des Aedils.

Ueber die Art dieser Registrirung besitzen wir indess keine Ueberlieferung: es scheint, dass jedes Weib, das aus der Preisgabe ihres Körpers ein Gewerbe machen wollte (sui quaestum facere) sich dem Aedilen vorstellen und ihm seine schimpfliche Absicht erklären musste, nicht ohne dass ihm der Aedil manchmal mit ein paar guten Worten abgerathen hätte. Bestand das Weib auf seinem Willen, dann wurde sie als hinfort der Prostitution ergeben eingeschrieben; sie gab Namen, Alter, Geburtsort, den Decknamen für ihren neuen Stand, und sogar, wenn man einem Commentator glauben darf, die Summe an, die sie ein für allemal als Tarif für ihr ehrloses Gewerbe festsetzte Tacitus sagt im zweiten Buche seiner Annalen, dass diese Einzeichnung der Weiber, die sich der Prostitution ergeben wollten, bei dem Aedilen ein ganz alter Brauch sei und dass der Gesetzgeber geglaubt habe, die Schamlosen nicht besser strafen zu können, als durch den Zwang, so ihre Schande und Entehrung selbst einzugestehen. Aber was in den sittenstrengen Zeiten der Republik ein Zügel gewesen war, das wurde zu Spiel und Spott unter dem Kaiserreiche; sah man doch damals sogar Töchter und Frauen von Senatoren vom Aedilen die licentia stupri erbitten.

Der Nutzen der Registrirung für die Rechtspflege leuchtet ein. Einmal besass man auf diese Weise eine authentische Liste aller derenigen Weiber, die dem Staate die Prostitutionssteuer zu zahlen hatten, den Zins, der wie ein Servitut auf diesem schimpflichen Gewerbe ruhte; und sodann brauchte man in den Fällen, wo ein Freudenmädchen die Pflichten seines Gewerbes vernachlässigte, bei den Streitigkeiten, den Klagen, den Differenzen, den Skandalscenen, den Uebertretungen und den Verbrechen aller Art, zu denen das schimpfliche Gewerbe vielfach Anlass bot, nur die Listen des Aedils einzusehen, um sofort den Civilstand der fraglichen Person zu ermitteln Auf diese Weise wusste man nicht nur den wahren Namen der Schuldigen oder des Opfers, sondern auch seinen Decknamen, luparium nomen, unter dem sie in der Welt der Prostitution bekannt war. Plautus spricht in seinem Poenulus von diesen entwürdigten Geschöpfen, die ihren Namen verändern, um aus der Preisgabe ihres Körpers ein Geschäft zu machen (namque hodie earum mutarentur nomina, facerentque indignum genere quaestum corpore). Ebenso notwendig war es, in den Registern die Taxe einzutragen, die eine jede für ihre Waare festgesetzt hatte, denn der gelehrte Pierrugues hat in seinem Glossarium eroticum die absonderliche Thatsache angeführt, dass man mit einer Klage über den Wert und die Bezahlung einer Prostituirten vor dem Aedil erschien, wie wenn es sich um ein Brot oder einen Käse gehandelt hätte (tanquam mercedis annonariae, de pretio concubitus jus dicebat aedilis). Die Aufgabe des Aedils war also mannigfaltig und oftmals recht delikat, — aber der Herr Polizeidirektor machte das alles.

Die Registrirung eines Freudenmädchens in den Listen der licentia stupri war unauslöschlich; eine Frau, deren Name einmal befleckt war, konnte sich davon nie mehr reinigen. Auch wenn sie ihr schimpfliches Gewerbe aufgab, wenn sie sich selbst eine Art Ehrenstrafe auferlegte, indem sie ein keusches Leben führte, sich verheiratete und halb-legitime Kinder gebar — keine gesellschaftliche oder religiöse Macht vermochte sie vollständig zu rehabilitiren und ihren Namen in den Listen der officiellen Prostitution zu tilgen. Sie blieb, wie wir schon gesagt haben, unehrlich durch jene Eintragung, die sie sich irgend einmal in ihrem Leben unter dem Zwange der Not, des Elends oder gar der Unwissenheit zugezogen hatte. Und doch beeilten sich die Freudenmädchen, wie der gelehrte Douza bemerkt, sobald sie das Gewerbe verliessen, ihren wahren Namen wieder anzunehmen und den Decknamen, den sie auf ihr Schildchen geschrieben hatten, im Lupanar zurückzulassen Ein Rechtsgelehrter, der seine Gewährsmänner nicht angiebt, hat behauptet, dass jedes Freudenmädchen bei seiner Registrirung einen Eid in die Hände des Aedilen ablegte, niemals den unehrlichen Beruf wieder aufzugeben, den sie freiwillig, ohne Zwang und Widerspruch erwählte; aber die Unglücklichen, die durch diesen entsetzlichen Eid gefesselt wurden, würden davon gelöst worden sein durch ein Justinianisches Gesetz, das erklärte, ein Eid gegen die guten Sitten habe keine bindende

Kraft. Dieses Prostitutionsgelübde ist keineswegs unwahrscheinlich; die Geschichte bietet uns mehr als ein Beispiel dafür, das es aus religiösen Gründen abgelegt wurde, so bei den Lokriern, deren Töchter gelobten, sich bei dem nächsten Venusfeste preiszugeben, wenn ihre Väter den Sieg über den Feind davontrügen; übrigens passt es auch zu der Verrufserklärung, die seine unmittelbare Folge war.

Man hat gefragt, warum die Registrierung der Freudenmädchen bei den Aedilen geschah und nicht bei den Censoren, zu deren Amtsbefugnissen die Beaufsichtigung der Sitten gehörte. Ein Commentator des Tacitus bemerkt zu dieser rein theoretischen Frage, dass dem Aedilen die Ueberwachung der Lupanare, der Schänken und aller jener verdächtigen Häuser oblag, die der Prostitution als Zufluchtsstätten dienten. In Bezug auf diese Amtsthätigkeit der Aedilen konnte auch Seneca sagen: „Die Tugend kannst Du im Tempel, auf dem Forum, in der Kurie, auf den Mauern der Stadt schauen; das Laster aber findest du, wie es sich meistens versteckt und das Dunkel sucht, in der Umgebung der Schwimmhallen und der Dampfbäder, überall dort, wo man den Aedilen nicht gerne sieht (ad loca aedilem metuentia).“ Um die Amtsbefugnisse der Aedilen in Sachen der Prostitution noch besser zu ergründen, muss man noch hinzufügen, dass ihm besonders die Ueberwachung der Strasse, via publica, zustand; die Strasse aber gehörte so recht eigentlich der Prostitution und ihr Name wurde dafür fast als Synonym gebraucht. „Niemand wehrt einem auf öffentlichem Wege zu kommen und zu gehen,“ sagt Plautus, indem er darauf ausspielt, dass jedermann ein öffentliches Mädchen benutzen dürfe, natürlich wenn er es dafür bezahlt. (Quin quod, palam est venale, si argentum est, emas. Nemo ire quemquam publica prohibet via). Dem Aedilen stand die Strassenpolizei und alles was damit in Zusammenhang gebracht werden konnte zu: so unterstanden ihm unbedingt die öffentlichen Häuser.

Von vornherein unterlagen Weiber, die sich der Prostitution ergaben ohne registrirt zu sein und so das Recht zu dem schimpflichen Geschäft erworben zu haben, einer Geldstrafe, wurden auch wohl aus der Stadt verwiesen, wenn man sie bei der That erwischt hatte, wie Justin ausdrücklich bezeugt; in der Regel aber zogen diejenigen Verbrecherinnen, die noch jung waren und noch etwas verdienen konnten, irgend eine mitleidige Seele von einem Kuppler an, der die Strafe und die Kosten der Registrierung für sie erlegte, und die Mädchen dann, um sich für seine Auslagen schadlos zu halten, in irgend ein Bordell einsperrte. Die schweifende Prostitution, erratica scorta, war demnach in Rom verboten, aber man musste wohl oder übel ein Auge zudrücken bei ihrer Zahl und ihren verschiedenen Gewohnheiten: eine ganze Armee von Wächtern wäre nötig gewesen, um die Strassen und Häuser zu überwachen, ein Senat von Aedilen, um über ihre Uebertretungen abzuurteilen und eine

Menge von Liktoren, um die Schuldigen mit Prügeln zu bestrafen und die Ausweisungen zu vollziehen. Die Stadt Rom besass eine Unzahl von Tempeln, Säulen, Statuen, öffentlichen Baulichkeiten, wie Wasserleitungen, Bäder, Grabmäler, Märkte u. s. w., deren architektonische Gestaltung den Zwecken der Prostitution nur zu günstig war; auf jeden Schritt gab es eine dunkle Wölbung, in der es sich nachts eine Prostituirte oder ein Bettler bequem machte; jedes Gewölbe (arcarius oder arquatus) diente der schweifenden Unsittlichkeit zur Zuflucht, und niemand durfte sie von dort verscheuchen, da jedermann das Recht zustand, unter freiem Himmel, sub dio, zu nächtigen. Man kann sogar eine Reihe von Zeugnissen aus der Geschichte dafür aufführen, dass die Umgebung gewisser Tempel und gewisser Statuen der gewöhnliche Schauplatz nächtlicher Prostitution war. Julia, des Augustus Tochter, gab sich in einem Winkel vor dem Standbilde des Satyrs Marsyas hin, und der Platz, wo sich dies Opfer der Unzucht vollzog, war immer besetzt, sobald die Nacht mit ihrem Sternenbaldachin das steinerne Bett überspannte, das den Altar für dieses sittenlose Opfer darstellte. Die Statue des Priaps oder igend eines mit Peitsche, Stock oder Keule bewaffneten Wächtergottes genügte zum Schutze der nächtlichen Schamlosigkeiten, die sich unter seine Auspicien flüchteten und sich in seinem Schatten betteten.

Nur sehr selten schritt der Aedil einmal streng gegen Uebertretungen dieser Art ein; andererseits übte er aber manchmal eine ziemlich unliebenswürdige Aufsicht über die öffentlichen Häuser aus, die ihm unterstanden. Er veranlasste nicht nur dauernde Inspicirungen, um Verbrechen zu entdecken, die etwa in diesen seiner besonderen Obhut anvertrauten Häusern begangen wurden, sondern er überzeugte sich auch oftmals selbst, ob dort alles vorschriftsmässig herging. Mit seinen Liktoren vorauf durchmusterte der Aedil zu jeder Stunde des Tages und der Nacht die Strassen, drang überall ein, wo seine Anwesenheit nützlich sein konnte, und kontrolirte mit eigenen Augen den Betrieb in diesen Werkstätten der Unzucht. Wenn das Nahen eines Aedilen auch nur von ferne angezeigt wurde, dann gaben die Freudenmädchen, die Vagabonden, die Spieler, die bannbrüchigen Sklaven, die Uebelthäter jeglicher Art schleunigst Fersengeld, und im Handumdrehen waren die Kneipen, die Gasthäuser und die übelbeleumdeten Spelunken menschenleer. Diese städtische Polizei stand den plebejischen Aedilen zu, auf denen die ganze Last der Exekutive ruhte; die grossen patricischen Aedilen, reine Verwaltungsbeamten, sassen auf ihren kurulischen Sesseln und sprachen lediglich Recht in den Sachen, die die Tribunen ihnen überwiesen hatten. In Rom erzählte man sich oft von der Niederlage eines curulischen Aedilen, dem eine Dirne die Zähne gezeigt hatte. Aulus Gellius überliefert uns diese bemerkenswerte Geschichte, so wie er sie in einem Buche des Atteius Capito, Konjekturen genannt, gefunden hatte. Aulus Hostilius Mancinus. ein curulischer Aedile.

wollte eines Nachts bei einer Dirne namens Mamilia eindringen; diese weigerte sich aber, ihn zu empfangen, obschon er seinen Namen und seinen Rang angegeben hatte; aber er war allein, ohne Liktoren, nicht in der, als Amtstracht vorgeschriebenen, Toga praetexta, hatte überdies als Aedil auch gar nichts in jenem Hause zu suchen. Er ärgerte sich natürlich darüber, solchen Widerstand bei einem Freudenmädchen zu finden, drohte die Thür einzubrechen und versuchte es sogar. Das Mädchen aber, keineswegs eingeschüchtert durch diese Gewaltthätigkeiten, that so, als ob sie ihn als Aedilen gar nicht erkannte und bombardierte ihn vom Balkon aus mit Steinen. Der Aedil wurde an der Stirn verwundet. Tags darauf zitirte er die unverschämte Mamilia vor's Volksgericht und klagte sie des Widerstandes gegen die Staatsgewalt an. Mamilia jedoch erzählte, wie die ganze Geschichte gekommen sei, wie der Herr Aedil thatsächlich ihr die Thür einzutreten versucht hat und wie sie ihn nur durch Steinwürfe hatte verjagen können. Sie fügte noch hinzu, dass Mancinus, von einem Souper kommend, sich ihr halb betrunken und das Haupt noch mit Blumen bekränzt angeboten hatte Die Tribunen billigten das Verhalten der Mamilca und sagten, dem Mancinus sei ganz recht geschehen: wenn er sich nachts halb betrunken und blumengeschmückt an der Thüre einer Prostituirten ungebührlich aufführe, so verdiene er schimpflich weggejagt zu werden.

Diese merkwürdige Geschichte lehrt uns, dass Mamilia ein besonderes Haus bewohnte, das nicht unter der polizeilichen Aufsicht der Aedilen stand; denn in einem der öffentlichen Häuser, die direkt von ihnen abhingen, hätte man schwerlich den Widerstand so auf die Spitze getrieben.

Die Amtspersonen wiederholten fortwährend ihre Inspektionen in den Schwimmhallen, den Dampfbädern, den Schänken und Logirhäusern, den Läden der Bäcker, Fleischer und Knochenhauer, Barbiere und Parfumeure. Es wäre ihnen wahrscheinlich unmöglich gewesen, alle Fälle von geheimer und verborgener Prostitution, die sie auf ihren Gängen entdeckten, zu verfolgen und zu bestrafen. Besonders in den öffentlichen Bädern wurden die schamlosesten Unsittlichkeiten getrieben, und man kann sagen, dass in Rom die Prostitution sich in demselben Verhältnis vermehrte wie die Zahl der Bäder. Publius Victor zählt innerhalb der Stadtmauer achthundert grosse und kleine Bäder. Da man weiss, dass es für die reichen Leute eine Ehrensache war, testamentarisch die Gründung einer Badeanstalt zum öffentlichen Gebrauche anzuordnen, so kann man sich über die grosse Zahl der Bäder nicht wundern, von denen die grössten nicht weniger als tausend Personen aufzunehmen vermochten. In den sittenreinen Zeiten der Republik war das Bad mit allen Massregeln zur Schonung des Schamgefühls umgeben; nicht allein die Geschlechter, sondern auch die verschiedenen Altersstufen badeten gesondert; den Dienst versahen Männer und Frauen, je nachdem das Bad für Männer oder Frauen bestimmt war. Es gab noch nicht viele derartige Anstalten, und es waren bestimmte Stunden für Männer und für Frauen bestimmt, die sich in der Benutzung der Bassins abwechselten, ohne sich dort jemals zu treffen. Cicero erzählt, dass die Frau eines Consuls, der einmal nach Teanum in Campanien gegangen war, dort im Männerbad zu baden wünschte. Der Quastor ordnete auch sofort an, dass die Badenden das Bassin verlassen sollten und nach einigen Augenblicken konnte die Frau des Consuls ihr Bad nehmen. Aber sie beklagte sich bei ihrem Gatten über die Verzögerung und über die Unsauberkeit in der Anstalt. Daraufhin befahl der Consul, dass M. Marius, der angesehenste Mann der Stadt, verhaftet und auf offenem Markte mit Ruten gezüchtigt werde, wie wenn er für den Schmutz im Bade verantwortlich gewesen wäre. Wahrscheinlich hat die Frau des Consuls ihrem Gatten von schlimmeren Dingen erzählt, und es giebt zu denken, dass derselbe Consul in Ferentinum sich auch über die Zustände in den öffentlichen Bädern unterrichtete und davon so unbefriedigt war, dass er die Quasstoren der kleinen Stadt durchpeitschen liess, weil die Männer sich dort entehrten unter dem Vorwande zu baden.

Die Bäder von Rom ähnelten bald jenen, die die Römer in Asien kennen gelernt hatten; jede Art von Luxus und Verderbtheit liess man darin zu, und zwar fast unter den Augen der Aedilen, die doch für Ordnung und Sitte zu sorgen hatten, sich aber lediglich mit materiellen Verbesserungen beschäftigten, die thatsächlich nur dazu beitrugen die Verweichlichung und Sittenlosigkeit noch zu vermehren. Zunächst wurden die Bäder für die beiden Geschlechter gemeinsam gemacht; zwar hatte noch jedes sein besonderes Bassin oder seine Dampfstube, aber sie konnten sich doch sehen, sich treffen, plaudern, Intriguen einfädeln, Rendezvous ausmachen und Ehebruch im grossen treiben. Jedermann brachte sein männliches und weibliches Sklavengesinde dorthin mit, Eunuchen und Spadonen, um sich kämmen und massiren, parfumiren, frottiren, rasiren und frisiren zu lassen. Diese Vermischung der Geschlechter hatte Prostitution und Sittenlosigkeit zur unausbleiblichen Folge. Die Bademeister hielten auch allerhand abgerichtete Sklaven, verächtliche Helfershelfer der Unkeuschheit, die sich den Besuchern zu den verschiedenartigsten Zwecken vermieteten. Anfangs waren die Bäder so dunkel, dass Mann und Weib Seite an Seite baden konnten, ohne sich anders als an der Stimme zu erkennen; bald aber liess man das Tageslicht hier in seinem vollen Glanze auf den Marmorsäulen und den Stuckwerken erstrahlen. Die indiskrete Tageshelligkeit zeigte die Nacktheit aller Augen und liess die Tausend Formen der körperlichen Schönheit deutlich erkennen. Ausser der grossen Dampfstube (sudatorium), den grossen Bassin mit kaltem, lauem und heissem Wasser, in denen man durcheinander badete, um sich dann rundherum in die Hände der Sklaven zu begeben, (balneatores und aliptes-Badediener und Masseure), befand sich in der Anstalt auch noch eine grosse Zahl von Sälen, in denen man sich restauriren konnte, sowie viele Zellen, worin man Ruhebetten und Knaben und Mädchen vorfand Ammianus Marcellinus zeigt uns in einem mit kräftigen Strichen entworfenen Gemälde die Ausschweifungen der Domitianischen Hofgesellschaft, die die öffentlichen Bäder besuchte und mit brüllender Stimme schrie: „Wo sind sie? Wo sind sie?" Wenn sie dann irgend eine unbekannte Dirne bemerkten, irgend eine alte Prostituirte, Abschaum aus den plebejischen Vorstädten, ein abgebrauchtes Weibsbild, dann stürzten sie sich alle miteinander darüber her und behandelten das unglückselige Wesen wie eine Semiramis. „Si apparuisse subito compererint meretricem, aut oppidanae quondam prostibulum plebis, vel meritorii corporis veterem lupam, certatim concurrent etc." Die Aedilen wachten darüber, dass sich solche Skandalscenen nicht in jenen Bädern abspielten, vor denen ein Soldat Posten stand; dort durfte auch alles geschehen, aber ohne Lärm, ohne Aufsehen, ohne Unordnung. Die Prostitution hatte dort also sozusagen einen anständigen und geheimnisvollen Anstrich.

Mit den öffentlichen Bädern verhielt es sich geradeso wie mit den Lupanaren: ihre innere Einrichtung richtete sich nach dem Publikum, das dort verkehrte. Da gab es Freibäder für das niedere Volk; dann billige Bäder, bei denen der Eintritt nur ganz wenig kostete; endlich grossartig eingerichtete Anstalten, in denen sich die Aristokratie und die reichen Leute, also die Lebewelt, auf gleichem Fusse begegnete. Geöffnet wurden die Bäder um die neunte Stunde, also gegen 3 Uhr nachmittags; um dieselbe Stunde öffneten auch die Freudenhäuser, die Kneipen und derartige Lokale. Mit Sonnenuntergang wurden dann die Bäder wieder geschlossen: tempus lavandi, so liesst man bei Vitruvius, a meridiano ad vespercen est constitutum. (Die Badezeit ist auf 3 Uhr bis Sonnenuntergang festgesetzt). Nur die Lupanare allein blieben die ganze Nacht geöffnet. Die Herrschaft der offiziellen Prostitution begann am hellen Tage und dauerte bis zum nächsten Morgen. Die Prostitution in den Bädern war lediglich geduldet; der Aedil that so, als ob er sie nicht bemerkte, vorausgesetzt, dass sie nicht zum öffentlichen Skandal ausartete. Die Kaiser unterstützten die Polizei in dem Kampfe gegen die grauenhaften Excesse in den Badeanstalten zu Rom, wo die beiden Geschlechter Zutritt hatten. Hadrian verbot streng das sittenlose Zusammensein von Männern und Weibern; er ordnete an, dass ihre Bäder vollständig getrennt sein müssten: Lavacra pro sexibus separavit, sagt Spartianus. Marc Aurel und Severus erneuerten diese Edikte im Interesse der öffentlichen Sittlichkeit; aber zwischen ihren beiden Regierungen hatte der verdammenswerte Heliogabal ausdrücklich gemeinsame Bäder für beide

Geschlechter gestattet. Badediener und -Dienerinnen spielten auf Wunsch die Helfershelfer bei den Genüssen, die die beiden Geschlechter dort suchten. Selbst die Ehefrauen schämten sich nicht, sich von diesen schamlosen Badedienern massiren, salben und abreiben zu lassen. Juvenal schildert uns in seiner berühmten Satire eine Familienmutter, die den Abend erwartet, um mit ihrem Salbenkasten ins Bad zu eilen: „Sie empfindet das höchste Vergnügen dabei, bei dieser Pozedur in Schweiss zu geraten, wenn ihre Arme erschlafft zurücksinken unter den kräftigen Händen des Masseurs, der voll Eifer bei diesem Werke callidus et cristae digitos impressit aliptes." Rigatius, einer der Kommentatoren des Juvenal erläutert uns die schamlosen Handgriffe dieser aliptes mit einer Sachkenntnis, die sich nur lateinisch wiedergeben lässt: Unctor sciebat dominam suam hujusmodi titillatione et contrectatione gaudere. Und dann fragt er mit der unschuldigsten Miene von der Welt, ob dieser Badediener nicht eigentlich ein ganz infamer Schlingel gewesen wäre!

So lange sich niemand beklagte, hatte sich der Aedil um diese Dinge nicht zu kümmern. Die Bäder waren die Freistatt sowohl für wahre Liebe wie für die gröbsten Lasterhaftigkeiten: „Während draussen, so heisst es in der Liebeskunst Ovids, der Wächter des jungen Mädchens auf ihre Gewänder Acht giebt, verbergen die Bäder sicher ihre flüchtigen Liebkosungen (celent furtivos balnea tuta jocos)." Die Frauen hatten ein grösseres Interesse daran, die Privilegien der öffentlichen Bäder zu erhalten: für die einen waren sie ein neutraler Boden, ein Treffpunkt, ein Zufluchtsort, wo sie sich gefahrlos ihren Lüsten hingeben konnten; für andere wiederum ein ewiger Markt, wo die Prostitution immer etwas zu verkaufen oder zu kaufen fand. Obschon die Anstalten Nachts geschlossen sein mussten, blieben sie doch für die bevorzugte Lebewelt heimlich offen; draussen war alles dunkel, innen aber strahlende Helle, und die Bäder, die Soupers, die Orgien dauerten immerfort, fast ohne Unterbrechung. Die Kuppelei wurde an diesen Orten im grossen Massstabe betrieben, und mancher kam unter dem Vorwande, zu baden, dorthin, lüstern darauf, die Gunst eines Mädchens oder eines Knaben zu geniessen, wenn er nicht selbst gar durch eigene Preisgabe ein Geschäft zu machen gedachte. Wer immer dem Badeleben Geschmack abgewonnen hatte, den zog es immer tiefer in den Sumpf hinein; wenn sich die Menschen dort in ihrer Nacktheit erblickten, in diesen unanständigen Stellungen, wenn sie unter den geschickten Händen der Badediener erzitterten und erschauderten, dann erfasste sie ein Sinnentaumel, eine Sucht nach neuen, unerhörten Genüssen, der sie oft ihr ganzes Leben widmeten; in dem Capua der öffentlichen Bäder rieben sie sich langsam auf. Dort baute sich die lesbische Liebe ihre Tempel, und römische Sinnlichkeit raffinirte noch die Genüsse des Sapphischen Kreises. Lesbierinnen nannten sie sich noch immer, hatten sie auch von der femininen Philosophie von Lesbos keinen Hauch verspürt; wenn sie den Männern auf ähnliche Weise zu Genüssen verhalfen, dann hiessen sie fellatrices. Aber das ist noch nicht alles: diese verworfenen Weiber lehrten ihre Kunst Kinder und Sklaven, die man fellatores nannte. So stark war in Rom diese Art Unsittlichkeit verbreitet, dass ein Satyriker schreckensvoll ausrief: „O ihr edlen Abkömmlinge der Göttin Venus, bald findet ihr keine keusche Lippe mehr, um der Göttin euer Gebet darzubringen!“ Martial kommt in seinen Epigrammen immer wieder auf diese Abscheulichkeit zu sprechen, von der eine ganze Schaar von Verworfenen lebte, ohne dass der Aedil eingeschritten wäre. Sein Epigramm an eines dieser Geschöpfe mit Namen Blattara ist schlechtweg unübersetzbar; eines der noch am wenigsten anstössigen beschäftigt sich mit einer fellatrix, die zu jener Zeit in einem grossen Rufe stand: „Kein Mensch im Volke, niemand in der ganzen Stadt kann sich rühmen, die Gunst der Thaïs besessen zu haben, obschon viele sich darum bemühten, viele ihr nachstellten. Warum nur ist Thaïs so keusch? Weil ihr Mund es nicht ist.“ (Tam casta, rogo, Thaïs? immo fellat). Den schmachvollen Fellatoren, die er auf seinem Wege findet, erlässt Martial wahrlich nichts, er verachtet sie und flucht ihnen allen in der Person des Zoïlus: „Du sagst, dass die Dichter und Advokaten schlecht aus dem Munde riechen; aber Zoïlus, ein Fellator, stinkt noch viel mehr!“

Die Aedilen konnten indess gegen diese scheusslichen Ausschweifungen, die sich fast vor ihren Augen abspielten, nicht einschreiten. Im eigentlichen Sinne des Wortes war es ja nicht einmal Prostitution, es waren nur vorbereitende Handlungen und Zuthaten; besonders die eine charakteristische Verwendung der Sklaven, das praebere os, wie man es damals nannte, fand ihren Weg sogar in die Komœdie Adelphi des Terenz. Das persönliche Verhalten der Sklaven ging die Aedilen nun einmal nichts an, abgesehen von dem der meretrices, der offiziellen Freudenmädchen. Bemerkenswert ist, dass die Teilnehmer an dieser Art von Ausschweifungen fast niemals zu den öffentlichen eingetragenen Dirnen gingen. Man traf sie deshalb nicht in den Lupanaren, wohl aber in den Schänken und an anderen übelbeleumdeten Orten, wohin man ging, um zu essen, zu trinken, zu spielen oder zu schlafen. Wer in diese von ehrlosem Gesindel besuchten Schänken eintrat, mit dem bandelte es an oder zog es auf sein Niveau herab, selbst wenn er nicht dem gewöhnlichen Laster huldigte. Jeder Mensch, einerlei ob Mann oder Weib, der sich in solche Taverne (popina) wagte, ward mit Beleidigungen aller Arten überschüttet. So sagt der Rechtsgelehrte Julius Paulus in den Digesten ausdrücklich: „Wenn jemand sein Spiel treibt mit meinem Sklaven oder mit meinem Sohne, selbst mit ihrer Einwilligung, dann gilt das soviel als ob ich persönlich beleidigt worden wäre, wie wenn mein Sohn oder mein Sklave in eine

Schänke geführt oder zum Hasardspiel verleitet worden wäre.* Die Beleidigung oder die Ehrenverletzung trat ein, wenn der junge Mensch seinen Fuss über die Schwelle solcher Kneipe gesetzt hatte, denn er war niemals sicher, so rein und keusch wieder herauszukommen, wie er hineingegangen war. Die ædilische Polizei überwachte die Schänken, die abends schliessen und erst bei Tagesanbruch wieder geöffnet werden durften, sorgsam; sie durften jedermann als Gast aufnehmen, nur waren sie nicht berechtigt, ihm eine Lagerstatt einzuräumen, und wenn die Glocke zum Zeichen des Schlusses der Bäder und der öffentlichen Lokale ertönte, mussten sie ihre Gäste entlassen. Diese eine Thatsache genügt schon, um uns die innere Einrichtung einer römischen Popina erkennen zu lassen, in der Regel bestand sie aus einem kleinen Saal zur ebenen Erde; ringsum verziert mit Amphoren und dickbauchigen Flaschen voll Wein, auf denen Erntejahr und Gewächs verzeichnet stand; im Hintergrunde dieses feuchten und dunklen Lokals, das nur durch eine loorbeergeschmückte Thür Licht empfing, dienten ein oder zwei ganz kleine Zimmer zum Empfangsraum für Gäste, die sich dort zum Spiel oder zu unsittlichen Zwecken niederliessen. Betten gab es nicht in diesen vom Wein- und Lampendunst durchzogenen Spelunken: „Die Herberge, so sagt Cicero an einer Stelle, die uns den Unterschied zwischen popina und stabulum sehr deutlich macht, die Herbergen dienen ihm als Schlafzimmer, die Schänken als Speisesaal!“ Man fand an solchen Orten nur Bänke, Schemel und Tische, was die gewöhnliche Prostitution nicht begünstigte.

Wollte man in Rom Zimmer und Bett mieten, dann musste man in die cauponae und die diversoria gehen. Das diversorium war nur für Reisende, Ausländer bestimmt, die dort Nachts wohnten, ohne sonst etwas zu verzehren; die caupona dagegen war wie ein modernes Hôtel eingerichtet, man fand dort Wohnung und Verpflegung. Der Wirt hielt für den Gebrauch seiner Gäste stets Schlafgenossen und -Genossinnen bereit. Die Prostitution in diesen Hôtels hatte einen leidlich anständigen Antrieb und gab sich weniger Excentrizitäten hin; gleichwohl stattete ihnen der Aedil häufig nächtliche Besuche ab, um die Frauenzimmer aufzugreifen, die sich der Registrirung entzogen hatten oder ihr Gewerbe ausserhalb der Lupanare ausübten. Zweck dieser Haussuchungen war vor allen die Verhängung hoher Geldstrafen bei Uebertretungen des Reglements; daher fürchteten auch, wie Seneca sagt, alle übelbeleumdeten Häuser die aedilische Polizei, waren sie doch alle mehr oder weniger der Prostitution geweiht. Seneca spricht in seinem Glücklichen Leben mit Abscheu von diesem nächtlichen, niedrigen, banalen Vergnügen, dem die düsteren Gewölbe und die Spelunken zum Asyl dienen (cui statio ac domicilium fornices et popinae sunt). Ebenso kontrolirte der Aedil die Bäckereien und die dazu gehörigen Keller. In diesen oft tiefen und von der Strasse weitabgelegenen Kellern bewahrte man nicht nur die Getreidevorräte in grossen Thongefässen auf und liess die Mehlmühle von Sklaven drehen, sondern es gab dort oft unterirdische Zellen, in denen die Prostitution am Tage eine Zuflucht fand, während die Lupanare geschlossen waren. Die meretrices, so meldet Paulus Diaconus, wohnten gewöhnlich in den Mühlen (in molis meretrices versabantur). Pitiscus, der diese Stelle anführt, fügt hinzu, dass sich die Mühlen und die Dirnen in Kellern befanden, die mit der Bäckerei in Verbindung standen, sodass nicht alle, die dort eintraten, Brot kaufen wollten; die meisten begaben sich lediglich in der Absicht Unzucht zu treiben dorthin (alios qui pro pane veniebant, alios qui pro luxuriæ turpiditudine ibi festinabant) Es war eine ungeregelte Prostitution, die der Aedil beständig verfolgte: er stieg oft in diese Keller herab, wo man das Getreide stampfte und mahlte, und fand dort stets eine Anzahl nicht eingeschriebener Frauenzimmer, von denen manche die Arbeit an den Mühlen versahen, während andere lediglich Mieterinnen der finsteren Löcher waren, in deren Dunkel sich die Unzucht ihrer eigenen Schande zu enthüllen schien

Die Lupanare unterstanden ebenfalls der direkten Aufsicht der Aedilen; jedoch hatten diese sich nicht um die Vorgänge im Inneren zu kümmern, vorausgesetzt, dass kein Streit, kein Tumult, kein Lärm draussen oder drinnen entstand, dass die Thüren um drei Uhr geöffnet und morgens geschlossen wurden. Dem Kuppler und der Kupplerin war für den innern Betrieb sozusagen ein Teil der aedilischen Gewalt übertragen worden. Da die Bordellhalter die Aufschriften auf den Schildchen ihrer Frauenzimmer besorgten, so lag es ihnen ob, für richtige Eintragung einer jeden Dirne bei der Aedilität zu sorgen; sie waren verantwortlich dafür, wenn irgend eine „ehrbare“ Frau, eine freie Bürgerin, eine Verheiratete oder Ehebrecherin, irgend ein unter der Gewalt des Vaters oder Vormundes stehendes Mädchen oder irgend ein unglückliches Kind sich freiwillig oder gezwungen preisgab; denn die lex Julia strafte jede Beihilfe und Begünstigung des Ehebruchs, auch die indirekte. Iede Uebertretung des Reglements hatte eine Geldstrafe zur Folge, die der Aedil nach seinem Ermessen festsetzte; solche Strafen waren sofort vollstreckbar. Verzug bei der Bezahlung trug dem Verurteilten eine ausgiebige Tracht Prügel ein. Derartige Peitschungen wurden auf offener Strasse vor dem Bordell vollzogen und der Inkulpat kam dann halbtot aus den Händen der Liktoren, um nunmehr darauf bedacht zu sein, sich durch neue Prostitutionsgeschäfte schadlos zu halten. So ziemlich alles und jedes konnte Anlass zur Anzeige und Bestrafung abgeben. Die Bordellhalter fühlten sich gar zu sehr in der Gewalt der Aedilen, um sich nicht für alle Fälle nach einem Schutz und einflussreicher Hilfe umzusehen; sie fanden sie bei lüsternen Senatoren, denen sie dann die Erstlingsopfer in ihren Häusern zur freien Wahl überliessen. Auch der Aedil selbst war nicht unbestechlich, und der Kuppler wusste wohl, durch welche Art von Geschenken er ihn für sich gewinnen und sich günstig zu stimmen vermochte.

Eine Uebersicht über die Uebertretungen und Vergehen in den römischen Lupanaren zu geben, würde schwer halten; gewiss befasste sich der Aedil nicht selbst damit, sie festzustellen, sondern beauftragte Subalternbeamte damit. Diese kontrolirten die Führung der Bordellhalter, nahmen Klagen oder Beschwerden gegen sie an, inspicirten die Lokalitäten und stellten die. Listen der in den Zellen befindlichen Dirnen auf. Das Hauptziel des Gesetzgebers in Sachen der öffentlichen Prostitution scheint lediglich gewesen zu sein, die Preisgabe patrizischer Frauen und Töchter zu verhindern und den Ehebruch zu bestrafen, selbst wenn er diese schimpfliche Verkleidung annahm. In den gesetzlich concessionirten Lupanaren durften nur solche Frauen aufgenommen werden, denen das Gesetz nicht verbot, sich zu verkaufen und zu prostituiren. Damit sie das meretricium in einem Freudenhause ausüben konnte, gab sich Messalina für eine Dirne Lysisca aus, deren wahrscheinlich irgendwo freigewordenen Decknamen sie angenommen hatte. Messalina setzte sich also nicht nur der Gefahr einer Erkennung aus, sondern riskirte auch, dass man sie wegen falscher Namensführung und unerlaubter Ausübung des Gewerbes anzeigte; denn nur die beim Aedilen eingeschriebenen Dirnen hatten das Recht, in den Lupanaren zu weilen. Seneca spricht an zwei verschiedenen Stellen seiner Kontroversien von der Einführung eines Frauenzimmers in ein Bordell, ohne übrigens näher auf die dabei zu beobachtenden Formalitäten einzugehen. Gewiss vermietete der Bordellhalter nicht ohne weiteres Gewänder und Zelle an jedes der Weiber, die sich zur öffentlichen Preisgabe anboten: sie mussten sich vor allen Dingen über ihre Verhältnisse ausweisen können und sogar ein Dirnenzeugnis, die schon genannte licentia stupri, vorzeigen. Nach einer anderen Stelle in den Kontroversien Senecas kann man vermuten, dass dies Certificat in dem Bordell selbst ausgestellt wurde, und dass der Bordellhalter ein Register führte, worin die Namen seiner Frauenzimmer eingezeichnet waren: „Du bist in ein Lupanar geführt worden, sagt Seneca, und hast dort Deinen Platz eingenommen; Du hast Deinen Preis bestimmt, und sodann ist Dein Schildchen aufgehängt worden; das ist alles was man von Dir erfahren kann.“ Die Schergen des Aedilen machten sich kein Gewissen daraus, nötigenfalls die intimsten Details auszuforschen und die Dirne selbst zu vernehmen.

Besonders streng zeigte sich der Aedil bei Verfehlungen gegen die Vorschriften über Oeffnung und Schluss der Lupanare; denn diese Stunden waren festgesetzt worden, damit nicht die jungen Leute schon vom frühen Morgen an ihre Kräfte in Ausschweifungen vergeuden sollten, anstatt körperliche Uebungen zu betreiben, und dem litterarischen und staatsbürgerlichen Unterrichte zu folgen, die den Hauptteil der römischen

Erziehung bildeten. Ebenso hatte der Gesetzgeber gewollt, dass die Prostitution während der Hitze des Tages ruhen sollte; diejenigen, die unter der Hitze litten, sollten wenigstens nicht versucht sein, eine Vermehrung von Schweiss und Erschlaffung zu erstreben. Nur an der Festtagen, wenn das Volk zu den Circusspielen eingeladen war, wurden Ausnahmen von den angewiesenen Stunden für die öffentliche Ausübung der Unzucht gemacht. An diesen Tagen zog sich die Prostitution dorthin, wo das Volk war, und während die Freudenhäuser in der Stadt einsam und verlassen waren, wurden diejenigen beim Circus zu derselben Stunde wie die Spiele geöffnet; unter den Sitzreihen, auf denen sich die Menge der Zuschauer drängte, richteten die Bordellhalter Zeilen und Zelte ein, zu denen von allen Seiten fortwährend Schaaren von Prostituirten mit den Verehrern, die sie angezogen hatten, herbeieilten. Während die Tiger, die Löwen und die anderen wilden Tiere die eisernen Stangen ihrer Käfige grimmig bearbeiteten, während die Gladiatoren kämpften und fielen, während die Menge das unermessliche Gebäude durch ihren donnernden Beifall und ihr Händeklatschen erbeben liess, reizten die meretrices, die auf besonderen Sitzen sassen und durch ihre hohe Haartracht und ihr kurzes, leichtes und wenig nur verhüllendes Gewand auffielen, ununterbrochen die Lüste der Zuschauer und warteten nicht bis zu dem Schluss der Aufführungen, um sie zu befriedigen. Diese Freudenmädchen verliessen fortwährend ihren Platz und folgten einander während der ganzen Dauer der Aufführung. Da die äusseren Säulengänge des Circus für diesen unübersehbaren Prostitutionsmarkt nicht ausreiehten, so überfluteten die Massen alle nahe gelegenen Kneipen und Gasthäuser. An diesen Tagen war die Prostitution begreiflicherweise vollkommen frei, und die aedilischen Beamten getrauten sich nicht, die Weiber, die das Geschäft der meretrix betrieben, nach dem Certifikate zu fragen. Deshalb charakterisirt Salvianus diese grossen volkstümlichen Orgien folgendermassen: „Der Minerva baut man einen Altar in den Gymnasien, der Venus in den Theatern"; und an einer anderen Stelle: „Jede Art von Schamlosigkeit wird in den Theatern betrieben; jede Art von Lastern in den Ringschulen." Isidor von Sevilla geht in seinen Etymologien noch weiter, indem er sagt: Theater sei das Synonym für Prostitution, weil nach dem Schluss der Spiele die Freudenmädchen an demselben Orte ihr Gewerbe trieben. (Idem vero theatrum, idem est prostibulum, eo quod post ludos exactos maretrices ibi prosternerentur). Die Aedilen bekümmerten sich nicht um die Prostitution in den Theatern, wie wenn sie notwendig zu den dem Volke gebotenen Spielen dazugehört hätte. Zumeist wurden übrigens die Theater von Weibsleuten heimgesucht die in den Säulengängen und den gewölbten Gallerien dieser Gebäude hausten; als Kuppler oder Zuhälter dienten diesen Frauenzimmern die Theaterdiener, die man während der Vorstellung beständig zwischen den Rängen herumgehen sah; sie beschränkten sich nicht darauf, dem Publikum Wasser und frische Erbsen zu verkaufen oder auch auf Kosten der Festgeber gratis zu verabreichen, sondern sie dienten vorzugsweise zu Boten und Vermittlerinnen der Prostitution. Mit Recht nennt deshalb Tertullian den Circus und das Theater die Pflegstätten öffentlicher Unzucht, consistoria libidinum publicarum.

Trotz seiner fast unbeschränkten Herrschaft über die öffentlichen Wege scheint sich der Aedil nicht viel um die vagirende Prostitution bekümmert zu haben; bei den Dichtern und Sittenschilderern, die von dieser niedrigsten Art der Prostitution sprechen, findet man nirgends repressive oder praeventive Massregeln erwähnt. Ohne Zweifel beschränkte sich der Aedil darauf, die Einhaltung der Kleiderordnung zu verlangen und strafte die eingeschriebenen Freudenmädchen streng, die sich mit langem Kleide und dem Kopfschmuck der ehrbaren Frau in den Strassen umhertrieben; wenn die Nacht gütig ihren dichten Schleier herabgesenkt hatte, dann scheint sich der Aedil nicht mehr viel um die Aufrechterhaltung der Sittlichkeit auf den Strassen gekümmert zu haben. Die Strasse gehörte allen Bürgern; jedermann hatte das Verfügungsrecht darüber und fand dort Schutz, wenn er das Volk dazu aufrief. Es wäre deshalb schwierig gewesen, einen Bürger in der Ausübung seiner individuellen Freiheit auf offener Strasse zu beschränken. Ebenso hatte die Aedilität selbst zur Zeit ihrer höchsten Machtvollkommenheit kein Mittel, um die Passanten an der Verunreinigung der Strassen und der Häusermauern durch Uriniren zu verhindern; im Interesse der Reinlichkeit Roms rief sie den Gott Aeskulap zu Hilfe, indem sie an den besonders zu gedachtem Zwecke bevorzugten Orten zwei Schlangen, das Sinnbild des Gottes der Heilkunst anbringen liess. Diese Schlangenbilder verhinderten die Schmutzereien, die keine Vorschrift der Polizei hintanhalten konnte. Leider gab es aber keine Schlange, die die Prostitution an der Benützung der Gewölbe und der Winkel zu ihrem unsauberen Geschäfte hindern konnte, sobald die Strasse dunkel und wenig frequentirt war. Pitiscus, der nichts anführt ohne die Beweise aus den Schriften oder den Denkmälern der Alten beizubringen, beschreibt uns die römischen Prostituirten letzten Ranges, wie sie sich nachts in den Winkeln und engen Gässchen der Stadt herumwälzen, die Vorübergehenden anrufen und anlocken und sich so schamlos benehmen, wie die Hunde, die am Tage den Platz innehatten: quos in triviis venereis nodis cohaerere scribit Lucretius. Der Aedil musste sich darauf beschränken, dieses entsetzliche Treiben in die verrufenen Stadtteile zu verbannen, in deren Quartiere die anständigen Bürger niemals einen Fuss setzten und wo nur Diebe, Bettler, flüchtige Sklaven und übelbeleumdete Weiber hausten. Die Polizei rührte diesen Abschaum der Menschheit nicht gern auf, und so musste schon ein Mord, ein Diebstahl geschehen oder eine Feuersbrunst ausbrechen, bevor einer der Officiere der Aedilität in diese Stätten hinabstieg. Die öffentliche Strasse der Vororte und an der Stadtmauer war also der nächtliche Schauplatz der niedrigsten Ausschweifungen. Dort traf eines Abends auch Catull jene Lesbia, die er mehr als sich selbst, mehr als alles andere geliebt hatte; aber, wenn er sie auch erkannte, wie war sie doch verändert, welch schamloses Gewerbe trieb sie dort im Dunkel! Bestürzt, die Augen voller Thränen, wandte er sich ab und wünschte, er hätte sie nie wieder gesehen; und so strömte er seine Klage, die Klage seines Dichterherzens, in die ergreifenden Verse aus:

Illa Lesbia quam Catullus anum
Plus quam se atque suos amavit omnes,
Nunc in quadriviis atque angiportis
Glubit maganimos Remi nepotes!

Liess der Aedil die unseligen Priesterinnen der öffentlichen Unsittlichkeit in Frieden, so bekümmerte er sich noch weniger um das Betragen ihrer gewöhnlichen Begleiter; Sittencensur war überhaupt nicht sein Amt, und er hütete sich wohl unter dem Vorwande, die öffentliche Sittlichkeit zu schützen, in die Privilegien der römischen Bürger einzugreifen. Er nahm lediglich Beschwerden an, die ihm überreicht wurden und zitirte diejenigen, die Anlass zu der Beschwerde gegeben hatten, vor seinen kurulischen Sessel Manchmal waren die Klagen sehr schwer, z. B. wenn eine Ehefrau sich darüber beklagte, beschimpft und wie ein Freudenmädchen behandelt worden zu sein, indem sie jemand auf der Strasse verfolgt und angesprochen hatte. Der Aedil hatte alsdann zu untersuchen, ob die Frau durch ihre Kleidung oder ihr Benehmen einen Irrtum habe hervorrufen können und ob der Beleidiger mit Recht Irrtum und guten Glauben einzuwenden vermöge. In der Regel verzichteten die Frauen aus Furcht vor einem öffentlichen Skandal darauf, ähnliche Vorfälle dem Aedilen anzuzeigen, zumal wenn sie sich in Bezug auf die Toilette irgend etwas vorzuwerfen hatten, denn es genügte zur Entschuldigung des Beklagten, dass das Gewand ein wenig kurz, die Frisur ein bischen hoch war, oder dass der Hals, die Schultern oder die Brust sich nackt dem Auge dargeboten hatten. „Ansprechen und verfolgen, so sagt Ulpian im XV. Artikel De injuriis et famosis libellis, sind zwei verschiedene Dinge; ansprechen, das heisst das Schamgefühl eines dritten durch zudringliche Worte verletzen; verfolgen heisst hartnäckig, aber stillschweigend hinter einem hergehen.“ Wenn die Lüstlinge über den Charakter einer Frau, die ihren Weg kreuzte, im Unklaren waren und sie sich ihr doch zu nähern wünschten, dann sprachen sie sie nicht sofort an, sondern folgten ihr, bis dass sie ihnen durch ein Zeichen oder einen Blick angedeutet hatte, dass ihr eine Annäherung erwünscht sei;

darauf hielten sie sich dann für ermächtigt, sie auch anzusprechen. Man redete auf der Strasse keine fremde Frau an, es sei denn, sie hätte durch ein Wort, einen Blick oder ein Zeichen auf die erste Annäherung reagirt; dieser Brauch wurde in den römischen Städten aufrecht erhalten sogar noch zu einer Zeit, wo die Gesetze selbst längst in der allgemeinen Corruption ihre Strenge verloren hatten. Nur die öffentlichen Freudenmädchen standen sozusagen dem Erstenbesten zur Verfügung; jeder Passant hatte das Recht, sie auf der Strasse anzuhalten und von ihnen die Leistung eines schimpflichen Dienstes zu verlangen, wie wenn es sich um eine Waare gehandelt hätte, die jedermann zu einem bestimmten Preise überlassen wird.

Ausgenommen den Fall, dass der sectator (d. h. der Mann, der auf Abenteuer ausgeht) sich sei es aus Frechheit oder aus Irrtum einer ehrenhaften Frau zu nähern und sie anzusprechen erlaubte, wenn weder ihr Kostüm noch ihr Gebaren einen solchen Angriff rechtfertigten, — ausgenommen diesen einen Fall war das Aufsuchen der Vergnügen der Prostitution den Männern vollkommen freigestellt, nicht so freilich den jungen Leuten. Diese konnten von ihren Vätern oder Vormündern bestraft werden, denn das Gesetz kannte drei Fälle, in denen der Vater nicht nur das Recht hatte seinen Sohn zu enterben, sondern ihn auch aus der Familie auszustossen und ihm die Führung des Namens zu untersagen: erstens, wenn der Sohn häufig ausserhalb des väterlichen Hauses die Nacht verbrachte; zweitens, wenn er sich niedrigen Gelüsten ergab, und endlich, wenn er sich in unkeusche Vergnügungen stürzte. In gewissen Fällen vereinigte also der Vater in seiner Hand die Machtmittel der Aedilen und Censoren gegen seinen Sohn, wenn er ein ausschweifendes Leben führte. Ein Teil derselben Gewalt stand dem Vormund gegen sein Mündel zu. Aber die jungen Leute waren nicht die einzigen Kunden der Prostitution; Männer in reifem Alter, angesehene und geehrte Leute befanden sich oft unter der unkeuschen Schaar, die die Nacht nicht erwarten konnte, um sich der Unzucht hinzugeben. Es gab übrigens unter diesen Leuten, die sozusagen den aktiven Teil der Prostituirten darstellten, verschiedene Arten, für die die Römer auch wieder verschiedene Bezeichnungen hatten; wir erwähnen davon, die adventores, die einfach auf Mädchen, die ihnen käuflich schienen, losgingen; ferner die venatores, die sich mehr auf systematische Nachstellungen verlegten; Alcinoi juventus (die alcinoische Jugend), die eleganten Flaneure, die frisirt und pomadisirt in den Strassen umherstelzten und Abenteuer auf eine Nacht suchten. Salaputii nannte man jene Menschen, deren körperliche Eigenschaften im umgekehrten Verhältnis zu ihrer Freude an Liebesaffairen und ihrer Geilheit standen, während die semitarii jene Klasse plumper und brutaler Menschen darstellten, die auch in der Umarmung des Weibes nur den Triumph ihrer physischen Ueberlegenheit geniessen.

Jeder verheiratete Mann, der ein Bordell besuchte, wurde zum Ehebrecher (adulter); wer die anderen gemeinen Häuser besuchte, war ein scortator (Hurer); wer mit einem Freudenmädchen zusammenwohnte, mit ihr speiste und sich durch ihre Gesellschaft kompromittirte, war ein moechus (Zuhälter). Cicero beschuldigt den Catilina sich aus scortatoren eine Leibwache gebildet zu haben; der Dichter Lucilius sagt, dass ein verheirateter Mann, der seine Frau hintergeht, dafür durch die Bezeichnung Ehebrecher (adulter) bestraft wird; ein alter Scholiast des Martial sagt uns, dass adulter die Bezeichnung für denjenigen war, der zufällig oder gelegentlich einmal die Ehe gebrochen hatte, dass dagegen moechus einen solchen Menschen kennzeichnete, der gewohnheitsmässig die Ehe brach. Die lateinische Sprache liebte ebensosehr die verkleinernden als die vergrössernden Wortformen; so hatte sie das Wort moechus zu moechocinoedus verstärkt, das gleich eine ganze Reihe von unsittlichen Handlungen in sich schloss; gleichzeitig hatte sie zu dem Verbum moechor das Diminutiv moechisso geschaffen, das dasselbe ausdrückte, nur ein wenig zarter. Die griechische Sprache, aus der moechus stammt, hat ungefähr zehn oder zwölf verschiedene Worte geprägt, um alle die Nuancen und Spielarten des ehebrecherischen Lebenswandels damit auszudrücken.

Niemand, der noch etwas auf sich hielt, ging in ein Bordell ohne vorher das Gesicht bedeckt und das Haupt mit dem Mantel verhüllt zu haben. Ueber die Art und Weise seiner Verkleidung brauchte er niemandem Rechenschaft zu geben. Als Heliogabal nächtlicherweile die verrufenen Häuser Roms aufsuchte, trug er stets, um nicht erkannt zu werden, eine Maultiertreibermütze: Textus cucullione malionico, ne agnosceretur, ingressus, sagt Lampridius. Der Aedil selbst würde sich nicht erlaubt haben, die Kopfbedeckung zu lüften, unter der er den Kaiser entdeckt haben würde; aber dagegen liess er, zumal am Tage und auf der Strasse, die Befolgung der Kleiderordnungen genau überwachen, laut denen den Freudenmädchen verboten war, die Stola oder das lange Kleid, die Haarbänder, Unterkleider aus purpurnem Stoffe und zu verschiedenen Zeiten sogar Stickereien und Schmucksachen aus Gold zu tragen. Diese Verordnungen des Senats wurden mehrfach von den Kaisern erneut, und doch war ihre Ausführung durch die Aedilität manchmal recht schlaff und mangelhaft. So sah man im Theater und im Circus die grossen Courtisanen oft aufgedonnert wie die Königinnen, strahlend von Gold und Edelsteinen; ebensowenig kehrten sie sich natürlich an die anderen Kleidervorschriften: „Wer trägt geblümte Kleider, fragt Martial, und wer erlaubt den Freudenmädchen, das schamhafte Benehmen einer mit der Stola bekleideten Hausfrau nachzuahmen?" Ein Weib, das sich der Prostitution weihte, hatte die Vorrechte der ehrbaren Frau für immer verloren und verzichtete selbst darauf, öffentlich in der Toga und mit den Insignien der ehrbaren Frau zu erscheinen: seine Registrirung in die Listen des Aedilen machten sie unwürdig der langen und weiten, sogenannten matronalen Robe. Bei der Erwähnung von Geschenken, die jemand einer Prostituirten (moechae) übersendet, spottet Martial: „Ihr spendet scharlachne und purpurne Gewänder einer bekannten Courtisane! Wollt Ihr ihr das Geschenk geben, das sie verdient? Sendet ihr eine Toga.“ Ursprünglich war in Rom die Toga das Kleidungsstück für beide Geschlechter gewesen; als aber die Einführung fremder Weiber in den Zeiten der Republik die ehrbaren Frauen zur Wahl einer besondern Kleidung gezwungen hatte, wählten sie die stola, die in langen Falten bis auf die Hacken herniederfiel und die Brust so schamhaft bedeckte, dass kaum die Formen unter dem Stoffe angedeutet waren. Die Toga oder Tunica ohne Aermel blieb das Kleidungsstück der Männer und gleichzeitig jener Weiber, die die Privilegien ihres Geschlechtes mit den Ehren und den Rechten ehrbarer Frauen verloren hatten. Das ist vermutlich die wichtigste Kleiderregel, mit der der Aedil zu thun hatte.

Ausserdem gab es noch eine Reihe von Verboten und Vorschriften in Betreff der Kleidung der Freudenmädchen, die indess so oft wechselten, dass man sie unmöglich klassificiren und einer bestimmten Zeit zuschreiben kann. Schuhwerk und Haartracht der Courtisanen waren ebenso vorgeschrieben, wie ihre Kleidung, aber die Aedilität legte auf Abweichungen in diesen Teilen ihrer Toilette weniger Gewicht. Da die römischen Matronen sich des Schuhes (soccus) bedienten, so wurde er für die Freudenmädchen verboten und sie mussten immer mit nackten Füssen in Pantoffeln oder Sandalen gehen (crepida und solea), die sie mit vergoldeten Riemen befestigten. Tibull beschreibt uns entzückt den kleinen Fuss seiner Maitresse, der zusammengepresst erscheint durcn das Band, das ihn umgiebt: Ansaque compressos colligat arcta pedes. Ein nackter Fuss bei den Frauen war ein Zeichen, dass sie sich der Prostitution ergeben hatten; zugleich versah er die Geschäfte eines Kupplers, denn seine strahlend weisse Farbe zog die Blicke an und erregte die Begierden. Manchmal waren auch die Sandalen oder Pantoffeln ganz vergoldet: Auro pedibus induto, sagt Plinnis von diesem glänzenden Zeichen der Unehre. Um die Goldfarbe anzudeuten, begnügten sich die Mädchen wohl auch hin und wieder mit gelbem Schuhwerk, obschon das ursprünglich den Jungvermählten vorbehalten war. „Mit einem gelben Schnürstiefelchen am schneeweissen Fuss . . .“ so spricht Catull von einer Jungvermählten.

Die Matronen hatten überdies eine eigene Haartracht, die sie nicht von den Freudenmädchen usurpieren liessen: sie bestand aus einem breiten weissen Bande, das den Haaren zugleich Halt und Schmuck war.

Dies Band war wahrscheinlich eine Reminiscenz an jenes, das das Haupt der Opfertiere und Opferlämmer schmückte. Die Matrone bot sich gleichsam selbst dar als Opfer auf dem Altar der Schamhaftigkeit, wie um daran zu erinnern, dass vor Zeiten der Kultus der Gottheiten der Fruchtbarkeit als Tribut die Darbringung der Jungfernschaft gefordert hatte. Jungfrauen trugen ein einfaches Band; daran erkannte man sie; das doppelte Band blieb ausdrücklich den verheirateten Frauen vorbehalten: „Fort von hier,“ so ruft Ovid in seiner Ars amandi aus, „fort von hier, ihr kleinen Bändchen (vittae tenues), Zeichen der Schamhaftigkeit! Fort mit den langen Gewändern, die den halben Fuss bedecken!“ Die Stola oder lange Robe (insista), in der Regel unten mit Purpur besetzt, kennzeichnete die römische Ehefrau ebenso wie jene Bänder, die so graciös eine Fülle schwarzer Haare umspannten und sie, in dicken Flechten, am Hinterkopfe zusammenhielten. Abgesehen von diesen ein fachen und doppelten Bändern konnte die Courtisane ihre Haartracht nach Belieben einrichten. Wir haben schon gesagt, dass sie sich den Kopf mit ihrem palliolum, einer Art Kapuze aus Stoff, zu verhüllen pflegten, und dass sie einen Schleier vor dem Gesichte trugen, während sich die ehrbaren Frauen überall mit blossem Kopfe und unverschleiertem Gesichte zeigten, um damit auszudrücken, dass sie sich nichts vorzu werfen hätten und nicht erröteten unter dem Blicke des Volkes, ihres beständigen Richters. Jahrhundertelang hätten diese stolzen Römerinnen sich zu entehren geglaubt, wenn sie ihr Haupt verhüllten oder ihr Haar färbten und puderten und ihm seine natürliche Farbe nähmen; sie entschlossen sich sogar nur deshalb dazu, es in Flechten zu teilen, um sich von den jungen unverheirateten Mädchen (innuptae) zu unterscheiden, denen das frisierte oder gelockte Haar den Beinamen cirratae, d. h. eigentlich die Pomadisierten, eingetragen hatte. Die Prostituierten kopierten gerne die verschiedenen Haartrachten der Verheirateten und der cirratae, aber sie änderten sie alle leicht ab: bald färbten sie ihre Haare gelb, bald rot, bald blau; manchmal schwächten sie auch nur den Glanz ihres ebenholzschwarzen Haares dadurch ab, dass sie es mit parfumierter Asche einrieben; als später die Kaiser sich eine Art von Heiligenschein schufen, indem sie Goldstaub in ihr Haar streuen liessen, waren die Freudenmädchen die Ersten, diese ihnen passend erscheinende Mode nachzuahmen; und so sassen sie denn bei den öffentlichen Festen und den heiligen Spielen den Kaisern gegenüber, die Stirn umkränzt von goldgepudertem Haare, wie Göttinnen in ihrem Tempel. Aber diese Gottähnlichkeit dauerte nicht lange, da das Pudern mit Goldstaub ihnen verboten wurde; sie ersetzten deshalb den Goldstaub durch ein anderes Mittel, eine Art Resedagelb, das in der Sonne weniger glänzte, dafür aber dem Auge angenehmer war. Diejenigen, die für die blaue Farbe schwärmten, puderten sich mit pulverisiertem Lapis: „Alle Strafen der

Hölle sollen den treffen, der Deine Haare ihrer natürlichen Farbe beraubt!" so ruft Properz zu den Füssen seiner Geliebten aus. „Mache mich oft glücklich, Cynthia, dann bist Du hübsch und wirst immer hübsch bleiben in meinen Augen. Weil eine Verrückte sich das Gesicht und die Haare blau färbt, macht darum diese Schminke schöner?" So sehr der Aedil den Goldpuder bei den Freudenmädchen bekämpfte, so wenig hatte er gegen das Färben der Haare in Blau und Gelb einzuwenden, ja, er ermutigte sie gar noch dazu, denn diese Farben waren kennzeichnend für sie (caerulea und lutea): das Blau erinnerte an den Schaum des Meeres, das Venus geboren hatte, das Gelb an das Gold, die wahre Gottheit ihres unehrenhaften Gewerbes.

Die Aedilen hätten viel zu thun gehabt, wenn sie jeden Verstoss der Freudenmädchen gegen die Kleiderordnungen hätten feststellen, aburteilen und strafen sollen; sie schlossen die Augen vor einer Menge kleiner Uebertretungen, die man der weiblichen Eitelkeit zu gute hielt. Im allgemeinen hatten die unter Kontrolle stehenden Frauenzimmer gar kein Interesse daran, mit ehrbaren Frauen verwechselt zu werden, sondern zogen im Gegenteil absonderliche, nur von ihnen getragene Moden, mit denen sie die Aufmerksamkeit ihrer Kundschaft schon von weitem erregten, vor. Aus diesem Grunde trugen sie mit Vorliebe Kleider, für die der lateinischen Sprache sogar die Bezeichnung fehlte: babylonici vestes und sericae vestes. Babylonici vestes nannte man ein lang schleppendes, vorne gerafftes Gewand aus gefärbten Stoffen, mit bunten Mustern geblümt oder gestickt, in tausend Farben glänzend. Die Freudenmädchen aus Tyras und Babylon hatten dies Nationalkostüm, diese alte Prostituiertenlivrée, nach Rom gebracht. Sericae vestes nannte man weite seidene Roben, so dünn und durchsichtig, dass sie nach dem Ausdruck eines Augenzeugen dazu erfunden zu sein schienen, das besser zu zeigen, was sie angeblich verhüllen sollten. Die Huldinnen Indiens kleideten sich nur in solche Gewänder, und so sah man sie denn, in einer Wolke von Gaze, vollkommen nackt. Mit Entrüstung sagt der keusche Verfasser der Abhandlung von den Wohlthaten: „Seidene Gewänder — vorausgesetzt, dass man das ein Gewand nennen kann, was keinen Teil des Körpers schamhaft verhüllt und in dem eine Frau unmöglich schwören könnte, nicht nackt zu sein; Gewänder, von denen man behaupten möchte, sie seien erfunden, damit unsere Frauen in ihrem Schlafgemach ihren Liebhabern nicht mehr zeigen könnten, als sie ihnen schon in aller Oeffentlichkeit zeigen." Seneca eiferte gegen diese asiatische Mode ganz besonders und kommt in seinen Controversen nochmals darauf zu sprechen: „Ein Haufen elender Sklavinnen arbeitet mühevoll, damit diese lüsterne Gesellschaft ihre Nacktheit unter einem durchscheinenden Gazeschleier ausstellen kann, und damit ein Ehemann die geheimen Reize seines Weibes nicht genauer kennt, als der erste beste Fremde." Die babylonischen

Kleider waren bei den Freudenmädchen beliebter, als diese tyrischen Gewebe, obschon sie decenter waren; denn es musste eine ihrer geheimen Vorzüge doch schon sehr sicher sein, ehe sie ihren Körper so allen Blicken darbot. Der Aedil kümmerte sich nicht um derartige Frechheiten der Toilette, denn die eingeschriebenen oder nicht eingeschriebenen Weiber, die sich in einem so luftigen Gewande gefielen, dachten offenbar gar nicht daran, den ehrbaren Frauen gleichzuthun. Ebenso verhielt es sich mit denen, die sich nach babylonischer Mode kleideten mit Stoffen, die eine Dame nicht ohne Erröten öffentlich hätte tragen können: „Gefärbte Stoffe, zu Babylon gewebt,“ so nennt sie Martial, „und gestickt mit der Nadel der Semiramis.“

Die Courtisanen, die folgsam die professionelle Toga trugen, fügten ihr einen kurzen Mantel, das amiculum, hinzu, das aus zwei zusammengenähten Teilen bestand und auf der linken Schulter so durch einen Knopf oder eine Agraffe gehalten wurde, dass zwei Aermellöcher vorhanden waren. Dies amiculum, dies „Freundchen“, reichte nicht über die Taille herab; es sah ungefähr so aus, wie der Chlamys (wollener Obermantel) der Männer und wurde nur von Frauen mit lockerem Lebenswandel getragen. Jsidor von Sevilla behauptet in seinen Etymologien, dies Kleidungsstück und seine Bestimmung seien so bekannt gewesen, dass man es den ertappten Ehebrecherinnen anzulegen pflegte, damit das amiculum gewissermassen einen Teil der Schande, die der römischen Stola zugefügt worden war, auf sich abzöge. Dieses Mäntelchen, das im Griechischen cyclas hiess und den griechischen Frauen niemals als unsittlich gegolten hatte, wurde in Rom zweifellos durch Hetären eingeführt, die es in Verruf brachten. Die Farbe des amiculum scheint weiss gewesen zu sein, denn es war aus Leinwand. Die Toga, die man darunter trug, war fast immer grün, denn Grün war die Farbe Priaps, des Gartengottes. Die Commentatoren haben über die Nuancen dieses Grüns viel gestritten: der eine sagt, es sei blaugrün gewesen, der andere tiefgrün; manche haben ihm einen goldigen Glanz zugeschrieben, andere wieder einen gelblichen Ton. Wie dem auch sei, dieses Grün (galbanus) war bei den die Ausschweifungen liebenden Angehörigen beider Geschlechter so beliebt, dass man ihnen den Spitznamen galbanati, d. h. die Grünröcke, gab; man verwandte galbanus schlechthin im Sinne von sittenlos; galbana nannte man einen feinen, glatten, blassgrünen Stoff. Vopiscus erzählt uns von einem lüsternen Menschen, der einen scharlachnen Chlamys und einen grünen Mantel mit langen Aermeln trug. Juvenal zeigt uns einen anderen, der in Blau und Grün gekleidet war (coerulea indutus scutulata aut galbana rasa). Schliesslich diente die grüne Farbe des Gewandes einfach zur Charakterisierung des Trägers: galbanatus hiess jemand, der auf Liebesabenteuer ausging.

Alle ausländischen Moden standen von Rechtswegen den Prostituierten zu, die den Titel der Bürgerin verloren hatten und übrigens zumeist aus dem Auslande stammten. Ihre festliche Haartracht — denn der Capuze bedienten sie sich nur am Abend und am Morgen auf dem Wege zum und vom Bordell — jene Haartracht, die sie mit Vorliebe im Theater oder bei öffentlichen Festlichkeiten anlegten, wenn man sie dort duldete, bewies deutlich, dass die Prostitution im Orient entstanden war, und dass Rom ihr ihr nationales Kostüm gelassen hatte. Man unterschied drei Arten von Kopfschmuck, die den Prostituierten vorbehalten blieben: die Mitra, die Tiara und den Nimbus. Der Nimbus scheint aegyptischen Ursprungs zu sein: es war ein mehr oder weniger breites Band, das man um die Stirn legte, um sie niedriger erscheinen zu lassen. Die Römer liebten ebenso wenig wie die Griechen eine hohe Stirne bei den Frauen; die römischen Frauen suchten deshalb ihren Vorderkopf, der höher und vorspringender war, als der der Griechinnen, möglichst zu verdecken. Die Mitra stammte zweifellos aus Kleinasien, aus Chaldaea oder Phrygien, sie war mehr oder weniger komisch. Die Tiara kam aus Judaea und Persien; sie war aus lebhaft gefärbtem Stoff cylinderförmig angefertigt und ähnelte den spitzen Tempeltürmen Indiens. Mit der mützenartigen, komischen phrygischen Mitra haben die Maler nach der Ueberlieferung den trojanischen Hirten Paris ausgestattet, der den Schiedsrichter zwischen den drei Göttinnen machte und der Venus den Apfel reichte. Diese mythologischen Erinnerungen rechtfertigten die Wahl dieser Mütze zum Embleme der geschlechtlichen Ungebundenheit. Die pyramidenförmige Tiara war einst der Schmuck der Könige von Persien und Assyrien gewesen, und nun krönte sie wieder die Königinnen der freien Liebe, die römischen Courtisanen, die sich damit für die Theater- und Circusvorstellungen herausputzten, ohne vom Censor oder Aedilen bestraft zu werden. Später wurde dieser stolze Kopfputz für sie zu einem hässlichen Spitznamen.

Die Aedilen, die sonach duldeten, dass sich die Prostituierten kleideten, frisierten und beschuhten wie die Königinnen von Tyrus oder Ninive, achteten sorgfältig darauf, dass sie sich keiner Sänfte oder irgend eines Wagens bedienten. Die verheirateten Frauen hatten ganz allein das Recht, sich zu ihrer Beförderung der Wagen, Pferde oder Sklaven zu bedienen, und sie wachten eifersüchtig über dieses Vorrecht. Schon in den ersten Jahrhunderten Roms benutzten sie einen schwerfälligen Karren, dessen Erfindung der Carmenta, der Mutter des Euander zugeschrieben wurde; da dieses Fahrzeug, eine Art geschlossener Karren, den schwangeren Frauen, die nicht mehr gut gehen konnten, grosse Dienste leistete, so wurde seine Erfinderin zur Göttin erhoben und ihr die Aufsicht über den Geburtsakt zugeschrieben. Aber zu jenen Zeiten duldeten die Römer nicht einmal bei den Frauen Verweichlichung und Luxus: der Senat verbot die Benutzung der Wagen der Carmenta. Die Frauen, zumal die schwangern, protestierten gegen diesen gar zu strengen Beschluss und machten unter sich aus, die Erfüllung der ehelichen Pflichten zu verweigern und so lange dem Vaterlande keine Söhne mehr zu schenken, bis der Beschluss wieder aufgehoben worden sei. Nach ihrem Siege errichteten die Frauen der Göttin Carmenta einen Tempel am Abhange des Capitolinischen Hügels; und von jenem denkwürdigen Ereignis ab, über das uns Graevius in seinen römischen Altertümern mehrere Lesarten übermittelt hat, blieben die Frauen im Besitze ihrer Wagen, denen man allerdings die Räder nahm, um sie von Sklaven oder Pferden sorgsam tragen zu lassen. Es gab zwei Arten von Wagen, die basterna und die lectica; die erste war etwa ein an einem Tragholz zwischen zwei Maultieren aufgehängtes Coupé, es war geschlossen und mit Fenstern versehen: „Eine wunderbare Vorsichtsmassregel", so sagt der Dichter, der uns die Beschreibung giebt, „damit die keusche Hausfrau durch die Strassen eilen kann, ohne von den Blicken der Passanten beleidigt zu werden." Die lectica oder Sänfte wurde von Menschen mit der Hand getragen; sie war gleichfalls geschlossen und bedeckt. Es gab ihrer in allen Formen und Grössen, von der einfachen cella, in der nur eine Person befördert werden konnte, bis zum octophor, das auf den Schultern von acht Trägern balancierte. In der cella pflegte die Frau zu sitzen; in dem octophor lag sie auf Kissen, häufig von zwei oder drei Personen begleitet. Mit den Sänften wurde ein ungeheuerer Luxus getrieben. Die Prostituierten versuchten immer wieder, sich ihres Gebrauches zu bemächtigen.

Zeitweilig hatten sie Glück damit; aber der Aedil machte doch nur der Gunst und dem Reichtum in diesem Punkte Koncessionen. Unter verschiedenen Kaisern konnte man berühmte Courtisanen in Sänften erblicken. Die also Begnadeten begnügten sich aber nicht mit der geschlossenen Sänfte, die still durch die Strassen zog, ohne zu verraten, was sie im Inneren barg; nein, sie verbesserten das Transportmittel: die Sänfte wurde sozusagen zum Schlafzimmer, oder, wie einer der Kommentatoren sagt, sie wurde zum wandelnden Lupanar. Die zunehmende Sittenlosigkeit hatte auch eine Vermehrung der Sänften in Rom zur Folge und zugleich eine Mehrung der Vorteile, die die elegante Prostitution daraus zog. Die Frauen wunderten sich selbst nicht mehr darüber, mit den Courtisanen verwechselt zu werden: „Unsere Frauen, die römischen Matronen", so klagt Seneca, „legen sich in ihre Sänften hinein, wie wenn sie sich zu einer Versteigerung darbieten wollten." Die Sänfte wurde zum Schauplatz des Ehebruchs gemacht. Die Prostituierten gaben übrigens den Frauen das Beispiel; man traf sie nicht nur in geschlossenen Gefährten, sondern man sah sie überall in offenen Sänften, in patente sella, wie Seneca sagt. Ein Scholiast des Juvenals lässt seiner Phantasie etwas allzuweit die Zügel schiessen, indem er behauptet, die Mädchen, die die Sänften zur Prostitution missbrauchten, hätten sellariae geheissen, zum Unterschiede von den cellariae, die ihr Gewerbe im Bordell ausübten. Juvenal geht in Wirklichkeit auf den Gegenstand überhaupt nicht näher ein. Aber Peter Schoeffer vertritt in seiner Abhandlung De re vehiculari die Ansicht, dass sich die Sänfte unter gewissen Umständen zu einer wandelnden Stätte der Prostitution gestaltete. Domitian verbot ohne Zweifel aus diesem Grunde den Gebrauch der Sänfte nicht nur den eingeschriebenen Freudenmädchen, sondern jedem übelberufenen Frauenzimmer (probrosis feminis).

Auch noch andere Verbote in Bezug auf diese Frauen hatten die Aedilen zu überwachen, denn es steht fest, dass ihnen der Gebrauch des Purpurs und des Goldes zu gewissen Zeiten untersagt war. Aber polizeiliche Vorschriften pflegen gegen die Hartnäckigkeit eines Geschlechtes nichts auszurichten, das nun einmal den Schmuck liebt und Unterdrückung der Koketterie schwer empfindet. Mehrere Kenner des Altertums wollen behaupten, dass zu Rom ein Gesetz bestanden habe, wonach der Gebrauch von goldenen Schmucksachen und kostbaren Stoffen Weibern mit schlechtem Lebenswandel unbedingt verboten war, ausgenommen in den Bordells selbst und bei der Ausübung ihres schimpflichen Gewerbes. Wenn dieses Gesetz existiert hat, so ist es nicht lange in Kraft geblieben oder erlitt wenigstens häufig Eingriffe, denn die Dichter führen uns oft Courtisanen mit purpurner Kleidung und goldenem Schmuck vor. Ovid scheint sich wenigstens nicht an Kleidergesetze zu erinnern, wenn er die Toilette einer Prostituierten oder wenigstens einer Frau von lockerem Lebenswandel folgendermassen beschreibt: „Edelsteine und Gold bedecken sie ganz, sodass ihre Schönheit den kleinsten Teil ihres Wertes ausmacht.“ Plautus bringt in einer seiner Komoedien eine goldüberladene Prostituierte auf die Scene, scheint das allerdings als etwas in Rom Neues hinzustellen: „Sed vestita, aurata, ornata, ut lepide! ut concinne! ut nove!“ Juvenal beschreibt uns ein Freudenmädchen in einer Herberge, das um den Kopf einen goldenen Nimbus, d. h. ein vergoldetes Band, trug (quae nudis longum ostendit cervicibus aurum); indessen spielt er auf das Vorrecht der ehrbaren Frauen, allein Edelsteine und Ohrringe tragen zu dürfen, in jenen Versen an, wo er sagt, dass eine Frau, die Smaragden um den Hals trägt und Perlen in den Ohren, sich alles erlaubt und über nichts errötet:

Nil non permittit mulier, sibi turpe putat nil,
Cum virides gemmas collo circumdedit et cum
Auribus externis magnos commisit elenchos.

Apulejus bestätigt das Zeugnis Juvenals: „Ihre goldenen Schmucksachen, ihre goldgewirkten Gewänder bezeugten zuerst, dass sie eine ehrbare Frau war.“ Man weiss indessen, dass die Lex Oppia allen Frauen den Gebrauch des Purpurs untersagt hatte, um ihn den Männern ausschliesslich vorzubehalten. Nero erneute dieses Verbot, das endgiltig erst unter Aurelianus aufgehoben wurde. Aber die Alten kannten verschiedene Sorten von Purpur und nur die leuchtendste diente als Zeichen der Macht. Der plebejische, violette Purpur fiel gewiss nicht unter das Verbot, das die Kaiser des Orients auf den kaiserlichen Purpur beschränkten. Ferrarius behauptet in seinem Werke De re vestiaria, um die Widersprüche der Autoritäten auszugleichen, dass die Freudenmädchen das Recht hatten, Gold und Purpur zu tragen, selbst öffentlich, wenn nur der Purpur nicht in Streifen aufgenäht war, und wenn der Goldschmuck keine Haarbändchen darstellte. Aber man nimmt wohl besser an, dass die Kleidervorschriften für die Prostituierten häufigen Veränderungen unterlagen; manchmal gingen sie vom Senat aus, dann vom Kaiser, dann vom Aedilen, manchmal genügte der Einfluss einer dieser Fürstinnen der Liebe, oder vielmehr die Macht eines ihrer Verehrer, um alte Gebräuche abzuschaffen, die dann doch unter anderem, besserem Einfluss wieder in Kraft traten. Die Freudenmädchen waren in Rom wie in allen Städten, wo die Prostitution den Befehlen der Polizei unterstellt war, trotz Registrierung und Concession, Gegenstand strenger Massregeln, die oft den Charakter von Verfolgungen annahmen, aber doch immer nur Excessen entgegenwirken und der Zerstörung der öffentlichen Sittlichkeit steuern sollten.

Kapitel XIX.

Inhalt: Die elegante Prostitution. — Bonae mulieres. — Ihre Liebhaber. — Der Unterschied zwischen grossen Courtisanen Roms und den griechischen Hetären. — Cicero bei Cytheris. — Preciosae und famosae. — Ihre Liebhaber. — Die via sacra. — Spaziergänge der Courtisanen. — Spaziergänge der ehrbaren Frauen. — Der Zug der Matronen. — Was Juvenal von den römischen Frauen sagt. — Ogulnia. — Juvinals Schilderung des Sergius, des Geliebten der Hippia. — Der Gladiator des Petronius. — Die Jünger der Venus aversa. — Was man in Rom „erlaubte Vergnügungen" nannte. — Die stumme Sprache der Prostitution. — Das signum infame. — Warum der Mittelfinger bei den Griechen im Verruf stand. — Die gesticulariae. — Das Gebärdenspiel der Liebe. — Die gewöhnliche Zurückhaltung in der römischen Conversationssprache. — Ueber die Erotik in der lateinischen Sprache. — Bruder und Schwester. — Die Schwester linker Hand und der kleine Bruder. — Ueber erotische Schriften oder molles libri. — Die Geheimbibliothek der Courtisanen und der Lebemänner. — Die obscönen Schriften der Griechen und Römer durch die Kirchenväter vernichtet. —

In Rom gab es eine Prostitution, die den Aedilen in keiner Weise etwas zu schaffen machte, es sei denn, dass sie sich einmal einige Toilettenvorrechte der Matronen anmasste. Es war das die Prostitution grossen, vornehmen Stiles, der die lateinische Sprache das Beiwort: die gute gab (bonum meretricium). Die Weiber, die ihr huldigten, nannten sich auch die guten Huren (bonae mulieres), um gewissermassen ihren Rang im Gewerbe zu bezeichnen. Wenn diese Courtisanen auch thatsächlich als Ausländerinnen, Freigelassene oder als Musikantinnen, in die Liste der Aedilen eingetragen waren, so waren sie doch nicht mit den unglückseligen Sklavinnen der öffentlichen Unzucht zu vergleichen; man traf sie niemals in der neunten Stunde des Tages, das Haupt verhüllt unter einem Mäntelchen oder das Gesicht unter einer Kapuze versteckt; man überraschte sie niemals mit einem Liebhaber auf der Strasse oder in irgend einem Winkel; in den Herbergen, den Tavernen, den öffentlichen Bädern, den Bäckereien, oder an anderen verrufenen Orten würde man sie vergeblich gesucht haben; so scheute man sich denn endlich auch niemals, öffentlich mit ihnen zu erscheinen, obschon sie, wie die anderen Prostituierten, im Verruf standen, oder als ihre Verehrer zu gelten: denn sie hatten meistens bevorzugte Liebhaber, amasii oder amici, die in gewissem Sinne den mehr oder weniger glänzenden Deckmantel für ihre Käuflichkeit in der Liebe abgaben. Sie bildeten die Aristokratie der Prostitution, und gerade wie in Griechenland übten sie in Rom einen beträchtlichen Einfluss auf die Moden, die Sitten, die Künste und Wissenschaften, kurz auf alle Zweige des patricischen Lebens aus. Aber unter keinen Umständen gewannen sie eine Herrschaft auf politischem Gebiete und in den Angelegenheiten des Staatswesens. Anders als die griechischen Hetären bekümmerten sie sich nicht um die Staats- und Regierungsangelegenheiten; sie lebten immer fern vom Forum und Senat und begnügten sich mit dem Einfluss, den ihnen ihre Schönheit und ihr Geist in der kleinen, eleganten, parfümierten und korrumpierten Welt der Galanterie sicherten, deren Gesetzbuch Ovid unter dem Titel Ars amandi (Liebeskunst) geschrieben hatte, während ihm dichtende Historiographen zur Seite standen wie Catull und Properz und eine Menge von erotischen Schriftstellern, die die Alten scheinbar aus Prüderie der Vergessenheit überliefert haben.

Diese Courtisanen von Ruf ähnelten den athenischen Hetären so viel, wie Rom der Stadt der Minerva, so viel, wie der römische Charakter sich dem athenischen anpassen konnte. Aber die Nachfahren des Euander waren zu stolz auf ihren Ursprung, zu sehr durchdrungen von der Hoheit des Titels eines römischen Bürgers, um Weibern, Ausländerinnen und Verrufenen zumal, mochten sie auch übrigens noch so liebenswert sein, einen Kultus voll Bewunderung und Respekt zu weihen. Eine Geliebte, die auf einen consularischen Senator, auf irgend eine Amtsperson oder einen militairischen Befehlshaber Einfluss erstrebt oder gewonnen hätte, würde den, der von ihr abhängig geworden, entehrt und lächerlich gemacht haben. Die ernstesten und sittenstrengsten Staatsmänner gönnten sich das Vergnügen, die Courtisanen zu besuchen und sich um deren intime Geheimnisse zu kümmern; Cicero selbst soupierte bei Cytheris, die eine Freigelassene des Eutrapelus war, und die Lieblingsmaitresse des Triumvirn Antonius wurde. Aber diese dauernden Beziehungen zwischen den Courtisanen und hervorragenden Politikern der Republik blieben in der Regel im Innern eines Lusthauses, einer Villa verborgen, in das kein neugieriges Auge aus dem Volke hineinschaute. Erschienen die beliebten Courtisanen, die famosae und preciosae (berühmten und kostbaren), auf der Strasse, der Promenade, im Circus oder im Theater, so waren sie wohl von einem Haufen eifriger Anbeter (amatores) umgeben, aber das waren junge Lebemänner, die schlechten Früchtchen der Familien, das waren Freigelassene, denen ihr unreinlich erworbener Reichtum die Spuren der Sklaverei noch nicht hatte abnehmen können; oder es waren auch wohl Dichter, Künstler und Schauspieler, die sich gerne ein wenig über die gesellschaftlichen Vorurteile hinwegsetzten, oder endlich schlaue Kuppler, die in eleganter Verkleidung die beste Gelegenheit zu einem Geschäft und Gewinn erspähten. So sah in Rom auch die glänzendste Courtisane nur übelbeleumdete Männer um sich; nur bei den Soupers und den comessationes, den Trinkgelagen, vereinigte sie bisweilen die ersten Bürger Roms um sich, die hinter verschlossener Thür von den Vergnüglichkeiten des Lebens kosteten.

Man musste abends auf die via sacra, den heiligen Weg, gehen, wo Luxus, Sittenlosigkeit und Protzerei sich täglich das Stelldichein gaben, um zu sehen, wie zahlreich und glänzend die Heerschaar dieser Prostitution höheren Ranges war, die in Rom wie in einer eroberten Stadt schaltete und waltete und dort mehr Gefangene machte und Opfer forderte, als des Brennus Gallier. Dorthin kamen sie jeden Tag, um zu kokettieren und durch ihre Toiletten und ihre ungezwungene Haltung Aufsehen zu machen, mitten unter den Damen, die sie durch ihre Reize und ihren Putz ausstachen. Bald liessen sie sich von starken abessynischen Sklaven in offenen Sänften tragen, in denen sie, halbnackt, faul hingestreckt lagen, einen polierten Silberspiegel in der Hand, die Arme von Spangen überladen, die Finger voller Ringe, das Haupt geneigt unter der Last der Ohrgehänge, der Bänder und der goldenen Haarpfeile; ihnen zur Seite hübsche Sklaven, die ihnen mit Fächern aus Pfauenfedern frische Luft zuwedelten, und vor und hinter der Sänfte Eunuchen und Knaben, Flötenspieler und wunderliche Zwerge als Leibgarde. Bald auch kamen sie auf leichten Wägen dahergerast, lenkten selbst die schnellen Pferde und suchten sich gegenseitig wie im Wettkampf zu überholen. Oft sprengten sie auch auf feinen Rennern einher, die sie mit ebensoviel Grazie wie Kühnheit zu lenken verstanden; oder sie sassen auf einem schönen spanischen Maultier, das ein Neger am Zügel führte. Die weniger Reichen, ehrgeizigen und auffälligen gingen zu Fuss, aber alle elegant in bunte Wollen- oder Seidenstoffe gekleidet, das Haar kunstvoll geordnet, sodass die Flechten blonde oder goldene Diademe, leuchtend von Perlen und Schmuckstücken, bildeten; einzelne spielten mit Kugeln von Crystall oder Ambra, um die Hände frisch und weiss zu erhalten, andere wieder trugen Sonnenschirme, Spiegel oder Fächer, wenn sie keine Sklaven hatten, die ihnen das nachschleppten; aber jede einzige hatte mindestens eine Dienerin bei sich, die ihr als unzertrennliche Begleiterin folgte. Wie man sieht, gab es unter diesen Courtisanen mancherlei Verschiedenheit des Vermögens und des Ranges, aber darin standen sie alle gleich, dass sie nicht in den Listen des Aedilen eingetragen waren, und demnach auch nicht den polizeilichen Vorschriften über die Prostitution unterstanden; sie hatten keinen bestimmten Taxpreis, keinen eingeschriebenen und anerkannten Decknamen, — mit einem Worte nicht das Recht, ihr Gewerbe in einem öffentlichen Bordell auszuüben. Sie hüteten sich wohl, vom Aedilen die entwürdigende licencia stupri zu erbitten, übten aber andererseits die Prostitution aus, wie wenn sie im Besitze der Licenz gewesen wären. Man verfolgte sie deswegen nicht, vorausgesetzt, dass sie sich nicht gar zu offen gegen die polizeilichen Vorschriften vergingen und wahllos (sine delectu) an öffentlichen Orten Unzucht trieben.

Die gefälligen Damen trieben sich schaarenweise auf der via sacra umher und entfernten sich nicht einmal weit, wenn sie einem Spaziergänger, der ihnen ein Zeichen gemacht hatte, folgen wollten; Properz sagt in seinen Elegien: „Ach, wie liebe ich diese Emancipierte, die mit halboffenem Gewande einherschreitet, ohne Scheu vor neugierigen und eifersüchtigen Blicken, die unschlüssig mit ihren staubigen Schuhen auf dem Pflaster der via sacra umherspaziert, und nicht zimperlich allerhand Umstände macht, wenn jemand ihr winkt! Niemals wird sie sich dir versagen, niemals dir indiskreterweise das ganze Geld abnehmen, das ein geiziger Vater mit Winden und Stöhnen dem Sohne gegeben hat; niemals wird sie dir sagen: Ach, ich habe Furcht, stehe auf, ich bitte dich! (Nec dicet: Timeo! propera jam surgere, quaeso!) Diese Spaziergängerin von der via sacra gewann also, wie man sieht, ihren Lebensunterhalt vor aller Augen, ohne sich viel um den Aedilen und die polizeilichen Vorschriften zu bekümmern. Properz scheint sogar anzudeuten, dass sie sich kaum die Mühe gaben, die via sacra zu verlassen, die am Amphitheater begann und am Tempel des Friedens und dem Cæsarsplatz vorbei zum Kolosseum führte. Beim Kolosseum gab es genug Gebüsch und Gehölz, heiliges und unheiliges, in dem die schweifende Prostitution nur Statuen und Grenzsteine vorfand, die sie wenig beunruhigten. Uebrigens boten die Bäder, Herbergen, Kneipen, Bäckereien und Barbierstuben der geheimen Prostitution, die auf der via sacra ihr allgemeines Stelldichein hatte, stets sicheren Unterschlupf. Auch die Ehefrauen pflegten auf der via sacra zu erscheinen, meistens in Sänften oder Wagen, zumal in jenen Zeiten, wo sie das ausschliessliche Recht der Benutzung von Tragsesseln und Sänften hatten (sellae und lecticae). In diesen Sagen unerhörter Sittenlosigkeit pflegten sie keine andere Haltung anzunehmen als die gewerbsmässigen Courtisanen; wie jene, so lagen auch sie hingestreckt auf ihren seidenen Kissen, in einem Kostüm, dem die Bänder im Haar und die flatternden Purpurstreifen nichts von seiner Schamlosigkeit nahmen, umgeben von Sklaven, die Fliegenwedel trugen und Stöcke, um damit die Menge auseinanderzutreiben. Diese Matronen, die Trägerinnen der stolzesten Namen Roms, diese Gattinnen und Mütter, vor denen das Gesetz sich verehrungsvoll neigte, hatten die keuschen und strengen Sitten ihrer Vorfahren abgethan. Manche von denen, die da auf der via sacra erschien, um durch den Pomp ihrer Toilette oder die Pracht ihres Zuges Aufsehen zu machen, wollte häufig nur einen Liebhaber oder vielmehr einen niedrigen und schamlosen Genossen ihrer Lüste suchen. „Ihre alten und hässlichen Dienerinnen", so sagt Wolkenær in seiner schönen Lebensgeschichte des Horaz, „entfernten sich gefällig, wenn die jungen stutzerhaften Männer (effeminati) herankamen, mit Ringen an den Fingern, die Toga immer in elegantem Faltenwurf, das Haar sorgfältig gekämmt und parfumiert, im Gesichte jene Schönheitspflästerchen, mit denen sich im 18. Jahrhundert die Damen die Gesichter pikant zu machen suchten. Man bemerkte dort auch Männer, deren Kleidung ihre athletischen Formen durchleuchten liess, und die mit Stolz ihre Muskelkräfte zu zeigen schienen. Ihr strammer militärischer Schritt war das gerade Gegenstück zu dem langsamen und gemessenen Gang jener dekadenten Jünglinge im sorgsam gelockten Haare, mit den gepuderten Gesichtern und dem lasciven Blicke. Sehr häufig waren diese beiden Arten von Flaneuren nur Gladiatoren und Sklaven; aber gewisse vornehme Frauen suchten sich ihre Liebhaber in den unteren Klassen, während die schönen und frischen Mädchen aus ihrem Gefolge sich ablehnend gegen die Angriffe von Männern ihres eigenen Standes verhielten und höchstens den Nachstellungen der Kavaliere und der Senatoren erlagen."

Wir haben diese Stelle, zu der sich der gelehrte Akademiker die einzelnen Züge aus Martial, Aulus Gellius, Cicero, Seneca und Horaz zusammengesucht hat, ausführlich wiedergegeben; aber man bemerkt an ihr doch das Fehlen mancher Einzelheiten zur Sittengeschichte, die Juvenal, der unerbittliche Juvenal, einer Schilderung römischen Promenadenlebens noch hätte hinzufügen können: „Die vornehmen und die plebejischen Frauen", so schreibt er in seiner furchtbaren Satire gegen die Weiber, „sind alle gleich verdorben. Die sich im Schmutz der

Strasse wälzt, ist nicht besser als die vornehme Dame, die sich auf den Schultern ihrer hochgewachsenen syrischen Sklaven tragen lässt. Um sich bei den Spielen zeigen zu können, mietet sich Ogulnia eine Toilette, eine Schaar von Trägern, eine Sänfte, ein Kissen, Begleiter, eine Ehrendame und ein junges Mädchen mit blondem Haare als ihre Dienerin. Sie ist arm, aber sie verschwendet den letzten Rest des Silberzeuges ihrer Familie an bartlose Athleten — bis aufs letzte Stück giebt sie es hin . . Es giebt Frauen darunter, die nur an Eunuchen und deren weichen Liebkosungen Wohlbehagen empfinden und an deren bartlosem Kinn; denn so entgehen sie den Gefahren der Mutterschaft.“ Die Satiren Juvenals und Persius' sind erfüllt von schrecklichen Scenen der Prostitution, der sich die vornehmen Römerinnen beinahe in aller Oeffentlichkeit hingeben Und wer waren die Helden dieser Abenteuer? Verrufene Schauspieler, niedrige Sklaven, verächtliche Eunuchen, grausame Fechter Juvenal entwirft uns ein schreckliches Bild von Sergius, dem Geliebten der Senatorsgattin Hippia: „Dieser bedauernswerte Sergius hatte bereits begonnen, sich das Kinn zu rasiren (d. h. er war fünfundvierzig Jahre alt geworden), und da er nur einen Arm besass, so war er wohl berechtigt, seinen Abschied zu nehmen. Sein Gesicht war dazu von Missbildungen bedeckt; ein ungeheueres knorriges Gewächs fiel ihm von der Stirn bis mitten auf die Nase; die kleinen, geschlitzten Augen thränten beständig: aber er war ein Gladiator. Dieser Name verwandelte diese Leute, als seien sie Hyacinth; Hippia liebte den Sergius mehr als ihre Kinder, ihr Vaterland, ihre Schwester und ihren Gatten. In Wirklichkeit ist es also das Schwert des Fechters, das diese Damen lieben.“ Bei Petronius mag man die Thaten des Gladiatoren nachlesen; um derartige Geheimnisse der römischen Sittenlosigkeit zu erzählen, dazu ist einzig die lateinische Sprache geeignet. An einer anderen Stelle sagt Petronius einmal: „Es giebt Frauen, die sich ihre Liebhaber aus dem Schmutz heraussuchen, und deren Sinne sich nur beim Anblick eines Sklaven regen, eines Läufers mit kurzem Rocke. Andere entbrennen wieder für einen Gladiatoren, für einen bestaubten, schmutzigen Maultiertreiber oder für einen Schauspieler, der seine Reize auf offener Bühne zeigt. Meine Maitresse gehört zu dieser Sorte: an den Sitzen der Senatoren geht sie vorüber und den vierzehn Reihen der Ritter, um sich ganz oben auf der Gallerie den Gegenstand ihrer plebejischen Wünsche auszuwählen.“

Die via sacra, die Säulengänge, die via Appia und alle Promenaden in Rom waren von den Vermittlern der Liebeshändel vornehmer Frauen ebenso besucht, wie von Courtisanen und Weibern mit leichten Sitten, von den verrufenen Dienern der venus aversa ebenso wie von den Lüstlingen aller Arten und aller Stellungen. Im Vergleiche zu diesen verschiedenen Spielarten von verdorbenen Kindern und Männern, die ihr schändliches Gewerbe ganz öffentlich trieben, erschienen, wie man anerkennen muss, die Courtisanen fast anständig und ehrenwert; sie waren weder so zahlreich noch so schamlos wie diese verderbten Catameiti, wie diese Gitonen oder die greulichen Spadonen, kurz wie alle diese frisierten, bemalten, gesalbten, gepuderten weibisch gewordenen Vertreter der männlichen Prostitution, die nur auf die Zeichen oder einen Ruf warteten, um sich zu jedem abscheulichen Laster darzubieten. Die Kuppler und Kupplerinnen waren natürlich auch dort zu finden, immer auf der Lauer liegend, eifrig und geschickt in ihrem Geschäfte. Sie beschränkten sich nicht darauf, Liebesbriefe zu besorgen, sondern vermittelten direkt über den Preis oder über den Ort eines Stelldicheins, räumten Hindernisse aus dem Wege, die sich einem Zusammentreffen entgegenstellten, besorgten eine Verkleidung, einen Mantel für die Nacht, eine Sänfte, ein Zimmer und alles, was sonst ein Liebespaar brauchte. Einem schönen Patricier näherte sich wohl alle Augenblick irgend ein altes Weib, um ihm heimlich ein Ebenholztäfelchen in die Hand zu drücken, auf dessen Wachsüberzug der Griffel irgend einen Namen, ein Wort oder einen Wunsch geritzt hatte: das kam von einer Courtisane, die mit dem vornehmen und stolzen Nachfahren der Catonen und Scipionen anzuknüpfen wünschte. Plötzlich klopfte ein Nubier einem kleinen Herrchen auf die Schulter, das durch seine grossen Ohrringe und seine langen Haare auffiel — irgend ein alter lüsterner Senator liess den zum Weib verwandelten Mann zu sich rufen. Dort drüben verfolgen zwei vornehme Frauen einen kräftigen Wasserträger, der zufällig vorüberging, und den sie beide bemerkt haben; sie streiten sich darum, wer von ihnen zuerst ihre Ehre diesem Bauernlümmel opfern darf: „Wenn der Geliebte auf sich warten lässt," sagt Juvenal, „dann ruft man Sklaven herbei; genügen die Sklaven nicht, dann wird man einen Wasserträger bitten (veniet conductus aquarius)." Ein Wink, ein Blick, ein Wort — und Sklave, Eunuche und Knaben boten sich dar und scheuten vor keinem abscheulichen Dienst zurück. Und der Aedil, was that der Aedil, während Rom sich so durch die Laster seiner bedeutendsten Einwohner entehrte? Und der Censor, was that der Censor, während die Sitten den letzten Rest von Scham verloren? Aedil und Censor konnten nicht einschreiten, wo das Gesetz schwieg, wie aus Furcht, zuviel zu verraten. Im heidnischen Rom nannte man das erlaubte Vergnügungen, was das Christentum als Todsünde bezeichnete. Es ist starke Ironie, wenn Plautus in seinem Curcuilo eine Person sagen lässt: „Wenn Du Dich nur der verheirateten Frau, der Witwe, der Jungfrau, der jungen Sklavinnen und der unschuldigen Kinder enthältst, im übrigen magst Du lieben, was Du willst." Catull zeigt uns in dem Hochzeitsgedicht für Julia und Manlius die Ehe als einen moralischen Schutz gegen unkeusche Gewohnheiten: „Man behauptet", so sagt der Sänger der physischen Liebe, „dass du, gesalbter Ehemann, nur ungern auf deine Lustknaben verzichtest;

wir wissen, dass du immer nur erlaubte Vergnügungen gekannt hast; aber selbst diese Vergnügungen würde sich ein Ehemann nicht gestatten können (scimus haec tibi, que licent sola cognita, sed marito ista non eadem licent)." Lediglich die Philosophie vermochte die Ausschreitungen dieser hässlichen Freiheit hintanzuhalten, die im römischen Gesetz keine Schranke fand.

Ein Teil der Intriguen und der Abmachungen auf offener Strasse wurde durch Zeichen besorgt. Man weiss, dass die Mimik eine sehr durchgebildete und vielseitige Kunst war, die man besonders im Theater erlernte, und die sich nach dem Gebrauch, den man von ihr machte, vervollkommnete. Daher das bewundernswürdige Talent dcr Courtisanen in dem, was man die stumme Sprache der Prostitution nannte. Auch in dieser Pantomime der Verliebtheit gab es verschiedene Dialekte. Auge, Hände und Lippen vermittelten Gedanken und Wünsche, bei denen die Menschen errötet wären, hätten sie sie in Worte fassen wollen. Das allgemeine gebräuchliche Zeichen der Liebhaber der abscheulichsten männlichen Prostitution bestand darin, dass sie den Mittelfinger erhoben. Sueton erzählt uns im Leben des Caligula, dass dieser Kaiser der zum Kusse dargereichten Hand eine unanständige Form zu geben pflegte (formatam commotamque in obscenum modum). Lampridius teilt uns in der Lebensbeschreibung des Heliogabal mit, dass dieser Virtuose in der Lasterhaftigkeit sich niemals den Gebrauch eines unkeuschen Wortes gestattete, selbst wenn das Spiel seiner Finger eine Abscheulichkeit andeutet (nec unquam verbis pepercit infamiam, quum digitis infamiam ostentaret). Diese unkeuschen Gesten vollzogen sich mit einer erstaunlichen Schnelligkeit, sodass sie dem unaufmerksamen Auge in der Regel entgingen. Nach verschiedenen Stellen der Ueberlieferung darf man annehmen, dass das signum infame nicht unter allen Kaisern geduldet wurde, und dass die berühmtesten eine schwere Strafe darauf gesetzt hatten, nach der dem Mittelfinger der Beiname: der Verrufene behielt. Die Athener zeigten sich gegen den Finger nicht nachsichtiger; sie nannten ihn Katapygon und würden sich geschämt haben, ihn durch das Anstecken eines Ringes gewissermassen zu rehabilitieren. In Griechenland war der Mittelfinger in Verruf gekommen, weil sich die Landleute seiner bedienten, wenn sie untersuchten, ob ihre Hühner Eier im Eierstock trugen. „Lache über den, der dich einen Lüstling (cinaedus) heisst, Sextillus, lache über ihn," so ruft Martial aus, „und reiche ihm deinen Mittelfinger dar." Diese Darreichung des Mittelfingers bedeutete in der Geheimsprache der schamlosen Wollüstlinge sowohl Frage als Antwort. Aber sie hatten auch noch ein anderes Verständigungszeichen, wobei der Finger eine etwas veränderte Rolle spielte: sie fuhren sich damit an den Kopf, sei es an die Stirn oder das Hinterhaupt, scheinbar um sich zu kratzen. „Was denLüstling kennzeichnet, das ist," so sagt Seneca in seinem zweiundfünfzigsten Briefe, „sein Auftreten, das Spiel seiner Hände, der Finger, den er an sein Haupt führt, und das Zwinkern mit den Augen.“ Juvenal macht es wahrscheinlich, dass die Bewegung des Mittelfingers am Kopfe jene andere früher geschilderte Art seiner Verwendung als Verständigungsmittel ganz verdrängt hatte: „Schau,“ sagt er, „wie von allen Seiten, auf Wagen und auf Schiffen diese weibischen Männer nach Rom eilen, die sich mit einem einzigen Finger am Kopfe kratzen (qui digito scalpunt uno caput).“ Die Courtisanen indessen bedienten sich lieber der Augen- als der Fingersprache; berühmt wegen seiner Beredsamkeit, seiner verführerischen Kraft und seines Reizes war ihr Seitenblick (oculus limus). Quinctilian, der ernste Redner verlangt, dass die Blicke des Redners bei gewissen Gelegenheiten strahlen, wie im süssen Vergnügen, dass sie sozusagen verliebt seien (venerei). Apuleius zeichnet uns in seinem erotischen Roman eine Courtisane, die brennende Seitenblicke wirft (limis atque morsicantibus oculis). Das nannten die Courtisanen mit den Augen Jagd machen (oculis venari). „Siehst du,“ so sagt der Miles des Plautus, „wie sie eine Hetzjagd beginnt mit ihren Augen und eine Vogeljagd mit ihren Ohren? (Viden' tu illam oculis venaturam facere atque aucupium auribus?)“.

Die stumme Sprache, in der sich die Courtisanen allerwegen so gut zu unterhalten und zu verständigen wussten, wurde den römischen Frauen bald so vertraut, dass auch sie sich ihrer bei ihren Vergnügungen bedienten. Ein alter lateinischer Dichter vergleicht diesen raschen Wechsel von Blicken, Gesten und Zeichen zwischen einer feinen Courtisane und ihrem Galan mit einem Ballspiele, bei dem ein guter Spieler den Ball, der ihm von da und dort zufliegt, geschickt weiterzugeben versteht. „Den Einen fesselt sie,“ so sagt er, „und dem Anderen macht sie ein Zeichen; ihre Hand beschäftigt sich mit diesem, und dabei stösst sie jenen leise an den Fuss; sie heftet ihre Lippen auf ihren Ring und zeigt ihn dem einen, um damit den anderen herbeizulocken; während sie mit dem einen singt, giebt sie einem anderen mit dem Finger ein Zeichen.“ Der grosse Meister der Liebeskunst, Ovid, legt in seinem Gedicht, das auf den Knien der Courtisanen und häufig nach ihrem Diktat geschrieben worden ist, einer seiner Musen folgende Lektion in der Geheimsprache der Liebe in den Mund: „Schau mich an,“ so sagt diese geschickte gesticularia, „schau auf die Bewegungen meines Kopfes, auf den Ausdruck meines Gesichts, beobachte und wiederhole mir diese flüchtigen Zeichen (furtivas notas). Durch ein Runzeln der Augenbrauen will ich dir beredte Worte sagen, die der Stimme nicht bedürfen; du wirst diese Worte auf meinen Fingern ablesen, wie wenn sie darauf geschrieben ständen. Wenn du an unsere Liebe denkst, dann berühre sanft mit dem Daumen diese rosigen Wangen; wenn sich in deinem Herzen eine Stimme regt, die dir von mir spricht, dann greife dich an ein Ohrläppchen. O Licht meiner Seele, wenn du billigst, was ich sage und thue, dann drehe deinen Ring zwischen deinen Fingern. Berühre den Tisch mit der Hand, so wie diejenigen, die ein Wunschgebet sprechen, wenn du alle Leiden der Welt auf meinen eifersüchtigen Mann herabflehst." Alle Dichter erzählen uns von diesen verschwiegenen Unterhaltungen der Verliebten, und Tibull besonders rühmt die Geschicklichkeit, mit der seine Geliebte in Gegenwart eines unbequemen Zeugen durch Zeichen plauderte und zärtliche Worte geschickt pantomimisch ausdrückte (blandaque compositis abdere verba notis). Eine solche Universalsprache war in Rom um so nötiger, als man sich sonst manchmal gar nicht hätte verständigen können, da die meisten Courtisanen Ausländerinnen waren, und oft nur ihre Muttersprache sprachen. Sehr viele dieser Freudenmädchen waren überdies durchaus ungebildet, und würden schwerlich entzückt haben, wenn sie die Sprache Ciceros und Virgils radebrechten, obschon ein alter römischer Poet sagte, dass Liebe und Lust niemals Sprachfehler machen. In der Gewohnheit der lateinischen Sprache lag ausserdem eine gewisse Zurückhaltung, die den Gebrauch unanständiger Worte oder Bilder nicht gestattete. Die Schriftsteller, poetische sowohl als prosaische, und auch die allerernstesten pflegten sich um diese Keuschheit des Ausdrucks wenig zu kümmern, wie wenn das Ohr allein und niemals das Auge durch eine Unzuträglichkeit verletzt werden könnte. Selbst in der freiesten Unterhaltung vermied man nicht nur lascive Worte, sondern sogar Wortspiele, Anklänge, durch die die Gedanken auf unanständige Dinge geleitet werden konnten. Cicero sagt, wenn Worte auch nicht stinken, so können sie doch Ohr und Auge unangenehm berühren: „Alles was man thun kann", so sagt ein lateinisches Sprichwort, „kann man darum nicht auch schon sagen" (tam bonum facere quam malum dicere).

Die erotische Sprache der Römer war indessen sehr reich und sehr fein ausgebildet; sie hatte aus dem Griechischen alles herübergenommen, was sie sich aneignen konnte, ohne ihren eigenen Geist zu gefährden; beim Spiel der Phantasie ihrer verliebten Dichter entwickelte und vergeistigte sie sich immer mehr; barbarische Neubildungen vermied sie, und bildete sich vielmehr dadurch fort, dass sie sich den Wortschatz des Krieges, der Marine und des Ackerbaus einverleibte, indem sie die Worte im übertragenen Sinne, als Anspielungen und doppeldeutig gebrauchte. Sie besass nur eine kleine Zahl technischer Ausdrücke, meist mit fremder Wurzel, und bevorzugte die harmlosesten und gebräuchlichsten Worte, denen sie einen anderen Sinn gab, oft mittels einer poetischen und feinen Uebertragung. Aber diese Sprache, die in den Elegien Catulls, in den Epigrammen Martials, in den geschichtlichen Darstellungen Suetons und in den Romanen des Apuleius uns ohne Rückhalt vorgeführt wird, wurde thatsächlich nur bei schamlosen Gelagen oder im Geheimnis eines Tête-à-tête angewendet. Es ist jedenfalls bemerkenswert, dass die in ihrer Toilette und ihren Sitten freiesten Courtisanen beim öffentlichen Gebrauch eines unanständigen Wortes errötet sein würden. Diese Zurückhaltung in der Sprache täuschte oft über ihren wahren Charakter hinweg, und die Dichter, die ihnen den Hof machten, konnten sich einbilden, keusche Jungfrauen vor sich zu haben. Die zärtlichen Spitznamen, die Liebesleute sich unter einander gaben, waren darum nicht weniger keusch, unschuldig und unverfänglich, weil die Geliebte eine Courtisane, und der Galan ein erotischer Dichter war. Der nannte sie seine Rose, seine Königin, seine Göttin, sein Täubchen, sein Licht, seinen Stern; und sie antwortete auf diese Zärtlichkeiten, indem sie ihn ihren Schatz (bacciballum), ihren Honigsüssen, ihren Sperling (passer), ihren Augapfel (oculissimus), ihren Liebling (amoenitas) nannte — niemals mit leichtfertigen Zwischenrufen sprachen sie das „Ich liebe Dich" (amabo) aus, in dem eine ganze Welt lag. Wenn sich innigere Beziehungen zwischen zwei Personen verschiedenen Geschlechts anspannen, dann behandelte man sich gegenseitig als Bruder und Schwester. Diese Bezeichnung war bei allen Courtisanen, hohen und niedrigen, gebräuchlich. Manchmal bezeichnete man eine Maitresse als „Schwester linker Hand" (laeva soror, wie Plantus sagt), und die Freudenmädchen bezeichneten einen Galan wohl mit dem Ausdruck „kleiner Bruder."

Man kann sich nicht genug über die Decenz, ja selbst Prüderie des mündlichen Ausdrucks wundern, die im schroffen Gegensatz zu der thatsächlichen Ungebundenheit der Sitten stand. Daher denn auch die immer und immer wiederholte Mahnung: „Schon' die Ohren!" (parcete auribus). Den Augen dagegen ersparte man nichts, und sie entsetzten sich keineswegs über alles, was sie erblickten. Ohne Abscheu hefteten sie sich deshalb auch auf die Seiten jener obscönen Bücher, jener erotischen Schriften in Versen oder in Prosa, die die römischen Lüstlinge nachts zu lesen liebten (pagina nocturna, sagt Martial). Es war das ein bei den Römern in hoher Blüte stehender, obschon bei den ehrenfesten Leuten wenig beliebter Litteraturzweig. Es waren aber nicht allein Wüstlinge, die derartige schlüpfrige Bücher (molles libri) verfassten, sondern zumeist Dichter, sehr geachtete Schriftsteller, die sich von ihrem Talent und ihrer Phantasie zu derartigen Dingen verführen liessen. Es war sozusagen eine Huldigung, die sie der Venus darbrachten; manchmal war es auch nur ein litterarisches Spiel, ein Tribut, den sie dem Geschmack des Tages zollten

Ausonius giebt uns eine ganze Reihe von Beispielen solcher Schriftsteller, die einen musterhaften Lebenswandel mit grosser Freiheit in ihren Werken verbanden, und Plinius sagt einmal: „Mein Buch ist obscön, aber mein Lebenswandel ist rein (lasciva est nobis pagina, vita proba)."

Die Geheimbibliothek der Courtisanen und ihrer Freunde muss beträchtlich gewesen sein, aber uns ist kaum der Name der bedeutendsten Autoren überliefert worden. Bei den Römern haben, wie bei den

Griechen, die erotischen Schriftsteller am meisten unter der Verfolgung im Namen der christlichen Moral zu leiden gehabt. Vergeblich bat die Poesie um Gnade für sie; vergeblich flüchteten sie sich in den Schutz gelehrter und freidenkender Kenner des Altertums; vergeblich wurden sie mündlich von Lüstlingen und galanten Frauen weiter überliefert: das Christentum verfolgte sie mit unerbittlicher Wut, sogar in der Tradition. So verschwanden sie und wurden vertilgt, mit Ausnahme von denen, denen das glückliche Vorrecht ihres poetischen Rufes zum Retter ward, wie Martial und Catull. Der religiöse Eifer ging sogar soweit, viele Seiten in den Werken der besten Schriftsteller zu vernichten. So hat die lateinische Litteratur den grössten Teil der weltlichen Liebesdichter verloren, und diese systematische Vernichtung war das Werk der Kirchenväter. Wir besitzen nichts mehr von Proculus, der nach Ovid auf den Spuren des Callimachus gewandelt war; nichts mehr von den Rednern Hortensius und Servius Sulpitius, die so schöne Verse voll frischer Sinnlichkeit geschrieben haben; nichts mehr von Sisenna, der die milesischen Bücher des Aristides aus dem Griechischen übersetzt hatte; nichts mehr von Memonius und Ticida, die nach Ovid in Worten nicht keuscher waren als in Werken; nichts mehr von Sabellus, der nach dem Vorbild der griechischen Dichterin Elephantis die Mittel des Vergnügens besungen hätte; nichts mehr von Cornificius, von Eubius, nichts mehr vom zügellosen Anser, von Porcius und Aedituus und allen den erotischen Dichtern, die das Entzücken der römischen Courtisanen und galanten Frauen gebildet haben. Die christlichen Eiferer wüteten ebenso auch gegen die Griechen, deren Werke sie noch weniger verstanden, so gegen den unfeinen Sotades, dessen Name mit der von unnatürlicher Liebe eingegebenen Poesie verknüpft ist; so gegen Minnermus von Smyrna, dessen Verse zum Preise der Liebe nach dem Urteil des Properz schöner waren als die Homers; so gegen den schamlosen Hemiteon aus Sybaris, der seine Liebeserfahrungen in diesem Gedicht, der Sybarit genannt, zusammengefasst hatte; so gegen die freche Nico, die die Geschichte ihres Lebens als Courtisane besungen hatte; so auch gegen den berühmten Musaeus, dessen Leier, wie die des Orpheus, alle Liebeslust wachgerufen hatte. So wurde der Pantheon der griechischen und römischen Prostitution durch zwei oder drei Jahrhunderten strengster Censur und unerbittlicher Verfolgung verödet. Die Courtisanen und ihre Freunde waren weniger eifrig auf die Verteidigung ihrer Lieblingsschriftsteller bedacht als die Gelehrten; denn die Courtisanen und ihre Freunde wurden mit zunehmendem Alter fromm, und verbrannten ihre Bücher. Den Gelehrten verdanken wir es, dass uns Horaz, Catull, Martial und Petronius erhalten geblieben sind.

Kapitel XX.

Geheime und schimpfliche Krankheiten der Alten. — **Impura Venus.** — Die alten Schriftsteller haben vermieden, über diese Krankheiten zu sprechen. — Eindringen der asiatischen Unzucht in Rom. — Welchen Ursachen ist die Verbreitung der widernatürlichen Unzucht bei den Alten zuzuschreiben. — Geschlechtskrankheiten der Frauen. — Die Aerzte des Altertums weigerten sich, venerische Erkrankungen zu behandeln. — Warum. — Die Zauberer und Charlatane. — Die grosse Lepra. — Die kleine Lepra oder Venuskrankheit. — Uebertragung dieser Krankheit nach Rom durch Cneius Manlius. — Der Morbus incidens. — Die meisten Aerzte waren Sklaven oder Freigelassene. — Warum die Geschlechtskrankheiten im Altertume mit dem Schleier des Mysteriums umgeben waren. — Das Vorkommen dieser Krankheiten bestätigt durch den Tractat des Celsius. — Ihre Beschreibung. — Ihre Heilung. — Manuscript aus dem dreizehnten Jahrhundert über die Erscheinungen der Syphilis. — Auftreten der Elephantiasis in Rom. — Asclepiades von Bithynien. — T. Aufidius. — Musa, des Augustus' Arzt. — Meges von Sidon. — Beschreibung der Elephantiasis nach Areteus von Cappadocien. — Vergleich mit der Syphilis des fünfzehnten Jahrhunderts. — Der campanus morbus. — Spinturnicium. — Die familia ficosa. — Die rubigo. — Die Satyriasis. — Juno Fluonia. — Ueber den Ursprung der Worte ancunnuentae, bubonium, imbubinat und imbulbitat. — Die Klazomenes. — Krankheiten, die von Fremden nach Rom gebracht wurden. — Die griechischen Aerzte. — Vettius Vales. — Themison. — Thessalus von Trallus. — Soranus von Ephesus. — Die Empiriker, die Barbiere und die Pillendreher. — Menecrates. — Servilius Damocrates. — Asklepiades Pharmacion. — Apollonius von Pergamon. — Criton. — Andromachus und Dioscorides. — Die Pneumatisten. — Galienus und Oribasus. — Archigenus. — Herodot. — Leonidas von Alexandrien. — Die archiatres. — Archiatri pallatini und archiatri populares. — Die Anordnungen des Antoninus Pius. — Eutychus. — Die Hebammen und die medicae. — Martials Epigramm gegen Lesbia. Das solium oder Bidet und sein Gebrauch in Rom. — Warum die Geschlechtskranken sich nicht in die Behandlung der Aerzte begaben. — Tod des Festus, des Freundes von Domitian. — Geheimmittel gegen Geschlechtskrankheiten. — Opfer. — Die Quartilla des Petronius. — Abscheulicher Spruch der paedicones.

Das schreckliche Gewühl der Prostitution jeglicher Art, in deren Schmutz sich die römische Gesellschaft wälzte, musste von verhängnisvollen Folgen für die öffentliche Gesundheit sein. Obschon die Dichter, die Historiker und sogar die Aerzte des Altertums sich über den Gegenstand ausschweigen, wie wenn sie davor zurückgeschreckt wären, ihn ans Tageslicht zu zerren, obschon die bedauerlichen Folgen dessen, was ein Schriftsteller des dreizehnten Jahrhunderts unreine Liebe (venus impura) nennt, nur wenig Spuren in den satirischen und medizinischen Schriften hinterlassen hat, so kann man doch unmöglich verkennen, dass der Verfall der Sitten bei den Römern den Ausbruch und die Heftigkeit der Geschlechtskrankheiten vermehrt und verstärkt hatte. Diese Erkrankungen waren zweifellos sehr zahlreich, immer sehr hartnäckig und häufig geradezu schrecklich; aber sie wurden beinahe ganz vernachlässigt, oder doch wenigstens von den griechischen und römischen Aerzten und Naturforschern im Dunkel gelassen. Wir können lediglich philosophische Vermutungen über die Gründe dieses Uebersehens und allgemeinen Stillschweigens aufzustellen wagen. Bei dem Mangel jeder klaren und unzweideutigen Angabe über diesen Punkt, müssen wir uns auf die Vermutung beschränken, dass man aus religiösen Gründen die Erwähnung jener Erkrankungen unterliess, die die Geschlechtsorgane befielen, und von irgendwelchen Ausschweifungen herrührten. Die Alten wollten die Götter, die den Menschen das wohlthätige Geschenk der Liebe gemacht hatten, nicht durch die Anklage beleidigen, sie selbst hätten diesem ewigen Göttertrank ein arges Gift beigemischt; die Alten wollten nicht, dass Aesculap, der Gott und Erfinder der Heilkunst in offenen Kampf mit Venus geriet, indem er versuchte, ein Heilmittel zu finden gegen die Strafen und Bussen, die die Göttin auferlegt hatte. Mit einem Worte, die bei den Griechen wie bei den Römern wenig bekannten und untersuchten Geschlechtskrankheiten scheinen ihren Opfern eine gewisse Entehrung eingetragen zu haben; deshalb verbarg man sie, und behandelte sie im geheimen mit Hilfe von Wahrsagerinnen und Liebestrankhändlerinnen.

Geschlechtskrankheiten waren bei den Griechen zweifellos seltener als bei den Römern, weil die Prostitution nicht solche Verwüstungen in Athen anrichtete wie in Rom. In Griechenland fand man nie eine solche schreckliche Vermischung aller Altersklassen, aller Geschlechter und aller Nationalitäten wie in Rom. Die griechische Prostitution, die immer noch einen Rest von Gefühl und idealer Liebe bewahrte, hatte ihre Arme nicht, wie die römische, allen ausländischen Lastern geöffnet: die griechische hatte sich selbst bei den grössten Ausschweifungen ihren Sinn für eine gewisse Zurückhaltung bewahrt, während die römische sich den abscheulichsten Ausschweifungen hingab und bis zu den Grenzen physischen Vermögens gegangen war. Man kann nicht darüber im Zweifel sein, dass gefährliche geschlechtliche Erkrankungen das Eindringen asiatischer Lasterhaftigkeit in Rom begleitet haben. Es war ungefähr um 187 v. Chr., als diese luxuria asiatica, wie sie der heilige Augustin in seinem Gottesstaat nennt, in Rom durch den Proconsul Cneius Manlius eingeführt wurde, der die Gello-Griechen unterworfen und den syrischen König Antiochus den Grossen besiegt hatte. Cneius Manlius, der nach den Ehren eines Triumphs geizte, der ihm aber doch nicht zugesprochen wurde, hatte Tänzerinnen, Flötenspielerinnen, Courtisanen, Eunuchen und alle die Helfershelfer einer bis dahin in der römischen Republik unbekannten Lasterhaftigkeit mit sich gebracht. Die nächsten Folgen der hereinbrechenden Unsittlichkeit waren erwiesenermassen zahlreiche Geschlechtskrankheiten, die sich im Volke ausbreiteten und einen immer schwereren Charakter annahmen. „Damals zuerst“, so sagt der heilige Augustin, „sind die vergoldeten Betten, die kostbaren Teppiche erschienen; damals sind die Harfenspielerinnen bei Festlichkeiten eingeführt worden und mit ihnen zahllose Unsittlichkeiten (tunc inductæ in convivia psalteriæ et aliæ licentiosæ nequitiæ).“ Diese Musikantinnen kamen aus Tyrus, Babylon und den syrischen Städten, wo seit undenklichen Zeiten der Geschlechtsverkehr mehr und mehr verderbt worden war durch gefährliche Krankheiten. Die mosaischen Bücher bezeugen das Vorkommen dieser Krankheiten bei den Juden, die sie aus Aegypten mitgenommen hatten, sie aber auch noch schlimmer unter der Bevölkerung des gelobten Landes vorfanden. Die Hebräer hatten diese ammonitischen, midianitischen und kananæischen Völker fast ganz ausgerottet; die aber hatten ihnen, gleichsam um sich zu rächen, eine Menge Unreinlichkeiten hinterlassen, durch die ihr Blut und ihre Sitten verdorben wurden. Die Nachbarvölker der Juden, die von altersher die Prostitution zu Kultuszwecken gebrauchten, waren vor Geschlechtskrankheiten mehr auf der Hut. Immerhin aber war ganz Syrien beständig ein Ansteckungsherd für Pest, Aussatz und venerische Krankheiten (lues venerea). Und gerade hier suchte sich Rom neue Freuden und — neue Krankheiten.

Wir haben bereits den Satz aufgestellt, der keineswegs ein Paradoxon ist, und den die Wissenschaft wird unterstützen müssen, dass der widernatürliche Geschlechtsverkehr, den von den alten Gesetzgebern lediglich Moses verwirft, nicht solche Ausdehnung und solche Duldung im Altertum hätte finden können, wenn nicht der regelmässige Geschlechtsverkehr mit so vielen Gefahren verknüpft gewesen wäre. Die Frauen waren häufig krank, und der Umgang mit ihnen je nach Umständen, Temperament, Jahreszeit, Örtlichkeit, Lebensweise u. s. w. von verhängnisvollen Folgen für ihre Gatten oder Liebhaber. Die gesundesten und reinsten Frauen erkrankten plötzlich aus unerklärlichen, mit den damaligen Hilfsmitteln der Hygiene und Medizin nicht erfolgreich zu bekämpfenden Gründen. Die Hitze des südlichen Klimas, die körperliche Unreinlichkeit, das regelmässig wiederkehrende Unwohlsein der Frauen, die Folgen der Geburten und eine Reihe von anderen zufälligen Ursachen bewirkten örtliche Erkrankungen allerverschiedenartigsten Charakters. Diese absonderlichen Krankheiten, deren Ursprung fast unbekannt blieb, und deren radikale Heilung sehr langwierig, schwierig, in manchen Fällen sogar unmöglich war, machten auch gegen den durchaus legitimen Geschlechtsverkehr misstrauisch. Daher denn die Neigung, den Geschlechtstrieb mit Wesen zu befriedigen, die eigentlich keinem Geschlechte mehr angehörten, sondern nur noch Werkzeuge der Lust waren. Es ist wahr, dass auch noch andere und abstossendere Krankheiten im Volke grassierten, dessen verderbter Geschmack sie hatte entstehen lassen, und sie beständig umwandelte; aber diese Krankheiten waren doch weniger verbreitet, und man konnte sich besser dagegen schützen. Unter diese Krankheiten zählte auch der im Orient endemische Aussatz, der in den verschiedensten, sonderbarsten und unerklärlichsten Formen auftrat.

Man hat allen Grund zu glauben, dass sich die Aerzte des Altertums mit der Heilung von Geschlechtskrankheiten nicht abgaben, da diese in ihren, wie in des Volkes Augen einen Anstrich von göttlichem Fluche trugen. Die Unglücklichen, die angesteckt worden waren, nahmen also ihre Zuflucht zu frommen Zauberinnen, zu den Recepten der Volkserfahrung und zu den Hilfsmitteln finsteren Aberglaubens. Daher zum grossen Teil der Einfluss der okkulten Wissenschaften und der Kunst, Liebestränke zu brauen; für Priester und Magier bildete dieser Umstand die Quelle von Reichtum und Macht. Eine geschlechtliche Erkrankung wurde immer für eine göttliche Strafe angesehen, und das Opfer suchte den

Grund nicht ausserhalb seiner selbst, sondern klagte nur sich an, suchte nur bei und in sich den Grund seines Unglücks. So war es auch geneigt, grosse Opferspenden den Tempeln darzubringen, in geheimnisvollen Anrufungen im Walde Rettung zu suchen, oder von der Kunst alter Weiber, Zauberer und Charlatane Heilung zu erwarten. Anders ist das Stillschweigen der griechischen und römischen Schriftsteller über die Geschlechtskrankheiten, die damals viel verbreiteter waren und viel furchtbarer auftraten als heute, gar nicht zu begreifen.

Als die lues venerea mit den Syrierinnen des Cneius Manlius nach Rom verpflanzt wurde, besass diese Stadt, damals bereits Siegerin und Herrscherin über einen grossen Teil der Welt, noch keine Aerzte. Nur in Ausnahmefällen, in Zeiten der Pest und Epidemien, hatte man sie im Inneren der Stadt geduldet. War aber die öffentliche Gesundheit wieder von Gefahren befreit, dann wurden die griechischen Aerzte, die man herbei geholt hatte, mit jener Missachtung wieder aus der Stadt entfernt, die das römische Volk in den Zeiten seiner groben und wilden Kraft gegen die Künste des Friedens hegte. Man darf nicht übersehen, dass die griechische Heilkunst ungefähr zugleich mit der asiatischen Lasterhaftigkeit in Rom ihren Einzug hielt. Schon kurz vorher hatten einige griechische Aerzte versucht, sich in der Stadt niederzulassen, wohin man sie zur Bekämpfung verschiedener Krankheiten berufen hatte, gegen die römische Strenge nichts vermochte (man darf vermuten, dass es sich hierbei um geschlechtliche Erkrankungen handelte); aber sie hatten soviel Schimpf, soviel Widerstand und soviel Abneigung zu überwinden gehabt, dass sie von der Wiederholung des Niederlassungsversuches abstanden; sie kehrten erst wieder zurück, als Rom weniger stolz auf die Gesundheit seiner Einwohner geworden war. Und die Ausschweifungen hatten denn auch nach Ablauf weniger Jahre eine grössere Zahl von Krankheiten geschaffen und verbreitet, als man in der Zeit seit Gründung der Stadt gekannt hatte. Darunter waren zweifellos viele Erkrankungen infolge von geschlechtlichen Ansteckungen, aber man benannte sie stets anders und auch der Arzt rubricierte sie unter die unverdächtigen Krankheiten. So kommt es, dass wir in den medizinischen Werken der Alten gar keine Geschlechtskrankheiten angegeben finden: sie sind eben unter unverfänglichen Namen darin verzeichnet. Fast alle geschlechtlichen Erkrankungen rechnete man zur grossen Klasse der abstossenden Aussatzkrankheiten.

Die meisten Aerzte waren Sklaven oder Freigelassene. „Ich sende dir einen Arzt aus der Zahl meiner Sklaven“, liest man bei Sueton (mitto tibi praeterea cum eo ex servis meis medicum); obschon diese Stelle von den Kommentatoren verschieden ausgelegt worden ist, so beweist sie doch, dass der Arzt häufig nichts anderes als ein einfacher Sklave in dem Hause eines Reichen war. Jedermann konnte sich also seinen besondern Arzt halten, indem er sich einen kaufte, was allerdings zweifellos ziemlich kostspielig war, denn der Verkaufswert eines Sklaven hing von dem Grade seiner Geschicklichkeit und seines Wissens ab, und ein guter Arzt, der zu gleicher Zeit ein tüchtiger Chirurg und ein gelehrter Apotheker sein musste, war ebenso teuer wie ein Musiker oder ein griechischer Philosoph. Man begreift, dass ein Arzt, der lediglich die Aufgabe hatte, seinen Herrn und die Angehörigen des Hauses zu pflegen, seine Kunst wie ein Sklave ausübte, und aus Furcht vor der Knute und den grausamsten Züchtigungen über die Krankheiten, die er zu behandeln hatte, klugerweise Stillschweigen bewahrte. Die freigelassenen Aerzte befanden sich in keiner wesentlich bessern Lage, was ihre Patienten anbelangt; sie konnten zwar im Falle eines Misserfolges nicht gepeitscht und in Eisen gelegt werden, aber man konnte sie verklagen, und von ihnen eine beträchtliche Busse verlangen, wenn der Erfolg ihren Bemühungen versagt blieb und ihre Kunst machtlos gegen die Krankheit war. Unter solchen Umständen gaben sich die Aerzte fast nur mit solchen Krankheiten ab, bei denen sie mit ziemlicher Sicherheit auf einen Erfolg rechnen konnten. Um daher im Falle einer Erkrankung sicher auf Hilfe rechnen zu können, musste man sich schon einen Arzt unter seinen Sklaven halten, und dieser Arzt, der Vertraute seines Herrn in allen gesundheitlichen Angelegenheiten, war dann um so notwendiger, wenn der Herr einer geschlechtlichen Ansteckung zum Opfer gefallen war.

Die Römer errichteten dem Fieber und dem Husten einen Tempel, aber sie fürchteten Venus, ihre Stammmutter, zu beleidigen, wenn sie einen Kult für diejenigen Krankheiten einrichteten, die diese Göttin entehrten. Sie verheimlichten vielleicht diese Krankheiten und wollten nicht einmal, dass der morbus indecens einen Namen in den Annalen der Medizin und der römischen Republik erhielte. Indessen ist die Existenz der echten Syphilis oder doch die einer ganz ähnlichen Seuche in dem medizinischen Traktat des Celsus gar zu gut bezeugt, nur dass er sie nicht den Folgen verdächtigen Geschlechtsverkehrs zuschreibt und den Untersuchungen nach ihrem Ursprunge aus dem Wege geht. Celsus, der Schüler oder vielmehr Zeitgenosse des Asklepiades von Bithynien, des ersten berühmten Arztes, der von Griechenland nach Rom kam, lässt das Vorkommen der venerischen Erkrankungen bei den Römern durchaus nicht zweifelhaft. Sie sind zu genau in seinem Buche geschildert, als dass man sich über ihren Charakter täuschen könnte. Es handelt sich unzweifelhaft um den morbus indecens, die lues venerea, obschon Celsus diese allgemeinen Namen nicht anwendet, vielmehr die einzelnen Erkrankungen mit besonderen, anscheinend von ihm erst gebildeten Bezeichnungen belegt. Die Erwägungen, die Celsus dem langen Abschnitt über die Krankheiten der Geschlechtsorgane im sechsten Buche seines

Werkes vorausschickt, bestätigen unsere Vermutungen über die Gründe, warum man eine öffentliche Behandlung derartiger Krankheiten in Rom vermied. „Die Griechen haben", so sagt Celsus, „zur Behandlung eines derartigen Stoffes viel bessere Ausdrücke, die überdies von der Fachwissenschaft übernommen worden sind, weil sie fortwährend in den Schriften und der gewöhnlichen Sprache der Aerzte vorkommen. Die lateinischen Worte verletzen uns mehr (apud nos fœdiora verba), und haben nicht einmal das voraus, dass sie von feinfühligen Menschen gebraucht werden. Es ist deshalb auch ein schwieriges Unternehmen, die Regeln der guten Sitte mit den Forderungen der Wissenschaft in Einklang zu bringen. Indessen konnte mich diese Erwägung nicht von meinem Vorhaben abbringen, weil ich einmal die nützlichen Erfahrungen, die ich gesammelt habe, nicht unvollständig lassen will, und weil ich es zweitens für besonders wichtig halte, die ärztlichen Vorschriften über diese Krankheiten, die man niemals aus freien Stücken einem anderen zeigt, in den weitesten Kreisen des Volkes bekannt zu machen. (Dein, quia in vulgus eorum curatio etian præcipue cognoscenda, quæ invitissimus quisque alteri ostendit)." Und man lässt Celsus alle Erscheinungen dieser Erkrankungen, die wir hier nicht zu wiederholen brauchen, Revue passieren. Nach seiner Beschreibung ist unzweifelhaft: die Syphilis, die echte Syphilis, existierte in Rom wie in den meisten Ländern, wo die Sitten durch die Vermischung verschiedenartiger Völkerschaften verdorben waren. Der letzte Uebersetzer des Celsus, der aufgeklärter oder wenigstens unparteiischer ist als seine Vorgänger (die nur das Vorkommen lokaler geschlechtlicher Krankheiten nach dem angeblichen Zeugnis des Celsus in Rom annehmen wollen) sagt uns, dass der gelehrte Littré Manuscripte aus dem dreizehnten Jahrhundert entdeckt hat, „worin alle uns von den Alten überlieferten Erkrankungen der Genitalorgane genau bezeichnet sind und sogar jene Erscheinungen, die wir als sekundäre bezeichnen; sie sind auch ausdrücklich auf geschlechtliche Ansteckung zurückgeführt: und das zwei Jahrhunderte vor der Zeit, wo die Lustseuche angeblich erst nach Europa gekommen ist!"

Diese Krankheit war in Rom unter dem zweifelhaften Namen Elephantiasis aufgetaucht, etwa ums Jahr 650, das ist 105 n. Chr.; diese Elephantiasis, die bald ganz Italien verseucht hatte, gab allen Krankheiten, mit denen sie sich komplizierte, ganz absonderliche Formen. Asklepiades von Bithynien verdankte einen Teil seines Ruhmes dieser Krankheit, die er den Proteus des Uebels nannte; er verstand sie nämlich zu behandeln, da er sie lange in Kleinasien beobachtet hatte. Asklepiades, der das philosophische System Epikurs auf die Medizin angewandt hatte, wollte in den Krankheiten einen Mangel an Harmonie zwischen den Atomen sehen, aus denen ihm der menschliche Körper zu bestehen schien. Er war der erste, der die Krankheiten in akute und chronische einteilte, der erste, der die Ursachen der Entzündung in irgend einer Verstopfung suchte. Mit besonderer Sorgfalt hatte er die venerischen Erkrankungen studiert. Ein grosser Verehrer der diätetischen Heilmethode, verordnete er häufig Abreibungen und Umschläge mit Wasser; er hatte die Douchen (balneæ pensiles) erdacht, und war gleich seinem Meister Epikur sinnlichen Genüssen nicht abhold, sofern sie mit Mass betrieben werden. Dieser griechische Arzt musste bei den Römern Erfolge erzielen, weil er sie in ihren Neigungen nicht allzusehr behinderte, und seinen Patienten sogar einen mässigen Gebrauch ihrer Körperkräfte gestattete; das that er, wie er sagte, um die Seele vor dem Einschlafen zu bewahren, deren Sitz er in den Organen der fünf Sinne vermutete. T. Aufidius, sein Lieblingsschüler empfahl nach seinem Vorbilde den Gebrauch der Abreibungen bei allen Krankheiten, erzielte ausgezeichnete Resultate bei Lepra und allen Erscheinungen venerischer Natur, und nahm unter die Zahl seiner Heilmittel auch die Geisselung auf und den Liebesgenuss, den er als das beste zur Bekämpfung der Melancholie bezeichnete.

Die Lepra, der Aussatz, war in Rom zum chronischen und erblichen Leiden geworden, nahm die verschiedensten Formen an und verwüstete die Kräfte des Volks. Musa, der Leibarzt des Augustus, der ihn einmal von einer Krankheit geheilt hat, die uns die Historiker weder genannt noch beschrieben haben, die aber eine entzündliche Lokalerkrankung war, da sie mit lauwarmen Bädern behandelt wurde, Musa scheint sich besonders der Erforschung der leprösen, skrophulösen und venerischen Erkrankungen gewidmet zu haben. Er war zuerst Sklave und dann Freigelassener des Augustus und sicherlich wohlerfahren in den schweren Erkrankungen, die man damals vor der Oeffentlichkeit wohlverborgen hielt. Musa erfand verschiedene Mittel gegen die luetischen Geschwüre gefährlicher Art, die später in den Receptenschatz der Vulgärmedizin übergingen und sozusagen als Allheilmittel angesehen wurden. Dieser Arzt beschränkte sich nicht auf die Anwendung lokaler Mittel, sondern unterwarf den ganzen Organismus einer reinigenden Kur mit Abkochungen von Lattich und Cichorie. Aehnlich behandelte er auch alle Folgeerscheinungen einer venerischen Intoxication. Meges von Sidon, der um dieselbe Zeit wie Musa in Rom prakticierte, zeichnete sich ebenfalls in der Behandlung lepröser Krankheiten aus, die häufig wohl lediglich venerischer Natur waren. Er war Schüler des Themison, des Gründers der methodischen Schule.

Der Ursprung des Aussatzes war, oder war gewesen, eine geschlechtliche Erkrankung. Wohin man auch immer den Ursprung der Lepra verlegen mag, nach Aegypten, Judaea, Syrien oder Phönicien, immer war ihr erster Beginn eine lokale Affektion als Folge eines unreinen Geschlechtsverkehrs, entwickelt, verschlimmert durch das Fehlen ärztlicher Behandlung, begünstigt durch besondere zufällige Umstände und unaufhörlich, sei es plötzlich, sei es langsam, verändert, je nach dem

Alter, dem Temperament, der Lebensweise und der leiblichen Konstitution des Kranken. Daher diese verschiedenen Arten der Lepra, vor deren Beschreibung die griechischen und römischen Aerzte thatsächlich eine gewisse Scheu gehabt zu haben scheinen. Die ursprüngliche Lepra scheint also aller Wahrscheinlichkeit nach nichts anderes gewesen zu sein als die echte Syphilis des fünfzehnten Jahrhunderts; in der Elephantiasis haben wir es wahrscheinlich gleichzeitig mit der Lepra und der Syphilis zu thun. Celsus spricht kaum von der Elephantiasis, die „in Italien fast unbekannt, aber in anderen Ländern sehr verbreitet ist", — wie er sagt. Entweder hat er auf diese Krankheit nicht acht gegeben, oder er wollte sich nicht darüber verbreiten, da er sie als seltene Ausnahme betrachtete. „Diese Krankheit," so sagt er kurz, „afficiert die ganze Konstitution so sehr, dass sogar die Knochen davon ergriffen werden. Die Oberfläche des Körpers ist übersäet mit Flecken und zahlreichen Geschwulsten, deren Farbe vom Rot bis ins Schwärzliche spielt. Die Haut wird unegal, bald dick, bald dünn, bald hart, bald weich, dabei schuppt sie ab; der Körper magert ab, aber das Gesicht wird aufgedunsen, ebenso die Beine und die Füsse. Wenn die Krankheit eine Zeit lang gedauert hat (ubi vetus morbus est), dann verschwinden die Finger und die Zehen fast unter dem Geschwulst; kommt dann ein kleiner Fieberanfall hinzu, so genügt er, um den von soviel Leiden gequälten Kranken zu erlösen." Diese Beschreibung ist ziemlich farblos und unvollständig neben der, die uns ein Zeitgenosse des Celsus, ein berühmter griechischer Arzt, Aretaeus von Kappadozien hinterlassen hat; er hat diese Krankheit vermutlich in Kleinasien beobachtet, wo sie so häufig wie schrecklich war. Wenn man seine Darstellung mit der vergleicht, die uns die Aerzte des fünfzehnten Jahrhunderts vom Auftreten der Syphilis in Europa gegeben haben, so kann man nicht mehr im Zweifel darüber sein, dass eben dieselbe Syphilis schon fünfzehn Jahrhunderte zuvor unter dem Namen Elephantiasis verbreitet war; ebensowenig kann man im Zweifel darüber sein, dass die Lepra aus einer geschlechtlichen Vergiftung entstanden ist. Das scheint auch die Ansicht Raimonds, des gelehrten Geschichtsschreibers der Elephantiasis zu sein. „Die ökonomischen Vorschriften im Orient", so sagt er, in Bezug auf die weit verbreiteten gonorrhöischen Affektionen und in Bezug auf den Umgang mit Frauen, „beweisen, dass die Erkrankungen der Geschlechtsorgane und die mit ihnen so eng verbundenen der Leistendrüsen wirklich venerischen Ursprungs waren."

Aussatz und venerische Erkrankung traten fast immer zusammen auf; sie waren sehr häufig, aber es galt auch für sehr unehrenhaft, daran zu erkranken, und man verheimlichte die Ansteckung, während doch alle Welt entweder krank war oder krank gewesen war. Bei dieser „Heimlichthuerei und Prüderie" war natürlich die Stellung der Aerzte schwierig und delikat; sie behandelten lediglich die Lepra, und erfanden unablässig Salben, Panaceen und Gegengifte gegen die Krankheit. Lepröse, deren Gesicht oder Hände ergriffen waren, zeigten sich nirgends mehr. Eine besonders hässliche Form der Affektion im Gesichte hiess campanus morbus, kampanische Krankheit, weil man behauptete, sie sei in Capua entstanden, dieser Königin der Unzucht und Schande, wie Cicero sie nennt (domicilium superbiae, luxuriae et infamiae). Es ist sicher, dass die meisten Bewohner Capuas das Mal dieser abscheulichen Krankheit auf ihrem Gesichte trugen. Horaz führt uns in der Erzählung seiner Reise nach Brindisi den Sarmentus vor, Freigelassene des Oktavius und einen seiner Lustknaben; er zeigt ihn uns, wie er lacht und spottet über die campanische Krankheit und sein eigenes von ihr entstelltes Gesicht (campanum in morbum, in faciem per multa jocatus). Sarmentus hatte auf der linken Wange eine grässliche Narbe, die unter seinen Bartstoppeln abscheulich hervorleuchtete (at illi foeda cicatrix setosam lævi frontem turpaverat oris). Cruquius, einer der Kommentatoren des Horaz hat uns auch die campanische Krankheit, eine Art Ausschlag, geschildert. Plautus lässt uns über die Natur dieses Ausschlags nicht im Zweifel, wenn er in seinem Trinummus die Schande der campanischen Bevölkerung schildert, die nach seinem Ausdruck die Syrer sogar in der Geduld übertrifft (Campas genus multa Syrorum jam antidit patientia.). Plautus hatte Gelegenheit gehabt, die schändlichsten Geheimnisse der Zügellosigkeit zu beobachten, als er bei einem umbrischen Bäcker die Mühle drehte.

Bei den meisten venerischen Erkrankungen wurden die Geschwüre und Auswüchse, die die Aerzte für die eigentlichen Leiden hielten, statt in ihnen die verhängnisvollen Symptome eines schweren Siechtums zu erkennen, chronisch, abgesehen von den seltenen Fällen, wo sie durch eine rationelle Badekur zum Verschwinden gebracht wurden. Niemand überstand eine lange und schmerzhafte Behandlung, ohne die Spuren davon an seinem Körper, oft sogar auf seinem Gesicht zu tragen. Die Züge wurden davon so entstellt, dass man eine Frau, die durch die Krankheit derartig verunziert worden war, spinturnicium nannte, weil ihr abstossender Mund an die Grimasse einer Harpyie (spinturnix) erinnerte. Die zurückbleibenden Spuren der Geschwüre nannte man Feigen, Binsen, oder gab ihnen gar ganz unübersetzbare Bezeichnungen. Man hatte sogar für die verschiedenen Stufen des Leidens eine regelrechte Komparation geschaffen, und sprach geradezu von ficosus und ficosissimus. Martial giebt uns in einem Epigramm, das er überschreibt: De familia ficosa ein grauenhaftes Bild einer durchseuchten Familie Auch über die gonorrhöischen Affektionen und über die sogenannten Flüsse der Frauen, die deretwegen die Juno unter dem Namen Fluonia anriefen, erfahren wir wenig und wenig Zuverlässiges bei den alten Schriftstellern, obschon diese Leiden ganz ausserordentlich verbreitet waren. Bei den Dichtern erfahren wir fast gar nichts, und so sind wir auf die spärlichen Angaben bei Celsus angewiesen.

Das Auftreten der schrecklichen Leiden in Rom kann niemanden Wunder nehmen, da Rom unter den Kaisern von Ausländern überflutet war, die mit ihren Sitten auch ihre Krankheiten mitgebracht hatten. „Ich kann, ihr Römer“, so schreit Juvenal einmal auf, „ein griechisch gewordenes Rom nicht ertragen; thatsächlich macht doch diese griechische Hefe nur einen kleinen Teil der Stadtbevölkerung aus. Seit langer Zeit hat sich der syrische Orontes in den Tieber ergossen und hat mit sich geführt seine Sprache, seine Harfen, seine Flöten, seine Tambourinnen und seine Courtisanen, die sich im Cirkus prostituieren. Geht doch hin zu ihnen, alle ihr, die ein barbarisches Weib im Schmucke seiner bemalten Tiara reizen kann!“ Die römischen Dichter und Schriftsteller wurden nicht müde, die fremden Gäste Roms anzugreifen und sie zu beschuldigen, dass sie es hauptsächlich gewesen seien, die mit ihren Lastern und ihren nationalen Ausschweifungen die römischen Sitten verderbt hätten. Phrygien, Sicilien, Lesbos, ganz Griechenland hatten die alte Sittenstrenge Roms untergraben. Von Lesbos lernten die Römer alle die Abscheulichkeiten der lesbischen Liebe, Phrygien lieferte ihnen die Lustknaben (Foemineus Phryx, sagt Ausonius einmal), jene jungen Sklaven mit wallendem Lockenhaar, in den Ohren grosse Ohrgehänge, angethan mit weitärmeligen, rot und grün bestickten Gewändern; Lacedæmonien, das stolze Sparta, sandte ihnen ebenfalls eine ganze Kolonie von Sklaven die zu den Ausschweifungen das ihre beitrugen; Juvenal spricht von einer lacedæmonischen Schmach, ein Ausdruck, der allen Auslegern viel Kopfschmerzen gemacht hat, ohne dass etwas Rechtes dabei herausgekommen wäre (qui Lacedæmonium pytismate lubricat orbem). Martial erwähnt die von Leda erfundenen Frauenringkämpfe, die durch das zuchtlose Lacedæmon berühmt wurden (libidinosæ Lacedæmonis palæstras). Und Sybaris, und Tarent, und Marseille! „Sybaris hat die sieben Hügel (Roms) erobert,“ klagt Juvenal, der einmal für die Reinheit und Einfältigkeit der römischen Sitten der ersten Jahrhunderte schwärmt; Sybaris war die Königin der Vergnügungen, aber auch der venerischen Erkrankungen. Da war Tarent (molle Tarentum nennt es Horaz) mit seinem schönen, parfumierten Jünglinge von herrlichem Gliederbau, den nackten Körper in durchscheinende Gewänder gehüllt, sodass sie einherschritten wie Nymphen. Marseille lieferte gleichfalls seine in den Künsten der Unzucht bewanderten Knaben, die freilich vielfach lediglich zur Masturbation dienten, wie man aus einer Stelle bei Plautus entnehmen kann, (si vis subigitare me.) Mit einer Aufzählung der fremden Städte und Länder, die am meisten zur sittlichen Verwilderung Roms beigetragen haben, würde man gar nicht zu Ende kommen. Nicht übergehen darf man dabei Capua und die Opiker: diese Leute, die einen Teil von Campanien bewohnten, waren auf eine so tiefe Stufe der Sittlichkeit herabgesunken, dass ihr Name geradezu gleichbedeutend mit der schmählichsten Prostitution war. Ausonius hat ein Epigramm gegen Eunus Syriscus (ingenium linguritur), einen vollendeten Meister in der opicischen Kunst (opicus magister), gedichtet.

Aus Griechenland kamen ebensoviel Aerzte wie Courtisanen; aber diese Aerzte, die das Vorurteil der Römer manchmal bis zum wirklichen Hass verfolgte, hatten es nicht sowohl auf gründliche Kuren als auf raschen Geldgewinn abgesehen. Sie wurden rasch reich, wenn sie in den Ruf kamen, irgend eine bestimmte Krankheit besonders geschickt zu heilen. Aber trotz der Fortschritte der methodischen Medizin besserte sich der allgemeine Gesundheitszustand nicht. Das kann man aus der Art der Krankheiten schliessen, die damals mit besonderem Eifer wissenschaftlich untersucht wurden: es war immer wieder Ausschlag, Aussatz, Lepra in den allerverschiedensten Variationen. Jeder berühmte Heilkünstler erfand irgend ein Spezialmittel gegen eine lokale Erscheinung dieser chronischen Verseuchung, die mit allen Krankheiten Komplikationen abgab. Da gab es eine Menge von verschiedenen Augenwässern, von Präparaten zum Gurgeln bei Mundfäule, von Pflastern für Geschwüre und dergleichen mehr Dinge, die beweisen, dass die leprösen und venerischen Erkrankungen ausserordentlich zahlreich waren. Nach Musa war Vettius Valens der erste Modearzt, weniger bekannt durch seine medizinische Geschicklichkeit als durch sein Verhältnis zu Messalina. Dank dieser Geliebten hatte er gewiss Gelegenheit, alle mit dem Geschlechtsverkehr zusammenhängenden Krankheiten kennen zu lernen. Zu derselben Zeit wie er, praktizierte in Rom noch ein anderer Schüler von Themison, Meges von Sidon, der besonders syphilitische Geschwüre kurierte und erfolgreich die skrophulösen Drüsenanschwellungen behandelte. Er wurde ausgestochen in der Gunst des Publikums durch seinen Mitschüler Thessalus von Tralles, der sich den Besieger der Aerzte nannte, obschon er weder seine Kenntnisse noch seine Erfahrung besass. Dieser Thessalus, den Galenus als Narren und Esel qualifiziert, behauptete kühn, dass er durch energische Anwendung starker Mittel rasche Heilung bewirken könne. Thatsächlich hatte er denn auch einige glänzende Erfolge in der Behandlung der Lepra der venerischen Geschwüre und der Skropheln zu verzeichnen. Da die Zahl der Patienten beständig wuchs, so hielt Thessalus es für nützlich, auch die Zahl der Aerzte zu vermehren, und weil er behauptete, innerhalb sechs Monaten seine ganze Kunst lehren zu können, so hatte er starken Zulauf: Köche Fleischer, Gerber und andere Handwerker verliessen ihren Beruf, und schlossen sich dem Thessalus an, der nur noch mit einem grossen Gefolge begeisterter Schüler und Jünger erschien. Die Aerzte sanken dadurch natürlich noch mehr in der allgemeinen Achtung, und ebenso sehr verminderte sich ihr Wissen. Die Lepra zu heilen, das war die einzige grosse Aufgabe. Soranus von Ephesus kam unter Trajans Regierung nach Rom und brachte einige wirksame Präparate gegen den Ausfall der Kopf- und Barthaare mit; Moschion, einer der Rivalen des Soranus, beschäftigte sich speciell mit Frauenkrankheiten und deren Untersuchung; gegen den weissen Fluss wandte er energische und wirksame Mittel an.

Neben diesen wissenschaftlich gebildeten Aerzten gab es eine Menge von Autodidakten, Pflasterkasten und Charlatanen. Sie waren natürlich noch verachteter und verhasster als die Aerzte. Horaz glaubt ihnen nicht Unrecht zu thun, wenn er sie mit Gauklern, Bettlern, Schmarotzern und Prostituierten auf eine Stufe stellt (ambubajarum collegia, pharmacopolæ). Die geheimen Krankheiten waren so recht das Feld dieser Charlatane. Indessen gab es doch auch unter ihnen einige kräuterkundige Männer und einige geschickte Praktiker. Unter Tiberius stellte Menekrates, der Erfinder des Saftpflasters, mehrere Pflaster her, die bei Geschwulsten und skrophulösen Erkrankungen oft gute Dienste leisteten; Asklepiades Pharmacion und Apollonius von Pergamon heilten ebenfalls derartige Leiden, Criton die Lepra; Andromachus, der Erfinder eines berühmten Gegengiftes und Dioskorides, der Verfasser eines grossen medizinischen Werkes, scheinen sich mehr mit den Folgen des Schlangenbisses als mit den venerischen Erkrankungen abgegeben zu haben, obschon diese ungleich mehr Opfer forderten.

Die Untersuchung und Behandlung derartiger Infektionen interessierte in hohem Grade die römischen Aerzte des zweiten Jahrhunderts unserer Zeitrechnung, von denen wir Galien und Oribas nennen. Einer von ihnen, Archigen, wandte bei den Behandlungen sehr schwerer lepröser Affektionen sogar unter Umständen die Kastration an, um die Kraft der Krankheit zu brechen. Das deutet eben wieder auf die syphilitische Natur dieser Krankheiten. Ein anderer dieser Aerzte, Herodot, schwärmte für Schwitzkuren, deren Bedeutung für syphilitische Erkrankungen bekannt ist. Mit der Zeit wurden diese Leiden genauer beobachtet, und ihre Behandlung rationeller. Ein Zeitgenosse des Galiens, Leonidas von Alexandrien, der ein ebenso glücklicher wie geschickter Praktiker gewesen zu sein scheint, machte sich durch seine Kuren einen grossen Namen; seine Bemerkungen über die Behandlung der Geschwüre und dergleichen sind auch heute noch von Interesse. Das Nähere mag man in Kurt Sprengels Geschichte der Medizin nachlesen.

Der starken Verbreitung der leprösen oder venerischen Krankheiten in Rom verdanken wir wohl die Einrichtung der Archiatren oder öffentlichen Aerzte. Der erste, der diesen Titel trug und die Funktionen eines amtlich angestellten Arztes im Inneren des kaiserlichen Palais versah, war Andromachus der Aeltere, der unter Nero lebte. Er überwachte nicht nur die Gesundheit des Kaisers, sondern auch aller im Schloss stationierter Offiziere. Seine Amtspflichten wuchsen aber derartig an, dass sie die Kräfte eines einzigen Mannes überstiegen, und so vermehrte man denn die Zahl der Schlossärzte (archiatri palatini) bis auf Constantin. Oftmals waren sie hochgeehrt, und der Kaiser verlieh ihnen die Würde als præsul spectabilis, d. h. sie wurden etwa zu geheimen Hofräten ernannt. Gleicherweise hatte man in Rom und in allen Städten des Reiches Amtsärzte (archiatri populares) eingesetzt, die ihre Kunst kostenlos dem Volke zur Verfügung stellten, und eine Art von Gesundheitspolizei ausübten. Zuerst wurde in jedem Quartier der Stadt Rom ein solcher Arzt angestellt; das machte also vierzehn für die ganze Stadt; bald aber verdoppelte und verdreifachte man diese Zahl, und schliesslich waren ihrer gerade soviele vorhanden als Priesterinnen der Venus. Antoninus Pius ordnete und vervollständigte diese vortreffliche Einrichtung; in den grossen Städten sollte man zehn Volksärzte ernennen, in den mittleren sieben und in den kleineren fünf. Diese Volksärzte bildeten an ihrem Wohnsitze ein medizinisches Kollegium, das sich bei Vakanz durch Zuwahl aus den von der Behörde präsentierten Kandidaten ergänzte, und selbst Schüler ausbildete. Auf diese Weise hatte die Behörde die Gewissheit, dass der Sanitätsdienst stets würdigen und kenntnisreichen Personen anvertraut war Diese Archiatren waren im Genuss verschiedener Vorrechte, die beweisen, welche Bedeutung und welchen Wert die Staatsregierung ihrer Thätigkeit beimass. Sie waren vermutlich keine von den übelbeleumdeten Griechen, die nach Rom kamen, um aus ihrer Kunst ein Geschäft zu machen, und unter Umständen auch nicht davor zurückschreckten, den Kuppler zu spielen, oder mit ihren Kranken Unzucht zu treiben.

Die Volksärzte oder Amtsärzte unterstanden zweifellos unmittelbar den Aedilen; die Sanitätspolizei war also mit dieser Organisation verknüpft Aber es lässt sich nicht erkennen, welche Aufgaben ihr zufielen, und was sie in Sachen der Prostitution zu thun hatte. Darüber ist uns in den alten Schriftstellern auch nicht das mindeste überliefert worden. Vermuten können wir wohl, dass die Bezirksärzte ein Augenmerk auf den Gesundheitsstand der eingeschriebenen Dirnen hatten. Vielleicht unterstanden diese Freudenmädchen sogar der Kontrolle durch bestimmte Aerzte; zumal da wir wissen, dass die Vestalinnen und die Gladiatoren ebenfalls ihre besonderen Aerzte hatten. Im Codex des Theodosius wird das ausdrücklich angegeben. Zwei antike Inschriften belehren uns über die Funktionen der Circusärzte; die eine nennt uns den Namen des Eutychus, der bei den Spielen am Morgen (medicus ludi matutini) beschäftigt war. Demnach darf man wohl annehmen, dass auch die Dirnen ihre speziellen Aerzte hatten, die in Sachen der Frauenkrankheiten besonders erfahren waren. Die Courtisanen pflegten wohl meist die sogenannten medicae zu konsultieren, die nicht lediglich Hebammen (obstetrices) waren, sondern sich auch mit der Magie und der Ausübung der Heilkunde abgaben. Einige dieser medicae scheinen wegen ihrer hervorragenden Leistungen vom Staat und von den Sanitätskollegien in der Ausübung ihres Berufes anerkannt worden zu sein. Gruter führt folgende Inschrift an: Secunda L. Livillae medica; eine Erklärung giebt er nicht. Da römische Frauen bei Geburten lediglich Hebammen zur Hilfe heranzuziehen pflegten, so begreift man, dass sie im Falle einer Geschlechtskrankheit sich noch weniger den indiskreten Blicken eines Mannes aussetzen mochten. So gab es denn sicherlich Aerztinnen für Frauenleiden; reiche Frauen hielten sich eine solche Heilkundige auch wohl unter ihren Sklavinnen. Frauenleiden waren in Rom ausserordentlich häufig und manchmal sehr schwer; Martial spielt darauf in einem Epigramm gegen Lesbia an. Einigermassen wirkte man ihnen durch zahlreiche und zweckmässig angewandte Bäder, besonders Sitzbäder auf dem Bidet, entgegen.

Der Umstand, dass die berühmten Aerzte stets mit einer ganzen Schar von Schülern und Adepten Krankenbesuche zu machen pflegten, war natürlich gerade das Gegenteil von einem Anreiz, bei geschlechtlichen Erkrankungeu sofort den Arzt zu konsultieren. So war denn das Gebiet der geheimen Erkrankungen den Charlatanen ausgeliefert. Dabei konnte sich jedermann beliebig als Arzt niederlassen; besonders die Barbiere pflegten neben ihrem Gewerbe allerhand Kuren zu unternehmen, ebenso die Sklaven in den Bädern. So häufig, so verschieden und so auffallend auch die venerischen Erkrankungen gewesen sind, so wenig Sicheres ist uns doch darüber überliefert worden; gerade die bedeutendsten Aerzte scheinen den Mantel des Aeskulaps über diese Art von Leiden gebreitet zu haben. Man kann sich eine Vorstellung von ihrer Häufigkeit machen, wenn man die Verbreitung der Prostitution bedenkt, die sozusagen nicht einmal vor dem Kind in der Wiege halt machte, und mit teuflischer Freude die kleinen Wesen in ihre Mysterien einweihte, bevor sie noch sieben Jahre alt waren. „Meine Schutzgöttin soll mich strafen," so ruft Quartilla bei Petronius aus, „wenn ich mich daran erinnere, jemals unbefleckt gewesen zu sein. (Junonem iratam habeam, si unquam me meminerim virginem fuisse)." Prostitution und Geschlechtskrankheiten hängen eng mit einander zusammen, und sind gleicherweise verbreitet.

Kapitel XXI.

Die medicae juratae. — Hebammen. — Die Athenerin Agonodike. — Die sagae. — Kindesaussetzungen in Rom. — Die suppostrices oder Kindesvertauscherinnen. — Ursprung des Wortes sage-femme. — Salben, Parfums, Liebestränke und Beschwörungen. — Abscheuliche Praktiken der sagae bei der Fabrikation der Liebestränke — Gratidia. — Die Geheimnisse der Gratidia aufgedeckt durch Horaz, dessen Geliebte sie war. — Der mons Esquilinus. — Die Beschwörung eines Mannes durch die sagae. — Furcht der Römer davor. — Aphrodisiaka. — Der Wunschestrank. — Die Zusammensetzung der Liebestränke. — Das hippomanum. — Liebhaberei der Römer für Parfums. — Verschiedene Parfums. — Namen der Wohlgerüche. — Die Kosmetika. — Poppaeas Eselsmilchbäder. — Die Courtisane Acco. —Die sagae und Parfumeusen verkaufen Utensilien zum Gebrauche der Prostituierten. — Das fascinum. — Die Infibulation. — Ueber die Kastration bei Frauen.— Die Priester der Cybele

Ueber die Dienste, die die Aerztinnen den Frauen in schwierigen Fällen leisteten, wo deren Gesundheit das Auge und die Hand einer Person ihres Geschlechts erheischte, wissen wir nichts, sind vielmehr im grossen und ganzen auf ziemlich wahrscheinliche Vermutungen über dieses Geheimkapitel aus der Geschichte der Medizin angewiesen, über das die antiken Schriftsteller einen undurchdringlichen Schleier gebreitet haben. Wenn wir aber auch somit über die Rolle der medicae in der Therapeutik der Geschlechtskrankheiten nichts aus den autoritären Quellen erfahren, so können wir doch leicht ihr nützliches und werkthätiges Eingreifen nicht nur bei Schwangerschaften und Geburten, sondern auch bei der geheimnisvollen Herstellung von kosmetischen Mitteln, Parfums und Salben feststellen. In Rom und den grösseren Städten des Reiches gab es ohne Zweifel medicae juratae, wie sie Anianus in den Noten zum Theodosianischen Kodex nennt: „Falls über die Schwangerschaft einer Frau Zweifel bestehen," so heisst es da, „dann erhalten fünf vereidigte Hebammen, d. h. solche, die das Recht haben, Medizin zu studieren (medicae), den Auftrag, diese Frau zu untersuchen (ventrem jubentur inspicere)." Ausser diesen praktisch ausgebildeten Frauen, die sich wahrscheinlich einem medizinischen Examen unterzogen und vom offiziellen Amtsarzt kontroliert wurden, widmeten sich viele Weiber, besonders Ausländerinnen, Freigelassene oder Sklavinnen der Heilkunst; sei es nun, dass sie diesen Beruf studiert hatten oder nicht, so verbanden sie damit doch fast alle das Gewerbe einer Parfumeuse und die manchmal verbrecherischen Praktiken der schwarzen Kunst. Hygin erzählt uns in seiner Sammlung mythologischer Fabeln, bei welcher Gelegenheit die ärztliche Kunst in Griechenland zum ersten Male von einer Frau ausgeübt worden ist. Seit den ältesten Zeiten übten Männer dort die Geburtshilfe aus, obschon das Schamgefühl der Frauen dem widerstreben musste. Eine junge Athenerin Namens Agonodike fasste darauf den Entschluss, ihr Geschlecht von einer Art entehrender Abhängigkeit zu befreien: sie schnitt sich die Haare ab, legte Männerkleider an, und nahm an dem medizinischen Unterricht eines berühmten Arztes teil, der sie in die Kunst der Geburtshilfe einweihte, und aus ihr eine ausgezeichnete Hebamme machte. Sodann begann sie ihrem Lehrer Assistentendienste zu leisten, und zeigte dabei soviel Geschick und besonders soviel Decenz, dass die Frauen sich nur noch von ihr behandeln lassen wollten. Wahrscheinlich vertraute Agonodike ihnen das Geheimnis ihres Geschlechts unter dem Siegel der Verschwiegenheit an, denn bald nahm keine athenische Frau bei Geburten mehr die Hilfe männlicher Aerzte in Anspruch. Die waren zuerst erstaunt, dann erbittert, zettelten endlich eine Art Verschwörung gegen den jungen „Herrn Kollegen" an. „Er" wurde bei den Behörden wegen aller möglichen Schandthaten, die er vollbracht haben sollte, denunziert; vor den Areopag citiert, antwortete „er“ gar nicht auf die Anschuldigungen, sondern schlug sein Gewand zurück, und enthüllte das Geheimnis seines Geschlechts. Die Folge war natürlich ein glänzender Freispruch. Die Aerzte waren geschlagen, und das Volk verlangte die Abschaffung eines alten Gesetzes, das den Frauen die Ausübung der Heilkunst untersagte. Diese Geschichte kann uns den Beweis liefern, dass die Heilkunst seit jeher ohne Unterschied von Männern und Frauen gepflegt worden ist, und dass die letzteren sich zumeist der Behandlung der Frauenleiden zugewandt haben; in Rom und in Athen waren sie auf dem Gebiet fast ohne Konkurrenz.

Die Frauen, die sich mit der Medizin und besonders mit der Heilung geheimer Krankheiten abgaben, waren demnach sehr zahlreich, und zerfielen in mehrere Klassen: die medicae, die wegen ihres Wissens und Charakters angesehensten, beschäftigten sich wohl mit allen Zweigen ihrer Kunst; die obstetrices waren lediglich Hebammen, und die adsestrices Assistentinnen und Schülerinnen der Hebammen; ganz zuletzt kam dann die zahlreiche und buntgemischte Schar der Parfumeusen und Magierinnen, die fast alle zur Prostitution gehörten oder gehört hatten. Ihr Gewerbe war die Zuflucht alter Dirnen; es war zugleich die liebste Beschäftigung der Kupplerinnen. Unter dem gemeinsamen Namen sagae fasste man alle diese verschiedenen Arten von Salbenverkäuferinnen und Pflasterschmiererinnen zusammen, die ihre Ware häufig selbst unter allerhand absonderlichen, aus Thessalien stammenden Ceremonien fabrizierten. Aber nicht alle sagae waren Magierinnen, die meisten kannten kaum die einfachsten und harmlosesten Elemente dieser fluchwürdigen Kunst. Viele von ihnen verstanden gar nichts von der Zusammensetzung der Geheimmittel, die sie verkauften, und mit denen sie oft entsetzliches Unheil anrichteten, Unheil bei dem die Justiz gern die Augen zudrückte. Andere von jenen Weibern waren nichts anderes als nichtautorisierte Hebammen, die jederzeit zur Abtreibung der Leibesfrucht bereit waren, und mittels Beschwörungen und Amuletten bei der Geburt illegitimer Kinder Beistand leisteten. Man weiss, dass deren Zahl in Rom sehr gross war. Jeden Morgen fand man auf der Strasse, auf der Schwelle der Häuser, unter den Säulengängen und in den Backöfen, die Leichen Neugeborener, die unmittelbar nach der Geburt durch Aussetzung einem sicheren Tode überliefert worden waren. Das schreckliche Geschäft des Kindermordes lag der saga ob: sie pflegte die unschuldigen Opfer in den Falten ihres Gewandes zu töten. Manchmal freilich hatte die Mutter Mitleid mit ihrem Sprössling, und begnügte sich damit, ihn, eingehüllt in Windeln, am Ufer des velabrischen Sees (lacus Velabrensis), oder auf dem Gemüsemarkt (in foro olitorio) oder bei der Milchsäule (Columna lactaria) auszusetzen; dort wurden diese armen Waisen aufgehoben und auf Kosten des Staates erzogen, der so zwar die Vormundschaftspflicht übernahm, aber den unglücklichen Wesen das Brandmal der unehelichen Geburt aufdrückte. Es kam auch vor, dass unfruchtbare Frauen, oder suppostrices, verrufene Weiber, die aus dem Kindstausch ein Geschäft machten, oder Bürger, denen es Kummer machte, keine Leibeserben zu haben, hierherkamen, um unter den armen Ausgesetzten diejenigen herauszusuchen, die ihren guten oder schlechten Absichten am besten entsprachen. Oft ertönte am velabrischen See Kindergeschrei durch das Dunkel, und man sah, Gespenstern gleich, die sagae oder die Kindesmütter selbst, wie sie herbeikamen, um dem schauerlichen Minotaurus ihren Tribut zu entrichten; man nannte den Ort die Aussetzungsstelle (expositio.) Das französiche Wort für Hebamme, sage-femme, geht unzweifelhaft auf saga zurück

Diese sagae leisteten auch bereitwilligst Hilfe bei Fruchtabtreibungen, entweder in den ersten Stadien der Schwangerschaft (aborsus) oder im vorgeschritteneren (abortus). Zwar waren die Abtreibungen gesetzlich verboten, man versuchte aber nicht sie zum Gegenstand krimineller Verfolgung zu machen, weil man gar zu viel damit zu thun gehabt hätte, denn sie wurden in der Kaiserzeit so häufig, dass sogar die ehrenhaftesten Frauen dies Mittel anwandten, um Familienzuwachs hintanzuhalten. Man kannte einige Rezepte, die den gewünschten Erfolg gefahrlos herbeiführten; andere aber waren gefährlicher, und brachten oft Mutter und Kind gleichzeitig den Tod. In einem solchen Falle wurde die obstetrix oder die saga, die durch Unvorsichtigkeit, Unwissenheit oder aus anderen Gründen den zwiefachen Tod herbeigeführt hatte, einer Giftmischerin gleichgeachtet und zu den strengsten Strafen verurteilt. Diejenigen, die einer Graviden ohne ihr Vorwissen derartige Mittel beibrachten, konnte durch Einziehung eines Teiles ihres Vermögens und Verbannung gestraft werden, weil ihre That ein schlechtes Beispiel giebt, sagt der Rechtsgelehrte Paulus. Aber die Bestrafung eines derartigen Verbrechens war sehr selten, manchmal sogar ganz unmöglich, weil jedermann derartige Praktiken betrieb, und oftmals sogar die Kaiserin mit Einwilligung des Kaisers ohne Scheu solche Mittel anwandte. Der gewöhnlichste Grund dieser zahllosen Fruchtabtreibungen war lediglich die Furcht vor den Folgen einer Schwangerschaft und Geburt für die körperliche Schönheit. „Meinst Du," so fragt Aulus Gellius voller Empörung, indem er von diesen verbrecherischen Rabenmüttern spricht, „meinst Du, die Natur hat den Frauen die Brüste nur zum Schmuck und nicht zum Nähren der Kinder gegeben? Weil sie dieser falschen Meinung sind, deshalb lassen die meisten unserer Weltdamen (prodigiosae mulieres) den heiligen Quell vertrocknen und versiegen, aus dem das Menschengeschlecht sein Leben saugt; sie versuchen, den Zufluss der Milch zu hemmen, wie wenn sie die Attribute ihrer Schönheit hässlich machte. Und derselbe Aberwitz verführt sie dazu, mit abscheulichen Mitteln die Frucht ihres Leibss zu verderben, damit nur ja die Schönheit ihrer sammetweichen Haut nicht leidet unter der Bürde der Kindschaft und der Geburt." Wir brauchen lediglich darauf hinzuweisen, dass es auch noch abscheulichere Motive zum Abortus gab: hier wollte eine verheiratete Frau die Folgen eines Fehltrittes beseitigen, dort ein lüsternes Weib den Unbehaglichkeiten der Schwangerschaft aus dem Wege gehen, um in seinen Vergnügungen nicht gestört zu werden. Andere Frauen freilich, so wird uns überliefert, wünschten sich geradezu eine legitime Schwangerschaft, um während dieser Zeit ein ausschweifendes Leben zu führen; zu ihnen gehörte Julia, die Tochter des Augustus, die nur dann Liebhaber duldete, wenn sie sich von ihrem rechtmässigen Gatten Agrippa Mutter wusste. Sie pflegte zu sagen: „At enim nunquam nisi navi plena tollo vectorem." Sobald eine Frau schwanger war, wurden ihr von allen Seiten Anerbietungen gemacht, falls sie ihr Kind ihrer Schönheit zum Opfer bringen wollte. „Sie verbarg dir ihren Zustand," so sagt eine Person im Truculentus des Plautus, „denn sie fürchtete, du würdest ihr zu einer Fruchtabtreibung raten (ut abortioni operam daret) und zum Tode des Kindes, das sie unter dem Herzen trägt."

Gaben die Schwangerschaften und die Fruchtabtreibungen den sagae zu Rom auch viel zu thun, so bildeten sie doch nur den kleineren Teil ihres geheimnisvollen Gewerbes. Noch mehr Geschäfte machten sie mit ihren Salben, Parfums, Liebestränken und Beschwörungen. Diese Beschwörungen, Behexungen ähnelten den in Griechenland und besonders in Thessalien seit alters her gebräuchlichen; die Beschreibung, die Horaz in seinen Epoden von einer magischen Beschwörungsformel giebt, stimmt fast überein mit der, die uns drei Jahrhunderte früher Theokrit mitteilte. Der Zweck dieser greulichen, abergläubischen Handlungen war übrigens zu allen Zeiten und bei allen Völkern gleich. Die Zauberin warf entweder das Los, oder sie braute einen Liebestrank. Solche Liebestränke sollten zumeist das Feuer erloschener Liebe wieder anfachen, und es ewig unauslöschlich machen; Hass sollten sie in Liebe, Liebe in Hass wandeln und alle Schwierigkeiten, die Gleichgiltigkeit oder Schamhaftigkeit der Liebe in den Weg stellten, wegräumen. Das Loswerfen diente mehr dem Groll und der Rache. Solche Verfluchungen waren allerdings in Rom seltener als bei den Griechen, dafür aber war wiederum die Kunst der Zusammensetzung von Liebestränken nirgends so verbreitet und im einzelnen ausgebildet als im Rom der Cæsaren. Horaz erzählt uns von den abscheulichen Praktiken, mit denen sich die sagæ seiner Zeit besudelten, um Liebestränke zu fabrizieren. Er hatte zur Geliebten eine neapolitanische Händlerin mit Wohlgerüchen namens Gratidia, die er unter dem Namen Canidia dem öffentlichen Abscheu preisgegeben hat. Durch die Liaison mit dieser Canidia, die er zum Schluss ebenso hasste und verabscheute, wie er sie anfangs geliebt und angebetet hatte, wurde Horaz in die abscheulichen Geheimnisse der magischen Künste eingeweiht. „Die Zauberinnen hatten beständig Beziehungen zu den Courtisanen,“ sagt Walckenær in seiner vortrefflichen Geschichte des Lebens und der Schriften des Horaz; „sie stammten aus ihren Reihen, und hatten stets ihre Hände in allerart Liebesaffairen.“ Gratidia war dank dem poetischen Zorn, mit dem Horaz sie verfolgte, eine der berühmtesten unter den sagæ Roms; der Dichter konnte ihr nämlich nicht verzeihen, dass sie ihm einen alten Lüstling namens Varus vorgezogen hatte; sie war also offenbar eine saga, deren körperliche Vorzüge noch den Kummer eines verlassenen Liebhabers rechtfertigten. Die Scholiasten des Horaz behaupten, er habe ihr deshalb so stark gegrollt, weil er sich von ihr mit allerhand Mitteln behext glaubte; thatsächlich litt er ja auch fortwährend an einem Augenübel, das man wohl, ohne Canidia Unrecht zu thun, auf den Gebrauch geheimer Mittel zurückführen darf.

Der Esquilin war der gewöhnliche Schauplatz der Beschwörungsscenen und der magischen Opferungen. Jener Hügel diente als Begräbnisplatz für Sklaven, die man ohne Leichenkleid hier im bunten Durcheinander verscharrte; nachts hielt sich in dieser Einsamkeit des Todes kein lebendes Wesen auf, ausser Dieben, die hier einen Zufluchtsort fanden, und Zauberinnen, die da ihr düsteres Handwerk trieben. Am Ende des Esquilins, nahe bei der Porta Metia, hatte der carnifex, der Henker, sein Haus, umgeben von Galgen und Kreuzen, an denen Gerichtete hingen; eine ungeheure Statue des Priaps wachte ebenfalls über die abscheuliche und greuliche Stätte für sagæ und Diebe. In der Regel kamen die sagæ nur auf den Esquelin, um dort im Mondschein wunderkräftige Pflanzen zu pflücken oder Haare und Knochen von Toten oder Fett von Gehenkten zu holen. Aber auch Kindesopfer brachten sie dar. Man musste sie für derartige Praktiken, an denen Menschenblut klebte, teuer bezahlen, obschon ein Kindesleben in Rom nicht viel galt; aber das Kind, das man opferte, indem man es bei lebendigem Leibe begrub, musste der Amme oder den Eltern geraubt werden, weil anders seine Leber und sein Mark nicht die rechte liebeweckende Kraft hatten. Der Raub eines freien und legitim geborenen Kindes konnte indes mit dem Tode bestraft werden.

Die magischen Liebestränke wurden zu einem der drei folgenden Zwecke gebraut: entweder die Liebe in einem oder einer zu erwecken, worin sie bisher nicht wohnte; oder Hass entstehen zu lassen bei einem oder einer, die liebten; oder aber bei einem Manne alle Liebesglut erkalten zn lassen. Dieser dritte Fluch, der im Mittelalter so sehr gefürchtet war, und fast bis in unsere Zeit hinein kriminell verfolgt werden konnte, und verfolgt wurde, war auch bei den Römern ein Gegenstand beständiger Furcht. Gerade darin zeichneten sich die sagae aus; sie verstanden es, so glaubte man, die Kraft zur Liebe einem Manne zu nehmen, wenn sie nur einen Knoten in einen Strick oder einen schwarzen Faden schlangen, und dazu geheimnisvolle Worte aussprachen. Man nannte es præligare, wenn es sich darum handelte, Beziehungen eines Liebhabers zu seiner Geliebten, eines Mannes zu seiner Frau von Anfang an unmöglich zu machen; nodum religare dagegen nannte man es, wenn man derartige schon bestehende Beziehungen aufheben und fernerhin verhindern wollte. Die Römer hatten eine närrische Furcht vor derartigen Verhexungen, und hielten sie für so gefährlich, dass sie nicht einmal davon sprachen; fortwährend glaubten sie sich davon bedroht und, wenn sie verliebt, so sannen sie auf Gegenmittel, und opferten auf dem Hausaltare heimlich dem Herkules oder dem Priap. Die geringste Anspielung auf ein solches magisches Komplott galt schon für ebenso unglückseelig, wie die Anrufung eines bösen Geistes. Dichter und Schriftsteller mochten noch so alt sein, so vermieden sie es doch, von diesem delikaten Gegenstande zu sprechen. Nur mit äusserster Zurückhaltung stimmt Tibull in einer seiner Elegien in die Klagen eines verliebten Jünglings mit ein, der die Kraft zur Liebe verloren hat, und sie nicht einmal in den Armen der schönen Pholoë wiederfindet. „Sollte irgend ein altes Weib mit ihren magischen Sprüchen und ihren allmächtigen Liebestränken nächtlicherweile ein Los über dich geworfen haben,“ so fragt der Sänger der Liebe? Dann aber fährt er fort: „Sed corpus tetigisse nocet, sed longa dedisse oscula, sed femori conseruisse femur.“

Aber die stärksten und auch verhängnisvollsten Tränke, die die sagae und die alten Courtisanen nach unbekannten Rezepten und ohne alle Hilfsmittel der Magie brauten, dienten einzig und allein dazu, die Leidenschaften der Liebenden noch mehr anzustacheln. Davon machte man in Rom ausgiebigen Gebrauch, ohne auf die Gefahren einer derartigen Ueberreizung der Natur zu achten. Jeden Tag kosteten derartige Praktiken einem Manne das Leben, oder hatten Wahnsinn, Paralyse und Epilepsie zur Folge; aber solche Beispiele schreckten nicht, und die heisse Sehnsucht nach Vergnügungen brachte die Vernunft zum Schweigen. Diese Liebestränke waren übrigens nicht alle gefährlich, und im allgemeinen rührten die verhängnisvollen Folgen, die man ihnen mit gutem Rechte zuschrieb, doch mehr von ihrem Missbrauch als von ihrem Gebrauch her. Die Lebemänner pflegten eben immer grössere Dosen davon zu nehmen, weil sich die Wirkung allmählich abschwächte. So untergrub vor der Zeit L. Licinius Lucullus, das Musterbild eines lebenslustigen Römers, Ciceros Freund, seine Gesundheit, so ging der Dichter Lucretius zu Grunde, und viele andere, die in Geisteskrankheit verfielen, aus der sie erst der Tod erlöste. Alle diese Liebestränke, die dazu dienen sollten, verdorrte Leidenschaften wieder zu wecken, nannte man aphrodisiaka. Man verordnete sie auch Frauen, ja sogar jungen Mädchen, deren sexuelle

Triebe noch zu schlummern schienen: weise und ehrenwerte Aerzte missbilligten freilich diesen Unfug sehr entschieden. „Diese Mittel,“ so schreibt Ovid, „die den Teint bleichen, nützen den jungen Mädchen nicht, aber sie schaden dem Verstande, und übertragen den Keim zur wahnsinnigen Raserei.“ Meistens bestanden die Mittel aus Tränken, die man gutgläubig nehmen musste, ohne die Ingredienzien zu kennen, die Aberglaube oder Ueberlieferung darin zusammengefügt hatte Der Unglückliche, der sich zu einer solchen Kur entschloss, hatte oft keine andere Garantie als den guten oder schlechten Ruf der saga, zu der er gegangen war. Häufig waren die Tränke thatsächlich nur aus Saft und Abkochungen von Pflanzen zusammengesetzt, und Celsus giebt sogar ein paar solcher Kräuter an; andererseits mischte man doch auch mineralische und sogar animalische Ingredienzien hinein, die als die stärksten amatoria galten. Ein Mischmasch dieser Art, von dem Canidia das Rezept besass, wurde nach Horaz poculum desiderii genannt (Sehnsuchtstrank). Es gab aber auch natürliche schwefel- und eisenhaltige Wässer, denen man einen günstigen Einfluss auf die Sexualsphäre zuschrieb, ohne dass ihre Anwendung von üblen Folgen begleitet gewesen wäre. Derartige Mittel wandten die Aerzte häufig an, um dem Geheimmittelschwindel entgegenzuwirken. Freilich verloren diese anregenden Wässer, die man aquæ amatrices nannte, viel von ihrer Wirkung, wenn man sie weit von der Quelle genoss. Martial sagt in einem seiner Epigramme: „Hermaphrodit hasst die Wässer, die zur Liebe anregen (odit amatrices Hermaphroditus aquas);“ an einer Stelle giebt er zu verstehen, dass Frauen, ohne Zweifel Courtisanen, diese Quellen besassen, Reklame dafür machten und sie ausbeuteten. Diese aquæ amatrices waren also nicht, wie mehrere Gelehrte vermutet haben, Tränke, die von der Hand einer saga gemischt und zusammengebraut wurden, sondern ganz einfach Mineralwässer, denen man einen anregenden Einfluss auf die Sexualsphäre zuschrieb.

Genaue Angaben über die Zusammensetzung der Liebestränke finden sich bei den antiken Schriftstellern nicht. Man begreift schliesslich, dass die Fabrikanten dieser Mittel ihre häufig verbrecherische Industrie mit einem Geheimnis umgaben, das die Wissenschaft nicht durchdringen mochte. Man begnügte sich mit der Konstatierung des Effekts; auf die Ursachen ging man nicht näher ein. Der Physiologe Virey hat alle die zerstreuten und unsicheren Angaben bei Dioskorides, Theophrast, Plinius u. s. w. gesammelt, die ihm gestattet haben, seine Geschichte der Aphrodisiaken bei den Alten zu rekonstruieren. Er hat sie in zwei Hauptklassen eingeteilt, in die vegetabilischen und die animalischen; bei den ersten unterschied man die narkotischen, die bitteren und aromatischen Stimulantien, die wohlriechenden und alkoholhaltigen. Die Alraunen, Stechapfel und der wilde Hanf riefen eine wollüstige Trunkenheit hervor, die unter starken erotischen Anwandlungen langsam in Bewusstlosigkeit, Stumpfsinn und Tod überging. Auch den Pilzen, besonders von den Morcheln und dem Blätterpilz, den bitteren Trauben, aromatischen Kräutern und dem Samen dieser Pflanzen schrieb man eine stark stimulierende Wirkung zu, ebenso den alkoholreichen Likören, denen man die Destillate gewisser stark riechender Pflanzen beigemischt hatte Aber diese dem Pflanzenreiche entnommenen Mittel genügten bald den wahnsinnig ausschweifenden Lüstlingen nicht mehr; sie griffen daher zu anderen, stärkeren, wennschon häufig infolge davon Todesfälle eintraten. Insekten, Fische und andere animalische Substanzen waren es, zu denen sie griffen; das Mittel, das man daraus zusammenbraute, trug den bezeichnenden Namen satyrion. Spanische Fliegen, Grillen, Ameisen und andere Coleopteren, teils zu Pulver zerstampft, teils durch Weingeist ausgelaugt, waren beliebte Medikamente dieser Art. Auch Meeräschen-, Tintenfisch- und Schildkröteneier verwandte man, indem man sie mit grauem Ambra mischte. Wer aber solche Dinge anwandte, der war immer in Gefahr, ein Opfer seiner Lüste zu werden. „Daher kommen", so ruft Juvenal aus, „diese Anfälle von Wahnsinn, diese Verdunklungen des Verstandes, dieses Vergessen aller Dinge." Auch spricht Juvenal einmal von einem thessalischen Mittel, das ein verbrecherisches Weib anwandte, um den Geist ihres Mannes zu zerrütten. Martial verabscheut im allgemeinen diese Mittel ebenso sehr, und beschränkt sich auf die Empfehlungen einiger Diätvorschriften.

Qui præstare virum Cypriæ certamine nescit,
Manducet bulbos, et bene fortis erit.
Languet anus: pariter bulbos ne mandere cesset,
Et tua ridebit prælia blanda Venus.

Von allen Liebestränken der sagæ war das Hippoman das fürchterlichste. Die Gelehrten sind sich über seine Zusammensetzung nicht einig: entweder entstammte es den Geschlechtsteilen einer rössigen Stute, oder es war vielleicht ein Teil der Nachgeburt beim Fohlen. Juvenal erzählt uns von Cæsonia, die gleich die ganze Stirn eines neugeborenen Füllen dazu verwendet, um einen Trank recht stark zu machen (cui totam tremuli frontem Cæsonia pulli infudit). Ebenso beschreibt Juvenal auch mit Abscheu die fürchterlichen Folgen dieses Mittels, das den Wahnsinn und den Tod des Caligula und die Regierung und die Schandthaten des Nero verursachte: „Tanti partus equae!" ruft er aus — „alles das ist die Folge einer Stute, das Werk einer Giftmischerin!"

Diese alten gewissenlosen Weiber, diese Megären ohne Namen, abscheuliche Ueberbleibsel der Prostitution und der Unzucht, waren allerdings die reinen Giftmischerinnen; nicht nur Exkremente der verschiedensten Art von den verschiedensten Tieren mischten sie in ihre Mixturen. sondern auch menschliche Abscheidungen. die man kaum andeuten kann. Man kann sich denken, dass durch den Genuss solcher greulichen Mischungen allerhand schwere Krankheiten entstanden, die aber freilich die Lüstlinge nicht abhielten, immer von neuem sich an derartige Weiber zu wenden. In grossem Rufe stehende Zauberinnen fügten ihren Präparaten stets Teile vom menschlichen Leibe bei, sei es Mark oder Fett, Testikeln, Galle von einem Kinde oder einem Gehenkten, und besonders häufig das feine Häutchen, mit dem der Kopf des Neugeborenen bedeckt ist. Die Hebammen hoben das schön sorgsam auf, und verkauften es teuer an die Fabrikantinnen von Liebestränken oder an Advokaten, die glaubten, sie würden beredter, wenn sie es als Talisman bei sich trügen — solche Wunderwirkungen schrieb man dem feinen Häutchen zu. Man kann sich denken, dass das Geschäft der sagæ ausgedehnt und gewinnbringend gewesen sein muss, aber von keiner einzigen sind uns die Geschäftsbücher erhalten geblieben, aus denen wir ersehen könnten, was sie eingenommen und ausgegeben hat. Auch von der Parfumfabrikation, die die sagæ mit viel Hilfsmitteln und Raffinement betrieben, wissen wir nicht viel mehr. Die Dichter und Schriftsteller kommen sehr oft auf diese Parfums und Kosmetika (unguenta) zu sprechen, die bei allen Liebesaffairen eine Rolle spielen; aber sie bewegen sich dabei immer in nichtssagenden Allgemeinheiten, und führen uns nicht in die Geheimnisse der antiken Parfumerie ein, wie wenn diese Geheimnisse, die doch schon zu Homers Zeiten bekannt waren, von Generation zu Generation nur unter eidlicher Verschwiegenheit überliefert worden wären. Parfums anzuwenden war in Rom zur Passion geworden, zu einer ebenso zügellosen, glühenden, wie die Sinnenlust. Das Gewerbe der Parfumeusen, der unguentariæ, hatte ausserordentliche Fortschritte gemacht, und die Unzahl der verschiedenen Essenzen, Oele, Salben, Pomaden, Puder, Pasten, kosmetischen und aromatischen Mischungen war unübersehbar angewachsen; Pflanzen-, Stein-, ja sogar das Tierreich mussten immer neue Stoffe zur Zusammenstellung neuer, unerhörter Parfums liefern.

Die Alten, besonders die Römer, konnten sich den Liebesgenuss ohne Wohlgerüche überhaupt gar nicht vorstellen; thatsächlich machten sie denn auch im täglichen Leben davon den ausgiebigsten Gebrauch. Man weiss, welchen Einfluss der Moschus, das Zibeth, das graue Ambra und andere animalische Geruchsmittel auf das Nervensystem, speciell auf die Sexualsphäre ausüben; die Römer trugen derartige Sachen aber nicht nur beständig in ihren Kleidern und ihren Frisuren, sondern sie wandten diese Mittel auch innerlich an, indem sie damit ihre Speise und ihr Getränk würzten, ganz abgesehen von den vorhin ausführlich erwähnten starken und für Spezialfälle gebrauchten Liebestränken. Vermutlich hat man die ausserordentliche starke Sinnlichkeit der Römer, die dem Volke schliesslich zum Verderben gereichen musste, der steten Anwendung solcher Mittel zum Teil zuzuschreiben. Das asiatische Wohlleben war auch der Einführung dieses Parfums dienlich gewesen, und später schienen Arabien, Persien und der ganze Orient nicht hinzureichen, um Rom mit Wohlgerüchen zu versorgen. Vergeblich suchten einige ehrenwerte sittenstrenge Männer — unglücklicherweise Greise — diese den Sitten wie der Gesundheit gefährliche Mode zu bekämpfen; vergeblich wurden ihre guten Ratschläge in den Lehrbüchern der Moral, in der Poesie, ja sogar in dem Theater wiederholt: man achtete nicht darauf, und Rom war bald ebenso parfumiert wie Sybaris und Babylon. Je mehr man die Parfums liebte und anwandte, umso mehr verlor der Stand der Parfumeure und Parfumeusen an sozialer Achtung; meist waren es nur ehemalige Courtisanen oder alte, berüchtigte Kuppler Anständige Leute, die ihrer Dienste bedurften, betraten ihre Buden nur abends oder morgens in der Frühe mit verhülltem Haupte. Cicero und Horaz nennen sie nur mit grösster Missachtung: „Füg noch hinzu," sagt der erstere, „die Parfumeure, die Läufer und die Knöchelchenspieler." Horaz lässt in der verrufenen Bevölkerung einer toskanischen Ortschaft Kuppler und Parfumeur neben einandergehen (tusci turba impia vici). Für eine freigeborene und auf ihr Bürgerrecht stolze Frau (ingenua) war es die schwerste Beleidigung, wenn man sie für eine Parfumeuse hielt. Die Parfumerien waren auch kaum etwas anderes als Anstalten für Kuppelei (lenocinium) im grossen. Reiche Leute hatten ein eigenes Laboratorium, in dem einer aus der Schar ihrer Sklaven die für den Hausgebrauch notwendigen Wohlgerüche herzustellen hatte.

Ohne Zweifel gab es bestimmte charakteristische Parfums, die schon von weitem Stand, Rang, Sitten und Gesundheitszustand der Personen andeuteten; thatsächlich parfumierten sich Mann, Weib und Kind beim Aufstehen, nach dem Bade, vor den Mahlzeiten und beim Schlafengehen; man salbte sich den Körper mit wohlriechendem Oele, ebenso das Haar, in die Gewänder goss man Essenzen, Tag und Nacht brannte man Räucherkerzchen, in allen Speisen, in allen Getränken schluckte man Wohlgerüche. Der Satiriker Lucilius machte sogar einmal einen derben Witz in einem Gedicht, der sich auf den Verbleib aller dieser Unmassen von wohlriechenden Stoffen bezog. Plautus sagt in der Mostellaria: „Ein Weib riecht gut, wenn es gar nicht riecht; denn diese alten Fregatten, die sich mit Parfums überschütten, diese zahnlosen Scheusäler, die die Ruinen ihrer Schönheit mit Puder bedecken, die duften, wenn ihr Schweiss sich mit den Wohlgerüchen vermischt hat, schlimmer als ein Koch, der ein Ragout von verschiedenen Saucen gemacht hat." Namentlich auch in den Bordells wurde ausgiebiger Gebrauch von den Essenzen gemacht. Nicht nur pflegten sich dort die Menschen zu salben und zu parfumieren, sondern auch die Zellen waren mit Räucherkerzen versehen, die Lagerstätten mit Rosen überschüttet und mit Wohlgerüchen durchtränkt

Wenn die alten Dirnen oder Zuhälter, die sich besonders mit der Fabrikation solcher Mittel befassten, und damit ihr Teil zur Verschönerung des Liebeslebens auch noch mit beitrugen, ein neues Parfum erfunden hatten, dann waren sie stolz darauf, ihm ihren Namen geben zu können. Der Parfumeur Nikerotas hatte das nikerotianum erfunden, dessen betäubenden Geruch Martial rühmt (fragras plumbea nicerotiana); Folia, eine Zauberin, Freundin und Gefährtin der Canidia, hatte eine neue Art der Fabrikation der persischen Narde klug ersonnen, die danach foliatum hiess. Im allgemeinen trugen freilich die Kosmetika ihren Namen nach dem Ursprungsland: so hatte man Balsam aus Mendes in Aegypten, Salböl von Cypern, achæminidische Narde, arabisches Oel, sidonisches Malobathrum u. s. w. Die meisten oder wenigstens die stärksten Parfums kamen aus dem Orient und speziell von der arabischen Halbinsel, daher nannte man alle Kosmetika schlechthin arabicum unguentum (arabische Salbe). „Lasst uns wohlriechende Stoffe verbrennen," so ruft Tibull aus, „mit denen uns der reiche Araber aus seinem Lande versorgt!" Im besondern gebrauchte man die Bezeichnung arabus oder arabicus für ein duftendes Oel, das die Frauen und die Lustknaben zum Salben ihres Haares verwendeten. Ein anderes nicht minder kostbares Oel stellte man aus dem Samen des Myrrhenbaumes (myrobolani) her, der in Arabien wächst; auch aus den Libanoncedern gewann man ein duftendes Harz, das opobalsamum hiess, und so noch mehrere andere Stoffe aus anderen exotischen Gewächsen.

Von den kosmetischen Mitteln wissen wir fast gar nichts, kaum dass uns ein paar Namen überliefert worden sind. Diese Arten von Geheimnissen hat man immer am besten bewahrt! So wissen wir nichts von dem haarzerstörenden Puder (dropax unguentum) mit dem man alle Haare, sogar den Bart ohne weiteres zu entfernen vermochte; ebensowenig von der Zahnpasta (odontotrimma), mit der man das Gebiss weiss und glänzend putzte; nichts von den diapasmata, Pastillen, die ein gewisser Cosmus zu Martials Zeit fabrizierte, und die dazu dienten, einen schlechten Geruch aus dem Munde zu verdecken; nichts von dem malobathrum, einer Art Haaröl. Plinius giebt zwar einige Rezepte, aber wir können nur sehr wenig damit anfangen. Allerdings waren nicht alle Kosmetika wohlriechend; so ist uns z. B. überliefert worden, dass man sich eine glänzende Haut durch Einreibungen mit Urin zu erhalten suchte, und ebenso ist bekannt, dass man der Milch von Eselinnen eine besonders günstige Wirkung auf die Haut zuschrieb. Man erinnert sich, dass Poppaea täglich ein Bad von solcher Milch nahm, zu welchem Zweck sie beständig fünfzig neumilchende Eselinnen hielt. Da natürlich nicht alle Römerinnen sich einen solchen Stall voll Eselinnen halten konnten, so hatten die Parfumeure die Eselsmilch angeblich kondensiert, und verkauften sie in Form fester Tabletten. Juvenal macht sich lustig über eine alte reiche Kokette, die alle möglichen Mittel anwendet, um nicht alt zu erscheinen, und einen ganzen Eselstall mitschleppen müsste, wenn sie verbannt würde.. Aber alle Epigramme, alle spitzigen Bemerkungen und Verwünschungen des Dichters konnten die alten Weiber in Rom nicht von der Sehnsucht heilen, nicht alt auszusehen, sich das Gesicht zu pudern und zu schminken und die Haare zu färben. Zumal die vielbegehrten Courtisanen wollten gar nicht alt werden. Eine dieser Priesterinnen der Liebe, Acco mit Namen, war erschreckt über den Wandel der Jahre, dem auch ihre Schönheit zum Opfer fallen musste; aber sie wollte sich selbst darüber hinwegtäuschen, indem sie vermied, jemals in einen Spiegel zu schauen. Aber eines Tages hielt ihr ein Liebhaber, dem sie mit ihren Zärtlichkeiten lästig gefallen war, unvermutet einen Spiegel vor, und da erblickte sie denn ihren Verfall: im selben Augenblick noch ergraute ihr Haar, der zahnlose Mund blieb vor Schreck halboffen, die Augen füllten sich mit Thränen — sie war wahnsinnig geworden aus Entsetzen über ihren Anblick, und starb, weil sie sich so gesehen hatte, wie der Verfall ihrer Schönheit sie gemacht hatte. Ihr Name aber lebte im Gedächtnis der Römer fort, und die Mütter gebrauchten ihn als Schreckmittel für Kinder, die keine Sorgfalt auf ihre Toilette verwenden wollten, oder Unarten huldigten.

Die sagae und Parfumeure beschränkten sich nicht auf den Handel mit kosmetischen und wohlriechender Mitteln, sondern sie verkauften auch alle Gegenstände und Utensilien, die zum Gebrauch der Prostitution dienten: die Geisseln, die Nadeln, die Spangen und Keuschheitsgürtel, Amulette, Phallus und sonstige Gegenstände, die die Alten selbst in den Zeiten grösster Sittenlosigkeit nicht einmal zu beschreiben gewagt haben. Wenn nicht die Kirchenväter, Augustin, Lactantius, Tertullian u. s. w. ausführlich von der unerhörten Lasterhaftigkeit des römischen Lebens erzählten, so würden wir nicht glauben, dass man mit solchem Raffinement dabei vorgegangen wäre, ohne dass die Gesetze dagegen eingewirkt hätten. Diese Dinge lassen sich nicht ausführlich wiedergeben; wir erinnern nur an eine Stelle im Römerbrief des Apostels Paulus, wo er von den Fortschritten der Sapphischen Lehren in Rom spricht. In der kraftvollen Sprache des Vulgata heisst die Stelle folgendermassen: „Propterea tradidit illos Deus in passiones ignominiæ. Nam feminæ eorum immutaverant usum in eum usum qui est contra naturam. Similiter autem et masculi, relicto naturali usu feminæ, exarserunt in desideriis suis invicem, masculi in masculos turpitudinem operantes, et mercedem quam oportuit erroris sui in semetipsis recipientes.“

Man darf annehmen, dass die sagae und Parfumeusen auch zu anderen, nach Art und Zweck verabscheuenswürdigen Diensten bereit waren, Dienste, die dadurch nicht besser wurden, dass man die Medizin sie empfehlen, und die Aerzte manchmal sie ausführen liess, Kastration der

Frauen und Infibulation beider Geschlechter. Celsus selbst bezeugt: „Manche Aerzte stehen in dem Renommee, an jungen Leuten die Infibulation vorzunehmen, und zwar im Interesse ihrer Stimme oder ihrer Gesundheit." Weiterhin giebt Celsus eine genaue Beschreibung der Operation, die im wesentlichen darin bestand, dass man das männliche Glied vorn ähnlich durchbohrte, wie das noch heute mit den Ohren der Mädchen behufs Tragens von Ohrringen geschieht; auf diese Weise war es möglich, dass die Betreffenden eine Art Spange oder auch ein kleines Schlösschen trugen, wodurch ihnen natürlich der regelrechte Geschlechtsverkehr unmöglich gemacht war. Celsus selbst fügt hinzu, dass die Operation öfter schädlich als notwendig sei. (Sed hoc quidem sæpius inter supervacua, quam inter necessaria est). Doch aber wagt er gegen diese abscheuliche Erfindung nicht energischer aufzutreten. Die Spange (fibula) war aus Gold oder Silber und bald angeschmiedet, bald, wie oben schon angedeutet wurde, durch ein Schlösschen gehalten. Den Charakter einer Massregel zur Erzwingung von Keuschheit prägte man dieser Operation dadurch deutlich auf, dass man sie bei jüngeren Sklaven am Anus, und auch in ähnlicher Weise bei Frauen vornahm. Für die Sklavinnen bediente man sich allerdings zu ähnlichem Zwecke auch eines besonderen Gewandes, des subligar oder subligaculum, die einen aus Leder bestehenden oder aus Rosshaaren gewebten besonderen Schutz für den Schoss hatten. Eine alte Tradition zwang auch die Schauspieler auf der Bühne, ein solches subligar zu tragen, um allen peinlichen Zufälligkeiten aus dem Wege zu gehen, und niemals die Gefahr einer Verletzung des Schamgefühls der das Theater besuchenden Damen heraufzubeschwören: „Scenicorum mos quidem tantam habet," so lesen wir bei Cicero De Officiis, „vetere disciplina verecundiam, ut in scenam sine subligaculo prodeat nemo." Ein Epigramm von Martial belehrt uns, dass auch vornehme und keusche Frauen der Sicherheit wegen beständig das subligar trugen; einer prüden jungen Dame giebt er den guten Rat, das subligar doch vor ihrem Gesichte zu tragen, wenn sie sich immer so geniere. An einer anderen Stelle erzählt er davon, dass die Sklaven, wenn sie ihren Herrn oder ihre Herrin ins Bad begleiteten, einen Lendenschurz aus schwarzem Leder trugen (inguina succinctus nigra tibi servus aluta stat); in einem anderen Epigramm malt er wieder die Situation, wie eine Dame mit einem infibulierten Sklaven zusammen badet.

Endlich wurden bei den Parfumeusen auch noch, wie wir schon sagten, die Kastrationen der Frauen vorgenommen. Genaueres darüber ist uns nicht überliefert worden, aber es handelt sich zweifellos darum, die unglücklichen Opfer der Operation unfruchtbar zu machen. Manche wollten die Nachrichten über derartige grausame und überflüssige Manipulationen, die, nach dem Zeugnis des Geschichtsschreibers Xanthus zuerst bei den Lydiern im Schwange waren, sogar in das Reich der

Fabeln verweisen. Nach einem alten Scholiasten bestand die Operation in der Entfernung der Eierstöcke, die die Frauen zwar unfruchtbar macht, aber den ferneren Geschlechtsverkehr nicht hindert. Im allgemeinen waren derartige chirurgische Eingriffe ziemlich selten, ausser bei den für die Lupanare bestimmten Freudenmädchen, die so den Fährlichkeiten einer Schwangerschaft ein für allemal zu entgehen gedachten. Wurde die Verstümmelung schon im jugendlichen Alter vorgenommen, so waren starke, zwitterhafte Deformationen nicht selten. Bei Männern und Knaben war die Kastration weit einfacher und ausserordentlich verbreitet; wir haben schon erwähnt, dass Domitian ihr durch ein Gesetz entgegentreten musste. Niemals waren es die renommierten Aerzte, die sich zu so etwas hergaben, vielmehr die Barbiere, die Bademeister und ganz besonders die sagae mit ihrer Gefolgschaft; sie standen in regem Geschäftsverkehre mit den Sklavenhändlern, den Bordellbesitzern und den Zuhältern. So gross war der Bedarf an Castraten in Rom, dass verrufene Kuppler eine förmliche Industrie etablierten, um Kinder zu rauben und daraus castrati, spadones und thlibiae zu machen. „Domitian," so sagt Martial, „duldete derartige Abscheulichkeiten nicht: er schritt dagegen ein, dass die grausame Lüsternheit eine Rasse von unfruchtbaren Männern schaffte (ne faceret steriles saeva libido viros)."

Indes ist als bemerkenswerte Thatsache zu erwähnen, dass die Diener des Aberglaubens im Besitze eines Privilegiums blieben, das das erwähnte Edikt des Kaisers den Sklavenhändlern und den Agenten der Unsittlichkeit genommen hatte: die Priester der Cybele fuhren fort, nicht nur sich selbst mittels Scherben zu verstümmeln, sondern sie verübten derartige schändliche Gewaltthaten auch an den unglücklichen Kindern, die ihnen in die Hände fielen. Man nannte sie galli, was man etwa mit Capaunen übersetzen könnte; meistens waren es ausgemergelte Lebemänner, die der Göttin mit ihrer Selbstverstümmelung weiter kein grosses Opfer brachten. Um so abscheulicher war es, wenn sie an anderen eine derartige Opferung vollzogen. Martial sowohl als Juvenal wissen uns von der verrufenen Bande dieser Cybelepriester abscheuliche Stückchen zu erzählen. Es scheint wirklich der Auswurf der Gesellschaft gewesen zu sein, eine schamlose, gierige, geile Gesellschaft, die mit ihrer halben Männlichkeit ein abstossendes Bild bot. Die sagae, die Zauberinnen, die Giftmischerinnen und all das andere Weibsvolk, das in Rom den Zwecken der Unzucht in der einen oder anderen Weise diente, waren weniger schuldbeladen, weniger hassenswert als die hermaphroditischen Priester, die die heidnische Religion entehrten.

Kapitel XXII.

Die Ausschweifungen der römischen Gesellschaft. — Petronius Arbiter. — Das Gastmahl des Trimalchio. — Vom Worte vivere. — Die Bedeutung, die die delicati diesem Worte beilegten. — Die Göttin Vitula. — Vitulari und vivere. — Das Tagewerk eines Lebemannes. — Petronius als erster Schlemmer seiner Zeit. — Die Comessationen oder nächtlichen Festivitäten. — Etymologie dieses Wortes. — Ursprung des Wortes missa. — Comessationen im Kaiserpalast. — Die Lagerstätten bei der Tafel. — Die griechische Courtisane Cytheris. — Scipio Africanus wirft dem Sulpitius Gallus sein ausschweifendes Leben vor. — Schauspieler und Komiker bei den Soupers. — Die Pantomimen und die Tänzerinnen. — Obscöne Tänze bei den Gelagen. — Schwelgereien beim Freigelassenen Zoïlus. — Martials Beschreibung davon. — Eine Episode vom Gastmahl des Trimalchio. — Das Tafelservice und die Dekoration des Speisesaals. — Wie man sich zutrank. — Thesaurochrysonochrysides, Lustknabe des berühmten Komikers Galba. — Der Cynismus dieses Galba. — Blumen bei Tafel. — Die Laren. — Ursprung der Gottheiten zum Schutze solcher Schwelgereien. —

Conisalus. — Tryphallus. — Pilumnus und Picumnus. — Deverra, Deverrona, Intercidona. — Viriplaca, die Göttin zur Beilegung ehelicher Zwistigkeiten. — Domiducus. — Suadela und Orbana. — Genita Mana. — Postversa und Prorsa. — Cuba Dea. — Thalassus — Angerona. — Fauna, die Freundin der Damen. — Jugatinus.

Um sich eine genaue und vollständige Vorstellung davon zu machen, welche Rolle die geschlechtliche Sinnenlust in der römischen Gesellschaft spielte, muss man sich die schlüpfrigen Scenen ansehen, die der Autor des Satyricon mit einer gewissen Naivetät zeichnet. Petronius hat getreulich wiedergegeben, was sich täglich fast vor aller Augen in der Hauptstadt abspielte, obschon er den Schauplatz seines wunderlichen und pikanten Romans, der der Darstellung des Vergnügungslebens und der Prostitution unter Neros Herrschaft gewidmet ist, nach Neapel verlegte, um allen Deutungen und Anspielungen aus dem Wege zu gehen. Petronius selbst war ein vollendeter Lebemann, ein feiner Beurteiler aller Vergnüglichkeiten des Lebens (daher arbiter genannt): in blühendem Stile und figurenreicher Darstellung erzählt er die abscheulichsten Dinge, und man darf annehmen, dass er nach eigenen Eindrücken und persönlichen Erinnerungen schilderte. Es würde also genügen, alle die Bilder, die Schilderungen, die Geheimnisse lasterhaften Lebens, die man in den Bruchstücken dieser erotischen und sodomitischen Dichtung findet, aufzuzählen, um ein zutreffendes Bild von dem Privatleben junger Römer vor Augen zu haben. Die Lebensphilosophie dieser unermüdlichen Lüstlinge liess sich in den Satz des Trimalchio zusammenfassen: Vivamus dum licet esse! Das heisst ungefähr soviel wie: Freut euch des Lebens, solang' noch das Lämpchen glüht. Das Verbum vivere hatte eine ganz spezifische Bedeutung bekommen und bezeichnete keineswegs nur mehr schlechthin die Thatsache der Existenz. Die römischen Lebenskünstler, delicati, überredeten sich leicht, dass leben, ohne zu Geniessen, nicht leben genannt werden konnte, und dass erst beständiges geniessen so recht eigentlich leben bedeute. Die Frauen mit den leichten Sitten, in deren Kreisen sie dementsprechend „lebten“, stimmten dieser Lebensphilosophie freudig bei, und die Sprachwissenschaft registrierte pflichtschuldig die neue Bedeutung des Wortes vivere. In diesem speziellen Sinne gebraucht auch Varro den Ausdruck, wenn er sagt: „Freut euch des Lebens, ihr jungen Mädchen, denen die Jugendfrische zu geniessen, zu essen und zu lieben erlaubt (Venerisque tenere bigas).“ Um den Bedeutungswechsel von vivere noch besser zu illustrieren, schrieb ein Lebenskünstler aus der Schule Petrons auf das Grab eines Gefährten seiner Lust: Dum vivimus vivamus, ein Wortspiel, das man nur schwer wiedergeben kann, wenn man nicht sagen will: so lange wir leben, lasst uns das Leben geniessen. Diese Sucht nach beständigem Lebensgenuss war unter der römischen Jugend derart verbreitet, dass man geglaubt hatte, gut daran zu thun, wenn man sie unter den Schutz einer besonderen Gottheit stellte. Wenn man der von Festus angegebenen Etymologie trauen darf, dann erhielt diese Göttin Vitula ihren Namen vom Worte vita, welches Leben bedeutet, und zwar auch Leben in jenem engeren oben angedeuteten Sinne. Die Vitula hatte vermutlich keinen öffentlichen Kult, sondern wurde nur vor dem Altar der häuslichen Gottheiten im cubiculum oder im triclinium verehrt. Mit Anlehnung an den Namen der Gottheit sagte man bald auch vitulari anstatt vivere; wir neigen der Ansicht zu, dass vitulari besonders das Liegen bei den Mahlzeiten und im Bette bedeutet hat.

Die Lebemänner verbrachten allerdings ihre Tage nicht anders: „Tagsüber schlief er,“ so sagt Tacitus von Petronius, den er als den Typus des römischen Schlemmers hinstellt, „und nachts widmete er sich seinen Pflichten gegen die Gesellschaft und seinem Vergnügen. Durch seine Faulheit wurde er eine Berühmheit, wie andere durch ihren Fleiss.“ Man begreift kaum, wie einige energische und thatkräftige Naturen trotz derartiger unaufhörlicher Ausschweifungen doch an der Spitze der Geschäfte, in den Wissenschaften und in der Politik eine Rolle spielen konnten. Wieviel geistige Regsamkeit konnte einem Menschen verbleiben, der am Tage schlief oder sich im Bade umhertrieb und sich des Nachts in unglaublichen Orgien erschöpfte? Die nächtlichen Festivitäten und bis zum Morgen ausgedehnten Soupers, an die sich die unerhörtesten Ausschweifungen anzuschliessen pflegten, hiessen comessationes oder comissationes. Das Wort wird wohl nur fälschlich von griechischen Wurzeln abgeleitet, denn leicht ergiebt sich der Zusammenhang mit comes, Gefährte, Teilnehmer; comessatio bedeutete also soviel wie gute Gesellschaft, fidele Kumpanei. Vermutlich haben wir in jenem stets im üblen Sinne gebrauchten lateinischen Worte auch den Ursprung des Ausdrucks Messe im christlichen Kultus zu suchen; die ersten Christen versammelten sich eben auch heimlich zur Nachtzeit, um das Evangelium zu hören und zu kommunizieren. Die Gastmähler der Lebemänner dienten nicht nur zu Tafelgenüssen und zur Berauschung der Teilnehmer durch schwere Weine, sondern sie waren ein förmliches Theater der mannigfaltigsten Ausschweifungen; man kann unmöglich aufzählen, was alles dazu gehörte: Instrumentalkonzerte, Tänze, obscöne Schaustellungen und so weiter. Sueton, Tacitus und andere erzählen an zahlreichen Stellen von den Ueppigkeiten und Lasterhaftigkeiten, die sich bei den Comessationen am kaiserlichen Hofe abspielten. Cicero stellt in seinem Plaidoyer für Cœlius die Teilnahme an Comessationen und den Ehebruch auf eine Stufe (libidines, amores, adulteria, convivia, comessationes).

Die Mode der Comessationen begann in Rom gleichzeitig mit dem Eindringen orientalischer Ueppigkeit; wir begegnen ihr, als die Römer anfingen, nach dem Vorbilde der verweichlichten Asiaten auf Kissen zu schlafen und auch ihre Mahlzeiten liegend einzunehmen. Bis dahin hatte man sitzend gespeist, und die Stühle waren nicht einmal besonders weich gepolstert gewesen; sogar die Frauen sassen auf Bänken oder Schemeln von Holz. Die Frauen behielten auch den Brauch, bei Tisch zu sitzen, bei, was Valerius Maximus zu dem Ausspruch veranlasste: „Die heutige Generation bewahrt die strengen Sitten viel genauer auf dem Capitol bei dem heiligen Mahle zu Ehren Jupiters als im eigenen Hause.“ Frauen, die die Sitte der Männer nachahmten, bei Tafel zu liegen, lieferten dadurch den Beweis ihrer Schamlosigkeit und ihres Mangels an Zurückhaltung in jeder Beziehung. Bei den heiteren Soupers freilich, bei denen Cicero nicht verschmähte, an der Seite der griechischen Courtisane Cytheris zu speisen, zierte sich die Schöne nicht lange, sich auf einem Lagerstand von Elfenbein hinzustrecken; sie machte eben keinen Anspruch darauf, als feine Dame behandelt zu werden, die hübsch schämig dagesessen wäre und nicht einmal gewagt hätte, ihre Ellenbogen aufzustützen. Plautus erzählt uns von anderen Courtisanen, Bacchides und ihren Schwestern, die bei Tafel nur eine einzige Lagerstatt benutzten. Auch kam es vor, dass Gäste von verschiedenem Geschlechte beim Mahle auf einem einzigen Ruhekissen hingestreckt lagen. Dass das zu mancherlei Bedenklichkeiten führen musste, ist ganz klar. So rief denn auch eines Tages Scipio Africanus dem Sulpitius Gallus voller Bitterkeit zu: „Jemand, der sich alle Tage salbt und vor dem Spiegel hübsch macht, der sich die Augenbrauen rasiert und die Bartstoppeln ausreisst und die Haare von den Schenkeln abkratzt, jemand der in seiner Jugend in einer langärmeligen Toga bei den Mahlzeiten mit seinem Verführer die Lagerstatt teilte, jemand, der nicht nur den Wein, sondern auch die Knaben liebt, — glaubt man, dass ein solcher Mensch irgend ein Laster lasterhafter Menschen nicht durchgekostet habe?“ Aulus Gellius hat uns diese Worte Scipios überliefert.

Man muss die Schilderung des Gastmahls des Trimalchio bei Petronius nachlesen, um sich eine Vorstellung von den verschiedenartigen Genüssen bei einem derartigen, die ganze Nacht hindurchdauernden Souper zu machen. Da ass und trank man nicht ohne Unterlass, sondern es gab die allerverschiedensten Unterbrechungen: zunächst das anregende, meist schlüpfrige Geplauder, dann Saitenspiel, Gesang, Tanz und Aufführungen aller Art und zwischendurch noch alle die Tollheiten, die eine lüsterne Phantasie nur hatte ersinnen können. Hatte man genug von den Schauspielern (mimi), die Pantomimen darstellen oder Verse rezitierten, dann traten Komiker (aretalogi) mit ihren Witzen und Zoten auf, und hörte man ihnen nur noch zerstreut zu, begannen allmählich die Augen zuzufallen, dann brachten Possenreisser und Tänzerinnen wieder Leben und Bewegung in die Scharen der ermüdeten Zechgenossen. Die Tänzerinnen stammten zumeist aus dem Orient oder aus Aegypten und entsprachen etwa den Bajaderen, die in Indien die Traditionen alter Mysterien aufrecht erhalten; sie traten entweder nackt oder mit gold- und silbergewirkten Schleiern auf; Petronius nennt das bekleidet sein mit gewebter Luft (ventum induere textilem) und sich nackt unter einer Wolke von Tüll zeigen (prostare nudam in nebula linea). Die Possenreisser waren keineswegs vollständiger bekleidet, und ihre Darbietungen waren in der Regel weit obscöner als die der Tänzerinnen: die römischen Lebemänner waren an starke Stücke gewöhnt, und nach der Beschreibung des Petronius wurde ihnen allerdings während einer solchen gastlichen Feier das Aeusserste geboten. Nach einer Notiz des Kirchenvaters Arnobus darf man annehmen, dass die Tänzerinnen mit Vorliebe auch den noch jetzt in Nordafrika beliebten Bauchtanz executierten.

Martial hat uns eine Comessation bei einem Freigelassenen geschildert, den er Zoïlus nennt: leider ist dies Prachtstück römischer Sittenschilderung fast unübersetzbar; es ist sozusagsn römischer, als unsere Phantasie es ausmalen könnte. „Wer mit dem Zoïlus sich zu Tafel setzt, der kann schliesslich auch mit den Freudenmädchen des Summœniums soupieren und kaltblütig aus Ledas Nachtgeschirr trinken. Ich behaupte sogar, bei denen geht es noch reinlicher und anständiger zu. Mit einem grünen Gewand angethan, liegt er hingestreckt auf einem Lotterbett, auf das er sich zuerst geworfen hat; er drückt Kissen aus scharlachner Seide und stösst mit den Ellenbogen rechts und links seine Tischnachbarn an. Hat er sich satt gegessen, dann präsentiert ihm einer seiner Lustknaben, der durch sein Rülpsen aufmerksam gemacht worden ist, rote Muscheln, Zahnstocher und Spiegel. Wenn ihm heiss ist, so fächelt ihm eine gleichmütig auf dem Rücken liegende Lagergenossin Luft zu, und ein junger Sklave wehrt mit einem Myrthenzweige den Fliegen. Eine Masseuse (tractatrix) macht ihm mit geschickter Hand die Glieder geschmeidig. Klatscht er in die Hände, so eilt ein Eunuche, dem das Zeichen wohlbekannt ist, herbei, um ihm bei seinen natürlichen Bedürfnissen behilflich zu sein, während sein Herr ununterbrochen weiter zecht. Sodann wendet sich dieser der Schar seiner Sklaven zu, die zu seinen Füssen sitzen, unter kleinen Hunden, welche sich am Gekröse des Geflügels gütlich thun, und verteilt unter seine Fechtersklaven Wildschweinsleber und giebt seinem Lagergenossen (concubino), den Steiss eines Täubchens. Und während man uns Wein von den Küsten Liguriens und dem nebelumwallten Berge von Marseille serviert, verteilt er Nektar in krystallenen Fläschchen und in Krügen an seine Komiker. Er selbst, ganz übergossen mit den Parfums von Cosmus, entblödet sich nicht, in einem goldenen Muschelchen die Pomade mit uns zu teilen, deren sich die niedrigsten Prostituierten zu bedienen pflegen. Endlich ermüdet von unaufhörlichem Trinken sinkt er zurück und schläft ein. Wir aber, wir bleiben auf unseren Ruhebetten liegen, und während er schnarcht, sind wir anstandshalber still, und trinken uns schweigend unsere Gesundheit zu." Petronius schildert uns in seinem Gastmahl des Trimalchio auch die Teilnahme von Frauen an derartigen Gelagen. Fortunata, die Gattin Trimalchios, tritt herein, begiebt sich zu dem Ruhebett ihrer Freundin Scintilla, herzt und küsst sie, und die beiden Frauen treiben allerhand Unfug mit einander, wobei es nicht immer gerade sehr dezent hergeht. (Pedesque Fortunatæ porrectos super lectum immisit, heisst es an einer Stelle).

Die Comessationen spiegelten mehr oder weniger den Geschmack und die Gewohnheiten ihrer Veranstalter wieder; aber alle dienten sie doch lediglich dazu, die Begierden der Teilnehmer durch alle nur denkbaren Mittel zu den unglaublichsten Excessen anzureizen. So war häufig die ganze Tafel lediglich ein Mittel, das zur Anregung der Sinnenlust beitragen sollte, und das Arrangement in dem Speisezimmer ebenfalls. Wohin das Auge schaute, überall stiess es auf lüsterne und obscöne Gemälde; die Wände waren mit Darstellungen aus dem Liebesleben bedeckt, bei dem die Phantasie des Malers von den Dingen den letzten Schleier abgestreift hat. Darum klagt auch der keusche Properz: „Wer zuerst solche obscöne Bilder malte, und wer sie in einem anständigen Hause aufhing, der hat die Unschuld des kindlichen Blickes verdorben . . . möge er ewig verdammt sein, der Maler, der den Augen diese Liebesscenen enthüllte, deren Reiz gerade in dem Geheimnisvollen besteht." Natürlich bildeten auch hier die Stoffe aus der Mythologie die beliebtesten Sujets: Pasiphae und der Stier, Leda mit dem Schwan, Ganymed und der Adler Danae und der Goldregen. Möbelment und Dekoration des Speisesaals stimmten oft mit den Wandgemälden zusammen: Satyrtänze, Bachanalien, erotische Schäferscenen und dergleichen waren als Reliefs angebracht; Statuen aus Bronze und Marmor stellten den Raub der Nymphen durch Satyren dar, ein sehr beliebtes Motiv. Ruhebetten, Tische und Schemel zeigten Bocksfüsse und Bockshörner als Ornament, gleichsam eine Anspielung an den berühmten Vers aus den Bucolica des Vergil: tuentibus hircis. Auch die Verzierungen an den Lampen und den Leuchtern erinnerten in oft feiner und geistreicher Weise an den Hauptzweck des Gelages. Darstellungen des Phallus oder erotischer Scenen begegnete man da an jedem Gegenstande und in den allerverschiedensten Formen. Becher, Krüger und Tafelgeräte, mochten sie nun aus Glas, gebranntem Ton oder aus Metall sein, waren oftmals in der unanständigsten Weise geformt. So zeigt uns Juvenal einen comissator, der aus einem gläsernen Priap zecht (vitreo bibit ille priapo). Plinius nennt das voll Abscheu bibere per obscenitates. Sogar das Brot, das man bei solchen Gelagen verzehrte, blieb nicht davon verschont, dass man mit ihm unsagbare Dinge nachahmte: man nannte dieses Gebäck coliphia und cunni siliginei. Bei jedem derartigen Souper hätte der Gastgeber die Worte einer Figur aus des Petronius Roman, der Quartilla, an seine Gäste richten können: „Ihr wisst, dass diese Nacht dem Kultus des Priaps geweiht ist. (Sciatis Priapi genio pervigilium deberi.)“

Bei den Trinksprüchen, die bei derartigen Gelegenheiten ausgebracht wurden, legte man sich durchaus keinen Zwang an und trank fast immerzu auf gute Erfolge bei Liebesabenteuern und ähnliches. Dazu trank man dann soviel Becher Wein, wie der Name der Geliebten Buchstaben zählte. Martial erzählt uns von dieser allgemein gebräuchlichen Sitte in einem der schönsten seiner Epigramme: „Lasst uns fünf Becher auf das Wohl von Nevia leeren, sieben auf Justina, fünf auf Lycas, drei auf Ida; soviel Gläser Falerner wollen wir trinken, wie Buchstaben im Namen jeder dieser Damen vorkommen. Aber da doch keine von ihnen zu mir kommt, so nahe Du, Schlaf, Dich mir.“ Ein berühmter Komiker namens Galba, der bei den Gelagen, zu denen er geladen war, zur Unterhaltung der Gäste beitrug, schlug immer vor, auf das Wohl seines „Kleinen“ anzustossen; bei dessen Namen, so meinte er, lache den Göttern des Himmels das Herz im Leibe, weil man siebenundzwanzig Becher hintereinander hinunterstürzen müsse. Der Lustknabe hiess nach einem Geizhals in einem Stücke von Plautus: Thesaurochrysonicochrysides. Vielleicht war es bei demselben Souper, wo dieser Galba einen Beweis von sagen wir: grosser Geistesgegenwart gab. Er war eingeladen mit seiner Frau, die ebenso schön wie sittenlos war. Der Hausherr lud die Dame ein, an seiner Seite Platz zu nehmen. Als nun die Herrschaften alle infolge reichlichen Weingenusses einer nach dem anderen sanft entschlummert waren, wurde der Gastgeber sehr zärtlich gegen seine schöne Nachbarin; der Komiker schlief zwar nicht, stellte sich aber schlafend, und störte seinen Mæcen durchaus nicht. Da kam ein Sklave leise angeschlichen und wollte den günstigen Moment benützen zu einem tiefen Trunk aus Galbas Glase. Der aber fasste den Uebelthäter beim Ohre und raunte ihm die lehrreichen Worte ins Ohr: „Ich schlafe hier nicht für jeden!“ — Dem Wein huldigte man bei diesen nächtlichen Festen in ganz erheblichem Masse. Als Anspielungen auf etwa vorher überstandene Liebesabenteuer pflegte man Kränze vor einer Statue des Herkules oder Priaps niederzulegen. Solche Kränze und Blumenkronen spielten bei römischen Gelagen überhaupt eine grosse Rolle. Sie sollten dem Vergnügen dienen und die Nerven anregen, kühlten aber zugleich die erhitzten Köpfe der Zecher. Plinius sagt, dass die berühmtesten Weintrinker sich die üblen Folgen des Weinrausches durch diese frischen Blumenkränze fernhalten. Ohne Blumen und Kränze konnte man sich überhaupt kein Gastmahl vorstellen; an der Art und Reichhaltigkeit des Blumenschmuckes ermass man die Freigebigkeit und den guten Geschmack des Gastgebers. Am Morgen nach einem solchen Gelage sandten die Courtisanen und Lustknaben (meritorii) die Kränze, die ihnen gespendet worden waren zu ihren Bordellhaltern und Kupplern zum Zeichen, dass sie den Beifall der Festgenossen gefunden hatten (in signum paretae Veneris, wie ein alter Kommentator des Apulejus sagt).

Die Comessationen mit ihren Ausschweifungen standen unter der besonderen Obhut verschiedener Götter und Göttinnen, die entweder früher andere Attribute besessen hatten, oder die mitten in den Lüsten eines wilden Bachanals der religilösen Phantasie entsprungen waren. Beim Gastmahl des Trimalchio setzen zwei weissgekleidete Sklaven die Hausgötter auf die Tafel, während ein Dritter, eine Opferschale voll Wein in der Hand, um den Tisch herumschreitet und unaufhörlich ruft: „Seid uns gnädig, ihr Gottheiten!“ Neben den Laren sind von solchen bei Tafel verehrten Gottheiten zu nennen vor allen Comus, dessen Namen in comissatio wiederkehrt. Die goldene Jugend Roms, die nachts in den Strassen tobte, bei Courtisanen Fenster und Thüren mit Beilen und Fackeln einschlug, pflegte Comus als ihren Schutzgeist anzurufen, wenn schon einigermassen mit Unrecht. Venus, Herkules, Priap, Isis und Hebe gehörten ebenfalls zu den Schutzgottheiten der nächtlichen Gelage. Isis galt als Beschirmerin der Freudenmädchen und Kuppler und hiess deshalb geradezu ihre Schutzgöttin (præfecta). In diesem Schutze der Buhlschaft wurden sie von Venus, Priap und Herkules unterstützt. Es war die Venus Volupia, Pandemos, Lubentia, um die es sich hier handelt, und Herkules Bibax, Buphagus, Pamphagus, Rusticus; und endlich Priap Pantheus, Priap die Seele des Alls.

Neben diesen grossen Gottheiten, die sozusagen aus Gefälligkeit die Obhut über die Schwelgereien übernahmen, gab es noch eine grosse Menge niederer himmlischer Herrschaften, die keinen besonderen Tempel besassen, sondern nur an den häuslichen Larenaltären verehrt wurden, manchmal überhaupt ihre Existenz lediglich der Weinlaune eines bezechten Gastes verdankten; die Attribute dieser Gottheiten waren zumeist komisch, grotesk oder unanständig. Die Archäologie steht vor einer ihrer schwersten Aufgaben, wenn sie dem Ursprung dieser göttlichen Beschützer der üppigen römischen Gelage nachforschen soll. Da gab es einen Conisalus, der athenischen Ursprungs war, einen Thryphallus, einen Pilumnus und Picumnus, alle eigentlich nichts anderes als Personifikationen des männlichen Gliedes. Auch drei Göttinnen finden wir da: Deverra, Deverrona und Intercidona; schwangere Frauen pflegten sie anzurufen. Für die Beilegung ehelicher Zwistigkeiten sorgte eine eigene Gottheit, Viriplaca, und solche Bedeutung legte man ihrer Thätigkeit in Rom bei, dass man ihr sogar einen Tempel weihte! Der Gott Domiducus hatte ebenfalls eine wichtige Funktion im Verkehr zwischen Mann und Frau zu erfüllen; die Göttin deren Aufgabe es war, bei Ueberredungen (persuadere) behilflich zu sein, hiess Suadela; Orbana nannte man die Beschützerin der Waisen, und eine eigene Göttin, die Genita Mana, sollte vor Missgeburten bewahren. Postversa und Prorsa bekümmerten sich um die Schicksale des Kindchens im Mutterleibe, und Cuba Dea nahm jeden Schläfer in ihre Obhut; ebenso war der Gott Thalassus oder Thalassio mit der Bewachung des Bettes und alles dessen, was damit zusammenhing, betraut. Andere Gottheiten waren bei allerhand Amusements offenbar recht nützlich und angenehm, so Angerona, die für Stillschweigen zu sorgen pflegte, und Fauna, bei den Damen sehr beliebt, da sie mit einem Schleier sorgsam bedeckte, was den neugierigen Augen verborgen bleiben sollte. Der Gott Jugatinus beschützte im besonderen die Vereinigung von Mann und Weib. Flavius Blondus sagt: „Quum mas et femina conjuguntur, adhibetur deus Jugatinus.“ Auch der heilige Augustin spricht in seinem Gottesstaat von der Rolle, die diese Gottheit im ehelichen Leben spielte.

Kapitel XXIII.

Das römische Volk das abergläubischste von allen Völkern. — Die Courtisanen und Lebemänner die abergläubischsten von allen Römern. — Zeichendeutung. — Ungünstige Vorzeichen. — Warum man keine obscönen Worte gebrauchte. — Umschreibungen, die die Römer für Nachtgeschirr anwandten. — Wie man bei Gastmählern ein Nachtgeschirr verlangte. — Doppelsinn der Bezeichnung dafür. — Welche Umschreibungen Seneca für Urin anwendet. — Was man aus dem Urin ersehen zu können glaubte. — Voraussagungen aus den Magengeräuschen. — Crepitus, der Gott der verschlagenen Winde. — Der kleine Gott. — Sein egyptischer Ursprung. — Die Ehren, die man dem „lächerlichen" Gott erwies. — Was das Niesen bedeutete. — Der Vogel des Jupiter Conservator. — Der Dæmon des Sokrates. — Jupiter und Cybele als die Gottheiten des Niesens. — Die Bedeutung des Niesens bei Liebesangelegenheiten. — Acme und Septimius. — Ohrensausen und Gliederzittern als ungünstige Vorzeichen. — Die rechte und linke Körperseite. — Weissagungen nach Geräuschen. — Das Knarren der Bettstatt. — Lectus adversus und lectus genialis. — Der Genius. — Das Flackern der Lampe. — Geschicklichkeit der Prostituierten im Auslegen der Vorzeichen. — Verschiedene Weissagungen. — Vorzeichen, die besonders den Prostituierten günstig oder ungünstig waren. — Kaiser Proculus und die hundert sarmatischen Jungfrauen. — Wenn man einem Hunde oder einer Katze begegnete. — Besonderer Aberglaube der Venuspriesterinnen. — Enthaltsamkeit der Matronen bei religiösen Festlichkeiten. — Enthaltsamkeit bei den Freudenmädchen. — Die Jungfernprobe bei den Römern. — Fortuna Virginalis und die Opfer, die man ihr weihte. — Die allgemeine Bedeutung der Nuss.

Die Römer waren das abergläubischste aller Völker, und die abergläubischsten unter den Römern waren die Männer und Frauen, die sich aus Neigung, Gewohnheit oder Profession den Genüssen der Unzucht hingaben (stupri artes). Man begreift, dass die Furcht vor dem Zorn der Götter und der Gedanke an das, was die Zukunft Ungewisses bringen könne, die Leute, deren Gewissen sich gleichsam nur zufällig manchmal regte, oft mitten in ihren Ausschweifungen befiel; man begreift auch, dass die Wesen, die aus der Preisgabe ihres Körpers ein Geschäft machten, gerne wissen wollten, ob der Tag oder die Nacht ihnen günstiger sei, ob sie so oder so bessere Chancen haben würden. Mit der Psychologie des Verliebten sind ja ebenfalls bekanntermassen tausenderlei Gemütserregungen verknüpft, Hoffnungen und Befürchtungen im bunten Wechsel und Gemenge. Daher auch die Vorliebe für allerhand Weissagungen und Prophezeiungen, dieses immerwährende Bemühen, ein Mittel zur Aufhellung der Zukunft zu finden, diese fanatische Vorliebe für die occulten Wissenschaften. Was man so die Welt der Liebe nennen könnte, das hatte in Rom nur e i n e Religion, — den finstersten, blühenden Aberglauben, aber einen Aberglauben, der mit dem Aberglauben anderer Leute eigentlich recht wenig zu thun hatte, den Auspicien, Horoskopen, Losen und Verwünschungen. Alle Römer, vom Knaben bis zum Greise, Männer wie Frauen, die Weisesten wie die Dümmsten waren einer wie der andere ausserordentlich empfänglich für Vorzeichen und unterwarfen dem Ausfall der Vorzeichen die wichtigsten wie die allergeringsten Handlungen in ihrem Leben. Alle die Angehörigen der Halbwelt aber waren in ganz besonderer Weise dazu geneigt, derartigen Dingen Einfluss auf ihr Leben zu gewähren. Die Kunst, Vorzeichen zu deuten, hatte ihre bestimmten Regeln und Principien; man nannte sie cledonistica; in diesen wunderlichen, an sonderbaren Feinheiten überreichen Wissenschaft nahm das Kapitel, das von der Liebe handelte, einen besonders grossen Raum ein.

Es galt als ungünstiges Vorzeichen, wenn einer obscöne Worte aussprach oder vernahm; deshalb waren derartige Worte sogar in dem Kreise der Lebemänner und der Freudenmädchen verpönt. Man hielt sich eben an die alte und bei allen Völkern im Schwange stehende Regel: „Manche Dinge thut man wohl, aber man spricht nicht davon.“ Plautus sagt in seinem Lustspiel Casina: „Unanständige Worte aussprechen, das heisst soviel, als dem Hörer Unglück bringen (Obscenare omen alicui vituperare).“ Ebenso hatte Lucius Accius in seiner Tragœdie Oenomaeus gesagt: „Sagt in Stadt und Land, dass alle Einwohner, um die Gunst der Götter sich durch günstige Vorzeichen zu sichern, jeden schamlosen Ausdruck vermeiden sollen (ore obscena segregent).“ Wenn sich auch die verworfensten Geschöpfe gewisser Unanständigkeiten des mündlichen Ausdrucks enthielten, so ersetzten sie das andererseits reichlich durch eine auf das feinste ausgebildete Gebärdensprache. Bis zur lächerlichsten Prüderie ging man im Ausdruck, sodass man nicht einmal ein Wort für das Nachtgeschirr anzuwenden wagte, und sogar die Aerzte nach Umschreibungen für Urin suchten, ein Wort, das doch sogar einmal in den Martialischen Epigrammen eine Stätte gefunden hat. Bei den Gastmählern pflegten zwar die Teilnehmer ihre Bedürfnisse ungeniert in Gegenwart anderer zu befriedigen, aber sie wagten nicht, dem Sklaven ausdrücklich das dazu benötigte Gefäss zu nennen, sondern deuteten es ihm durch ein Signal mit dem Finger an (digiti crepitantis signa.) Das leise Knacken mit den Fingergelenken genügte übrigens bereits, um die Sklaven aufmerksam zu machen. Auch das Geräusch, das der fallende Urin verursachte, hatte bei den abergläubischen Römern seine bestimmte Bedeutung als Vorzeichen, wie wir aus einer Stelle bei Juvenal erfahren. Plautus macht sich in seinen derben Komœdien das Vergnügen, die verschiedenen Ausdrücke für das Nachtgeschirr: matulla, matella und scaphium öfter anzuwenden, um das Volk zu ergötzen. Diese Namen bekamen schon frühzeitig allerhand Nebenbedeutungen, zum grossen Teil natürlich obscöner Art; von Plautus und Persius erfahren wir manches darüber; so lässt der erstere einmal eine seiner Personen zu einem Weibe sagen: „Tam Hercle! ego vos pro matula habebo, nisi matulam datis;“ und der leztere: „Numquam ego tam esse matulam credidi!“ Seneca erfindet allerhand schöne Umschreibungen für den Urin, indem er ihn aqua immunda oder humor obscenus tauft; natürlich wurde aus dem Urin ebenfalls die Zukunft gedeutet. Gerade bei den Liebesmahlen, wenn womöglich eine Statue des Herkules Urinator die Tafel zierte, waren derartige Deutungen sehr beliebt. Aehnliches geschah mit den Verdauungsgeräuschen, die wir Rülpsen nennen. Es gab ein glückverheissendes Rülpsen, das bei einem Mahle lebhaftesten und allseitigen Beifall hervorrufen konnte, aber auch ein unglückkündendes, das mancher Feier zur Störung ward. Als ein Zeichen schlechter Erziehung wurde der ructus bei allen Römern auf keinen Fall angesehen. Laute Geräusche dieser und anderer, sagen wir: nichtparfumierter Art pflegten die Leute damals durchaus nicht zu unterdrücken. Cicero lobt sogar in seinen vertrauten Briefen die Weisheit der Stoïker, die da sagten, man dürfe den Winden des Magens den Austritt nicht wehren (stoici crepitus aiunt æque liberos ac ructus esse opportere). Man versteht den Unterschied römischer Sitten von den unsern, wenn man weiss, dass lediglich in ernsten Versammlungen, wie etwa vor Gericht und im Tempel, derartige Geräusche verpönt waren, dass aber an jedem anderen Orte und ganz besonders bei den Mahlzeiten in dieser Beziehung absolute Freiheit herrschte. Für die verschlagenen Winde hatte man sich in Rom sogar eine besondere kleine Gottheit geschaffen, die auch abgebildet wurde, auf Tafeln ihren Platz fand und etwa den bei uns auch noch bekannten Dukatenmännchen glich. Zuerst kommt eine derartige Gottheit übrigens bei den Egyptern vor, und Clemens von Alexandrien erwähnt uns ausdrücklich, dass bei den Egyptern die Winde des Magens für Gottheiten gehalten wurden (Aegiptos crepitus ventri pro numinibus habent); nach einem Kommentator handelt es sich hier freilich um das bekannte Rumoren im Innern des Leibes. Der heilige Hieronymus sagt an einer Stelle einmal, dass er nicht von den verschlagenen Winden reden wolle, die von den Egyptern verehrt würden (taceam de strepitu ventris inflati, quae pelusiaca religio est). Aber der Gott dieser Winde, mochte er auch aus Egypten stammen, hatte sich doch ganz gut in Rom akklimatisiert; man verehrte ihn auf dem Altar der Laren, und draussen, vor den Mauern, bei der Quelle der Egeria, hatte man ihm sogar ein Tempelchen gebaut, was alles indes nicht hinderte, dass er öffentlich stets deus ridiculus, der lächerliche Gott, genannt wurde. Frauen scheinen übrigens in Rom in dieser Angelegenheit in der Regel weniger Freiheit besessen zu haben.

Es gab auch noch andere menschliche Geräusche, die in der abergläubischen Auslegekunst eine Rolle spielten, und dazu gehörte vor allen Dingen das Niesen, das ganz Verschiedenes bedeuten konnte, je nachdem es zurückhaltend, kläglich, fröhlich, burlesk, einmal oder wiederholt ertönte. Morgens, abends und nachts niesen, das waren drei wesentlich verschiedene Vorzeichen, nämlich unglückliche angenehme und ausgezeichnete. Wer irgend bei einem verliebten Spiele vom Niesen überrascht wurde, hatte ganz besonderes Glück: Venus kündete dadurch an, dass sie den Niesenden wohlwollend unter ihren Schutz genommen habe, wenn er nur beim Niesen Sorge getragen hatte, sich nach rechts zu wenden. Das Niesen bei Tafel wurde mit allgemeinem Beifall aufgenommen, und alle Theilnehmer spendeten dem ihre Glückwünsche, den der Gott besucht hatte. Denn nach einem alten Aberglauben, den wir fortwährend bei den griechischen Schriftstellern erwähnt finden, schrieb man das Niesen dem unsichtbaren Besuch eines Schutzgottes zu: man hatte ihn den Vogel des Jupiter Conservator genannt; Sokrates behauptete, es sei ein Dämon, und er verstünde seine Sprache. Bei Frauen war das Niesen nicht im gleichen Masse glückverheissend wie bei Männern; sie suchten es darum auch zu vermeiden und griffen zu dem Zweck sogar zu gewissen vorbeugenden Mitteln. Dreimal zu niesen, oder überhaupt eine ungleiche Anzahl Male war das allerbeste Vorzeichen. Immer schrieb man das Niesen übernatürlichen Ursachen zu; man wollte in dieser heftigen Erschütterung den Weggang eines Genius erblicken, der das Gehirn des Niesenden durchzogen hatte. Die Mythologie behauptete sogar, Pallas Athene habe ursprünglich auf dem Wege des Niesens aus dem Haupte des Göttervaters Zeus herauskommen wollen; Venus hatte nach mythologischen Ansichten niemals geniest, um nur ja keine Runzeln und Falten ins Gesicht zu bekommen. Jupiter und Cybele waren die eigentlichen Gottheiten des Niesens; und dasjenige Niesen galt als das glückverheissendste, das mit möglichst viel Geräusch nach der rechten Seite hin vollzogen wurde. In der Liebe war das Niesen durchaus keine gleichgiltige Angelegenheit, und man schrieb ihm die mannigfaltigsten Einflüsse zu. Catull zeigt uns, wie Acme und Septimius einander in den Armen liegen; da ruft Acme voll Entzücken aus: „Ein Gott allein mag uns sagen, ob das Feuer, das durch meine Adern rinnt, glühender ist, als das Deine.“ Und so fährt der Dichter fort: „Amor, der bis dahin immer nach links geniest hatte, zeigt seine Einwilligung, indem er nach rechts niest. (Amor sinistram ut ante, dextram sternuit approbationem).“ Properz kann uns die glücklichen Wirkungen eines solchen Niesens nicht besser darthun, als indem er annimmt, dass Amor bei Cynthiens Geburt so an der Wiege dieser Schönen geniest habe:

Num tibi nascenti et primis, mea vita, diebus,
Canditus argutum sternuit omen Amor.

Ebenso sorgfältig achtete man bei Liebesangelegenheiten auf das Ohrenklingen, auf plötzliches Zittern des Körpers (sallisationes) und auf willkürliche Bewegungen eines Gliedes. Im allgemeinen waren derartige Vorzeichen nicht günstig; man betrachtete sie als einen Beweis für Untreue oder irgend eine andere, der Liebe abträgliche Handlung. Plinius war nicht so abergläubisch wie seine Zeitgenossen, bleibt aber doch auch bei der Ansicht, das Ohrenklingen sei das Echo von Gesprächen Abwesender. Eifersüchtige legten einen besonderen Wert auf dieses Vorzeichen, und ein Liebhaber, dem die Ohren klangen, zweifelte keinen Augenblick daran, dass die Tugend des Geliebten in Gefahr sei. Manchmal galt es auch als ein Beweis grosser Liebe, die sozusagen ein Zwiegespräch hielt, wie aus folgenden, dem Cutull zugeschriebenen Versen hervorgeht:

Garrula quid totis resonans mihi noctibus auris
Nescio quem dicis nunc meminisse mei?

Geradeso wie ein Ohrensausen für eine Liebschaft verhängnisvoll werden konnte, wie es hässlichen Verdacht, Zwietracht und Bruch herbeiführte, so auch die nervösen Bewegungen, die sich an den Gliedern bemerkbar machten: ein Erzittern der Hand, des Fusses, der geschlechtlichen Organe, des ganzen Körpers, alles hatte seine mehr oder weniger ungünstige Vorbedeutung. Diese Phænomene waren doppelt bedrohlich, wenn sie die linke Körperseite betrafen; eher schon konnte man das, was rechts passierte, als günstiges Zeichen auslegen. Auch aus der Betrachtung der Schampartien, die man gewöhnlich in den Bädern vornahm, las man allerhand Bedeutungsvolles ab, das sich nicht wiedergeben lässt: Mentula torta, bonum omen; infaustum, si pendula etc.

Ausser den Geräuschen, die vom Lebensprozess des menschlichen Körpers herrührten, gab es noch eine Menge anderer Töne, denen man eine günstige oder ungünstige Vorbedeutung beimass. Eins der wichtigsten derartigen Geräusche war das Knacken des Bettes (argutatio lecti). Aus dem Geknarre dieses Möbels hatte man sich eine förmliche Sprache zusammenkonstruiert, mit besonderer Berücksichtigung des Liebeslebens. Catull erwähnt bei der Schilderung einer Liebesscene ausdrücklich derartige Vorzeichen (tremulique quassa lecti argutatio inambulatioque). Natürlich hatte jeder einzelne Ton seine glückliche oder unglückliche Bedeutung; sogar die Abwesenheit jedes Geknarres bei einem Bette hatte etwas zu sagen. Ebensowenig war der Platz, an dem das Bett stand, bedeutungslos. Man sprach von einem lectus adversus, wenn man es vor der Thür eines Zimmers aufgestellt hatte, um bösen Geistern den Eintritt zu wehren; lectus genialis nannte man es, wenn es dem Genius, dem Vater der Voluptas (des Vergnügens) gewidmet war. Dieser Genius war es gerade, der den Bestandteilen des Bettgestells, dem Holz, dem Metall, dem Elfenbein und anderem Material die Stimme verlieh. Auch das Flackern der Lampe hatte einen bestimmten Sinn, und der Liebhaber konnte frohen Sinnes sein, wenn plötzlich die Flamme heller aufleuchtete als zuvor Ovid behauptet in seinen Heroiden, dass auch die Flamme niese, und dass dieses Niesen alles nur wünschenswerte Glück bedeute.

Die Courtisanen waren in der Auslegung der Vorzeichen ausserordentlich geschickt, da sie ja zumeist in ihr Fach schlugen; wenn sie nichts anderes zu thun hatten, beschäftigten sie sich fast ausschliesslich mit allerhand Prophezeiungen, die sich natürlich immer um das Liebesleben drehten. Wenn der gewöhnliche Lauf der Dinge ihnen nicht genug zu raten und zu deuten aufgab, dann halfen sie dem durch besondere Veranstaltungen ab; sie hatten die verschiedensten Methoden, um die Zukunft zu erkennen und die Dinge zur Deutung des Kommenden zu benützen. Hier knallte eine mit Baumblättern, die sie auf der halbgeschlossenen Faust zerschlug, dort horchte eine auf das Knattern von Lorbeerblättern, die sie auf glühende Kohlen geworfen hatte; anderwärts warf wieder eine Apfel-, Birnen- und Kirschenkerne oder Getreidekörner gegen die Decke ihrer Zelle und suchte sich auf diese Weise ihre Wünsche bestätigen zu lassen: manchmal suchte sie auch mit der linken Hand Rosenkränze zu zerstören, die sie mit der rechten Hand vorher angefertigt hatte; andere wieder zählten die Blätter an einer Mohnstaude oder an einer Marguérite; wieder andere warfen schliesslich vier Würfel, die ihnen den Venuswurf zeigten, wenn sie alle vier verschiedene Zahlen aufwiesen. Die Dichter von Liebesliedern überliefern uns unzählige von solchen Liebesorakeln. Auch die Liebhaber zeigten sich gleichfalls ausserordentlich zugänglich für diese Weissagungen. Ein Freudenmädchen, das sich an einen Thürpfosten stiess, oder mit dem falschen Fusse die Schwelle überschritt, wenn sie zum Lupanar oder auf die Promenade gehen wollte, kehrte sicherlich wieder um und verliess an dem Tage ihr Haus nicht mehr; hatte sie sich morgens beim Aufstehen an dem Bettgestell gestossen, dann legte sie sich schleunigst wieder nieder und widmete den ganzen Tag einer erzwungenen Ruhe. Die amasii und die Prostituierten achteten sorgsamer als alle anderen auf die Zeichen, die ihnen auf ihrem Wege begegneten, auf den Flug und das Geschrei der Vögel, auf das Geräusch des Windes, die Form der Wolken, auf den, der ihnen zuerst begegnete, auf den letzten Gegenstand, den sie bemerkten u. s. w.; besonders achteten sie auf einige Dinge, die einzig und allein für sie von Bedeutung waren Eine Turteltaube, eine Haustaube, ein Sperling, eine Gans oder ein Feldhuhn, diese der Venus und dem Priap geweihten Tiere, konnten sich doch nicht ohne geheimnisvolle Beziehungen auf dem Wege einer Person vorfinden, die nur an die Liebe dachte. So glaubte sie denn, bei solchen Vorzeichen müsse ihnen alles zum besten dienen. Als der Kaiser Proculus die Sarmaten besiegt hatte, sah er eines Tages an der Front eines Junotempels zwei Sperlinge, die einander schimpften. sorgsam zählte er ihr Gekreisch und ihre Flügelschläge und befahl dann, man solle ihm hundert unberührte sarmatische Jungfrauen bringen — offenbar behauptete er, etwas Derartiges aus dem Sperlingsduett herausgehört zu haben. Gänse und Turteltauben galten den Liebenden als besonders günstig; ebenso freute man sich, einen Hund auf dem Wege zu treffen; dagegen waren Katzen unbeliebt, da sie für unglückbringend galten.

Manche Art von abergläubischen Ansichten war ausschliesslich unter der Schar der Venusdiener und -dienerinnen verbreitet. Dies fantastische und bizarre Völkchen, das die Enthaltsamkeit nicht kannte, die ehrbare Frauen sich aus Rücksicht auf verschiedene religiöse Festlichkeiten aufzuerlegen pflegten, machte sich doch wieder Gewissensbisse über Vorfälle, die einer Matrone höchst gleichgiltig gewesen sein würden. Mit besonderem Mysterium war die Jungfernschaft des Weibes umgeben. Die Wüstlinge waren immer bereit, ausserordentliche Preise für ein unberührtes Kind zu zahlen, und die Kuppler und Kupplerinnen pflegten damit ein lukratives Geschäft zu machen. Oft opferten sie Kinder von sieben bis acht Jahren den Wünschen und Lusten ihrer Käufer. Manchmal verlangten diese einen Beweis für die Hauptbedingung, die sie stellten. Da kam denn der Aberglaube mit einem merkwürdigen Gebrauch den Kupplern zu Hilfe. Man mass nämlich den Halsumfang eines Mädchens, das sich für eine intacta ausgegeben hatte, mit einem Faden sehr sorgfältig. Hatte der Hals nach dem Liebesopfer noch denselben Umfang, dann nahm man an, das Mädchen habe zu Unrecht seine Unberührtheit behauptet; war der Hals dagegen umfangreicher geworden, so war die Jungfernschaft unbestreitbar vorhanden gewesen. Catull spielt auf diesen Gebrauch in seinem Hochzeitsgedichte auf Thetis und Peleus an:

Non illam nutrix orienti luce revisens
Hesterno collum poterit circumdare collo.

Den Bindfaden, der so zur Konstatierung einer Jungfernschaft gedient hatte (manchmal vielleicht nur dank der Gefälligkeit der messenden Person), hing man im Tempel der Fortuna Virginalis auf, der von Servius Tullius nahe bei der Porta Capena erbaut worden war. Auch andere Zeichen, die auf den Vorgang Bezug hatten, pflegte man in diesem Tempel aufzubewahren. Dieser Fortuna Virginalis, die eigentlich nichts anderes war als Venus selbst, spendete man auch Nüsse, indem man auf den Bruch anspielte, mit Nüssen das Schlafgemach Neuvermählter zu überschütten und zu bombardieren. „Sklave, gieb, gieb den Kindern Nüsse,“ so ruft Catull in dem Hochzeitsgedicht für Julia und Manlius aus. (Concubine, nuces da). In den Bucolicen sagt Virgel: „Gatte, spare nicht mit Nüssen!“ (Sparge, marite, nuces!) In den Augen der Römer, für die alles zur Allegorie ward, galt die Nuss für ein Sinnbild der Ehe. Man wird zugeben, dass es ein Bild voll tiefen Sinnes war.

Kapitel XXIV.

Die römischen Courtisanen haben keine Geschichtsschreiber und Lobsänger gehabt wie die griechischen. — Die Gründe dafür. — Dichter als Begleiter und Liebhaber der Courtisanen. — Die Elemente der Geschichte der römischen Courtisanen muss man in den Werken der Dichter suchen. — Die Musen der erotischen Lyrik. — Schrecken ihres Alters. — Horazens Liebesabenteuer. — Warum er sich von den Matronen fernhielt. — Cupiennus. — Der Schwur des Sallust. — Marsaeus und die Tänzerin Origo. — Horazens epikuräische Philosophie. — Seine Ratschläge an Corinthus über Liebesabenteuer mit verheirateten Damen. — Neera, die erste Geliebte des Horaz. — Ihre Untreue. — Das gute Gedenken, das Horaz dieser ersten Liebe bewahrte. — Origo, Lycoris und Arbuscula. — Ausschweifungen der Patrizierin Catia. — Horazens Beziehungen zu einer ältlichen vornehmen Dame, die er um der Jnachia willen verlässt. — Die Epigramme gegen die alte Dame. — Von Jnachia weiss man nichts. — Die gute Cinara. — Gratidia, die Parfumeuse. — Ihre Liebestränke. — Die Courtisane Hagna und ihr Liebhaber Balbinus. — Knabenliebe bei Horaz. — Bathyllus. — Lysiscus. — Lycas. — Pyrrha. — Horazens Abschiedslied an die ungetreue Pyrrha. — Lalage — Horaz, Aristius Fuscus und Lalage. — Barina. — Tyndaris und ihre Mutter. — Die Mutter eine Freundin der Gratidia. — Horazens Abbitte vor Gratidia. — Tyndaris versöhnt die beiden. — Lydia. — Ihr Verrat mit Telephus. — Lydia verlässt Telephus um Calaïs. — Versöhnung mit Lydia. — Chloë. — Phyllis, des Xanthias' Sklavin. — Seine Bekanntschaft mit ihr. — Ode an Xanthias. — Phyllis, die Freigelassene wendet sich dem Telephus zu. — Ode an Phyllis. — Glycera, des Tibulls ehemalige Geliebte, geht an Horaz über. — Seine leidenschaftliche Liebe zu ihr. — Ihr zuliebe schreibt er bissige Verse gegen seine früheren Maitressen. — Sie giebt ihm den Abschied. — Horaz nähert sich der von Gyges verlassenen Chloë. — Chloë will nichts von ihm wissen. — Die Abrüstung. — Lyde, Horazens letzte Liebe. Seine Zuneigung zu Ligurinus.

Die Courtisanen, zumal diejenigen griechischer Abkunft, die das Entzücken der römischen Lebemänner bildeten, haben keine Geschichtsschreiber und Lobsänger gefunden, wie etwa jene, deren politischen, philosophischen und litterarischen Einfluss Griechenland durch eine Art enthusiastischen und bewundernden Kultus anerkannte. Die Römer waren, wie wir schon gesagt haben, gröber, materieller, sinnlicher als die Griechen des Zeitalters des Perikles und der Aspasia; was sie bei den Freudenmädchen, bei diesen Ausländerinnen, deren Sprache sie kaum verstanden, suchten, das war keine glänzende, ernsthafte, tiefe und geistreiche Unterhaltung, kein Echo der Lehren der athenischen Akademie, keine Erinnerung an die goldenen Tage des Hetärentum, nein, sie suchten und wünschten weniger ideale Genüsse, derbe Vergnügungen, und bei ihren Liebschaften wünschten sie die Leidenschaften höchstens durch üppige Tafeleien, Parfüms, Gesang, Saitenspiel, Tanz und Pantomime angestachelt zu haben. Ausserhalb des triclinium und des cubile (Speise- und Schlafzimmer) räumten sie ausserdem den gewöhnlichen Teilnehmerinnen ihrer Orgien und Ausschweifungen nicht den geringsten Einfluss ein. Niemals bildete deshalb das Leben der Courtisanen einen Gegenstand öffentlichen Interesses, und was es an Intimität besass, drang kaum in die Kreise der jungen Lebemänner. Gewiss befanden sich in dieser vergnügungssüchtigen Gesellschaft Dichter und Schriftsteller, die in Poesie und Prosa das Leben der Courtisanen hätten schildern können, mit denen sie in so gutem Einvernehmen standen; aber dieses schlüpfrige Thema schien ihnen nicht würdig, der Nachwelt überliefert zu werden, und, wenn ein jeder von ihnen doch das Lob einer Courtisane sang, die er durch seine Liebe gleichsam rehabilitiert hatte, so hätte doch keiner, wenigstens von denen, die auf ihren Ruf hielten, sich zum Dichter der Courtisanen Roms im allgemeinen machen mögen, gerade so wenig wie die Künstler, die sich nicht scheuten, Porträts von diesen preciosæ und famosæ anzufertigen, errötet davor zurückgeschreckt wären, sich nach dem Muster gewisser griechischer Künstler als die Prostituiertenmaler bezeichnen zu lassen. Sollten doch einige Werke über Gedichte und Lebensart der berühmten römischen Courtisanen vorhanden gewesen sein, dann darf man wohl annehmen, das sie aus der Feder weniger bedeutender Schriftsteller stammten, und mit den libri molles beim Eindringen des Christentums vernichtet wurden.

Einzelnen freilich von den Courtisanen haben die Dichter, die damals wie zu jeder Zeit in einem gewissen Zusammenhang mit der Halbwelt standen, mit vollen Händen das Lob gestreut, das sie der ganzen Gesellschaftsschicht so sorgsam vorenthielten. Ihre Liebe adelte eben in ihren Augen ihren Gegenstand: das war dann kein Freudenmädchen mehr, kein Frauenzimmer mit dem Brandmale des meretricium gezeichnet, sondern ein geliebtes Weib, aller Ehre und zarten Fürsorge würdig. Und wenn sich die Courtisane so geliebt fühlte, dann erwachten wohl auch in ihr die besseren Instinkte, die Liebe zog in ihr Herz ein, die Liebe, auf die sie stolz war, und die sie rehabilitierte. Walkenaer, des Horazens Biograph, bemerkt ausdrücklich, wie man oft trotz der abscheulichen Dressur auf das schimpfliche Gewerbe auch bei Prostituierten echte Liebe traf. So müssen wir denn die Elemente der Geschichte berühmter Courtisanen in den Werken der klassischen Dichter aufsuchen. Horaz, Catull, Tibull, Properz und Martial geben uns die einzigen unvollständigen Daten, nach denen wir eine Uebersicht über die berühmtesten Courtisanen etwa vom Regierungsantritt des Augustus bis zur Zeit Trajans (41 vor Chr. bis 100 nach Chr.) entwerfen können. Diese Mädchen, die man gleichsam die Musen der erotischen Dichter nennen könnte, gehören zumeist zu den sogenannten famosæ und zeichneten sich durch Geist, Schönheit und Grazie aus. Freilich, wenn sie alt wurden, dann sanken sie zumeist auf die niedrigste Stufe der Prostitution hinab, und manche, die Consuln, Praetoren und Generäle an ihrem Tisch bewirtet hatte, Männer die sich um ihren Besitz stritten und ihr Schätze zu Füssen legten, manche, die eine Schar von Sklaven und Sklavinnen besessen, ein glänzendes Palais bewohnt und die Reichtümer eroberter Provinzen durch Festlichkeiten und allerhand unsinnigen Luxus verschwendet hatte, geriet in solche traurige Armut, dass sie abends in den Strassen umherschlich, das Haupt mit einem ärmlichen Mantel oder einer zerlumpten Kapuze verhüllt und den Passanten aufs geradewohl ihre schmählichen Dienste anbietend. Die lebenden Beispiele traurigsten Verfalls riefen kaum das Mitleid ihrer ehemaligen Liebhaber wach, und diejenigen, die sie am meisten geliebt hatten, wandten sich mit Grausen von ihnen ab, wie wir aus Catull erfahren, der eine alte Geliebte, die er im Glanz und Glast ihres galanten Lebens besungen hatte, im schimpflichen Winkel der Strassenprostitution wiederfand.

Aus Horaz können wir die grossen Priesterinnen der Liebe seines Zeitalters kennen lernen, denn dieser kalte und vorsichtige Mann beschränkte sich auf den Genuss käuflicher Liebe, durch die seine Ruhe nicht gestört werden konnte Zwar bestand die furchtbare lex Julia gegen den Ehebruch noch nicht, aber die römische Rechtspflege, obwohl auch auf diesem heiklen Gebiete laxer geworden, gab doch dem betrogenen Gatten oder dem Vater und Bruder eines leichtfertigen Mädchens höchst gefährliche Waffen in die Hand. Horaz wusste ganz genau, dass man nicht ungestraft den Liebhaber einer verheirateten Frau spielen konnte, und dass ein ertappter Liebhaber oder Ehebrecher Gefahr lief, gleich auf dem Schauplatz seiner Thaten abgestraft zu werden, sei es nun, dass sich der Ehemann damit begnügte, dem Schuldigen Nase und Ohren abzuschneiden oder ihn seiner Mannheit zu berauben, sei es, dass er ihn vor den Augen seiner Mitschuldigen niederstach. In der zweiten Satyre des ersten Buches erwähnt Horaz den Cupiennus, der sehr begierig auf eine Liebschaft mit Matronen war (mirator cunni Cupiennus albi); dabei zählt er dann eine Reihe von Opfern dieser verbotenen Liebe auf, deren Glückseligkeit grausam unterbrochen worden war (multo corrupta dolore voluptas). Die Schicksale dieser Ehebrecher sind allerdings nichts weniger als einladend, und man versteht deshalb wohl, dass Horaz den Schwur wiederholt, den Sallust oft aussprach: „Ich rühre niemals an eine verheiratete Frau (matronam nullam ego tango).“ Dabei hütete er sich wohl, die Thorheiten des Sallust nachzuahmen, der sich für emancipierte Weiber zu Grunde richtete; ebensowenig ahmte er dem Marsæus nach, der sein väterliches Vermögen durchbrachte und alles bis auf sein Haus verkaufte, um eine Tänzerin namens Origo auszuhalten: „Ich habe niemals mit anderer Leute Frauen zu thun gehabt,“ sagte Marsæus zu unserem Dichter. „Nein,“ entgegnete Horaz, „aber du hast dich mit Tänzerinnen und Prostituierten (meretricibus) abgegeben, die den guten Ruf noch mehr als das Vermögen schädigen.“

Zwar war Horaz für sein Teil den Courtisanen und Tänzerinnen keineswegs abhold, aber er schonte im Verkehr mit ihnen seine Gesundheit und sein Portemonnaie. Auch in den Orgien der Sinneslust blieb er bei kaltem Verstande und war stets so sehr Herr seiner selbst, dass er nie einem Weibe, mochte er auch noch so verliebt sein, einen grösseren Einfluss einräumte. Als echter Epikuräer suchte er das Vergnügen und vermied sorgsam alles, was ihm Unruhe und Sorge bringen könnte. Darum widmete er, abgesehen von den widernatürlichen Lastern, die damals in Rom an der Tagesordnung waren, seine Liebe niemals einer einzigen, sondern beglückte stets mehrere Mädchen, die nacheinander oder abwechselnd seine Maitressen waren, mit seiner Neigung. Man mag bei Horaz selbst nachlesen, wie er mit verblüffender Offenheit darüber spricht, warum er dem aufregenden Werben um die Gunst einer verheirateten

Frau den bequemen Umgang mit einem Freudenmädchen vorzieht (namque parabilem amo Venerem facilemque): er, der Epikuräer, ein Meister in dem vorsichtigen Abschätzen seiner Chancen, zog das Sichere dem Unsicheren, das Offenbare dem Verborgenen vor, und vermied gerne die Aufregungen gefährlicher Abenteuer.

Seine erste Maitresse, oder doch die erste, die er in seinen Gedichten feierte, war eine gewisse Neera. Er hielt sie länger als ein Jahr aus unter dem Consulate des Plancus. Damals war er fünfundzwanzig Jahre alt und besass als Dichter noch keinen Ruf. So konnte er die Reize dieser Sängerin damals noch nicht hoch bezahlen; später aber kam sie sehr in Mode. Eine Nacht schwur sie ihm liebeglühend: „Solange der Wolf das Lamm verfolgen wird, solange Orion, der Schrecken der Seefahrer, das Meer im Sturm aufwühlen wird, solange der Zephyr Apolls langen Lockenschmuck umkosen wird, solange will ich Dir Liebe um Liebe geben.“ Leider wurde der Schwur aber bald vergessen, und Neera nahm sich einen zahlungsfähigeren Liebhaber. Sie wollte es indessen mit dem Dichter nicht ganz verderben; dieser brach zunächst jeglichen Verkehr mit ihr ab und prophezeite seinem glücklicheren Nebenbuhler, dass auch er eines Tages seinen Abschied erhalten werde. Später zeichnete sich Neera als Sängerin aus, und als Horaz durch seine Gedichte des Mæcens Freundschaft erwarb, liess er sie öfters zu den Gelagen mit seinen Freunden entbieten, um dort zu singen: „Geh, junger Sklave,“ so sagt er in einer Ode auf die Rückkehr des Kaisers aus dem spanischen Kriege, „hole uns Parfums und Blumen und alten Wein aus der Zeit des Marserkrieges, wenn ein Fläschchen davon den Banden des Spartacus entgangen ist. Und dann bestelle der Sängerin Neera, sie solle rasch ihr mit Myrrhen parfumiertes Haar aufstecken. Falls aber ihr verwünschter Thürhüter Schwierigkeiten macht, dann komm ohne sie zurück. Die Jahre, die mein Haar gebleicht haben, haben auch meine Begierden bezähmt, die früher wenig Rücksicht auf Klagen und Kämpfe nahmen; unter dem Konsulate des Plancus, in meiner vollsaftigen Jugend wäre ich weniger geduldig gewesen.“ Neera hatte der Dichter inniger geliebt als seine anderen Maitressen, denn er wollte sich an ihr rächen, indem er ihr zeigte, was sie an ihm durch ihre Untreue verloren hatte.

„Zu Horazens Zeit,“ so sagt Wolkenaer in der Lebensbeschreibung seines Helden, „gab es zu Rom drei besonders berühmte Courtisanen: Origo, Lycoris und Arbuscula.“ Die alten Scholiasten erzählen uns leider nicht von diesen drei famosae, deren Namen sie lediglich anführen, und Horaz, der nicht in Beziehungen zu ihnen gestanden zu haben scheint, überliefert uns nur, dass die Erste den Marsæus ruiniert hat. Einmal vergleicht er mit dieser raffgierigen und verschwenderischen Courtisane auch eine Patrizierin namens Catia, die etwas sehr leichtgeschürzt auf der via sacra zu spazieren pflegte. Eines Tages wurde diese Catia beim Ehebruch im Tempel der Venus Theatina, nahe beim Theater des Pompeius, ertappt und vom Volke mit Steinwürfen verfolgt. Ueber das Schicksal ihres Liebhabers weichen die Ueberlieferungen von einander ab. Dieser Vorfall trug dazu bei, den Horaz in seinen Auffassungen von den Vorzügen käuflicher Liebe noch zu bestärken. Nur ein einziges Mal wurde er seinen Grundsätzen untreu und liess sich von einer alten lüsternen Dame empfangen, die einem vornehmen Hause entstammte und ihn durch eine geheuchelte Vorliebe für Philosophie und Wissenschaft gefesselt hatte. Ursprünglich wollte er den Verkehr lediglich auf die litterarischen Beziehungen beschränken, hielt dann aber doch dem drängenden Liebeswerben nicht Stand, obschon er damals in den Banden einer schönen Courtisane namens Jnachia lag, und sich schämte, ihr eine unwürdige Nebenbuhlerin zu geben. Diese hatte sich denn auch bald über kühle Zurücksetzung und Vernachlässigung zu beklagen, was sie veranlasste, sich an Horaz dadurch zu rächen, dass sie der Jnachia Kummer bereitete. Der Dichter aber ergriff energisch die Partei seiner Geliebten und opferte ohne Bedenken die alte Kokette. Zwei furchtbare Epigramme, die er gegen sie verfasst hatte, machten die Runde in ganz Rom, und man zeigte auf der Strasse mit Fingern auf sie. Leider wissen wir nichts als den Namen von dieser Jnachia.

Fast zur selben Zeit hatte Horaz mit einer anderen Courtisane angeknüpft, die der Jnachia an Schönheit nicht nachstand und von dem Dichter keinerlei Geschenke annahm. Wahrscheinlich aus diesem Grunde nennt der Dichter sie die gute Cinara. Aber es war doch gewiss nicht das beste Mittel, sie lange zu fesseln, und so machte sich denn Cinara bald auf die Suche nach einem freigebigeren Liebhaber. Sie fand ihn mühelos; Horaz aber, der über ihren Verlust untröstlich war, suchte Vergessenheit bei Bacchus. Sein ganzes Leben lang hat er diese Geliebte betrauert, obschon er ihr viele Nachfolgerinnen gegeben hat. Der Name Cinara war mit seinen süssesten Jugenderinnerungen verknüpft; sie hatte ihn ohne Spekulation auf reichen Lohn nur seiner selbst willen geliebt; als er schon den Fünfzigern zuneigte, sagte er noch in stiller Resignation: „Ach, ich bin nicht mehr der, der ich war, als Cinara mein Herz beherrschte.“ Gratidia, die an ihre Stelle trat, war nicht geeignet, ihr Andenken zu verwischen: schön und gefeiert wie Cinara, verstand sie es doch, als sich mit den Jahren die Schar ihrer Verehrer verlief, ihrem Courtisanengewerbe eine sicherere und einträglichere Industrie anzufügen: sie wurde Parfümeriefabrikantin und saga oder Zauberin. Sie verfertigte Liebestränke, deren Kraft sie, wenn wir den Kommentatoren trauen dürfen, an Horaz selbst erprobte, in der Hoffnung, ihn dauernder und fester an sich zu fesseln. Aber Horaz schüttelte dies Joch doch ab, weil ihm vor dem geheimnisvollen Geschäfte der Zauberin graute, und weil er von den Stimulantien dieses Weibes einen nachteiligen Einfluss auf seine Gesundheit fürchtete. So brach er denn plötzlich mit ihr. Als Vorwand dienten ihm die Beziehungen, die Gratidia zu einem alten Lebemanne namens Varus unterhielt. Da die Abgedankte sich aber lebhaft und laut über seine Untreue und Undankbarkeit beklagte und ihm Rache schwur, so griff Horaz, der wohl wusste, wessen sie fähig war, energisch durch und enthüllte der Oeffentlichkeit in seinen Versen die Geheimnisse der grauenhaften Kunst der sagae, indem er dabei das sehr durchsichtige Pseudonym Canidia für das Weib anwandte. Wir sind schon oben auf diese Enthüllungen zu sprechen gekommen. Vermutlich hatte sich Gratidia infolgedessen vor den Behörden zu verantworten und ihr Treiben zu rechtfertigen; dabei scheint ihr Horaz, man weiss nicht aus welchen Gründen und unter welchen Einflüssen, eine Art Ehrenerklärung ausgestellt zu haben; wenigstens deuten darauf die Worte einer Ode hin, die den zwei Angriffsgedichten gegen dieses Weib folgte. In den halb ironischen Versen verspricht der Dichter sie zu schonen, wenn sie ihn nur unbelästigt lasse; aber, indem er sie gleichsam entschuldigt, bringt er doch im Grunde genommen alles noch einmal vor, was er schon früher dargelegt hatte. So spielt er besonders auf den Geheimkult der Cotytto an und liefert dadurch indirekt den Beweis, dass Gratidia, wie übrigens auch die anderen sagae mit diesen Mysterien zu thun hatte, die nichts waren, als entsetzliche Orgien mit wahnsinnigen geschlechtlichen Ausschweifungen (cotyttia). Cotytto war die thrakische Liebesgöttin, ursprünglich eine alte hermaphroditische Gottheit syrischen Ursprungs.

Gegen Gratidia blieb Horaz stets erbittert und hat ihr in späteren Werken immer hin und wieder noch eine Bosheit zugefügt; ihm hatte sie auch den nicht gerade schmeichelhaften Beinamen: die Giftmischerin zu danken. Nach einer solchen Liebe mit ihren Elixieren und ihren magischen Beschwörungskünsten musste Horaz förmlich aufatmen. Er war ausserordentlich empfindlich gegen unangenehme Gerüche, die einen starken Eindruck auf seine Nerven machten; deshalb erfasste ihn ein heftiger Widerwillen gegen die wunderschöne Courtisane Hagna, die unschön aus dem Munde roch, was allerdings ihren Anbeter Balbinus nicht abhielt, sie trotzdem hoch zu verehren. Die verschiedenen Zerstreuungen, die Horaz beim männlichen Geschlechte suchte, übergehen wir mit Stillschweigen; die unaufhörliche Klage gegen seinen Bathyllus müssen wir der Verderbtheit römischer Sitten zuschreiben. Horaz war nicht moralischer als seine Zeit, und wenn er sich an der Liebe zu schönen Frauen ausgiebig erfreute, so blieb er für die Reize der Knaben nicht minder zugänglich. „Wo ihm immer die Schönheit entgegentrat," so sagt der gelehrte Walkenaer, „da machte sie auf ihn einen tiefen und lebhaften Eindruck; sie absorbierte seine Gedanken, störte seinen Schlaf und entflammte seine Begierde; so suchte er denn jede Gelegenheit, ihr zu huldigen, ohne Skrupel und Bedenken, die die Ethik seiner Zeit nicht kannte." In einer an

Pettius gerichteten Epode gesteht er zu, dass ihn die Liebe zu schönen Knaben und jungen Mädchen beständig plagt: „Jetzt ist es Lysiscus," so sagt er voller Leidenschaft, „den ich liebe, Lysiscus, der schöner und reizender ist als ein Weib. Weder die Vorwürfe meiner Freunde, noch die Abweisungen dieses Jünglings können mich von ihm losreissen; nichts kann mich von ihm trennen, es sei denn die Liebe für ein zartes junges Mädchen oder für einen schönen Knaben mit langem Haar." Als so der Dichter das Geständnis seiner schimpflichen Knabenliebe ablegte, stand er, wie wir aus Zeitangaben in demselben Gedichte entnehmen können, etwa im dreissigsten Lebensjahre. Und um dieselbe Zeit verliebte er sich rasend in Lyca; das war eine ausländische Courtisane, die ihr Geschäft unter Assistenz und zum Profit ihres Mannes ausübte und so schlau gewesen war, den Werbungen des Dichters zunächst eine Abweisung entgegenzusetzen.

Arcon und Porphyrion, die wertvolle Untersuchungen über alle bei Horaz erwähnten Personen angestellt haben, sagen uns über den rechten Namen dieser Lyca nichts; sie erwähnen vielmehr lediglich, dass sie tyrhenischen Ursprungs war, d. h. aus Etrurien stammte, dessen ganze Bevölkerung nach dem Zeugnis des Geschichtsschreibers Theopompos ausserordentlich zügellos war. Auch Plautus spielt darauf in seiner Cistellaria an. Lyca blieb also nur den Sitten der Heimat treu, wenn sie aus der Preisgabe ihres Körpers ein Geschäft machte und so Reichtümer aufhäufte, deren schimpflicher Ursprung sie nicht abhielt, sich mit dem Glanze einer ehrbaren Frau zu umgeben und sich sogar einen Gatten zu kaufen. Horaz fiel auf ihre gemachte Tugendhaftigkeit hinein und gab sich die grösste Mühe, sie zu erobern, trotz seiner sonstigen Abneigung gegen Abenteuer mit verheirateten Frauen. In einer schönen Ode flehte er die schöne Etruskerin an, ihm die wohlverwahrte Thür zu öffnen! Er wusste gewiss nicht, dass hinter dieser Thür sich ein Glücklicher, der früher gekommen war, mit der Schönen vergnügte. Drum flehte er auch wieder und wieder in seinen Versen die Schöne um Erhörung an. Schliesslich wurde ihm die Gewährung seiner Wünsche; er zeigte sich darauf sehr freigebig, war ausserordentlich glücklich und galt eine Zeit lang als der erklärte Liebhaber des Weibes. Das dauerte genau so lange, bis sie ihm eines jüngeren und reicheren Mannes willen den Laufpass gab. Das kränkte seine Eigenliebe sehr, und er machte mehrfache Versuche, die Liaison wieder anzuknüpfen. Mit einer gewissen Schadenfreude konstatiert er eines Tages den körperlichen Verfall dieser Frau, die sich in unbezähmbarem Drange nach Ausschweifungen aufgerieben hatte. Es macht einen merkwürdigen Eindruck auf uns, wie er sich freut über die Runzeln in dem Gesichte dieser Frau, über den Schwund der Zähne, über die Verfärbung des Haares, und darüber, dass die jungen, lebenslustigen Männer dieser alten Ruine fernbleiben.

Thatsächlich blieben die römischen Frauen und zumal die Courtisanen nicht lange jung: das heisse Klima, die oft wiederholten Bäder, die Kosmetika und Aphrodisiaka, die Gelage und Ausschweifungen aller Art liessen die Blüten des kurzen Lebensfrühlings bald verwelken; mit dreissig Jahren begannen die Frauen alt zu werden, und wenn noch das Liebesfeuer unter der Asche glühte, dann mussten sie ihre Zuflucht zu Eunuchen, den spadones und den Gladiatoren nehmen oder gar zu den abscheulichen Geheimnissen des fascinum.

In der Zeit, als Horaz in den Banden der reizenden Lyca schmachtete, versagte er sich doch nicht ein flüchtiges Verhältniss zu einer gewissen Pyrrha: übrigens liebte er sie nicht tief und war nicht eifersüchtig auf sie, denn als er sie eines Tages in den Armen eines frischen, kecken Jünglings fand, zog er sich diskret zurück, ohne dass das verliebte Paar ihn überhaupt gehört hätte. Am andern Tag sandte er der Pyrrha ein hübsches Abschiedsgedichtchen, worin er sie über seine Beobachtungen unterrichtete. Es ist jene entzückende Ode, in der er sich mit einem Schiffbrüchigen vergleicht, der zum Dank für seine Rettung aus Seenot die feuchten Kleider opfernd im Tempel aufhängt. So wenig der Dichter für seinen Teil auf Treue hielt, so empfindlich war er gegen die Untreue der Geliebten, die doch wohlgemerkt, alle Courtisanen waren. Diese Empfindlichkeit, die seltsam gegen seine epikuräische Philosophie absticht, muss man wohl mehr seiner persönlichen Eitelkeit als tieferen moralischen Gefühlen zuschreiben. Ein einziges Mal freilich zeigte er sich nicht eifersüchtig, sondern war bereit, einem Freunde einen Anteil am Besitze der Geliebten zu gönnen, das war damals, als sein Freund Aristius Fuscus der zierlichen und jugendlichen Lalage nachstellte, bei der der Dichter sich von den Vergnügungen und den Liebesabenteuern Roms auf dem Lande zu erholen liebte. Lalage hatte den stürmischen Fuscus unter Hinweis auf ihre Jugend abgewiesen, und Horaz rät ihm zur Geduld, da der Tag kommen werde, an dem Lalage sich ihm aus freien Stücken nähern werde. Der Dichter schwärmte sehr für diese Lalage und beschreibt uns in einem köstlichen Gedicht, wie er die Wälder durchstreift, um sich vom Echo den Namen der Geliebten zuwerfen zu lassen. In Wirklichkeit freilich hinterging ihn dieses Mädchen, wie fast gleichzeitig ein anderes Weib, Barina, etwas älter, aber ebenso reizend wie Lalage. Nach den Angaben der Scholiasten hiess sie eigentlich Julia Varina und war eine Freigelassene der julischen Familie. Auch bei ihr glaubte Horaz aus einer Courtisane eine treue Geliebte machen zu können und musste doch bald sehen, dass sie ihm nur deshalb so bereitwilig ewige Liebe und Treue schwur, um mehr Geschenke aus ihm herauszupressen. In humoristischen Versen beklagt der Dichter mit etwas süsssaurer Miene dieses Verfahren: er möchte dem Mädel gerne zürnen, und findet es doch gleichzeitig verteufelt hübsch. „Auch die Jünglinge," so seufzt er, „wachsen nur heran, um die Schar deiner Sklaven zu mehren. Und wen du in deinen Banden hältst, der beklagt deine Untreue, ohne doch von dir lassen zu können, du grausame Herrin."

Horaz, der damals achtunddreissig Jahre alt war, überliess sich allen Launen seines Temperaments; er suchte eine treue Geliebte, fand aber keine, da er selbst ein zu schlechtes Beispiel gab. Oft zog er sich in eines seiner Landhäuser nach Præneste oder Ustica zurück, um dort einige Zeit mit irgend einer schönen Freigelassenen zu verleben, die allerdings in der Regel bald den Geschmack an dieser Art von Gefangenschaft verlor und nach Rom zurückkehrte. Als er eines Tages nach Ustica, seinem sabinischen Landgute reisen wollte, bemerkte er auf der via sacra ein auffällig gekleidetes junges Mädchen von blendender Schönheit; ihr zur Seite schritt ein älteres Weib, das ihr sprechend ähnlich sah, sodass man sofort in ihnen Mutter und Tochter erkannte. Horaz war lebhaft ergriffen und fühlte sofort sein Herz für beide entbrennen; als er aber erfuhr, dass die Mutter eine Freundin der berüchtigten Gratidia war, beschäftigte er sich nur noch mit der Tochter, die Tyndaris hiess, von Beruf Sängerin war und von dem eifersüchtigen und vor brutalen Misshandlungen seiner Geliebten nicht zurückschreckenden Cyrus ausgehalten wurde. Horaz sandte ihr eine poetische Liebeserklärung und bat sie, ihm in die Einsamkeit seines Landgutes zu folgen. Die Mutter aber erzählte der Tochter von dem Verhalten des Dichters gegen Gratidia und riet ihr, sich nicht einem gleichen Schicksal auszusetzen. Tyndaris antwortete dem Horaz deshalb, dass sie ihre Mutter erzürnen würde, wenn sie den Lockungen des Mannes Gehör schenke, der Gratidia mit so heftigen Angriffen verfolgt habe. Horaz versuchte es darauf, mit einer Schmeichelei bei der Frau Mama, indem er schrieb, er bedauere die heftigen Verse von früher, es bedürfe nur eines Wortes von ihr, so würfe er sie ins Feuer. Tyndaris liess sich durch derartige reumütige Aeusserungen rühren und brachte sogar eine Art Aussöhnung zwischen dem Dichter und Gratidia zu Wege.

Nach Tyndaris flösste Lydia dem wankelmütigen Dichter die grösste Liebesleidenschaft ein. Sie hatte eine Liebschaft mit einem jungen Mann, den sie dadurch von allem ernsten Thun abhielt: Horaz machte ihr Vorwürfe darüber, dass sie dadurch die ganze Karriere des jungen Mannes vernichten werde, und es gelang ihm thatsächlich, den jungen Sybariten bei ihr auszustechen, indem er sich spendabler zeigte als jener. Aber kaum erfreute er sich seines jungen Glückes, als ihm diese Lydia, die noch viel launenhafter war, als er selbst, in der Person eines gewissen Telephus einen Nebenbuhler gab. Telephus war ein junger, schöner, stattlicher und kräftiger Mann, und dem Horaz fiel es schwer, eine solche Konkurrenz auszuhalten; er hielt indessen Stand und suchte durch Zärtlichkeit und seine Ueberredungskünste gegen den robusten

Rivalen anzukämpfen. Indes vermochte seine verliebte Poesie nur schwachen Eindruck auf das Weib zu machen. Wir besitzen noch die klagende Ode, die er an sie richtet: er bittet und beschwört sie, von dem Nebenbuhler abzulassen, schildert ihr, welche Qualen der Eifersucht er erdulde, wenn sie in seiner Gegenwart von dem frischen und feurigen Liebhaber schwärme und sucht ihn in ihren Augen herabzusetzen, indem er schildert, wie brutal er sie umarme, wie heftig er sie küsse, und wie unzart er ihre Schultern umfasse. Lydia aber — dachte garnicht daran, den jungen Fant zu verabschieden, sondern schloss lieber dem lästigen Ratgeber die Thüre vor der Nase.

Ohne Geliebte vermochte Horaz keinen Tag zu sein. Obschon er mit vermehrter Leidenschaft an der Ungetreuen hing, die ihn davon gejagt hatte, so suchte er sich doch in allerhand Zerstreuungen über die Kraft dieser Liebe hinwegzutäuschen. Aber er kam doch nicht über den Verlust von Lydia hinweg. Er kehrte nach Rom zurück und erfuhr dort mit Freuden, dass der brutale Telephus bereits einen Nachfolger erhalten hatte: Lydia wurde von Calaïs, dem Sohne des Orynthus von Thurium, ausgehalten. Horaz eilte zu ihr, und auch sie sah ihn nicht ohne Bewegung wieder: so sanken sie einander in die Arme. In klangvollen Versen hat Horaz diese Versöhnung gefeiert: aus dem Pathos jener Zeilen merkt man die glühende Leidenschaft heraus, die er in seine Worte gebannt hat, eine Leidenschaft, die sich bis zu dem Wunsche verstieg, dass er mit Lydia leben, mit Lydia sterben wollte.

Aber die Liebe der Courtisanen war unbeständig; Lydia kehrte bald zu ihrem Calaïs zurück, und Horaz wandte sich der Chloë zu, allerdings nicht ohne heftige Sehnsucht nach Lydia zu empfinden und sich selbst Vorwürfe darüber zu machen, dass er sie nicht zu fesseln vermocht habe. Chloë, die Blonde, war fast noch ein Kind, als sie sich dem Dichter gab, der sie bald über zwei anderen, reiferen Schönen vergass, über Phyllis, einer Freigelassenen des Xanthias und Glycera, der ehemaligen Geliebten Tibulls. Seine Bekanntschaft mit Phyllis verdankte er einem eigentümlichen Zufall. Eines Tages wollte er seinem Freunde Xanthias, einem jungen Griechen aus Phocaea, Epikuräer und Lebemann wie er selbst, einen Besuch abstatten; man sagte ihm, Xanthias sei in seiner Bibliothek beschäftigt, und so wollte er ihn denn dort ohne Anmeldung überraschen. Ueberrascht hat er ihn freilich — denn der junge Grieche hatte sein Gesinde deshalb entfernt und sich in die Bibliothek zurückgezogen, um sich ungestört mit seiner schönen Sklavin Phyllis unterhalten zu können. Dem Xanthias war die Ueberraschung keineswegs angenehm, denn es galt bei den Römern für kompromittierend, wenn sich ein Freigeborener mit einer Sklavin einliess. Horaz suchte ihn so gut es ging, über diese Skrupeln hinwegzuhelfen und sang das Lob der Schönen, die er gerne für sich selbst erobert hätte. Auf

Horazens Rat gab Xanthias der Phyllis die Freiheit. Der Dichter wartete ihm zugleich mit einer schönen Ode auf, in der er Phyllis mit Briseïs, der Geliebten des Achilles, mit Tekmene, der Sklavin des Ajax und mit jener troischen Jungfrau, für die Agamemnon nach Trojas Fall entbrannte, verglich, nicht ohne zugleich ausdrücklich zu versichern, dass er selbst durchaus keine Absichten auf das schöne Mädchen habe. Immerhin eine feine Diplomatie; man kann wohl annehmen, dass Phyllis dem Dichter dankbar dafür war, weil er ihr zur Freiheit verholfen hatte. Als sie aber im Besitze der Freiheit war, verliess sie den Xanthias und hing sich an eben jenen Telephus, den Horaz bereits früher einmal zum Nebenbuhler gehabt hatte. Als auch mit dem die Herrlichkeit bald zu Ende ging, gewann endlich Horaz das lang ersehnte Mädchen. An Telephus sandte er eine sehr schöne Trostode, während er Phyllis einlud, den April, der als der Liebesmonat der Venus geweiht war, mit ihm auf seinem Landgute zu verbringen. So war Phyllis zur Courtisane geworden; durch ihre Gesangskunst zeichnete sie sich bei den Gastereien aus. Obschon Horaz sie seine letzte Liebe nennt (meorum finis amorum), hat er ihr doch noch mehr als eine Nachfolgerin gegeben.

Am innigsten liebte er Glycera; von Tibull, dessen Geliebte sie vorher gewesen war, hatte er erfahren, wie liebenswert sie war. Horaz war reich und gewandt genug, um Glycera über seine grauen Haare hinwegsehen zu lassen, und so nahm sie denn seine Geschenke und seine Huldigung gut auf und gab ihm ein Rendezvous in dem reizenden Häuschen, wo sie ihren Herrscherthron im Reiche der Liebe aufgeschlagen hatte. Mit begeisterten Worten besang der Dichter diese Geliebte, die als erfahrene Kokette einen ausserordentlich grossen Einfluss auf ihn ausübte und ihn so an sich fesselte, dass sogar seine Gesundheit unter den Folgen dieses Liebesrausches litt. Er litt an Krampfanfällen, und manchmal überkam ihn eine düstere Stimmung: die Eifersucht quälte ihn aufs ärgste. Gewaltsam suchte er sich von diesen schwarzen Gedanken loszureissen und mit lärmenden Freuden seine Schmerzen zu betäuben: „Ich will an nichts mehr denken," so rief er seinem früheren Rivalen Telephus zu, mit dem er vertraut geworden war. „Wo sind die Berecynthischen Flöten? Warum ist die Schalmei dort aufgehängt neben der stummen Leier? Ich hasse unthätige Hände: auf, streut Rosen! Der Lärm unseres Festes soll den trägen Lycus aufscheuchen und seine junge Gemahlin, die so unglücklich an ihren alten Gatten gefesselt ist. Deine schwarzen Locken, Telephus, deine glänzenden und lockenden Augen werden deine Geliebte entzücken, während ich mich nach meiner Glycera sehne." Von der strahlenden Schönheit des Telephus wirft er einen betrübten Blick auf seine dreiundvierzig Jahre, seine ergrauenden Haare, seine rotgeränderten Augen, seine Runzeln und seinen gelben Teint. Glycera war indessen viel zu klug, um derartige trübe Gedanken lange bei Horaz zu dulden, und manchmal fühlte er sich wirklich wieder jung, wenn er neben ihr an der Tafel lag. Dann stimmte er seine Leier zu einem feurigen Liebesliede für Glycera, das uns noch heute entzücken kann.

Während seiner Liebschaft mit Glycera überwarf sich der Dichter vollständig mit einigen seiner früheren Maitressen, mit denen er bis dahin noch auf freundschaftlichem Fusse gestanden hatte. Man kann wohl annehmen, dass Glycera dahintersteckte, die sowohl auf Chloris wie auf Pholoë, Chloë und Lydia eifersüchtig war. So verletzte er denn in seinen Versen diejenigen, die er kurz zuvor überschwänglich verherrlicht hatte. Lydia insultierte er geradezu und prophezeiete ihr, sie werde als alte verschrunzelte Dirne noch in den Winkeln der Strasse den Vorübergehenden ihre schimpflichen Dienste anbieten; ebensowenig machte er sich ein Gewissen daraus, die alte Chloris und ihre Tochter Pholoë, die damals als famosa einen grossen Ruf besass, zu beleidigen. Der Chloris riet er in einem Gedichte, sie sollte doch endlich einsehen, dass sie ein altes Weib geworden sei und mit den Ruinen einstiger Schönheit nicht mehr in den Kreis blühender junger Mädchen gehöre, bei derem Glanze sie doch nur wie ein Schatten wirke. Anstatt, wie er einmal gesagt hatte, aus seinen Gedichten die bitterbösen Verse zu entfernen, fügte er neue dieser Art hinzu. Er war damals siebenundvierzig Jahre alt und wahnsinnig in Glycera verliebt. Als er seine Oden herausgab, mischte er seine Gedichte so untereinander, dass man daraus unmöglich eine Chronologie seiner Liebschaften rekonstruieren kann. Und doch war Glycera noch unzufrieden mit dem Lobe, dass der Dichter ihr gespendet: sie wurde zornig und verabschiedete ihren allzunachgiebigen Liebhaber, den sie trotz aller Bemühungen nicht wieder zu Gnaden annahm.

Vergebens versuchte Horaz ihre Eifersucht zu wecken, indem er sich einer seiner alten Geliebten, die er nicht verlästert hatte, wieder zuwandte, und kein Mittel unversucht liess, wieder deren Galan zu werden. Es war das die schöne thracische Sklavin Chloë, die Horaz einst selbst in die Geheimnisse des Lebens eingeführt hatte, nicht ohne bald ihrer kindlichen Reize überdrüssig zu werden. Inzwischen war aber Chloë eine berühmte Courtisane geworden, der eine Schar von Verehrern zu Füssen lag, wo immer sie sich zeigen mochte. Ihr Luxus überstieg den ihrer Rivalinnen, obschon sie nur von einem jungen Kaufmann, namens Gyges, ausgehalten wurde. Sie liebte ihn zweifellos deshalb, weil er ein Mann von berückender Schönheit war, aber sein ungeheures Vermögen mochte diese Beziehungen wohl auch noch verstärken. Eines Tages aber fiel Gyges in die Schlinge einer anderen Courtisane, Asteria genannt. Er suchte nur nach einem Vorwand, um mit Chloë zu brechen, und schützte schliesslich eine Geschäftsreise nach Bithynien vor. In Wirklichkeit ging er nur nach Epirus, und während die verlassene Chloë nicht einmal wusste, wo er weilte, stand er in ununterbrochenem brieflichen Verkehr mit Asteria. Man kann sich die Wut der Verlassenen denken, als sie des Geliebten Untreue entdeckte, und man wird zugeben müssen, dass Horaz den Augenblick zu einer Annäherung an sie gar nicht ungünstiger treffen konnte: er wurde mit Glanz abgefertigt, worauf er sich nicht nur mit einem boshaften Epigramm gegen die stolze Chloë rächte, sondern auch mit guten Ratschlägen, die er der Asteria gab, damit sie auch sicher den Gyges einfinge. Sie solle jenem nur, so meinte der Dichter, treu bleiben und sich durch niemanden anders verführen lassen; auch teilte er mit, dass Chloë durch besondere Boten den Gyges bestürmt hatte, wieder in ihre Arme zurückzukehren. So konnte er sich zwar an dem Schmerze des verlassenen Mädchens schadenfroh ergötzen, aber ihre Zurückweisung hatte seiner Eigenliebe doch einen schweren Stoss versetzt; wehmutsvoll nimmt er in einer Ode Abschied vom Liebesleben und beteuert, er wolle seine Waffen im Tempel der Venus aufhängen und hinfort ihrem Dienste entsagen. Nicht ohne eine gewisse Eitelkeit setzt er hinzu, er glaube in der Liebe jederzeit seine Schuldigkeit gethan zu haben.

Wir können uns nicht versagen, die köstlichen Verse der 26. Ode des III. Buches hier anzuführen:

> Vixi puellis nuper idoneus,
> Et militavi non sine gloria:
>   Nunc arma defunctumque bello
>   Barbiton hic paries habebit,
>
> Lævum marinæ qui Veneris latus
> Custodit. Hic hic ponite lucida
>   Funalia et vectes et areus
>   Oppositis foribus minacis.
>
> O quæ beatam diva tenes Cyprum et
> Memphin carentem Sithonia nive:
>   Regina, sublimi flagello
>   Tange Chlœn semel arrogantem!

Aber diese Abrüstung war doch verfrüht gewesen, denn er machte die Erfahrung, dass er sich doch noch an dem Kult der Göttin erfreuen könne. Er sah, oder sah wieder jene geschickte Sängerin Lyde, die bei festlichen Gelegenheiten durch ihr Musizieren zu glänzen pflegte, und zögerte nicht, mit ihr eine Liaison zu beginnen. Vermutlich verdankte er seine Erfolge mehr seinem grossen Portemonnaie als seinen persönlichen Reizen. Zum Feste des Neptuns, das am 23. oder 28. Juli gefeiert wurde, war er vermutlich mit Lyde auf seinem Landhause. Nauck nennt das Mädchen in den Anmerkungen zu seiner Horazausgabe „eine fleissige, ernstgesinnte, haushälterische Schaffnerin, und zur Zeit noch wenig der Liebe geneigt.“ Am Schluss einer köstlichen Ode sehen wir, wie der verliebte Dichter den Ernst und die herbe Sprödigkeit des Mädchens zu bannen sucht. Meist waren es Trinklieder, die er an sie richtete, etwa von der Art desjenigen, das er dem Quintus Hirpinus widmete. Das 28. aus dem dritten Buche der Oden mag hier einen Platz finden als Charakteristikum der Liebeslyrik jener Zeit:

Festo quid potius die
Neptuni faciam? prome reconditum
Lyde strenua, Caecubum,
Munitæque adhibe vim sapientiæ:

Jnclinare meridiem
Sentis, ac veluti stet volucris dies,
Parcis deripere horreo
Cessantem Bibuli consulis amphoram?

Nos cantabimus invicem
Neptunum et, viridis Nereïdum comas,
Tu curva recines lyra
Latonam et celeris spicula Cynthiæ:

Summo carmine quæ Cnidon
Fulgentisque tenet Cycladas et Paphum
Junctis visit oloribus,
Dicetur merita Nox quoque nenia.

So schloss denn das Liebesleben des Horaz mit Lyde ab: er sucht ferner nicht mehr die Gesellschaft der Courtisanen, denn er weiss, dass ihm alles fehlt, um ihre Liebe zu wecken, aber ihren Abweisungen will er sich nicht mehr aussetzen. Trotzdem fleht er noch manchmal, wenn noch die alte Glut unter der Asche sich regt, zur Venus; aber nicht zum Weibe, sondern zu dem Knaben Ligurinus fühlt er sich in seinen letzten Jahren hingezogen. So sehen wir den Dichter, der uns die köstlichsten Perlen römischer Liebeslyrik gespendet hat, mit weissem Haare sich noch den für uns abschreckendsten Formen perverser Geschlechtsbefriedigung hingeben, der lasterhaften Abart der römischen Prostitution.

Kapitel XXV.

Catull. — Der Charakter seiner Gedichte. — Aurelius und Furius. — Epigramm gegen seine Feinde. — Seine Maitressen und seine Freundinnen. — Clodia oder Lesbia, die Tochter des Senatoren Metellus Celer, Catulls Maitresse. — Lesbias Sperling. — Was war Lesbias Sperling. — Des Sperlings Tod von Catull besungen. Lesbias Verzweiflung. — Catulls leidenschaftliche Liebe zu Lesbia. — Bruch der beiden Liebenden. — Catulls Resignation. — Die Geliebte des Mamurra. — Lesbias Konkubinat. — Catull sieht Lesbia in der Gesellschaft ihres Gemahls wieder. — Wie Lesbia die Eifersucht ihres Gatten zu beschwichtigen weiss. — Die Courtisane Quintia im Theater. — Catulls Verse gegen Quintia. — Catull hat in seinen Gedichten der Lesbia keine Nebenbuhlerin gegeben. — Die griechische Courtisane Ipsithilla. — Ein Liebesbriefchen Catulls an dieses Mädchen. — Catulls Epigramm gegen die Stammgäste eines Bordells, in das sich eine seiner Geliebten geflüchtet hatte. — Lesbia war nicht die Heldin dieses Abenteuers. — Catulls Zorn gegen Aufilena. — Catulls vorzeitiger Verfall. — Lesbia am Totenbette des Geliebten. — Properz. — Cynthia oder Hostilia, die Tochter des Hostilius. — Ihre Liebe zu Properz. — Statilius Taurus, der reiche Praetor von Illyrien, hält Cynthia aus. — Resignation des Properz, als er

seine Geliebte einmal mit Statilius Taurus überrascht. — Des Lygdamus' Ohren. — Guter Rat. — Cynthia, die Gelehrte. — Der Grundsatz des Properz. — Eine Liebesnacht mit Cynthia. — Cynthias Verehrer. — Wie sie der Isis und Juno zu opfern pflegte. — Properz' Klagen über das Benehmen der Geliebten. — Im Seebade zu Baiae. — Freund Gallus. — Properz ergiebt sich Ausschweifungen, um seine Geliebte zu vergessen. — Versöhnung mit Cynthia. — Rollenwechsel. — Die Kupplerin Acanthis. — Cynthias Eifersucht. — Lycinna. — Eine Ueberraschung. — Phyllis und Tela Das gestörte Liebesmahl. — Cynthias Zorn. — Die Giftmischerin Nomas. — Eiliges Begräbnis der Cynthia. — Properz' Tod. — Das gemeinsame Grab.

Horaz war kaum geboren, als Catull, dieser grosse Dichter der Liebe und der Sinnenfreude, im Alter von sechsunddreissig Jahren starb, ein Opfer massloser Ausschweifungen, wie die einen behaupten, während andere sagen, dass er der Gebrechlichkeit seiner Konstitution nach einem ruhigen und keuschen Leben erlag. Indes wird dieses Leben wohl nicht immer so ruhig verlaufen sein, denn so verstümmelt und unvollkommen uns die Verse des Dichters dank der Zensur des ersten christlichen Jahrhunderts erhalten sind, so atmen sie doch den lebens- und liebesfrohen Geist epikuräischer Philosophie. Catull, des Cornelius Nepos und Ciceros Freund, hat seine Verse unter den Lebemännern und Courtisanen Roms gedichtet; spricht er doch sogar ihre Sprache in seinen Werken; niemals schreckt er vor einem starken Worte zurück, ja, wendet es sogar mit einer gewissen Keckheit an, die ihm um so besser steht, als er ganz und gar naiv dabei erscheint. Man bemerkt, dass ihm auf seinen Reisen in Asien, Griechenland und Afrika nichts verborgen geblieben ist von dem, woraus sich das bunte Mosaik römischen Lasterlebens zusammensetzte Und doch unterlässt er nicht in einem Epigramm gegen seine Feinde Aurelius und Furius seine Keuschheit ausdrücklich zu betonen: „Ein guter Dichter,“ so sagt er, „muss keusch sein. Aber müssen es darum auch seine Verse sein?“

Aus seinen Gedichten, von denen kaum die Hälfte auf uns gekommen ist, lernen wir drei oder vier griechische Courtisanen kennen, die seine Freundinnen oder seine Maitressen gewesen sind; zu seiner Zeit (60 — 50 v. Chr.) waren sie sehr berühmt, aber von ihrer Schönheit, ihrem Geiste, ihren Talenten und ihren Gaben finden wir in den Werken Horazens nicht einmal mehr eine Erwähnung: ihr Ruhm verging eben ausserordentlich schnell. Nur Lesbia, deren Name durch Catull unsterblich geworden ist, hat den Sperling überlebt, dessen Tod sie so innig beklagte; nach den Commentatoren gehörte aber diese Lesbia nicht einmal zu dem Stand der Courtisanen, sondern hiess eigentlich Clodia und war die Tochter eines Senatoren namens Metellus Celer. Der Dichter scheint absichtlich in den Versen, die er an Lesbia oder ihren Sperling (passer) richtet, jede Anspielung auf ihre wirkliche Persönlichkeit vermieden zu haben; nicht einmal die Farbe ihres Haares verrät er uns, sondern begnügte sich mit der Aufzählung der Küsse, die er dem Liebchen gegeben und geraubt habe, und deren Zahl kein Neidischer anzugeben vermöchte. „Du fragst, Lesbia, wieviel Küsse du mir geben musst, bis ich genug oder gar zuviel habe? Soviel wie Sandkörner in der lybischen und cyrenischen Wüste aufgehäuft liegen, vom Tempel des Jupiter Ammon bis zum geheiligten Grabe des alten Battus; soviel wie Sterne am Himmel funkeln in stiller Nacht, Zeugen der flüchtigen Liebschaften des sterblichen Geschlechts.“ Diese Lesbia, deren poetischer Name wohl auf des Dichters Vorliebe für lesbische Liebe zurückzuführen ist, wie er denn ja auch für sie die grosse Ode Sapphos übersetzt hat, ist berühmter geworden durch ihren Sperling als durch ihre lockeren Sitten. Dieser Sperling, den sie an ihrem Busen barg, den sie mit dem Finger neckte und zum Beissen reizte, wenn sie ihres Liebsten harrte und sich die Zeit des Wartens vertreiben wollte, dieser Sperling, dessen Tod Catull in rührenden Versen besungen hat, war nach dem Zeugnis der alten Commentatoren überhaupt kein Vogel, sondern eine junge Freundin der Lesbia, die sie ebenso lieb hatte wie ihren Catull. Indessen steht nicht fest, ob dabei nicht doch die Ausleger ihre Künste etwas zu weit getrieben haben.

Catull war so bezaubert von Lesbia, dass er sich ein Ende dieser Liebschaft garnicht vorstellen konnte. „Lass uns leben, lass uns lieben!“ so ruft er ihr zu. Aber dieses Mädchen, das mehr geliebt wurde als irgend ein anderes, wurde dieser Zuneigung überdrüssig und verabschiedete den Galan. Der machte keinen Versuch, ein Herz wieder zu gewinnen, das ihn verstossen hatte; er beklagte sich nicht einmal über diesen Bruch, den er für unheilbar hielt, sondern suchte nur Lesbien zu vergessen und hinfort nicht mehr mit gleicher Leidenschaftlichkeit zu lieben. In einem Gedichtchen voll edler, inniger Resignation nimmt er Abschied von der Ungetreuen; aber bald muss er gewahren, dass er seine Kraft überschätzt hat und sich über den Verlust seiner Lesbia nicht zu trösten vermag, er liebt die Entschwundene noch immer und findet bei keinem andern Weibe Trost. „O, ihr ewigen Götter,“ so stöhnt er auf, „wenn ihr je einem Menschen in seinen Todesqualen Hilfe gespendet habt, dann blickt auch auf meinen Jammer und nehmt von mir zum Dank für ein reines Leben, dieses Gift, das mir das Mark in den Knochen verzehrt, und das alle Freuden meinem Herzen raubt.“ Noch lange nachher erinnert er sich nur mit tiefer Bewegung ihrer Liebe. Und als man einst die Maitresse des Mamurra mit seiner Lesbia zu vergleichen wagte, obschon sie weder ihre feine Nase, noch ihren zierlichen Fuss, noch ihre schwarzen Augen, ihre schmalen, langen Hände, ihre zarte Haut und ihre verführerische Stimme besass, da spricht er seufzend: „Ach, was ist das doch für eine dumme und grobe Zeit!“

Lesbia hatte sich verheiratet, oder lebte wenigstens in jener Art von Konkubinat, die nach römischem Rechte als Ehe per usucapionem galt. Ihr sogenannter Gatte (maritus) war vielleicht nichts anderes als ein eifersüchtiger Herr. Von Zeit zu Zeit empfing sie auch Catull in Gegenwart ihres Gatten, den sie trotz aller Lust nicht zu hintergehen wagte. Um so zu thun, als ob für sie die Vergangenheit ganz begraben sei, und um ihren Gatten darüber hinwegzutäuschen, wie sehr sie es bereute, ihn dem Dichter vorgezogen zu haben, überhäufte sie Catull mit Vorwürfen und manchmal gar mit Beleidigungen. „Drob freut sich der Schafskopf,“ sagt Catull, der sein Herz in einem Epigramm gegen den Mann erleichterte. „Ach, Du bist ein Esel, dass Du nichts merkst! Wenn sie ruhig gewesen wäre und unsere Liebe gar nicht mehr erwähnt hätte, dann würde sie sie vergessen haben; so aber, wo sie mir grollt und mich angreift, so zeigt sie dadurch doch nur, dass sie noch nicht vergessen hat, ja mehr noch, dass der Funke noch in ihrem Herzen glüht!“ Indes sieht man aus den Gedichten nirgends, dass er versucht hat, sich ihr wieder ernsthaft zu nähern.

Eines Tages stolzierte eine Courtisane namens Quintia in das Theater und nahm neben Lesbia Platz, wie um sie auszustechen und zu überstrahlen; allgemeines Gemurmel erhob sich, und in der That schaute alles nur noch auf Lesbias Konkurrentin, — nur Catull hatte nur Augen für seine alte Geliebte. Erzürnt griff er zu seinem Schreibtäfelchen und improvisierte ein paar Verse, die er dann unter den Zuschauern circulieren liess. Darin sagte er mit schönen Worten, warum er Lesbia der zwar schönen, aber ungraziösen und unliebenswürdigen Quintia vorziehe:

Lesbia formosa est: quae quum pulcherrima tota est
Tum omnibus una omnes surripuit veneres.

Man kann sagen, dass Catull in seinen Liebesgedichten der Lesbia keine Rivalin gegeben hat; nur ein Name taucht kurze Zeit neben dem ihren auf, Ipsithilla: wie ein Meteor verschwindet er nach kurzer Zeit seligen Liebestaumels. Nach ihrem Namen zu schliessen war Ipsithilla eine griechische Hetäre. Catull sandte ihr eines Tages ein glühendes Gedicht, in dem u. a. folgende nur lateinisch wiederzugebende Worte enthalten sind: paresque nobis novem continuas futationes. An einer anderen Stelle beklagt sich der Dichter einmal über die regelmässigen Besucher eines verrufenen Hauses; es hatte ihn nämlich eine sehr innig geliebte Maitresse verlassen, um in ein öffentliches Haus überzusiedeln, das neunte, wenn man vom Tempel des Castor und Pollux kam. Dort gab sie sich wahllos den Gästen hin (omnes pusilli et semitarii mœchi, die aber so boshaft waren, dem Catull den Zutritt zu wehren. Tief gekränkt fragt sie der Dichter, ob sie denn glaubten, allein das Recht zum Besuche öffentlicher Häuser zu haben; er droht ihnen, ihre Gewaltthat an der Mauer des Hauses zu beschreiben und versichert, dass er es mit zweihundert von ihnen aufnehmen werde. Gehör ward ihm indessen doch nicht geschenkt.

Diese nicht mit Namen angeführte Ungetreue war nicht Lesbia, die er trotz allen Ableugnens noch immer liebte, wie wir aus folgenden Worten entnehmen können: Amantem injuria talis cogit amare magis, sed bene velle minus. Mit den Freudenmädchen, die er mit seiner Gunst beehrte, machte er nicht immer die besten Erfahrungen; von einer, Aufilena, berichtet er uns sogar zornmutig, dass sie sich erst reichlich von ihm beschenken liess, um ihm dann doch lachend zu entfliehen. Man versteht es wohl, wenn der Dichter über diese putida mœcha, diese schmutzige Dirne, erbost ist. Ein andermal ereifert er sich gegen ein Mädchen, das ihm neckischer Weise seine Schreibtäfelchen entwendet hatte; schliesslich lachte er selbst über das tolle Ding und ruft ihr mit süsssauerem Gesichte zu: „Du keusches und reines Mädchen, gieb mir doch meine Täfelchen wieder!“ Kaum vierunddreissig Jahre alt fühlt sich Catull am Rande seiner Kräfte: er muss auf alles verzichten, was ihm die lustigen Jahre bisher verschönt hat, nur Lesbia kann er nicht vergessen. „Nie ist ein Weib mehr geliebt worden als du,“ so ruft er ihr in rührenden, liebedurchglühten Versen zu; „niemals wurden Verträge heiliger gehalten, als ich meine Liebesschwüre dir, Lesbia, gehalten habe! Aber schau, wohin ich durch dich gekommen bin, welches Opfer du meiner Treue zugemutet hast . . . Ich könnte dich niemals wieder achten, und wenn du die tugendhafteste Frau würdest, und ich könne niemals aufhören dich zu lieben, auch wenn du die verworfenste würdest!“ Die Sinne schwiegen bei Catull, nur das Herz allein regte sich noch, und alle seine Schläge gehörten seiner Lesbia. Sie erfuhr, dass ihr alter Geliebter auf den Tod darniederliege, und da kam sie denn zu ihm, seinen Schmerz zu lindern: so sanken sie sich in die offenen Arme, und Catull vergass alles um sich her. Lesbia hatte einen Sterbenden umarmt. Aber noch einmal raffte er sich auf, um mit erkaltender Hand die herrlichen Verse niederzuschreiben:

Restituis cupido, atque insperanti ipsa refers te
Nobis. Olucem candidiore nota!
Quis me uno vivit felicior, aut magis haec quid
Optandum vita, dicere quis poterit!

„Du giebst dich mir wieder, die ich selig liebe, du kehrst zu mir zurück, die ich lang erwartete! O, wie will ich den Tag feiern! Wer auf der Welt ist glücklicher als ich, wem ist höheres Glück beschert gewesen!“ Catulls Kraft war gebrochen, und in den Armen der Geliebten hauchte er seine Seele aus; noch fand er ergreifende Worte und glaubte in seiner Liebe zu Lesbia weiter zu leben. Im Jahre 56 v. Chr. verschied der Dichter, der Lesbien durch seine hohe, ernste und unerschütterliche Liebe unsterblich gemacht hat.

Properz war geboren worden, bevor Catull starb. In einer Stadt Etruriens, entweder in Perusa oder in Mevania erblickte dieser Dichter, den ein Redner bizarr „einen der Triumvirn der Liebe" nennt, das Licht der Welt. An Catulls Gedichten reifte er zum Dichter heran. Seine erste Liebe hiess Cynthia. Der wahre Name dieser Schönen war Hostia oder Hostilia. Ihre Schmeichler behaupteten, ihr Stammbaum führe auf den dritten römischen König, Tullus Hostilius, zurück; sicherer war jedenfalls ihre Abstammung von ihrem Vater Hostilius, der ein gelehrter Schriftsteller war und eine Geschichte des istrischen Krieges schrieb. Diese Hostilia, der ihre Schönheit, ihr Liebreiz und ihre Begabung einen Platz unter den hervorragendsten Frauen ihrer Zeit gesichert hätten, war doch nur eine Courtisane. Den Properz liebte sie aufrichtig, machte sich indes keine Gewissensbisse darüber, ihm nach Kräften Nebenbuhler zu geben; bei ihm freilich duldete sie dergleichen Seitensprünge nicht, forderte von ihm vielmehr die gewissenhafteste Treue. Sie lebte öffentlich mit einem reichen Praetor von Illyrien namens Statilius Taurus, der auf eigene Kosten ein Amphitheater gebaut hatte und ebensoviel Geld für Hostilia ausgab wie für seine Tierkämpfe. Properz hätte den verschwenderischen Neigungen seiner Schönen nichts bieten können, denn seine Dichtkunst brachte ihm nichts ein; so nahm er denn die Nebenbuhlerschaft des illyrischen Praetors als ein notwendiges Uebel hin und schloss Augen und Ohren, wenn er ihn bei Hostilia traf. Wenn sie freilich ihre Gunst noch anderen schenken wollte, dann wurde er eifersüchtig und ungemütlich. Eines Abends kehrte er unvermutet von Menavia nach Rom zurück und wollte noch ein Stündchen mit Hostilia verbringen. Als er vor das Haus kam, fand er es hell erleuchtet, und Saitenspiel und Gesang ertönte. Die Sklaven drückten sich scheu an ihm vorbei und suchten ihn vom Eintritt abzuhalten. Im Triclinium feierte man offenbar ein Gelage mit Gesang und Tanz. Ein Freigelassener, den er um Auskunft angeht, weicht ihm aus; schliesslich erwischt er einen Sklaven namens Lygdamus beim Ohr und befiehlt ihm mit drohender Stimme, unverzüglich zu gestehen, wem Hostilia einen solchen festlichen Empfang bereite. Aber Lygdamus bleibt stumm wie ein Fisch; er ist nicht dazu zu bewegen, auch nur ein Wort zu sprechen. Da reisst dem Properz die Geduld: geraden Schrittes geht er auf das Triclinium zu, schlägt den Vorhang auseinander und lässt seine Blicke durch den Saal schweifen. Und wen erblickt er dort auf seidenem Pfühl an der üppigen, weihrauchumwehten Tafel ausgestreckt? Hostilia und Statilius Taurus, Arm in Arm und einander anlächelnd. Da lässt der Dichter die Vorhänge wieder zusammenfallen, geht langsamen Schrittes fort und sagt ruhig zum Lygdamus, der noch immer für seine Ohren fürchtet: „Dummkopf warum sagst du mir denn nicht gleich, dass der Praetor aus Illyrien angekommen ist!?“ Am folgenden Morgen sandte er seiner ungetreuen Schönen eine Elegie, die folgendermassen beginnt: „Nun ist er also wieder zurückgekehrt, dieser Praetor aus Illyrien, deine reiche Beute, Hostilia. Hätte er sich nicht in den akrokeraunischen Bergen den Hals brechen können?! . . . Ach Neptun, was hätte ich dir dann alles geopfert! Nun feiert man wieder Tag und Nacht ohne mich. Nun, sei wenigstens vernünftig, versäume keinen Augenblick bei der Ernte, die dir dargeboten ist, und scher dem Dummkopf gehörig das Fell. Wenn er dann sein Geld durchgebracht hat und arm ist, dann sag ihm, er sollte nach einem andern Illyrium absegeln.“ Von allzuviel Delikatesse legen diese Verse eines Verliebten ja nun allerdings gerade kein Zeugnis ab.

Cynthia war nicht allein schön, sondern ihr Geliebter nennt sie auch gelehrt (docta) und spricht von ihrer Begabung. Man weiss auch, dass sie dichtete, und ihre Neigung zur Poesie war wohl das stärkste Band, das sie an Properz fesselte. Er konnte sie ja auch nur mit Versen belohnen. In seinen Elegien hat er uns mehrfach das Bild seiner trefflichen Geliebten gezeichnet, und sagt uns, dass sie von majestätischem Wuchs war, eine Fülle blonden Haares und eine wunderschöne Hand besass. Aber er entdeckt noch andere Vorzüge bei ihr: ihre angeborene Schamhaftigkeit, der Glanz ihrer Talente, ihre unter dem Gewande verborgenen Schönheiten. Denn, während er die Geliebte für so schön hält, dass sie jedes Schmuckes entbehren könne, bleibt sie auch in vertrauten Stunden stets in dezenter Kleidung und festlich geschmückt. „Glaub mir, so sagt er einmal, „du bist zu schön, als dass du zu solchen Hilfsmitteln greifen müsstest. Amor ist nackt: er verschmäht den Glanz des Schmuckes.“ Der Grundsatz des Properz war immer der eines zarten und empfindsamen Liebhabers: „Ein Mädchen, das einem einzigen Manne gefallen hat, ist genug geschmückt.“ Aber darin blieb Cynthia fest, und Properz schildert uns, wie er sie in einer gemeinsam verbrachten Nacht vergeblich angefleht habe, ihm die ganze Schönheit ihres herrlichen Körpers hüllenlos zu offenbaren. Aber mochte er auch noch so viele mythologische Beispiele dafür anführen, dass höchste Liebe schmucklos immerdar gewesen war, so blieb Cynthia doch standhaft, und er musste nachgeben. Wie glückseelig er aber doch in ihrer Gunst war, dass hören wir aus seinen begeisterten Versen: „Ach, in diesen Nächten glaube ich mich unter die unsterblichen Götter versetzt. In einer Nacht kann jeder zum Gotte werden.“

Jndessen war doch auch diese Liebe nicht ohne Stürme. Cynthia war und blieb eine Courtisane und hatte neben dem illyrischen Praetor noch andere Verehrer. Darum hielt sie manchmal ihren erklärten Liebhaber tagelang von sich fern, freilich nicht ohne einen gewissen anstän-

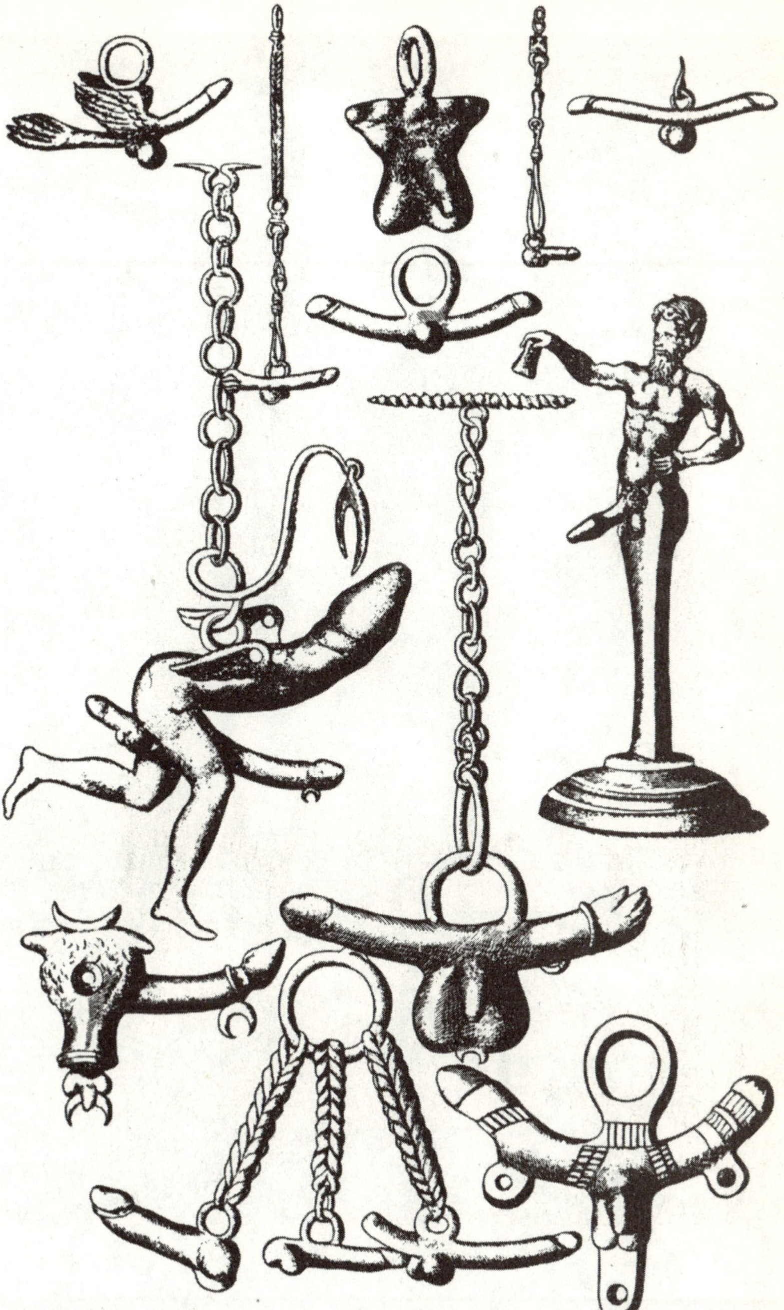

Messaline

hic est fons iuventutis

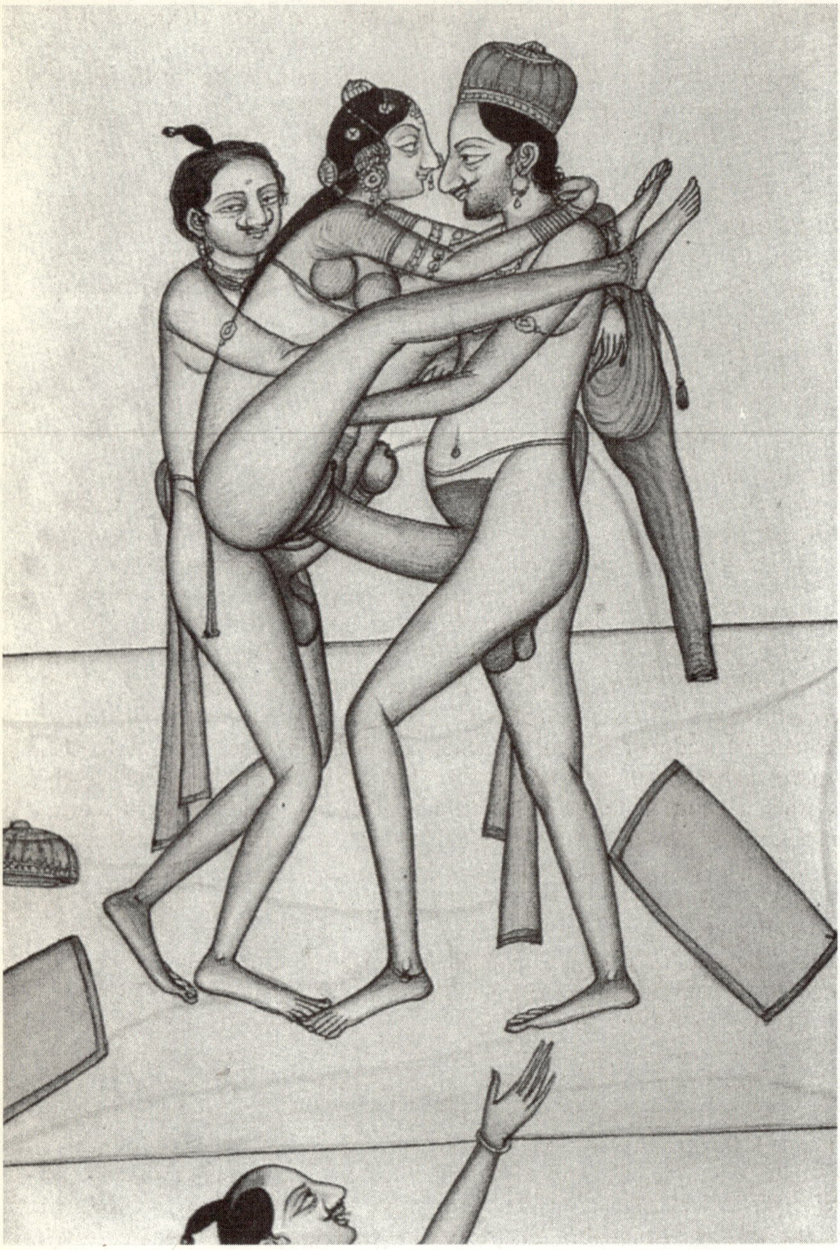

digen Vorwand anzugeben. So sagte sie wohl, sie weihe sich für einige Zeit dem Kultus der Isis oder der Juno, und Properz klagt darüber: „Ach, nun sind schon wieder diese langweiligen Isisfeste gekommen! Zehn Nächte schon hat Cynthia ohne mich verbracht! Verflucht sei die Tochter des Inachus (Isis), die von den lauen Ufern des Nils ihre Mysterien zu den römischen Frauen gebracht und so oft schon zwei sehnsüchtige Verliebte grausam getrennt hat. Was diese Göttin auch immer sein mag, meiner Liebe war sie immer verhängnisvoll." Ob Properz immer das harmlose Märchen mit dem Isisdienst glaubte, ist mindestens zweifelhaft, indes liess Cynthia ihn glauben und reden, was er mochte, und führte ihr Leben auf ihre Weise. Ihren Verehrern reservierte sie nicht nur die angeblich der Isis geweihten Nächte, sondern sie verbrachte auch zu anderer Zeit halbe Nächte mit Trinken, Singen und Würfelspiel. Properz konnte über die Quelle des Reichtums seiner Geliebten nicht in Zweifel sein; da er aber nicht des Attalus' Schätze besass, um ihre Launen befriedigen zu können, so musste er dem Treiben klagend und unthätig zuschauen. So singt er einmal sehr poetisch: „Hat Corinth jemals im Hause der Laïs eine solche Menge gesehen, als ganz Griechenland ihr huldigend zu Füssen lag? War jemals die Verehrerschar so zahlreich zu den Füssen jener Thaïs, die Menander zum Entzücken des Volkes von Athen auf die Bühne brachte? Hat Phryne, die Theben aus der Asche wieder hätte erstehen lassen können, mehr Anbeter zu ihren Füssen gesehen? Nein, Cynthia, du übertriffst sie alle; ja, mehr noch, du thust so, als ob sie deine Verwandten wären, um gleichsam auf legitime Weise deine Küsse zu verschwenden." Danach hat also Cynthia ihre Verehrer, wie das wohl auch zu anderen Zeiten bei Damen beliebt gewesen sein soll, als „Cousins" bei sich aufgenommen. Uebrigens wurde Properz schliesslich so eifersüchtig auf sie, dass er manchmal argwöhnte, sie verberge unter ihrem Gewande einen Liebhaber (et miser in turnica suspicor esse verum).

Nicht nur in Rom versammelte Cynthia eine solche Schar mehr oder weniger verliebter und freigebiger Anbeter um sich, sondern auch in Baïae, wo sie zur Zeit der Seebäder Hof hielt. In Baïae und auf seinem herrlichen Strande versammelte sich dann die ganze elegante Welt Roms: dort feierte der Reichtum, aber auch die Sittenlosigkeit ihre Orgien. Die griechischen Courtisanen wären sich bankerott vorgekommen, wenn sie die Saison in Baïae hätten meiden sollen. Dort zeigten sie ihren Luxus, dort knüpften sie neue Verbindungen an und begannen allerhand Intriguen. Properz war deshalb auf Baïae eifersüchtiger als auf zehn Nebenbuhler und sandte seiner Geliebten Gedichte, in denen er sie beschwor, doch auch seiner zu gedenken. Sie gestattete ihm vermutlich nicht, sie in das fashionable Seebad zu begleiten, vielleicht fehlten ihm auch die Mittel zu einem standesgemässen Auftreten an dem teueren

Ort. Mit heissen Worten eifert er gegen Baïae, gegen diesen Schauplatz zahlreicher Liebesaffairen, dieses Grab der Frauenkeuschheit. „Möge er zu Grunde gehen, der Strand von Baïae," so singt er, „dieser Ort, an dem alle Verbrechen der Liebe entstehen." Ueber den Zweck von Cynthias Badereisen konnte er natürlich nicht im unklaren sein, da er wusste, dass seine Geliebte kein anderes Vermögen als ihre Reize besass. Er machte sich auch gar keine Illusionen darüber und rief einmal in einem Anfall von Verzweiflung aus: „Cynthia sieht nicht auf den Rang ihrer Verehrer, sie macht sich nichts aus Ehren: nur auf den Geldbeutel schaut sie . . . So also kann man mit der Liebe Handel treiben! O Jupiter, welche Schande! Und unsere Mädchen entehren sich durch diesen Handel . . . Ohne Unterlass sendet meine Maitresse mich aus, Perlen ihr zu fischen aus dem Meere, und sie befiehlt mir, in Tyrus für sie Beute zu machen. Ach, wenn es doch den Göttern gefiele, dass kein Mensch in Rom reich wäre!"

Cynthia war des Properz' erste Maitresse, und er schwur ihr, dass sie seine letzte sein werde. Man darf in der That annehmen, dass er ihr lange Zeit, wenn auch vergeblich, ein Beispiel mit seiner Treue gab. An vielen Stellen seiner Elegien sagt er, dass er dieser reizenden Ungetreuen treu geblieben ist; thatsächlich verzieh er ihr ja auch immer wieder und kehrte immer wieder in ihre Arme zurück, ohne sich trügerischen Erwartungen über ihre Beständigkeit hinzugeben. Mehrmals gab es einen Bruch zwischen ihnen, mehrmals Trennungen, die aber immer wieder mit einer Versöhnung und vermehrter Liebesleidenschaft endigten. Bei einer solchen Gelegenheit wollte Properz einmal seine Geliebte vergessen; er, der strenge und ernste Properz, stürzte sich deshalb in allerhand Ausschweifungen. Sein Freund Gallus, der ihn in seinem Liebeskummer zerstreuen wollte, hatte ihm dabei bereitwillig Anleitung gegeben. So wurde er also der Cynthia untreu. Aber auf das gefährliche Spiel mit Matronen liess er sich nicht ein, da er viel zu sehr seine Ruhe liebte, um sie leichtfertig zu riskieren. Er liebte, wie er selbst sagte, ausgetretene Pfade und trank aus den leicht zugänglichen Quellen der Prostitution (ipsa petita lacuna nunc mihi dulcis aqua est). Seine Grundsätze waren ganz und gar nicht die bei Verliebten üblichen: „Die Pest über diejenigen," so sagte er, „denen es gefällt, eine verschlossene Thür zu belagern." Er war entschlossen, nicht mehr zu lieben und so seiner Freiheit zu entsagen. „Mögen doch alle Mädchen, die der Orontes und Euphrat für mich nach Rom gesandt zu haben scheinen, sich meiner bemächtigen!" Und doch vermochte er sich von dem Gedanken an Cynthia nicht loszureissen und fuhr fort, sie zu besingen, indem er sie verwünschte: „Niemals werde ich sie zu lieben aufhören," so murmelt er leise vor sich, „und wenn ich so alt würde wie Tithon oder Nestor." Eines Tages erfuhr er, dass Cynthia erkrankt war; da litt es ihn nicht länger in seinem Hause, er eilte zu ihr, sass Tag und Nacht an ihrem Bette und pflegte sie mit so viel Liebe und Hingebung, dass er glauben konnte, sie dem Tode entrissen zu haben. Als sie auf dem Wege der Besserung war, jubelte er auf: „O, du Licht meines Lebens, jetzt da du ausser aller Gefahr bist, eile hin und bringe den Altären der Diana deine Opfer dar! Verehre auch die Göttin, die in eine Färse verwandelt wurde (Io): zehn Nächte der Enthaltsamkeit weihe dieser Göttin, zehn voller Liebe mir!"

Nach dieser Versöhnung wechselten die Rollen zwischen den Liebenden: im Herzen des Properz' erstarb die Eifersucht, um bei Cynthia wieder zu erstehen. Endlich nämlich wurde er von einer alten übelwollenden Person befreit, die sich ein Vergnügen daraus gemacht hatte, ihn, den Verliebten, zu ärgern: Acanthis, eine Kupplerin, die grossen Einfluss auf Cynthia besass, ihr Parfums, Liebestränke und Kosmetika bereitete, Botendienste verrichtete und die geborene Beschützerin zahlungsfähiger Verehrer, aber darum eine ebenso unversöhnliche Feindin des armen Dichters war, diese Acanthis starb plötzlich an einem Hustenanfall. Ihre abscheulichen Ratschläge an Cynthia hatte der Dichter selbst folgendermassen persifliert: „Dein Thürhüter soll weislich acht geben auf die Gäste, die nahen; kommt einer mit leeren Händen, dann soll er, die Stirn aufs Schloss gelegt, schlafen wie ein Tauber. Stoss nicht die schwielige Hand des Matrosen zurück, wenn sie voll Gold ist, noch die rohen Liebkosungen des Soldaten, wenn er nur zahlt, auch die barbarischen Sklaven, die mit ihrem Täfelchen am Halse auf dem Markte ihre Narrenspossen treiben, magst du ruhig empfangen. Schau aufs Gold und nicht auf die Hand, die es dir bietet. Was hast du denn von den Versen, die man dir dichtet? Sei hartnäckig gegen diese Verse, wenn kein Geschenk von kostbaren Stoffen sie begleitet, sei taub für diese Leier, deren Klang sich nicht unter den des Goldes mischt." Properz wohnte den letzten Augenblicken und dem schimpflichen Leichenbegängnis der Acanthis bei und schrieb darüber: „Eine alte zerbrochene Weinflasche soll dieser alten abscheulichen Dirne die Aschenurne abgeben, und ein wilder Feigenbaum soll sie mit seinen Wurzeln umspannen! Jeder Verliebte möge herbeikommen, ihre Grabstätte mit Steinen bewerfen und jeden Wurf mit einem Fluche begleiten!" Als die hässliche Stimme der giftigen Acanthis sie nicht mehr zurückhielt, gab sich Cynthia ganz ihrer Leidenschaft für Properz hin, zu gleicher Zeit aber auch ihrer Eifersucht. Sie liess ihn überwachen und überwachte ihn selbst, beschuldigte ihn allerhand Unrechts gegen sie und hatte ihn immer im Verdachte, soviel Maitressen zu haben, wie sie Anbeter gehabt hatte. Vergeblich beteuerte ihr Properz seine Treue: sie überhäufte ihn mit Vorwürfen und Beleidigungen, biss, schlug und kratzte ihn und quälte sich schliesslich selbst, wie um sich dafür zu bestrafen, dass sie nicht mehr jung genug und nicht mehr genug geliebt sei.

Die masslose Eifersucht konzentrierte sich auf eine Courtisane namens Lycinna, deren Geliebter Properz gewesen war, ehe er mit Cynthia bekannt wurde. Diese hegte einen solchen Hass gegen ihre vermeintliche Nebenbuhlerin, dass Properz sie um Gnade für seine ehemalige Geliebte bitten musste, die ihr doch gar nichts zu Leide gethan hatte. Er gestand zu, in seiner Jugend flüchtige Beziehungen zu ihr gehabt zu haben, aber das alles liege so weit hinter ihm, dass er sich dessen kaum mehr entsinne. Ohne die Eifersüchtige damit beruhigen zu können, sagte er ihr: „Meine Liebe zu dir, Cynthia, ist das Grab aller meiner Liebschaften gewesen! . . . Lass darum doch ab mit der Verfolgung der armen Lycinna, die das gar nicht verdient. Ach, ihr Weiber, wenn euch erst einmal der Groll gepackt hat, dann hört er nimmer auf!“ Um seinen für seine Arbeiten so notwendigen Frieden zu haben, vermied Properz alles, was Cynthias Eifersucht erwecken konnte; aber, wenn er sich nicht mehr eifersüchtig zeigte, so beunruhigte er dann seine Geliebte um so mehr, die nunmehr nach der Ursache dieser Indifferenz forschte.

Eines Tages schützte sie vor, sie habe der argivischen Juno ein Opfer in ihrem Tempel zu Lanuvium gelobt. Dieser Tempel lag an der Via Appia, unfern der Mauern Roms. In dem heiligen Hain, der den Tempel umgab, hauste in einer finsteren Höhle ein mächtiger Drache, dem alljährlich die Jungfrauen mit verbundenen Augen Kuchen darbrachten; waren sie noch unschuldig, dann nahm das Ungetüm ihre Spende an, wenn anders, dann wies er sie mit heftigem Gefauche ab. Bei diesem Drachen hatte Cynthia begreiflicherweise nichts zu thun, sie konnte also lediglich der Göttin opfern wollen. In Wahrheit war ihre Reise lediglich ein Vorwand, um ihrem Geliebten freies Feld zu geben. Properz sah, wie sie in einem Wagen davonfuhr, der unter der Führung eines glattrasierten Eunuchen mit langmähnigen Maultieren bespannt war; voraus sprangen ein paar mächtige Hunde mit reichem Halsband. Der Dichter beschloss natürlich sofort, seine Freiheit auf seine Weise auszunützen. Er liess also zwei fröhliche Courtisanen zu sich bitten: die eine, Phyllis, wenig verführerisch, so lange sie nüchtern war, aber reizend, wenn sie etwas getrunken hatte; die andere, Teïa, weiss wie eine Lilie und von unbändiger Sinnlichkeit, wenn der Rausch sie packte. Phyllis wohnte auf dem Aventin, unfern des Dianatempels, Teïa in dem Wäldchen am Capitolinus. Sie kamen beide in das Esquilinische Stadtviertel, wo Properz' kleines Hans lag. Alles war dort zu einem würdigen Empfang vorbereitet. Properz versprach sich offenbar ein köstliches Vergnügen (et venere ignota furta novare mea).

Das Diner wurde unter den Bäumen des Gartens serviert; nichts fehlte, weder methymnischer Wein, noch die aromatischen und die eisgekühlten Getränke, noch die Rosen; Lygdamus war mit dem Amte des Mundschenken betraut. An der Tafel war nur eine Lagerstatt bereitet, aber sie war für alle Theilnehmer gross genug. Properz nahm seinen Platz zwischen den beiden zu Gast Geladenen. Ein Egypter blies die Flöte, Phyllis liess ihre Castagnetten ertönen, und ein missgestalteter Zwerg spielte die Schalmei oder den Dudelsack. Aber diese Musik machte den Dichter, der in Gedanken bei seiner Cynthia weilte, nur noch zerstreuter. Phyllis und Teïa hatten indes dem Weine schon tapfer zugesprochen, und die Lichter waren herabgebrannt; man hob die Tafel auf, um dem Würfelspiel zu huldigen. Properz hatte kein Glück im Spiel und warf nur Unglücksnummern, die man damals „Hunde“ nannte; besonders die Zahl eins, den Venuswurf, traf er nie. Vergebens suchten die Mädchen eine Liebkosung von ihm zu erhaschen, Properz blieb blind und taub (cantabant surdo, nudabant pectore caeco). Plötzlich kreischte die Hausthür in ihren Angeln, ein leichter Schritt ertönte im Vestibül — Cynthia stürzte herbei, totenbleich, die Haare in wilder Unordnung, krampfhaft die Hände geschlossen, die Augen blitzessprühend, das Bild eines rasenden Weibes; man hätte glauben können, eine ganze Stadt sei im Sturm gewonnen (spectaculum capta nec minus urbe fuit). Mit kräftigem Schwunge schleudert sie Phyllis einen Leuchter ins Antlitz, die erschrockene Teïa ruft Feuer und schreit nach Wasser, Cynthia aber lässt nicht ab von beiden, zerfetzt ihnen die Gewänder, rauft ihnen die Haare aus und prügelt sie unter lautem Schimpfen. Mit Not und Mühe entrinnen die Beiden den Händen der Rasenden und flüchten in die nächste beste Schenke. Aber von dem Lärm war das ganze Stadtviertel lebendig geworden, man eilt mit Fackeln herbei und sieht Cynthia, eine rasende Bachantin, wie sie ihren Properz ganz gehörig durchprügelt, ihn ohrfeigt und ihm die Augen auskratzen will. Der schuldbewusste Dichter nimmt diesen drastischen Ausbruch weiblicher Eifersucht mit bewunderswerter Geduld hin, umklammert Cynthias Knie und beschwört sie, sich zu beruhigen; er bittet sie um Verzeihung, und ist bereit, jede Bedingung zu erfüllen. Die waren nun allerdings recht hart, denn Cythia verlangte, er solle nicht mehr reichgeschmückt unter den Säulenhallen des Pompeius und auf dem Forum spazieren gehen, nicht mehr seine Blicke über die höchsten Ränge des Amphitheaters schweifen lassen, wo die Freudenmädchen ihre Plätze hatten und seinen Lygdamus mit doppelter Kette an den Füssen als Sklaven verkaufen. Um sie nur zu versöhnen und Verzeihung zu erlangen für seinen harmlosen Versuch zur Untreue, verspricht ihr Properz alles, und küsst seiner despotischen Geliebten, die stolz ist auf ihren Triumph, die Hände Und dann verbrennt Cynthia wohlriechende Stoffe und wäscht mit reinem Wasser alles, was ihr durch der Phyllis' und Teïas Berührung besudelt erscheint; Properz muss die Kleider wechseln und sein Haar dreimal ausschwefeln. Dann holt die

Eifersüchtige frische Kissen für das Ruhebett herbei und feiert Versöhnung mit dem Geliebten (et toto solvimus arma toro).

Properz sollte seine Cynthia überleben. Eine Rivalin, die alte Dirne Nomas, die sich nächtlicherweile für eine Handvoll Kupfermünzen auf offener Strasse preisgab, brachte ihr Gift bei, das einer ihrer Liebhaber durch eine Zauberin hatte bereiten lassen, um sich für eine Beleidigung zu rächen. Properz war damals abwesend und konnte nicht für das Begräbnis sorgen, das eilig und würdelos bereitet worden war: man warf kein wohlriechendes Holz auf den Scheiterhaufen, keine volle Schale Weines verschüttete man über die dampfende Asche der Vergifteten; vermutlich wollte man so rasch wie möglich die Spuren des Verbrechens beseitigen. Als Properz wieder nach Rom zurückkehrte, fand er seine Cynthia am Ufer des Anio verscharrt, auf dem Wege nach Tibur, wo sie selbst sich immer ihre letzte Ruhestatt gewünscht hatte. Obschon aufs tiefste erschüttert durch diesen plötzlichen Tod, versuchte Properz die Urheber des Mordes doch nicht zur Rechenschaft zu ziehen; Tag und Nacht verfolgte ihn das Bild der Vergifteten, wie wenn sie ihn um Rache anflehte, aber er wagte keine Klage gegen die Giftmischer zu erheben. Es muss wohl ein hoher und mächtiger Herr gewesen sein, denn Nomas, sein verächtliches Hilfsmittel, sah man plötzlich in reichen Kleidern einherrauschen, während die Freundinnen Cynthias, die die Ermordete beklagten und sie verteidigten, unbarmherzig misshandelt wurden, man weiss nicht auf wessen Befehl und durch wessen Gewalt: weil sie ein paar Blumen auf Cynthias Grab gebracht hatte, wurde die alte Petale an den Pranger gestellt, und die schöne Lalage wurde an den Haaren aufgehängt und gepeitscht, weil sie den Namen Cynthias angerufen hatte. Properz, dem sein Gewissen keine Ruhe liess, und dem düstere Träume den Schlaf bannten, errichtete seiner Geliebten endlich eine Denksäule und schmückte sie mit einer Inschrift; auch erfüllte er einen Wunsch der Verblichenen, indem er deren alte Amme und treue Dienerin in sein Haus aufnahm; aber in dem Andenken an die köstlichen Stunden, die er mit der Geliebten durchlebt, bewahrte er die Verse, die er ihr und ihrer Liebe gewidmet, vor dem Feuertode. Cynthia selbst erschien ihm eines Nachts im Traum und bat ihn, er möge doch sein einsiedlerisches, selbstquälerisches Leben aufgeben, gar bald gehöre er ja doch ihr allein. Lange überlebte der Dichter in der That das Mädchen nicht, das er niemals aufgehört hatte, zu beweinen: im Alter von vierzig Jahren starb er. Seine letzte Ruhestatt fand er neben Cynthia in dem Grab, das er an einem der schönsten Plätze an den Cascaden von Tibur errichtet hatte. Und doch war Cynthia, die des Poeten Unsterblichkeit teilt, nur eine römische Courtisane.

Kapitel XXVI.

Tibull. — Sein ausschweifender Lebenswandel. — Die Freigelassene Plania oder Delia. — Der Gatte dieser Courtisane. — Die Mutter Delias, als Beschützerin der Liebe ihrer Tochter zu Tibull. — Tibulls platonische Liebe — Empfehlungen des Dichters an die Mutter seiner Geliebten. — Liebestränke und Beschwörungen. — Delia bricht mit Tibull. — Tibull macht den Gatten seiner Geliebten auf deren Lebenswandel aufmerksam. — Nemesis. — Der Geliebte dieser Courtisane. — Tibulls Liebe zu Nemesis. — Die Ansprüche dieser Dame. — Cerinthus bewahrt Tibull davor, sich für Nemesis zu ruinieren. — Tibull verliebt sich in Neera. — Neera weist einen Heiratsantrag Tibulls zurück. — Neera nimmt einen Geliebten. — Tibulls Verzweiflung — Seine Liebeserklärung an Sulpicia, die Tochter des Servius'. — Sulpicia wendet Tibull ihre Gunst zu. — Tibulls Untreue. — Glyceris. — Ernsthafte Liebe Tibulls zu dieser griechischen Courtisane. — Glyceris giebt ihm den Abschied. — Horaz widmet dem Tibull ein Trostgedicht. — Tibulls Tod. — Delia und Nemesis bei seiner Bestattung. — Citheris. — Cornelius Gallus. — Lycoris. — Gallus im Partherkriege. — Sein Gedicht an Lycoris. — Gallus kehrt zurück. — Lycoris' Untreue. — Gentia und

Chloe. — Lydia. — Maximianus, der Gesandte Theoderichs, und seine Lycoris. — Ovid. — Corinna. — Vermutungen über den wahren Namen dieser Courtisanen. — Ihren wahren Namen hat man niemals erfahren. — Ratschläge Ovids. — Corinna bei Ovid. — Ovids Eifersucht und Zorn. — Seine Verzweiflung, als er Corinna geschlagen hatte. — Die Kupplerin Dipsas. — Ihre unverschämten Ratschläge. — Der Eunuche Bagoas. — Nape und Cypassis, die Toilettendienerinnen Corinnas. — Ovids Tändeleien mit Cypassis. — Ovids Entrüstung über das Verbrechen Corinnas. — Corinna sucht das Herz des Dichters wiederzugewinnen. — Ovids Kälte. — Scham und Zorn Corinnas. — Ovid wird vor die Thür gesetzt. — Der Dichter bittet um Vergebung. — Corinna und der römische Feldhauptmann. — Ovid verfasst sein Lehrgedicht über die Liebeskunst unter den Augen und nach den Eingebungen von Courtisanen. — Seine geheime Liebschaft mit der Tochter des Kaisers Augustus'. — Ovid wird an die Ufer des schwarzen Meeres verbannt. — Seine Verbannung schreibt man dieser vermuteten ehebrecherischen Liebschaft zu. — Ovid erfährt, dass Corinna vollständig verkommen ist. — Noch im Tod gehört sein letzter Gedanke Corinna.

Die Liebe der Courtisanen machte auch den ganzen Lebensinhalt und den Ruhm eines Zeitgenossen von Properz aus: Tibull liebte und besang seine Maitressen. Tibull, ein Freund von Virgil, Horaz und Ovid, war wie sie ein grosser Dichter und ein zärtlicher Liebhaber. Er war im Jahre 43 v. Ch. an demselben Tage wie Ovid geboren. Seine dichterischen Fähigkeiten regten sich schon früh, und bereits im Alter von siebenzehn Jahren erkannte er, dass er nicht für die militärische Karrière tauge, sondern dass sein Temperament ihn für das Dasein eines feinen römischen Lebemannes bestimme: „Bei den Vergnügungen, da bin ich ein guter Offizier, ein guter Soldat“ — so sang er in einer seiner Elegien. Thatsächlich rieb das vergnügliche Leben, das er als seinen Beruf erkannt hatte, sehr bald seine physischen Kräfte auf und entwickelte seine nervöse Sensibilität; seine Konstitution war nicht stark genug, um den Folgen dieser durch die römische Korruption so ausserordentlich verfeinerten Ausschweifungen zu widerstehen: inmitten der vielen Lebemänner, an deren Orgien er teilnahm, beklagte er die Schwäche seiner Kräfte, die bald in vollkommene Impotenz überging. Hinfort suchte er mit seinem Herzen zu geniessen, was sein Körper ihm versagte. Hatte er bisher seine Neigung wahllos an hundert Dirnen verschwendet, so konzentrierte er sie nunmehr auf ein einziges Weib. Nach römischen Sitten konnte das nur eine Courtisane sein; Gesetz und Sitte widersetzten sich gleichermassen irgend welchen Beziehungen zu ehrbaren Frauen, vorausgesetzt, dass sie nicht zur Ehe führten. Aber Tibull dachte nicht an eine Heirat und verschmähte auch eine gefährliche und strafbare Liaison, die er sogar vor seinen Freunden hätte verheimlichen müssen: im Gegenteil, er wollte die Oeffentlichkeit als Zeugen und Vertrauten seiner Liebesgeschichten haben.

Seine Wahl fiel zuerst auf eine Frau, die er im ersten Buche seiner Elegien Delia nennt, die aber sicherlich einen anderen Namen trug. Nach der wahrscheinlichsten Vermutung war sie eine Freigelassene namens Plania, deren verächtlicher Gatte aus ihrer Schönheit und Koketterie ein einträgliches Geschäft machte. Tibull war nicht reich genug, um von diesem raffgierigen Menschen gut aufgenommen oder auch nur geduldet zu werden; denn gegen arme Verehrer seiner Frau zeigte er sich ausserordentlich eifersüchtig. Aber die Mutter Delias, die an dem schimpflichen Lebenswandel ihrer Tochter Anstoss nahm, führte Tibulls Sache bei der, die er liebte, ohne sie bezahlen zu können. Sie war es, die Delia in Tibulls Haus führte; sie war es, die die Hände der Liebenden in einanderlegte; sie hielt Wacht bei den nächtlichen Zusammenkünften und erwartete den Liebhaber, den sie am Schritt erkannte. Freilich waren diese Zusammenkünfte wohl nicht sehr gefährlich für die Tugend der Frau und die Ehre des Mannes, denn Tibull erzählt selbst, dass er seine Mannheit längst verloren hatte. Wahrscheinlich beziehen sich darauf auch die Verse, in denen er die alte Mutter Delias bittet, dieser Keuschheit beizubringen (sit modo casta doce), „obschon ihrem Haare das heilige Band fehlt, und keine lange Robe ihre Füsse verhüllt." Der Dichter hegte also eine mehr ideale als materielle Liebe zu seiner Freundin. Indessen sahen sich die Liebenden öfter nachts ohne Vorwissen des Gemahls, und Tibull, der platonisch Verliebte, harrte geduldig, bis die stumme und unbewegliche Thür Delias heimlich sich in ihren Angeln bewegte, wenn der Eifersüchtige abwesend oder eingeschlafen war. „Ich dulde Dir zu Liebe alles," so singt er einmal, „ich fürchte nicht die schneidende Kälte einer Winternacht, nicht den Regen, der in Strömen niederrauscht. Diese schweren Prüfungen können mich nicht abschrecken, wenn nur Delia endlich den Riegel zurückschiebt, und das lautlose Zeichen mit dem Finger mich an ihre Seite ruft."

Diese Liebschaft hatte alle die gewöhnlichen Requisiten: da gab es Eifersuchtsscenen, Uneinigkeiten, Versöhnungen, Thränen und Küsse, kurz alles," was so dazu gehört. Aber der Dichter konnte sich doch nur sehr schwer mit dem Gewerbe seiner Geliebten aussöhnen. Er fühlte sich bedrückt, weil er ihr den Preis ihrer Küsse nicht zahlen konnte, und weil er die Augen schliessen und über manches hinwegsehen oder mit ihr brechen musste. „O du," so ruft er einmal voller Zorn aus, „der du zuerst die Weiber lehrtest, ihre Liebe zu verkaufen, ein tötlicher Steinwurf soll dich treffen, wer du auch immer sein magst!" Da ihm das Geld fehlte, um die niedrige Käuflichkeit des Gemahls der Delia zu befriedigen, so griff zu er Liebestränken und Zauberformeln, in der Hoffnung, seine Nebenbuhler zu verscheuchen und seine Geliebte zur Treue anzuhalten. Die Hoffnung war freilich eitel: „Ich habe alles gethan, alles," so schreibt er einmal an Delia, „und doch besitzt ein anderer deine Liebe, ein anderer freut sich mit dir und geniesst die Früchte meiner Beschwörungsformeln." Delia, die der ewigen Klagen und wohlverdienten Vorwürfe überdrüssig war, schloss dem trostlosen Poeten einfach die Thür: „Deine Thür öffnet sich nicht mehr," so klagt er; „mit einer Hand voll Gold muss man anklopfen!" In seiner Verzweiflung ging der Dichter so weit, dem Gemahl Delias seine eigenen Beziehungen zu der Frau zu verraten, von denen dieser angeblich gar nichts wusste, und ihm seine Dienste, wie ein gehorsamer Sklave, zu der Bewachung der Ungetreuen anzubieten. Delia machte mit echt weiblicher Arglist den eifersüchtigen Dichter lächerlich und behauptete, sie habe nie etwas anderes als Mitleid für ihn gefühlt. Der Ehemann that so, als ob er es glaube und schwieg auf die Anklage; aber der Dichter, der über dieses kategorische Dementi nur noch mehr erbost war, liess nicht nach und ging mit seinen Anschuldigungen mehr ins Einzelne: „Oftmals," so verrät er dem Schlaukopf von Manne, „oftmals, wenn ich so that, als bewunderte ich ihre Perlen und ihren Ring, war mir das nur ein Vorwand, um ihr die Hand zu drücken; oft auch schüttete ich dir ungemischten Wein als Schlafmittel in den Becher, während ich nur Wasser trank und so meines Sieges sicher blieb." Der Mann zuckte die Achseln, lachte ihn aus und sagte: „Diese Dichter sind doch verrückte Kerle!" Der von Eifersucht gequälte Tibull aber fühlte sich noch bemüssigt, dem Gemahl seiner ehemaligen Geliebten, der sehr zufrieden war, wenn seine Frau ihn hinterging, gute Ratschläge zu erteilen: „Nimm dich in acht," so sagte er ihm, „dass sie nicht jungen Männern die Gunst häufiger Unterhaltungen gewährt, dass eine Robe mit langen Falten nicht ihren Busen zeigt, wenn sie sich zur Ruhe streckt, dass dir die Zeichen des Einverständnisses nicht entgehen, und dass sie nicht mit angefeuchtetem Finger Liebesworte auf den Tisch malt." Dabei vergass Tibull, dass er es war, der Delia gelehrt hatte, ihren Argus zu täuschen: er hatte ihr ein Mittel gegeben, mit dem man die Spuren glühender Küsse verwischen konnte, die liebedurstige Verehrer ihr auf die Schulter hefteten (livor quem facit impresso mutua dente Venus).

Nach solchen Beleidigungen konnte Delia dem Tibull nicht mehr verzeihen; der Bruch zwischen den beiden war definitiv; am meisten freute sich darüber der Mann, denn nun konnte sich seine Frau zahlungsfähigeren Verehrern zuwenden. Als Tibull einsah, dass eine Versöhnung ausgeschlossen sei, machte er weiter keine Versuche, sondern wandte sich anderen Liebschaften zu. Da war zunächst eine andere Courtisane, noch habgieriger und unzugänglicher als Delia. Indessen verschwendete er seine Verse an sie und hoffte durch seine Schmeichelei zum Ziele zu gelangen: zu Füssen seiner schönen Kalten verfasste er glühende Liebesgedichte. Diese Courtisane — er nannte sie Nemesis — wurde von einem reichen Freigelassenen ausgehalten, der, mehrmals als Sklave auf offenem Markte verkauft, sich durch unsaubere Geschäfte ein grosses Vermögen gemacht hatte. Aber Nemesis konnte den Liebschaften, die nichts einbrachten, keinen Geschmack abgewinnen, und so rief denn Tibull betrübt aus: „Ach, ich merke wohl, es sind die Reichen, die der Schönheit gefallen! Nun, so mag der Raub mich reich machen, da Venus nun einmal den Reichtum liebt; Nemesis soll hinfort in Luxus schwimmen und, durch die Strassen stolzierend, meine kostbaren Geschenke den erstaunten Blicken zeigen! Sie soll jene zarten Gewebe tragen, in die eine Frau auf Cos goldene Fäden eingeschlagen hat; sie soll jene schwarzen Sklaven als Begleiter haben, denen die heisse Sonne Indiens, die der Erde näher steht in ihrem Laufe, das Gesicht gebräunt hat! Afrika soll ihr, ganz nach ihrem Gefallen, seinen Scharlach, und Tyrus seinen Purpur geben!" Das waren nun freilich Poetenversprechungen, und Tibull beeilte sich gar nicht, sie aus der Theorie in die Praxis zu übersetzen. Ein ganzes Jahr warb er um die Gunst dieser Nemesis, die sie ihm ohne Zweifel für einen so hohen Preis gewährte, dass ihm der Wunsch nach einer Wiederholung verging. Und doch war er drauf und dran, das bescheidene Erbe seiner Vorfahren zu verkaufen, um der Begehrlichkeit seiner neuen Geliebten genügen zu können. Sein Freund Cerinthus bewahrte ihn vor dieser Thorheit; und als er dann mit Liedern, mit Dichtergeld Nemesis zu kaufen versuchte, da wurde er kühl abgewiesen. „Eine abscheuliche Kupplerin ist es," so schrieb er an seine Freunde Cerinthus und Macer, „die meiner Liebe Hindernisse in den Weg legt, denn Nemesis selbst ist gut. Die infame Phryne nur jagt mich erbarmungslos davon; sie trägt heimlich an ihrem Busen flüchtige Liebesbotschaften hin und her. Oft, wenn ich die Stimme meiner Geliebten von der Schwelle aus, auf der ich klagend sitze, deutlich vernehme, behauptet Nemesis doch, sie sei abwesend; wenn ich oft nachts, so wie wir es verabredet, zu ihr eilen will, dann sagt sie mir, ihre Herrin sei leidend oder durch ein ungünstiges Vorzeichen ganz aus der Fassung gebracht. Und dann vergehe ich fast vor Unruhe; meine erregte Phantasie zeigt mir, wie sich ein Rivale in Nemesis' Armen an tausend Freuden der Liebe ergötzt; o, dann wünsche ich dir, du nichtswürdige Phryne, dass die Eumeniden dich packen mögen!" Seine Freunde trösteten ihn und machten ihm begreiflich, dass es in Rom noch andere Courtisanen gäbe, die stolz darauf sein würden, von einem solchen Dichter geliebt und besungen zu werden.

Tibull verliebte sich denn auch bald in die junge und keusche Neera, die wahrscheinlich nicht mit derjenigen des Horaz identisch ist. Im dritten Buche seiner Elegien, das ihr gewidmet ist, stellt Tibull sie uns als ein unschuldiges junges Mädchen vor, welches von der zärtlichsten Mutter und dem liebenswürdigsten Vater sorgfältig erzogen worden war. Es war und konnte nur die Tochter freigelassener Leute sein; und trotzdem war Tibull entschlossen, sie zu heiraten, oder sie wenigstens im Konkubinat in sein Haus zu nehmen. Noch waren seine Haare nicht grau, noch war ihm der Rücken ungebeugt, aber trotzdem fühlte er wohl, dass es mit ihm zu Ende ging: er war wie eine Lampe, deren Oel verbraucht ist, und die nun noch ein letztes Mal aufflackert. Die keusche Neera, wie er sie immer nennt, war aber garnicht geneigt, ihre frische Jugend dauernd an den verbrauchten und erkalteten Mann zu fesseln. Mit Vergnügen sah sie, wie sich der gefeierte Poet um sie bemühte, und dankbar hörte sie seine Verse und seine Seufzer an, denn sie begehrte nichts anderes von Tibull als seine Elegien, auf blankes, glänzendes Pergament aufgezeichnet und in vergoldete Hülle gebunden. Aber da sie nun einmal in dem Alter war, wo man sich verliebt, so ergab auch sie sich einem Geliebten, ohne die Freundschaft zu Tibull aufzuheben, der sich das freilich anders gedacht hatte: „Ob du mir treu oder untreu bist," so redete er sie an, „du wirst immer meine liebe Neera bleiben." Nicht ohne Thränen und Schmerzen erkämpfte er die Resignation, hinfort nichts als der Bruder seiner Neera zu sein; manchmal glaubte er vor Kummer sterben zu müssen und bestimmte sogar schon, dass man auf sein Grab schreibe, der Schmerz und die Verzweiflung über Neeras Untreue hätten ihm den Tod gegeben. Seine Freunde und ehemaligen Zechgenossen, die Sänger der Liebe und der Courtisanen, zogen ihn wieder in ihren lustigen, ausgelassenen Kreis, um ihn zu zerstreuen; sie forderten ihn auf, das Lob des Bacchus zu singen, der allen Liebeskummer bannen hilft: „Ach, wie süss wäre es," so murmelt Tibull vor sich hin, „wenn ich die langen Nächte bei dir weilen könnte, wenn ich die langen Tage über dich wachen könnte! Ungetreue, die du den verrietest, der deiner Liebe würdig war, und dem sie zuwendest, der sie nicht verdient! Ja, Ungetreue! . . . Und doch, wenn du mich auch verrietest, ich liebe dich drum nicht minder!" Bacchus, dem er mehr und mehr huldigte, befreite ihn endlich von dem Gedanken an Neera: „Auf Sklave!" so ruft Tibull lustig, indem er dem Mundschenken den leeren Becher darreicht, „lass den Wein stärker rinnen! Es ist lange her, seit ich einmal mein Haupt mit köstlichen tyrischen Parfums gesalbt, und meine Stirn mit einem frischen Blumenkranz geschmückt habe!"

Tibull wusste ganz gut, dass er von der Liebe nicht mehr das erwarten durfte und konnte, was er in seinen glühenden Träumen von ihr begehrte. „Die Jugend und die Liebe," so sagte er mit Bedauern darüber, dass er nicht mehr jung und nicht mehr liebeberauscht war, „die Jugend und die Liebe sind die wahren Zauberinnen.“ Den Liebestränken und Zaubermitteln hatte er entsagt; er vermochte nicht mehr mit ihrer Hilfe zu erreichen, was Krankheit und zunehmendes Alter ihm geraubt: wohl aber gedachte er der Neera zu beweisen, dass er noch zu einer Ehe, ja zu einer Liebschaft geeignet sei. So machte er denn der Sulpicia, einer Tochter des Servius, eine Liebeserklärung. Er schildert uns ihren Liebreiz folgendermassen: „Eine feine, stilie Grazie verbindet sich mit jeder ihrer Bewegungen, mit jedem ihrer Schritte. Löste sie ihr Haar, so sieht man gerne die widerspenstigen Locken über die Schultern herabfliessen; kunstvoll weiss sie es zu flechten, und auch dann wieder scheint es ihre Schönheit noch zu mehren. Sie entzückt uns, wenn sie einherschreitet im tyrischen Purpurmantel, und entzückt uns auch, wenn sie einfach mit schneeweisser Robe daherkommt.“ Sulpicia hatte inniges Mitleid mit dem sterbenden Dichter; sie war ihm mehr, als er von ihr erbeten hatte, und empfing die letzten Segenswünsche dieses brechenden Herzens: „Kein anderes Weib,“ so ruft er begeistert aus, „kann dir mich abspenstig machen . . . Du allein gefällst mir, und ausser dir giebt es für mich keine schöne Frau in Rom . . Vergeblich würde es dem Himmel gefallen, dem Tibull eine andere Geliebte zu senden, Venus selbst gewänne keine Macht über ihn!“ Aber zu der Stunde selbst, wo er diesen Treuschwur aussprach, brach er ihn zugleich. Glycera, eine der reizendsten griechischen Courtisanen zu Rom hatte sich ein Stückchen Unsterblichkeit in den Versen Tibulls gewünscht. Dieser glaubte das unverhoffte Glück dieser Liebschaft irgendwelchen persönlichen Reizen zuschreiben zu dürfen und begann das Spiel mit Glycera ernsthaft aufzufassen, während diese doch nur seine Elegien liebte. So benahm er sich denn zum ersten Male in seinem Leben nicht wie ein liebender Poet, sondern wie irgend ein Liebhaber schlechthin; er schrieb auch nicht eine Zeile für Glycera, die deshalb seiner bald überdrüssig ward und ihm den Abschied gab. Diese Grausamkeit ging Tibull tief zu Herzen; seine ohnehin schwache Gesundheit wurde so heftig erschüttert, dass seine Freunde wohl sahen, er habe einen Todesstoss erlitten. Horaz richtete eine trostspendende Ode an ihn, in der er ihn bat, die grausame Glycera zu vergessen:

Albi, ne doleas plus nimio memor
Immitis Glyceræ, neu miserabilis
Decantes elegos cur tibi iunior
Læsa præniteat fide.

Zugleich erfuhr Tibull auch, dass Horaz ihn in der Gunst dieser kapriziösen Kokette abgelöst habe. Von dem Schlage erholte er sich nicht mehr und starb, im Alter von vierundzwanzig Jahren. Seine Mutter und Schwester hatten ihm die Augen zugedrückt; und am Tage seines Leichenbegängnisses erschienen mit allen Zeichen tiefer Trauer seine beiden Geliebten Delia und Nemesis: die beiden Nebenbuhlerinnen folgten dem Leichenzug und vergossen gemeinsam ihre Thränen am Scheiterhaufen des Verblichenen, jede sich rühmend, gerade sie habe ihn am meisten geliebt.

Diese Epoche des augusteischen Zeitalters war ein wahrer Triumph für Dichter und Courtisanen, die sich so gut mit einander verstanden, dass sie förmlich unzertrennlich erschienen: wo es eine Courtisane gab, da gab es auch immer einen verliebten Dichter, verliebt wenigstens in seinen Versen. Die glänzende Glycera teilte den Ruhm und die Anbeter mit der reizenden Citheris, einer anderen griechischen Gourtisane, die ganz gut die Tochter derjenigen sein konnte, mit der Julius Caesar in Beziehungen gestanden hatte. Horaz hatte auch eine Citheris geliebt, mit der wir aber weder diejenige Caesars noch diejenige des Cornelius Gallus identifizieren möchten. Gallus, ein Freund von Tibull, Ovid und Virgil, gleich ihnen ein Dichter und unter der Halbwelt ausserordentlich beliebt, hatte sich an eine Citheris gehängt, die er unter dem Namen Lycoris besang; von der vier Gesänge umfassenden Dichtung sind uns nur einige wenige Bruchstücke überliefert worden, voll von leidenschaftlicher Liebesglut. „Was will denn diese Kupplerin," so ruft er einmal zornig aus, „wenn sie meiner Liebe zu schaden sucht, und wenn sie reiche Geschenke heimlich in den Falten ihres Gewandes trägt? Sie rühmt den jungen Mann, der diese Präsente schickt; sie preist seinen edlen Charakter, seiner blonden Locken Fülle, sein Talent zum Saitenspiel und Gesang . . . Ach, ich zittere bei dem Gedanken, dass meine Geliebte mir untreu werden möchte . . . denn das Weib ist von Natur veränderlich und immer wandelbar: man weiss niemals, ob es liebt oder hasst!" Gallus leistete Kriegsdienste und war auf Zügen gegen ferne Völkerschaften von Rom abwesend, dabei immer in Gedanken bei der Heissgeliebten weilend: „Meine Lycoris," so ruft er aus, „wird weder durch das frische Antlitz eines jungen Mannes noch durch Geschenke mir untreu gemacht werden; der Wille des Vaters und die strengen Befehle der Mutter werden sie nicht bewegen, meiner zu vergessen! Ihr Herz hält an unserer Liebe unerschütterlich fest." In dieser seiner Verliebtheit scheint ihm natürlich ein Sieg über die Parther wenig bedeutend im Vergleich mit einer verliebten Nacht an der Seite der Angebeteten: „Was schert mich der Krieg!" so ruft er aus, „mögen sich doch diejenigen schlagen, die durch das Kriegshandwerk Reichtum und Eroberungen zu machen hoffen. Ich schlage meine Schlachten mit anderen Waffen: Amor lässt die Drommeten zum Kampfe ertönen und giebt das Zeichen zum Handgemenge, und wenn ich nicht vom Sonnenaufgang bis zum Sonnenuntergang tapfer im Gefecht ausharre, dann mag Venus mich als Feigling behandeln und mir meine Waffen nehmen! Aber wenn sich meine Wünsche erfüllen, und wenn die Dinge günstig für mich stehen, dann mag auch das begehrte Weib der Preis meiner Tapferkeit sein. Dann will ich es an mich pressen, und es mit aller Inbrunst mit Küssen überdecken. Dann soll fröhlichstimmender Wein fliessen, und Narde und Rosen sollen gebracht werden, um meine Sinne zu entflammen! Mein rosengeschmücktes Haar soll mit Wohlgeruch überschüttet werden! . . .“

Als Gallus mit einigen Wunden und ein paar grauen Haaren mehr aus dem Partherkriege heimkehrte, da fand er seine Lycoris nicht so wieder, wie er sie verlassen hatte: sie hatte ihm nicht, wie er gehofft, zu einem neuen Feldzug einen neuen Mantel gestickt und sich offenbar überhaupt ganz und gar nicht zu der Rolle der stillresignierten treuen Näherin geeignet. Sie hatte nach ihm andere Geliebte genommen und gar nicht mehr daran gedacht, dass Gallus zu ihr zurückkehren werde. Dieser merkte wohl, dass für ihn nichts mehr von dem Mädchen zu erhoffen sei; und so verbrannte er zwar nicht die Verse, die er zu Lycoris Ehren gedichtet hatte, aber er beschloss doch gleiches mit gleichem zu vergelten und fand dann auch bald unter den Courtisanen Trösterinnen. Da er Lycoris ärgern wollte, so besang er mehrere junge Mädchen, deren Schönheit nicht hingereicht hatte, sie berühmt zu machen, und brachte sie so in Mode. Zuerst waren es zwei Schwestern, Gentia und Chloë, die ihm alle beide zugethan waren. „Streitet euch nicht darüber,“ so rief er ihnen zu, um sie zu versöhnen, „welche von euch den glänzendsten und weissesten Teint habe. Streitet euch vielmehr darüber, welche von euch den Liebhaber am meisten anzieht, ob die eine durch ihre Augen oder die andere durch ihr Haar.“ Gentias Haare waren goldblond, und Chloës Augen entsandten tausend Blitze. Fernerhin liebte Gallus ein schönes, sanftes Mädchen namens Lydia, das er in die Geheimnisse des Liebeslebens einführte. „Zeig mir, mein Kind,“ so rief er ihr zu, „dein Haar, das wie Gold erglänzt; zeig mir deinen weissen Nacken, der so graziös sich zwischen den Schultern erhebt; zeig mir, mein Kind, deiner Augen strahlende Sterne unter deinen schwarzen Brauen; zeig mir, mein Kind, deine rosigen Wangen und deine Korallenlippen und gieb mir einen Taubenkuss! Ach, deine Küsse dringen mir ins innerste Herz hinein! Spürst du nicht mein Blut, mein Leben? Deck deine Marmorbrüste zu; dein Schwanenhals duftet wie Myrrhen: du bist mein Entzücken! Verbirg deinen schneeweissen Busen, denn siehst du nicht, wie es mich durchbraust? . . . .“ Dieser leidenschaftlich geliebten Lycoris gab Gallus keine Rivalin in seinen Versen: ihr Name blieb berühmt unter denen der galanten Welt. Mehr als vier Jahrhunderte später wurde eine andere Lycoris zur Muse eines Dichters namens Maximianus, der ungefähr gerade so mit Gallus verwechselt zu werden verdient, wie seine Lycoris mit der von Gallus so heissgeliebten und so herrlich besungenen. Dieser Maximianus war zwar als Gesandter Theoderichs ein hoher Herr, im übrigen aber war er ein verbrauchter Greis, der sich darüber beklagt, das Spielzeug seiner Maitresse zu sein und sich in die Erinnerungen seiner Jugend flüchten muss, um das alte Herz erst ein wenig zu erwärmen und sich selbst nicht gar zu lächerlich vorzukommen. „Ach diese schöne Lycoris,“ so stöhnt die alte Excellenz, „sie, der ich mein Herz und mein Portemonnaie gewidmet hatte! Nach soviel glückseligen Jahren, die wir miteinander verlebt hatten, weist sie mich von sich! Schon schaut sie nach anderen jungen Männern aus und nennt mich einen hilflosen Greis, ohne doch daran denken zu wollen, dass sie es ist, die mich zum Greise gemacht hat!“

Ein Freund des Lobsängers von Lycoris' Reizen, nämlich des Gallus, ein grosser Dichter, weihte ebenfalls seine ersten poetischen Inspirationen der Liebe; man kann sagen, dass Ovid, der Sänger und Gesetzgeber der Liebeskunst, sein Handwerk im Umgang mit Courtisanen gelernt habe. Ovid gehörte zur Familie Naso, deren charakteristisches Kennzeichen und erotisches Attribut die ungeheuere Nase war. Der Name Naso ererbte sich bei ihnen mit dem Organ von Vater auf den Sohn, und was den Ruhm eines ihrer Vorfahren ausgemacht hatte, wurde ihnen zur Geschlechtsbezeichnung. Von diesem Gesichtspunkte aus, wie auch noch von manchem andern, war der letzte der Nasonen keineswegs ein Degenerierter. Er war ein lüsterner Mensch, der schon frühzeitig begann, ganz nach seinen Neigungen zu leben: „Meine Tage,“ so sagt er in der Erinnerung an seinen poetischen Zunamen, „verbrachte ich im Nichtsthun; schon hatten Ruhebett und Faulheit meine Seele enerviert, als der Wunsch, einer jungen Schönen zu gefallen, meiner schimpflichen Apathie ein Ende bereitete.“ Diese junge Schöne war nicht, wie man mit wohlfeilen Vermutungen unterstellt hat, des Augustus Tochter Julia Witwe des Marcellus und Gemahlin des Marcus Agrippa, sondern es war sicherlich eine einfache Courtisane, die er unter dem Namen Corinna besungen hat. Corinna hatte, wie Ovid uns selbst mitteilt, einen Gatten oder einen Zuhälter (lenone marito), der ein unanständiges Gewerbe aus der Koketterie seines Weibes machte, wie man das bei vielen Dirnen fand. Da der Dichter nicht reicher war, als Dichter allezeit zu sein pflegen, so gefiel er wohl der Frau, aber dem Manne um so weniger. Seine Stellung zu Corinna glich also der Tibulls zu Delia und Nemesis; nur überstrahlte sein Dichterruhm die anderen, und deshalb stritten sich die Courtisanen um seine Gunst, weil sie durch seine Verse berühmt zu werden hofften. Man darf wohl annehmen, dass er der Corinna mehrere Nebenbuhlerinnen gab, aber keiner erfüllte er ihren sehnlichsten Wunsch, denn ausser Corinna finden wir in seinen Elegien keine einzige namentlich aufgeführt, obschon wohl auch andere ihn zu diesen Gedichten angeregt hatten. Indessen muss man sich dabei erinnern, dass Ovid fünf Bücher Elegien geschrieben hatte, von denen er zwei bei einer Schlussredaktion seiner Gedichte vernichtete. Wie dem auch sein mag, jedenfalls hat man niemals mit Bestimmtheit gewusst, wer des Ovids Corinna war, und der Dichter bewahrte das Geheimnis so gut, dass sogar seine Freunde ihn vergeblich um die Enthüllung baten. Da machten sich denn mehr als eine Courtisane die Verschwiegenheit des Dichters schlau zu Nutze, indem sie andeutete, sie sei es, die der Dichter unter diesem Namen gefeiert habe. Vielleicht ist die Annahme am besten begründet, dass Ovid überhaupt bei diesem Namen an keine bestimmte Persönlichkeit gedacht hat, sondern dass mehrere seiner Geliebten dahinter verborgen sind.

Nach den eigenen Worten Ovids hatte der Anblick Corinnas auf ihn einen bezaubernden Eindruck gemacht: „Wer kann mir sagen," so fragt er sich selbst, „warum mir mein Lager so hart erscheint, warum meine Decke immerfort mir vom Bette gleitet, und warum mir in dieser Nacht, die mir so lang erschien, kein Schlaf in meine Augen gekommen ist? Warum wälze ich meine ermatteten Glieder nach allen Richtungen, warum fühle ich wie glühende Nadeln meine erregten Wünsche?" Nun, er hatte eben Corinna gesehen und sich bis über die Ohren in sie verliebt. Wahrscheinlich geschah das bei einem der bekannten Gelage, bei denen der schwere Wein, die feinen Wohlgerüche, die Musik und die Tänze die Begierden erweckten und die Verständigung so leicht machten. Aber der Gatte oder Zuhälter Corinnas muss wohl auch dabei gewesen sein und erweckte die Eifersucht Ovids, noch ehe dieser irgend ein Recht hatte, eifersüchtig zu sein. Um seiner Angebeteten eine Reihe von Verhaltungsmassregeln zu geben, die sie wahrscheinlich schon besser kannte, als er, schreibt er ihr: „Wenn dein Gemahl sich an der Tafel ausgestreckt hat, dann lege dich mit harmloser Miene ihm zur Seite, aber so, dass dein Fuss heimlich den meinen berührt." Auch bittet er sie, ihm den Becher zu reichen, wenn sie getrunken habe, damit er seine Lippen auf die Stelle pressen könne, welche ihre eben berührt hatten. „Leide nicht, dass dein Gatte dir den Arm um den Nacken legt, schmiege ihm nicht dein reizendes Köpfchen an die zottige Brust, leide nicht, dass er deinen zarten Hals mit der Hand umspannt; und vor allem gieb ihm keinen Kuss. Ich würde es nicht ertragen können und aufschreiend erklären, diese Küsse gehörten mir, und ich würde sie mir nehmen! Aber diese Küsse kann ich wenigstens sehen; darum hüte dich auch vor verborgenen Liebkosungen (quae bene pellia celant), denn die reizen besonders meine Eifersucht." Der arme Verliebte steht unsägliche Qualen aus, wenn er sieht, welche Freiheiten der Gatte sich herausnimmt, ohne dass die geduldige Angebetete dagegen zu protestieren wagt; und so fleht er sie denn an:

Saepe mihi dominiaeque meae properata voluptas
Veste sub injecta dulce peregit opus.
Hoc tu non facies; sed ne fecisse puteris,
Conscia de gremio pallia deme tuo.

Von der Trunkenheit und dem Schlaf des Gatten, der sie argwöhnisch betrachtet, erhofft Ovid Vorteile für seine Liebe; aber plötzlich wird er inne, wie unnütz doch alle diese Vorsichtsmassregeln sind: denn wenn das Mal beendet ist, dann wird der Gatte ja doch die Geliebte an seinem Arme nach Hause führen. Da klagt denn Ovid bitterlich und beschwört seine Angebetete, dem brutalen Menschen nichts zu gewähren, ausser wenn er sie dazu zwingt. Aber schon am folgenden Tag kommt Corinna in sein eigenes Haus, wo er, auf einem Lotterbette ruhend, gerade dem Gedanken an seine Liebe nachhängt. Wie ein Traumbild steht sie vor dem beglückten Dichter, der alle seine unnachahmliche Kunst aufgeboten hat, um diese herrliche kleine Liebesscene zu schildern. In der sinnlichen Pracht seiner Darstellung, in dem Farbenreichtum seiner Gemälde, in der Kühnheit, die ihn auch das Unsagbare noch sagen lässt, ist Ovid unerreicht geblieben. Durch seine zwingende Kraft der Poesie, durch die prachtvolle Schönheit der Form adelt er jeden Stoff. Vielleicht ist niemals etwas über Liebe geschrieben worden, das an Realistik der Schilderungen, aber auch an durchgeistigter Schönheit des Gemäldes den Werken Ovids gleichkommt.

So besass er denn nun seine Geliebte. Aber er ist noch nicht glücklich. Er ist eifersüchtig. Er hat Rivalen, die das teuer bezahlen, für was er nichts aufzuwenden vermag; er beklagt, beleidigt und quält Corinna, ja, er hat sie sogar geschlagen! „In blinder Wut habe ich die kühne Hand gegen sie erhoben,“ so klagt er sich selbst an, „und jetzt weint sie, die ich in meiner Raserei verletzt habe.“ Diese Brutalität verzeiht er sich niemals: „Ich hatte den traurigen Mut, ihr die Stirnlöckchen zu zerraufen, und meine Nägel haben ihre Spuren auf ihren rosigen Wangen hinterlassen. Ich habe sie daliegen gesehen, bleich, das Gesicht verfärbt, wie aus Marmor, den die Brechstange in den Steinbrüchen von Paros lockert; ich habe ihre entgeisterten Züge geschaut und ihre Glieder, die zitterten wie das Laub der Espe im Winde, wie das schwanke Rohr unter dem milden Hauch des Zephyrs und die Woge, der der Notus die Oberfläche zerreisst; ihre lang zurückgehaltenen Thränen rollten über die Wangen herab, wie das Wasser vom schmelzenden Schnee.“ Corinna hatte häufig eine alte Wärterin bei sich, die allerhand Künste anwandte, um sie mit Ovid zu entzweien, weil sie wünschte, sie möchte sich zahlungsfähigeren Liebhabern zuwenden und ihnen die Augenblicke teuer verkaufen, die sie an ihn verschwendete: „Sag mir,“ so fragte diese Dipsas listig, „was dir dein Dichter schenkt? Doch nur Verse! Und davon kannst du tausende lesen; der Dichtergott selbst in seinem wallenden golddurchwirkten Mantel schlägt die Saiten einer goldenen Leyer. Dass doch einer, der dir Gold giebt, in deinen Augen mehr wert wäre wie der grosse Homer! Glaub mir, man kann etwas Besseres thun, als sich verschenken!“ Ovid vernahm die hässlichen Ratschläge der boshaften Alten und konnte sich kaum zurückhalten, sie bei ihren spärlichen grauen Haaren zu packen und ihr die vom Weingenuss triefenden Augen und die runzeligen Backen zu zerkratzen; schliesslich aber begnügt er sich doch damit, sie mit einem kräftigen Fluch abzustrafen, worin er nicht vergisst, ihr einen ewigen Durst zu wünschen. Der Dichter musste seine ganze Ueberredungskunst und seine ganze herzliche Zärtlichkeit aufwenden, um dem abscheulichen Einfluss der alten habgierigen Dipsas entgegenzutreten, die immer daran arbeitete, die naive Corinna mehr und mehr zu verderben. „Ein Liebhaber," so schreibt er ihr, „kann nicht mehr geben, als er besitzt. Und mein Vermögen beruht darin, dass ich meine Geliebte in meinen Versen verherrliche; der, die ich liebe, werde ich einen Namen machen, der nimmer vergeht; kostbare Stoffe, güldenes Geschmeide und Edelsteine vergehen, aber der Ruhm, den meine Verse gewähren, bleibt ewig." Diese Worte blieben nicht ohne Eindruck auf Corinna, der es doch schmeichelte, dass man sie auf der Promenade im Theater und im Cirkus als Ovids Muse bezeichnete.

Ihr Gatte hatte ihr einen Eunuchen namens Bagoas zur Seite gegeben, der sie überall hinbegleitete und sich niemals zu etwas bewegen liess, ohne seinem Herrn Bericht darüber zu erstatten. Diesen Cerberus vermochte Ovid nicht einzuschläfern; dafür gewann er aber die beiden Friseurinnen Corinnas, Nape, die den Briefwechsel besorgte, und Cypassis, die ihn heimlich zu der Geliebten einliess. Diese Cypassis war ein hübsches und wohlgewachsenes Ding; als Ovid eines Tages etwas gelangweilt auf seine Huldin wartete, bemerkte er das und versäumte nicht, mit der Dienerin ein wenig zu schäkern. Als dann Corinna heimkehrte, merkte sie bald, dass irgend etwas vorgegangen sei; Cypassis war verwirrt, und auch Ovid fand nicht gleich seine korrekte Haltung. Er verwahrte sich heftig gegen den Verdacht, sich mit der Sklavin, und noch dazu im Hause seiner Maitresse, in ein Liebesgetändel eingelassen zu haben; sogar die Götter rief er zu Zeugen an und wollte ihren Zorn auf sein Haupt herabwünschen, wenn es anders sei. Solch feierlichen Worten glaubte natürlich Corinna, und Ovid — nun, Ovid bat noch am selben Abend Cypassis um ein Rendezvous! Freilich legte sich auch Corinna ihrerseits nicht den geringsten Zwang auf, und häufig vermutete ihr Liebhaber, dass sie ihm sehr, sehr viel zu verbergen habe.

Einmal hielt Corinna ihn unter allen möglichen Vorwänden lange fern: sie schützte religiöse Uebungen, Rücksichten auf ihre Gesundheit und Stimmung vor. Ovid glaubte nicht anders, als dass sie irgend eine neue Liebschaft angebandelt habe und vertrieb sich seinerseits die Zeit geduldig mit einigen Kammerkätzchen, vorübergehende Beziehungen, bei denen sein Herz durchaus unbeteiligt war. Da erfuhr er durch eines dieser Mädchen, dass Corinna durch künstliche Mittel eine beginnende Schwangerschaft zerstört habe und durch diese Manipulationen fast zu Tode gekommen sei; voller Entrüstung über dieses verbrecherische Treiben schrieb ihr der Dichter darauf: „Das Weib, das zuerst die kostbare Frucht, die es unter dem Herzen trug, durch abscheuliche Mittel beseitigte, verdiente an den Folgen ihres egoistischen Beginnens zu Grunde zu gehen. Was, aus Furcht für deine Schönheit begehst du ein solches Verbrechen gegen den Quell des Lebens?!" Nach diesem Vorkommnis verdoppelte Corinna ihre Zuneigung und Zärtlichkeit für den Dichter; nicht oft genug und nicht lange genug konnte sie bei ihm verweilen; der Eunuche Bagoas schloss beide Augen und wollte offenbar nichts bemerken, der Gatte blieb unsichtbar. Liess Ovid einmal auf sich warten, dann schickte man Boten nach ihm aus, und wenn er gekommen war, dann hielt man ihn fast mit Gewalt zurück; kein Wunsch blieb ihm versagt, ja, man gewährte ihm mehr noch, als er wünschte. Aber dies Anschmiegen seiner Geliebten an ihm wurde ihm bald zuwider, sodass er voller Härte zu ihr sagte: „Bequeme und gar zu leichte Liebesaffairen werden mir zu viel; sie sind für mein Herz, was eine ungewürzte Speise für meinen Gaumen ist. Wenn kein erzener Turm Danaë umschlossen hätte, niemals würde Jupiter sie so heiss umworben haben." Erstaunt und erschreckt von dieser launenhaften und brutalen Sprache, hatte Corinna doch nicht die Kraft, gebührend darauf zu antworten, sondern weinte sich im stillen aus. Darauf der Dichter noch härter als zuvor: „Was brauche ich denn einen so gefälligen Gatten, einen Gatten, der die Rolle eines Zuhälters spielt?" Da wusste Corinna, dass er sie nicht mehr liebte.

Seine Kälte musste sie auf das empfindlichste kränken; entweder, so schloss Corinna, war er durch irgend eine Eifersüchtige behext worden, oder aber er suchte seine Vergnügungen bei einem anderen Mädchen (aut alio lassus amore venis). So kam es denn zu dem unvermeidlichen Bruche. Erzürnt und verletzt floh Corinna seine Gesellschaft und gab Befehl, ihn nicht wieder vorzulassen. Am nächsten Tage fand denn auch der Dichter eine verschlossene Thür. Vergeblich klagte und flehte er, vergeblich richtete er schmeichelnde Verse an die unsichtbare Corinna; man gab ihm eine bittere Antwort: in Zukunft werde man für die Gunst der Umworbenen bare Zahlung und keine Verse von ihm verlangen. Als er noch um das Haus der Courtisane herumstrich, flüsterte ihm eine der Friseusen zu, gerade an demselben Morgen habe sich Corinna einem römischen Feldhauptmann gegeben, der wundenbedeckt und beutebeladen aus einem asiatischen Kriege zurückgekehrt sei. So von dem ersten besten hergelaufenen Menschen ersetzt worden zu sein, das ärgerte Ovid so sehr, dass er nur noch hartnäckiger an die verschlossene Thüre klopfte. Der Erfolg war vorauszusehen: Bagoas, der Eunuche, kam herbei und drohte die Hunde auf ihn zu hetzen, wenn er sich nicht ruhig verhalte. Das muss wohl doch einigen Eindruck auf ihn gemacht haben, denn es wird uns nicht überliefert, dass er sich noch länger an der ungastlichen Pforte aufgehalten habe; wohl aber ergoss er seinen Ärger in ein Gedicht, in welchem er über die beutebeladenen Soldaten und die Weiber herzieht, die einen solchen robusten Kerl den armen und zarten Dichtern vorziehen; den Zorn der Götter ruft er auf beide herab und vergleicht das goldene Zeitalter, in dem man noch nichts von einer Käuflichkeit der Liebe kannte, mit diesen eisernen Zeiten, wo alles, auch der Frauen Liebe für Gold zu haben sei: „Heutzutage," so sagt er bitter, „gehorcht eine Frau, und lebte der wilde Stolz der Sabinerinnen in ihr, wie eine Sklavin dem zahlungsfähigen Manne. Ihr Wächter wehrt mir den Eintritt, und sie fürchtet für mich den Zorn des Gatten: aber wenn ich Geld zu bieten hätte, dann würden Eunuch und Gatte mir gerne das ganze Haus zur Verfügung stellen. Ach, wenn doch ein strafender Gott die verschmähten Liebhaber rächen könnte, und in Staub verwandeln Schätze, die so unanständig erworben worden sind!"

Ovid war noch immer nicht von seiner Liebesleidenschaft geheilt, im Gegenteil, der Widerstand, den er fand, reizte ihn nur noch mehr. Er verbrachte die Nächte auf der Thürschwelle Corinnas. Klagend rief er ihren Namen, vergoss Thränen und hauchte seine Bitten und Seufzer. Einmal wurde er durch die schöne Cypassis getröstet, die ihm einen wärmenden Mantel brachte, und ihm zu trinken gab. Aber sie konnte doch nicht das Andenken Corinnas in ihm zerstören, und der Dichter war fest entschlossen, vor der Thüre der Grausamen zu sterben. Eines Morgens beim fahlen Schein der Morgenröte bemerkt er, wie die Thür leise geöffnet wurde, und ein Mann sich herausschlich. Voller Zorn über die Täuschung sandte er Corinna einen Abschiedsbrief, in dem er unter anderem schrieb: „Ich habe weniger darunter gelitten, deinen jetzigen Liebhaber zu sehen, als von ihm gesehen zu werden!" Ovid glaubte, endgültig eine Liebe überwunden zu haben, die ihm hinfort nur wie eine Schande erscheinen konnte; aber er konnte Corinna nicht vergessen, die unbeständige, ungetreue, so tief gesunkene Corinna, die wie eine Strassendirne verkauft und verschachert war.

Er verliess Rom, um in der Einsamkeit Vergessenheit zu suchen, und zog sich in das Land der Falisker zurück, aus dem seine Frau stammte und erwartete Heilung seines Seelenschmerzes; aber Corinnas Namen tönt ihm überall entgegen, im Echo des Waldes und in den Winden des Feldes glaubte er ihn zu vernehmen. So kehrte er denn nach Rom zurück und begab sich voll heisserer Liebe als jemals zuvor zu Corinnas Haus. Seine Freunde waren zu seinem Empfange herbeigeeilt; sie trafen ihn, nahmen ihn mit offenen Armen auf und erzählten ihm, dass Corinna einen lasterhaften Lebenswandel führe und von Tag zu Tag mehr in der Achtung der Bevölkerung gesunken sei. Ueberall zeigte sie sich mit ihren Galanen, trug auf der Promenade und im

Theater indezente Toiletten und versagte sich kecken Liebkosungen nicht einmal vor den Augen des Publikums und ihres ehrlosen Gemahls. Man erzählte sich eine Fülle von Anekdoten über ihre Schamlosigkeit, über ihre Habsucht und ihre Frechheit. Ovid wollte alle dem, was er vernahm, keinen Glauben schenken; und so zeigte man ihm denn, bis zu welchem Grade der Entehrung seine Geliebte gesunken war. Da schrieb er ihr denn ein letztes Mal: „Ich verlange nicht, ein strenger Zensor, dass du keusch und züchtig seiest, aber ich bitte dich, du mögest mich doch wenigstens über die grausame Wahrheit hinwegzutäuschen suchen. Diejenige ist nicht schuldig, die den Fehler, den man ihr nachredet, ableugnen kann; das Geständnis allein kann ihren Ruf zerstören; aber die letzte Dirne bedeckt ja noch schamhaft das, was du dich nicht scheust, im Angesicht des ganzen Volkes zu thun!“ Aber Corinna war für sich selbst und für Ovid verloren; rasch glitt sie auf der abschüssigen Bahn zur tiefsten Stufe schimpflicher Prostitution herab.

Indes löschte Ovid den Namen Corinna nicht aus den Versen, die er ihr gewidmet hatte; unter diesem Namen hatte er sie geliebt, unter diesem Namen sie besungen: „Göttin der Liebe, suche dir einen neuen Dichter!“ so rief er aus, als er die letzte Hand an seine Elegien legte. Und in der That, wenn er auch noch Maitressen hatte, so hat er doch keine wieder besungen, weil keine ihm Liebe einzuflössen vermochte. Mehr als jemals zuvor, lebte er im intimen Umgang mit Courtisanen und, zum Dank für vergnügt verlebte gemeinsame Stunden, dichtete er unter ihren Augen und nach ihren Eingebungen sein Gedicht von der Liebeskunst, dieses Lehrbuch der Liebe und des vergnüglichen Lebens. In seinen zahlreichen Gedichten widmete er den Erinnerungen an seine Liebesgeschichten stets einen breiten Raum, aber er hütete sich wohl, auch nur einen einzigen Namen in die Verse zu verflechten, die er seinen Geliebten widmete. Daher entstand das Gerücht, er habe eine heimliche Liebschaft mit der Tochter des Kaisers und begnüge sich damit, sein Glück im stillen zu geniessen, ohne es indiskreten Neugierigen zu verraten. Dieser ehebrecherischen Neigung schrieb man seine Verbannung zu, da man glaubte, dass Augustus ihn nicht auf andere Weise zu strafen gewagt habe; nach anderen Gerüchten, die in Rom umliefen, hätte Ovid den Augustus bei dem Verbrechen der Blutschande mit seiner eigenen Tochter ertappt. Wie dem auch immer gewesen sein mag, Ovid, der zarte Ovid, wurde unter die Barbaren am Ufer des schwarzen Meeres verbannt und starb dort am schmerzgebrochenen Herzen, nachdem er alle seine Werke, sogar seine Elegien zu vernichten gesucht hatte. Ueber seine Persönlichkeit und Dichtkunst urteilt der Litterarhistoriker Teuffel: „Auch in der Poesie bleibt Ovid Rhetor, mit den Gedanken und Stoffen spielend, im Glanze der Figuren und witzigen Wendungen sich spiegelnd, ohne Ernst, höhere Ziele und Charakter, leichtsinnig gegenüber den Anforderungen und Fragen des Lebens, aber geistreich, pikant und originell, und in allem Formellen von unübertroffener Meisterschaft, unnachahmlicher Leichtigkeit, Gewandtheit und Anmut. In seiner ersten Periode ist die sinnliche Liebe der Stoff, den er fast ausnahmslos behandelte, in den Formen der alexandrischen Elegiker, aber Mythologie, Elegie, Lehrgedicht ironisierend, durch die Leichtfertigkeit seiner Gegenstände. In der zweiten behandelt er Stoffe aus der griechischen Mythologie und der einheimischen Sage, wesentlich in der gleichen Manier, aber mit mehr Fleiss und Hingebung. Die Arbeiten der dritten Periode sind die aus Tomi, wechselnd nur zwischen endlosen Klagen über die Verbannung und demütigen Flehen um Zurückberufung." Und Gibbon, der Geschichtsschreiber des Verfalles und Unterganges des römischen Weltreiches, erwähnt diese Verbannung mit folgenden schönen Worten: „Der zärtliche Ovid wurde nach einer, im Genusse des Ruhmes und der Üppigkeit verlebten Jugend, zu einer hoffnungslosen Verbannung an den eisigen Ufern der Donau verdammt, wo er fast ohne Verteidigung der Wut der Ungeheuer der Wüsten ausgesetzt blieb, mit deren grausamen Schemen, er, dereinst Vermischung seines zarten Schattens fürchtete." Nichts blieb dem Dichter dort erspart, und so musste er denn aus Briefen von Rom erfahren, dass Corinna, alt und runzelig geworden, mit einer hässlichen geflickten Toga bekleidet, in einer Schenke Aufwärterin geworden sei, wo die rohen Schiffersknechte vom Tiber ihre wüsten Gelage feierten. „Besser wäre es noch gewesen," so sagte er schmerzbewegt, „sie wäre Zauberin oder Parfumeuse geworden." Noch im Tode drückte er an seine Lippen einen Ring, in dem einige Haare Corinnas gefasst waren.

Kapitel XXVII.

Marcus Valerius Martial, der gefällige Lobsänger der Ausschweifungen Neros und seiner Nachfolger. — Die grosse Popularität der Martialschen Epigramme. — Martials Antwort an seinen Kritiker Cornelius, der ihm die Lüsternheit seiner Gedichte vorgeworfen hatte. — Die gewöhnlichen Opfer des Martialschen Sarkasmus. — Die lockeren Sitten dieses Dichters. — Das abscheuliche Epigramm, das Martial an seine Gemahlin Clodia Marcella zu richten wagte. — Die gewöhnlichen Leser der Werke Martials. — Der Buchhändler Secundus. — Schilderungen von Courtisanen. — Lesbia. — Der schamlose Lebenswandel dieser Prostituierten. — Chione und Helida. Das erbärmliche Alter Lesbias. — Martials Epigramm gegen Lesbia. — Chloë. — Die Habsucht des Lupercus, des Galans dieser Courtisane. — Die Witwe, die sieben Gatten beweint — Thaïs. — Wie Martial diese Courtisane beleidigt, weil sie ihn verschmäht hat. — Die entsetzliche Schilderung, die er veröftentlicht, um sich für seine Zurückweisung zu rächen. — Philenis und ihr Zuhälter Diodor. — Die Verderbtheit der Philenis. — Nachruf, den Martial dieser berüchtigten Dirne widmete. — Ein

Epigramm, das er gegen sie verfasste. — Der Grund seines Hasses gegen sie. — Verliebte alte Weiber. — Der Cynismus der Phyllis. — Widerspruchsvolle Epigramme Martials gegen diese Courtisane. — Lydia. — Wie Martial den Paulus abfallen liess, der ihn um Verse gegen Lysisca gebeten hatte. — Martials Abneigung und Abscheu vor alten Dirnen. — Fabulla. — Lila. — Vetustilla. — Gallia. — Saufeïa. — Marulla Thelesilla. — Pontia. — Lecania. — Ligella. — Lyris. — Fescennia. — Senia. — Galla — Egle. — Falsche griechische Courtisanen. — Lycoris. — Glycera. — Chione und Phlogis. — Wie grob Martial eine feine Liebeserklärung der Polla zurückwies. — Das schimpfliche Glaubensbekenntnis, das er seiner Frau Clodia Marcella abzulegen wagte. — Seine Rückkehr nach Spanien. — Durch welche Mittel Clodia Marcella den Martial bewog, Rom zu verlassen. — Martials Sühneepigramm. — Petronius. — Sein Satyricon als Sittenbild aus der römischen Kaiserzeit. — Alcyllus und Giton. — Die Priesterin des Gottes Aenotheus und ihr Gefährte Proselenus. — Die Kupplerin Philomene. — Eumolpe. — Die Epigramme des Petronius. — Sestoria. — Martia. — Delia. — Arethusa. — Bassilissa. — Der Selbstmord des Petronius.

Von Ovid muss man schon bis auf Martial gehen, um die einigermassen unterbrochene Geschichte der römischen Courtisanen weiter verfolgen zu können, denn länger als ein halbes Jahrhundert schweigt die Poesie über diesen Gegenstand. Indessen darf man wohl voraussetzen, dass die Courtisanen nicht auf Martial warteten, um von sich reden zu machen; wenn Werke erotischer Dichter aus diesem Zeitabschnitt uns verloren gegangen sind, so beweist das natürlich keineswegs, dass die Fortschritte der antiken Prostitution damals aufgehört hätten. Gerade das Gegenteil ist der Fall, die Nachfolger des Kaisers Augustus hatten die Demoralisation der römischen Gesellschaft gleichsam unter ihren besonderen Schutz genommen und boten, schamlos wie sie waren, das Beispiel aller Raffinements des Lasters. Die öffentlichen Sitten waren derartig verderbt, dass sich von den Dichtern kein einziger zu einer Epopee seiner Liebesgeschichten hergegeben haben würde, wie es Tibull, Properz und Ovid gethan hatten. Der Fluch der Lächerlichkeit würde ihn getroffen haben. Auch unter den Courtisanen würde man keine getroffen haben, die ihre Jugend hätte verlieren mögen, um einem verliebten und eifersüchtigen Dichter Stoff zu Elegien zu geben. Eifersucht und Liebe schienen aus der Mode gekommen zu sein, und man lebte zu rasch, um ganze Jahre einer einzigen Leidenschaft zu widmen, einer Leidenschaft, der ihre Dauer schon etwas wie Respektabilität verlieh, und die sich dadurch sozusagen der Ehe annäherte. Als Marcus Valerius Martial, geboren zu Bilbilis in Spanien, ums Jahr 43 nach

Chr. nach Rom kam, da hütete er sich wohl, die Dichter der Liebe nachzuahmen, die ein Mæcen im Zeitalter des Augustus angetroffen hatte: er wurde im Gegenteil der gefällige Dichter der Zügellosigkeiten des neronischen Regimentes und der Kaiser, die bis zu Trajan so rasch aufeinander folgten. Wir besitzen von ihm fünfzehn Bücher Epigramme. Gegenstand derselben ist, wie der schon erwähnte Litterarhistoriker Teuffel schreibt, das soziale Leben des damaligen Roms mit all seinem Schmutze und seiner Unterwürfigkeit. Martial ist schwach von Charakter; in bedrängten Verhältnissen lebend schwimmt er mit dem Strome, schmiegsam und gefügig gegenüber den Anschauungen und Gelüsten seiner Zeit, und schreckt auch vor sittlich oder ästhetisch Unzulässigem und vor Selbsterniedrigung nicht zurück. Aber Martial ist ein grosses Talent. Allerdings fühlt er nicht den Beruf des Sittenpredigers in sich, doch für die Schwächen seiner Mitmenschen hält er sein scharfes Auge offen und besitzt eine ganz hervorragende Begabung, mit wenig Worten in fein geschliffenen Versen den Leser zu überraschen und den Nagel auf den Kopf zu treffen. So ist er, freilich in kleinem Gebiete, ein wirklich schöpferischer Dichter, welcher beim Vergleich mit den Griechen nicht verliert, und der einzige Klassiker des Epigramms nicht nur in der römischen, sondern in der Weltlitteratur geworden. Seine litterarischen Erfolge verdankt Martial geradezu der Deutlichkeit seiner Epigramme.

Es scheint, als habe er als Vorbilder die zügellosen Epigramme Catulls genommen, der aber doch immerhin mit einer Art grober Naivetät geschrieben hatte; Martial seinerseits sucht, um den verderbten Lebemännern des kaiserlichen Hofes zu gefallen, die schamlosesten Dichtungen seiner Zeit noch zu übertreffen; er verwendete geradezu eine monstreuse Sorgfalt auf die Schilderung der Unanständigkeit und warf nicht einmal den Schleier einer dezenten Ausdrucksweise über seine lüsternen Bilder. Der Beifall, mit dem man ihn von allen Seiten überschüttete, war Entschuldigung und Ermutigung zugleich für ihn; jedes neue Buch seiner Epigramme, stark begehrt und ungeduldig erwartet von allen Lesern, die die vorausgehenden Bücher auswendig wussten, wurde unter den Händen der Buchhändler unzählige Male vervielfältigt, und die Schreiber, die davon fein ausgestattete und reich gebundene Exemplare herstellten, vermochten der Nachfrage der Käufer nicht zu genügen. Diese enthusiastische Aufnahme, die man seinen schlüpfrigen und ausgelassenen Versen bereitete, war natürlich nicht geeignet, Martial zu einem Wechsel des Genres zu veranlassen. Wenn darum ein gestrenger Zensor ihm den guten Rat gab, sich, wenn nicht in seinen Ideen, so doch in seinen Worten einige Reserve aufzuerlegen, dann war er nicht geneigt, dem Rat mehr Gehör als einen Tadel zu schenken, und hatte immer tausend Gründe, um seinem Kritiker zu beweisen, dass er recht daran gethan habe, gerade die unanständigen Verse zu schreiben, die man aus seinen Werken ausgemerzt wissen wollte: „Du beklagst Dich darüber Cornelius,“ so sagte er zu einem seiner Zensoren, „dass meine Verse nicht keusch genug sind, und dass ein Lehrer sie nicht wohl in seiner Schule vortragen könne; aber diese kleinen Kunstwerke können, wie die Männer ihren Frauen, nur hüllenlos gefallen . . . das ist nun einmal die Grundbedingung für die heitere Poesie; sie kann nur ihre Wirkung ausüben, wenn sie die Sinne kitzelt. Drum fort mit deinem strengen Ernste und gieb Raum meinen Ausgelassenheiten, meinen lustigen Gedichten, wenn ich bitten darf. Lass meine Bücher, so wie sie sind: Nichts ist tadelnswerter als Priap, der zum Priester der Cybele geworden ist.“ Wie sehr er selbst von der Saftigkeit seiner kleinen Gedichte überzeugt war, mag man aus einem Witz erkennen, den er einmal über einen offenbar etwas erkälteten Vorleser machte:

„Was umhüllst du den Hals, Vorleser, mit wolligem Wulste?
Wahrlich, unserm Ohr frommte die Wolle noch mehr.“

Den Beifall der Kaiser und der Lebemänner hatte Martial für sich; auf den der Leute von gutem Geschmack verzichtete er. Er war zufrieden, wenn nur seine gesalzensten Epigramme ihren Weg machten; und thatsächlich gingen sie aus dem Munde der Courtisanen und der Lustknaben in den des Strassenpöbels über. Daher der hellstrahlende Ruhm, den der Dichter erworben hatte, ohne dass der Geist, die Malice, die er mit vollen Händen in seine schlüpfrigen Gedichte einstreute, das Urteil darüber wesentlich milder zu gestalten vermöchten; ein Ruhm, der den Virgils und Horazens übertraf und den satyrischen Triumphen Juvenals die Wage hielt. Thatsächlich war so zu sagen Roms ganze Skandalchronik niedergelegt in einer Menge kleiner Gedichte, die leicht zu behalten und in Umlauf zu setzen waren. In diesen Versen hatte der Dichter unter durchsichtigen Pseudonymen Personen gezeichnet, die er entweder lächerlich machte, oder denen er das Brandmal der Schande aufdrückte. Mochte er auch noch so sehr dagegen protestieren, die wahren Namen in seinen Gedichten anzuwenden, und mochte er auch noch so nachdrücklich darauf hinweisen, dass er in seinen Spöttereien immer die Personen respektiert habe, niemand grollte ihm, wenn er sich schwere Beleidigungen gegen eine Menge von Leuten erlaubte, die er zwar nicht genannt, aber mit einer solchen Naturtreue gezeichnet hatte, dass jedermann sie nach diesen Gemälden wieder erkennen konnte. Wahr ist nur, dass er sich nicht erkühnte, angesehene Männer in Verruf zu bringen und das Privatleben seiner Mitbürger zum Gegenstand seiner perfiden Schmähungen zu machen. Die gewöhnlichen Opfer seiner Sarkasmen waren immer boshafte Dichterlinge, unverschämte Courtisanen, schamlose Prostituierte, verbrecherische Kuppler, Verschwender und Geizhälse, abgelebte Männer und verlorene Weiber. Sehr häufig wendet er die Ausdrucksweise der zweifelhaften Persönlichkeiten an, die er auf die Scene und gleichsam an den Pranger stellt; er weist seine Leser ausdrücklich darauf hin, dass sie in seinen Worten weder Zurückhaltung noch Prüderie finden werden: „Die Epigramme," so sagt er, „sind für die regelmässigen Besucher der Blumenspiele geschrieben. Cato braucht ja nicht zu uns ins Theater zu kommen; wenn er aber kommt, nun so mag er die Augen aufsperren!" Es fehlt aber auch in diesen Epigrammen nicht am Ausdruck eines ernsteren Empfindens:

„Als dem Pätus das Schwert die züchtige Arria reichte,
Welches mit eigener Hand sie aus dem Busen sich zog,
Sagte sie: ‚Wahrlich, es schmerzt die Wunde mich nicht, die ich selbst schlug,
Aber es schmerzet mich die, Pätus, Du schlagen Dir wirst.'"

Seinem Namensvetter Julius Martialis vertraut er seine bescheidenen Wünsche, und ernst und würdig klingt auch dieser Wunsch aus:

„Was mein Leben beglückter machen kann, ist,
O mein süssester Martialis, dieses:
Erbvermögen und nicht mit Müh' erwerb uns:
Ein erkenntlicher Acker; steter Wohnsitz;
Nie Streit; selten Aufwarten; Seelenruhe;
Rüst'ge Kräfte und ein gesunder Körper;
Mutterwitz und Genossen, die uns gleichen;
Ungekünstelte Tafel; leichte Tischkost;
Nicht durchzechte, doch sorgenfreie Nächte;
Ein nicht grämliches Ehegespons, das keusch doch;
Ferner Schlaf, der die Finsternis verkürzet;
Sein nur wollen das, was man ist, und nicht mehr;
Weder fürchten noch wünschen's letzte Stündlein."

Martial frequentierte ganz ohne Zweifel die schlechte Gesellschaft, die er mit so leuchtenden Farben gemalt hat; an zwei oder drei Stellen lässt er uns erkennen, dass seine Sitten nicht viel besser waren, als die seiner Helden, denn er beschränkte sich nicht nur darauf, seine Liebe an Courtisanen zu verschwenden, sondern gab sich zeitweilig auch Zügellosigkeiten hin, die in der allgemeinen Corruption seiner Zeit ihre Entschuldigung fanden, obschon er sie notgedrungen zu rechtfertigen suchte, um die bitteren Vorwürfe seiner Frau Clodia Marcella zu beschwichtigen. Trotz dieser, von ihm gepflegten, widernatürlichen Laster renommiert er in mehr als einem seiner Epigramme mit seiner Anständigkeit und der Reinheit seines Lebens. Vermutlich kam er zu diesem, für sich günstigen Urteil, durch den für ihn immer noch vorteilhaften Vergleich seines Privatlebens mit dem seiner lasterhaften Zeitgenossen, zumal mit dem der Kaiser, denen er seine Bücher widmete: „Meine Verse sind zügellos," so sagt er zu Domitian, „aber mein Leben ist ohne

Fehl. (Lasciva est nobis pagina, vita proba est)." Um diesen flagranten Widerspruch zu erklären, genügt es wohl, die Gedichte zu datieren, in denen Martial sich seiner Moralität so sehr rühmt und jener, in denen er sich sehr leicht darüber hinwegsetzt: die ersteren gehören in seine Jugendperiode, die anderen in sein reiferes Alter. Man darf nicht vergessen, dass die elf ersten Bücher seiner Sammlung einen Zeitraum von fünfunddreissig Jahren umspannen, die er fast ohne Unterbrechung in Rom verlebte. Mit fünfundzwanzig Jahren konnte Martial keusch leben, obschon er in seinen Versen der Sinnenlust seiner Beschützer schmeichelte. Mit fünfzig Jahren war er ein Lebemann geworden, er, der Zeuge so vieler Ausschweifungen seiner Freunde; und so bemerkt man denn in der That, dass er in den letzten Büchern seiner Epigramme auf den Ruf der Keuschheit keinen Wert mehr legt, der durch seine lüsternen Schriften ohnehin seit langer Zeit zerstört war. Im elften Buche hat er uns jenes schamlose Epigramm an seine Frau aufbewahrt, die ihn mit seinem Lustknaben überrascht hatte und sich selbst opfern wollte, um ihn diesem abscheulichen Laster zu entreissen: „Wie oft hat Juno dem Jupiter denselben Vorwurf gemacht?" entgegnete ihr lachend Martial, der aus dem Beispiel der Götter und Herren für sich die Berechtigung herschrieb, in seinen Ausschweifungen zu verharren und die bitteren Klagen seiner Frau zurückzuweisen:

Parace tuis igitur dare mascula nomina rebus;
Teque, pute cunnos, uxor, habere duos.

Der Dichter machte sich in der That keine Illusionen über den Charakter seiner Sammlung und wusste sehr wohl, für welche Art von Lesern er seine immer freien und häufig anstössigen Verse schrieb. „Keine Seite meines Buches ist keusch," so sagte er freimütig, „aber so sind ja auch die jungen Leute, die mich lesen, so sind die Damen mit leichten Sitten, und der Greis der sein lüsternes Spiel mit seiner Maitresse treibt." Er vergleicht sich dann mit seinem Schüler Cosconius, der gleich ihm Epigramme schrieb, aber so zurückhaltend und vorsichtig im Ausdruck, dass man niemals auch nur einen Schimmer von Unanständigkeit darin bemerkte (inque suis nulla est mentula carminibus), er lobt ihn ob dieser Zurückhaltung, meint aber, derartige prüde Gedichte könnten nur für Kinder und alte Jungfern bestimmt sein. Er verschmäht es darum, Cosconius nachzuahmen und moquiert sich über die ehrbaren Matronen, die seine Werke zwar heimlich lasen, ihm aber öffentlich vorwarfen, nicht für anständige Damen geschrieben zu haben: „Ich habe," so sagt er ihnen frank und frei, „Ich habe für mich geschrieben. Die Ringkampfschule, die Bäder, der Rennplatz sind unsere Bühne, macht ihr drum, dass ihr fortkommt! Wir werden uns gleich auskleiden: geht also fort, wenn ihr keine nackten Männer sehen könnt! Rosengeschmückt und voll des süssen Weines legt Terpsichore hier ihre Schamhaftigkeit ab und weiss in ihrer Trunkenheit kaum noch, was sie sagt; ohne Scheu erzählt sie uns, welche Opfer Venus, die Siegerin, im Monat August in ihrem Tempel empfängt, was der Landmann als Schildwache mitten in seinem Garten aufpflanzt, und was die keusche Jungfrau nicht anzuschauen vermag, ohne die Augen mit den Händen zu bedecken.“ Das Leben im Cirkus bot Martial unerschöpflichen Stoff zu seinen Epigrammen. Niemand hat römische Cirkusscenen mit grösserer Kraft und mit mehr Plastik geschildert, als Lugowoi in seinem Werke Pollice verso, aus dem wir eine Stelle hier anführen wollen: „Ein dumpfes Gebrause schallt von den entfernten Strassen der ewigen Stadt und von der Via Appia herüber, als ob das Leitungswasser, die Aquädukte zerbröckelnd, in tosenden Strömen von den hohen Arkaden auf die Erde stürze. Je mehr man sich dem Cirkus nähert, um so vernehmlicher wird der Lärm. Die Ursache des Getöses ist ein Menschenhaufe, der eilig in einer bestimmten Richtung sich fortbewegt. In dem allgemeinen Toben unterscheidet man bald heftiges Schelten, bald die befehlenden Rufe der Aedile und nächtlichen Triumvirn; hin und wieder ertönt lautes Gelächter, und man hört deutlich die Namen, bei denen Bekannte einander anrufen.

Aus Rom und dessen nächster Umgebung strömt das Proletariat zusammen, um rechtzeitig die Freiplätze zu den Spielen, die morgen stattfinden sollen, einzunehmen. Einander stossend und drängend strebt die Menge den geöffneten Thoren des Cirkus zu und füllt die breiten Bänke des in finstere Nacht getauchten Amphitheaters. Mitten unter dem Plebs befinden sich auch viele vornehme Damen mit ihren Begleitern aus dem Ritterstande. Das sind die eifrigsten, leidenschaftlichsten Verehrer der Spiele. Sie besorgen, zu spät zu kommen, und möglicherweise nicht die besten Plätze zu erhalten, seien diese nun umsonst oder um einen bedeutenden Preis von den spekulierenden Vermietern zu haben. Diese Damen und Ritter bringen gern eine Nacht auf den Bänken des Cirkus zu, um nur ja möglichst nahe bei der Arena sich einen Platz zu sichern.

Unterdessen strömen immer neue Scharen herzu, und das Gedränge wird mit jedem Augenblicke ärger. Plötzlich ertönt unmittelbar an den Thoren ein schrecklicher herzzerreissender Schrei. Alle bleiben einen Moment wie gebannt stehen, schauen sich um, fragen einander mit Worten und Blicken, was geschehen. Nichts Besonderes — einem Tölpel ist der Arm ausgerenkt worden! Und alle stürmen wiederum vorwärts, wie zuvor einander stossend und drängend. Der Hauptmann der Wache treibt die Menge auseinander, um den Verletzten zu befreien, der, von dem allgemeinen Strome fortgetragen, immer lauter um Hilfe schreit. Auf dieses Geschrei antwortend, ertönt aus einem Gewölbe des Cirkus das mächtige Gebrüll eines Löwen. Die Stimme des Königs der Tiere versetzt die Menge in eine freudige Aufregung: von den Thoren bis zu den oberen Reihen des Cirkus, wo einige Zuschauer bereits eingenickt waren, erschallt ein fröhliches, beifälliges Stimmengewirr. Die Menge lärmt die ganze Nacht. Sie wächst mit jedem Augenblicke, und die aufgehende Sonne beleuchtet ein Amphitheater, das von oben bis unten mit Zuschauern dicht besetzt ist. Leer stehen nur noch die Plätze der Senatoren und zwischen zwei Treppen in der Nähe der kaiserlichen Loge ein geräumiger keilförmiger Platz — cuneus — dessen Sitze von der Wache für die Freunde des Spurius Agala, des Gebers der heutigen Spiele, reserviert worden. Spurius Agala ist Quästor geworden und erfreut dem Herkommen gemäss die Römer mit dem Schauspiel, das sie über alles lieben.

Aber auch die bisher noch unbesetzten Plätze füllen sich allmählich. In ihrer weissen, purpurbesäumten Toga erscheinen die Senatoren und lassen sich auf die weichen, seidenen Kissen nieder.

Da werden auch die keuschen Hüterinnen des heiligen Feuers sichtbar und füllen die Loge der Vestalinnen.

Nur der Cäsar selbst fehlte noch: Claudius hat sich heute wider seine Gewohnheit verspätet.

Auf seine Ankunft harrend, amüsiert sich das Volk, so gut es geht. Hausierende Knaben treiben sich zwischen den Reihen der Zuschauer auf den breiten Stufen des Amphitheaters umher und preisen ihre Leckerbissen an. Ein alter wohlbeleibter Herr dingt ärgerlich mit einer jungen Verkäuferin um den Preis eines Kruges Wasser, den sie ihm gereicht. In die Reihen der Patricier hat sich ein listiger Graeculus gedrängt, der sich für einen chaldäischen Astrologen ausgiebt und für die ihm zugeworfenen Münzen den Zuschauern das Unmöglichste prophezeit. Mehrere junge Plebejerinnen lauschen ungläubig den flüsternden Worten eines hübschen Jünglings, und ihre anmutigen Gesichter umspielt ein vergnügtes Lächeln. Vornehme Damen schauen forschend den Bänken entlang nach Bekannten aus und wechseln mit ihnen Grüsse. Die Nachbarinnen erzählen sich ihre Erlebnisse, klatschen, lästern, verleumden.

Da sitzt Calpurnia Terentilla, die Gattin eines reichen Patriciers. Ihre Lippen sind fest zusammengepresst, die Brauen gerunzelt. Sie schleudert Wutblicke auf ein Paar, das nicht weit von ihr seinen Platz hat. Sie ist erregt wie noch nie! Diese verwünschten Platzvermieter verlangten ein wahres Sündengeld und konnten nichts Besseres thun, als sie und ihre Tochter Cynthia gerade hierher zu setzen, wo die Blicke aller Bekannten spöttisch auf ihnen zu ruhen scheinen! Denn nur durch zwei Plätze sind sie von jenem Taugenichts Sicinius und seiner Hetäre Silvia getrennt. Sicinius — o, unerhört — hat Calpurnias Erwartungen in unverantwortlicher Weise getäuscht: er verschmähte ihre liebliche Cynthia, eine eben sich erschliessende Knospe, um jener Unwürdigen willen, floh Hymens Bande, um das Lager der Sünde mit den drei Liebhabern der Sylvia zu teilen, von deren Gatten ganz zu geschweigen. Und jetzt sitzen sie fast nebeneinander! Ewige Götter! Diese lasterhafte Welt! Wahrlich, ehrbare Matronen können in Rom nicht mehr leben.

„Sieh nur, sieh, was diese liederliche Person für eine Stola hat," zischelt Calpurnia ihrer Tochter Cynthia zu. „Schickt es sich etwa für eine Matrone, die Frau eines Patriciers, einen so durchscheinenden Stoff zu tragen, der den Reiz der Formen deutlich erkennen lässt? Uebrigens, kein Wunder! Wer keine Scham besitzt, braucht auch nichts zu verdecken."

Unwillig, aber nicht ohne neidisches Interesse betrachtet die junge Dame ihre Nebenbuhlerin, indem sie leise spricht: „O die Schändliche!" Sie besitzt aber eine zu leidenschaftliche Vorliebe für gute Toiletten, um nicht mit vollster Aufmerksamkeit das Costüm Sylvias zu mustern.

„Sieh nur," wendet sie sich zur Mutter, „wie geschmackvoll sie die Falten ihrer mit phrygischer Goldnaht verzierten Palla geordnet hat."

„Die schwarze Toga einer Hetäre müsste man ihr anziehen," zischt Calpurnia giftig, „aber das kommt davon, mein Kind, dass unsere Aedile so nachlässig über die Sitten wachen, und Messalina selbst mit schlechtem Beispiele vorangeht. O, wenn ich doch Zensor wäre, wenn ich die Macht hätte, diese Geschöpfe so zu behandeln, wie sie es verdienen!"

Cynthia hört aufmerksam zu, betrachtet aber zugleich noch aufmerksamer den weissen, mit Gold benähten Soccus, der so wundervoll den hübschen Fuss Sylvias zur Geltung bringt. Nicht ohne Grund hat diese ihn so ausgestreckt, dass alle sich an seinem Anblicke weiden können.

„Ich würde ihr," fährt Calpurnia voll Eifer fort, „nun und nimmer gestatten, ihren eklen und sicherlich übelriechenden Leib mit duftender assyrischer Narde zu salben, deren Aroma hier die Luft füllt. Ich würde ihr schon . . . Diese alte Megäre ist ja nur wenig jünger wie ich, und Sicinius, dieser Taugenichts und Narr von einem Jungen, wird sie schon einmal dabei ertappen, wie sie für die Nacht sich das Gesicht mit einem Teige bestreicht, der mit Eselsmilch eingerührt ist. Ob ihm seine Schöne, diese geschminkte Puppe, dann noch so liebreizend erscheinen wird?"

Aber Cynthia bewundert voll Neid die goldigrotschimmernde gallische Frisur Sylvias und empfindet ein glühendes Verlangen, die kostbare Nadel, welche die künstliche Haartour zusammenhält, herauszureissen und sie ihrer Nebenbuhlerin in die Kehle zu stossen.

„Und wo hat sie diesen kostbaren Schmuck her?" Calpurnia ist in ihrer Philippika unermüdlich. „Woher diese Perlen, an Wert Kleopatras Perle gleich? Mag man den andern Frauen auch vorwerfen, dass ihre Toiletten mit den Schätzen geplünderter Provinzen bezahlt sind; das Blutgeld ist doch wenigstens von ihren eigenen Vätern und Männern gestohlen und geraubt. Diese aber hat alles von ihren Liebhabern! O tempora, o mores!"

Und nicht zufrieden, Sylvia für ihre thatsächlichen Vergehungen und Laster zu schmähen, zauderte Calpurnia nicht, kategorisch zu erklären, dass sie die Verworfene jeder möglichen oder nur denkbaren Schandthat für fähig halte.

„O, ich bin sogar überzeugt, dass, im Falle man diese Sylvia wegen ihres Lebenswandels zur Verantwortung zöge, sie dennoch nicht davon lassen, sondern eher, dem Beispiel Vistilias folgend, der Würde einer römischen Matrone, einer Patricierin entsagen und sich in den Listen der Aedile als Inhaberin eines Lupanars anschreiben lassen würde. Da wäre sie auch am Platze! Und Sicinius ebenfalls — wie vorzüglich würde er sich als Hausknecht machen!"

Hier merkte Calpurnia, dass sie in ihren Herzensergüssen weiter gegangen war, als sich in Gegenwart ihrer jungen Tochter geziemte, und sie hielt inne. Aber es war ihr unerträglich, einen Gedanken unausgesprochen zu lassen, und so fuhr sie leise fort, indem sie auf Sicinius wies: „Sieh nur, mit wie lächerlichen Bewegungen er den Fächer aus Pfauenfedern handhabt, um ihr Kühlung zu verschaffen, wie er sich dabei bemüht, alle die kostbaren Ringe an seinen Fingern zu zeigen. Das steht ihm auch besser an, als der Gebrauch von Schild und Schwert."

Aber der frühere Bräutigam gefällt Cynthia noch immer, und sie denkt mit einigem Kummer an ihre zerstörten Hoffnungen. „Und das ganze Unglück stammt von Baïæ her," flüstert das junge Mädchen vor sich hin, „von diesem lasterhaften Baïæ, littora castis inimica puellis. Dort verliess mich der Treulose und geriet in die Netze der Sylvia."

Sicinius und Sylvia ihrerseits bezahlten diese Lästerungen mit gleicher Münze und machten über die erzürnte Mutter und deren Tochter ebenfalls die boshaftesten Bemerkungen."

Soweit Lugowoi. Aus vielen Epigrammen Martials erfährt man, dass er sich auch nicht gerade Matronen als regelmässige Leserinnen seiner Werke vorstellte; um an der Ungezwungenheit seiner Ideen und Worte Vergnügen zu finden, musste man das Leben der Lebemänner und ihrer leichtfertigen Freundinnen durchgekostet haben. Die vollständige Sammlung der Werke dieses Sängers grossstädtischer Vergnügungen befand sich in der Bibliothek aller Lüstlinge, und da sie in einem Format erschienen war, das gestattete, sie in der Hand zu verbergen, so las man sie überall, im Bade, in der Sänfte, bei Tafel und im Bett. Der Buchhändler, der sie zu sehr mässigem Preise verkaufte, hiess Secundus, war ein Freigelassener des gelehrten Lucensis und wohnte hinter dem Friedenstempel und dem Marktplatz des Pallas. Derselbe Buchhändler vertrieb auch alle andern schlüpfrigen Werke, so die von Catull, von Pedo, von Marsus, von Getulicus, die von jungen und alten Lebemänern nicht weniger begehrt waren, während die

Courtisanen sie angeblich nicht so hoch schätzten, wie die Elegien von Tibull, Properz und Ovid. Zu allen Zeiten waren die Frauen, auch die verderbtesten, empfänglich für eine zarte und delikate Darstellung des Liebeslebens. Martial bot seinen Lesern ausserdem noch ein besonderes Interesse, das kein anderer Dichter seinen Versen zu verleihen verstanden hatte: er gab sozusagen eine Portraitgallerie, und so ähnlich waren seine Bilder, dass die Originale sich nur zu zeigen brauchten, um erkannt zu werden; so boshaft waren sie gezeichnet, dass der Fluch des Lasters oder der Lächerlichkeit am Original genau so haften blieb, wie der Name, den Martial ihm in seinem Gedichte gegeben hatte. Wir wollen aus diesen selten schmeichelhaften Bildern diejenigen herausgreifen, die Martial zu seinem Vergnügen und oft mehrmals und zu verschiedenen Zeiten von Courtisanen entworfen hat; daraus kann man ersehen, welche Veränderung das Alter und die Schicksalschläge in der Existenz oder in der Person dieser Creaturen hervorriefen. Voll Abscheu werden wir dabei die meisten Portraits von Lustknaben und ihren Verehrern übergehen, die in der römischen Prostitution eine hervorragende Rolle spielten und auch von Martial ohne Skrupel in seine Sammlung aufgenommen worden sind.

Da haben wir zuerst eine Lesbia; sie ist nicht identisch mit der bei Catull erwähnten, nicht hegt sie im Käfig einen kleinen Sperling, dessen Tod sie beweint, wohl aber hat sie zahlreiche Liebhaber, und alle Welt weiss das, denn sie pflegt Fenster und Vorhänge zu öffnen, wenn sie bei ihr weilen. Sie liebt nun einmal die Öffentlichkeit, und verborgene Genüsse sind ohne Reiz für sie (nec sunt tibi grata gaudia si qua latent); auch pflegte sie ihre Thüre nicht zu schliessen, wenn sie sich ihren Vergnügungen hingab, sie wollte, dass ganz Rom Zeuge ihres ausgelassenen Lebens sei. Ihr grösstes Vergnügen war, wenn jemand sie mit einem Liebhaber überraschte. (deprehendi veto te, Lesbia, non futui) „Du solltest wenigstens von Chione und Helis die Regeln der Schamhaftigkeit erlernen!“ so ruft ihr der entrüstete Martial zu. Die erwähnten beiden Mädchen waren Strassendirnen letzten Ranges, die aber mit einem Rest von Schamhaftigkeit ihr schimpfliches Gewerbe im Dunkel der Friedhöfe verbargen. Diese Lesbia sank mit zunehmendem Alter von Stufe zu Stufe und übte, wie wir aus dem 50. Epigramm des zweiten Buches wissen, vorzugsweise die besonders schmählichen lesbischen Künste aus. Sie war sehr hässlich geworden, da sie aber einen Spiegel zu brauchen vermied, so konnte sie es gar nicht begreifen, dass ihre Liebhaber von früher ihr nicht ihre Liebe und Zuneigung bewahrten So grollte sie dem Martial wegen seiner eisigen Kälte, der aber erwiderte ihr zu seiner Entschuldigung: „Dein Antlitz ist Dein schlimmster Feind“ (contra te facies imperiosa tua est). Lange Zeit später, als sie im Pfuhl ihres Lasters nur mehr die Erinnerung an schönere Zeiten besass, da gedachte Lesbia mit Stolz ihrer zahlreichen Anbeter; vor einem Areopag alter Kupplerinnen zählte sie sie einmal auf nach Namen, Eigenschaften, Charakter und Aussehen; lachend hörten ihr jene zu, als sie versicherte: „Niemals habe ich meine Gunst umsonst gegeben!“ (Lesbia sejurat gratis nunquam esse fututam). Darüber konnte man nun allerdings in ein Gelächter ausbrechen, denn während sie so mit vergangenen Zeiten renommierte, schlug sich vor ihrer Thür ein Haufe von Lastträgern um die zweifelhafte Ehre, ihr für Geld Liebesdienste erweisen zu dürfen.

Da haben wir ferner eine Chloë, nicht zu verwechseln mit der des Horaz, mit der sie allerdings wenig gemein zu haben scheint; da sie nicht mehr jung, aber immer noch lebenslustig war, so suchte sie, wie die eben erwähnte Lesbia, Trost bei gekauften Liebhabern. Martial sagt von ihr mit einer gewissen Härte: „Ich kann ganz gut leben ohne dein Gesicht, deinen Hals und deine Hände, deine Brüste und deinen Schoss, kurz, Chloë, ich kann leben, ohne deine ganze Person.“ Aber Chloë war reich und konnte sich ihrerseits den Luxus eines galanten Lebens leisten, ja, sie gab sogar ungewöhnlich viel Geld dafür aus. Sie hatte sich in einen jungen Menschen verliebt, der nichts besass als seine Schönheit und seine kräftigen Schultern. Martial nennt ihn Lupercus, das ist eine Anspielung auf die Panspriester, die bei den lupercalischen Festen nackt in den Strassen Roms herumzulaufen pflegten, und den Frauen, die sie mit ihrer Peitsche aus Bocksleder berührten, angeblich Fruchtbarkeit verschafften. Chloës Lupercus war sozusagen gerade so nackt wie einer von diesen Priestern, und das Mädchen beraubte sich selbst, um nur ihn zu kleiden, ihn zu schmücken; sie hatte ihm tyrische und spanische Gewänder zum Geschenk gemacht, einen scharlachenen Mantel, einen tarentinischen Topas, indische Onyxe, skythische Smaragde und hundert neugeprägte Goldstücke. Diesem habgierigen und auf Erwerb versessenen Liebhaber, der immer neue Forderungen stellte, konnte sie nichts versagen: „Hüte dich, du geschorenes Lämmchen,“ so rief Martial ihr zu, „hüte dich, armes Kind, dein Lupercus wird dich noch splitternackt ausrauben!“ Diese Voraussage erfüllte sich nun allerdings nicht, denn Chloë hatte in ihrer guten Zeit Geld genug verdient, um ihren Liebhabern etwas von ihrem Golde abgeben zu können; sie knauserte ihnen gegenüber nie, aber, seit sie selbst bezahlte, anstatt Bezahlung zu nehmen, war sie auch noch viel zügelloser geworden. Sieben Liebhaber starben ihr in der Blüte ihrer Jahre nacheinander: sie liess ihnen sehr schöne Grabdenkmäler setzen und darauf die naive Inschrift anbringen: „Chloë hat die Errichtung dieser Denkmäler veranlasst.“ Man nannte sie daraufhin nur noch das Mädchen mit den sieben Schätzen.

Martial war, wie man zugestehen muss, in seinen Epigrammen nicht immer unparteiisch; so entsprangen die Beleidigungen gegen die Courtisane Thaïs lediglich einem persönlichen Aerger. Einmal beschuldigt er Thaïs, sie wiese niemanden zurück und gäbe ihre Neigung dem ersten besten hin, wie wenn das die einfachste Sache von der Welt wäre. Ein andermal beklagte er sich über eine Zurückweisung von Thaïs, die ihm gesagt hatte, er sei zu alt für sie. Er rächte sich an Thaïs durch das furchtbarste Bild, das man jemals von einer Frau entworfen hat. Aber dies hässliche Bild ist immer noch weniger abstossend als das der Philenis, gegen die Martial ohne Zweifel Grund zu ernsterem Groll hatte. Philenis stand übrigens nicht mehr in den Jahren, um Wünsche zu erwecken, denn der Dichter sagt von ihr, sie sei bei ihrem Tode fast so alt gewesen wie die Sibylle von Cumæ. Sie hatte einen Mann oder vielmehr einen Liebhaber, namens Diodor, der sich in einigen Feldzügen ausgezeichnet zu haben scheint, aber bei der Rückkehr nach Rom, wo ihn die Ehren des Triumphes erwarteten, im griechischen Meere Schiffbruch erlitten hatte. Es gelang ihm jedoch, sich aus den Wogen zu erretten, und Martial schreibt dies unerhörte Glück einem schamlosen Gelübde der Philenis zu, die der Venus für die Rückkehr ihres geliebten Diodors ein einfältiges uud keusches Mädchen versprochen hatte, so wie es die züchtigen Sabinerinnen lieben.

Diese Philenis, die eine Art Mannweib war, und sich sogar rühmte, ein halber Mann zu sein, hatte eine zügellose Zuneigung zu Frauen: „Manchesmal küsste sie,“ so sagt Martial, „in ihrer Liebesleidenschaft an einem Tage elf junge Mädchen ab, ganz zu geschweigen von den jungen Burschen.“ Mit hochgeschürztem Rock beteiligte sie sich am Ballspiel, rieb sich die Glieder mit gelbem Pulver ein und hob die schweren Bleigewichte, mit denen die Atlethen hantierten, sie rang mit ihnen und empfing, in Schweiss gebadet und mit Schmutz überdeckt, wie jene, die Stockhiebe des Ringkampflehrers. Sie ass niemals zu Abend, und setzte sich niemals zu Tisch, ohne sieben Becher Wein getrunken zu haben, und wenn sie dann sechzehn Brote gegessen hatte, dann glaubte sie, noch ebensoviel trinken zu dürfen. Im übrigen gab sie sich den schamlosesten Gelüsten hin (Non fellat: Putat hoc parum virile; sed plane medias vorat puellas).

Diese furchtbare Kämpferin war nebenbei noch Zauberin und Kupplerin; sie besass eine Stentorstimme und machte allein mehr Geschrei als tausend Sklaven auf dem Sklavenmarkte oder eine Schar von Kranichen am Ufer des Strymon. „Ach, welch ein Mund ist da still geworden,“ rief Martial aus, als der Tod sie ihren gymnastischen Uebungen, ihren Ausschweifungen und ihrem schändlichen Gewerbe entrissen hatte. „Mög die Erde dir leicht sein,“ so lautete die Grabschrift, die der Dichter ihr setzte, „möge Dich nur eine Hand voll Sand bedecken, damit die Hunde Deine Gebeine ausscharren können!“

Philenis hatte wahrscheinlich dem Martial bei seinen Liebesgeschichten geschadet; denn nach dem Bilde, das er von ihr gezeichnet, darf man wohl annehmen, dass er selbst kein Auge auf sie geworfen hatte, anderseits freilich geht er auch mit Galla nicht besser um, für die er doch zeitweise innige Neigung besass: nachdem er sie heftig beschimpft hat, lässt er sich zu einem Geständnis hinreissen, aus dem wir ganz deutlich ersehen können, wie ungerecht er diese Courtisane beurteilt. Er erzählt nämlich, dass sie anfangs zwanzigtausend Sesterzen für eine Nacht verlangte, „was nicht zu viel war," wie er hinzufügt. Nach Verlauf eines Jahres verlangt sie nur noch zehntausend Sesterzen: „Das war viel teurer als das erste Mal," dachte Martial, der sich zu dem Handel nicht entschliessen konnte. Sechs Monate später war sie schon auf zweitausend Sesterzen herabgegangen! Martial bot ihr tausend, aber sie nahm es nicht an; als sie dann einige Monate später ihm ihre Gunst um vier Goldstücke anbot, da wies Martial sie zurück. Galla ärgerte sich über dies Verhalten und wollte sich grossmütig zeigen: „Nun, so gieb hundert Sesterzen," sagt sie. Martial, dessen Neigung vollständig vergangen war findet das immer noch exorbitant. Galla indessen ist tief erzürnt und wendet ihm den Rücken. Eines Tages trifft sie ihn wieder; er hatte gerade eine kleine Einnahme gehabt, und sie wollte ihm für das, was er in der Hand hielt, jene Gunst gewähren, für die sie einst zwanzigtausend Sesterzen verlangt hatte. Martial aber antwortet ihr gelassen, dass das Geld für seine Lustknaben bestimmt sei, und geht fort. Galla war nicht rachsüchtig; später traf sie Martial noch einmal und sagte ihm, von ihm verlange sie überhaupt kein Geld für ihre Gunst; doch der launenhafte Dichter erwidert ihr, „nein, jetzt ist es zu spät." Soll man wirklich diesem Epigramme Glauben schenken, darf man annehmen, dass Galla so rasch heruntergekommen war in so wenigen Jahren? Martial zeigt sie zuerst, wie sie sich sechs oder siebenmal mit jungen Lebemännern verheiratete, deren wohlgepflegtes Haupthaar und Bart sie verführt hatte; in ihren sonstigen Erwartungen war sie dabei freilich getäuscht worden:

Deinde experta latus, madidoque simillima loro
Inguina, nec lassa stare coacta manu,
Deseris imbelles thalamos, mollemque maritum.

Martial giebt ihr den guten Rat, sich durch eine Wahl unter jenen bäuerischen und starken Leuten schadlos zu halten, die von nichts anderem als von Fabius und Curius reden; aber er warnte sie davor, der äusseren Erscheinung zu trauen, denn auch unter diesen gab es Eunuchen; „Es ist schwer, Galla, sich mit einem wirklichen Mann zu verheiraten, sehr schwer nicht wahr?" so fragte er sie lachend. Nach der Beschreibung des Dichters hätte man sich freilich auch enttäuscht fühlen können, wenn man der Toilette Gallas beigewohnt hätte: „Während du zu Hause bist, sind deine Locken abwesend und werden irgendwo in einer Bude im Suburra-Quartier frisiert; am Abend legst du deine Zähne weg, gerade so wie deine Seidenkleider und steigst mit hundert Pomaden gesalbt ins Bett, aber dein Gesicht schläft nicht mit dir" (Nec facies tua tecum dormiat). Sie bereute immer, den Vorschlägen Martials kein Gehör geschenkt zu haben und suchte eine Gelegenheit zur Versöhnung mit ihm sie versprach ihm alles Mögliche und reizte ihn auf jede Weise; aber der launenhafte Dichter blieb taub für ihre Bemühungen, (mentula surda est) und vermochte sich nicht wieder zur früheren Wärme seiner Gefühle gegen die alternde Person durchzuringen; ihre Haare wurden schon grau und waren keineswegs geignet, ihm Liebe einzuflössen (cani reverentia cunni).

Er scheint mit einem gewissen Vergnügen über die verliebten alten Weiber zu spotten und schonte die nicht, die ihn nicht geschont hatten. Nachdem er uns so den schrecklichen Cynismus der Phyllis geschildert hat, die sich beständig zwei Liebhaber zu gleicher Zeit hielt, verheimlicht er uns auch nicht, dass seine Liebe zu dieser Phyllis, die ihm die zärtlichsten Namen giebt und die heissesten Küsse, erloschen ist. Ohne Zweifel ist es ironisch gemeint, wenn er ihr angiebt, auf welche Weise sie einen jungen Mann, so alt sie auch immer sein möge, anziehen könne; er rät ihr folgendes dabei zu sagen: „Hier nimm hundert, tausend Sesterzen, reiche, fruchttragende Grundstücke an den Ufern der Setia, nimm Wein, Häuser, Sklaven, nimm goldenes Tafelgeschirr und Möbel!“ Phyllis war demnach wohl sehr reich, vorausgesetzt, dass Martial nicht übertrieben hat, um anzudeuten, bis zu welchen wahnsinnigen Versprechungen diese alten Weiber in ihrer Vergnügungssucht sich hinreissen liessen. Sei dem nun, wie ihm wolle, Phyllis oder eine andere desselben Namens, tritt noch einmal auf (XI. Buch. 50. Epigramm) und Martial, der sie sehr nachsichtig zu behandeln scheint, beklagt sich über ihre Lügenhaftigkeit und ihre Habsucht. Der Dichter schildert, wie sie unter allen erdenklichen Vorwänden ihm Geschenke zu entlocken versucht. Bald war es ein Spiegel oder ein Ring, oder ein Ohrgehänge, was sie forderte, bald musste er ihr seidene Gewänder kaufen, oder ihr die Büchschen mit Parfüms füllen, bald begehrte ihr Herz alten feurigen Wein und so ins Unendliche fort. Aber der Dichter fügt auch hinzu, dass er ihr nichts verweigern konnte. Es ist einigermassen verwunderlich, dass die vorher als so abscheulich geschilderte Phyllis hier nun plötzlich als ein schönes, liebes, reizendes Kind uns wieder erscheint, dem der Dichter jeden Wunsch zu erfüllen bestrebt ist Aber diese Verwandlung scheint vollständig zu sein. Und Martial ist auf dem Gipfel seiner Schwärmerei. Nach einer seelig verbrachten Nacht (se praestitisset omnibus modis largam), sinnt er am Morgen darüber nach, was er ihr zum Geschenk machen könne Etwa ein Pfund feiner Wohlgerüche aus dem Laden des Cosmus oder Niceros, oder ein grosses Stück spanischer Leinewand oder sechs Goldstücke mit dem Bilde Cæsars? Er schildert, wie Phyllis ihm vor Freude um den Hals fällt, ihn abküsst und so lange liebkost, wie verliebte Tauben sich zu küssen pflegen, um ihn endlich um eine Flasche alten Weines zu bitten. An einer späteren Stelle tritt wiederum eine Phyllis in den Gedichten auf, so dass man nicht weiss, ob wiederum eine Veränderung mit ihr vorgegangen ist, und Martial zu spät seinen Irrtum eingesehen hat, oder ob nicht sich alles viel besser erklärt, wenn man unter dem Namen Phyllis zwei oder drei Mädchen versteht, die Martial ganz verschieden behandelt hat.

Die anderen Courtisanen, die hie und da in den zwölf Büchern der Martialschen Epigramme geschildert werden, kommen je nur ein oder zweimal und oft auch nur ein einziges Mal vor; wir wollen gleich hinzufügen, dass sie alle keinen sehr starken und dauerhaften Eindruck auf den beweglichen und parteiischen Sinn des Dichters gemacht haben. Die harten Worte, die er ihnen sagt, muss man nicht buchstäblich auffassen, sie waren vielleicht nur Kriegserklärungen, die dazu dienen sollten, den Frieden rascher herbeizuführen. So z. B. gleich der erste Angriff auf die arme Lydia (XI. Buch, 21. Epigramm), wo er ihr nachsagte, sie vermöge überhaupt keine Liebe einzuflössen, Lydia tam laxa est, equitis quam culus aheni. Er redet ihr die tollsten Dinge nach, und man darf wohl annehmen, dass er das selbst nicht geglaubt hat; in Wirklichkeit ist es auch nur ein etwas brutaler Versuch, sich dem Mädchen zu nähern: denn sobald er sie näher kennen gelernt hat, ändert er seine Gesinnung, obschon er noch so thut, als ob er den Feldzug gegen sie fortsetzte: „Man lügt nicht, Lydia, wenn man behauptet, du habest einen schönen Teint und ein hübsches Gesicht. Das ist wahr; zumal wenn du unbeweglich sitzest, und nicht sprichst, dann hast du ein Gesicht wie von Wachs, oder wie ein Gemälde; aber sobald du den Mund aufthust, Lydia, dann verlierst du den schönen Teint, und das Sprechen schadet niemandem mehr als dir.“ Das ist nur ein geschickter Schachzug, um Lydia zu verstehen zu geben, er wünsche, ihr das Sprechen beizubringen und würde, wenn es Not thut, für sie sprechen. Mit der grössten Offenherzigkeit hat Martial über seine Neigung selbst gesprochen; er sagt uns, dass er am ehesten ein frei geborenes Mädchen liebe. Wenn er aber ein solches nicht haben könne, dann begnüge er sich auch mit einer Freigelassenen, und würde auch die ihm untreu, dann mit einer Sklavin, vorausgesetzt, dass sie sehr hübsch sei. Man sieht, dass Martial auf die Abstammung seiner Geliebten keinen grossen Wert legte, und dass sie nicht nötig hatte, sich über ihre Geburt vor ihm auszuweisen. Denn er teilte nicht das Vorurteil der alten Römer, die in dem Verkehr eines frei geborenen Mannes mit einer Sklavin eine Entehrung sahen. Er wirft sich nicht gerade zum Verteidiger der Courtisanen auf, die häufig von einem tyrannischen Herrn ausgebeutete und verkaufte Sklavinnen waren, aber er spricht von ihnen doch oft mit Nachsicht. Als ein römischer Ritter, namens Paulus, ihn einmal bat, gegen Lysisca einige grobe Verse zu schreiben, da lehnt er es ab, sich zum Werkzeug einer feigen Rache machen zu lassen und richtet die Spitze seines Epigrammes gegen

Paulus selbst. Diese Lysisca war vielleicht dieselbe, deren Namen Messalina annahm, um Zugang zu dem Lupanar zu erlangen, wo sie sich den römischen Maultiertreibern hingab. Zu der Zeit, wo Paulus gegen sie so erbittert war, war sie schon ganz aus der Mode gekommen.

Die Priesterinnen der widernatürlichen Liebe waren zur Zeit des Martial so zahlreich, dass man ihnen auf jedem Schritte in seinen Epigrammen begegnet, ebenso wie ehrlosen Männern und Kindern, die dasselbe Gewerbe trieben. Der Dichter giebt sich den Anschein, als ob er die einen oder die andern tadele, aber er zeigt nirgends eine Entrüstung, die den römischen Sitten von damals auch durchaus nicht entsprochen haben würde. Viel erbitterter zeigt er sich gegen die alten Prostituierten, die sich hartnäckig weigerten, von dem Schauplatz ihres Wirkens abzutreten und fortfuhren, ihre Reize den Blicken der lebenslustigen Jugend darzubieten.

„Fabulla, Du hast nur alte und hässliche Freundinnen, Freundinnen, die hässlicher noch als alt sind; mit dem Gefolge gehst Du zu Festlichkeiten, auf die Promenade und ins Theater. Auf diese Weise erscheinst Du, Fabulla, jung und hübsch." Mit dreissig Jahren war eine Frau bei den Römern nicht mehr jung, mit fünfunddreissig war sie alt, mit vierzig galt sie als eine Hexe. Immer wieder lässt Martial seine Abneigung gegen Frauen, die die Zeit der Jugendfrische hinter sich haben, durchscheinen. Er ist grausam und unerbittlich gegen sie, verfolgt sie mit bitteren Sarkasmen und rät ihnen immer wieder, vom Schauplatz des Lebens abzutreten. Sila will ihn um jeden Preis heiraten, Sila, die eine Mitgift von einer Million Sesterzen besitzt. Aber Sila ist alt, alt wenigstens in den Augen Martials. Er stellt ihr deshalb die härtesten, entehrendsten Bedingungen: die Gatten werden von der ersten Nacht ab getrennt schlafen, er darf Maitressen und Lustknaben, so viel er haben will, halten. Er darf sie ohne Widerspruch sogar vor ihren Augen liebkosen, bei Tisch soll sie so weit entfernt sitzen, dass nicht einmal ihre Kleider ihn berühren, nur selten will er ihr einen Kuss geben; wenn sie ihn küssen will, so muss sie es thun, wie wenn eine Grossmutter ihn küsste: wenn sie mit diesen Bedingungen einverstanden ist, dann willigt er ein, sie zu heiraten, sie und ihre Sesterzen. Dieser Abscheu vor dem Alter ist bei Martial zur Monomanie ausgeartet, die ihn unablässig verfolgt und quält: er mag nur von frischen Frauen und Kindergesichtern umgeben sein, schon der Gedanke an ein verliebtes altes Weib verbittert ihm die Liebe. Trotz seinem Abscheu vor allem, was nicht mehr jung ist, scheint er indes das Alter mit besonderem Wohlbehagen auszumalen. Wenn er das Bild einer alten Frau entwerfen will, dann hat er immer wieder besonders viele Farben auf seiner Palette, es geht ihm wie den Leuten, die Gespenster fürchten und nun fortwährend davon reden, um sich dagegen zu wappnen. Niemals hat ein Dichter alte Personen hässlicher gezeichnet und origineller als er; sogar Horaz ist darin übertroffen worden. Das Meisterstück Martials in dieser Beziehung ist ein Epigramm, in dem er ein altes Weib, namens Vetustilla, zeichnet.

Selten fühlt sich Martial zu Schmeicheleien für die Courtisanen aufgelegt, viel besser lagen ihm die Sticheleien gegen sie. Gallia, die vermutlich Verlangen nach allerhand Wohlgerüchen hatte, erscheint im Laden des Cosmus, der mit Fläschchen und Essenzen überfüllt ist: „Weisst Du nicht," sagt ihr Martial, „dass um diesen Preis sogar mein Hund gut riechen würde?" (III. Buch, 55. Epigramm). Saufeia, die schöne Saufeia, möchte gern seine Geliebte werden, weigert sich aber hartnäckig, mit ihm zusammen zu baden; da mutmasst der Dichter, dass es doch wohl mit ihrer vielgerühmten Schönheit einen Haken haben müsse und widmet ihr folgende Verse:

Aut infinito patet inguem iatu;
Aut aliquid cunni prominet ore tui.

Seiner einmal entflammten Phantasie bei der Ausmalung ihrer wohlbedeckten Hässlichkeit lässt er dann noch weiter die Zügel schiessen (III. Buch, 73. Epigramm). Was Marulla anbetrifft, so pflegt sie sich nur mit Männern einzulassen, die über eine wohlgefüllte Börse verfügen (X. Buch, 55. Epigramm). Bei Thelesilla hält er sich nur auf, um sie ein wenig zu ärgern und sich selbst ein wenig zu loben: er habe Beweise abgelegt von seiner starken Liebesglut, aber mit der Thelesilla könne er wohl vier Jahre zusammen leben, ohne auch nur zu fühlen, dass er ein Mann sei (XI. Buch, 97. Epigramm). Pontia schickt ihm Wildpret und Leckereien und lässt ihn wissen, dass sie sich diese Bissen für ihn am Munde abspare; aber der Dichter wird grob, deutet an, dass Pontia aus dem Munde rieche und sagt, er werde diese Gerichte niemandem vorsetzen (VI. Buch, 75. Epigramm). Lecania lässt sich im Bade von einem Sklaven mit dem bekannten Lederschurz bedienen; auch das giebt dem Dichter Anlass zu einigen recht boshaften und deutlichen Bemerkungen (VII. Buch, 35. Epigramm). Ligella bietet ihre vertrockneten Reize an, Ligella, die so alt ist, wie Hektors Mutter, und immer noch in ihrer Jahre Maienblüte zu stehen glaubt; da sagt ihr Martial sarkastisch: „Wenn du dir noch einen Rest von Scham bewahrt hast, dann höre endlich auf, einen toten Löwen am Barte zu zupfen." (X. Buch, 90. Epigramm). Lyris schildert er nur als eine abscheuliche Trinkerin, die den schimpflichsten Lastern huldigt (II. Buch, 73. Epigramm). Fescennia zecht noch mehr als Lyris, aber sie kauft sich beim Cosmus Pastillen, um den schlechten Geruch aus ihrem Munde zu verdecken (I. Buch, 88. Epigramm). Senia erzählt, sie sei eines Abends auf einem einsamen Wege von Strolchen überfallen worden, die sich nicht damit begnügt hätten, sie auszurauben; darauf sagt ihr der skeptische Dichter in seiner boshaft-witzigen Weise: „Du behauptest das zwar, Senia, aber die Räuber leugnen es." (XII. Buch, 27. Epigramm). Galla hat mit der Zahl der Jahre und der Liebhaber grossen Reichtum erworben und ist eine sogenannte anständige Frau geworden; aber Martial geht ihr aus dem Wege, denn er fürchtet, so „anständig" werde er gar nicht von der Liebe sprechen können (saepe solecismum mentula nostra facit). Endlich Egle, die jung und alt gefällt, erregt den Zorn des Dichters, weil sie ihre Liebkosungen ohne Geld nach allen Seiten austeilt. Der komisch erregte Dichter tadelt sie deshalb in fein ironischer Weise (XI. Buch, 91. Epigramm und XII. Buch, 55. Epigramm).

Die meisten Courtisanen waren, wie schon ihr Name andeutet, nicht griechischen Ursprungs, sondern viele von ihnen stammten aus den Vorstädten Roms, wo ihre Mütter sie zur Prostitution verkauft hatten. Mit der Zeit waren die Skrupel und Vorurteile des alten Roms vernichtet, das niemals zugelassen haben würde, dass seine Kinder es durch ein schimpfliches Gewerbe entehrten. Zwar bevorzugte man noch die griechischen Courtisanen, und bezahlte sie teurer als die andern, aber die wirklichen Griechinnen waren viel seltener als diejenigen, die sich dafür ausgaben, um ein besseres Geschäft zu machen, manchmal, ohne ihre lateinischen Namen abzulegen. Manche verstanden kein Wort griechisch, anderen wieder fehlte die griechische Schönheit; diejenigen, die griechisch gelernt hatten, machten in jedem Satze Fehler, und diejenigen, die ein griechisches Gewand trugen, veränderten es nach römischer Mode und nannten es bei römischem Namen. Eine dieser vorgeblichen Griechinnen, namens Celia, glaubte besonders schlau zu handeln, indem sie, unter Berufung auf ihre griechische Abstammung, ihre Gunst den Römern versagte: „Du giebst dich den Parthern," so sagt ihr Martial, den sie als einen Römer zurückgewiesen hatte, „du schenkst deine Gunst den Germanen, den Daciern, den Ciliciern, den Cappadociern; ein ägyptischer Liebhaber kommt zu dir, aus der Stadt der Ceres, ein indischer Anbeter vom roten Meere; du versagst dem Juden deine Liebkosungen nicht, und der Alane kann auf seinem sarmatischen Pferd nicht an deinem Haus vorbeireiten, ohne angehalten zu werden. Warum willst du aber, eine Tochter Roms, den Römern nicht gefallen?"

Qua ratione facis, quum sis romana puella,
Quod romana tibi mentula nulla placet?

Diese Celia, die an einer anderen Stelle bei Martial infolge einer schlechten Lesart nochmals als Lelia auftaucht (X. Buch 68. Epigramm), hatte sich ein paar griechische Brocken eingeprägt, die sie nun bei jeder Gelegenheit und mit schlechter römischer Aussprache anwandte. Martial macht sie dafür gehörig herunter und sagt ihr, obschon sie nicht von Rhodus und nicht aus Mytilene stamme, sondern in irgend einem Vorort von Rom einer etruskischen Mutter und einem Bauern aus Aricia entsprossen sei, so wolle sie doch immer als ein Vollblutgriechin erscheinen;

aber wenn sie auch ganz Corinth auswendig lerne, so sei sie deshalb noch lange keine Laïs (numquid, cum, crissas blandior esse potes?) In diesem Epigramm muss man allerdings etwas zwischen den Zeilen zu lesen verstehen, denn offenbar möchte der Dichter sich gern von dem Mädchen auf griechische Art lieben lassen.

Wenn Martial von einer Courtisane nicht geradezu sagt, sie sei hässlich, sie rieche nach Wein, sei rachgierig, sie wechsele täglich ihre Liebhaber, oder sie habe überhaupt keinen Liebhaber, dann kann man immer mit einiger Sicherheit sagen, dass er Absichten auf sie hatte und dicht vor seinem Ziele steht; für die Geliebte, die er verlässt, kennt er in der Regel keine Rücksicht und kein Mitleid. Es bedeutet deshalb für ihn eine besondere Ausnahme, dass er Lycoris, von der er sich trennt, um zu Glycera zu gehen, nicht mit Beleidigungen und Schmähungen verfolgt. „Es gab kein Weib, das man Dir hätte können vorziehen, Lycoris," so sagt er ihr. „Lebe wohl, es giebt kein Weib, das man der Glycera vorziehen könnte, sie wird auch einmal sein, was Du jetzt bist, Du aber kannst nicht mehr sein, was sie ist. Das macht das Alter. Dich habe ich lieb gehabt, jetzt habe ich sie lieb." Auch von Lycoris spricht er nicht schlecht. Sie hatte einen braunen Teint und war, um ihn zu bleichen, nach Tibur gezogen, dessen anregende Luft als günstig für die Haut galt. (VII. Buch, 13. Epigramm). Als sie vom Lande zurückkehrt, bemerkt der Dichter, dass zwar ihr Teint nicht weisser geworden, dass sie aber in anderen Umständen sei: sie hatte den Dichter mit einem Hirten, der schön war wie Paris, betrogen (III. Buch 39. Epigramm). Martial zählt seine Liebschaften nicht besonders auf, aber er erwähnt sie doch bei seinen Lobsprüchen so im Vorbeigehen. So fragt er sich einmal, ob Chione oder Phlogis mehr zur Liebe geschaffen sei (XI. Buch 60. Epigramm). Chione ist zwar schöner als Phlogis; aber diese ist dafür so feurig, dass sie wohl auch noch den alten Nestor zu allerhand Thorheiten verführt haben würde (ulcus habet, quod habere suam vult quisque puellam); Chione dagegen ist marmorkalt (at Chione non sentit opus). Darum bittet Martial die Götter, sie möchten doch Chiones grosse Schönheit ihm mit Phlogis' Leidenschaft zusammenfügen.

Die römischen Lebemänner liebten es, die Götter um ihre Hilfe anzuflehen: da sie alles ausgekostet hatten, so sann ihre erregte Phantasie eben beständig auf neue Genüsse, die ihnen nur der Götter Gnade hätte gewähren können. Auch Martial huldigte diesem Sport, wie man es nennen könnte. Mochte er noch so viele Geliebte haben, immer stand sein Sinn nach einer, die er nicht besass. Eine Courtisane, namens Polla, die durch ihre Grazie und ihre feine Bildung die meisten ihrer Gefährtinnen weit überragte, hatte sich in den Dichter verliebt, gab sich dieser

Leidenschaft mit ihrer ganzen Glut hin und sandte dem Martial als Zeichen ihrer zärtlichen Neigung einen Blumenkranz, der für sie sprechen sollte. Martial hatte aber für diese zarte und feinsinnige Werbung nichts als eine brüske Zurückweisung. Es fehlte ihm eben doch der Charme, der alle griechischen Liebeslyriker auszeichnet und auch noch bei den besten Dichtern des augusteischen Zeitalters anzutreffen ist. Wenn er sich in einem Augenblicke der sinnlichen Sättigung das Weib vorstellt, das ihn wohl am meisten zu reizen vermöge, dann denkt er nicht an ehrbare Frauen und Jungfrauen, sondern — so gesteht er uns ohne Erröten — an eine Priesterin der freien und käuflichen Liebe, an eine ausschweifende Prostituierte. Wir sehen hier, wie Martial in seinen Gefühlen, ebenso wie in seinen Worten, grobsinnlich und unfein wird, wie das ja auch bei der Verderbtheit der damaligen römischen Gesellschaft leicht erklärlich ist. Herz und Gewissen mussten gleicherweise in dieser Umgebung Schaden nehmen.

So weit war er sittlich herabgekommen, dass er nicht einmal mehr seine Gattin Clodia Marcella, eine Spanierin von Geburt, respektierte. Kurze Zeit bevor er mit ihr in ihr Heimatland zurückkehrte, sagte er ihr, sie genüge seinen Wünschen nicht, er sehne sich nach der Umarmung einer Prostituierten — und das einer Frau, die fünfunddreissig Jahre mit ihm Freude und Leid geteilt hatte!

Mastubabantur Phrygii post ostia servi,
Hectoreo quoties sederat uxor exquo.
Et, quamvis Ithaco stertente, pudica solebat
Illic Penelope semper habere manum.
Pædicare negas: dabat hoc Cornelia Graccho;
Julia Pompeio; Porcia, Brute, tibi!
Dulcia dardanio nondum miscente ministro
Pocula, Juno fuit pro Ganymede Jovi.

Martial entblödet sich nicht, diese Namen berühmter Männer und Frauen anzuführen, die in damaliger Zeit zur Beschönigung des Lasters dienen mussten; indessen weigerte sich seine Gemahlin standhaft, das schimpfliche Vorbild, das er ihr zeigte, nachzuahmen. Man darf wohl annehmen, dass der heilsame Einfluss seiner Gattin den Martial zur Rückkehr nach Spanien veranlasst hat; sie besass in Bilbilis einige Güter, die von ihren Angehörigen bewirtschaftet wurden. Sie trat diese Güter ihrem Gatten ab und entzog ihn dadurch thatsächlich dem Sumpfe der römischen Gesellschaft, in dem er fünfunddreissig Jahre gelebt hatte. Martial atmete wieder frei auf, als er nicht mehr in derselben Luft leben musste, wie alle diese Dirnen, Lustknaben, Zuhälter, Kuppler, Kupplerinnen und sonstigen Diener und Dienerinnen der Sinnenlust. Er verbrannte seine Epigramme, in denen er sozusagen das Leben der Halbwelt unter sieben Kaisern aufgezeichnet hatte, nicht, fügte ihnen aber eine Art von Sühneepigramm hinzu, in dem er darauf hinweist, dass sein bisheriges Leben schlecht gewesen sei, und dass man wahres Glück doch nur an der Seite einer geliebten Gattin, in dem einfachen, reinen Landleben geniessen könne. Der Dichter findet in diesem echt poetischen Stücke reizende Worte zum Preise seines stillen und friedlichen Glückes, Worte, die der Gegensatz zu seinen früheren nur noch anziehender macht; mit wahrhaft dichterischem Schwunge besingt er die Wälder, Fluren und Haine seiner Umgebung und fährt dann fort: „Marcella hat mir dies Landgut, dieses kleine Königreich geschenkt. Wenn Nausikaa mir die Gärten ihres Vaters verspräche, so würde ich zu Alkinous sagen: Die meinigen sind mir lieber!" Dieses einfache, edle Gedicht auf das sicherumfriedete Glück ländlichen Stilllebens lehrt uns erst den ganzen Martial kennen, der in seinen anderen Gedichten anscheinend mit innerem Behagen die Greuelscenen der römischen Prostitution uns geschildert hat.

An einzelnen Stellen tritt er scharf als Strafprediger gegen das liederliche Leben auf, das unabweislich zur Prostitution führt: „Du beklagst dich, Lupus, dass du keine Freude habest? Mit deiner Maitresse hast du freilich keine. Die Venuspriesterin mästet sich im Ueberfluss, während dein Freund sich von einer schwarzen Brotrinde nährt; setischer Wein, der den Schnee zum Schmelzen bringen würde durch sein Feuer, schäumt im Becher dieses Weibes, während wir, deine Freunde, uns mit dem trüben und vergifteten Gewächs von Corsikas Gefilden begnügen müssen. Du erkaufst dir eine Nacht oder nur ein paar Stunden der Nacht mit dem Erbgut deiner Väter, und dein Jugendfreund plagt sich einsam auf einem Acker, der ihm nicht einmal gehört. Deine Prostituierte sonnt sich im Glanz und Glast erythreischer Perlen, und während du dich an ihrer Liebe berauschst, führt man deine Hörigen in die Gefangenschaft. Du schenkst diesem Mädchen eine Sänfte mit acht syrischen Trägern, und dein Freund wird nackt auf die Strasse geworfen. Cybele, lass ab, elende Lustknaben ihrer Mannheit zu berauben: dieser Lupus hätte eher verdient, dass du dich ihm mit deinem geweihten Messer nahest!"

Was Martial über die männliche Prostitution sagt, das kann man nicht wohl wiedergeben; mit ihr scheint er sich vielmehr abgegeben zu haben als mit der weiblichen. Von der Verworfenheit römischer Sitten in dieser Beziehung kann man sich nur schwer eine Vorstellung machen. Man muss bei Martial selbst nachlesen, wie verbreitet diese schamlose Gewohnheit war, durch die in Liebesangelegenheit das weibliche Geschlecht fast entthront gewesen zu sein scheint. Durch die Aufzucht der Kastraten hatte man sich gewissermassen ein drittes Geschlecht geschaffen. Man muss Martial nachlesen, um überhaupt begreifen zu können, mit welchem Gleichmut die römische Gesellschaft einer derartigen weitgehenden Vermischung der beiden Geschlechter untereinander zuschaute. Die moralischen Vorstellungen der damaligen Zeit scheinen geradezu auf den Kopf gestellt gewesen zu sein; so scheint es wenigstens, wenn man die Verse Martials an Domitian nachliest, die nichts anderes sind, als ein begeistertes Loblied auf die Pæderastie. Bei den Griechen finden wir, wenn nicht in den Thaten, so doch in den Worten, immerhin noch ein wenig Zurückhaltung. Man scheute zwar auch nicht vor Handlungen zurück, die gleichermassen die Menschenwürde und die Naturgesetze zu verletzen geeignet erscheinen; aber man verhüllte doch diese sinnliche Erniedrigung durch den Schein von Zuneigung, Liebe und idealer Leidenschaft, den man darum zu verbreiten wusste. Bei den Römern finden wir dagegen nichts dergleichen mehr: sie hatten ihre Genüsse vergröbert und damit zugleich auch ihren Geschmack. Nackt und hüllenlos gab sich bei ihnen das Laster. Frech verletzten sie jeden Anstand und nahmen keine Rücksicht mehr, weder auf das Auge noch auf das Ohr. Die Gewohnheit des Lasters, in dem man beständig lebte, hatte anscheinend die letzten seelischen Schranken niedergeworfen. Wir wollen dieser Prostitution nicht auf ihren verschlungenen Wegen folgen: unseren Blicken würden sich Scenen enthüllen, vor denen wir zurückbeben müssten. Wir müssen daher auf die Lektüre Martials und der zeitgenössischen Satyriker verweisen, auf Juvenal und Petronius. Der erste hat nicht weniger gesagt als Martial, aber alles mit einer Kürze, die ihn mehrere Male dunkel macht; die Kommentatoren allein haben eine Reihe von Bemerkungen hinzugefügt und so Licht in die schwer verständlichen Stellen gebracht: man erkennt mit Schaudern aus den Werken dieses Dichters die Zustände unter der Herrschaft der Cæsaren. Ueber den zweiten, Petronius, sagt ein moderner Litterar-Historiker folgendes: Das Eigenartigste aber und Bedeutendste, was in diesem ersten Jahrhundert an römischer Halbpoesie entstand, erwuchs auf dem Felde der Erzählungslitteratur: der Sittenroman des Petronius Arbiter. Ueber die Person des Verfassers lässt sich sicheres eigentlich nicht sagen, als nur das eine, dass er zur Zeit des Nero gelebt hat, was wenigstens allgemein angenommen wird. Man setzt ihn gewöhnlich auch eins mit C. Petronius, von dem Tacitus in seinen Annalen erzählt, dass er zu den intimsten Günstlingen jenes Kaisers gehört habe. In der Schilderung des römischen Geschichtsschreibers macht dieser Petronius, mag man sich auch über seine sittliche Verworfenheit entrüsten, wie man will, den Eindruck eines ebenso originellen, wie genialen Kopfes. Unter den Lasterhaften ist er der Lasterhafteste, aber kein gewöhnlicher Schwelger, sondern ein geistreicher und hochgebildeter Feinschmecker des Lebensgenusses und auch ein tüchtiger Arbeiter, wenn er will, — eine prachtvolle, kräftige, ungeschminkte Natur, die nicht heucheln mag und offen bekennt, welch glühende, sinnliche Daseinslust ihr innewohnt. Sie spielt mit dem Tode und lacht ihm ins Angesicht. Unter dem Anhören von schlüpfrigen Gedichten, zechend und schmausend, starb Petronius, indem er sich, dem Kaiser gleich, wie Seneca verdächtigt, die Adern öffnen, wieder verbinden und von neuem öffnen liess. Die üppige Sinnlichkeit des Zeitalters tritt uns hier wenigstens grossartig entgegen, und man fühlt, es steckt Philosophie und einheitliche Weltanschauung in ihr. Das skrupellose Geniessen und das Lachen hat sie zu einem Lebensprinzip ausgebildet, und alle Moral und Ethik in den Wurzeln zerbrochen.

Jedenfalls hätte dieser Petronius den in Bruchstücken uns überkommenen Sittenroman des Petronius Arbiter schreiben können. Als Kunstwerk sticht dessen Schöpfung wohlthuend von den Romanen des Heliodor und Achilles Tatius ab und steht zu ihnen in einem ähnlichen Verhältnisse, wie später die spanischen Schelmenromane zu den Erzählungen vom Schlage des Amadis — Nachahmungen. Wir stehen hier an der Quelle des realistischen und komischen Romans, der gegenüber den sogenannten idealistischen Phantastereien jener Erzählungen eine Einkehr bei der Natur und bei der Wahrheit bedeutet. Während dort Menschen, Verhältnisse, Zustände und Sitten ohne Bezug auf die Wirklichkeit geschildert werden, alles in Schatten und Schemen sich auflöst, und wir in einer Marionettentheaterwelt uns bewegen, jedes charakteristische Element ausgeschieden ist, geht Petronius mit der Energie der besten Alexandriner auf die nackte und ungeschminkte Wiedergabe des Wirklichen aus, auf eine Schilderung der Zeit, wie sie ist. Vollsaftiges Leben strömt uns entgegen und eine vortreffliche naturalistische Charakteristik, welche auch die Sprechweise der auftretenden Person zu individualisieren sucht und wie unser moderner Naturalismus in treuer Copie der Vulgärsprache sich gefällt. Statt der Könige und Kaiser, statt der idealen Liebeshelden und treuen Liebesheldinnen erscheinen bei Petronius Gauner und Schelmen, Schmarotzer und Schwelger; diese huldigen dem Bauch und dem Priapus mit eben derselben Entschiedenheit, mit der jene von Luft und Mondschein und Liebesseufzern leben, und ihr derber Cynismus, ihre um alle Moral unbekümmerte Natürlichkeit steht im geraden Gegensatz zu der süsslichen Lüsternheit und den gezierten Empfindungen jener. Wenn dort gravitätischer Ernst und geschraubter Pathos zu Hause sind, so hier der Witz und die ausgelassenste Komik eine grosse künstlerische Natürlichkeit. Freilich wer ein Kunstwerk nur vom Standpunkt des Moralisten aus zu beurteilen gewohnt ist, wird sich allerdings entsetzt abwenden von der „Schamlosigkeit", mit der sich Petron an der Erzählung der gewagtesten und gemeinsten Scenen ergötzt. Aber eine echte Kunst kann auch in der verrufensten Spelunke daheim sein. Der Held des Romans, ein junger hübscher Grieche von tüchtiger Bildung, Eucolpius mit Namen, so eine Art fahrender Schüler, treibt sich mit einigen anderen Gesellen im Süden Italiens umher, suchend, wo es sich auf andere Kosten gut leben lässt. Bordell- und Liebesabenteuer, die sich hier nicht wiedergeben lassen, führen den Leser bald in die Welt des zerworfenen Sexualismus hinein. Es folgt dann das mit der köstlichsten Komik geschilderte „Gastmahl des Trimalchio," eines ebenso reichen. wie dummen und plumpen, ungebildeten Emporkömmlings, eines Protzen, wie sie damals in zahlreichen Exemplaren umherliefen. Die sinnlose Verschwendungssucht und Fressbegier der Zeit wird vortrefflich verspottet, Zum Schluss geht alles drunter und drüber, und Eucolpius und seine Gesellen machen sich bei der allgemeinen Verwirrung davon. Bald darauf schliesst der Held die Bekanntschaft des „berühmten" Dichters Eumolpius, der über die Ungunst der Zeit jammert, welche das Genie nicht mehr anerkennen will, und seine Lebensgeschichte erzählt, die natürlich auch um allerhand Liebeshändel sich dreht. Schliesslich verlassen unsre Abenteurer die Stadt und begeben sich auf ein Schiff, wo sie mit einem Ehepaar zusammentreffen, das mit ihnen von früher her noch manches Hühnchen zu pflücken hat. Sie suchen sich äusserlich zu entstellen, was aber nicht hilft. Immerhin läuft alles noch gut ab und Eumolpus erzählt der Gesellschaft die bekannte pikante Geschichte von der „Witwe von Ephesus." Ein Sturm bricht aus und lässt das Schiff scheitern. Dabei ertrinkt Lycas, der Ehegatte, während die übrige Gesellschaft gerettet wird. Man befindet sich auf Croton und beschliesst neue Spitzbübereien, um zu Geld zu kommen, während man zugleich in neue Liebesabenteuer sich stürzt. Denn auf Eucolpius sind die Frauen ebenso versessen wie auf den Eumolpius die Männer. Letzterer hat sich für einen reichen Mann ausgegeben, der aus Afrika ein mit Gütern beladenes Schiff erwartet. Als dieses aber durchaus nicht ankommen will und das Misstrauen gegen die Gauner wach wird, liest Eumolpius sein Testament vor, in dem er jeden der Bewohner mit einem Legat bedacht hat, jeden, der bereit ist, seinen Leichnam in Stücke zu schneiden und von ihm zu essen . . .

Hier hören die Bruchstücke des Romanes auf, der in der Geschichte der Weltlitteratur eine grosse Rolle gespielt und zahlreiche Nachahmungen gefunden hat. Es steckt in ihm derselbe Geist, der u. a. auch in unserem „Simplicissimus" und im Gil-Blas des Lesage lebt.

Petronius war einer der raffiniertesten und masslosesten Lüstlinge. Tacitus nennt ihn einen „Sachverständigen in Fragen des guten Geschmackes", und daher ist ihm der Beiname „Arbiter" geblieben. Arbiter bedeutet seinem Wortsinne nach auch Richter: aber in diesem mehr moralischen Sinne des Wortes wurde die Bezeichnung nicht vom neronischen Hofe angewendet. Petronius machte gar keinen Anspruch darauf, ein unbestechlicher Sittenrichter, wie Juvenal, zu sein: er schilderte die Sittenlosigkeit seiner Zeit nicht, um die moralische Entrüstung seiner

Leser zu erwecken und ihre Sitten zu bessern, zeigt auch nirgends Entrüstung über die abscheulichen Scenen, die er uns vorführt; im Gegenteil, mit einem cynischen Behagen scheint er dabei zu verweilen und immer zu bedauern, dass er nicht noch mehr davon zu erzählen habe. Sein Buch ist ein grauenhaftes Zeugnis römischer Sittenlosigkeit, und wenn wir bedenken, dass uns kaum der zehnte Teil überliefert worden ist, so können wir uns schon vorstellen, dass das Stärkste uns erspart geblieben ist. Zudem ist des Petronius Werk durch die christliche Censur verstümmelt worden, die es indessen nicht ganz zu zerstören vermochte. Indessen ist uns doch genug von dem Schelmenroman erhalten geblieben, um einmal den Dichter, der ihn verfasst hat, sodann die Leute, deren Lieblingslektüre es war, und endlich die darin geschilderte Gesellschaft in ihrer ganzen grauenhaften, sittlichen Korruption danach beurteilen zu können. Einzelne Stellen des Satyricon scheinen geradezu an verrufenen Orten verfasst worden zu sein, wie wir denn überhaupt aus der Kraft und Anschaulichkeit der Schilderungen schliessen dürfen, dass der Dichter vielfach eigenes Erlebnis in diese Geschichte verwoben hat. Auf die Orgie des Quartilla folgt die des Trimalchio, dieser die der Circe: so reiht sich Orgie an Orgie, Ausschweifung an Ausschweifung, und die Personen bewegen sich beständig in der Luft grauenhaftester, sinnlicher Aufregungen. Alcytes und Giton, die Petronius uns mit der ganzen Kraft und Kunst seines Griffels gezeichnet hat, sind typisch für diese Verlotterung und Perversität. Die Vermählung der siebenjährigen Pannychis mit Giton ist wahrscheinlich breit ausgemalt gewesen; die Schilderung dieser widerwärtigen Scene scheint aber der Hand irgend eines Kirchenvaters zum Opfer gefallen zu sein, der darüber schlaflose Nächte verbracht hat. Nicht immer war man ja fähig, die Nachtseite des menschlichen Lebens zu betrachten, ohne einen lüsternen Nebenzweck dabei zu verfolgen. Zum Glück ist das jetzt anders als zu den Zeiten der sogenannten Kirchenväter: heute können wir unser reines wissenschaftliches Interesse solchen Dingen getrost zuwenden, da wir gelernt haben, Menschliches menschlich zu betrachten. Eine andere Methode, solche Dinge anzusehen, als mit sittlicher Entrüstung, die oft mit heimlicher Geilheit eng verbunden war, scheint thatsächlich früher unmöglich gewesen zu sein und erst im Zeitalter der Naturwissenschaften einer verständigeren, würdigeren Betrachtungsweise Platz gemacht zu haben.

Eine merkwürdige Scene in dem Werke des Petronius ist vor allem die, die sich im Heiligtum des Priaps abspielt. Der Held des Ortes hatte die Unverschämtheit, die heiligen Hühner zu töten und hat sich dadurch in die Gewalt der Priesterin Aenothea und ihrer Gefährtin Proselenos gegeben. Freilich lässt sich das nur lateinisch wiedergeben: „Profert Aenothea scorteum fascinum, quod ut oleo et minuto pipere, atque urticæ trito circumdedit semine, paulatim cepit inserere ano meo. Hoc crudelissima anus spargit subinde humore femina mea. Masturisi succum cum abrotono miscet, perfusisque inguinibus meis, viridis urticæ fascem comprehendit, omniaque infra umbilicum cœpit lenta manu.“ Man begreift kaum, dass die Mönche der ersten Jahrhunderte, die einen so blöden Kampf gegen alle profanen Werke des Altertums führten, diese Stelle im Petronius haben stehen lassen; es ist übrigens die einzige in allen antiken Schriftstellern, worin die Geisselung in Zusammenhang mit erotischen Dingen gebracht wird.

Auch die Stelle, an der geschildert wird, wie die verkommene alte Dirne Philumene ihre beiden Kinder dem Eumolpius ins Haus bringt, gehört zu dem Grauenhaftesten, was in der Litteratur aus der römischen Geschichte erhalten geblieben ist. „Itaque ut constaret mendacio fides, puellam quidem exoravit, ut sederet supra commendatam bonitatem. Coraci autem imperavit, ut lectum, in quo ipse jacebat, subiret, positisque in pavimento manibus, dominum lumbis suis commoveret. Ille lento parebat imperio, puellaeque artificium pari motu remunerabat.“ Das ist so umgefähr das Schlussgemälde aus diesem Roman. Einige gereimte Stellen sind uns auch noch erhalten geblieben; sie scheinen in den Prosatext eingestreut gewesen zu sein und sind offenbar Loblieder auf Courtisanen, weniger in der Art der Martialschen Epigramme. Petronius scheint eben ein Mann von viel Herzensgüte und sehr nachgiebig gewesen zu sein; er war weit entfernt, sein Herz an den Orten, an denen die Geschöpfe seiner Phantasie weilten, zu vergiften. Sertoria allein behandelt er einmal schlecht, und zwar in der guten Absicht, sie vor der Uebernahme einer Last zu bewahren, zu der sie nicht verpflichtet war. Ferner schildert er uns in manchmal sehr zarten Ausdrücken seine Beziehungen zu Martia, die ihm einen Korb wohlriechender Orangen schenkt und der er in einem Briefchen zärtliche Küsse dafür verspricht; weiter erzählt er uns von einer Delia und von der leidenschaftlichen Arethusa. „Ne pudeat quidquam, sed me quoque nequior ipsa,“ ruft er dieser einmal zu, die heimlich und mit diskreten Schritten zum Liebhaber ins Schlafgemach schleicht. Bassilissa will ihm nicht angehören, es sei denn, er zahlte sie zuvor (et nisi præmonui, te dare posse negas). Petronius rühmt von ihr einmal das süsse Glück unverhofften Zusammentreffens. Wahrscheinlich um sich für die berechnete und berechnende Zurückhaltung der Bassilissa zu rächen, wirft er ihr ein andermal vor, zuviel Rot auf ihre Lippen zu legen und zuviel Pomade zu ihrer Frisur zu verwenden; ziemlich grob sagt er ihr: „Wenn man sich fortwährend beschmiert mit allen möglichen Dingen, so traut man der Liebe nicht (fingere te semper non est confidere amori).“ Ein reicher, lebenslustiger, wohlgebauter und schöner Mann gab sich Petronius zügellos seinen Lüsten hin und wechselte seine Maitressen oft. Vielleicht wäre er an seinen Ausschweifungen zu Grunde gegangen, wenn ihn nicht des Neros Ungnade zum Selbst mord getrieben hätte: er öffnete sich, wie wir schon sagten, die Adern Er hätte sich vermutlich einen anderen Tod gewünscht, denn seine Lebens philosophie fasste er in einen Spruch zusammen, nach dem er auch ver fuhr: „Bäder, Wein und Liebe zerstören zwar die Gesundheit des Leibes aber was das Leben lebenswert macht, sind Bäder, Wein und Liebe."

Balnea, vina, Venus, corrumpunt corpora sana;
Et vitam faciunt balnea, vina, Venus.

Kapitel XXVIII.

Die römischen Kaiser. — Schlimmer Einfluss ihrer verderbten Sitten. — Die Strenge der auf die öffentliche Sittlichkeit bezüglichen Gesetze vor der Kaiserzeit. — Der Aedil Quintus Fabius Gurges. — Die Aedilen Vilius Rapullus und M. Fundanius. — Der Consul Postumius. — Der Ritter Ebutius und seine Maitresse, die Courtisane Hispala Fecenia. — Julius Caesar. — Ausschweifungen dieses Mannes. — Vornehme Frauen, die er verführte. — Seine Geliebten Eunoe und Cleopatra. — Schimpflichkeit seiner ehebrecherischen Neigungen. — Caesar und Nikomedes, der König von Bithynien. — Ein Spottlied der römischen Soldaten gegen Caesar. — Kaiser Octavius. — Seine Schamlosigkeit. — Absonderliche Episode. — Die tyrannische Liebe des Kaisers. — Seine Abscheu vor dem Ehebruch. — Sein Incest mit seiner Tochter Julia. — Seine Vorliebe für unberührte Mädchen. — Spielwut. — Seine Gemahlinnen Claudia, Scribonia und Livia Drusilla. — Das Fest der zwölf Gottheiten. — Apollo Tortor. — Kaiser Tiberius. — Seine Neigung zur Trunksucht. — Seine strengen Gesetze gegen den Ehebruch. — Wunderliche Widersprüche zwischen dem öffentlichen und privaten

Leben des Kaisers. — Tiberius Caprineus. — Sein furchtbares Treiben in seinem Lustschloss auf der Insel Capri. — Das Gemälde des Parrhasius. — Sein Aeusseres. — Kaiser Caligula. — Seine Zuneigung zu Marcus Lepidus und dem Schauspieler Mnester. — Liebe zur Courtisane Pyrallis. — Wie er gegen vornehme Frauen verfuhr. — Die Prostituiertensteuer. — Eröffnung eines Lupanars im kaiserlichen Schloss. — Der Oberaufseher der Vergnügungen. — Kaiser Claudius. — Die Ausschweifungen seiner Gemahlinnen Urgulanilla und Messalina. — Kaiser Nero. — Seine Jugend. — Seine öffentlichen Mahlzeiten auf dem Marsfelde und im grossen Circus. — Die gastlichen Häuser am Strande von Baïae. — Seine Hochzeit mit Sporus. — Seine verbrecherische Neigung zu seiner Mutter Agrippina. — Die Verwandlungen der Götter. — Akte, Neros Beischläferin. — Kaiser Galba. — Seine schimpflichen Gewohnheiten. — Kaiser Otho. — Seine verderbten Sitten. — Kaiser Vitellius. — Seine Sittenlosigkeit. — Seine Liebe zum Freigelassenen Asiaticus. — Seine unstillbare Gefrässigkeit. — Kaiser Vespasian. — Seine Zurückhaltung. — Seine Maitresse Cenis. — Kaiser Titus. — Seine zuchtlose Jugend. — Seine musterhafte Regierung. — Domitia und der Schauspieler Paris. — Kaiser Domitian. — Seine Ausschweifungen. — Schreckliche Strafen gegen die Verfehlungen der Vestalinnen. — Nerva, Trajan und Hadrian. — Antoninus Pius und Marcus Aurelius.

Zur römischen Kaiserzeit bewirkten der schlechte Einfluss verderbter fürstlicher Sitten, das Beispiel des Hofes einen erschrecklichen Fortschritt der römischen Gesellschaft in der Korruption, die zu einer vollkommenen Desorganisation führte und dem Triumphe der christlichen Moral die Wege ebnete. Dieser reinen und heiligen Lehre waren in der Philosophie des Heidentums bereits einige Vorläufer erstanden; aber deren Einfluss war ohne Kraft und Bedeutung, weil ihre Lehre nicht durch religiöse Autorität gestützt wurde, weil sie nicht mit dem Glauben selbst zusammenhing, und weil sie überhaupt ganz ausser Zusammenhang mit dem religiösen Leben blieben. Die heidnische Religion schien in einem dauernden Gegensatz zu den philosophischen Lehren zu stehen, die auf das Glück der Menschen abzielten, indem sie lehrten, der Mensch solle sich durch Achtung vor sich selbst und der Achtung vor dem Verdienst der anderen leiten lassen. Diese ganze materielle, sinnliche Religion konnte den feinen Geistern und edlen Herzen nicht genügen, sodass die christliche Lehre bei ihnen bereits einen gebahnten Weg vorfand; aber es bedurfte doch noch jahrhundertelanger geistiger Arbeit, um die Seelen mit dem neuen Glauben und der neuen Moral zu durchtränken. Die verfeinerte Civilisation, die keinen religiösen Zügel kannte und sich durch renichts andes als zügellose Sinnenlust und brutalsten Egoismus leiten liess, führte zu ausschweifendem Luxus und allen nur erdenklichen Lastern. Der Egoismus feierte niemals solche Orgien als zur Zeit der Cæsaren, die sozusagen seine Personifikation waren.

„Omme in præcipiti vitum stetit, das Laster ist jetzt auf seinem Gipfel angelangt,“ so ruft Juvenal, erschreckt von soviel Abscheulichem in seinen Satyren aus. An zwanzig Stellen seiner Sammlung verflucht der strenge Stoiker die Sittenlosigkeit seiner Zeit und beklagt den Verfall der reinen römischen Sitten aus der Zeit der Republik. „Ach, ihr Unglücklichen,“ so ruft er aus, „auf welche Stufe des Verfalls sind wir herabgekommen . . . Es ist wahr, wir haben unsere Waffen bis an die Grenzen Spaniens getragen, wir haben erst kürzlich die Orkaden und Britaenien unterworfen, wo die Nächte so kurz sind; aber das, was das siegreiche Volk in der ewigen Stadt treibt, das treiben die besiegten Völker nicht.“ Thatsächlich ist die römische Geschichte vor dem Verfall unter dem Kaiserreiche voll von Zügen, die, wenn nicht die Reinheit der Sitten, doch wenigstens die Strenge der Sittengesetzgebungen uns beweisen. Im Jahre 457 nach der Gründung der Stadt begann Quintus Fabius Gurges, der Sohn des Konsuls, sein Amt als Aedil mit einer Klage gegen gewisse Matronen, die sich Ausschweifungen hingaben. Er liess sie von dem Tribunal des Volkes zu einer ungeheuren Geldstrafe verurteilen, matronas stupri damnatas, deren Ertrag man zur Erbauung eines Venustempels beim grossen Cirkus verwandte. Im Jahre 539 erhoben die Popularædilen, Vilius Rappulus und Marcus Fundanius, eine ähnliche Anklage gegen Matronen, die sich in gleicher Weise vergangen hatten und dafür in die Verbannung geschickt wurden. Im Jahre 568 erfuhr der Consul Postumius von den abscheulichen Schamlosigkeiten, die bei der Feier der Bacchanalien begangen wurden, und ergriff energische Massregeln, um das Uebel mit der Wurzel auszurotten. Er wollte die schamlose Sekte, die unter dem nichtigen Vorwand, den Bacchanaldienst zu pflegen, grauenhafte Unzucht trieb, mit Stumpf und Stiel ausrotten. Ein junger römischer Ritter, namens Ebutius, war zu ihm mit der Klage gekommen, man habe seine Geliebte zur Teilnahme an den Bacchanalien verführt. Diese Geliebte war nichts anderes als eine Courtisane namens Hispala Fecenia; in ihrer Jugend Sklavin hatte sie nach ihrer Freilassung ihr Gewerbe fortgesetzt, nicht ohne sich geistig über dessen Niveau zu erheben. Mit Ebutius unterhielt sie ein Verhältnis, das dem Rufe des jungen Mannes nicht schadete, obschon er auf Kosten dieser Freigelassenen lebte (meretriculae munificentia continebatur). Hispala wohnte auf dem Aventin, wo sie allgemein bekannt war. Der Consul bat seine Schwiegermutter Sulpicia, diese Courtisane kommen zu lassen, die nicht wenig überrascht war, von einer hochangesehenen Dame eingeladen zu werden. In Gegenwart seiner Schwiegermutter forschte Postumius die

Person aus und erfuhr von ihr, welchen abscheulichen Ausschweifungen man sich bei den nächtlichen Bacchusfesten hingab. Am folgenden Morgen erbat er sich vom Senat die Genehmigung zur Ausrottung der schlimmen Sekte, die bereits siebentausend Mitglieder in Rom und Umgebung zählte. Der Senat teilte die Entrüstung des Postumius, und sprach ungewöhnlich harte Strafen gegen die schamlosen Veranstalter der Bacchusfeste aus. Ebutius und seine Geliebte wurden reich geehrt: ein Senatsbeschluss erklärte, die schöne Hispala könne trotz ihrer Abstammung und ihres Gewerbes einen freigeborenen Mann heiraten, ohne dass diese Ehe das Vermögen und den Ruf ihres Mannes schädigen sollte. Sie heiratete den Ebutius und stieg somit zur Würde einer ehrbaren Frau auf unter dem Protectorat von Consuln und Prätoren, die sie gegen alle Beleidigungen schützen mussten. Nachdem die Bacchanalien einmal durch Senatsbeschluss verurteilt und unter Strafe gestellt waren, tauchten sie in Rom erst wieder in der Kaiserzeit auf.

Die öffentliche Sittlichkeit geriet im römischen Reiche mit dem Tage ins Schwanken, an dem das Staatsoberhaupt sich selbst über ihre Regeln hinwegsetzte, und sich denselben Ausschweifungen ergab, die zu unterdrücken seines Amtes gewesen wäre. Julius Cæsar, dieser grosse Mann, dessen Genie durch die Waffen, die Politik und die Gesetzgebung soviel zum Glanze des römischen Namens beitrug, Julius Cæsar gab den Römern auch das verderbliche Beispiel seiner Ausschweifungen. Man könnte meinen, er hätte dadurch beweisen wollen, dass von seinem Vorfahren Aeneas her ein Tropfen Blut der Venus in seinen Adern rann. Alle Geschichtsschreiber, Sueton, Plutarch, Dio Cassius, stimmen darin überein, dass er eine ausserordentlich sinnlich veranlagte Natur war und sich seinen Neigungen rücksichtslos hingab. Er verführte eine grosse Zahl vornehmer Frauen; so die Postumia, die Gemahlin des Servius Sulpicius, die Lallia, die Gemahlin des Aulus Gabinius, Tertulla, des Marcus Crassus' Gemahlin und Marcia, die Frau des Cneius Pompeius; aber in Wirklichkeit liebte er nur Servilia, die Mutter des Brutus. Während seines ersten Consulats schenkte er ihr eine Perle, die mehr als eine Million Mark gekostet hatte; und in der Zeit des Bürgerkrieges gab er ihr nicht nur reiche Geschenke, sondern liess ihr auch zu geringem Preis die schönsten Staatsländereien überschreiben, die sie dann mit grossem Vorteil wieder verkaufte. Als man sich über diesen Handel aufhielt, prägte Cicero einen boshaften Witz, in dem der Name Tertia, einer Tochter der Servilia, zu dem Wortspiel gebraucht wurde, Servilia habe sogar noch ein Drittel des Kaufpreises Rabatt bekommen. Das bezog sich auf das Gerücht, das schamlose Weib habe ihre eigene Tochter dem Cæsar, ihrem Liebhaber, verkauft. Auch in den Provinzen, die Cæsar mit seinen Heeren durchzog, scheute er nicht davor zurück, den Frieden der Ehen zu stören; bei seinem Triumphe, nach der Eroberung Galliens sangen seine Soldaten ein Lied, dessen Refrain folgendermassen lautete:

Urbani, servate uxores, mœchum calvum adducimus!
Aurum in Gallia effutuisti; at hic sumsisti mutuum.

„Bürger, wahret Eure Gattinnen, denn wir kommen herbei mit dem hohlköpfigen Lebemann! Cæsar, Du hast bei Deinen Liebesgeschichten in Gallien alles Gold verschwendet, das Du in Rom zusammengerafft hattest!" Julius Cæsar war auch der Liebhaber mehrerer ausländischer Königinnen, unter anderen der Eunoë, der Gemahlin des mauritanischen Königs. Mit besonderer Leidenschaft liebte er die wollüstige ägyptische Königin Cleopatra, die ihm einen Sohn schenkte, den er gern zu seinem Erben eingesetzt hätte. In seinen höheren Lebensjahren war seine Liebesleidenschaft so sehr gewachsen, anstatt abzunehmen, dass er den Wunsch hegte, über alle Frauen des römischen Reiches nach Gutdünken verfügen zu können. Er hatte einen wunderlichen Gesetzvorschlag ausgearbeitet, den er allerdings doch nicht der Sanction des Senats zu unterbreiten wagte: nach diesem Gesetze stand ihm das Recht zu, so viele Frauen zu nehmen, wie er wollte, um so viele Kinder zu zeugen, wie er konnte. Der böse Ruf seines sittenlosen und ehebrecherischen Treibens war so allgemein verbreitet, dass, wie uns Sueton überliefert, Curio der Vater, ihn in einer seiner Reden als den Gatten aller Frauen und die Frau aller Gatten bezeichnet hatte. Der letzte Teil dieses scharfen Satzes traf allerdings den Angegriffenen nicht, denn nach den Angaben der Geschichte hat sich Cæsar nur einmal in seinem Leben mit widernatürlicher Unzucht abgegeben; allerdings hatte diese Verfehlung solches Aufsehen gemacht, dass sie ihm sein ganzes Leben hindurch anhing. Es handelte sich um ein angebliches Liebesabenteuer mit dem bithynischen Könige Nikomedes, dem sich Cæsar als junger Bursche bei einem Gelage hingegeben haben sollte (floremque ætatis a Venere orti in Bithynia contaminatum). So fest erhielt sich das Gerücht davon, dass Cæsar fortgesetzt zum Gegenstande undelikater Anspielungen gemacht wurde, ohne dass er freilich jemals gewagt hätte, dem Gerede energisch entgegenzutreten. Dolabella nannte ihn im offenen Senate den Prostituierten eines Königs, und der alte Curio blieb an Schärfe des Ausdrucks hinter diesen Worten nicht zurück, indem er von einem bithynischen Lupanar und einem bithynischen Prostituierten sprach. Auch Cicero machte gelegentlich Anspielungen, und ein gewisser Octavius, der sich vieles herausnehmen durfte, weil er für nicht ganz zurechnungsfähig galt, begrüsste Cæsar sogar mit dem Titel Königin und Pompeius mit dem Titel König. C. Memmius erzählte jedem, der es hören wollte, die Geschichte von Cæsar und dem Könige Nikomedes. Sogar die Soldaten sangen kecke Spottlieder, so bei seinem Triumphe über die Gallier: „Cæsar hat Gallien besiegt, Nikomedes den Cæsar;

Cæsar triumphiert heute über die unterworfenen Gallier, aber Nikomedes triumphiert nicht, er, der Cæsar unterworfen hat."

In der Sittenlosigkeit stand Octavianus dem Caesar nicht nach. „Sein Ruf war schon von früher an mit einem Makel behaftet," sagt Suetonius von ihm; Sextus Pomponius behauptete, er habe widernatürlichen Lastern gehuldigt; Marcus Antonius redete ihm nach, er habe um den Preis seiner Ehre die Adoption durch seinen Onkel erlangt; Lucius, der Bruder des Marcus Antonius, erklärte, nicht nur dem Caesar, sondern auch dem Hirtius habe Octavian um 300000 Sesterzen angehört; derselbe Mann behauptet auch, Octavianus brenne sich die Haut seines Körpers mit glühenden Nussschalen, um sie weicher zu machen. Auch im Volke gingen allerhand Geschichten um, und das Theaterpublikum beklatschte eines Tages bei offener Scene den Vers: „Viden ut cinœdus orbem digito temperat," in dem es eine Anspielung auf den mächtigen Mann vermutete. Aber später widerlegte Octavianus diese, vermutlich verleumderischen Anschuldigungen durch die Reinheit seiner Sitten, denn als er zum Manne herangereift war, hielt er sich wenigstens von widernatürlichen Lastern frei. Freilich in anderer Hinsicht war er keineswegs keusch, oder auch nur zurückhaltend. Er scheint die Liebestollheit des Julius Caesar für alle Frauen geerbt zu haben. Zwar erliess er strenge Gesetze gegen den Ehebruch, aber er selbst richtete sich nicht darnach und respektierte die Ehre seiner Unterthanen keineswegs. Marcus Antonius behauptete, er sei Zeuge einer für die tyrannische Liebesleidenschaft des Kaisers höchst charakteristischen Episode gewesen. Bei einem festlichen Gelage hiess Augustus die Frau eines Consularen, deren Gatte an dem Gelage teilnahm, in ein Zimmer nebenan eintreten; und als sie nach einiger Zeit mit Augustus wieder erschien, da hatte die Dame ganz gerötete Wangen, und ihre Frisur war in Unordnung geraten. Einzig und allein ihr Gatte achtete nicht darauf. Ehe sich Marcus Antonius mit ihm verfeindete und sein Nebenbuhler wurde, schrieb er ihm einmal in einem vertraulichen Briefe: „Wer hat Dich denn verändert? Ist es die Idee, dass ich eine Königin besitze? Aber Cleopatra ist meine rechtmässige Frau, und das nicht von gestern, sondern bereits neun Jahre. Du begnügst Dich nicht mit Livia? Ja, Du bist nun einmal ein solcher Mensch, und ich glaube, wenn Du diesen Brief liesest, dann hast Du schon eine Tertulla, oder Terentilla, oder Ruffilla, oder Salvia Titiscenia, oder vielleicht alle Frauen Roms zu Geliebten gehabt. Dir ist es ja ganz gleich, an welchem Orte und durch welche Person Deine Sinne geweckt werden. (Anne refert ubi et in quam arrigas?)"

So gross nun auch die persönliche Sittenlosigkeit des Augustus war, so hegte er doch einen gewissen Abscheu gegen den Ehebruch, der ihm ein soziales Uebel zu sein schien, und den er vergeblich mit den strengsten Gesetzen verfolgte. Als er begann, die Gesetzgebung auf diesen Punkt hinzulenken, da wandte er die grösste Vorsicht an, um ein Verhältnis zu verbergen, dessen er sich zu schämen hatte, und das er nicht einmal seinem vertrautesten Freund eingestand. Wir haben schon erwähnt, dass der Dichter Ovid einen furchtbaren Ausbruch kaiserlicher Ungnade dem Umstande zu verdanken hatte, dass er zufälliger Weise Zeuge des blutschänderischen Umganges zwischen Augustus und seiner Tochter Julia wurde. Augustus hatte gewiss keinerlei Indiskretion von diesem treuen Diener zu fürchten, der sein Nebenbuhler war, oder wenigstens dafür galt; aber er wollte sich nicht der Gefahr aussetzen, jeden Tag einem Manne gegenüber treten zu müssen, vor dessen Blicken er sich entehrt hatte. In seiner Jugend war er von derartigen Skrupeln vollkommen frei, da, wie uns Suetonius berichtet, seine Freunde eifrig bemüht waren, ihm verheiratete Frauen und mannbare Mädchen zuzutreiben, deren Schönheit er hüllenlos zu prüfen pflegte. Diese unglückseligen Opfer kaiserlicher Lüste mussten, bevor sie in seinen Harem aufgenommen wurden, gewisse absonderliche Bedingungen erfüllen; so wenigstens hat ein Kommentator die Worte conditiones quæsitas, deren Sinn der Historiker dunkel gelassen hat, ausgelegt. Mit zunehmenden Jahren erkaltete die Liebesleidenschaft des Augustus nicht, aber er wählte die Opfer seiner Lüste nicht mehr unter den Familienmüttern aus, sondern hielt sich ausschliesslich an die Jungfrauen (ad vitiandas virgines promtior); man führte sie ihm von allen Seiten zu, und sogar seine Frau hatte dabei ihre Hand im Spiele. Das Alter setzte schliesslich auch diesen Ausschweifungen ein Ziel. Seine sinnlichen Ausschweifungen wurden abgelöst durch seine Spielleidenschaft, der er sich mit der gleichen Ausdauer hingab. Augustus huldigte in hohem Masse dem Würfelspiele.

Erst in der zweiten Hälfte seines Lebens hatte sich Augustus den sinnlichen Ausschweifungen hingegeben. Als er in der Vollkraft seiner jungen Jahre stand, hatte er mit seiner Frau Claudia, die kaum mannbar war, zusammen gelebt, ohne von seinen ehelichen Rechten Gebrauch zu machen, denn als er sich von ihr trennte, um Scribonia, die bereits zweimal Witwe war, zu heiraten, war sie auch im physischen Sinn des Wortes noch Jungfrau. Auch mit Scribonia, die ein ausserordentlich ausschweifendes Leben führte, überwarf er sich bald, um zum dritten Male mit Livia Drusilla sich zu verheiraten, die von Tiberius Nero, ihrem bisherigen Gatten, schwanger war; diese Frau liebte er aufrichtig, trotzdem er ihr fortwährend untreu wurde und diese Untreue nicht einmal vor ihren Blicken verbarg. Livia, die seiner Liebe sicher war, war nicht einmal eifersüchtig auf die flüchtigen Eroberungen des Kaisers. So zahlreich auch die Ausschweifungen waren, deren er sich in seinem späteren Mannesalter hingab, so hafteten doch in der Erinnerung des Volkes mehr die Ueberlieferungen an seine Jugendstreiche. Man erzählte sich besonders viel von einem geheimnisvollen Souper, das man gewöhnlich das Fest der zwölf Gottheiten nannte, weil die Teilnehmer, die in den Masken von Göttern und Göttinnen erschienen waren, die unkeuschen Scenen nachgeahmt hatten, mit denen die antike Poesie den Olymp auszuschmücken pflegte. Bei dieser Orgie hatte Octavianus den Apollo dargestellt, und ein anonymer Satyriker verewigte das Andenken an diesen gotteslästerlichen Frevel durch die damals oft zitierten Verse: „Als der Kaiser die Maske des Apollo zu tragen wagte, und bei einem Feste die Ehebrüche der Gottheiten darstellte, da flohen die beleidigten Götter aus der Welt, und Jupiter selbst verliess seinen goldenen Tempel." Dieses Souper, über dessen Einzelheiten man niemals etwas Genaueres erfahren hat, fiel zeitlich zusammen mit einer schweren Hungersnot, unter der Rom zu leiden hatte. Die Römer sagten deshalb mit einer Anspielung auf diese Orgien: „Die Götter haben alles Getreide aufgegessen!" Die Kühnsten unter ihnen murrten wohl und sagten: „Wenn der Kaiser in der That Apollo ist, so ist er der Henker-Apollo!" Der Gott wurde nämlich in einem Stadtviertel, in dem man die Marterinstrumente, unter anderm die Ruten zur öffentlichen Peitschung, verkaufte, unter dem Namen Apollo Tortor verehrt.

Den Sittenzustand des damaligen Roms kann man nur begreifen, wenn man die Gesamtheit des politischen, gesellschaftlichen und religiösen Lebens überschaut. Ein moderner Geschichtsschreiber des römischen Kaiserreiches sagt darüber folgendes: „Die alte Religion, deren ethische Kraft ohnehin immer beschränkter Natur gewesen war, konnte damals als mässigendes Element kaum noch in Betracht kommen, zumal der Rest wirklichen Glaubens an die Götterwelt des römischen und des griechischen Olymps und an die Institutionen derselben, wie die Orakel, gerade damals mehr als früher und später tief erschüttert war. Soweit nicht bei einem Teile der oberen Schichten, — wo nunmehr auch schon der epikureische Gedanke der Ethik der Stoa fühlbar das Terrain abgrub, — die Philosophie eintrat, soweit nicht bei den Massen orientalische Kulte einigen neuen Halt schufen: was konnte es nützen, wenn in einer Zeit, wo die gebildete Welt in dem bestehenden Kultus nur noch ein politisches Institut sah, die Massen aber wesentlich in der Pflege des Ritus und des Ceremoniells aufgingen, Augustus mit allem Eifer sich bemühte, die äussere Seite der römischen Religion zu pflegen, neue Tempel erbaute, alte und verfallene restaurierte, verfallene Gebräuche wieder herstellte, den Glanz und die Vollständigkeit der geistlichen Collegien überall wieder erneuerte? Was half es gegenüber den sittlichen, unaufhörlich weiter wuchernden Grundschäden, dass er eifrig bemüht war, oft durch die ihm befreundeten Schriftsteller und Dichter unterstützt, die Römer zur Pflege der altertümlichen Religiösität, Einfachheit und Ehrbarkeit der Sitten zu ermuntern. Immerhin soll nicht bestritten werden, dass die jedesmalige persönliche Haltung der verschiedenen Kaiser und die ihres Hauses und Hofes, sobald sie nur selbst würdig, schlicht, solid und ehrbar war, ihre Wirkung auf die jedesmaligen Zeitgenossen nicht gänzlich entbehrt hat, und natürlich umgekehrt.

Unter solchen Umständen konnte auch die Gesetzgebung, durch welche Augustus nach verschiedenen Seiten schlimmen sittlichen und zugleich für den Staat nachteiligen Zuständen in der römischen bürgerlichen Gesellschaft zu begegnen suchte, nur sehr unvollkommen wirken. Wohl hatte er richtig erkannt, dass der sittliche Verfall, der am kenntlichsten ihm bei den höheren Ständen entgegentrat, zunächst durch eine Veredelung und Verbesserung des Familienlebens aufgehalten werden konnte; aber es zeigte sich, dass gerade auf stadtrömischem Boden am wenigsten auszurichten war. Schon hier darf die Bemerkung Platz finden, dass die erstaunlich lange Dauer des Reiches zum grossen Teile dadurch möglich geworden ist, dass mehrere der neuen, erst unter und durch Augustus erworbenen Provinzen, namentlich auf der Nordgrenze in Europa, ein ethnisches Marterial darboten, aus welchem in wahrhaft staunenswerter Weise die Glieder eines sekundären, höchst leistungsfähigen Stammes von Romanen gebildet werden konnten. In Rom hat Augustus sich hauptsächlich dahin bemüht, dem masslosen Luxus und der persönlichen Herabwürdigung in den höheren Ständen zu begegnen, dem für die Erhaltung der Raçe gefährlichen Hange zur Ehelosigkeit, endlich der ethnischen Zersetzung des Römertums möglichst starken Widerstand entgegen zu stellen: Versuche, bei denen er fast überall auf zähe passive Abneigung gestossen ist. Hatte der Kaiser schon 22 v. Chr den Frauen und Söhnen der Senatoren verbieten müssen, auf der öffentlichen Schaubühne bei den Mimenspielen als Tänzer aufzutreten, so wurde im Jahre 18 v. Chr. der Anfang gemacht, durch einschränkende Gesetze den sittlichen Verfall aufzuhalten. Ein Luxusgesetz sollte namentlich den wüsten Aufwand bei den Festgelagen und der sinnlosen Schwelgerei wehren, nicht minder der Verschwendung bei der weiblichen Toilette; dann aber bedrohte ein Gesetz, de adulteriis, den epidemisch gewordenen Ehebruch und die Unzucht verschiedenster Art bei beiden Geschlechtern nicht nur mit erheblichen Vermögensnachteilen, sondern auch mit Verbannung der Verurteilten nach entfernten Inseln. Dagegen dauerte es bis zum Jahre 9 n. Chr., ehe der Kaiser durch die Lex Papia Poppäa einen, wie er hoffte, entscheidenden Schachzug gegen den unheilvollen Hang der Römer zur Ehelosigkeit führen konnte: ein Hang, der teils durch die Schrecknisse der Bürgerkriege, teils durch die egoistische, gegen das höhere Interresse des Vaterlandes gleichgültige Abneigung gegen die Pflichten und Lasten des häuslichen Lebens neuerdings immer mehr gewachsen, und natürlich die Quelle von allen möglichen Ausschweifungen geworden war. Wirklich nützlich und folgenreich, namentlich zur Beseitigung vieler illegitimer Verbingungen, war jetzt die Bestimmung des Gesetzes, welche (mit Ausnahme der Senatoren und ihrer Familien) zwischen Freigeborenen und Freigelassenen rechtsgültige römische Ehen mit deren juristischen Wirkungen möglich machte. Das eigentliche Ehegesetz aber, reich an Bestimmungen von ausserordentlicher Strenge, ja Härte, ging aus von der Verpflichtung der Römer zu heiraten, um dem Staate Kinder zu erzeugen. Der römische Hagestolz, der auch im öffentlichen Recht und in Bekleidung von Ehrenämtern erheblich zurückgesetzt wurde, sah sich durch dieses Gesetz von dem Antritt aller Erbschaften, ausser der von nahen Verwandten, ausgeschlossen, während der Verheiratete, aber Kinderlose nur die Hälfte der ihm vermachten Erbschaften oder Legate übernehmen durfte. Wer aber verheiratet war und Kinder hatte, sollte in Ehrenauszeichnungen und bei Aemterbewerbungen entschieden bevorzugt werden. Ausserdem gewährte der Besitz einer gewissen Anzahl von Kindern die Befreiung von manchen Lasten, unter anderem von der Verpflichtung Vormundschaften zu übernehmen oder als Geschworener zu fungieren. Dagegen sollte kein Freigeborener ein Weib heiraten, welches ein anstössiges Leben führte oder geführt hatte. Auch die bisher mit schrankenloser Willkür geübte Trennung der Ehe wurde auf bestimmte bindende Formen zurückgeführt, ohne deren Anwendung die Scheidung als ungültig, eine Wiederverheiratung als ehebrecherisch gelten sollte.

Die persönlichen Ausschweifungen des Augustus waren naiv und unschuldig im Vergleich mit jenen, die die Zerstreuungen des alten Tiberius bildeten. Nach der Ueberlieferung römischer Geschichtsschreiber, die freilich nicht immer unparteiisch urteilten, hatte dieser Kaiser eine Neigung zur Trunksucht und wurde dadurch zu den schimpflichsten Lastern verführt, obschon er sich gleichzeitig eine Verbesserung der römischen Sitten vorgenommen hatte. So verschärfte er noch die Gesetze, die sein Vorgänger gegen den Ehebruch erlassen hatte. Er liess auch den alten Gebrauch wieder aufleben, wonach eine Frau, die die eheliche Treue verletzt hatte, durch einstimmigen Beschluss der Familie bestraft werden konnte; Ehemänner, die dem lasterhaften Leben ihrer Frauen unthätig zuschauten, zwang er, sich öffentlich von ihnen scheiden zu lassen. Patricierinnen, die sich in die Listen der Prostituierten hatten einschreiben lassen, um gefahrlos ihren Lüsten leben zu können, verbannte er auf einsame Inseln; ebenso wies er junge Lebemänner von leichten Sitten, die sich gern von einem Gerichte zum Verluste der bürgerlichen Ehrenrechte hatten verurteilen lassen, um das Recht zu haben, auf dem Theater oder in der Arena aufzutreten, aus Rom aus. Er selbst jedoch hielt sich keineswegs an die strengen Rechtsvorschriften, die er erlassen hatte, schien vielmehr absichtlich solche Ausschweifungen zu begehen, die vor ihm noch niemals jemand auch nur zu denken gewagt hatte. Seine gesetzgeberischen Handlungen und sein Privatleben bildeten fortwährend die grössten Gegensätze. Eines Tages schalt er im Senat den Sestius Gallus, einen verschwenderischen und ausschweifenden Greis, der durch Augustus geschändet worden war, heftig aus; aber wenige Augenblicke darauf lud er sich selbst bei dem alten Lüstlinge zum Abendbrot ein, unter der Bedingung, dass an den Gewohnheiten des Hauses nichts geändert, und dass das Mahl wie gewöhnlich durch junge, nackte Mädchen serviert werde (nudis puellis ministrantibus) Während er öffentlich an der Verbesserung der Sittlichkeit arbeitete, verbrachte er ein anderes Mal zwei Tage und eine Nacht mit Pomponius Flaccus und Lucius Piso bei einem Gelage und entschädigte sie für ihre Kameradschaftlichkeit dadurch, dass er den einen zum Gouverneur von Syrien, den andern zum Präfekten von Rom machte, indem er sie gleichzeitig in den Ernennungsbriefen seine zärtlichsten Freunde zu jeder Stunde nannte. Jeden, der sich nicht sofort seinen schmutzigen Wünschen gefügig zeigte, sei es Mann oder Weib, liess er mit dem Tode bestrafen. Um sich für eine Zurückweisung dieser Art zu rächen, liess er durch seine Delatoren die schöne Mallonia anklagen, die den Tod der Schande vorzog. Während der Prozessverhandlungen noch beschwor er sie, Abbitte zu leisten, sie aber durchbohrte sich mit einem Schwerte, nachdem sie ihn mit dem ganzen Stolze der Jungfrau als einen alten stinkenden Greis behandelt hatte. Als bei dem nächsten öffentlichen Schauspiel eine Stelle vorkam, die einen ähnlichen Vorfall behandelte (hircum vetulum capreis naturam ligurire) applaudierte das ganze Volk lebhaft. In Rom hatte man dem Kaiser den Beinamen Caprineus gegeben: einmal bezeichnete das einen Mann, der lüstern war wie ein Bock, und dann konnte es auch einen Menschen bedeuten, der gern auf Capri weilte, wo bekanntlich das Lustschloss des Kaisers stand.

Suetonius entwirft folgendes schreckliches Gemälde von den Lüsten dieses Mannes: „Er erfand ein grosses Zimmer, das er zum Schauplatz seiner geheimsten Ausschweifungen machte. Ein Schar von jungen Mädchen und jungen Burschen bildeten eine dreifache Kette und mussten abwechselnd an ihm vorbeimarschieren, um so seine erloschenen Sinne wieder zu beleben. Er hatte auch noch mehrere andere Zimmer zu gleichem Gebrauch eingerichtet; die Wände waren dort mit Gemälden und Sculpturen geschmückt, die immer den gleichen lüsternen Gegenstand behandelten. In den Wäldern und Gehölzen erblickte er lediglich Stätten, die dem Venusdienste geweiht waren, und verlangte, dass die Grotten und Felsklüfte immer belebt waren von verliebten Paaren, die als Nymphen und Satyren verkleidet waren. Seine Ausschweifungen trieb er so weit, dass man sie fast nicht glauben, nicht einmal andeuten kann; eine besondere Vorliebe hatte er in späteren Jahren für ganz kleine Kinder, die er seine Fischchen nannte (ut natanti sibi inter feminas versarentur ac luderent, lingua morsuque sensim appetentes, atque etiam, quali infantes firmiores, necdum tamen lacte depulsos, inguini ceu papillae admoveret). Als ihm jemand ein Gemälde von Parrhasius testamentarisch hinterlassen hatte, auf dem der Verkehr Atalantas mit Meleager dargestellt war, mit dem Bemerken, dass er an Stelle dieses Gemäldes, wenn es ihm nicht gefalle, auch eine Million Sesterzen wählen könne, zog er das Gemälde vor, und liess es wie einen heiligen Gegenstand in seinem Schlafzimmer aufhängen. Eines Tages bemerkte er während eines Opferdienstes einen schönen jungen Menschen, der seine Sinne reizte; kaum erwartete er das Ende der heiligen Handlung, um seinen Wünschen die Zügel schiessen zu lassen, denen er dann noch den Bruder des Unglücklichen, einen Flötenspieler, opferte. Als die beiden sich nachher gegenseitig Vorwürfe wegen ihres schimpflichen Verhaltens machten, liess er sie sofort enthaupten. Die Schilderung seiner Persönlichkeit mag das Gemälde von der Sittenlosigkeit des Tiberius beschliessen: „Er war stark und robust, grösser als das Mittelmass, von breiter Brust und breiten Schultern, schön gebaut und gut proportioniert Mit der linken Hand war er geschickter und stärker als mit der rechten; so stark war er mit der linken Hand, dass er mit dem Daumen einen grünen Apfel zerdrücken konnte und dass eine Ohrfeige von ihm den Kopf eines Kindes und selbst eines Jünglings zerschmetterte . . . Sein Gesicht war schön, aber fast immer vom Ausschlage bedeckt! . . .“

Um den Tiberius auch in seinem Privatleben einigermassen gerecht würdigen zu können, darf man sich freilich nicht allein an die uns überlieferten römischen Geschichtsschreiber halten, denn was sie schrieben, war Parteigeschichte. Heutige Geschichtsschreiber lassen uns denn doch den Tiberius wesentlich anders erscheinen. Wir führen hier eine Stelle aus einem modernen Historiker an, in der in der glücklichsten Weise Tiberius mit seinem Stiefvater Augustus verglichen wird: Prinz Tiberius war dem Stiefvater im höchsten Grade antipathisch. Es war das wohl begreiflich, denn die Naturen beider waren von Grund aus verschieden. Augustus war allerdings ein kühler Verstandesmensch, in Geschäften ein scharfer Kritiker, der selten lobte, seinem Tadel nach Römerart gern eine starke spöttische Beimischung verlieh; in der Repräsentation ein Meister, der nach antiker Art nichts herber von sich wies, als das Ungefällige und Linkische, und vor allem auf die Wahrung der „Dehors“ bedacht. Sonst aber erscheint er als ein Mensch von sanguinischem Temperament, dessen heitere Gemütsruhe zum Teil auf einen starken Fonds von Gewissenlosigkeit basiert, nur selten durch ganz ausserordentliche Erschütterungen ernstlich gestört wurde; sehr geneigt, sich heiterem Genuss des Lebens hinzugeben, wesentlich fröhlicher Natur und mit den Römern seiner Zeit alle volkstümlichen Neigungen und Liebhabereien treibend. Ihm konnte ein junger Mann wie Tiberius nicht sympathisch sein, der ihm freilich als Offizier, als Verwaltungsbeamter, als Diplomat eine widerwillige Anerkennung abzwang, der aber auf allen Punkten nach Art seines Claudischen Blutes eine schroffe Eigenart ausgebildet hatte. Manche dieser charakteristischen Züge, die uns Modernen durchaus achtungswert erscheinen, während sie ihn den Römern entfremdeten, traten freilich erst unter seinem eigenen Principat schärfer zu Tage. Aber zwei Momente waren es, die den Tiberius schon früh seinem Stiefvater unsympathisch machten. Ganz anders als der sonnige, frühlingsfrische Drusus war Tiberius eine herbe, fast melancholisch düstere Natur; ein Mensch, bei dem alle Empfindungen ungemein tief gingen und furchtbar leidenschaftlicher Art wurden. In seiner Weise nur wenig dazu gemacht, Liebe zu entzünden, wurde es auch ihm sehr schwer, sich anderen anzuschliessen und wirkliche Liebe zu fühlen Auch in seiner besten Zeit ist Tiberius mehr nur geachtet, von wenigen geliebt worden; wo er selbst wirklich liebte, geschah es mit einer Treue und Zähigkeit, die etwas Ergreifendes hat. Die Täuschungen aber, die ihn auf dieser Seite trafen, sind nicht nur für ihn persönlich von hochtragischen Folgen begleitet gewesen. Auf der andern Seite war Tiberius, dem bei aller Stattlichkeit und soldatisch - imposantem Wuchs seiner massiven Erscheinung Anmut und Grazie versagt geblieben sind, in seiner schweigsamen, stolz und steif reservierten, eckigen Art sich zu geben, dem Kaiser um so weniger persönlich angenehm, weil der Prinz die zweischneidige Mitgabe einer seltenen Verstandesschärfe besass, deren durchdringende Kraft alle Illusionen grausam zerstörte. Tiberius, dessen scharfer Verstand und ätzender Spott selbst die Schmeichelei nicht leicht ungestraft an sich herankommen, ihn persönlich in späteren Jahren zu dem schrecklichen melancholischen Choleriker des älteren Prinzipats werden liess, durchschaute auch mit seinem klaren Blicke die ganze Politik seines Stiefvaters, nicht gerade zur besonderen Genugthuung des klugen „Dryarchen". Er erkannte aber noch weit deutlicher die zäh festgehaltene Tendenz des Augustus, die julische Gruppe des Kaiserhauses für die Erbfolge heranzuziehen, und den Eroberer Vindelicius und Pannoniens in den Hintergrund zu schieben. Machte ihn das anfangs nur noch finsterer und verschlossener, so musste endlich doch einmal der offene Bruch eintreten, als die tiefsten Gefühle dieses, in die unglückseligste Stellung gedrängten Mannes zugleich mit seinem wohlberechtigten Selbstgefühle immer schwerer verletzt wurden. So war Tiberius, und so wurde er zu dem, wie ihn die Geschichte uns überliefert hat.

Sein Nachfolger auf dem Throne, Caligula, der noch weniger zurückhaltend war als sein Vorbild Tiberius, gab sich gar keine Mühe, seine schimpfliche Leidenschaft zu Marcus Lepidus, zu dem Schauspieler Mnester und zu verschiedenen anderen Männern zu verbergen, mit denen er im schimpflichen Verkehr stand (commerciis mutui stupri). Valerius Catulus, der Sohn eines Consularen, warf ihm eines Tages vor, dass er ihn in seiner Jugend missbraucht habe (stupratum a se ac lacerata sibi contubernio ejus defessa, etiam vociferatus est); grob und brutal in seinen Lüsten, war er echter Liebe durchaus unfähig und strengte seine Phantasie mehr zur Erfindung unerhörter Tafelfreuden an. Suetonius beschuldigt ihn der Blutschande mit seiner Schwester und des offenen Verkehrs mit einer Prostituierten, namens Pyrallis, und fährt dann in dem Gemälde folgendermassen fort: „Er respektierte keine Frau, mochte sie auch noch so hochgestellt sein (non temere ulla illustriore femina abstinuit). In der Regel lud er diese Damen mit ihren Gatten zum Souper ein, und unterwarf sie dort einer genauen Musterung, so wie etwa ein Sklavenhändler seine Sklaven prüft. Dann erhob er sich wohl bei Tafel oft und promenierte mit der einen oder der anderen in sehr auffälliger Weise. Zurückgekehrt zu seinen Zechgenossen besass er die Unverschämtheit, laut die jeweiligen Vorzüge oder Schäden der Damen zu kritisieren. Bei einigen setzte er sogar die Scheidung von ihrem abwesenden Gatten durch und liess das in die öffentlichen Akten eintragen.“ Ueber seine raffinierten Grausamkeiten, seine tolle Verschwendung und seine wahnsinnigen Unternehmungen vergass man übrigens bei Caligula fast seinen unmoralischen Lebenswandel. Unter den verrückten und unanständigen Steuern, die er in Rom schuf, ist besonders die Prostituiertensteuer erwähnenswert. Jede Prostituierte war nach dem Preise eingeschätzt, den sie in der Regel für die Preisgabe ihres Körpers nahm (ex capturis prostitutarum, quantum quaeque uno concubito mereret). Ferner besteuerte der Kaiser auch noch das Gewerbe der Kuppler und Kupplerinnen. Man begreift, dass die Festsetzung dieser Abgaben ausserordentlich willkürlich und unbestimmt war.

Eine der wunderlichsten Einrichtungen unter der Herrschaft des Kaisers Caligula war zweifellos die Schaffung eines Lupanars im Kaiserpalaste. Diese wahnsinnige Gründung verdankt ihren Ursprung offenbar der beständigen Geldverlegenheit des geisteskranken Fürsten. Es war nicht bloss die Liebhaberei an Spielen, sondern auch die Neigung und der Wunsch des Kaisers, teils in Rom, teils auf anderen Punkten des Reiches nützliche und grossartige, immer aber ungewöhnliche Bauwerke anzulegen, ein Wahn, der Caligula dazu trieb, immer neue Summen auszugeben, und immer neue Steuern zu ersinnen. Die Einrichtung des Lupanars im Kaiserpalaste, die uns durch Dio Cassius und Sueton überliefert worden ist, geht wohl auch auf diese Ursache zurück, erschien aber manchen Kritikern so unwahrscheinlich, dass sie eine Verstümmelung des Textes angenommen haben. Sie meinen, Dio hätte eine Stelle aus Sueton missverständlich abgeschrieben, und sie dann in seiner Phantasie noch weiter ausgemalt. Dieselben Kritiker meinen auch, es handle sich eher um eine Spielhölle als um ein Lupanar. Dio fügt der von Sueton gemachten Angabe lediglich hinzu, dass Caligula den Plan zur Einrichtung eines kaiserlichen Bordells in Gallien gefasst habe. „Nachdem er alle

Arten von Ausschweifungen durchgekostet hatte, richtete er in seinem Palaste ein Lupanar ein: da wurde eine grosse Zahl von kleinen Zimmerchen gebaut und nach der Gewohnheit eingerichtet. Ehefrauen und freigeborene Mädchen benützten diese Zellen. Der Kaiser liess ein Namensverzeichnis an öffentlichen Plätzen und Staatsgebäuden anschlagen, um jung und alt zum Besuche seiner Anstalt einzuladen. Wer seine Schritte zu dem Lupanar lenkte, konnte am Eingang Geld zu Wucherzinsen geborgt erhalten; und man schrieb die Namen derjenigen, die reichlich bezahlten, in ein Heftchen ein, wie wenn sie auf diese Weise zu grösseren Einkünften des Kaisers beigetragen hätten." Diese Angaben sind thatsächlich sehr ungenau und dunkel. Man kann wohl daraus entnehmen, dass es sich in der That mehr um eine Spielhölle, als um ein Lupanar gehandelt hat, denn man sieht nicht ein, wozu den Leuten Geld geborgt wurde, die durch den öffentlichen Anschlag zum Besuche der Anstalt gereizt worden waren. Oder hätte Sueton dadurch andeuten wollen, dass die Preise in dem kaiserlichen Lupanar zu hoch waren, als dass jemand so viel Geld bei sich gehabt hätte? Was uns besonders zu der Annahme veranlasst, es handle sich mehr um eine Spielhölle und nicht um ein Lupanar, sind eine Reihe von Angaben bei Sueton, die sich offenbar nur auf ein Spielhaus beziehen können, in dem die Gäste durch vornehme Frauen und Jungfrauen bedient wurden; Caligula war nicht nur selbst ausserordentlich spiellustig, sondern spielte auch falsch, um immer zu gewinnen.

Wie dem auch sei, jedenfalls steht fest, dass diese Anstalt den Caligula, der daraus ungeheure Einkünfte zog, nicht überlebt hat, während dagegen die Stelle des Aufsehers der kaiserlichen Belustigungen, die Tiberius geschaffen hatte, bis in die Zeiten des Nero erhalten blieb. Caligulas Nachfolger, Claudius, war nicht weniger grausam und nicht weniger genusssüchtig, trieb es aber doch nicht bis zu diesen unerhörten Ausschweifungen. Er hatte zu viele legitime Frauen, als dass er viele Maitressen hätte haben können; und diejenigen, die er sich mehr aus Laune als aus Liebesleidenschaft nahm, waren nicht bekannt genug, als dass die Geschichte von ihnen spräche. Suetonius, der sorgfältig die Ehen und Scheidungen des Claudius aufgezeichnet und dabei die abscheulichen Ausschweifungen (libidinum proba) seiner ersten Frau, Urgulanilla, und das abscheuliche Gebahren seiner dritten Gemahlin, Messalina, tadelt, entwirft folgendes allgemeine Bild von der sittlichen Aufführung des Kaisers: „Er liebte die Frauen leidenschaftlich, aber von den Männern hielt er sich stets fern (libidinis in feminas profusissimae, marium omnino expers)." Wie ausschweifend nun auch Claudius gelebt haben muss, so wird doch alles, was er in der Beziehung that, von der Aufführung dieser Messalina übertroffen, die durch Juvenal unsterblich gemacht worden ist. Noch heute nennt man ja in allen Sprachen die zügellosesten Prostituierten mit ihrem Namen. Man muss bei Tacitus die Erzählung von den Verbrechen und den Ausschweifungen dieser Kaiserin nachlesen, die noch zu Lebzeiten des Kaisers gewagt hatte, sich öffentlich mit Silius zu verheiraten und diese ehebrecherische Ehe durch ein Fest zu feiern, bei dem sie die Rolle einer Bacchantin spielte. Messalina, eine Tochter des M. Valerius Messala Barbatus und der Domitia Lepida, einer Enkelin des alten Triumvirs M. Antonius (und Schwägerin der Prinzessin Agrippina) hatte als sechzehnjähriges Mädchen dem viel älteren Prinzen Claudius die Hand gereicht, und sah sich nun plötzlich zur Teilnahme an der höchsten Macht erhoben. In dieser Stellung hatte sie einen entsetzlichen Ruf erworben; ihr Name ist für alle Zeiten die schmachvolle Bezeichnung geworden für die vollendete sittliche Verworfenheit einer vornehmen Frau. Die echte Tochter einer ausschweifenden, gewaltthätigen und verbuhlten Mutter, schlecht erzogen und stets gewohnt, ihren wütenden Leidenschaften rücksichtslos zu folgen: so hat sie nicht nur die Verbindung mit dem ihr völlig ergebenen und ihr gegenüber gutmütigen und leicht zu täuschenden Claudius gerade als Kaiserin erst recht benutzt, um in einer, selbst in dem damaligen Rom überraschenden Weise ihrem furchtbaren Hange zu Ausschweifungen nachzugeben und selbst ihr Vorbild, des Augustus Tochter Julia, noch erheblich zu übertreffen. Wirklich unheilvoll aber wurde sie dadurch, dass ihre wilden sinnlichen Neigungen noch mit anderen grimmigen Leidenschaften sich paarten. Ihre Eifersucht war schnell zu entflammen, wenn sie andere Frauen sich gleichgeschätzt oder vorgezogen glaubte; und wie sie in der Zeit ihrer Macht schnell bereit war, sich in solchen Fällen blutig zu rächen, so war sie noch rascher bei der Hand, solche Männer zu vernichten, die ihre ehrlose Liebe abwiesen, oder von denen sie Verrat ihrer Untreue bei dem Kaiser zu fürchten hatte. Als echtes Kind einer sittlich so tief entarteten Zeit war ihr auch, so sagt Hertzberg, eine derbe Habsucht durchaus nicht fremd. Ihre Machtstellung aber, die manche schöne Römerin und manchen edlen Römer in den Untergang getrieben hat, blieb trotz ihrer chronischen ehelichen Untreue so lange unerschüttert, als die schöne Frau es verstand, sich auf gutem Fusse mit den mächtigen Freigelassenen, den Kabinetsministern ihres kaiserlichen Gatten zu erhalten. Obschon Messalina an einer Courtisane, namens Lysisca, eine Doppelgängerin hatte, und dieses Mädchen vielleicht die auffallende Aehnlichkeit mit der Kaiserin zu ihrem Vorteil ausgenützt hat, so können wir doch nicht annehmen, dass die Geschichtsschreiber Messalina fälschlich beschuldigt haben, und dass lediglich die fatale Aehnlichkeit mit einer Prostituierten ihren Ruf zu grunde gerichtet hat.

Das Beispiel Messalinens scheint Nero Mut gemacht zu haben, die schamlosen Verbrechen seiner Vorgänger noch zu übertreffen. Nachdem er die Maske abgeworfen hatte, unter der er seinen schlechten Charakter verbarg, gab er sich allen Ausschweifungen eines raffinierten Lebens hin und huldigte allen Lastern, die eine überstiegene Phantasie nur ausdenken konnte. In der ersten Zeit legte er sich einige Zurückhaltung auf, und seine Verschwendungssucht, seine lasterhaften Gewohnheiten konnte man für Jugendsünden halten. Wenn der Tag zur Neige ging, dann setzte er eine Mütze auf, wie sie die Freigelassenen trugen, oder hüllte sich in das Gewand eines Maultiertreibers, und strich in den verrufenen Häusern umher; er machte die Strassen unsicher, insultierte Frauen, beleidigte Männer und prügelte alles, was sich ihm in den Weg stellte. Er kompromittierte sich damals mit den abscheulichsten Dirnen und den unwürdigsten Zuhältern; oft geriet er mit ihnen in Schlägereien und wurde auch wohl selbst tüchtig durchgebläut. Er behauptete, auf diese Weise lerne er das Volk am besten kennen, und sähe, wie die einfachen Bürger lebten! Da die Bordellhalter, die Gastwirte und Bäcker ihn wegen seines Benehmens totzuschlagen drohten, so ging er später nur noch mit einigen Bewaffneten aus, die ihm in gefährlichen Situationen Hilfe bringen mussten. Bald aber warf er die letzte Scham ab und gefiel sich darin, sein skandalöses Leben in aller Oeffentlichkeit zu treiben. So sah man ihn öffentlich auf dem Marsfelde oder im grossen Cirkus soupieren, wobei er sich von allen Prostitutierten Roms und den ausländischen Flötenspielerinnen bedienen liess (inter scortorum totius urbis ambubajarumque ministeria).

Sobald er sich auf dem Tiber nach Ostia begab, oder im Golfe von Baïæ auf seiner Lustyacht kreuzte, dann richtete man ringsum am Ufer Vergnügungslokale und Herbergen ein, in denen Damen aus der römischen Gesellschaft mit tausend Scherzen die Rollen der Wirtinnen spielten, und ihn zum Bleiben einluden. Häufig machte er auch Station und dehnte seine Fahrten auf diese Weise wochenlang aus. Ein Intendant der Vergnügungen genügte ihm nicht, und so stellte er unter anderm einen Sachverständigen für Vergnügungen an (elegantiæ arbiter, wie Tacitus diesen Beamten nennt), ein Amt, das Petronius, wie es scheint, zur Zufriedenheit Neros verwaltet hat. Petronius galt als Autorität in allen Fragen der Eleganz, und Tigellin beneidet ihn darum, dass er in den Fragen des gesellschaftlichen Lebens solche Erfahrungen besass (scientia voluptarum potiorem). Man kann aber doch nicht behaupten, dass Petronius Arbiter alle die schrecklichen Ausschweifungen, denen sich der Kaiser rückhaltlos hingab, gebilligt hat. Tacitus, Suetonius, Xiphilin, Aurelius Victor haben von diesen Ausschweifungen erzählt. Aber sie haben vermieden, auf Einzelheiten einzugehen und uns auch nicht die Namen derjenigen genannt, die an diesen kaiserlichen Orgien teilnahmen und ihre Schimpflichkeit verdoppelten. Nachdem Sueton lediglich den widernatürlichen Umgang des Nero mit Freigeborenen (ingenuorum pædagogia) und seine ehebrecherischen Neigungen zu verheirateten Frauen erwähnt hat, beschuldigt er ihn kurz und klar der Vergewaltigung der Vestalin Rubria. Etwas ausführlicher handelt er über die lächerliche Ehe mit Sporus und die Blutschande mit seiner Mutter.

Sporus war ein Jüngling von unvergleichlicher Schönheit; Nero verliebte sich wahnsinnig in ihn und wünschte, Sporus wäre eine Frau; um diesem Wunsche den Schein der Wirklichkeit zu verleihen, liess er ihn sogar grauenhaft verstümmeln (exsectis testibus etiam in muliebrem transfigurare conatus). Nachdem er ihm eine Mitgift ausgesetzt und ihn wie eine Braut mit dem Brautschleier geschmückt hatte, liess er pomphaft seine Heirat mit Sporus feiern (celeberrimo officio deductum ad se pro uxore habuit), vor den Blicken einer unzähligen Menge, die dieser schamlosen Maskerade Beifall zujubelte. Jemand, der diesem Feste beiwohnte, erlaubte sich einen Witz, der ihm hätte teuer zu stehen kommen können: „Für das Menschengeschlecht wäre es besser gewesen, wenn Neros Vater, Domitius, eine solche Frau geheiratet hätte!" Neros Neigung zu Sporus hielt lange Zeit an; er steckte ihn in die Kleidung der Kaiserin und schämte sich sogar nicht, ihn öffentlich an seiner Seite erscheinen zu lassen. Mit diesem Lustknaben zusammen machte er Reisen in Griechenland und zeigte sich nach seiner Rückkehr nach Rom öffentlich, ihn liebkosend, mit ihm in einer Sänfte (identidem exosculans).

Tacitus bezichtet den Nero des blutschänderischen Umgangs mit seiner Mutter Agrippina, und behauptet, das Weib habe zu diesem unerhörten Verbrechen die Sinne des Kaisers geweckt, damit sie sich auf diese Weise einen unbedingten Einfluss auf ihn sichere; ob nun das Verbrechen begangen worden ist oder nicht, jedenfalls hat sich Nero von Agrippinas ehrgeizigem Streben nicht allzuviel beeinflussen lassen. Sueton stellt die Sache etwas anders dar: nach ihm hat Nero, aller kindlichen Pietät bar, der Agrippina nachgestellt; aber auch nach dieser Ueberlieferung ist wenigstens das Grauenhafteste nicht wirklich geworden, entweder, weil Agrippina doch noch soviel sittliche Kraft besass, um ihren Sohn in die Schranken zurückzuweisen, oder weil kluge Ratgeber den Kaiser vor dem dann übermächtigen Einfluss des Weibes gewarnt hatten. Indessen nahm er sich stets im Verkehr mit seiner Mutter allerhand Unziemlichkeiten heraus (olim etiam, quoties lectica cum matre veheretur, libidinatum inceste, ac maculis vestis proditum, affirmant). Soviel scheint überdies festzustehen, dass er sich eine Maitresse hielt, die der Agrippina ausserordentlich ähnlich sah.

Nero bildete sich ein, ein Dichter zu sein, und liess sich von seinen dichterischen Launen zu allen möglichen erotischen Maskeraden verführen: so versuchte er, die Metamorphosen der Götter nachzuahmen, indem er sich mit Tierfellen bekleidete, und bald als Wolf, bald als Löwe, bald als Schwan, bald als Stier auf angekettete oder freie Männer und

Frauen loszustürzen, um sie nach Belieben zu kratzen, zu beissen und zu verstümmeln (suam quidem pudicitiam usque adeo prostituit, ut contaminatis pæne omnibus membris, novissime quasi genus lusus excogitaret, quo feræ pelle contectus emitteretur e cavea, virorumque ac feminarum ad stipitem deliagtorum inguina invaderet). Auf diese Weise führte er die Geschichte der Andromeda, der Leda, der Jo und anderer mythologischer Gestalten auf. Der helle Wahnsinn leuchtet schon aus seiner Idee heraus, sich bei diesen fürchterlichen Orgien von Zeit zu Zeit für eine Frau auszugeben und so behandeln zu lassen. (Et quum affatim desævisset, conficeretur a Doryphoro liberto, cui etiam, sicut ipse Sporus, ita ipse denupsit, voces quoque et ejulatus vim patientium virginum imitatus.) Ganz natürlich erscheint, dass er bei einem solchen schmachvollen Lebenswandel zuletzt jede Achtung vor Menschenwürde verlor und jeden Menschen nach seiner eigenen Verworfenheit beurteilte (neminem hominem pudicum, aut ulla corporis parte purum esse credidit); höchstens glaubte er, die anderen verstellten sich besser als er! Offen eingestandene Unsittlichkeit konnte bei ihm immer auf verständnisvolle und milde Beurteilung rechnen, wie uns Sueton überliefert hat. Dieses Scheusal auf dem Throne der Cæsaren hätte verdient gehabt, in den Armen des infamen Sporus zu sterben, der ihn übrigens verabscheute, weil Neros ganzer Körper beständig, infolge schwerer Krankheit, mit übelriechenden Schwüren bedeckt war; indessen war es seine Beischläferin Acte, die seine Asche unter Thränen in der Gruft des Domitius beisetzte.

Den Ausgangspunkt dieser grauenhaften Entartung Neros, so schreibt ein moderner Historiker, der schon erwähnte Hertzberg, haben wir in seinem Verhältnis zu seiner Mutter und seiner Gemahlin zu suchen. Die Ehe Neros und Octaviens war niemals glücklich, ein inniges Verhältnis hatte zwischen den jugendlichen Gatten niemals bestanden. Nun verliebte sich Nero, für den eheliche Treue so wenig bedeutete, wie für nur zu viele seiner vornehmen Zeitgenossen, im J. 55 zum ersten Male ernstlich und zwar in ein griechisches Mädchen von grosser Schönheit, die Freigelassene Acte. Er war durch ihre Reize und Liebenswürdigkeit bis zu dem Grade bezaubert, dass er selbst daran dachte, sie zu heiraten. Während nun Seneca und Burrus, wie sie ihn nicht hinderten, mit den jungen vornehmen Wüstlingen der Residenz in seiner Weise zu schwelgen, so auch diese „Liaison“ ruhig hingehen liessen, die ihnen politisch völlig harmlos erschien und den jungen Kaiser von schnöden Beziehungen zu Roms edlen Damen zurückhielt, geriet Agrippina in glühenden Zorn. Wie dunkel immer die Schatten waren, die ihr Privatleben früher befleckt hatten, als Mutter sah sie doch mit gerechtem Missvergnügen ihren Sohn in Ausschweifungen sich verlieren, und ihr fürstlicher Stolz empörte sich gegen den Gedanken, den jungen Kaiser in wirklicher Liebe „für eine Magd" entbrennen zu sehen. Aber zu ihrem Schaden war sie unbesonnen genug, gegen Neros Liaison mit Acte sich mit einer tobenden Leidenschaft aufzulehnen, die ihr den Sohn ernstlich entfremdete und immer mehr auf die Seite seiner Minister hinübertrieb, die nun eine bequeme Handhabe gefunden hatten, die Beziehungen Neros zu seiner Mutter ernstlich zu stören.

In der folgenden Zeit machte Nero persönlich nur durch eine Reihe übermütiger Jugendstreiche und wilder nächtlicher Excesse in den Strassen der Residenz von sich reden, die er in Gemeinschaft mit seinen liederlichen jungen Freunden verübte, unter denen namentlich einer, sein „Lehrmeister" in allen Thorheiten und Tollheiten, der etwas über fünf Jahre ältere, geistig gut begabte, aber damals nur erst als tonangebender Dandy unter Roms „goldner Jugend" bekannte M. Salvius Otho, für die Geschichte des Reiches eine erhebliche Bedeutung gewinnen sollte. Wer aber hoffte, dass der junge Fürst endlich austoben und zu einem tüchtigen Manne reifen, dass aus dem gährenden Moste ein edler Wein sich abklären sollte, der täuschte sich. Es war wesentlich die Schuld eines weiblichen Teufels, durch den Nero schliesslich rettungslos auf den Weg des Frevels geführt worden ist. Die harmlose Leidenschaft nämlich für die bescheidene Acte trat im J. 58 zurück vor der dämonischen Glut, mit welcher Nero erfüllt wurde, als er seines Vertrauten Otho blendend schöne, erst ihrem früheren Gatten, dem Ritter Rufius Crispinus, entführte Gattin kennen gelernt hatte. Poppäa Sabina, von ihrer Mutter her vornehmer Abkunft, besass bei erheblichem Vermögen eine ausgezeichnete Schönheit; auch ihre geistige Ausstattung war glänzend zu nennen. Aber dabei brandmarkt sie die Ueberlieferung als ein Weib von vollendeter Nichtswürdigkeit. Ihre meisterhaft ausgebildete Koketterie, ihre tiefe, unter der Maske der Sittsamkeit versteckte Unsittlichkeit, ja selbst die eisige Kälte, mit welcher sie mit ihren Reizen wucherte, war bei den grossen römischen Damen dieser Zeit leider nichts Ungewöhnliches. Aber wie die üppige und verschwenderische Poppäa als unerreichte Meisterin galt in der Kunst, durch die verschiedensten Mittel ihre Schönheit zu erhalten, so war sie der Agrippina ebenbürtig an Ehrgeiz, an Gewaltsamkeit und Grausamkeit, und übertraf die Regentin noch an kalter Herzenshärte. Sie ist das rechte Weib gewesen, um das an Nero zu verderben, was an ihm noch zu verderben war.

Für Poppäa war die schnell entzündete, von ihr durch alle Künste der Koketterie gesteigerte Leidenschaft des jungen Kaisers nur das Mittel, welches sie zur höchsten Macht führen sollte. Nur als Kaiserin wollte sie dem Nero angehören. Aus solcher Temperatur heraus entwickelte sich nun eine Reihe schauerlicher Ereignisse. Nur wenige, in die letzten Geheimnisse des jungen Frevlers wirklich eingeweihte Vertraute konnten damals wissen, dass Nero unter den Einwirkungen von Poppäas Reden

— die ihm stets vorhielt, Agrippina sinne auf sein Verderben — sich jetzt allen Ernstes damit trug, seine Mutter ermorden zu lassen. Nur die Schwierigkeit, einen Weg zu finden, auf welcher die Schandthat in einer Weise verübt wurde, die sicheres Gelingen in Aussicht stellte und zugleich die Chance bot, das römische Publikum über die wahre Sachlage zu täuschen, verzögerte noch den Untergang der alten Kaiserin. Endlich fand der schuftige Anicetus, der frühere Erzieher des Kaisers, jetzt Admiral der bei Misenum stationierten Flotte, das geeignete Mittel. Nun entwickelte Nero seine ganze Kunst schnöder Heuchelei, begab sich nach Baïae und feierte zuerst mit seiner Mutter, als sie auf seine Einladung von Antium aus auf der Villa Pauli zwischen dem Cap Misenum und Baïae erschienen war, an letzterem Orte ein trügerisches Versöhnungsfest. Aber das Schiff, welches zu nächtlicher Stunde die furchtbar Betrogene wieder nach Pauli führen sollte, barst unterwegs auseinander. Anicetus hatte es zu diesem Zwecke künstlich einrichten lassen. Da jedoch durch unvorhergesehene Umstände der tückisch entworfene Mordplan nicht völlig gelang, so fiel Agrippina nur in das Wasser und wurde nach einer ihrer Villen an dem nahen Lucriner See gerettet. Freilich nur für wenige Stunden. Nero hatte mit Entsetzen von der Rettung seiner Mutter vernommen und fürchtete nun von ihrer Rache das Aeusserste. Er entdeckt sich seinen Ministern, die jetzt in der entsetzlichen Lage sich befinden, zwischen der Vernichtung des Kaisers oder seiner Mutter wählen zu sollen. Endlich entscheiden sie sich dahin, dem Anicetus die Vollendung seiner Greuelthat zu überlassen. Als ein Freigelassener der alten Kaiserin, Argerinus, vor Nero erscheint, ihm die Botschaft Agrippinens, sie sei glücklich gerettet, zu bringen, lässt Anicetus gewandt einen Dolch zwischen die Füsse des Boten gleiten, um ihn dann als einen Buben verhaften zu lassen, der im Auftrage der Kaiserin ihren Sohn habe ermorden wollen. Dann eilt er mit einer Schar seiner rohen Seesoldaten nach Agrippinens Villa, um ohne weiteren Verzug sein infames Henkerwerk zu vollenden. Die ungeheure That war um den 19. März des Jahres 59 vollzogen worden, und mit ihr begann die Zeit der Gewissensbisse für den fürstlichen Verbrecher.

Nero war nicht so sehr entmenscht, um sich nicht wenigstens jetzt durch die Furien der Gewissenangst grausam gepeinigt zu fühlen. Und ein starker Teil des rauschenden und üppigen Treibens der Folgezeit kommt offenbar auf den rastlosen Drang, sich selbst immer von neuem zu betäuben und im Rausche der Lust die Schreckensnacht von Baïæ zu vergessen. Zunächst floh er vom Schauplatz seiner Schandthat und eilte nach Neapel. Und nun begann wieder eine Reihe jener Scenen, die dem feigen Mörder den Mut gaben, wieder in die Oeffentlichkeit zu treten und dann von einem Verbrechen zum andern zu schreiten, nachdem er das schlimmste ungestraft verübt hatte, was die Phantasie ersinnen konnte.

Der wahre Sachverhalt jener Schreckensnacht, die wirkliche Genesis und der innere Zusammenhang der Katastrophe Agrippinens konnte damals und noch längere Zeit nachher nur wenigen bekannt sein. Nur so und nur bei tiefer Unbeliebtheit der gefürchteten alten Kaiserin, der man jede Gewaltthat und jeden Frevel zuzutrauen in Rom gar sehr geneigt war, ist es zu erklären, dass die Hauptstadt zunächst den Bericht über die Katastrophe gläubig aufnahm, den Seneca an den Senat richtete. Agrippina, so wurde jetzt die offizielle Lesart, hatte einen Mordversuch gegen Nero unternommen; der war misslungen, nun hatte sie sich in ihrem Schuldbewusstsein selbst den Tod gegeben Daraufhin feiert der Senat die sogenannte „Rettung“ des Kaisers mit ausschweifenden Beschlüssen, dekretiert Dankfeste, und bereitet dem Nero bei seiner Rückkehr nach der Residenz mit allen Klassen des Volkes einen höchst glänzenden Empfang.

Die Zeit war unter solchen Umständen gekommen, wo Nero nichts mehr scheute und nichts mehr schonte, was seinem Willen oder auch nur seiner Laune widerstand. Zunächst ist es jenes rasende Genussleben, in welchem der Kaiser sich zu betäuben suchte. Besondere Freude an den Spielen der Gladiatoren hat er nicht gehabt. Desto leidenschaftlicher liebte er in seinem enthusiastischem Hellenismus Spiele nach griechischer Art. Was Agrippina bisher aus Rücksichten auf römischen Anstand und fürstliche Decenz verhindert hatte, das öffentliche Auftreten bald als Circuskutscher bei den Wagenrennen, bald im tragischen Kostüm als Schauspieler, als Zitherspieler und Sänger, das wollte Nero sich jetzt nicht länger mehr wehren lassen. Dass gerade dieses Auftreten ihn in den spezifisch römischen Kreisen in hohem Grade unpopulär machen musste, bedachte er um so weniger, je mehr er nur griechische Sitte im Auge hatte. Kam auf diesem Gebiet das Volk dem Fürsten nur allzu bereitwillig entgegen, so war auch sonst der unerhörte Luxus dieses Kaisers nur ein Erzeugnis der Sinnesweise seines Zeitalters. Doch soll ihm die Schuld nicht verkürzt werden, dass sein und seines Hofes Vorgang nach dieser Richtung wieder in allen Stücken antreibend und steigernd gewirkt hat. Luxus und raffinierte Verschwendung, wie wir sie in dem Leben der Römer bereits wiederholt kennen gelernt haben, erreichten wahrscheinlich in dieser Zeit ihren Höhepunkt. In erster Reihe der Tafelluxus. Für Rom gilt in Sachen der Tafel die zum höchsten Raffinement entwickelte Kochkunst, und weiter die über alles Mass hinaus kostbare Ausstattung des Tafelgerätes, nicht minder die Verwertung der verschiedensten Künste zur Steigerung des Genusses bei Tische, als charakteristisch. In allem Luxus standen nun Nero und Poppæa oben an, und Nero für seine Person auch auf dem Gebiete aller

Gattungen natürlicher und unnatürlicher Wolllust, wie sie damals in ausgedehnten Kreisen, gerade der vornehmen römischen Gesellschaft, im engen Zusammenhange mit schlechter oder lässiger sittlicher Erziehung der Jugend, mit leichtfertigen und liebleeren Ehen und frivolen Scheidungen, mit der Epidemie des Ehebruches und anderen Krebsschäden des Zeitalters, nur allzuschlimme Verbreitung gefunden hatten.

Der folgende Kaiser Galba hatte, obschon er seinen Ursprung auf Pasiphaë und ihren Stier zurückführte, weder das Temperament, noch die Gesundheit dazu, um die schrecklichen Ausschweifungen des Nero fortzusetzen. Im Gegensatz zu der Bedeutung seines Namens, der in der gallischen Sprache einen dicken Menschen bezeichnete, war er ausserordentlich mager. Seine sinnlichen Leidenschaften führten ihn vielfach zu robusten, kräftigen Männern (libidinis in mares pronioris, et eos, non nisi præduros, exoletosque). Man erzählt, dass er den Icilus, einen seiner alten Gefährten, bei seinen Ausschweifungen (veteribus concubinis), der ihm in Spanien die Nachricht vom Tode Neros überbrachte, mit seiner Zuneigung beehrt habe (non modo artissimis osculis palam exceptum ab eo, sed, ut sine mora velleretur, oratum atque seductum).

Otho liess dem Galba keine Zeit, „seine Jugend zu geniessen," wie die spottlustigen Soldaten sagten, als sie dessen Kopf auf einer Speerspitze umhertrugen. Otho war übrigens ein Schüler und Zechgenosse Neros, von seiner Kindheit an ein Verschwender und Wüstling, ein Besucher anrüchiger Häuser, und jeder Art von Excessen geneigt. Als mit den Jahren der Ehrgeiz in ihm erwachte, da hing er sich, um eine rasche Karrière zu machen, an eine der vielen bei Hofe angestellten Freigelassenen. Obschon sie alt und hässlich war, so that er doch so, als ob er sie liebte. Auf diese Weise gelang es ihm, sich beim Kaiser Nero einzuschmeicheln, dem er schimpfliche Dienste leistete. Indessen überwarf er sich mit diesem Kaiser wegen der Poppæa, die sie sich einander streitig machten, wobei allerdings Otho dem Rechte des Stärkeren zu weichen gezwungen war. Man darf wohl annehmen, dass sich seine Sitten mit zunehmenden Jahren nur noch verschlechtert haben; seine Lebensweise mag man aus folgender Beschreibung seiner Toilette erkennen, die ihn uns als einen ganz verweichlichten Menschen zeigt: „Er liess sich am ganzen Körper die Haare sorgfältig ausreissen und trug auf seinem fast kahlen Schädel eine Perücke, die so kunstvoll befestigt war, dass kaum jemand es bemerkte. Täglich rasierte er sich sein Gesicht mit grösster Sorgfalt und rieb es mit eingeweichtem Brot ab, eine Gewohnheit, die er angenommen hatte, von der Zeit ab, wo sich sein Kinn mit dem ersten Flaum bedeckte, um niemals auch nur eine Spur von Bart zu tragen."

Als Otho zum römischen Kaiser ausgerufen worden war, hatte er kaum Zeit, irgend welche geheime Orgien im kaiserlichen Palaste einzurichten, denn er sah sich gezwungen, gegen Vitellius ins Feld zu ziehen, der ihm die Kaiserwürde streitig machte. Nach drei aufeinander folgenden Niederlagen tötete er sich mit eigener Hand, obschon man bei seinem kleinen Wuchs und seinem weibischen Aussehen ihm kaum diesen Mut zugetraut hätte. Vitellius war übrigens in der Schule der Prostitution gross geworden, denn er verlebte seine Jugend auf Capri unter den Günstlingen des Kaisers Tiberius und wurde später der Vertraute von Caligula, Claudius und Nero bei ihren Ausschweifungen. Später hatte er sich heftig in einen Freigelassenen, namens Asiaticus, verliebt, der sein Kamerad auf Capri gewesen war (mutua libidine constupratum) und ihm immer zu entschlüpfen suchte, ohne dass es ihm doch gelang. Vitellius entdeckte ihn immer wieder, mochte er nun Peitschen an Maultiertreiber verkaufen oder in den Reihen der Gladiatoren fechten; und sobald er ihn sah, erwachten in Vitellius wieder die Erinnerung an ihre schimpflich verbrachte Jugend, und er suchte den Kameraden von früher durch Geschenke und Ehren an seine Person zu fesseln. So machte er seinen Asiaticus zum Gouverneur einer römischen Provinz und zum römischen Ritter. Als ihn das Alter stumpf gemacht hatte, widmete er sich nur noch den Genüssen der Tafel, indem er erklärte, der Magen sei doch der angenehmste und stärkste Teil des Körpers, denn im Gegensatz zu den anderen werde er durch den Gebrauch nicht schwächer. Obschon Vitellius persönlich weder Grausamkeit, noch finanzielle Raubgier zeigte, ja selbst in seinem Benehmen eine gewisse Mässigung bewahrte, so wurde doch seine verrufene Schlemmerei grundverderblich für das Reich. Im Essen entwickelte er eine so ausserordentliche Fähigkeit, dass er fast fortwährend ass, wenn er nicht schlief; sein Appetit regte sich zu jeder Stunde, da er, um die Verdauung zu erleichtern, die Gewohnheit angenommen hatte, mehrfach am Tage zu vomieren. Auf diese Weise konnte er täglich vier Mahlzeiten einnehmen, was den grössten Teil des Tages und der Nacht ausfüllte. Seine sinnlichen Gelüste regten sich bei einer derartigen Lebensweise erklärlicher Weise sehr selten und nur, wenn er dem Weine in starkem Masse zugesprochen hatte. Seine ausserordentliche Korpulenz, sein gerötetes und aufgedunsenes Gesicht, sein dicker Wanst und seine dünnen Beine zeigten, dass er die ganze Zeit seiner Regierung an der Tafel zugebracht und wenig Wert darauf gelegt hatte, sich an verliebten Streifereien zu ergötzen.

Nachdem Rom in ihm einen gefrässigen Kaiser gehabt hatte, sollte es einen habsüchtigen Kaiser bekommen, der sich von den ruineusen Excessen seiner Vorgänger frei hielt und nicht in ihren schlechten Ruf geriet. Trotzdem er die Christen eifrig verfolgte, kam Vespasian doch, wenn auch gegen seinen Willen, unter den Einfluss der christlichen Moral: er begriff, dass die Menschenwürde eine gewisse Zurückhaltung in dem geschlechtlichen Leben verlange, und dass der Herrscher des Reiches in der Wertschätzung des öffentlichen Urteils mit einem guten Beispiele vorangehen müsse. Die Staatsraison war der erste Grundsatz dieser Philosophie, die Vespasian ins Praktische übertrug; sein kaltes und strenges Temperament erlaubte ihm, nach den Regeln der Sitte zu leben. Er bekämpfte die Sittenlosigkeit durch einige verständige Gesetze und besonders durch sein keusches und regelmässiges Leben. Seit dem Tode seiner Frau, Flavia Domitilla, lebte er allerdings mit einer ehemaligen Maitresse, namens Cenis, einer Freigelassenen der Antonia, der Mutter des Claudius, deren Geheimschreiberin sie gewesen war, im Konkubinat; aber diese Verbindung war mit der Zeit so ehrbar geworden wie eine gesetzliche Ehe, und Cenis nahm beim Kaiser den Rang einer wirklichen Gemahlin ein. Vespasian selbst blieb ihr treu, nicht sowohl, weil er sie allein liebte, als weil er keine andere liebte. Indessen erzählt uns Sueton, dass eine Frau für ihn eine heftige Neigung heuchelte und schliesslich auch ihr Ziel erreichte, indem sie ihn überredete, sie würde sicherlich sterben, wenn sie von ihm nicht ein Zeichen seiner Zuneigung empfinge. Nachdem Vespasian einmal ein diesbezügliches Versprechen gegeben hatte, legte er sogar seinen gewöhnlichen Geiz ab und schenkte der Dame ungefähr sechzigtausend Mark und zwar zu Ehren der Neuheit dieses Vorfalls. Als sein Schatzmeister ihn fragte, unter welchem Titel diese kaiserliche Spende in die Rechnung eingetragen werden sollte, sagte ihm Vespasian: „Schreib hin, für eine Leidenschaft, die der Kaiser einem Weibe eingeflösst hat (Vespasiano, aït, adamato).“ Vespasians leutselige Haltung, die Würde seines Auftretens, mit der er nach altrömischer Weise einen stets schlagfertigen kaustischen Witz und eine fast bürgerliche Einfachheit in der Art seines Verkehres und seiner Umgangsformen zu verbinden wusste, erhielten ihn andauernd in grosser Beliebtheit bei allen Klassen der römischen Welt. So keusch er in seinen Sitten war, liess er sich doch oft zu groben Spässen hinreissen, und schreckte auch nicht vor einem starken Worte zurück (praetextatis verbis).

Bevor Titus seinem Vater Vespasian in der Regierung nachfolgte, stand er in Rom in sehr schlechtem Rufe, da seine Grausamkeit und seine Zügellosigkeit ihm die Liebe des Volkes entfremdet hatten. Bis in die Nächte hinein sass er mit den zügellosesten seiner Vertrauten bei Tafel, und man sah ihn immer umgeben von einem Schwarm von Eunuchen und Lustknaben (exoletorum et spadonum greges); auch klagte man ihn der Habsucht an, und sagte offen, er würde ein zweiter Nero werden. Aber einmal zur Regierung gekommen, änderte er sein Wesen wie auf einen Schlag, und regierte wie ein Philosoph, nach Grundsätzen, die mit der christlichen Moral einigermassen zusammenfallen. Im Gegensatz zu seinem Vater verfolgte er die Christen nicht, die in ihm das Ideal eines Fürsten verehrten. Titus war von Natur aus stark sinnlich veranlagt; seine Leidenschaft war heftig, sein Wesen von grosser, fast weiblicher, nervöser Erregbarkeit. Aber unter der Zucht und Leitung seines ausgezeichneten Vaters, und in der Schule der schwersten Kriegsarbeit und der nüchternsten Verwaltungsgeschäfte hatte er gelernt, sich zu beherrschen. Nach seinem Regierungsantritt streifte er in der That mit einem Ruck alles von sich ab, was ihn bei den Tüchtigsten der Römer bis dahin in ein bedenkliches Licht gestellt hatte. Seine ganze Regierung war reich an Beweisen echt fürstlichen Wohlwollens, rein menschlicher Güte, grosser Regententüchtigkeit und wirklicher Selbstüberwindung. Mag immerhin zuweilen seine Liebenswürdigkeit und Milde das Kolorit der Schwäche, sein leidenschaftlicher Wunsch, Wohlthaten zu spenden, das der Uebertreibung angenommen haben: aber die Art, wie er frivole adelige Mordverschwörer gegen sein Leben auch moralisch besiegte und noch mehr die Selbstüberwindung, mit der er dem Vorurteil der Römer gegen ägyptische, syrische und jüdische Frauen als Herrscher der Römer, sich fügend, sein romantisches Verhältnis zu der schönen Prinzessin Berenike, des Königs Agrippa II. Schwester, einfach, obwohl mit schwerem Herzen, abbrach, spricht doch sehr entschieden für die sittliche Kraft seines Charakters. Als er starb, wurde er denn auch von dem ganzen Volke beweint, und konnte erklären, dass er in seinem ganzen Leben nur eine einzige That verübt habe, die er bereue. Sueton behauptet, es sei ein verbrecherisches Verhältnis mit Domitia, der Frau seines Bruders, gewesen; aber diese selbst leugnet das, und Sueton fügt hinzu, sie wäre in der That nicht die Frau, die ein solches Verhältnis abgeleugnet hätte, wenn es thatsächlich bestanden, sondern sie würde sich vielmehr dessen gerühmt haben, wie aller ihrer schändlichen Thaten.

Ihre verbrecherische Zuneigung zu dem Schauspieler Paris stellte Domitia gar nicht in Abrede, und als Domitian zum Kaiser ausgerufen worden war, musste er, dem Zwange der öffentlichen Meinung sich fügend, die Frau verstossen, oder wenigstens eine Zeit lang vom Hofe verbannen. Er nahm sie aber bald wieder in Gnaden an, indem er eingestand, dass er trotz der Ausschweifungen dieser zweiten Messalina sich nicht von ihr zu trennen vermöge, und dass sie ihm hundert Maitressen ersetze. Trotzdem hatte er der Domitia eine Nebenbuhlerin gegeben. Es war die eigene Tochter seines Bruders Titus, die er verführt und ihrem Gemahl noch während der Lebenszeit des Titus abspenstig machte; er zeigte für sie eine unbezwingliche Leidenschaft und verschuldete auch ihren frühen Tod, indem er sie zu einem schmählichen Verbrechen anstachelte, um die Folgen ihres verwerflichen Verkehrs zu beseitigen. Man schildert ihn als einen Mann von brutaler Sinnlichkeit der in seinen Vergnügungen nicht immer besonders wählerisch gewesen zu sein scheint (libidinis nimiæ, assiduitatem concubitus, velut esercitationis genus, klyopalen vocabat). Darauf deuten wenigstens die Worte: nataret inter vulgatissimas meretrices. Trotz seiner eigenen Ausschweifungen befasste sich Domitian indessen mit einer Verbesserung der römischen Sitten und liess mehrere in Verfall geratene Polizeigesetze wieder in Kraft treten. Da kam es denn zu sehr merkwürdigen Widersprüchen zwischen Theorie und Praxis. Während Clodius Pollio ein eigenhändiges Briefchen des Kaisers in Umlauf setzte, in dem Domitian, damals noch jung und schimpflichen Lüsten ergeben, ihn zu einer lustigen Nacht einlud (noctem sibi pollicentis), liess der Kaiser auf Grund der Lex Scantinia mehrere römische Ritter wegen des Verbrechens der Pæderastie bestrafen. Er war es auch, der den käuflichen Weibern den Gebrauch der Sänfte untersagte (probrosis feminis lecticæ usum ademit), und mit strengen Strafen gegen Vestalinnen einschritt, die ihr Keuschheitsgelübde gebrochen hatten; die Gross-Vestalin Cornelia, die sich mit mehr als einem Manne vergangen hatte, liess er bei lebendigem Leibe begraben und ihre Mitschuldigen zu Tode stäupen. Andere Vestalinnen, so die Schwestern Ocellata und Varronilla, durften sich ihre Todesart selbst auswählen, während ihre Verführer verbannt wurden. Einmal liess Domitian einen römischen Ritter von der Liste der Richter streichen, weil er sich mit seiner geschiedenen Frau wieder verheiratet hatte, ein Verfahren, das übrigens Domitian bekanntlich selbst ausgeübt hatte.

Die christliche Moral bricht um diese Zeit schon an allen Orten durch; die heidnische, römische Gesellschaft scheint sich allmählich der Schimpflichkeit der Prostitution mehr bewusst zu werden, deren engen Zusammenhang mit dem Kultus der alten Gottheiten man nicht übersehen darf. Mit der platonischen Lehre dringen Grundsätze ein, deren Verwandtschaft mit den christlichen evident ist, und diejenigen Kaiser, die sich eine Ehre daraus machen, Philosophen zu sein, befleissigen sich einer Bekämpfung ihrer Laster und legen ihren Leidenschaften Zügel an. So der alte Nerva, der nach dem Zeugnisse Suetons die Jugend des Domitians verdorben hatte; so Trajan, der immer zu Knaben eine Zuneigung empfand, was Xiphilin nicht tadelnswert findet; so Hadrian, der das Reich seinem Günstling Antinous, den er vergötterte, geweiht hätte und für einen ganz raffinierten Lüstling galt (quæ adultorum amore ac nuptarum adulteriis, quibus Adrianus laborasse dicitur, asserunt): diese drei Kaiser regierten weise und bemühten sich, die römische Gesellschaft auf der Grundlage der Ehrbarkeit, der Gerechtigkeit, der Schamhaftigkeit und der Religiosität wieder aufzubauen, also auf einer Grundlage, die dem neuen Glauben entstammte. Antoninus Pius und Marc Aurel waren thatsächlich christliche Herrscher, und man konnte glauben, dass unter ihrer glorreichen Regierung das Evangelium zum allgemeinen menschlichen Sittengesetz würde. Aber das Heidentum, das in seinen materiellen Tendenzen und in seiner organischen Verworfenheit berührt wurde, nahm unter Commodus und Heliogabal noch einmal einen Aufschwung: die römische Welt verlor sich sozusagen in den letzten Saturnalien der Prostitution.

Kapitel XXIX.

Kaiser Commodus. — Seine zuchtlose Jugendzeit. — Sein Lustknabe Anterus. — Wie Commodus seine Tage und Nächte verbrachte. — Anterus auf Antreiben des Prætorianerobersten ermordet. — Die dreihundert Konkubinen und die dreihundert Buhlknaben des Commodus! — Seine schrecklichen Orgien. — Blutschande. — Der Freigelassene Onon. — Commodus lässt sich vom Senat den Beinamen Herkules zuerkennen. — Die furchtbaren Ausschweifungen dieses Wüstlings — Wie Marcia, die Konkubine des Commodus, seinen Anschlag gegen ihr Leben und das einer grossen Zahl kaiserlicher Hausoffiziere entdeckt. — Der Tod des Commodus'. — Kaiser Heliogabal. — Seine eigenartige Berühmtheit in den Annalen der Geschichte. — Heliogabal, der Oberpriester des Sonnengottes. — Macedonischer Kleiderluxus Heliogabals. — Semiamira wird kaiserliche Hoheit. — Der Kaiser stiftet, um seiner Mutter gefällig zu sein, einen kleinen Senat. — Was der kleine Senat war, und womit er sich beschäftigte. — Verderbter Geschmack Heliogabals. — Die unzüchtigen Pantomimen, die er veranstaltete und die Rolle, die er selbst dabei spielte. — Welche Menschen er mit Vor-

liebe zu Gefährten seiner Ausschweifungen machte. — Wie er die Frühlingsfeste feierte. — Sein Vergnügen an Beobachtungen in den gewöhnlichsten Freudenhäusern. — Seine Neigung und Zärtlichkeit für Prostituierte. — Einladung an alle eingeschriebenen Dirnen und professionellen Kuppler. — Wie er sich in diesem verrufenen Kreise benahm, und welche Geschenke er jedem Theilnehmer des Festes machte. — Der Kaiser als Courtisane. — Legitime Frauen dieses hermaphroditischen Kaisers. — Die Witwe des Pomponius Bassus. — Cornelia Paula. — Die Priesterin der Vesta. — Die Gatten Heliogabals. — Der Fuhrmann Hierokles. — Aurelius Zoticus, genannt der Koch. — Hochzeit der Götter und Göttinnen. — Feenhafte Feste Heliogabals. — Die Rechte der Courtisanen im kaiserlichen Palaste. — Tod Heliogabals. — Der Kaiser Alexander Severus. — Wohlthätiger Einfluss seiner Regierung. — Kaiser Gallian. — Seine Ausschweifungen. — Der göttliche Claudius als Kaiser. — Kaiser Aurelianus. — Kaiser Tacitus. — Verrufene Häuser werden im Innern der Stadt Rom verboten. — Kaiser Probus. — Kaiser Carinus. — Sein lasterhaftes Leben. — Kaiser Diocletian. — Unter ihm scheint die Geschichte der römischen Prostitution zu Ende zu gehen.

Nachdem die Familie der Antonine zwei grosse Philosophen hervorgebracht hatte, die den Versuch gemacht hatten, die römische Gesellschaft nach moralischen Grundsätzen zu reformieren, sollte ihr noch das Scheusal Commodus entspriessen; mit Heliogabal endete sie dann. Der abscheuliche Lebenswandel dieser beiden letzten Herrscher stand in schneidendem Gegensatz zu den schönen Tugenden Antoninus' und Marc Aurels, die fast ihre hervorragenden Vorgänger Trajan und Hadrian übertroffen hatten. Aber um über Commodus ein gerechtes Urteil fällen zu können, muss man sich auch vor allem die Zustände in der Familie seines Vaters und seine Erziehung vor Augen halten.

Folgen wir der Darstellung, die Gibbon in seiner berühmten Geschichte vom Niedergange des römischen Reiches von dieser Zeit gegeben hat, so leuchtet vor allem eins hervor: die ausserordentliche Nachsicht Marc Aurels gegen Bruder, Gattin und Sohn überschritt die Grenzen der Tugend des Privatlebens, und ward infolgedessen ein öffentliches Unglück. Faustina, die Gemahlin Marc Aurels, wurde durch ihre Liebschaften ebenso verrufen, wie sie wegen ihrer Schönheit gefeiert war. Der einfache Ernst des Philosophen war schlecht geeignet, ihre mutwillige Leichtfertigkeit zu beschäftigen, oder jene schrankenlose Leidenschaftlichkeit für Veränderungen zu fesseln, die oft in dem untersten Sterblichen persönliche Vorzüge entdeckte. Der Cupido der Alten war überhaupt eine sehr sinnliche Gottheit, und da die Liebschaften einer Kaiserin von ihrer Seite das vollste Entgegenkommen bedingen, können sie selten sentimentaler Natur sein. Kaiser Marcus war vielleicht der einzige Mensch im Reiche, der um die Unregelmässigkeiten der Faustina, die nach den Begriffen aller Zeiten dem beleidigten Gemahl Unehre machten, entweder nichts zu wissen, oder dagegen gleichgültig zu sein schien. Er beförderte mehrere ihrer Liebhaber zu einträglichen Ehrenstellen und gab ihr während einer Verbindung von dreissig Jahren unwandelbar Beweise des zartesten Vertrauens und einer Achtung, die auch mit ihrem Leben nicht erlosch. Die ungeheuren Laster des Sohnes haben einen Schatten auf die Reinheit der Tugenden des Vaters geworfen; es ist Marc Aurel zum Vorwurf gemacht worden, dass er das Glück von Millionen der parteiischen Zärtlichkeit für einen unwürdigen Knaben geopfert und den Nachfolger in seiner Familie, statt in der Republik, gewählt hat. Indessen war von dem besorgten Vater und den tugendhaften kenntnisreichen Männern, deren Beistand er dazu in Anspruch nahm, nichts vernachlässigt worden, um die klein denkende Seele des jungen Commodus' zu erheben, seine aufkeimende Neigung zu Lastern zurückzudrängen, und ihn des Thrones, für den er bestimmt war, würdig zu machen. Aber die Macht des Unterrichts übt selten einen grossen Einfluss aus, ausser auf jene glücklichen, begabten Gemüter, bei denen er fast überflüssig ist. Commodus war nicht, wie man ihn geschildert hat, als Tiger mit unersättlichem Durst nach Menschenblut geboren, nicht schon von Kindheit auf der unmenschlichsten Handlungen fähig. Die Natur hatte ihn mehr schwach als ruchlos geschaffen; Verstandesblödigkeit und Schüchternheit machten ihn zum Sklaven seiner Umgebung, und diese verdarb allmählich sein Herz. Seine Grausamkeit, zuerst dem Gebote anderer gehorchend, wurde allmählich zu einer Leidenschaft, die seine ganze Seele ausfüllte. Während der ersten drei Jahre seiner Regierung wurden die Formen, ja selbst der Geist der vorigen Regierung, aufrecht erhalten. Der junge Fürst und seine ausschweifenden Günstlinge schwelgten in aller Ungebundenheit der souveränen Macht, aber seine Hände waren noch von keinem Blute besudelt. Dann freilich erlosch allmählich jedes Gefühl für Tugend und Menschlichkeit in Commodus' Seele Während er die Zügel des Reiches unwürdigen Günstlingen überliess, hatte die souveräne Gewalt für ihn nur insofern Wert, als sie ihn in den Stand setzte, seine sinnlichen Begierden mit unbegrenzter Zügellosigkeit zu befriedigen. Er brachte seine Zeit in einem Harem von dreihundert schönen Frauen und eben so vielen Jünglingen, von jedem Stande und aus jeder Provinz zu, und wo die Künste der Verführung nicht ausreichten, da nahm der brutale Liebhaber seine Zuflucht zur Gewalt. Die alten Geschichtsschreiber haben sich über diese ruchlosen Scenen der Schändung, welche jeder Schranke der Natur und Scham spotteten, weitläufig verbreitet: aber es wäre keine leichte Aufgabe, ihre nur zu getreuen Schilderungen in einer modernen Sprache wiederzugeben. Die Zwischenräume der Wollust waren mit dem niedrigsten Zeitvertreib angefüllt. Commodus zeigte von Kindheit an Abscheu gegen alles Geistige und Edle. Er liebte nur die Unterhaltungen des Pöbels, die Spiele des Cirkus, die Kämpfe der Gladiatoren und die Jagd wilder Tiere. Die knechtische Schar, deren Glück von den Launen des Gebieters abhing, zollte diesem unedlen Treiben ungemessenen Beifall.

Commodus hatte, im Gegensatz zu seinem Adoptivbruder Lucius Verus, immer das Bedürfnis, seine Abscheulichkeiten vor möglichst vielen Zuschauern zu begehen. Dieser Lucius Verus war alles eher als ein Mustermensch; das hatte auch Marc Aurel sehr gut gewusst, als er ihn zum Mitregenten bestellte; aber wenn Prinz Lucius sich auch allen erdenklichen Ausschweifungen mit Tänzern, Schauspielern und Courtisanen hingab, so wahrte er doch ängstlich die Déhors, zog sich zu seinen Orgien in die geheimsten Gemächer des Schlosses zurück und erschien öffentlich nur immer mit dem Gebahren des tadellosen Gentlemans. Die Ausschweifungen seines Privatlebens berührten sein öffentliches Auftreten ganz und gar nicht, und er brauchte nicht zu fürchten, dass der Skandal seiner Laster einen Schatten auf das tugendhafte Regiment des Kaisers Marc Aurel geworfen hätte. Ganz anders Commodus: für diesen Menschen war es die grösste Freude, möglichst offen den grässlichsten Lüsten zu opfern. Und als seine in der Völlerei überreizten Sinne ihm den Dienst versagten, da ergötzte er sich am Blutvergiessen, das bei ihm zur brutalen Leidenschaft wurde und immer Hand in Hand ging mit seinen erotischen Abenteuern. „Von seiner zartesten Kindheit an," so schreibt Lampridius, der nach griechischen und lateinischen, heute verlorenen Quellen, die Geschichte dieser Zeit aufgezeichnet hat, „war er frech, boshaft, grausam, lüstern und besudelte sogar seinen eigenen Mund. (Turpis, improbus, crudelis, libidinosus, ore quoque pollutus, constupratus fuit)." Indessen erlangte er kurze Zeit nach seiner Mündigkeit, bei der Rückkehr aus dem ägyptischen Feldzuge, auf dem er seinen Vater begleitet hatte, die Ehren des Triumphes mit dem göttlichen Marc Aurel zusammen. Nach seinem Regierungsantritt verjagte er die weisen und würdigen Lehrer, die man ihm gegeben hatte, und berief die verderbtesten Menschen in seine nähere Umgebung. Als man sie einmal von ihm getrennt hatte, verfiel er in eine Krankheit, aus Kummer, sie nicht mehr um sich zu sehen, so dass man ihm seine gewöhnliche Umgebung wiedergeben musste. Von da ab legte er seinen Abscheulichkeiten keinen Zügel mehr an. Den Palast machte er zur Kneipe und zum Bordell (popinas et ganeas in palatinis semper ædibus fecit); die schönsten Frauen machte er dort ebenso seinen brutalen Gelüsten dienstbar, wie die Sklavinnen aus den Freudenhäusern (mulierculas formæ scitioris, ut prostibula mancipia lupanarium, ad ludibrium pudicitiæ contraxit). Schliesslich lebte er nur noch mit Gladiatoren und Dirnen zusammen: heimlich suchte er die Prostituiertenhäuser auf, verkleidete sich als Eunuche und servierte in den Zellen Wasser und Erfrischungen (aquam gessit ut leonum magister).

Als Marc Aurel starb, weilte Commodus gerade auf einem Kriegszuge gegen die Barbaren an den Ufern der Donau. Dort sehnte er sich ununterbrochen nach dem vergnügten Leben Italiens zurück. Er beeilte sich deshalb auch, das Heer zu verlassen, und wurde in Rom jubelnd aufgenommen, da die Römer die Schändlichkeiten seiner Jugend vergessen hatten und ihn im ganzen Glanze seiner strahlenden Schönheit bewunderten. Herodianus sagt von ihm: „Sein Gesicht hatte nichts Verweichlichtes an sich, sein Auge war mild und lebhaft zugleich, sein wohlfrisiertes Haar hochblond; wenn er im Sonnenscheine ging, dann glänzte sein Haar, als sei es mit Goldpuder bestreut.“ Diese, wenn man Herodian glauben darf, unvergleichliche Schönheit wurde indes durch die Ausschweifungen, denen sich Commodus mehr nach seinen Wünschen als nach seinen Kräften hingab, sehr bald zerstört. Seine starke Gesundheit erlag den ununterbrochenen Angriffen, und er wurde frühzeitig alt. Sein Rücken war gekrümmt, sein Kopf zitterte, sein Gesicht war mit Schwüren überdeckt, die Augen waren rot und die Lippen geifernd. Mehrfach erkrankte er an geschlechtlichen Krankheiten. Am Tage seines Einzuges in Rom, als sich das Volk an seinem schönen, frischen Gesichte enthusiasmierte, hatte er seinen Lustknaben (subactore suo) Anterus mit auf seinen Triumphwagen genommen und wandte sich während der Feierlichkeit mehrfach zu ihm, um ihn zu küssen: sogar im Theater setzten sie, zum Ergötzen des Publikums, den Austausch ihrer Zärtlichkeiten fort.

Einmal auf dem Throne, begann Commodus alsbald das Leben wieder, das er schon zu Zeiten seines Vaters geführt hatte. Abends trieb er sich in den Schenken und den verrufenen Häusern umher (vespera etiam per tabernas ac lupanaria volitavit); die Nächte hindurch zechte er bis zum frühen Morgen mit seinem Anterus und seinen anderen Lieblingen. Die Staatsgeschäfte überliess er vollständig der Hand des Perennis, der ihn immer noch mehr anreizte, sich ganz seinen Vergnügungen zu widmen und die Staatsgeschäfte zu vernachlässigen. Das änderte sich, als Commodus den Anterus verlor, den die Obersten der Leibwache töten liessen, um den tyrannischen Launen dieses Günstlings zu entgehen. Diesen Verlust überwand Commodus niemals, und er stürzte sich in immer neue Vergnügungen, um diesen Schmerz zu betäuben. Oeffentlich zeigte er sich fast gar nicht mehr, und schloss sich fast vollständig in seinen Palast ein, wo er den oben schon erwähnten Harem einrichtete. Sechshundert Personen sassen beständig an seiner Tafel und boten sich abwechselnd seinen Ausschweifungen dar (in palatio per convivia et balneas bacchatur). Als die physischen Kräfte ihn verliessen, ergötzte er sich wenigstens noch an obscönen Schauspielen (ipsas concubinas suas sub oculis suis stuprari jubebat). Es scheint das eines seiner Mittel gewesen zu sein, um seine erschlafften Sinne immer wieder aufzupeitschen (nec irruentium in se juvenum carebat infamia, omni parte corporis atque ore in sexum utrumque pollutus).

Bei ihm handelte es sich nicht darum, wie bei Tiberius und Nero, starken sinnlichen Trieben Erleichterung zu schaffen, sondern er war vielmehr beständig bemüht, durch alle Mittel, die die Phantasie nur ersinnen konnte, seine geschwächten Triebe zu reizen. So benützte er Liebestränke, Aphrodisiaka, in den allerverrücktesten Zusammensetzungen. Nachdem er seine Schwestern und Verwandten geschändet hatte, legte er einer seiner Konkubinen den Namen seiner Mutter bei, nur um durch die Vorstellung der Blutschande sich einen neuen, unerhörten Genuss zu verschaffen. Keinen Menschen in seiner Umgebung verschonte er mit seinen unsittlichen Anträgen und war auch immer selbst zu den allerschimpflichsten Diensten bereit (omne genus hominum infamavit quod erat secum et ab omnibus est infamatus). Wer darüber auch nur zu lächeln wagte, verfiel sofort dem Tode: der Kaiser liess ihn wilden Tieren vorwerfen. Ueber eine ganz verrückte Vorliebe dieses Menschen für unanständige Personennamen unterrichtet uns Lampridius mit folgenden Worten: „Habuit in deliciis homines apellatos nominibus verendorum utriusque sexus, quos libentius suis osculis applicabat.“ Eine Abschwäschung erfährt diese Stelle durch die Lesart oculis statt osculis, denn das erstere würde bedeuten, dass er die Träger solcher Namen lediglich mit besonderer Neugiede betrachtet hätte, während das zweite Wort einen viel prägnanteren Sinn giebt. Unter seinen Vertrauten hatte er einen Freigelassenen ausgezeichnet, den er wegen einer obscönen Aehnlichkeit mit einem Esel Onon nannte; er überhäufte ihn mit Geschenken und ernannte ihn zum Grosspriester des Herkules, um ihn für seine Verdienste zu belohnen. (Habuit et hominem pene prominente ultra modum animalium, quem Onon appellavit, sibi carissimum). Er selbst liess sich vom Senat den Namen Herkules beilegen, mit den schmückenden Beiworten: der Fromme und der Glückliche.

Man kann sich gar nicht vorstellen, welche blutgetränkten Orgien dieses Scheusal in Menschengestalt mit einer geradezu höllischen Phantasie beständig ersann; er verschonte nicht einmal die Tempel der Gottheiten mit seinen Lastern (deorum templa stupris polluit et humano sanguine). Besonders liebte er es, Frauenkleider zu tragen und weibische Gebärden nachzuäffen; dann wieder verkleidete er sich als Herkules mit einem golddurchwirkten Gewande und einem Löwenfell. „Es war ein lächerliches und bizarres Schauspiel,“ so sagt Herodian, „ihn so die weibische Schwachheit mit der Kraft des Heroen vereinigen zu sehen.“ Mit seinen Speisen trieb er alle möglichen Abscheulichkeiten, nur um sich an den Grimassen der Leute zu ergötzen, die an seiner Tafel sassen (dicitur saepe pretiosissimis cibis humana stercora miscuisse, nec abstenuisse gustu, aliis, ut putabat, irrisis). Eines Tages befahl er dem Gardeobersten Julian, sich zu entkleiden und nackt mit Kastagnetten vor den Beischläferinnen und den Lustknaben zu tanzen, die ihm Beifall spendeten; darauf liess er ihn in ein Bassin werfen, wo die Fische ihn verzehrten. Niemals vergass er, in den öffentlichen Regierungsanzeiger alle seine abscheulichen Worte und Thaten eintragen zu lassen (omnia quae turpiter, quae impure, quae crudeliter, quae gladiatorie, quae lenonice faceret).

Nachdem der fluchwürdige Herrscher mehreren Verschwörungen gegen sein Leben glücklich entronnen war, fiel er einem Anschlage der Marcia, seiner liebsten Konkubine, zum Opfer Marcia liebte ihn trotz seiner Verbrechen und wachte über ihn wie eine vorsorgliche Mutter, vielleicht mehr aus Mitleid als aus Liebe. Commodus hatte beschlossen, den ersten Tag des Jahres durch ein Fest zu feiern, bei dem er mit seiner Herkuleskeule und allen seinen Gladiatoren im Cirkus auftreten wollte. Marcia beschwor ihn, davon abzustehen, und alle Offiziere des kaiserlichen Hofes vereinigten ihre Bitten mit den ihren, sich nicht auf diese Weise den Dolchen der Mörder auszusetzen. Der Kaiser, der sich über den Widerspruch dieser treuesten Diener ärgerte, beschloss, sich von ihnen zu befreien, indem er sie zum Tode verurteilte. Er schrieb die Namen der Verurteilten auf ein Täfelchen von Lindenholz, das er unter seinem Kopfkissen vergass. Er hatte einen von jenen kleinen Knaben an seinem Hofe, die den Vergnügungen der Römer dienten. Das Kind, das er Philocommodus nannte, kam in sein Schlafzimmer, fand dort zufällig die Proskriptionsliste und schleppte sie als Spielzeug mit sich. Marcia sah diese Liste zufällig in den Händen des Kindes und nahm sie ihm unter Schmeichelworten fort. Unverzüglich benachrichtigte sie diejenigen, die ihr schweres Geschick teilen sollten, und mischte mit eigener Hand dem Commodus einen Gifttrank. Als der Kaiser trotzdem am Leben zu bleiben schien, wurde er durch einen Sklaven, mit Namen Narcissus, den Marcia dadurch gewonnen hatte, dass sie versprach, sich ihm hinzugeben, erwürgt. „Commodus war grausamer als Domitian; unsittlicher als Nero," so rief der Senat aus und beschloss, dass der Leichnam zum Spoliarium geschleppt wurde, wo man die Körper der getöteten Gladiatoren verscharrte.

Man hätte glauben sollen, dass Commodus in den Annalen der Prostitution niemals übertroffen worden wäre, aber man hätte die Rechnung ohne Heliogabal gemacht; dieser Kaiser hat in der römischen Geschichte einen Schandfleck hinterlassen und eine geradezu einzig dastehende Berühmtheit infolge seiner Schlechtigkeit gewonnen. Lampridius, der das Leben (impurissimam) dieses Scheusals nach zeitgenössischen griechischen und lateinischen Quellen geschrieben hat, schämt sich fast seines Werkes, obschon er eine Menge von Einzelheiten, die sein Schamgefühl ihm aufzunehmen verbot, mit Stillschweigen übergeht, (quum multa improba reticuerim et quae ne dici quidem sine maximo pudore possunt) und obschon er dasjenige, was er in seinen, dem Kaiser Konstantin erstatteten Bericht aufzunehmen wagte, unter ganz unverfänglichen Ausdrücken verbirgt (praetextu verborum adhibito). Herodian und Xiphilin, die uns von den Originalschriftstellern jener Zeit allein erhalten geblieben sind, geben uns wenigstens Einzelheiten von dem, was Lampridius wiederzugeben verschmähte: „Man begreift gar nicht," so wiederholen wir mit Lampridius, „dass ein solches Scheusal für den Kaiserthron erzogen worden ist, und dass er länger als drei Jahre regiert hat, ohne dass sich jemand fand, der die römische Gesellschaft von ihm befreite, während doch niemals den Nero, Vitellius, Caligula und anderen Fürsten dieser Art ein Tyrannenmörder gefehlt hat." Die Regierungszeit Heliogabals ist thatsächlich das letzte Aufbäumen der verkommenen römischen Gesellschaft, die zum Sterben ging und im Tode noch hoffnungslos sich in allen Ausschweifungen der alten Welt erging.

Heliogabal, der eigentlich Avitus hiess, nahm jenen Namen an, der seine frühere Eigenschaft als Sonnenpriester bezeichnete. Später liess er sich Antoninus nennen, weil er behauptete, er stamme von jener antoninischen Familie ab, die dem Reiche schon Antoninus Pius und Marc Aurel geschenkt hatte; der Name dieser glänzenden Familie war freilich schon durch Commodus entehrt worden. Heliogabal behauptete, seine Mutter Semiamira, die eine Courtisane war und an allen schimpflichen Ausschweifungen des Kaiserhofes teilnahm (quum ipsa meretricio more vivans, in aula omnia turpia exerceret), hätte mit Antoninus Caracalla ein Verhältnis gehabt, dem er entsprossen sei. Sein Ursprung wurde indessen durch andere bestritten, die ihn Varius nannten, in Anspielung auf die zahlreichen verschiedenen Liebhaber, die zu jener Zeit die Gunst seiner Mutter geteilt hatten. Wie es aber auch um seine Geburt stehen mochte, als Caracalla ermordet wurde, fürchtete Heliogabal in die Untersuchung hineingezogen zu werden und suchte eine sichere Zuflucht im Sonnentempel. Aus dem Tempel trat er heraus, als er sich im folgenden Jahre durch die Soldaten zum Kaiser ausrufen liess; seine Anhänger nannten ihn damals den Assyrer oder Sardanapal: „Er trug kostbare Gewänder," so erzählt Herodian, „bedeckt mit Gold und Purpur; er trug Armspangen, Halsketten und eine Krone wie eine Tiara, geschmückt mit Perlen und kostbaren Steinen. Sein Gewand ähnelte dem der phönicischen Priester und den macedonischen Luxusgewändern; er verachtete das Kleid der Römer und Griechen, das nur aus Wolle bestand, und trug keine anderen als seidene Stoffe." Um die Römer an seinen barbarischen Luxus und an seine Erscheinung zu gewöhnen, hatte er den Plan gefasst, sich im Kostüm des Sonnenpriesters malen zu lassen und dieses Gemälde nach Rom zu schicken, bevor er selbst dort einzog. Aber schon sein Gesicht allein, abgesehen von seinen Sitten, jagte den verworfensten Römern Schrecken ein: Quis enim ferre posset principem per cuncta cava corporis libidinem recipientem, quum ne belluam quidem talem quisquam ferat? Heliogabal war nicht durch Grössenwahn zu dieser unsagbar sittlichen Verwilderung gekommen: die Kaiserwürde hatte ihn schon so schlecht und verworfen in dem heiligen Tempel seines phönicischen Gottes vorgefunden. Man darf deshalb behaupten, dass er als Kaiser nicht schlechter, nicht verrufener, sondern vielleicht nur grausamer wurde. Was soll man von einem elenden Menschen erwarten, der keinen Begriff von Wohlanständigkeit besass, und sein ganzes Leben nur darauf einrichtete, damit den Beifall der verdorbenen Menge zu erringen (cum fructum vitae præcipuum existimans, si dignus atque aptus libidini plurimorum videretur)? Man begreift, dass die Christen in diesem Kaiser ein Abbild des Teufels sahen.

Gleich in der ersten Senatssitzung erschien er mit seiner Mutter, dieser alten Courtisane, die mehr als ein Senator noch von ihrem früheren Gewerbe her kannte. Semiamira nahm bei den Konsuln Platz und unterzeichnete die Senatsbeschlüsse, die unter solchen Umständen zu stande gekommen waren. Sie war die einzige römische Frau, die in ihrer Eigenschaft als kaiserliche Hoheit im Senat sass. Um seiner Mutter eine Freude zu machen, gründete Heliogabal einen kleinen Senat (senaculus), zusammengesetzt aus Frauen, die sich an gewissen Tagen auf dem Quirinal versammelten, um dort für die römischen Frauen Kleidergesetze festzustellen. Man bestimmte, welche Kleider sie öffentlich tragen durften, welche von ihnen sich eines Wagens bedienen durften, welche eines von Pferden getragenen Sessels, welche der Esel, welche eines von Ochsen oder Maultieren gezogenen Karrens, welche der Sänfte, ferner setzte man fest, ob die Sänften mit Fellen geschmückt sein durften oder mit Gold, Elfenbein und Silber; man bestimmte ferner durch Senatsbeschluss die Form und den Schmuck des Schuhwerkes, das jede Klasse von Frauen tragen durfte. Semiamira schien sich die Oberherrschaft über ihr Geschlecht vorbehalten zu haben, wie Heliogabal diejenige über sein eigenes. Während des Winters, den er vor seinem Einzug in Rom zu Nicomedia zubrachte, liess Heliogabal seinen grauenhaften Lüsten freien Lauf; das that er so rücksichtslos, dass sogar die abgehärteten Soldaten, die ihn zum Kaiser ausgerufen hatten, darüber erröteten (omnia sordide ageret, inireturque a viris et subaret). Als er in Rom war, änderte er seine Lebensweise keineswegs. „All sein Sinnen und Trachten," so sagt Lampridius, „drehte sich darum, Kundschafter auszusenden, die ihm aus allen Teilen der Welt Personen an seinen Hof schleppen mussten, mit denen er sich in irgend einer Weise einen besonderen sinnlichen Genuss verschaffen konnte." Xiphilin geht auch näher auf die Besonderheiten ein, die geeignet waren, jemandem bei Heliogabal ein besonderes Ansehen zu verschaffen. Wer würdig befunden worden war, dem Kaiser vorgestellt zu werden, der musste an den unkeuschen Schauspielen und Pantomimen teilnehmen, bei denen Heliogabal selbst in der Regel als irgend eine mythologische Figur auftrat. Vorzugsweise stellte er die Venus dar in den verschiedenen Situationen, die man ihr in der Mythologie andichtete; so z. B. war der Urteilsspruch des Paris eine seiner beliebtesten Pantomimen (posterioribus eminentibus in subactorem rejectis et oppositis).

Im Theater und im Cirkus suchte sich Heliogabal die Gefährten seiner Ausschweifungen unter den stärksten und robustesten Gladiatoren und Athleten aus. Dort hat er auch die Kutscher Protogenes, Gordius und Hierocles aufgetrieben: für den Hierocles hegte er eine solche Leidenschaft, dass er ihn sogar öffentlich abküsste (Hieroclem vero sic amavit, ut eidem oscularetur inguina). Das nannte er dann das Frühlingsfest feiern! Im Palaste hatte er ein öffentliches Bad einrichten lassen und scheute auch nicht davor zurück, mit allem Volke zu baden, weil er dort am leichtesten seiner gierigen Lüsternheit Opfer entdecken zu können hoffte (ut ex eo conditiones bene vasatorum hominum colligeret). Zu ebendenselben Zwecken durchstreifte er die Strassen und die Quais am Tiber. Nur vor denjenigen Menschen, die er viriliores, also in einem gewissen abscheulichen Nebensinne Uebermenschen nannte, hegte er Achtung (homines ad exercendas libidines bene vasatos et majoris peculii). Heliogabal gab auch einige der höchsten staatlichen Ehrenstellen an solche Menschen, die keinen anderen Vorzug aufzuweisen hatten, als einen Körperbau, der durch gewisse Abnormitäten ihm wohlgefiel (commendatos sibi pudibilium enormitate membrorum). Bei seinen Gelagen hatte er immer derartige Personen in seiner unmittelbaren Nähe (eorumque attrectatione et tactu præcipue gaudebat).

Gleich Nero und Commodus empfand er ein unbeschreibliches Vergnügen daran, incognito in den allergewöhnlichsten Freudenhäusern herumzulungern. „Bedeckt mit der Mütze eines Maultiertreibers, um nicht erkannt zu werden," so erzählt uns Lampridius, „besuchte er an einem einzigen Tage die Dirnen des Cirkus, des Theaters und Amphitheaters in allen Quartieren Roms; wenn er sich auch nicht mit allen diesen Mädchen abgab (sine effectu libidinis), so schenkte er ihnen doch allen Goldstücke mit den Worten: „Sag niemandem, dass Antoninus dir dieses Geschenk gemacht hat." Für die Priesterinnen der käuflichen Liebe hatte er eine absonderliche Zuneigung. Eines Tages rief er alle in die ædilischen Register eingetragenen Dirnen der Stadt in eine Basilika zusammen und präsidierte dieser wunderlichen Versammlung, zu der auch alle professionellen Kuppler, alle bekannten jungen Lebemänner, die Kinder und Jünglinge, die der Schande dienten, Zutritt hatten (lenones, exoletos, undique collectos et luxuriosissimos puerulos et juvenes). Zuerst zeigte er sich in dem Kostüm des Sonnenpriesters, um der Gesellschaft zu imponieren, und hielt eine den Umständen angemessene Ansprache, die mit dem Worte „Kameraden“ (commilitones) begann. Dieser Ausdruck kehrte in der Rede unzählige Male wieder. Sodann eröffnete er die Diskussion über verschiedene abstrakte Fragen der Prostitution und der Ausschweifung (disputavitque de generibus schematum et voluptatum). Man kann sich denken, dass seine zügellose Zuhörerschaft ihm fortwährend den lebhaftesten Beifall spendete. Stolz auf seinen Erfolg verschwand er darauf auf einen Augenblick und kehrte im Kostüm einer Courtisane zurück. Als solche trieb er sich dann unter den Teilnehmern der Festivität umher und veranstaltete allerhand Narreteien (habitu puerorum qui prostituuntur). Schliesslich beendete er die Sitzung mit einer neuen Ansprache, die noch verrückter war als die erste, und versprach jedem Anwesenden ein Geschenk von drei Goldstücken; beim Abschied bat er dann noch, die Herrschaften möchten zu den Göttern beten, auf dass sie ihm bis an ein seliges Ende gute Gesundheit und viel Vergnügen spendeten!

Das war nicht das einzige Zeichen seines Wohlwollens für die öffentlichen Dirnen. Oftmals erschien er in irgend einem Freudenhause und befreite die Sklavinnen, die dort gehalten wurden, damit sie als Freigelassene ihr schmutziges Gewerbe fortsetzen konnten. Man erzählt sogar, dass er einmal eine sehr schöne Sklavin um hunderttausend Sesterzen freikaufte und das Mädchen nicht einmal berührte (velut virginem coluisse). Ging er auf Reisen, dann mussten ihm sechshundert Karren mit Kupplern, Dirnen und Buhlknaben folgen (causa vehiculorum erat lenonum, lenarum, meretricum, exoletorum, subactorum etiam bene vasatorium multitudo). Im Bade hatte er immer Weiber um sich. Zu seiner Toilette bediente er sich eines Crêmes, der die Haare zerstörte (rasit et virilia subactoribus suis novacula manu sua, quae postea barbam fecit). „Niemand,“ so sagt Xiphilin, „könnte alle die Abscheulichkeiten aufzählen, die er an seinem Körper beging oder begehen liess.“ Xiphilin verschmäht es, auf Einzelheiten näher einzugehen, die Dio Cassius sorgfältig gesammelt und in seiner griechischen Sprache gleichsam mit einem Schleier überdeckt hatte; aber in dem Original-Werke von Dio Cassius ist uns die Geschichte Heliogabals nicht überliefert worden, gerade wie wenn eine keusche Hand die Seiten, die diesem Scheusal gewidmet waren, zerrissen hätte. Lampridius sagt ebenfalls, dass man in der Geschichte dieser Epoche eine grosse Anzahl von Schamlosigkeiten zusammengetragen hatte, die er glaubt, mit Stillschweigen übergehen zu sollen, weil sie nicht würdig sind, im Gedächtnis der Menschen zu haften (digna memoratu non sunt). „Er erfand,“ so sagt er, „mehrere Arten von Ausschweifungen, und übertraf die Erfahrungen aller Lüstlinge, denn er kannte alle die Thaten Neros, Caligulas und Tiberius' (libidinum genera quædam invenit, ut spinthrias veterum malorum vinceret, et omnes apparatus Tiberii et Caligulae et Neronis norat)."

Wenn man einzelne Stellen aus dem Abriss von Xiphilin liest, dann darf man bedauern, dass uns das Originalwerk von Dio Cassius nicht überliefert worden ist. Der Präsident Cousin hat in einer Uebersetzung diese Stellen vorsichtig abgeschwächt, aber auch daraus können wir noch Manches zu unserm Entsetzen entnehmen: „Heliogabal ging zu den Stätten der Prostitution, verjagte die Courtisanen von dort und gab sich den infamsten Lüsten hin; sodann bestimmte er ein Gemach in seinem Palaste zum Bordell; an der Thüre stellte er sich unbekleidet auf, und rief, wie die Dirnen zu thun pflegten, die Vorübergehenden an, sie möchten eintreten. Andere Personen schickte er aus, um immer neue Kundschaft für seine Einrichtung anzuwerben; er nahm Geld von den Gefährten seiner Ausschweifungen und rühmte sich der Einnahmen aus diesem abscheulichen Gewerbe. Wenn er mit seinen Kumpanen zusammen war, dann renommierte er mit der grossen Zahl seiner Liebhaber und mit dem Gelde, das er ihnen abgenommen hatte. Er nahm es wahllos von allen denen, mit denen er sich einliess. Einer von ihnen war von schöner stattlicher Gestalt, und deshalb wollte er ihn zum Thronfolger machen."

Mehr noch als seine Sinnlichkeit war Heliogabals Phantasterei ausgebildet. Er suchte nach immer neuen Methoden, sein unanständiges Leben zu führen und zugleich die Schamhaftigkeit seiner Umgebung zu verletzen. Mit besonderer Vorliebe verwendete er bei den Gelagen, die er für seine wilde und zügellose Kameraderie veranstaltete, Becher und Tafelgeräte, die mit obscönen Darstellungen bedeckt waren (schematibus libidinosissimis inquinata). Mit derartigem Silberzeuge prunkte er zumal bei den grossen Hoftafeln zur Zeit der Weinlese; bei der Gelegenheit gefiel er sich auch darin, die würdigen Geheimräte und konsularischen Greise, die seine Tischgäste waren, in der gemeinsten Weise zu verspotten, aufzuziehen und zu beschimpfen. Ganz ungeniert (impudentissime) forderte er sie gewöhnlich auf, sie sollten von den Liebesabenteuern ihrer Jugend erzählen, wobei schon seine Einladungen zu dieser Art Unterhaltung nichts an Roheit zu wünschen übrig liess (neque enim unquam verbis pepercit infamibus, quum et digitis impudicitiam ostentaret, nec ullus in conventu, et audiente populo, esset pudor). Das nannte er dann „die Weinlese lustig feiern!" Man kann sich die Verlegenheit, die Scham und den Aerger der alten Excellenzen unschwer vorstellen, wenn der junge kaiserliche Grünschnabel sie mit der Frage „beehrte": „an promptus esset in Venerem?" Schlugen dann die greisen Herrn errötend die Augen nieder, so brüllte der Chor der jugendlichen Zechgenossen wiehernd Beifall und erging sich seinerseits in lächerlichen Renommistereien lasciver Natur. Manche von den Greisen freilich entwürdigten sich soweit, in diesen Ton mit einzustimmen und auch allerhand Bekenntnisse abzulegen (qui improba quaedam pati se dicerent, qui maritos se habere jactarent). Dem Kaiser machte das alles offenbar einen Hauptspass; je toller es getrieben wurde, um so besser gefiel es ihm — und dabei merkte er nicht einmal, dass mancher seiner Gäste sich angebliche Schamlosigkeiten rühmte, die er thatsächlich nie im Leben begangen hatte! Heliogabal und seine Genossen in ihrer Beschränktheit hatten schwerlich eine Ahnung von dem furchtbaren Abgrund, dem das Reich mittlerweile zugeführt wurde. Am wenigsten der Bube im Purpur, der weder um die Meinung der Römer, noch um die der tüchtigen oder doch praktisch verständigen Männer in der eigentlichen Regierung, noch um die seiner klügeren Verwandten sich viel kümmerte.

Dieser schreckliche Mensch wollte mehrere legitime Frauen und mehrere Gatten haben. Zuerst heiratete er die Witwe des Pomponius Bassus, den er zum Tode verurteilt hatte, unter der Anklage, er habe sich über das Privatleben des Kaisers aufgehalten. Die ebenso schöne wie edle Frau war die Grosstochter des Claudius Severus und des Marcus Antoninus. Heliogabal, der sie mit Gewalt zu dem schimpflichen Ehebunde gezwungen hatte, war ihrer bald überdrüssig: „Er suchte die Weiber nicht, weil er ein Verlangen darnach verspürte," sagt Xiphilin, „sondern weil er die Ausschweifungen seiner Liebhaber nachzuahmen wünschte." Er verheiratete sich dann mit Cornelia Paula, in der Hoffnung, von ihr bald Vater zu sein. Diese Ehe wurde mit öffentlichen Spielen und Festen gefeiert, aber bald liess er sich von seiner neuen Gemahlin trennen, unter dem Vorwand, sie sei körperlich missgestaltet. In Wahrheit gedachte er nur eine neue Ehe einzugehen, und zwar mit grösserem Gepränge, als seine früheren. Er drang in den Vestatempel ein, und beinahe wäre das heilige Feuer erloschen, während er das Heiligtum durch eine Schändung entweihte (ignem perpetuum extinguere voluit). Er entführte die Vestalin Aquila Severa und heiratete sie vor allem Volke, indem er behauptete, dass die Kinder, die der Verbindung des Sonnenpriesters und der Vestapriesterin entspriessen würden, ohne Zweifel heilig und göttlich wären. Aber dieser verbrecherischen Ehe entsprangen ebenso wenig Kinder als den andern, und Heliogabal wurde seiner Vestalin bald überdrüssig; er ersetzte sie durch zwei oder drei andere Frauen, bis er endlich zum zweiten Male die Aquila Severa nahm.

Was Xiphilin über die Heiraten dieses wahnwitzigen Burschen mit Männern berichtet, entzieht sich durchaus der Wiedergabe. Präsident Cousin hat es in seiner eleganten Weise übersetzt, ohne doch auf alle Details einzugehen. Schon die eine Angabe genügt ja auch zur Charakterisierung, dass sich das Scheusal als Weib verkleidete und mit dem Titel „Kaiserin" ansprechen liess. Um sein weibisches Ansehen noch deutlicher zu machen, liess er sich beständig auf das sorgsamste rasieren und trug sich ganz wie eine Frau. Manchmal kam er auch auf die verrückte Idee, die Senatoren im Bette liegend zu empfangen. Sein sogenannter Gatte war ein Sklave aus Karien mit Namen Hierocles, seines Zeichens ein Karrenführer. Hierocles hatte die fürstliche Aufmerksamkeit erregt, als er eines Tages von seinem Wagen fiel, und dabei sein prachtvolles Lockenhaar sich löste. Thatsächlich besass der Mensch eine wunderbar zarte und feine Haut, dabei aber eine kraftvolle, athletische und imposante Gestalt. Alle Züge perversen Geschlechtslebens, das die moderne Wissenschaft uns in seinen mannigfaltigen Arten aufgedeckt hat, können wir in der Xiphilinischen Erzählung von den Schändlichkeiten Heliogabals wiederfinden. Für den Kulturhistoriker sind deshalb diese Angaben nicht minder wichtig und bedeutungsvoll wie für den Arzt und Soziologen. Diese Nachtseite des menschlichen Lebens hat eben auch ihre Geschichte und ihre deutlichen Beziehungen zu den gesellschaftlichen Verhältnissen jedes Zeitalters Man begreift leicht, dass das urkundliche Material nicht sehr reichhaltig sein kann; aber was vorhanden ist, ist einer sorgfältigen Sichtung und Durchprüfung nach den verschiedensten Gesichtspunkten wert. Bei Heliogabal ist uns nicht nur die Zuneigung zu Hierocles urkundlich überliefert worden, sondern es wird uns auch noch erzählt, dass dieses Individuum einen Rivalen gehabt hat, der zeitweise beim Kaiser fast eines gleichen Ansehens sich erfreute. Es war das Aurelius Zoticus, der Koch zubenannt, weil sein Vater ihn in Küchen aufgezogen hatte, in denen er in seiner Jugend auch beschäftigt wurde. Zoticus entsagte dem väterlichen Gewerbe schon sehr früh und zeichnete sich dank seiner Gewandtheit und seiner gewaltigen Körperkraft bald als Ringkämpfer aus. Man machte den Heliogabal auf den physisch hervorragenden Menschen aufmerksam, und der gekrönte Bube ernannte ihn dann zum kaiserlichen Kammerherrn (cubicularius). Xiphilin malt uns das erste Zusammentreffen der beiden ganz amüsant aus: Zoticus redete den Heliogabal natürlich der Etikette gemäss mit Imperator und Majestät an; dieser aber bat schmollend darum, ihn doch als Dame zu betrachten und entsprechend zu titulieren. Hierocles entledigte sich des Rivalen dadurch, dass er ihm ein schleichendes Gift in einen Trank mischte. Der starke Zoticus ging zum grossen Kummer seines kaiserlichen Freundes langsam daran zu Grunde und wurde zuguterletzt noch aus Rom und Italien verbannt.

Heliogabal, der so vom moralischen und sittlichen Standpunkte aus die Ehe in der skandalösesten Weise zerstörte, hatte den verrückten Einfall, auch die Götter und Göttinnen zu vermählen. Er begann damit, seinem phönicischen Gotte eine Frau zu geben, „wie wenn dieser Gott der Frau und der Kinder bedürfte,“ sagt Xiphilin. Das Weib, das er für ihn ausgesucht hatte, war die Göttin Pallas, und zur Hochzeitsfeier liess er das Palladium, jene hochheilige Statue, die die Römer als den

Schutzgeist ihrer Stadt verehrten, und die niemals von ihrem Platze fortgenommen worden war, in seine Gemächer bringen. Am Tage nach dieser absonderlichen und lächerlichen Ceremonie, die er soweit trieb, dass er die beiden Statuen in eine Art Brautbett gelegt hatte, erklärte er, dass eine so kriegerische Göttin nicht zu einem so friedfertigen Gott passe und liess die Statue der Venus Urania, der carthagischen Gottheit nach Rom bringen. Urania, die Göttin des geheimnisvollen Werdens in der Natur, die den Mond und die Sterne der Nacht darstellte, musste natürlich die Gemahlin des Heliogabals, des Sonnengottes, werden. Der Kaiser feierte ihre Hochzeit glanzvoll und befahl, dass alle Unterthanen des Reiches den Neuvermählten kostbare Hochzeitsgeschenke darbringen müssten. Er selbst tanzte mit geschmücktem und gepudertem Gesicht im seidenen Gewande um die beiden Gottheiten, die in einem Purpurbette zusammenlagen und durch Bänder miteinander verbunden waren. Aus Anlass dieser unglaublichen Hochzeit von Statuen wurden in Rom und in ganz Italien grosse Feste veranstaltet. Heliogabal identifizierte sich bald mit dem Gotte, dessen Namen er trug und richtete für sich selbst einen Gottesdienst ein; sogar die Christen mussten ihn anbeten. Doch auch an anderen Gottesdiensten nahm er teil, besonders, wenn er eine Rolle in den Mysterien dieses Kultus spielen konnte. So sah man ihn am Cybeledienst mit den verstümmelten Priestern dieser Gottheit teilnehmen. Ebenso beteiligte er sich an den bizarren und unanständigen Feiern der Isis und des Priaps, der Flora und der Cotytto.

Man kann sich gar keine genaue und umfassende Vorstellung von diesen feenhaften Festlichkeiten machen, bei denen er alles aufbot, was Luxus, Verschwendungssucht, Wohlleben und Laune erfinden konnten, um seinen Leidenschaften, seinen Sinnen und seinen verderbten Instinkten zu schmeicheln; er lebte gleichsam nur, um neue Ausschweifungen zu erfinden (exquirere novas voluptates). Lampridius hat einige der wunderbaren Tollheiten dieser Festlichkeiten aufgezählt, bei denen Heliogabal immer mit Blumen geschmückt und mit kostbaren Essenzen gesalbt, mit Purpur- und Goldstoffen bekleidet und mit Edelsteinen überladen dasass, das Haupt gekrönt von einem schweren orientalischen Diadem (quum gravari se diceret onere voluptatis). Diese fabelhaften Gastereien dauerten ganze Nächte hindurch und wurden lediglich von Ausschweifungen aller Art unterbrochen. Die Teilnehmer waren gleichsam keine Menschen mehr, sondern wilde Tiere. Sie strengten sich an, ihren Kaiser nachzuahmen, ohne ihn doch erreichen zu können. Er selbst trieb es nämlich dabei immer am tollsten, wie wir schon aus folgenden Worten entnehmen könne: Junxit et quaternas mulieres pulcherrimas et binas ad papillam, vel ternas et amplius, et sic vectatus est: sed plerunque nudus quum illum nudæ traherent. Bei derartigen Gelegenheiten war er von einer masslosen und geradezu tollen Freigebigkeit; manchmal veranstaltete er förmliche Lotterien und freute sich unbändig, wenn der Zufall die Geschenke möglichst absurd verteilte. Mit Vorliebe verkuppelte er durch das Los die an seinen Gelagen teilnehmenden Männer und Frauen, die sich den kaiserlichen Launen nicht zu entziehen wagten, denn es war gefährlich, den neckischen Spielen der Glücksgöttin irgendwelchen Widerstand entgegenzusetzen: häufig schloss das Treiben mit Verbannung, Güterkonfiskation oder gar einem Todesurteile ab. Was an Frauen an derartigen wüsten Gelagen teilnahm, war manchmal geradenwegs von der Strasse in den Kaiserpalast hereingeholt worden. Die schmutzigste Strassendirne konnte auf diese Weise leicht dazu kommen, mit dem Beherrscher des Weltreiches an einer Tafel zu speisen, wenn der Bube sie nicht etwa gar noch in anderer Weise mit seiner Gnade beehrte. Für diesen kam es im wesentlichen nur darauf an, stets neue Gesichter um sich zu sehen (idem mulieres nunquam iteravit, præter uxorem). Unter den Prostituierten Roms war es eine ganz bekannte Sache, dass sie leicht Zutritt zu den kaiserlichen Gemächern erlangen konnten (lupanaria domi amicis, clientibus et servis exhibuit) Eines Tages liess der wahnsinnige Verschwender ihnen den siebenten Teil der Getreidevorräte austeilen, die Trajan und Severus aufgespeichert hatten, und die sieben Jahre die Stadt vor Teuerung bewahren konnten.

Dieses Monstrum in Menschengestalt entehrte die kaiserliche Würde in einer Regierung von mehr als vier Jahren, während der er alle Ausschweifungen, Grausamkeiten, Lüste und Verworfenheiten durchkostete, mit denen man überhaupt nur die Natur besudeln kann. Er rühmte sich, in seinem Privatleben den Apicius nachzuahmen, und auf dem Throne den Nero, Otho und Vitellius. Und doch war er erst achtzehn Jahre alt, als er durch Schauspieler in den Latrinen ermordet wurde, in denen er sich verborgen hatte. Die Soldaten, die sich verschworen hatten, Rom und die Welt von einem derartigen Kaiser zu befreien, wüteten mit ihrer ganzen Grausamkeit gegen seine Mitschuldigen. „Der Unreine,“ „der Geschleifte,“ wie ihn diejenigen nannten, die seinen Körper durch die Gassen der Hauptstadt geschleift hatten, sollte in der Geschichte der römischen Kaiser nicht seinesgleichen finden, und unter dem günstigen Einfluss seines Nachfolger Alexander Severus schien die Welt gleichsam aufzuatmen. Alexander Severus, ein syrischer Romane, ist persönlich eine der merkwürdigsten Erscheinungen jenes Zeitalters. Er zählt zu den zu ihrem Glück nicht sehr häufigen, milden, weichen, liebenswürdigen, ideal angelegten Naturen, die in wilder und tiefverdorbener Zeit und Umgebung in erstaunlicher Reinheit und Sauberkeit der Phantasie, der Lebenshaltung und des Charakters heraufwachsen, und zuletzt mehr oder weniger tragisch untergehen, weil ihre Tugenden nicht auf den Rückhalt durchschlagender Kraft und zerschmetternder Energie sich stützen können. Alexander besass einen trefflichen Charakter; bei liebenswürdigem Gemüte, bei einem reichen Geiste, der an den Traditionen von Roms alter Grösse und an der Versenkung in die edelsten Gestalten der älteren und jüngeren Vergangenheit sich gebildet hatte, war ein tiefer Ernst ihm eigentümlich. Züchtig, nüchtern in seinen Lebensgewohnheiten, sparsam, zeigte er sich in hohem Grade arbeitsam und als ein Princeps von ausgesprochenem Pflichtgefühl und tiefem Bewusstsein seines schweren Berufs. Dass er doch tragisch enden musste, und wie das Verhängnis über ihn hereinbrach, das haben erst neuere Historiker uns in scharf umrissenen Bildern dargethan. Für uns hier ist besonders wichtig die Bemerkung, dass seine gute Regierung auf die römischen Sitten wenig Einfluss gehabt hat. Gute Regenten können eben nie soviel nützen, als schlechte zu schaden vermögen.

Auch auf die Gestaltung der philosophischen Ideen in dieser Zeit müssen wir einen flüchtigen Blick werfen: das Zeitalter des Sinkens der Wissenschaften und des Menschengeschlechts erhält seinen wesentlichen Charakter durch die Erhebung und die schnellen Fortschritte der Neuplatoniker. Die Schule von Alexandrien brachte die von Athen zum Schweigen, und die alten Sekten reihten sich unter die Fahne modischer Lehrer, welche ihr System durch Neuheit der Methoden und die Strenge ihrer Sitten empfahlen. Mehrere dieser Meister, Ammonius, Plotinus, Amelius und Porphyrius waren Männer voll tiefer Gedanken, gebildet durch anhaltende Studien: aber indem sie den wahren Zweck der Philosophie verkannten, trugen ihre Arbeiten weniger zur Ausbildung als zur Verkehrtheit des menschlichen Verstandes bei. Diejenige Kenntnis, welche unserer Natur und unseren Fähigkeiten angemessen ist, der ganze Umfang der Moral-Natur- und mathematischen Wissenschaften wurde von den Neuplatonikern vernachlässigt, während sie ihre Kraft in metaphysischen Wortstreitigkeiten erschöpften, die Geheimnisse der unsichtbaren Welt zu ergründen suchten und Plato und Aristoteles über Gegenstände zu vereinigen strebten, von denen diese beiden Philosophen ebensowenig wussten, wie der Rest der Menschheit. Indem sie ihren Verstand in diesen tiefen aber wesenlosen Forschungen erschöpften, wurde ihr Geist ein Opfer der Täuschungen der Phantasie. Sie schmeichelten sich mit dem Besitze des Geheimnisses, die Seele von ihrem körperlichen „Gefängnisse“ zu befreien, machten auf vertrauten Verkehr mit Dämonen und Geistern Anspruch und verwandelten durch eine seltsame Umwälzung das Studium der Philosophie in das der Magie. Die alten Weisen verlachten den Volksaberglauben, aber indem die Schüler des Plotinus und Porphyrius dessen Ausschweifungen unter dem dünnen Schleier der Allegorie bargen, wurden sie seine einflussreichsten Verteidiger. So können wir wohl verstehen, wie wenig Wirkung diese Art von Philosophie auf die Lebensführung des Volkes ausübte. Ueberall sehen wir eine beunruhigende Dekadenz, einen Verfall, bei dem die sittlichen Verfehlungen in jenem engeren Sinne, der ihnen in einer Geschichte der Prostitution zukommt, kaum mehr bedeutet, als ein bemerkenswertes und auffallendes Symptom.

Indes, bevor das Christentum den völligen Sieg über die römische Gesellschaft davon getragen und seine strenge, weltfeindliche Moral durchgesetzt hatte, sah man noch eine Reihe von Kaisern auf dem Throne einander folgen, wie die Schauspieler auf einem Theater; viele von ihnen gaben dem Volke das verderbliche Beispiel jeder Art von Ausschweifungen. Gallus lebte fast nur für seinen Bauch und seine sinnlichen Gelüste (natus abdomini et voluptatibus), indem er zeitweise den Heliogabal nachahmte: er lud Frauen in grosser Zahl zu seinen Festlichkeiten ein, wählte dann die jüngsten und schönsten für sich aus und überliess die alten und hässlichen seinen Zechgenossen.

Wenn der göttliche Claudius, wie um die Römer den abscheulichen Gallian vergessen zu machen, als Philosoph keusch und bescheiden lebte; wenn Aurelian den Luxus durch Kleidergesetze einschränkte und den Ehebruch selbst bei Sklaven streng bestrafte; wenn der Kaiser Tacitus verbot, verrufene Häuser in Rom einzurichten, ein Verbot, das übrigens nicht aufrecht erhalten werden konnte (meritoria intra urbem stare vetuit, quod quidem diu tenere non potuit); wenn er die öffentlichen Bäder während der Nacht schliessen liess; wenn er den Gebrauch seidener Kleider und allerhand Luxusgegenstände untersagte; wenn Probus seinem Namen durch seine Regierung Ehre machte, so war doch Carinus, der Vorgänger Diocletians, nach dem Urteil des Flavius Vopiscus der ausschweifendste aller Menschen (homo omnium contaminatissimus, adulter, frequens corruptor juventutis, ipse quoque male usus genio sexus sui). Zum Obersten der kaiserlichen Garde machte er einen alten Kuppler namens Matronianus, zu seinem Kabinetssekretär ein übelberüchtigtes Individuum (impurum), mit dem er selbst allerhand Perversitäten huldigte; die niedrigsten und verrufensten Kerle aus der ganzen Hauptstadt zählte er zu seinen Freunden. Mit allen Lastern war er behaftet (enormibus se vitiis et ingenti foeditate maculavit) und respektierte nichts (moribus absolutus).

Aber Diocletian fegte alle diese Abscheulichkeiten, die aus dem Kaiserpalast ein Lupanar gemacht hatten, hinweg. Die Regierung dieses Kaisers, der sich ausdrücklich den Marc Aurel zum Vorbilde genommen hatte, kann im allgemeinen als höchst wohlthätig gelten, und scheint mit Diocletian die Geschichte der römischen Prostitution zu Ende zu sein.

Dufour
Geschichte der
Prostitution

ZWEITER BAND:

Die christliche Zeit I

ERSTER TEIL:

Rom ∘ Byzanz ∘ Frankreich bis zum X. Jahrhundert

Deutsch von Dr. Bruno Schweigger

Fünfte Auflage

Verlegt bei
DR. P. LANGENSCHEIDT
Gross-Lichterfelde-Ost

I. Kapitel.

Die christliche Aera. — Einleitung. — Die christliche Ehe. — Die Paulinische Lehre. — Der Abschaum der Bevölkerung aus den Vorstädten Rom bei den Predigten des Paulus. — Paulus betrachtet die Ehe als das letzte Mittel gegen die Versuchungen des Fleisches. — Paulus tritt gegen die Prostitution auf. — Die antiken Philosophen empfahlen die Mässigkeit im Geschlechtsgenuss lediglich aus hygienischen und eudæmonistischen Gründen. — Die Keuschheit aus religiösen Gründen bei den Heiden und der christliche Cœlibat. — Triumph der christlichen Jungfräulichkeit. — Heftiger Krieg der neuen Moral gegen die Prostitution — Die Gatten in der christlichen Ehe. — Strenge Vorschriften der ursprünglichen Kirche gegen fleischliche Verfehlungen. — Warum die Verfolger mit Vorliebe die christlichen Jungfrauen zur Prostitution zwangen.

Alle heidnischen Kulte waren sozusagen nur Symbole und Mysterien der Prostitution; indem das Christentum sich ihre Abschaffung vornahm und sie durch einen einheitlichen, auf menschliche und göttliche Moral gegründeten Kultus ersetzen wollte, musste es sich zunächst gegen die Prostitution wenden und die Sitten verändern, bevor es das religiöse Dogma verändern konnte. Es steht fest, dass die ersten Apostel ihre Mission inmitten einer verderbten Welt damit begannen, dass sie Enthaltsamkeit und Keuschheit als die ersten Grundsätze der neuen Lehre verkündeten. Jesus hatte auf Erden nach der Ueberlieferung keusch gelebt, obschon er der Sünderin verziehen und Magdalenen zum Glauben bekehrt hatte. Diese Keuschheit und zugleich dieses Mitleid mit menschlichen Verirrungen standen in schroffem Gegensatze zu den Gesetzen und Moralvorschriften der alten Welt. Man bedenke. das römische Recht bestrafte den Ehebruch mit dem Tode, das mosaische Gesetz war nicht weniger streng, wurde also bei den Juden noch genauer beachtet: und doch wagte es Jesus, den Schriftgelehrten und Pharisäern, die eine beim Ehebruch ertappte Frau vor ihn führten, um sie steinigen zu lassen, zu sagen, „wer von Euch ohne Fehl ist, werfe den ersten Stein auf sie" Nachdem er das Weib, das seine Kniee umfasst hielt, gefragt hatte, wer ihre Ankläger und Richter seien, sprach er zu ihr: „Ich will Dich nicht verdammen, gehe hin und sündige nicht mehr!" Und doch hat dieser selbe Jesus die christliche Ehe geschaffen, die sehr wesentlich von der ehelichen Gemeinschaft nach griechischer und römischer Sitte verschieden war. Die Heiligkeit dieser unlöslichen Ehe, die vor dem Angesicht Gottes geschlossen sein sollte, leuchtete aus jenen Worten hervor, worin gesagt wird, dass der Mann Vater und Mutter verlassen und mit seinem Weibe gehen soll und dass die Beiden eines Fleisches seien, sodass sie nicht mehr zwei, sondern nur eine Einheit seien.

Das Werk des Reformators musste darin bestehen, die moralische Welt wieder zu erneuern und der Menschheit die Achtung vor sich selbst wiederzugeben; die Religion des Evangeliums war gleichsam ein Schutzwall gegen das Uebermass antiker Korruption, die alle Begriffe des sittlichen Wertes und der Ehrbarkeit zu zerstören begonnen hatte. Es bedurfte nicht weniger als dreier Jahrhunderte des Kampfes, der Predigt und besonders des vorbildlichen Lebenswandels, um die unreinen Tempel der Isis, der Ceres, der Venus, der Flora und anderer Gottheiten der Prostitution zu zerstören. Dadurch, dass das Christentum nicht nur dem Missbrauche des fleischlichen Genusses, sondern sogar diesem Genusse selbst den Krieg erklärt, hatte es grosse Mühe, das Heidentum zu überwinden, das ihn beschützte, wenn es ihn nicht gar lebhaft bestärkte. Man begreift, welcher ungeheuren Anstrengungen es bedurfte, bis die Apostel und ihre Nachfolger zu dem von ihnen gewünschten Resultat gelangten. das Gesetz der Enthaltsamkeit aufzurichten und die Sinnlichkeit durch religiöse Vorschriften einzuschränken. Moses hatte in seinem Gesetz die prinzipielle Forderung aufgestellt, es solle keine Prostitution in Israel geben; aber dieses Gebot war bei den Juden niemals eingehalten worden, denn sie besassen nicht nur in ihrem eigenen Volke Prostituierte, sondern versorgten damit auch häufig fremde Nationen. Die legale Prostitution war sogar in Juda mehr verbreitet, als in den übrigen Teilen des römischen Reiches. Paulus wollte deshalb das erst vollenden, was Moses sich vorgesetzt hatte, ohne es doch erreichen zu können. Charakteristisch dafür ist eine bekannte Stelle in seinem Brief an die Römer, in welchem er die junge Christengemeinde in der Reichshauptstadt auf das eindringlichste beschwört, von aller Unkeuschheit abzulassen und nur der Lehre des Erlösers zu leben. Während seiner ganzen apostolischen Thätigkeit verfolgte Paulus mit unbeugsamer Härte die Sünde des Fleisches, in der er den Wesenskern des Heidentums zu bekämpfen wähnte.

Paulus wusste sehr wohl wie weit die Heiden in ihren geschlechtlichen Ausschweifungen zu gehen fähig waren, da er lange genug unter ihnen an derartigen Ausschweifungen teilgenommen hatte und deren verhängnisvollen Einfluss sehr genau kannte; von seinem ersten Briefe an die Römer an, wiederholt er fortgesetzt seine energischen Mahnungen gegen die fleischlichen Sünden. Man weiss, dass er der Ansicht war, Gott habe sich von den heidnischen Völkern gerade wegen ihrer geschlechtlichen Ausschweifungen abgewendet. In dem harten Latein der Vulgata lauten diese strengen Worte: „Propter quod tradidit illos Deus in desideria cordis eorum, in immunditiam, ut contumeliis afficiant corpora sua in semetipsis.“ Die Römer waren sehr erstaunt darüber, dass der Sendbote des „Judenkönigs“ sich vermass ihnen etwas zu verbieten, was die strengsten Philosophen ihnen sowohl durch Beispiele, als auch in ihren Schriften gestattet hatten, mit Ausnahme allerdings von Seneca, der später für einen heimlichen Christen galt.

Diejenigen, die den Worten des Apostels Paulus lauschten, waren keine reichen Wüstlinge, die im Wohlleben ihre Tage verbrachten und die ganze Welt zu ihren Vergnügungen beitragen liessen, sondern es waren arme Plebejer, die nichts von dem monströsen Raffinement asiatischer Ausschweifungen wussten, die mit den Trophäen überwundener Völker nach Rom gekommen waren; es waren Schiffer vom Tiber, Bettler von der Strasse, Steinklopfer von der Via Appia, Wasserverkäuferinnen, Kräuterhändlerinnen, flüchtige Sklaven und unglücklich Freigelassene. Aber unter diesem Abschaum der Vorstadtbevölkerung in der ewigen Stadt gab es eine junge Generation die man, gleichgültig ob Knaben oder Mädchen, für den Gebrauch der käuflichen Prostitution dressierte. An diese beklagenswerten Opfer der Korruption, sei es ihrer Eltern, ihrer Lehrer oder ihrer Kameraden, wandte sich der Apostel besonders; er versuchte nicht, sie über ihren schimpflichen Lebenswandel zum Erröten zu bringen, sondern er riet ihnen, darauf zu verzichten und sich dem Dienste des wahren Gottes zu weihen, der nur die Seelen, nicht die Leiber seiner Anhänger für sich verlange. Die Bekehrten, die oft über die Strenge der Vorschriften des Apostels in Bezug auf den fleischlichen Verkehr der beiden Geschlechter erstaunt waren, fragten ihn hie und da, wie sie denn den unbezwinglichen Lüsten Fesseln anlegen sollten; da empfahl ihnen Paulus das Gebet, das Fasten und die Selbstkasteiung als die wirksamsten Mittel gegen das rebellische Fleisch; wenn auch diese Mittel nicht verfingen, dann erst liess er die Ehe zu.

Der Charakter der von Paulus gewünschten christlichen Ehe geht aus dieser Thatsache ganz klar hervor; er betrachtete sie lediglich als das letzte Mittel um die Aufwallungen sinnlicher Gelüste zum Schweigen zu bringen; die Ehe war für ihn also eigentlich nur ein, wenn auch mit Widerstreben geduldetes, Mittel im Kampfe gegen die heidnische Prostitution. Man weiss ja aus seinem Brief an die Corinther wie abweisend er sich im Grunde gegen alle Heirat verhielt. „Quod si non se continent, nubant. Melius est enim nubere quam uri.“

Bei den Ephesern, wie bei den Corinthern, bei den Colossern wie bei den Thessalonichern verfolgt Paulus immer das Heidentum in der Form der Sinnlichkeit und des Wohllebens; es ist die Prostitution, die er unablässig bekämpft, weil er sie immer wiederfindet und sie bis in die Mysterien der falschen Götter verfolgen will. Paulus war selbst Heide gewesen, er glaubte deshalb den Charakter dieser Religion, die er durch eine Religion des Geistes ersetzen wollte, durchaus erkannt zu haben; deshalb gab er sich in allen seinen Aeusserungen als Reformator der Sitten.

Alle anderen Apostel waren übrigens mit Paulus darin einverstanden, das Heidentum zunächst durch Unterdrückung der Prostitution zu bekämpfen. Sie thaten damit nichts anderes, als dass sie die Worte der Propheten wahrzumachen suchten; aber es verdient angemerkt zu werden, dass sich die Evangelisten weniger energisch gegen die Sünden des Fleisches ausgesprochen haben. Johannes unterschied sehr scharf zwischen seelischen und körperlichen Handlungen indem er sagte, was vom Fleisch geboren sei, sei fleischlich, was vom Geist geboren sei, sei geistlich. Es war das vielleicht eine Konzession, die er denen machte, die sich der neuen Lehre zuwenden wollten. Wie dem aber auch sei, jedenfalls wurden die strengen und weniger zweideutigen Lehren des Paulus von den ersten Kirchenvätern und den Concilen allgemein angenommen. Aus dieser Gesinnung musste schliesslich der Cœlibat entstehen.

Die antike Philosophie hatte den Heiden mehrfach einen mässigen Lebenswandel empfohlen; aber diese philosophische Zurückhaltung war lediglich auf praktische Erwägung basirt worden und daher nur relativ und accidentiell, wie denn auch Cicero sagte, dass man der Natur gehorchen müsse und dass ihre Gesetze ebenso zwingend seien, wie die Vorschriften eines Gottes. Aristoteles seinerseits schrieb für den sinnlichen Genuss keine andere Regel vor, als die Kenntnis der eigenen Kraft d. h. den natürlichen Instinkt. Die antiken Philosophen empfahlen also die Zurückhaltung lediglich vom hygienischen Standpunkte aus; sie gaben sich auch häufig selbst erheblichen Freiheiten hin, weil sie den sinnlichen Genuss als etwas von der Natur Gegebenes ansahen. Keuschheit war eine Tugend, die nur in den Gesängen der Dichter existierte, und diese Tugend (virtus) hatte bei den Alten keineswegs die Attribute, die man heutzutage mit dem Begriffe zu verbinden pflegt. Die Puditia, die im ganzen römischen Reiche Tempel und Altäre hatte, bedeutete keineswegs, wie die gelehrtesten Kenner des Altertums einstimmig behaupten, Jungfräulichkeit, oder auch nur Zurückhaltung, sie stellte vielmehr Gewissenhaftigkeit, Abscheu vor dem Uebel und Liebe zu dem Guten dar. Seneca ist vielleicht der einzige heidnische Philosoph, der die moralische Keuschheit, welche sich die Christen unter Verleugnung des Naturtriebes auferlegten, begriffen und gelehrt hat. So konnte denn auch Origenes sagen, dass er nur in den untersten Schichten der heidnischen Bevölkerung einzelne Leute gefunden habe, die sich eine ernste Lebensführung und eine bewundernswerte Unschuld erhalten hätten, während gerade die Philosophen weit entfernt von dieser Zurückhaltung gewesen seien.

Keuschheit aus religiösen Gründen war den Alten indessen nicht vollkommen unbekannt. Wir haben schon früher darauf hingewiesen, dass sich Männer und Frauen jedes geschlechtlichen Verkehrs enthielten, wenn sie sich vorgenommen hatten, dadurch den Göttern ein Opfer zu bringen; die Liebhaber hielten sich dann fern von ihren Geliebten und auch diese vermieden jede fleischliche Berührung, die sie gezwungen hätte, sich vor der Opferhandlung wieder zu entsühnen. Wir finden diese Keuschheit aus religiösen Gründen sehr häufig bei den Römern, die ihren religiösen Verpflichtungen mit sehr viel Sorgfalt nachzukommen pflegten. So zeigt uns Ovid in seinen Fasten, dass sogar Herkules sich dem herkömmlichen Gebrauche fügte, als er sich anschickte mit Omphale dem Bacchus zu opfern. Die Priester, die alle Tage zu opfern pflegten, waren zweifellos nicht verpflichtet, alle Tage keusch zu leben; indessen kann man aus verschiedenen Stellen römischer Schriftsteller entnehmen, dass ein Opfer nur dann als gut und günstig galt, wenn der Opfernde mit reinen Händen zum Altare schritt. Tibull sagt einmal: „Discedite ab aris, queis tulit hesterna gaudia nocte Venus.“ Die heidnische Religion schrieb sogar das Gelübde der Jungfräulichkeit unter verschiedenen Umständen vor; aber die Art dieser rein körperlichen Jungfräulichkeit hatte nichts mit der moralischen Jungfräulichkeit zu thun, wie sie die Christen verstanden und beobachteten. So waren z. B. die Vestalinnen verpflichtet, ihre Jungfräulichkeit zu bewahren, wollten sie nicht lebendig eingegraben und den unerhörtesten Folterungen unterworfen werden; aber der Zwang hörte für sie mit dem Augenblicke auf, wo sie eine gewisse Altersstufe überschritten hatten, und sie konnten dann ihre Lebensführung durchaus nach eigenem Willen einrichten. Ueberdies stand es auch den Jüngsten von ihnen frei, den öffentlichen Spielen beizuwohnen, den Gladiatorenkämpfen, den Schauspielen und den choreographischen Aufführungen im Theater; sie schlossen weder ihre Augen vor unanständigen Darstellungen, noch ihre Ohren vor derartigen Worten und Gesängen.

Der heilige Ambrosius sagt im ersten Buche seiner Schrift de virginitate: „Kann man überhaupt die vestalischen Jungfrauen und die Priesterinnen der Pallas mit unseren christlichen Jungfrauen vergleichen? Was hat eine Jungfräulichkeit zu bedeuten, die nicht in der Reinheit und Heiligkeit der Sitten, sondern in der Zahl der Jahre begründet ist und die nicht dauernd ist, sondern nur für ein gewisses Lebensalter vorgeschrieben wird? Diese vorgebliche Unberührbarkeit schlägt in einen leichtfertigen Lebenswandel um, wenn man entschlossen ist, sie in einem bestimmten Alter zu verlieren (Petulantior est talis integritas, cujus corruptela seniori servatur ætati.) Diejenigen, die für das Keuschheitsgelübde eine bestimmte Zeit vorschreiben, empfehlen dadurch selbst den Jungfrauen, nachher nicht in diesem Zustande zu verharren. Was ist das für eine Religion, die den Jungfrauen Keuschheit empfiehlt, den älteren Frauen Unkeuschheit freistellt! Nein diese Vestalinnen sind nicht keusch, weil sie es nur gezwungen sind, sie sind nicht ehrbar, weil man sie kauft oder für Geld miethet und man darf das nicht Scham nennen, was sich täglich den unbescheidenen Blicken eines ganzen verderbten und ausschweifenden Volkes aussetzt! (Nec pudor ille est, qui intemperantium oculorum quotidiano expositus convitio, flagitiosis aspectibus verberatur.)" Die Kirchenväter wurden nicht müde die christlichen Jungfrauen den Vestalinnen und anderen heidnischen Jungfrauen gegenüberzustellen und dadurch den tiefen Unterschied, der zwischen der Keuschheit der einen und der andern bestand, um so heller hervorleuchten zu lassen. Sankt Ambrosius kommt unablässig immer wieder auf die Vestalinnen zu sprechen, um das Verdienst ihrer interessierten und unvollkommenen Jungfräulichkeit herabzusetzen; er geht daran freilich nicht so weit wie Minutius Felix, der diese ganze Jungfräulichkeit überhaupt für höchst verdächtig hielt und zu behaupten wagte, dass alle Vestalinnen lebendig begraben werden müssten, wenn ihr unregelmässiger Lebenswandel nicht nachsichtig verdeckt würde (Impunitatem fecerit non castitas tutior, sed impudicitia felicior.) „Man rühme doch nicht die Vestalinnen," so ruft Sankt Ambrosius aus, „denn die Keuschheit, die sich für Geld verkauft und nicht aus der Liebe zur Tugend entsteht, ist keine Keuschheit!" Was die durchaus körperliche Jungfräulichkeit betrifft, die die Römer von ihren Vestalinnen forderten, so schien sie so schwer zu bewahren und ihr Verlust gleichzeitig so ausserordentlich gefährlich, dass man nicht leicht ein Mädchen fand, das sich mit freudigem Herzen dem schweren Berufe der Vestalinnen gewidmet hätte. „Ihr habt kaum sieben Vestalinnen," so schrieb Ambrosius an den Kaiser Valentinian, „und noch dazu waren sie im jugendlichen Alter, als sie dem Vestadienst geweiht wurden! Das ist also alles was euer Götzendienst an Jungfrauen für seinen Kultus aufzuweisen hat! Ihr verfügt über sieben Unglückliche, die sich durch die Aussicht auf kostbare Purpurgewänder, auf herrliche Sänften, auf ein grosses Gefolge von Sklaven, auf allerhand Privilegien auf ungeheure Einkünfte und dazu noch durch die Hoffnung, nicht als Jungfrauen sterben zu müssen, zu euren Diensten haben verleiten lassen!"

Der christliche Cœlibat war besonders bei den Frauen eines der mächtigsten Propagandamittel für die neue Religion geworden; die von Paulus formulierte Lehre von der geschlechtlichen Enthaltsamkeit war zumal von den jüngeren Anhängern der Lehre mit Fanatismus aufgenommen worden, die sich eine Ehre daraus machten, die Regungen ihres Fleisches zu unterdrücken; denn die Glut ihrer Sinne wurde herabgemindert, wenn nicht gar ganz ausgelöscht durch die Enthaltsamkeit, die Nüchternheit, das Gebet und die Einsamkeit. Während der Cœlibat, den das römische Gesetz als eine Schande vorgeschrieben hatte, unter den Anhängern des Christentums als eine Ehre und ein Ruhm galt, entstand unter den Jungfrauen eine Art Wetteifer sich in einer mystischen Ehe mit dem Gottessohne zu verbinden. Dadurch wurde zweifellos der antiken Prostitution ein Teil ihres Feldes abgegraben. „Mögen doch die Heiden," so sagt Sankt Ambrosius, „ihre körperlichen und geistigen Augen erheben, mögen sie doch hinschauen auf diese erhabene Menge, auf diese verehrungswürdige Versammlung, auf dieses ganze Volk von Jungfrauen, das die Kirche verehrt; sie tragen keine Bänder auf dem Kopfe, aber einen keuschen Schleier, von dem sie nur vorsichtig Gebrauch machen; sie befassen sich nicht mit allerhand Toilettenluxus, der doch nur zu einem schimpflichen Handel mit der Schönheit, (lenocinia pulchritudinis), führt." Prudentius rühmt in seinem Buch gegen Symmachus die christliche Jungfräulichkeit in den übertriebensten Ausdrücken: „Die schönsten Vorrechte," so sagt er, „bei unseren Jungfrauen sind ihre Schamhaftigkeit und der heilige Schleier mit dem sie ihr Gesicht bedecken, ihr ehrbares Leben fern von profanen Blicken, ihre mässige Nahrung und ihr immer nüchterner keuscher Sinn!" Indessen darf man doch nicht vergessen, dass die grosse Neigung, unvermählt zu bleiben, nicht lediglich darauf zurückzuführen ist, dass dieser Stand für den besten galt, sondern auch auf den Gedanken, dadurch über andere Frauen eine gewisse Ueberlegenheit zu erlangen und sich durch eine leicht bemerkbare Tugend eine Sonderstellung zu verschaffen. So nahmen bei den Cultusceremonien die Jungfrauen einen besonderen Platz ein; sie trugen auch ein unterscheidendes Attribut, das sie öffentlich kenntlich machte. Dieses Attribut war merkwürdiger Weise die Mitra, welche die römischen Kurtisanen besonders die Syrierinnen, als ihr Abzeichen getragen hatten und das ehemals das gerade Gegenteil von Ehrbarkeit angedeutet hatte. Die Mitra der christlichen Jungfrauen von der Optat redet, unterschied sich ohne Zweifel in der Höhe, Form und Farbe von der Mitra der Kurtisanen. Uebrigens trug man neben ihr keine langen offenen Haare, keine blonden Perrücken, keine goldgepuderten Flechten; sondern eine christliche Jungfrau deutete ihre Berufung durch das Abschneiden ihrer Haare an; zudem wurde die Mitra unter einem violetten, braunen oder schwarzen Schleier, der das Gesicht und die Schultern seiner Trägerinnen wie das flammeum der Vestalinnen umwallte, fast bedeckt.

Während der ersten drei Jahrhunderte, die zur Begründung des christlichen Dogmas notwendig waren, gab es einen beständigen, heftigen Krieg der Moral gegen die Prostitution, und die Gelehrten der Kirche stellten ohne Unterlass der sinnlichen Philosophie der Alten die keusche Lebensführung der Christen entgegen. Die Kirchenväter wollten sich zu Herrn über den Leib machen, um sich somit leichter der Seelen bemächtigen zu können. Die Frauen begeisterten sich zunächst für den jungfräulichen Stand; nach ihren Vorbildern pflegten dann auch die Männer sich der Zurückhaltung zu unterwerfen. Der heilige Bernhard sagte im elften Jahrhunderte, als er sich an den grossen Grundsätzen der primitiven Kirche begeisterte: „Was gleicht an Schönheit der herrlichen Tugend der Keuschheit? Sie macht den Körper rein, der aus einem Häufchen Erde geformt ist; aus einem Feind macht sie einen Freund und aus einem Menschen einen Engel!“ Im Gegensatz zu den Ausschweifungen der heidnischen Religionen umgab sich der neue Kult mit einfachen und bescheidenen Handlungen, seine Gottesdienste wurden in einer Art heiligen Betrachtung gefeiert, ohne Tumult, ohne Geschrei, ohne Lärm. Schamhaftigkeit und Zurückhaltung beherrschten alle christlichen Ceremonien. In den Kirchen waren die beiden Geschlechter von einander getrennt; obschon sie beide vor dem Altare niedergekniet waren, konnten sie sich doch gegenseitig nicht erblicken; selbst wenn sie zum Gebet schritten, trafen sie einander nicht und vermieden auf diese Weise die Gefahren eines intimen Verkehrs, der für die Schwäche des Fleisches gefährlich hätte werden können. Die Predigt gegen die Lüste des Fleisches war ein ständiges Thema bei diesen Gottesdiensten, das Lob und die Verherrlichung der Keuschheit wurde allem Unterrichte zu Grunde gelegt. Der heilige Basilius sagt (Interr. 17): „Die Keuschheit ist der Tod der Sünde, der Untergang der verderblichen Neigungen, die Abtötung der Leidenschaften und der natürlichen Wünsche unseres Körpers, die Vermehrung der Verdienste, das Werk Gottes, die Schule der Tugend und der Besitz aller Güter.“

Während die Christen stolz waren auf die Ueberlegenheit ihrer Moral und die Reinheit ihrer Sitten, wandten ihre Gegner gegen sie die Waffe der Verleumdung an und behaupteten, dass ihr Gottesdienst nichts sei, als eine einzige ungeheuerliche Prostitution. Thatsächlich vereinigten sich die bedrohten und verfolgten Christen nur im Geheimen, fern von den Blicken ihrer Feinde, im Dunkel der Wälder, der Höhlen und besonders in den Tiefen der Katakomben. Kein Uneingeweihter drang in ihre verborgenen Heiligtümer ein, und man wusste von ihren Gebräuchen, ihren Handlungen, ihren Lehren nichts weiter, als was die unsicheren Erzählungen Abtrünniger unter das Volk gebracht hatten. Die öffentliche Meinung, die von fanatischen Priestern der alten Religion systematisch bearbeitet wurde, war denn auch lange Zeit hindurch den frommen Anhängern der neuen Lehre, die einen ausserordentlichen tugendhaften Lebenswandel führten und den Tod einer Abschwörung ihrer Grundsätze vorzogen, ausserordentlich feindlich gesinnt. Man hatte das Gerücht verbreitet, die christlichen Brüder und Schwestern hätten eine so abscheuliche Religion, dass sie deren Grundsätze und Handlungen nicht einmal öffentlich zu bekennen wagten; man erzählte sich von ungeheuerlichen Dingen, die sich in ihren nächtlichen Zusammenkünften abspielten und verstieg sich bis zu der Behauptung, in ihrer wahnsinnigen Raserei respektierten die Christen weder Alter noch Geschlecht, weder die Bande des Blutes, noch die der Familie. Nach den einen war das Christentum nichts anderes, als ein verdorbenes Judentum, nach anderen wiederum war es eine fluchwürdige Ausschweifung der Gottlosigkeit und der Zuchtlosigkeit, die mehrfach versucht hatte, auch in die alten Religionen des römischen Kaiserreiches einzudringen.

Die Neuplatoniker waren die ersten die den Wert der neuen Lehre erkannten und verteidigten; etwa um das Jahr 170 nach Christi Geburt hatte Athenagoras die weitverbreiteten Verleumdungen die den Christen allerhand Laster und Schamlosigkeiten andichteten, siegreich widerlegt; in seiner Verteidigung der Christenreligion, die er an die Kaiser Marcus Aurelius und Lucilius Cajus richtete, verkündete er das Lob der christlichen Keuschheit: „Wir betrachten die einen als unsere Kinder, die anderen als unsere Brüdern und Schwestern und ehren die Greise wie unsere Väter und Mütter. So haben wir denn mit grosser Sorgfalt über die Reinheit derjenigen gewacht, die wir als unsere Angehörigen betrachten. Wenn wir zum Versöhnungskuss schreiten, so geschieht das mit grosser Zurückhaltung, wie bei einem religiösen Akte; denn wenn er durch einen unreinen Gedanken entweiht würde, so würde er uns des ewigen Lebens berauben. Jeder von uns, der ein Weib nimmt, thut es nur in der Absicht, Kinder zu erzeugen. Er ist wie der Landmann, der der Erde sein Saatkorn anvertraut und dann geduldig die Ernte erwartet.“ Auch noch an anderen Stellen seiner Apologie kommt Athenagoras mit immer erneuter Kraft auf diese Keuschheit zu sprechen, die nach ihm das bemerkenswerteste Kennzeichen der Christen inmitten der gewöhnlichen Unkeuschheit der damaligen Welt ist. Alle Kirchenväter aus jener Zeit protestieren mit derselben Energie gegen die Gerüchte, durch die man die Christen in der öffentlichen Achtung herabzuwürdigen versuchte. „Die Liebe zur Keuschheit hat soviel Gewalt über sie," sagt der heilige Justin in seinen Dialogen, „dass man viele unter ihnen findet, die ihr ganzes Leben ohne jeden fleischlichen Verkehr bleiben und die noch im Alter von sechzig Jahren jungfräulich sind, ohne dass ihr Temperament oder das Klima ihres Landes diese Zurückhaltung erklärlich machte."

St. Cyprian, St. Clemens von Alexandrien, Gregorianus, Basilius und alle die griechischen und lateinischen Kirchenväter haben uns erbauliche Schilderungen von den christlichen Sitten hinterlassen, die ebenso rein waren als die der Heiden ihrer Schilderung nach verderbt. St. Cyprian widmete dem Lob der Keuschheit sogar ein ganzes exaltiertes Buch: „Die Christen wissen," so sagt er, „dass die fleischlichen Vergnügungen mit der Hoffnung auf dauernde Freuden beginnen und immer mit Enttäuschungen endigen. Sie stürzen uns in allerhand Aufregungen, verführen uns zu Verbrechen und treiben uns nur gar zu häufig über die Grenzen hinaus, die die Natur selbst gesteckt hat." St. Gregorianus beruft sich sogar auf das Zeugnis der Heiden selbst, um die rühmliche Keuschheit der Christen zu beweisen: „Sie begnügen sich nicht allein keusch zu sein in Werken durch die Abtötung aller fleischlichen Regungen, sondern sie halten sich auch rein in ihrem Geiste, denn sie wissen, dass die wahrhafte Keuschheit sich fern halten muss von aller Sünde." Aus Furcht ihren Geist zu verunreinigen verschlossen sie ihre Augen vor jedem unkeuschen Schauspiel, sie wohnten niemals den Theater-Aufführungen bei, die der heil. Cyprian als Schule der Unkeuschheit kennzeichnete; von ihren frugalen Tafeln verbannten sie jene gefährlichen Stoffe, die die Sinne erregen, sie vermieden den Gebrauch der Parfums, die für sie nichts anderes als ein Reizmittel der Sinnlichkeit darstellten; bei ihren Banketten, bei denen sie sich immer, wie sie sagten, im heil. Geiste zusammenfanden, gestatteten sie weder Lieder noch Tanz, noch lautes Lachen, noch Trunkenheit oder Völlerei.

In seiner Pädagogie geht der heilige Clemens von Alexandrien sogar auf intime Einzelheiten dieser Keuschheit ein, die den Stolz der Gläubigen und die Schande der Ungläubigen seiner Meinung nach ausmachte. Nachdem er auf den Unterschied zwischen den heidnischen und der christlichen Ehe mit den Worten hingewiesen hatte, dass die Heiden darin nichts anders als ein Mittel zur Befriedigung ihrer Sinnlichkeit sähen, während die Christen von ihr nur eine sicherere Verbindung mit ihrem Gotte erwarteten, fügt er hinzu: „Die Christen wollen, dass die Frauen ihren Gatten durch die Reinheit ihrer Sitten und nicht durch ihre Schönheit gefallen; sie wollen auch nicht, dass die Männer ihre Frauen als eine Beute ihrer Sinne betrachten, denn die Natur hat uns die Ehe gegeben wie die Nahrungsmittel, deren Gebrauch, nicht aber deren Missbrauch uns erlaubt ist." Derselbe Kirchenvater giebt uns ein wunderliches Gemälde von der Zurückhaltung in christlichen Ehen: „Die christlichen Ehegatten legen auch in ihren Ehebetten die Schamhaftigkeit nicht ab, die sie vor aller Oeffentlichkeit zu beachten pflegen, denn sie fürchten jener Penelope zu gleichen, die während der Nacht immer wieder zerstörte, was sie am Tage gewebt hatte. Diese Zurückhaltung ist für sie ein Zeichen, dass sie ihre Begehrlichkeit zu unterdrücken verstehen, selbst dort, wo sie das Recht hätten, sich ihrer zu begeben; denn wenn das göttliche Gebot ihnen erlaubt hat, sich zu verheiraten, so hat es ihnen damit doch nicht die Erlaubnis zur Genusssucht gegeben." An einer anderen Stelle sprach sich der heilige Clemens über die christlichen Ehen noch mit folgenden bezeichnenden Worten aus: „Der einzige Zweck der Vereinigung beider Geschlechter ist die Erzeugung von Kindern, die man zu guten Menschen erziehen will; es heisst also gegen die Vernunft und gegen die Gesetze sündigen, wenn man in der Ehe nichts sucht als das Vergnügen; aber ebenso wenig darf man sich ihrer enthalten aus Furcht Kinder zu bekommen. Die Natur verbietet gleichmässig in der Kindheit und im Greisenalter den Verkehr der beiden Geschlechter; diejenigen aber, denen die Ehe diese Beziehungen erlaubt, sollen sich immer vor Augen halten, dass sie vor Gott stehen und sollen ihre von ihm geschaffene Körper achten, indem sie sich vor jeder Unkeuschheit bewahren."

Die auf diese Weise immer aufs Neue geforderte Zurückhaltung der Ehegatten hatte ganz folgerichtig verschiedene Gelehrte der Kirche, so z. B. den Origenes dazu gebracht, die Existenz des weiblichen Geschlechtes im jenseitigen Leben als unnütz und gefährlich zu leugnen. Origenes, der an sich selbst seine Lehre von der geschlechtlichen Enthaltsamkeit erprobt hatte, wollte, dass nur das männliche Geschlecht von den Toten auferstehen solle. Andere Kirchenväter behaupteten, um die Enthaltsamkeit der Seelen als sicherer herzustellen, dass die Auferstandenen keinerlei Geschlechtscharakter trügen, während dagegen die Verdammten ihr Geschlecht mit allen seinen Leidenschaften bewahrten. Die Mehrzahl der Gelehrten stützte sich indessen auf die Worte der Apokalypse, glaubte und lehrte, dass die Seeligen im Himmel verheiratet seien, Kinder erzeugten und an allen körperlichen Genüssen teil hätten. Tertullian, Laktanz, Grogorianus, Justin und Methodius sprachen sich für diese himmlische Ehe aus. Die Kirche musste diese Behauptung durch den Beschluss von Konzilien zurückweisen und erklären, wenn die beiden Geschlechter im Himmel fortbeständen, so würde es dort dennoch keine Ehe und noch weniger irdischen Genuss und Kindererzeugung geben. Der heilige Augustin sagt über diesen Punkt im 17. Kapitel des 2. Buches seines Gottesstaates: „Gott wird alles von den Auferstandenen fortnehmen, was lasterhaft ist, aber ihr Geschlecht wird er bestehen lassen, weil es nichts Uebles sein kann, sintemal Gott selbst sein Schöpfer ist." Man wird es begreiflich finden, dass die christlichen Kasuistiker über diesen Punkt noch mancherlei verschiedene Meinungen äusserten und darüber nach allen Richtungen hin diskutierten.

Die Keuschheit, diese Tugend in der sich die Christen eine Art von Monopol anmassten, war thatsachlich immerfort der Gegenstand ihrer Beschäftigung und das wesentlichste Merkmal ihres Glaubens; sie bewahrten sie wie ein kostbares Pfand, dass ihnen ihr Erlöser überlassen hatte und traten damit im Allgemeinen ausserordentlich provokatorisch gegen die heidnische Sinnlichkeit auf. Man weiss, dass die Gründer des Katholizismus, als sie die gewaltige Macht, die diese Keuschheit, sowohl auf die Massen, als auf den einzelnen Menschen ausübt, erkannt hatten, zu ihrer Unterstützung die ganze Schärfe der Kirchenstrafen anwendeten; solches Interesse hatte in ihren Anfängen die Kirche daran, die Sitten zu verbessern und durch musterhaften Lebenswandel auf das Volk einzuwirken. Daher die Strenge der christlichen Vorschriften im Bezug auf fleischliche Vergehungen, die nach allgemeinem menschlichen Rechte von gar keinerlei Bedeutung waren. Der heilige Gregorianus wollte für einen einfachen Fehltritt eine Busse von neun Jahren festgesetzt wissen, die in drei Abschnitten eingeteilt war, derart, dass die Sünder drei Jahre lang vom Gebet ausgeschlossen blieben, drei Jahre lang lediglich Zuhörer beim Gottesdienste sein konnten und weitere drei Jahre als Bittflehende der Gemeinde angehörten. St. Basilius war etwas nachsichtiger; er begnügte sich mit einer Busse von vier Jahren für einen geschlechtlichen Fehltritt. Dafür freilich war er umso härter bei Ehebruch, Blutschande und Sodomie, die er mit einer Busse von fünfzehn Jahren belegte. Indessen galt der Ehebruch eines verheirateten Mannes mit einem nicht verheirateten Weibe nur als ein einfacher Fehltritt, und die Polyganie hatte, obschon als eine Bestialität und eines Menschen unwürdig angesehen, nur eine Strafe von vier Jahren zu gewärtigen. Ein Mädchen, dass sich mit Zustimmung seiner Eltern oder Herren hingegeben hatte, hatte eine Busszeit von drei Jahren durchzumachen; war sie nur der Gewalt gewichen, so ging sie straffrei aus und galt vor Gott und Menschen als unberührt. Wenn ein Priester sich einen Fehltritt zu Schulden kommen liess, so musste er sein Amt niederlegen und an der Abtötung seines sündigen Fleisches arbeiten.

Aus dieser Gesetzgebung der primitiven Kirche geht hervor, welchen Wert die Christen auf eine Bewahrung ihrer körperlichen und seelischen Reinheit legten; die ausserhalb der Kirche Stehenden zeigten sich deshalb auch erbittert gegen eine Tugend, die eine Art Protest gegen die Unregelmässigkeit und Unreinheit des damaligen Lebens sein sollte

Sie begannen zu erproben, wie weit diese Tugend Stand hielte und versuchten immer wieder, sie durch Gewalt oder durch andere Mittel zu Falle zu bringen; aber mit derartigen Versuchen prallten sie sehr häufig an der Festigkeit der Jungfrauen und Märtyrer ab. Die Verfolgten brachten auch wohl das Opfer ihrer Jungfräulichkeit dar und nahmen das Joch der Prostitution auf sich, um im Stillen ihrem Gotte weiter dienen zu können; man hielt sie darum für nicht minder rein. Die Kirche leistete, wie uns berichtet wird, ihnen in diesem schrecklichen Verfolgungskampfe Unterstützung und ermutigte sie, an ihrem Glauben festzuhalten, selbst im Pfuhle der Prostitution. Der heilige Gregorianus rief einigen der Brutalisierten zu: „Die Gewalt kann die Körper der frommen Frauen nicht verderben.“ „Eine Jungfrau,“ so sagte Ambrosius, „kann sich prostituiren, ohne darum unrein zu werden.“ „Alles was durch Gewalt mit dem Körper geschieht,“ so äusserte sich der heilige Augustin, „kann Jemanden, der es hat über sich ergehen lassen müssen, ohne ein Mittel zu haben, sich dem zu entziehen, nicht verderben; denn wenn die Keuschheit auf diese Weise zu Grunde gehen könnte, dann wäre sie nicht eine Tugend des Geistes, sondern eine Eigenschaft des Körpers, geradeso wie die Schönheit, die Gesundheit und andere vergängliche Güter.

Ein Priester, Namens Victorian, hatte dem Augustinus geschrieben und ihm die schmerzbewegte Mitteilung von den unerhörten Gewaltthaten gemacht, welche sich Barbaren gegen christliche Jungfrauen herausgenommen hatten. Darauf erwiderte ihm der Kirchenvater in seinem 122. Briefe, dass, wenn diese Jungfrauen die Gewalt hätten über sich ergehen lassen, ohne die Möglichkeit des Widerstandes zu haben und ohne, dass sie selbst damit einverstanden gewesen wären, sie vor Gott nicht schuldig seien. „Es wird vielmehr,“ so sagt er, „eine ehrenvolle und ruhmreiche Wunde für sie sein, aber keine verächtliche Verderbtheit, denn die Keuschheit, die in der Seele wohnt, hat eine so grosse Kraft, dass sie unverletzt bleibt und auch den vergewaltigten Körper als rein erscheinen lässt.“ St. Basilius spricht ungefähr in denselben Ausdrücken eine ähnliche Lehre aus, um Jungfrauen, deren Keuschheit bedroht war, zu beruhigen. Er macht die Beurteilung des Thatbestandes durchaus davon abhängig, ob das Opfer seine Zustimmung zu der Handlung gegeben habe oder nicht. Wenn sie im Geiste widerstrebt habe, so sei sie vor den Augen der Kirche rein geblieben. Das war ein bemerkenswerter Trost für die unglückseligen Jungfrauen, die man durch eine Art von Richterspruch dem harten Loose der Prostitution überantwortet hatte. Der Gedanke, diese grausame Quälerei anzuwenden, war den Verfolgern zweifellos deshalb gekommen, weil sie sahen, welch einzigartige Bewunderung die Christen für diejenigen hegten, die jungfräulichen Standes blieben. Daher die vielen Vergewaltigungen christlicher Jungfrauen durch den Henker während der Christenverfolgungen. Es spielt da allerdings wohl auch eine Erinnerung an altrömisches Recht hinein, wonach eine Jungfrau nicht zum Tode verurteilt werden konnte. Suetonius sagt in seinem Leben des Tiberius ausdrücklich, dass der Henker die Jungfrauen zuerst zu vergewaltigen und dann zu erdrosseln habe, weil eine alte Vorschrift die Hinrichtung der Jungfrauen untersage. (Immaturatæ puellæ, quia more tradito nefas esset virgines strangulari, vitiatæ prius a carnifice, dein strangulatæ).

So war die Schändung christlicher Jungfrauen ursprünglich wohl nichts als eine Art von Vorverfahren für die Hinrichtung, entsprechend dem Gebrauche des alten römischen Strafrechtes; später freilich wurde es zum wesentlichen Bestandteile der Strafe selbst.

Grade weil die ersten Christengemeinden mit solcher Verzückung auf ihre jungfräulichen Angehörigen blickten, waren die Verfolger um so eher geneigt in dieser Sittenänderung den wesentlichen Kern der neuen Lehre zu erblicken und sie hier am tötlichsten zu treffen.

II. Kapitel.

Warum Paulus und die Apostel den Christen geschlechtliche Enthaltsamkeit und den jungfräulichen Stand empfehlen mussten. — Die Agapen. — Die ersten Anhänger der christlichen Lehre in Rom. — Wie die christliche Lehre auf die Deklassierten einwirkte, welche dem Dienste der Prostitution geweiht waren. — Die Christen als Märtyrer. — Die Geschichte der ägyptischen Maria von ihr selbst erzählt. — Die Legende von der heiligen Thais. — Wie ein Heiliger eine Frau von ihrem leichtsinnigen Lebenswandel bekehrte. — Die beiden Einsiedler und die Prostituierte. — St. Simeon, der Stylite. — Die Bekehrung der Prophyra. — Die heilige Pelagia. — Die heilige Theodote. — Die Bekehrung und der Opfertod der heiligen Afra. — Das Gebet der heiligen Afra auf dem Scheiterhaufen. —

Man kann unschwer die Gründe auffinden, warum die Keuschheit vor allen christlichen Tugenden empfohlen wurde. Diese Tugend war ohne Zweifel durch das mosaische Gesetz vorgeschrieben worden und man findet jeden Augenblick in den heiligen Schriften der Juden die Verdammung fleischlicher Exzesse. Sogar Salomo, der in seinem Alter siebenhundert Beischläferinnen gehabt haben soll, erspart seinen eigenen Ausschweifungen den Tadel nicht, wie aus seinen Sprüchen ganz deutlich hervorgeht. Paulus und die Apostel folgten somit lediglich der mosaischen Lehre, wenn sie den Christen die fleischliche Enthaltsamkeit und die Reinheit der Sitten predigten. Aber zu diesen dogmatischen Gründen traten noch andere hinzu. Das gemeinsame Leben der Anhänger der neuen Lehre setzte sie Versuchungen aus, und machte den Erlass besonderer Vorschriften notwendig. Hätte sich mit dem Dienste der neuen Religion ein unregelmässiger Lebenswandel verknüpft, so würde sie in den Augen der Heiden keineswegs einen besonderen Charakter angenommen haben und nur schwer gegen die Kulte der Venus, des Bacchus, der Cybele und der Isis haben ankämpfen können; noch dazu, da die Mysterien dieser verschiedenen Gottheiten immer nur von Zeit zu Zeit einmal stattfanden, während dagegen der geheime Gottesdienst der Christen alltäglich oder vielmehr allnächtlich abgehalten wurde. Man nannte diese religiösen Zusammenkünfte Agapen.

Bei diesen Agapen oder Liebesmahlen, bei denen die neue Lehre verkündet wurde, waren beide Geschlechter mit einander vereinigt, und es wäre dort wohl zu allerhand Ausschweifungen gekommen, wenn nicht strenge Vorschriften den Begierden Zügel angelegt hätten. Darum forderte man als Grundlage für alle anderen Tugenden von den Christen zunächst die Tugend der Keuschheit. Wäre sie nicht ohne Unterlass gepredigt und dadurch den einzelnen Anhängern wirklich ins Herz hineingegraben worden, so hätten die Apostel zweifellos nur zu einer Weiterverbreitung der Prostitution geholfen. Man kann sich nur eine unvollständige Vorstellung von der Exaltation jener Gläubigen machen, die für die ihnen verkündete Heilslehre ihr ganzes Ich aufzuopfern bereit waren. Wäre dieser Gemütszustand, der hier auf die höchsten Dinge gerichtet war, nach der anderen Seite umgeschlagen, so hätte er unzweifelhaft zu den unerhörtesten Ausschweifungen führen müssen und dadurch die ganze Lehre diskreditiert. Aus diesem Grunde pflegten die Frauen, die den Agapen beiwohnten, sorgfältig bekleidet und verschleiert zu sein. Die Männer ihrerseits waren mit nicht weniger Dezenz bekleidet, mit dem einzigen Unterschiede fast, dass sie nicht verschleiert waren; immerhin trugen sie grosse Hüte oder weite Kapotten mit denen sie teilweise sogar ihr Gesicht verhüllen konnten.

So konnten denn thatsächlich Männer und Frauen Tage- und

Nächte lang neben einander leben, ohne dass irgend welche Ausschweifungen stattfanden. Später als die Verfolgungen die Christen zwangen, sich zu verbergen und in strenger Abgeschlossenheit mit einander zu leben, da war die Lehre von der Notwendigkeit der Enthaltsamkeit bereits so fest in ihnen geworden, dass sie die Gelüste vollständig zu bändigen vermochte. Es bestand sozusagen kein Geschlechtsunterschied in manchen dieser frommen Vereinigungen, die sich irgendwo in unterirdischen Gelassen zusammenzufinden pflegten. Indessen ist es gar nicht überraschend, dass die Ungläubigen, denen die Keuschheit dieses verborgenen Lebens unbekannt war, die tollsten Gerüchte über angebliche Orgien, die dort gefeiert wurden, ausstreuten: ihrer Psychologie war der Gedanke, dass die Sinne so weit abgetötet werden könnten, völlig fremd, und sie ahnten nicht, welche Macht der religiöse Fanatismus ausüben konnte. Daher denn die vielen verleumderischen Nachreden, mit denen sie die Anhänger der neuen Lehre überschütteten.

In den Katakomben, jenen grossen Höhlen, aus denen Rom das Steinmaterial für seine Tempel und seine öffentlichen Bauwerke geholt hatte, und die als Grabstätten für die Sklaven und die armen Verlassenen der ewigen Stadt dienten, versammelten sich die ersten Anhänger der christlichen Lehre. Das Christentum wandte sich zunächst an die Leidenden, Unterdrückten und Unglücklichen der menschlichen Gesellschaft. Die Totengräber, die dort unten ihres Amtes walteten, nahmen zuerst eine Religion an, die den Uebermut der Reichen erniedrigte und die Armen erhöhte; sie schauten hoffnungsfreudig auf alle Freuden des Paradieses, das ihnen der Erlöser prophezeite, und fühlten sich durch seine Lehre rehabilitiert, sie, die unter dem Abscheu und der Verachtung ihrer Mitmenschen zu leiden hatten. Die christliche Lehre löschte mittels Busse und Taufe jeden Fehl aus, sie schuf in dem alten Menschen einen neuen, machte rein, was bis dahin unrein gewesen war Daraus erklärte sich ganz naturgemäss auch ihr tröstlicher Einfluss auf die deklassierten Wesen, die dem Dienste der Prostitution geweiht waren.

Diese unglückseligen Geschöpfe, die bis dahin kaum das Bewusstsein ihrer Entwürdigung hatten, wurden plötzlich mit Scham und Trauer erfüllt; die neue Lehre öffnete ihnen die Augen und zeigte ihnen die ganze Tiefe ihres Elendes, in das sie hinabgestossen worden waren. Einzelne bekehrten sich und sagten ihrem bisherigen Leben Valet; andere fuhren darin fort, waren aber doch im Innersten erschüttert und beugten sich gleichsam nur einer furchtbaren Tyrannei und einem Zwange, gegen den eine andere als psychische Rebellion durchaus unmöglich war. Die christliche Religion verbreitete sich überraschend schnell gerade unter den Angehörigen der allerniedrigsten Prostitution. Die Apostel und ihre ersten Schüler hatten mit ihren Predigten an den Strassenecken, an den Stadtthoren, auf öffentlichen Plätzen und Promenaden begonnen, wo immer eine müssige und neugierige Menge ihnen ein Publikum abgab. Die Lastträger, Matrosen, Schiffersknechte, flüchtige Sklaven, kurz die allerniedrigste Bevölkerung umdrängte den Gottesmann, der ihnen von der Besiegung und Abtötung des Fleisches redete. Die Prostituierten bildeten häufig den aufmerksamsten Teil der Zuhörerschaft und nahmen diese Worte, wie es psychologisch durchaus begreiflich ist, mit besonderer Innigkeit auf. Häufig verzichteten einzelne von ihnen auf ihr Gewerbe, um sich der Mission zu widmen, die der Verkündiger der neuesten Lehre den Jungfrauen und Märtyrerinnen angedeutet hatte. Jesus hatte Maria Magdalena von der Sünde frei gesprochen, weil sie viel geliebt habe; so zeigten sich auch nach dem Vorbilde des Religionstifters seine ersten Jünger nachsichtig gegen Frauen, die bis dahin einen unsittlichen Lebenswandel geführt hatten und nun, einmal zu Christen geworden, ein zurückgezogenes und keusches Leben führten.

Die Heiligengeschichte bietet uns zahlreiche Beispiele von Curtisanen, die ihr Heil in einer vollständigen Veränderung ihres bisherigen Lebens suchten. Diese armen Wesen glichen gleichsam jenen drei Marien, die alles verlassen hatten, um Jesus zu folgen. Eine grosse Anzahl von ihnen bezeugte durch einen qualvollen Opfertod wie ernst es ihnen mit der neuen Lehre war. Die Zahl der Heiligen dieser Art ist so bedeutend, dass der gelehrte Jesuitenpater Theophil Raynaud darüber eine besondere Martyrologie geschrieben hat. Als Vorbild und Patronin dieser Heiligen galt Maria die Aegypterin Es kann nicht unsere Aufgabe sein, hier alle die Beispiele, die diese Legende darbietet, aufzuzählen, wir wollen nur Einzelnes herausgreifen, um daran zu zeigen, welchen Einfluss die christliche Lehre auf die antike Prostitution ausgeübt hat.

Maria, die Aegypterin, die unter dem Kaiser Claudius lebte und sich nach ihrer Bekehrung zur Busse in der Wüste verborgen hatte, erzählte dem Abte Zosimus, der sie nackt und sonnenverbrannt in der Wüste auffand, ihre Geschichte folgendermassen: „Ich bin in Aegypten geboren worden; in meinem zwölften Lebensjahre kam ich nach Alexandrien, wo ich siebenzehn Jahre lang in einem öffentlichen Hause war. Als Leute aus dieser Gegend eine Reise nach Jerusalem antreten wollten, um dort die Religion des Kreuzes anzubeten, da bat ich die Seeleute, auf deren Schiff sie die Reise machen wollten, mich mitzunehmen. Als sie mich fragten, welchen Preis ich für die Ueberfahrt zu zahlen bereit sei, sprach ich zu ihnen: „Brüder, ich habe nichts, was ich Euch geben könnte, ausser meiner Gunst, mit der ich die Reise bezahlen will.“ Sie nahmen mich darauf mit und genossen meine Gunst während der Ueberfahrt. Als wir zusammen in Jerusalem ankamen und ich mich mit den anderen an die Pforte der Kirche begab, da fühlte ich mich plötzlich durch eine unsichtbare Hand zurückgestossen; ich kehrte mehrere Male an die Pforte der Kirche zurück, um immer von Neuem zurückgewiesen zu werden, während die anderen ohne Schwierigkeiten eintraten. Da überdachte ich mein vergangenes Leben und ward inne, dass meine zahllosen Sünden die Ursache dieser Zurückweisung seien. Ich begann Reue zu empfinden und Busse zu thun und meinen Körper mit meinen Händen zu kasteien.“ Sie legte darauf das Keuschheitsgelübde ab, liess sich taufen und floh dann in die Wüste, wo sie siebenundvierzig Jahre lang einsam lebte.

Mit derartigen Legenden versuchten nunmehr die Anhänger der neuen Lehre unter den Prostituierten Anhängerinnen zu werben. Maria von Aegypten wurde die gewöhnliche Patronin solcher Curtisanen, die sich der neuen Lehre zuwendeten. Ein anderes Weib dieser Art nannte sich Thais und wohnte in einer ägyptischen Stadt. Ihre Schönheit war so gross, dass viele ihrer Liebhaber alles verkauften was sie besassen, um ihre Gunst zu erringen. Der Abt Paphnutius fasste den Vorsatz, sie zu bekehren. Er bekleidete sich mit einem vornehmen Gewande, nahm ein Goldstück und ging zu ihr, wie wenn er ihre Gunst erkaufen wollte. Als sie ihn darauf in ihr Zimmer führte, sprach Paphnutius: „Lass uns an einen verborgeneren Ort gehen.“ Sie führte ihn darauf noch in mehrere andere Zimmer, während er so that, als ob er immer noch gesehen werde. Endlich sprach sie zu ihm: „Dies ist ein Zimmer, in das niemand eintreten kann, aber wenn Du Gott fürchtest, dann giebt es freilich keinen Ort, der so verborgen wäre, dass jener nicht hineinschauen könnte.“ Erstaunt ob dieser Bemerkung, fragte der Greis sie, ob sie denn etwas von Gott wisse. Nach einer kurzen Unterhaltung fiel Thais dem Paphnutius zu Füssen und versprach, sich bekehren zu wollen. Thais raffte alles, was sie mit ihrem bisherigen Leben erworben hatte, ihre kostbaren Gewänder, ihre reichen Schmuckstücke und ihre herrlichen Möbel zusammen und errichtete daraus auf öffentlichem Marktplatze einen Scheiterhaufen. „Kommt alle herbei,“ so rief sie dann, „ihr, die ihr mit mir gesündigt habt und seht alles verbrennen, was ich von Euch empfangen habe!“ Als alles vom Feuer verzehrt war, eilte sie zu Paphnutius hin, der sie in ein Frauenkloster führte und sie dort in eine kleine Zelle einschloss. Die Thür versiegelte er und liess nur ein schmales Fensterchen offen, durch das sie täglich ein wenig Brod und Wasser empfing. Diese grausame Busse, die uns die Heiligengeschichte mit allen möglichen Einzelheiten erzählt, dauerte drei Jahre lang. Thais überlebte nach ihrer Befreiung die Qualen nur um drei Tage und starb dann wie berichtet wird in Frieden wie eine Jungfrau.

Ein anderer Heiliger war mit der Bekehrung einer leichtfertigen Frau weniger glücklich. Um sich den Versuchungen mit denen sie ihn verfolgte, zu entziehen, rief ihr der Heilige zu: „Folge mir!“ Sie folgte ihm. Aber anstatt dass er einen entlegenen Ort aufgesucht hätte, wie sie es wünschte, führte er das Weib im Gegenteil an eine belebte Strassenecke, wo viel Volk vorbeiging. Dort wandte er sich zu ihr mit der Aufforderung ihm ihre Gunst zu schenken. Sie bemerkte ihm darauf, dass doch zuviel Volk auf der Strasse sei. Als der Heilige ihr darauf sagte, wenn sie schon vor den Menschen Scham empfinde, so müsse sie doch noch mehr Furcht vor Gott haben, da erschien die Curtisane betreten und verlegen und entfloh mit gesenktem Haupte. Aber sie ging nicht in ein Kloster und verbrannte auch nicht das, was sie mit ihrem Leben erworben hatte. Derartige Geschichten finden sich zahlreich in allen Heiligenlegenden; sehr häufig wird die Standhaftigkeit, und Enthaltsamkeit der frommen Männer dort auf jede Weise gerühmt. So wird zum B. folgendes erzählt. Zwei Einsiedler befanden sich auf dem Wege nach Tharsus und litten so unter der Hitze des Tages, dass sie gezwungen waren, in einem Wirtshause Halt zu machen, obschon sie nur widerstrebend ein solches Haus betraten. In dem Wirtshause befanden sich mehrere junge Lebemänner und eine Dirne. Diese näherte sich einem von den Einsiedlern und suchte ihn zu verführen. Voll Abscheu wandte sich der Einsiedler von ihr ab; aber das Weib hörte nicht auf, ihn zu verfolgen und sprach schliesslich, Jesus selbst habe ja der Magdalena verziehen. „Freilich," so erwiderte ihr der Einsiedler, „aber als Jesus zu der Sünderin sprach. da liess sie von ihrem Lebenswandel ab." „So will auch ich thun," rief darauf das Weib aus. Sie verliess den Ort des Lasters, folgte den beiden Einsiedlern und trat in ein Kloster ein.

Eine Stelle aus dem Leben des heil. Simeon des Styliten, der mehr als 40 Jahre auf einer Säule verlebte, auf der er sich ein kleines Häuschen erbaut hatte, zeigt uns, dass von allen Seiten verlorene Frauen herbeikamen, um sich an seinem strengen Lebenswandel zu erbauen und die Predigt der neuen Lehre zu hören. Simeon soll grade unter den Dirnen ausserordentlich viel Bekehrung zu verzeichnen gehabt haben. (Quid porro de meretricibus dicam, quæ, ex diversis procul terris, ad servi Dei septum profectæ, postquam illum conspexere, patriam suam deseruere, et severiorem ascetarum disciplinam in monasterio professæ, sanctorum honorem commeruerunt, posteaquam, Domino largiente, præteritorum criminum chirographa suis lacrymis. Acta sanctorum, t. II, p. 344.) Aus dieser merkwürdigen Stelle kann man schliessen, dass die bekehrten Curtisanen gleichsam einen Katalog ihrer Sünde aufstellen mussten, den sie während der ganzen Zeit ihrer Busse beständig vor Augen hatten. Sie galten übrigens, wenn sie den bisherigen Lebenswandel abgelegt hatten, durchaus als vollberechtigte Mitglieder der Gemeinde. Das geht aus der Geschichte der heiligen Pelagia hervor, die früher Schauspielerin gewesen war und einmal einen heftigen Auftritt mit dem Bischof von Antiochia gehabt hatte. Diese heilige Pelagia ist nicht identisch mit jener, die in ihrem früheren Leben den Namen Porphyra getragen hatte und zwei oder drei Jahrhunderte später zu Tharsus lebte.

In der Heiligengeschichte wird ihre Bekehrung sehr merkwürdig und naiv geschildert. Es heisst da, sie sei eines Tages zu einem Einsiedler gekommen und habe ihn gebeten, sie aus ihrem bisherigen Leben zu erretten. Der Einsiedler sei mit ihr Hand in Hand durch die Stadt gegangen zu einer einsamen Kirche, dort hätten sie ein neugeborenes Kind gefunden, das sie wie ihr eigenes aufgenommen hätten. Als darauf das Gerücht entstanden sei, es handele sich um ein Kind des Einsiedlers und der Curtisane, habe er zu dem Beweise seiner Unschuld glühende Kohlen in seinem Gewande getragen. Porphyra hatte den Namen Pelagia angenommen und sich in ein Kloster zurückgezogen. Ihr Beispiel machte solchen Eindruck, dass eine grosse Zahl von Prostituierten aus Tharsus ihr bisheriges Leben aufgaben und in die christliche Gemeinschaft eintraten. Die erste heilige Pelagia starb während der Christenverfolgung des Licinius im Jahre 308. Sie stürzte sich von einem hohen Dache herab, um sich den Verfolgungen der römischen Soldaten zu entziehen. Während derselben Christenverfolgung erlitten mehrere frühere Curtisanen den Märtyrertod, so Theodote, Afra und andere. Während Theodote verurteilt wurde, ihr früheres Gewerbe wieder aufzunehmen, erlitt Afra nach einer äusserst umfangreichen Gerichtsverhandlung den Feuertod. In der Heiligenlegende wird uns sogar das Gebet überliefert, das sie noch auf dem Holzstosse aussprach. Es ist durchaus wahrscheinlich, dass derartige Vorfälle einen tiefen Eindruck in den Kreisen der antiken Prostitution hervorrufen mussten.

III. Kapitel.

Warum man die Christinnen zur Srafe der öffentlichen Prostitution verurteilte. — Die Legende von den sieben Jungfrauen von Ancyra. — Wie Aurelius Prudentius den Tod einer Jungfrau beschreibt, die den Gelüsten ihrer Verfolger preisgegeben war. — Sankt Agnes vor dem Tribunal. — Der Urteilsspruch des Statthalters Symphronius. — Agnes wird in ein Freudenhaus übergeführt. — Wunderbarer Tod des Sohnes des Statthalters. — Wichtige Einzelheiten zur Geschichte der Prostitution jener Zeiten. — Die Verurteilung der heiligen Theodora. — Didymus. — Die Enthauptung der Theodora. — Palladius erzählt ähnliche Fälle. — Die Legende von der heiligen Theodote. — Ein Urteilsspruch des Prokonsuls Optimus. — Wunderbare Errettung. — Die Legende von der heiligen Euphemia. —

Die Christen waren so stolz auf ihre Keuschheit, legten ihr einen so hohen Wert bei und fürchteten so sehr, diesen Schatz zu verletzen oder zu beschädigen, dass ihre Verfolger sich ein boshaftes Vergnügen daraus machten, sie in dem Besitz eines Gutes zu stören, das man niemals versucht hätte, ihnen zu rauben, wenn es nicht als Beleidigung der antiken Religion und Kern der christlichen Lebensauffassung angesehen worden wäre. Daraus erklärt sich auch jene absonderliche Strafe, die darin bestand, das man christliche Frauen und Jungfrauen den Brutalitäten der öffentlichen Prostitution überantwortete. In den Lebensbeschreibungen der Heiligen ist zu oft die Rede von einer derartigen Strafe, als dass man sie in Zweifel ziehen oder für eine Uebertreibung halten könnte. Die Verfasser der Heiligengeschichte bringen eine grosse Reihe von Einzelheiten vor und St. Ambrosius erwähnt im dritten Buche seiner Abhandlungen von den Jungfrauen, wo er ausführlich den Märtyrertod der heiligen Theodora schildert, dass diese schwere Strafe vorzugsweise jenen Frauen aufgespart blieb, die sich weigerten an dem Dienste der heidnischen Götter teilzunehmen. Wie wir übrigens schon gesagt haben, steht damit vielleicht die Erinnerung an jenes alte römische Gesetz im Zusammenhang, welches verbot, dass eine Jungfrau mit dem Tode bestraft werde; wir erwähnten schon, dass in der Regel der Henker vor der Hinrichtung einer Jungfrau ihre Schändung vorzunehmen hatte. Aber mit diesem alten strafrechtlichen Acte verband sich ohne Zweifel die Absicht, die Christen in ihren eigenen Augen und in denen ihrer Religionsgenossen zu entehren.

Die Teilnahme an den Opferhandlungen für die alten Götter, die man jeder angeklagten christlichen Frau aufzuzwingen suchte, bedeutete für sie nichts anders als den Weg zur Prostitution. An früheren Stellen haben wir ja bereits darauf hingewiesen, dass fast alle antiken Gottheiten in irgend einem Zusammenhange mit dem sexuellen Leben standen; für die Christen hätte deshalb die Theilnahme an den Opferhandlungen eine Schamlosigkeit oder eine Art von Ehebruch bedeutet.

Es wird uns in einer grossen Anzahl von Büchern der Kirchenschriftsteller aus jener Zeit erzählt, wie sich verurteilte Christinnen mit ihrem schrecklichen Lose abzufinden suchten. Man darf annehmen, dass die Ueberantwortung christlicher Frauen an die öffentliche Prostitution nicht vor der Christenverfolgung unter Marc Aurelius im Schwange war; Tertullian spricht in seinem apologetischen Buche von dieser Art Strafe wie von einer neuen Erfindung. „Indem ihr letzthin eine christliche Jungfrau zur Prostitution (ad lenonem) anstatt zum Opfertode (ad leonem) verurteilt habt,“ so sagt er mit einem bissigen Wortspiel in der lateinischen Sprache, „habt ihr selbst zugegeben, dass eine Verletzung des Schamgefühls bei den Christen als etwas Schrecklicheres gilt, als die Qualen irgend einer Art von Todesstrafe.“ Die Heiligengeschichte wimmelt von allerhand Erzählungen, wonach sich Gott in der letzten höchsten Not der gefährdeten christlichen Frauen durch allerhand Wunderthaten angenommen haben soll. Alle Beiträge zur Psychologie jener Zeit haben durch diese Erzählungen unzweifelhaft ihre gewisse Bedeutung. Uns fehlt aber jeder Raum, hier auch nur eine kleine Zahl davon wiederzugeben. Man müsste darüber ein eigenes Buch verfassen, indem man aus diesem einzigen Gesichtspunkte heraus die ungeheure Sammlung der Bollandisten und die Akte der Heiligen durchsähe. Für uns genügen einige wenige Beispiele, die wir hier wiedergeben, ohne die Naivetät ihrer Originale wesentlich abzuschwächen. Wenn man das Lob der Keuschheit liest, das Augustinus in seinen Bekenntnissen singt, dann wird man begreifen, dass die Verfolger des Christentums gerade in den Angriffen auf die Keuschheit christlicher Frauen eine ganz besondere Rache zu finden hofften. So kümmerten sich denn auch die Verfolger keineswegs um das Alter ihre Opfer. Die heilige Agnes war noch nicht dreizehn Jahre alt, und die sieben Jungfrauen von Ancyra waren schon so alt, dass sie sich kaum erinnerten, überhaupt einmal jung gewesen zu sein, als man sie den Peinigungen unterwarf.

Diese sieben Jungfrauen, von denen jede zwischen siebenzig und achtzig Jahre alt war, wurden wegen ihrer christlichen Religion verurteilt und zwar zur öffentlichen Prostitution. Als sich begreiflicherweise niemand fand, der ihre Tugend in Gefahr bringen wollte, verfügte der Statthalter von Ancyra, dass sie im Tempel der Diana Dienste thun sollten. Dies verwunderliche Martyrium spielte nach Nilus, der es uns überliefert hat, etwa im vierten Jahrhundert. Auch die andern Heiligen, die ähnlichen Brutalitäten ausgesetzt waren, gehören fast alle derselben Zeit an. Theodora, Irene, Agnes und Euphemia wurden alle während der grossen diokletianischen Christenverfolgung in den Jahren 303—311 verurteilt. Auf welche unerhörte grausame Strafe man damals verfiel, geht daraus hervor, dass man in Aegypten christliche Frauen völlig nackt an den Füssen aufzuhängen pflegte.

Der Dichter Aurelius Prudentius, der mehr als sechzig Jahre nach dieser Christenverfolgung schrieb, hielt sich zweifellos an die Ueberlieferung, als er die Geschichte einer zur Prostitution verurteilten christlichen Jungfrau schrieb. Da das Mädchen sich nicht dem Dienste der Minerva weihen wollte, so beschimpfte man sie auf alle mögliche Weise. Auf dem Wege zum Lupanar folgte eine grosse Schaar erhitzter Männer den Schritten der Unglücklichen und machte sich das Recht streitig, sie zu vergewaltigen. Aus Furcht in die Hände ihrer Verfolger zu fallen, beschleunigte die Jungfrau verhüllten Hauptes ihre Schritte. Sie stürzte zu dem öffentlichen Hause hin, gerade wie wenn ihre Tugend darin mehr in Sicherheit gewesen wäre, als auf der öffentlichen Strasse. Es giebt in der nachchristlichen lateinischen Literatur kaum etwas, was rührender gewesen wäre, als dieses Gemälde christlicher Keuschheit.

Die heilige Agnes verlor nach der Ueberlieferung in der That selbst in einem öffentlichen Hause zu Rom ihre Reinheit nicht. Sie gehörte einer der ersten Familien der Stadt an und war, obschon kaum dreizehn Jahre alt, bereits von mehreren Patriziern zur Ehe begehrt worden. Von dem Sohne des Statthalters Symphronius, dem sie gleichfalls einen Korb erteilt hatte, wurde sie als Christin denunziert. Vor dem Richter gestand sie auch ohne Umschweife die Richtigkeit dieser Thatsache zu. Darauf sprach der Richter, wie uns erzählt wird: „Du kannst zwischen den beiden wählen, entweder opferst Du bei den Vestalinnen der Vesta, oder Du prostituierst Dich mit den Curtisanen in einem Soldaten-Bordell (aut cum meretricibus scortaberis in contubernio lupanari), wo Dir die Christen, die Dich verführt haben, keinerlei Hilfe leisten werden.“ Als Agnes durch diese Drohungen keineswegs erschüttert, dem Symphronius kühn antwortete, befahl er, ihr die Kleider herabzureissen und sie in ein öffentliches Haus zu führen. Ihr voraus musste ein Ausrufer gehen, der beständig rief: „Agnes ist der Gotteslästerung überführt und wird der öffentlichen Prostitution überantwortet (Scortum lupanaribus datam).“ In dem öffentlichen Hause soll, wie es in der Erzählung weiter heisst, ihre Tugend durch allerlei Wunder beschützt worden sein. Als der Sohn des Statthalters zu ihr kam, um sie zu missbrauchen, sei er wie vom Blitz getroffen, tot zu ihren Füssen niedergesunken.

So erzählt Ambrosius in seinen Briefen (4. Buch 34. Brief). Die Akten dieser Heiligen, die von Ruinard veröffentlicht worden sind, fügen dieser Erzählung noch eine Reihe von Einzelheiten hinzu, die für die Geschichte der Prostitution nicht ohne eine gewisse Bedeutung sind. Danach habe man das Mädchen in dem öffentlichen Hause nach der gewöhnlichen Sitte eingekleidet; es hätten sich ihr auch eine Anzahl von Lüstlingen genähert, seien aber von der Hoheit und dem Schmerz des Kindes überwältigt, wieder fortgegangen, ohne sie berührt zu haben. Indessen habe der Sohn des Symphronius sie dennoch zu vergewaltigen gesucht, sei aber tot zu ihren Füssen niedergestürzt. Auf die Bitten seiner Freunde habe sie den Toten jedoch wieder ins Leben zurückgerufen. Für dieses Wunder, das man geheimnisvollen Zauberkräften zugeschrieben habe, sei Agnes dann dem Feuertode überliefert worden.

Es ist in der Geschichte der Heiligen sehr häufig von einer Verurteilung zu öffentlicher Prostitution die Rede. Indessen ist es doch unwahrscheinlich, dass sich derselbe Vorgang so häufig unter fast gleichen Bedingungen wiederholt hat. Das bekannteste Martyrium dieser Art ist das der heiligen Theodora, deren Schicksal auch in einem schlechten Trauerspiel von Peter Corneille verherrlicht worden ist. Man findet diese Geschichte in den Schriften des heiligen Ambrosius, die Akten dieser Heiligen sind von Ruinard veröffentlicht worden. Theodora entstammte einem edlen Geschlecht in Alexandrien. Da sie verdächtig war, der christlichen Lehre anzuhängen, so wurde sie vor den Richter gefordert und ihr aufgegeben, an den Gottesdiensten der heidnischen Gottheiten teilzunehmen. Aus Rücksicht auf ihre hohe Abstammung liess ihr der Richter drei Tage Bedenkzeit, bevor er seinen Spruch über sie fällte. Da sie fest in ihrem Glauben verharrte, so wurde sie thatsächlich zur Prostitution verurteilt und in ein öffentliches Haus überführt. Ihr Schicksal erregte grosses Aufsehen, und das Haus war von vielen Leuten umstanden, ohne dass jemand gewagt hätte, zu ihr hinein zu gehen. Endlich durchbrach ein Soldat die Menge und trat ein. Dieser Soldat, Didymus, war ein Christ, der sich lediglich verkleidet hatte, um Theodora zu retten. Er beschwor sie, sein Gewand anzulegen und zu fliehen. Theodora that, wie er ihr geraten hatte und verliess glücklich das Haus, ohne auf die Fragen und Scherze der draussenstehenden Menge einzugehen. Als man bald darauf den Vorgang entdeckte, wurde der zurückgebliebene Christ vor den Richter geführt und wegen seiner That zum Tode verurteilt Darauf stellte sich Theodora, die davon gehört hatte, sofort von Neuem dem Richter; es entstand zwischen ihr und ihrem Retter Didymus ein förmlicher Wettstreit darum, wer den Opfertod zu erleiden habe. Schliesslich wurden beide gemeinsam hingerichtet.

In seinem Leben der Kirchenväter erzählt Palladius einen ganz ähnlichen Vorgang aus Corinth. Auch dort wurde eine Christin durch einen Glaubensgenossen aus verzweifelter Lage gerettet.

Manchmal überlieferte der Richter die christlichen Jungfrauen nicht den öffentlichen Häusern, sondern der Willkür einzelner Lüstlinge. So geschah es z. B. an der heiligen Denise, die von dem Prokonsul Optimus verurteilt wurde. Sie geriet in die Hände von zwei verdorbenen Jünglingen, die vergebens versuchten, sie in ihren Grundsätzen wankend zu machen. Man darf annehmen, dass derartige Verurteilungen gegen die Keuschheit christlicher Frauen zumeist nur in der grossen Christenverfolgung des Diocletian in Alexandrien stattgefunden habe. Der damalige Präfekt von Agypten Hierokles hatte alle Richter angewiesen, ohne Ausnahme diese Strafform anzuwenden. In den Heiligengeschichten wird ausdrücklich vermerkt, dass dieser Mann mit unerbittlicher Konsequenz in diesem Punkte vorgegangen ist. Einige Male gaben sich Richter sogar zur Vollstreckung ihres eigenen Urteils her, wie es uns von einem Namens Priscus überliefert worden ist, der sich in dem Wüten gegen die Christen besonders hervorthat. Ueber sein Ende wird in den Legenden eine merkwürdige Geschichte erzählt; danach soll er entschlossen gewesen sein, die Tochter eines Senators, Euphemia, die sich selbt der Angehörigkeit zur Christengemeinde bezeichnet hatte, zu schänden. Als alle seine wiederholten Versuche gescheitert waren und er zum äussersten Mittel greifen wollte, sei er von einem Löwen, der seinem Käfig entronnen war zerrissen worden. So berichtet wenigstens St. Ambrosius, und Beispiele ähnlicher Art von propagandistischen Erzählungen, über deren objektiven Wert sich niemand einem Zweifel hingeben wird, finden sich zahlreich in den Schriften jener Zeit.

IV. Kapitel.

Sekten und Sektengründer. — Nikolaïten. — Grausame Vorschriften, die man dem Diakon Nikolaus, dem Stifter dieser Sekte, zuschrieb. — Die Phibioniten, Stratiotiken, Levitiker und Barbariten. — Epiphanes beschreibt die Gebräuche dieser Sekten. — Ketzereien körperlicher und geistiger Art. — Die Karpokratianer und Valesianer. — Epiphanes. — Marcellina. — Die Kaïniten und Adamiten. — Auschweifungen, denen sich die Kaïniten hingaben. — Die Himmelfahrt Pauli. — Ketzerei der Quintillia. — Prodicus. — Vom Kulte der Adamiten. — Moralische Reform dieser Sekte nach dem Tode ihres Stifters. — Die Marcioniten. — Die Valentinianer.

Wir haben schon darauf hingewiesen, dass vornehmlich die abtrünnigen Christen die Schuld daran trugen, wenn die Enthaltsamkeit und Keuschheit der ersten Christen der damaligen Bevölkerung verdächtig erschien. Einer Reihe von sektirerischen Bestrebungen kann man den Einfluss wohl zuschreiben, dass sie wesentlich zu der verkehrten Anschauung beigetragen haben. Einige fanatische Neuerer wollten mit Hilfe des sinnlichen Vergnügens den Triumph einer durchaus metaphysischen Religion erhöhen. Drei Jahrhunderte lang kämpfte die christliche Kirche in ihren eigenen Reihen mit schismatischen Strömungen, und fast immer wurde die Prostiution als ein Propagandamittel von den Neuerern angewendet, die häufig ihre Glaubenssätze und ihre Religionsmysterien von indischen Kulten ableiteten.

Die erste Sektenbewegung, die über das Christentum hereinbrach, geht bis in die Zeiten der Apostel zurück und knüpft vielleicht an die alte Ueberlieferung des Baaldienstes in Judäa an. Der 2. Brief Petri, den die christliche Chronologie in das Jahr 65 setzt, beschäftigt sich anscheinend mit dieser Haeresie. Man erkennt aus diesem Briefe, der allerdings viel Dunkelheiten enthält, dass die Neuerer keineswegs die Absicht hatten, keusch zu bleiben. Aber sogar nach dem Text der Vulgata ist es schwer zu sagen, gegen welche Art von Unkeuschheit Petrus seine Vorwürfe richtet. Mag sein, dass in dieser Bewegung der Nikolaïten es sich nicht um Bestialität handelt, so kann man doch nicht daran zweifeln, dass dort Sodomie unter dem Mantel christlicher Bruderliebe gepflegt wurde. Die Kirchenväter, die von den Nikolaïten gesprochen haben, hatten die Anfänge dieser Sekte nicht selbst beobachtet und hielten sich an die Quellen der mündlichen Ueberlieferung. Nach einigen von ihnen soll der Diakonus Nikolaus, den Irenäus als das Haupt der Nikolaïten bezeichnet, seine Haeresie insceniert haben, um sich an den Aposteln, besonders an Paulus zu rächen, die ihn getadelt hatten, weil er sein Weib wieder zu sich genommen hatte, obschon er von ihr getrennt war, um seine Enthaltsamkeit zu beweisen. Anstatt seine Schwäche zu entschuldigen, behauptete Nikolaus fest, es sei nötig, sich mit allen Arten von Unreinheit zu besudeln, um das ewige Heil zu erwerben. Er stützte diese Lehre auf folgende Ueberlegung: ein sündiges Fleisch müsse Gott angenehmer sein, da ja die Verdienste des Erlösers dann viel grösser seien, wenn er es trotzdem zum ewigen Heile führe. Andere Kirchenväter versuchen das Andenken des Nikolaus gegen derartige Erzählungen zu verteidigen; sie erklärten, Nikolaus habe in seiner Ehe keusch gelebt, ohne mit einer anderen, als mit seiner legitimen Frau Umgang zu pflegen. Sie habe ihm mehrere Töchter und einen Sohn geschenkt, der Bischof von Samaria wurde, während jene unvermählt starben. Was die vielen Beschuldigungen anlangte, die jene gegen ihn erhoben, so hätte er nach dem Zeugnis dieser Leute nur einen zweideutigen Ausdruck gewählt, indem er sein Missbrauchen des Fleisches im Sinne von Abtöten des Fleisches gesetzt haben wollte. Lediglich seine Schüler hätten diesen Ausdruck allzuwörtlich gefasst und unter Abwälzung der Verantwortung auf den toten Diakonus sich allen fleischlichen Gelüsten hingegeben.

Das war nicht die einzige Uebertreibung, die sich die Legende mit Bezug auf diesen Nikolaus erlaubte. Man erzählte auch noch, seine

Frau sei sehr schön und er sehr eifersüchtig gewesen. Die Apostel hätten ihm seine Eifersucht vorgeworfen, und er habe sein Weib, um diesen Vorwürfen zu entgehen, in eine Versammlung der Christengemeinde kommen lassen und dort laut aufgefordert, sich den zum Manne zu wählen, den sie haben wollte. Was weiter geschah, erzählt die Legende nicht, und man weiss daher nicht, ob des Nikolaus Weib von dieser Erlaubnis Gebrauch gemacht hat oder nicht. Die ersten Nikolaiten stellten keinerlei Theorie ihres neuen Glaubens auf, veränderten nichts an der christlichen Lehre und traten lediglich durch ihr Beispiel für die Abwerfung jeglicher geschlechtlicher Scham ein. Später griffen sie, um ihre Trennung von der Kirche zu rechtfertigen, die Gottheit Jesu an und behaupteten, diese Ausschweifungen seien gut und heilig, da ja der Gottessohn sie selbst mit seinem irdischen Körper habe durchkosten können. Ohne von ihrer Praxis Abstand zu nehmen, vereinigten sie sich später mit den Gnostikern und bildeten neue Sekten unter dem Namen der Phibioniten, der Stratiotiker, der Levitiker und der Barbariten. Alle diese neuen Sekten, deren zum Teil höchst sonderbare Lehren Epiphanias im vierten Jahrhundert beschrieben hat, steckten sich dasselbe Ziel: Befriedigung aller sinnlichen Gelüste und Rückkehr der Instinkte zur Natur. Im Geheimen haben sie fortgedauert bis tief in das elfte Jahrhundert hinein.

Die Hæresien der ersten Jahrhunderte teilten sich sozusagen in zwei verschiedene Klassen, solche des Körpers und solche des Geistes. Die Letzteren, von denen wir nur diejenigen des Sabellius, des Eutyches, des Symmachus, des Jovinian erwähnen, beschäftigten sich lediglich mit den Fragen der Religion, der Philosophie und der Metaphysik. Sie verloren sich im allgemeinen in Träumereien über die Gottheit und die Mission Jesu Christi. Die mehr körperlichen Hæresien verbanden mit diesen ingeniösen oder extravaganten Spekulationen als Ziel oder Mittel eine weitgehende Entfesselung der Sinnlichkeit. Der Gnostizismus, der in seinen Ursprüngen auf asiatische Religionen zurückgeht, suchte die ganze ursprüngliche christliche Lehre zu unterdrücken. Die verbreitetste Lehre bei allen Hæretikern war die Weibergemeinschaft und die sexuelle Promiskuität. Die Karpokratianer und die Valesianer verkündeten diese Lehre um den Beginn des zweiten Jahrhunderts. Karpokrates, der auf der griechischen Universität Alexandrien studiert hatte, war in Wirklichkeit nur ein Schüler Epikurs, obschon er sich einen Christen nannte. Er schuf die christliche Lehre zu einer Art epikuräischer Philosophie um. Nach ihm existierte das Uebel nicht mehr auf der Erde und alle Moralvorschriften konnten auf die einfache Formel zurückgeführt werden: Was Du nicht willst, das man Dir thu', das füg' auch keinem Andern zu. Karpokrates nahm seine Lehre nicht mit sich in sein Grab, sondern sein Sohn Epiphanes, der gleichfalls epikuräische und neuplatonische Philosophie in Alexandrien studiert hatte, vervollständigte sein System, obschon er bereits im achtzehnten Jahre starb, dadurch, dass er ausdrücklich bestimmte, es solle unter den Anhängern der Lehre Weibergemeinschaft herrschen, und keine Frau solle das Recht haben, ihre Gunst demjenigen zu verweigern, der ihrer, kraft natürlichen Rechtes, begehrte. Dem Epiphanes wurden göttliche Ehren erwiesen, und man errichtete ihm in einer Stadt Kephaloniens eine Bildsäule. Eine Frau aus dieser Sekte Namens Marcellina kam gegen das Jahr 160 nach Rom und warb dort viele Anhänger Bei ihren Agapen und nächtlichen Mahlzeiten feierten die Karpokratianer und Epiphanier ihre Ausschweifungen: sie assen und tranken mit wenig Maass, und wenn das Mahl beendet und der Segen gesprochen war, dann rief der König des Festes dreimal: „Fort mit den Lichtern und den Uneingeweihten!" Darauf löschte man die Fackeln aus und gab sich in der Dunkelheit allen erdenklichen Ausschweifungen hin

Die Kirchenväter haben sehr häufig und heftig gegen die geheime Prostitution der Ketzer gedonnert; welche Veranlassung sie dazu hatten, mag man daraus ersehen, dass die Anhänger des Karpokrates und Epiphanes die reinen Heiligen waren im Vergleich mit den Kaïniten und den Adamiten, die im zweiten Jahrhundert ausserordentlich viel Anhänger unter den Christen fanden. Der Name des Stifters der Kaïnitensekte ist nicht bekannt; man darf wohl annehmen, dass es einer jener kühnen Gnostiker war, die sich nicht vor einem Appell an die sexuellen Leidenschaften der Menschen scheuten, um ihre Herrschaft über eine gläubige Schaar von Sklaven zu errichten. Die Kaïniten beabsichtigten mit ihrer Lehre eine Rehabilitation des Bösen und den Triumph der Materie über den Geist. Sie verzichteten deshalb auf die Auslegung der heiligen Bücher und verehrten die verhasstesten Vertreter des Menschengeschlechts von Kain bis auf Judas Ischarioth. Kain besonders schien ihnen vorzugsweise verehrungswürdig. Man erkennt leicht die Verwandschaft dieser Lehre mit dem persischen Arimanismus. Sie verherrlichten die sexuellen Laster, die man dem Kain zuschreibt ebenso, wie die der Einwohner von Sodom und Gomorrha; sie protestierten gegen die Vernichtung dieser Stadt und schmeichelten sich mit der Hoffnung, sie eines Tages unter dem Schutze Kains, der ihnen das Prinzip des Bösen personifizierte, wieder aufzurichten. Die Kirchenväter haben vielleicht mit allzuviel Eifer gegen diese Lehren gekämpft, denn man kann nicht wohl annehmen, dass derartige Lehren eine grosse Schaar von Anhängern gewonnen hätten. Die Kaïniten bezweifeln übrigens die Gottheit Jesu Christi und sein Erlösungswerk keineswegs. Nach der Darstellung von Bayle versuchten sie sogar eine Verknüpfung der christlichen Lehre mit ihrem eigenen Dogma. Unverkennbar sind die Einflüsse altasiatischer Kultusformen auf diese Lehre. Von den Büchern der Kaïniten ist uns nichts erhalten geblieben; man muss besonders den Verlust der berühmten Himmelfahrt des Apostel Paulus, eine Art von Apokalypse, bedauern, in der sich ihre Lehre mit einer überstiegenen Phantasie dargestellt haben soll. Wie dem auch sein mag, man kann nicht daran zweifeln, dass die Kaïniten alle mehr oder weniger widernatürlichen Lastern ergeben waren; um die Frauen, denen man den Zutritt verweigert hatte, in die Sekte einzuführen, predigte ein junges Weib, Namens Quintillia, eine Art von Kaïnismus zum Gebrauch der Frauen: dieser Kaïnismus führte in jeder Beziehung auf die bekannte Sappho zurück. Dank der eifrigen Propaganda, die Quintillia veranstaltete, gewann die Lehre in Afrika, besonders in Karthago, grosse Verbreitung.

Die Adamiten führten ihre Lehre auf den ersten Menschen zurück, um einer Verwechslung mit den Kaïniten zu entgehen; aber sie trennten vom ersten Manne das Weib nicht, wie die Anhänger der kaïnitischen und sapphischen Lehre. Der Gründer ihrer Sekte ein gewisser Prodikus, der früher Karpokratianer gewesen war, billigte die Geheimnisthuerei, mit der Karpokrates den fleischlichen Umgang der beiden Geschlechter umhüllt hatte, nicht. Er meinte, was in der Finsternis gut sei, könne am hellen Tageslicht nicht schlecht sein, und hatte die Kühnheit die Begehung des Geschlechtsaktes in voller Oeffentlichkeit nicht nur zu erlauben, sondern sogar vorzuschreiben. So wenigstens hat Bayle den Text des Theodoret überliefert. Clemens von Alexandrien sagt ähnliche Infamien den Secten der Karpokratianer nach und meint, sie hätten lieber Gesetze für Hunde machen sollen. Der Ursprung der Adamiten geht zurück auf jene wüsten Gelage und Agapen, in denen sich die Karpokratianer damals gefielen. Theodoret erzählt im ersten und fünften Buche seiner Schrift: Ueber die Ketzer, dass Prodikus aus Aerger über die Enttäuschungen, die er bei den Gelagen der Karpokratianer erlebt hatte, einen anderen Gebrauch einzuführen versucht hätte. Der Gewährsmann Theodorets für diese Ueberlieferung ist Clemens von Alexandrien, der in der That so etwas ähnliches erzählt hat. Im Uebrigen waren diese nächtlichen Gastereien mit ihren orgiastischen Schlüssen nur Nachahmungen römischer Gebräuche von denen Horaz schon in der sechsten Ode seines dritten Buches singt:

Mox juniores quaerit adulteros
Inter mariti vina: neque eligit
Cui donet impermissa raptim
Gaudia, luminibus remotis;
Sed jussa coram non sine conscio
Surgit marito: seu vocat institor,
Seu navis Hispanae magister,
Dedecorum pretiosus emptor.

Zur Beschönigung der wilden Ausschweifungen denen sich seine Anhänger hingaben, lehrte Prodikus, die Seelen seien nicht in den Körper geschickt worden, um bestraft zu werden, sondern, um durch alle Arten von Vergnügungen die Engel und guten Geister zu ehren, die die Welt geschaffen hätten. Die fleischliche Vereinigung von Mann und Weib bedeutete für ihn nur ein Abbild der mystischen Vereinigung von Brüdern und Schwestern in Gott.

Nach dem Tode des Prodikus, der etwa ums Jahr 120 lebte, führten die Adamiten eine moralische Reform ein, deren Urheber unbekannt geblieben ist: sie pflegten fortan geschlechtliche Zurückhaltung und führten ein keusches Leben, indem sie nur insofern ihrem Vorbilde im ersten Menschen nacheiferten, dass sie die Kleidung verabscheuten und nackt gehen wollten. Die Kirchenschriftsteller unterrichten uns über den Grund der bizarren Massregel nicht, und man ist auf allerhand Vermutungen angewiesen. Wahrscheinlich wollten die Adamiten durch das Ablegen der Kleider an die Unschuld Adams vor dem Sündenfall erinnern. Epiphanes schreibt, dass sich die Adamiten vollständig nackt zu versammeln pflegten und in diesem Zustande ihre Uebungen und gottesdienstlichen Handlungen vornahmen. Augustinus wiederholt fast wörtlich die Worte des Epiphanes. Trotz der harten Probe, die die Adamiten dadurch ihrer Enthaltsamkeit auferlegten, blieben sie doch keusch; Augustinus und Ep phanes bezeugen es ausdrücklich und fügen hinzu, dass diese Leute bei dem Anblick der gegenseitigen Naktheit, durchaus indifferent geblieben seien. Clemens von Alexandrien freilich behauptet, dass sie nach dem Vorgang von Prodikus sich in der Dunkelheit, nach ihren Agapen, doch immer den grössten Ausschweifungen hingegeben hätten. Welche von den beiden Meinungen die richtige ist, lässt sich heute natürlich nicht mehr feststellen.

Einzelne von den Adamiten beiderlei Geschlechts führten auch in anderer Weise ein durchaus asketisches Leben. Sie gingen beständig nackt, nur mit einem Gürtel um die Lenden und verbargen sich, teils in Gruppen, teils einzeln, in tiefen Wäldern und in Einöden; sie flüchteten vor dem Anblick bekleideter Menschen und vermeinten, dadurch in einen paradiesischen Unschuldszustand sich wieder zurückversetzt zu haben. Es ist möglich, dass ein derartiges fast tierisches Leben bei ihnen alle geschlechtlichen Regungen unterdrückte und ihre Sinne abgetötet hat. Clemens von Alexandrien sagt darüber: „Mit Männern sind sie Männer, mit Weibern Weiber, sie wollten von beiderlei Geschlecht sein.“ Ein anderer Kirchenschriftsteller, Euagrius, glaubt im 21. Kapitel des ersten Buches seiner Kirchengeschichte diesen Worten allerdings den Sinn unterschieben zu müssen, dass die Adamiten sich, ohne Rücksicht auf Geschlecht, allen Arten von Unkeuschheiten hingegeben hätten. Wie dem auch sei, jedenfalls bestand die Sekte der Adamiten bis ins sechzehnte Jahrhundert hinein.

Es ist durchaus erklärlich, dass die von einigen Sekten eingeführte und gepflegte Unkeuschheit auf der andern Seite eine Reaktion hervorrufen musste, die sich in völliger geschlechtlicher Enthaltsamkeit äusserte. Es war besonders der Gnosticismus, der mehrere derartige Sekten aufspriessen liess; einige waren enthaltsam, um dadurch dem Erlöser gleichzukommen, andere, um sich soviel als möglich dem paradiesischen Zustande des Menschen zu nähern, wieder andere, um die Sünde in der Welt dadurch zu töten, dass sie die Fortpflanzung des Menschengeschlechtes hemmten, endlich welche, um sich der Herrschaft des Dämons zu entziehen, der ihrer Meinung nach im Weibe verkörpert war. Die Enkratiten, die Marcioniten und die Valentianer fielen fast gleichzeitig um die Mitte des zweiten Jahrhunderts durch ihre Uebertreibung des Keuschheitsgelübdes auf. Der Gründer der marcionitischen Sekte, Marcion, der Sohn eines frommen Bischofs von Sinope in Paphlagonien, hatte ursprünglich nicht gerade als ein Muster jener Enthaltsamkeit gelebt, die er später mit so grosser Strenge predigte, denn er hatte derartige Ausschweifungen begangen, dass sein Vater ihn nicht absolvieren wollte; er rächte sich für seine Exkommunikation durch die Anstiftung von Unruhen unter den frommen Gläubigen. Nachdem er ein Mädchen verführt hatte, verband er sich mit einem Weibe, das ihm bei seiner Propaganda zur Seite stand. Er liess bei den Christen nur den Cölibat und die vollkommene geschlechtliche Enthaltsamkeit zu und taufte nur solche, die das Gelübde fleischlicher und geistiger Reinheit ablegten. Indessen behauptete er gleichzeitig, dass geschlechtliche Ausschweifungen für die Erlösung kein Hindernis abgeben könnten, da ja die Seelen allein nach dem Tode auferständen. Die Marcioniten hielten die Frauen nicht aus ihrer Gemeinschaft fern, denn sie glaubten, ihre Sinne in der Gewalt zu haben; Frauen konnten die Taufe vollziehen und die Messe lesen, vorausgesetzt, dass sie das Keuschheitsgelübde abgelegt hatten. Diese marcionitische Bewegung machte so grosse Fortschritte, dass Konstantin der Grosse im Jahre 326 ein Edikt gegen sie erliess, und dass fasst ein Jahrhundert später Theodoret der Bischof von Tyrus mehr als zehntausend ihrer Anhänger bekehrte.

Valentin, der fasst zu der gleichen Zeit wie Marcion lebte, war in den Abstraktionen der gnostischen und platonischen Philosophie besser bewandert als jener. Wie viele Philosophen der alexandrinischen Schule hielt auch er es für gut, die Menschen unter das Joch der geschlechtlichen Enthaltsamkeit zu zwingen. Seine dunklen religiösen Theorien wandten sich übrigens nur an die höchsten Regungen der Seele. Die Valentianer vermieden sorgfältig alle Anreize zur Sinnenlust und töteten durch Fasten und strenge Lebensweise die Regungen ihres Körpers systematisch ab, um sich ganz und gar ihren philosophischen Spekulationen hinzugeben. Indessen redet man auch ihnen nach, dass sie nicht immer in dem Kampfe gegen die Sinne Sieger blieben, sondern im Gegenteil sich manchmal wüsten Ausschweifungen hingaben. Die Enkratiten waren in ihrem

Kampfe gegen die Sünden des Fleisches nicht weniger streng; sie führten ihren Ursprung auf die Lehren des Apostels Paulus zurück, die von Tatian, einem Schüler Justins, ausgelegt worden waren. Tatian hatte die ehefeindliche Lehre des Paulus weiter ausgebildet und gelehrt, dass der Cölibat allein zur Vollkommenheit führen könne. Die Anhänger dieser wunderlichen Lehren waren förmliche Reinheitsfanatiker, übrigens auch äusserlich, und machten vom Wasser einen so ausgiebigen Gebrauch, dass sie den Spitznamen Hydroparastaten erhielten.

Die Valesianer, die gegen das Jahr 240 die öffentliche Aufmerksamkeit auf sich lenkten, trieben den Kultus der geschlechtlichen Enthaltsamkeit noch weiter. Ihre Gründer, der Araber Valesius, behauptete nach dem Vorgang des Origenes, die wahre Keuschheit könne nur in einem verstümmelten Körper bestehen. Seine Anhänger pflegten sich nicht nur selbst zu verstümmeln, wie es ja die Priester des Cybelekultus auch gethan hatten, sondern sie warben auch eifrig immer neue Anhänger für ihre Ueberzeugung. Es wird uns überliefert, dass sie häufig Gewalt anwandten, um ihrer Lehre eine weitere Verbreitung zu geben, vornehmlich hatte diese Sekte ihren Sitz in Judäa.

Nicht alle Gnostiker waren so erbitterte Feinde des Fleisches. Wir wissen vielmehr, dass die unter dem Namen Manichäer bekannten im Gegenteil mit ihren Agitationen gegen die Ehe gleichzeitig das Eintreten für einen ganz ungebundenen Geschlechtsverkehr verbanden. Der Vater dieser Sekte war ein Perser namens Manes, der seine absonderliche Lehre in Büchern niedergelegt hatte, aus denen seine Anhänger die Rechtfertigung aller Arten von Ausschweifungen herauslesen zu können vermeinten. Augustinus hat uns über dieses System ausserordentliche Einzelheiten überliefert. Die Manichäer hielten die Prostitution für etwas durchaus wünschenswertes und gleichsam für einen heiligen Akt. „Si utuntur conjugibus," sagt Augustin (de Haeresibus, cap. 46) „conceptum tamen generationemque devitant, ne divina substantia quae in eos per alimenta ingreditur vinculis carneis ligetur in prole." Maimburg sagt in seiner Geschichte des heiligen Leo: „Da sie glaubten, dass der Geist vom guten Prinzip herrühre, das Fleisch und der Körper vom bösen Prinzip, so lehrten sie, dass man ihn hassen, ihn erniedrigen und in allen Formen entehren müsse; dazu dienten vornehmlich alle Arten von Unkeuschheiten die sie bei ihren Vereinigungen begingen." Immerhin liegt kein Grund vor alles zu glauben, was Augustinus uns von ihrer Lehre und ihren Handlungen erzählt, sagt er doch und andere ihnen folgendes nach: „Qua occasione vel potius execrabilis superstitionis quadam necessitate coguntur electi eorum, velut eucharistiam conspersam cum semine humano sumere, ut etiam inde, sicut de aliis cibis, quos accipiunt, substantia illa divina purgetur .... Ac per hoc sequitur eos, ut sic eam et de semine humano, quam admodum de aliis seminibus, quæ in alimentis sumunt, debeant manducando purgare."

V. Kapitel

Religiöse und gastfreundliche Prostitution im Christenthum. — Die Eremiten, frommen Jungfrauen und ersten Mönche. — Die Mädchen und Frauen der Eremiten. — Zur Psychologie der Eremiten. — Die Volkssage vom heiligen Barlaam und dem Könige Josaphat. — Der Geist der Verführung. — Die gastfreundliche Prostitution bei den nächtlichen Agapen und bei den Einsiedlern. — Die wandernden Mönche. — Die Sarabaïten. — Der Lebenswandel dieser Mönche. — Sittenlosigkeit in einzelnen Frauenklöstern. — Religiöse Prostitution und die Verehrung der Heiligenbilder. — Spuren der alten obscönen Kulte bis in die neuere Zeit — Die Heiligen Paternus, Renatus, Guignolet und andere. — Das Auge der Isis und die Gans des Priaps. — Die Verehrung Guignolets in Montreuil. — Priapstatuen.

Das Christentum stiess somit bei seinem Kampfe gegen die antike Prostitution auf vielfaches Widerstreben in seinen eigenen Reihen. Die Gegner unter seinen eigenen Anhängern waren teilweise beeinflusst von den Ueberlieferungen der alten Kulte, teilweise waren es durch Gebet und einsames Leben exaltierte Priester. Immer steht die übertriebene Enthaltsamkeit in Gefahr, in übertriebene Ausschweifungen umzuschlagen; so kommt es denn auch, dass die lange Zeit keusch und tugendsam lebenden Christen sich teilweise in Verirrungen verloren, die selbst ihren Feinden zu stark gewesen wären. Die Gelehrten und Priester der Kirche liessen nicht ab, die alten Religionsformen vorzugsweise in der religiösen und legalen Prostitution zu bekämpfen, aber dabei bemerkten sie gar nicht, dass die religiöse Prostitution, ja sogar die gastfreundliche Prostitution, in ihren eigenen Reihen wieder an Boden gewann.

Es war bei den asketischen Eremiten und den ersten Mönchen, wo die gastfreundliche Prostitution, die naive Form der religiösen Prostitution, von Neuem wieder zu entstehen begann. Die Einsiedler männlichen und weiblichen Geschlechtes hatten alle Beziehungen zu dem gesellschaftlichen Leben gelöst und sich am Flussufer des Jordan und in der tebaischen Wüste angesiedelt. Ihr Leben dort stimmte sehr häufig nicht ganz mit ihren Grundsätzen überein, und es ist uns überliefert worden, dass sie sehr häufig eine Art primitiver Prostitution ausübten. Der heilige Hieronymus, das Vorbild dieser Gemeinschaft, hat uns überliefert, welche qualvollen Exaltationen er in seiner Einsamkeit zu überstehen hatte. Seine furchtbare nervöse Erregtheit machte sich in allerhand Visionen Luft, und wir können nur mit innigem Mitleid auf einen Menschen blicken, der im Dienste einer Idee so unerhörte Selbstquälereien verübte; und so wie es ihm ging, so ging es offenbar den anderen Einsiedlern auch. Wir haben schon von dem Abte Zosimus gesprochen, der in der egyptischen Wüste ein Wesen mit nacktem und sonnenverbranntem Körper auffand, jene egyptische Maria, deren Geschichte wir oben erzählt haben. In den Ueberlieferungen des Hieronymus wird uns erzählt, dass die zahlreichen einsiedlerischen Mädchen und Frauen in Afrika und Kleinasien zum Teil nur mit äusserster Willensanstrengung zur Abtötung ihrer Sinne gelangten. Man kann ohne Weiteres annehmen, dass der Verkehr unter den Einsiedlern beiderlei Geschlechts auch zu einem geschlechtlichen Verkehr führen musste.

Der Geisterglaube spielte in allen diesen Dingen eine grosse Rolle, wie man aus der Geschichte des Barlaam und des Königs Josaphat entnehmen kann, eine Geschichte, die in den romantischen Epen des Mittelalters eine ausserordentliche grosse Rolle spielt und deshalb auch hier erwähnt sei. Barlaam hatte Josaphat, einen Königssohn, bekehrt. Der Priester Theodas riet dem Könige, der über die Bekehrung seines Sohnes sehr traurig war, er möge ihn doch von allen Männern fern halten und nur durch schöne, verführerische Frauen bedienen lassen; ausserdem werde er auch einen Geist beschwören, der den jungen Königssohn dem Christenglauben wieder abspenstig machen solle. Getreu diesem Rat schloss der König seinen Sohn in einen Harem mit vielen schönen

Frauen ein, die ihn unausgesetzt zur „Sünde“ reizten. Er aber widerstand den Versuchungen und unterwarf sein Fleisch der Herrschaft des Geistes. Eines Tages führte der König vor seinen Sohn eine Königstochter, die von untadeliger Schönheit war und mehr Eindruck auf ihn machte, als die andern Weiber. Josaphat versuchte, sie zu bekehren, denn er bewunderte ihre Schönheit. „Wenn Du willst, dass ich mich bekehren soll,“ so erwiderte ihm die Königstochter, „dann nimm mich zum Weibe, die Christen sind keine Feinde der Ehe, sie loben sie im Gegenteil, und die Patriarchen, die Propheten und Paulus, der erste der Apostel sind verheiratet gewesen.“ „Darum verfolgst Du mich! Es ist den Christen freilich erlaubt zu heiraten, aber nicht denjenigen, die das Gelübde der Keuschheit abgelegt haben.“ Darauf begann sie zu weinen und sah ihn traurig an: „Wenn Du zu meinem Heile beitragen willst,“ sprach sie mit zitternder Stimme, „dann verbringe die Nacht mit mir und ich werde morgen in der Frühe des Tages den christlichen Glauben bekennen.“ Auf diesen Vorschlag war Josaphat nicht vorbereitet. Er überlegte, wie es in der Fabel heisst, dass die Engel grosse Freude an der Bekehrung eines Ungläubigen hätten; aber auch grosse Trauer empfänden über die Sünde eines Gläubigen. Der „böse Geist“ riet ihm, um den Preis seiner Seele, die Seele der schönen Königstochter zu retten. Aber bevor er sich noch entschieden hatte, wandte er sich zum Gebet, verfiel in einen tiefen Schlaf und wandelte im Traume in den Gefilden der Seligen. Bei seinem Erwachen empfand er, wie die güldene Legende, deren Verfasser der Erzählung des Johannes von Damaskus fast Wort für Wort folgt, uns überliefert, nur noch Abscheu vor der Königstochter und ihren Begleiterinnen.

Die Kirchenväter glaubten, wie schon bemerkt, thatsächlich an die Existenz eines besonderen Dämons, der die Menschen zum fleischlichen Genusse anreizte. Man trifft auf jeder Seite in den Lebensbeschreibungen der Kirchenväter und in anderen Legenden auf Erzählungen über diesen „bösen Geist“. Man kann daraus schliessen, welche grosse Verbreitung die Prostitution unter den Anhängern der primitiven Kirche gehabt haben muss. St. Cyprian schreibt über das damalige Leben der Christen als Augenzeuge etwa ums Jahr 320 folgendes: „Es gab keine Frömmigkeit mehr unter den Christen, keine Disziplin in ihren Sitten, die Männer kämmten sich ihren Bart, die Weiber puderten sich ihr Gesicht. So sehr verunstaltete man das Ebenbild Gottes, dass man sich sogar die Haare färbte. Man wandte Kunstkniffe aller Arten an, um einfache Leute zu täuschen; die Christen übervorteilten ihre eigenen Brüder; man verheiratete sich mit Ungläubigen und die Prostitution war im Schwange.“

Man darf das Entstehen dieser Sittenlosigkeit wohl in Zusammenhang bringen mit dem demoralisierendem Einfluss einer Menge wandernder

Mönche, die ein faules und ausschweifendes Leben führten. Ohne festen Wohnsitz, ohne eine ernste Beschäftigung, ohne sichere Existenzmittel zogen diese Leute überall umher, führten ein liederliches Vagabondenleben, indem sie sich von Stadt zu Stadt, von Kloster zu Kloster durchbettelten. Schon damals hatten sich die christlichen Jungfrauen zu gemeinsamem Leben vereinigt, vermieden zwar den Verkehr mit Ungläubigen, sahen aber häufig Priester und andere Mitglieder der christlichen Gemeinde bei sich. Unter den umherstreichenden Brüdern that sich besonders die Sekte der Sarabaïten hervor, die vom heiligen Hieronymus Remoboth genannt wurde und von den Geschichtsschreibern des fünften Jahrhunderts Gyrovagen. Die Sarabaïten, deren ägyptischer Name soviel bedeutet wie „Undisziplinierte," führten ihren Ursprung auf den Juden Ananias zurück, den Petrus für seine Lügenhaftigkeit mit seinem jungen Weibe Saphira zum sofortigen Tode verurteilt hatte. Obschon sie angeblich Christen waren, verzichteten die Sarabaïten doch nicht auf die Beschneidung. Hieronymus schrieb im Jahre 384 an Eustachius, dass die Sarabaïten an Festtagen sich den allergrössten Ausschweifungen hinzugeben pflegten und auch im Uebrigen den Jungfrauen nachzustellen liebten. Während sie ursprünglich immer zu mehreren zusammen ein sehr einfaches Leben führten, pflegten sie sich später zu isolieren und auf eigene Faust ihr Glück zu machen. Cassianus giebt uns in seinen Chroniken ein sehr abschreckendes Bild von diesen Leuten; in Aegypten und bis zur tebaischen Wüste hin müssen sie sehr zahlreich gewesen sein; auch bestanden sie noch bis ins neunte Jahrhundert hinein, denn Karl der Grosse erliess gegen ihre Umtriebe ein Gesetz (Capit. reg. Franc. t. 1. p. 370). Der Gelehrte Franz Walch hat in den Schriften der Göttinger Akademie der Wissenschaften eine Art Rettung der Sarabaïten versucht und nachweisen wollen, dass sie sich in wesentlichen Punkten von der allerdings sehr ausschweifenden Gyrovagen unterschieden hätten; indessen können wir wohl dem Zeugnis des Cassianus folgen, der ihr Treiben in Oberägypten mit eigenen Augen beobachtet hatte.

Noch vier Jahrhunderte später als die religiösen Orden bereits überall verbreitet waren und die Klosterregeln den umherschweifenden Gesellen die Thüren verschlossen hielten, erachtete es Benedikt für nötig, seine Anhänger ausdrücklich auf die Gefahren der gastfreundlichen Prostitution aufmerksam zu machen. (Per diversarum cellas hospitantur, semper vagi et nunquam stabiles et propriis voluptatibus et gulæ illecebris servientes.)

Um die letzten Spuren der gastfreundlichen Prostitution zu entdecken, muss man sich in die Klostergeschichte vertiefen. Dort kann man erkennen, dass die Beherbergung der Priester und der wandernden Mönche in den Frauenklostern häufig zu allerhand Unzuträglichkeiten führte, die freilich nicht immer bekannt wurden. Die Kirche deckte mit dem grossen Mantel der Liebe derartige Ausschweifungen zu. Man erfährt darüber weniger in den Akten der Konzilien und in Klosterchroniken, als in den Ueberlieferungen des Volkes und den darauf sich stützenden Romanen und Volksgedichten. Es ist deshalb auch unmöglich, eine aktenmässige Darstellung dieser Vorgänge zn geben, und wenn man sie beschreiben will, so muss man sich auf die doch immerhin zweifelhaften Zeugnisse der Ueberlieferung stützen. Das Volk, das mit wachsamen Augen die Vorgänge in den Klöstern zu beobachten pflegte, erzählte sich Wunderdinge von der dort geübten „Gastfreundschaft". Der Reflex davon spiegelt sich in der Volksliteratur des Mittelalters, und zwar in den Denkmälern aller Völker, noch wieder.

Was die religiöse Prostitution anlangt, so stand sie im direkten Zusammenhange mit vorchristlichen Kultusformen, obschon man meinen sollte, dass diese durch eine Religion mit so reiner und keuscher Morallehre vollständig abgeschafft worden seien. Indessen muss man sich davon überzeugen, dass der Bilderkultus immer noch einzelne Spuren der religiösen Prostitution bewahrt hatte: Die Kirche folgte dem Tempel, die Bilder des Rabbi Jeschua, der heil. Jungfrau und der Heiligen wurden an Stelle der Bacchusstatuen, der Venusbilder, der Herkulesdarstellungen und der Priapsbüsten aufgerichtet; das Volk bewahrte von den alten Kulten alles, was es nur irgend mit dem neuen Gottesdienst vereinigen konnte. Die Priester ihrerseits übernahmen eine Reihe von Ceremonien, denen sie nur eine christliche Bedeutung beilegten. Dadurch war das Eindringen von allerhand Unzuträglichkeiten in den neuen Gottesdienst ohne Weiteres gegeben. Unter denen, die die ersten Regeln des christlichen Gottesdienstes aufstellten, gab es auch ohne Zweifel verdorbene Menschen, die an der Korruption ihre Freude hatten. So sehen wir denn, dass in der Zeit der ersten Christengemeinden eine Reihe von Anreizungen für die Einführung der religiösen Prostitution gegeben waren; teils bestand sie in Tänzen und Musik, teils in jenen Agapen, die nur zu häufig an die Gelage des Bacchusdienstes erinnerten; sogar die sogenannten Sakramente boten Anlass dazu: bei der Taufe waren, wie der heil. Johannes Chrysostomus dem Papste Innocens I. schrieb, die Frauen vollständig nackt; bei der Messe küssten sich die Anwesenden auf den Mund, in den Prozessionen trugen die verschleierten Jungfrauen Amulette und Idole, die auch für den Isiskultus gepasst hätten; die obscönen Kuchen, die bei den Festen der Alten eine grosse Rolle spielten, waren in ihrer Form und in ihrer Bestimmung kaum verändert worden: mit einem Worte, wenn auch das Dogma die religiöse Prostitution verwarf, so wurde sie doch durch die Liturgie in jeder Weise gefördert; es bedurfte bedeutender Anstrengungen der Kirchenväter und der Konzilien, um hier Wandel zu schaffen.

Wenn auch der christliche Kult allmählich die religiöse Prostitution etwas eindämmte, so besassen doch die alten Religionen noch eine ausserordentlich grosse Kraft und eine starke Anhängerschaft. Die alten Götter wurden nach wie vor, selbst viele Jahrhunderte nach der offiziellen Einführung des Christentums, in dem Lararium verehrt; Venus und Priap, die Fluss- und die Waldgötter hatten ihre Altäre und ihren Opferdienst bis in das Mittelalter hinein. Jungfrauen, die einen Liebhaber oder einen Mann haben wollten, weihten nach wie vor die Blume ihrer Keuschheit einem Flussgott, einem Waldgott, einem Baume oder einem heil. Steine. Für sie war immer noch Venus die Seele des Universums, Venus, deren ewiger Kultus in der Natur andauert.

Die Neubekehrten trennten sich nur ungern von solchen Gottheiten, von denen sie sich gerade in ihrem Liebesleben unterstützt glaubten. Sie liessen sich taufen, sie gingen in die Kirchen, sie nahmen Teil an den Agapen, verehrten die Moral des Evangeliums, aber waren doch instinktiv noch immer verknüpft mit jenen alten Gottheiten. Der Dienst der Mylitta, der Urania und der Astarte waren die ersten Formen des regelmässigen Gottesdienstes gewesen: der Venusdienst war seine letzte heidnische Form. Man hat in Pompeji eine wunderliche Inschrift gefunden, die sehr deutlich zeigt, dass schon um die Mitte des ersten Jahrhunderts christlicher Zeitrechnung der Venusdienst auch seine — Gotteslästerungen zeugte. Ein unglücklich Liebender hat sich offenbar für seine Herzensschmerzen an der Göttin der Liebe rächen wollen, indem er schrieb: „Alle, die lieben, mögen hierher kommen! Ich will der Venus die Rippen zerbrechen und ihr die Seiten mit Stockschlägen zerfleischen. Sie hat mir mein fühlendes Herz gebrochen, die grausame Göttin, warum soll ich ihr nicht dafür das Genick brechen?"

Quisquis amat, veniat! Venere, volo frangere costas
Fustibus et lumbos debilitare deæ.
Sie potest illa mihi tenerum pertundere pectus,
Quin ergo non possim caput deæ frangere.

Es muss festgestellt werden, dass diese heimliche Verehrung der alten Götter andauernd mit der Ausübung der religiösen Prostitution verknüpft blieb und dass alle Anstrengungen der Kirche, sie zu unterdrücken, vergeblich waren.

Wir wollen über die Geschichte jener Heiligen hinweggehen, die von unfruchtbaren Frauen, unglücklichen Ehemännern und Behexten angerufen wurden. Calvin hat darüber in seiner berühmten Abhandlung von den Reliqien gehandelt; Henry Estienne hat sie in seiner Verteidigung des Herodot auf den Index gesetzt und schon vorher hatte es die Kirche nicht an allerhand Maassregeln gegen diesen Kultus fehlen lassen. Man darf in der Verehrung der Spezialheiligen unzweifelhaft Ueberreste antiker Religionsformen erkennen; teilweise reichten sie bis in verhältnismässig ganz neue Zeiten hinein So erzählt Harmand de la Meuse in seinen

Revolutionsanekdoten folgendes: „In der Nähe des Hafens von Brest ausserhalb der Festungswerke befand sich an einem kleinen Flüsschen, in der Nähe eines Gehölzes auf einem Hügel eine kleine Kapelle und in dieser Kapelle ein steinernes Bildnis, das den Namen eines Heiligen trug. Wenn es gestattet wäre, Priap mit seinen unkeuschen Attributen zu beschreiben, so würde ich dieses beschreiben. Als ich die Kapelle besuchte, war sie zur Hälfte zerstört und abgedeckt, die Statue lag draussen auf der Erde unversehrt und sogar mit Reparaturen, welche ihren Anblick noch skandalöser machten. Frauen, die unfruchtbar waren oder es zu sein fürchteten, wallfahrteten zu diesem Bildnisse, kratzten etwas von dem Stein ab und tranken den Staub in einem Glase Wasser aus der Quelle, in der Hoffnung, dadurch ihre Fruchtbarkeit zu befördern.“ Daraus sieht man, dass der Priapskultus bis in die Revolutionsepoche in der religiösesten Provinz Frankreichs gepflegt wurde.

Die Legende des heiligen Guignolet hat kaum Aehnlichkeit mit den Erzählungen von Priap in der hellenischen Mythologie. Der Heilige, dessen lateinischen Namen, Winvaläus, man durch Guignolet, Guenole, Guingulois und Wignevalay übersetzt hat, war um die Mitte des fünften Jahrhunderts der erste Abt von Landevenec und hat sein Leben in grosser Keuschheit hingebracht, ohne jemals ein Weib zu berühren. Dennoch enthält die Ueberlieferung von ihm eine Reihe erotischer Züge und seine Statuen sind bis fast ins dreizehnte Jahrhundert hinein verehrt worden. Den Schlüssel zum Verständnis seines Kultus bei Brest erhält man vielleicht aus einer etymologischen Untersuchung des Namens der Abtei Landevenec, die drei Meilen von dieser Stadt entfernt lag. Landevenec ist offenbar nur die verderbte Zusammenziehung der beiden lateinischen Worte Landa Veneris; diese Landa, Wiese, Grasfläche am Meer, besass in früheren Zeiten wahrscheinlich einen bei den bretonischen Matrosen in hohem Ansehen stehenden Venustempel. Dort wie an anderen Orten hatte die christliche Lehre den überlieferten Kultus zwar äusserlich zerstört, aber die Erinnerung daran nicht aus dem Herzen des Volkes reissen können; und so kam es, dass der Priapskultus dortselbst fortgesetzt wurde, nunmehr allerdings unter der Form der Verehrung des — heiligen Guignolet. Die Reliquien des heiligen Bretonen wurden auch anderwärts verehrt, vorzugsweise in der Abtei Blankenberghe bei Gent und Montreuil in der Picardie. In Montreuil wurde folgende Erzählung überliefert: Einstmals hatte eine Gans das Auge der Schwester Guignolets verschlungen, dieser öffnete der Gans den Bauch, ergriff das Auge und setzte es unbeschädigt wieder an seinen Platz. Um den Sinn dieser Erzählung erkennen zu können, muss man wissen, dass das mystische Auge in den Isis- und Venuskulten der alten Welt eine grosse Rolle spielte, und dass die Gans der symbolische Vogel des Priaps war. Cambry erzählt das Wunder in seiner Reise nach dem Kap Finisterre, geht aber nicht auf den primitiven Sinn der Erzählung ein und scheint nicht zu wissen, welcher Zusammenhang zwischen der Gans des Priaps und dem Auge der Isis bestand. Das Standbild des heiligen Guignolet zu Montreuil war noch in besserem Zustande als jenes zu Brest. Dulaure hatte gesehen, dass diese Statue noch im Jahre 1789 verehrt wurde, und trägt kein Bedenken, sie in seiner Beschreibung der vornehmsten Orte Frankreichs zu erwähnen. Sie war aus Stein und stellte den Heiligen ganz nackt mit einem monströsen Phallus dar.

Der heilige Guignolet war nicht der einzige, in dessen Verehrung Einzelheiten aus dem Priapskultus fortlebten; besonders in der Bretagne gab es noch mehrere Heilige der Art: so hatte man dort einen heiligen Paternus, den man zu Vannes verehrte, da man ihm einen Einfluss auf die Kindererzeugung zuschrieb. Henry Estienne hat uns auch die Geschichte der andern Nachfolger des Priaps im Einzelnen erzählt. So gab es da noch einen heiligen Gilles, Renatus, einen Prix, lateinisch Projectus, und andere. Projectus war Bischof von Clermont und starb im siebenten Jahrhundert den Märtyrertod; seine Reliquien waren weit verbreitet, ebenso wie seine Bilder, und unfruchtbare Frauen weihten ihm einen besonderen Dienst.

Wir brechen hier ab, weil man ein ganzes Buch anfüllen könnte, wenn man die Spuren des alten Priapsdienstes in den Anfängen des christlichen Kultus aufdecken wollte, aber wir verweisen darauf, dass man in den Schriften der Kirchenväter, besonders bei Laktanz und Augustin, eine Menge von Einzelheiten findet, aus denen hervorgeht, wie zäh die religiöse Prostitution auch in den Zeiten des Christentums noch bestand. Selbst nachdem Kaiser Konstantin die Venustempel in Heliopolis und in andern Städten von Grund aus hatte zerstören lassen, fuhr doch noch das Volk fort, dorthin seine Pilgerfahrten zu veranstalten und die seit Jahrhunderten verehrte Göttin der Fruchtbarkeit in den nunmehr christlichen Kirchen anzubeten. Er war sogar gezwungen durch ein ausdrückliches Gesetz (rursus scriptas misit institutiones), so liest man in der Lebensbeschreibung die Eusebius, diesem Unwesen die Prostitution der Jungfrauen und Frauen in den Kirchen von Heliopolis zu verbieten, ohne dass dies Dekret von wesentlichem Einfluss auf die Gebräuche in jenem Orte gewesen wäre. Es blieb eben bei der primitiven Form des Astartekultus. Die christlichen Kaiser setzten ihre ganze Autorität ein, um den öffentlichen Kult der heidnischen Gottheiten zu verhindern; sie liessen die Tempel zerstören, die Standbilder umstürzen, die Priester verfolgen, und doch konnten sie alten Gebräuchen die Wurzeln nicht völlig ausreissen. Zumal auf dem Lande, wo die Bevölkerung mit zäher Innigkeit an dem Ueberlieferten hing, wurden auf Altären, im dichten Walde, auf den Bergen oder einsamen Wiesen, bei einem grossen Baume oder bei einer murmelnden Quelle die alten Götter nach wie vor verehrt; und als die Bevölkerung endlich von diesen Gebräuchen ablassen musste aus Furcht vor den Zwangsmitteln der Kirche, da übertrug sie die Symbole der alten Gottheiten einfach auf die Heiligen, die man ihnen nun zur Verehrung empfohlen hatte. So kommt es, dass Venus, Flora, Bacchus Isis, Priap und die anderen Gottheiten, die die Natur und das schöpferische Prinzip darstellten, fast bis in unsere Tage hinein treuliche Anhänger und Tempel gehabt haben.

VI. Kapitel.

Kirchenlehre und Prostitution — Augustin und Hieronymus über die Prostituierten. — Die kanonischen Regeln der Apostel. — Apostolische Konstitutionen des Papstes Clemens. — Die kirchliche Lehre über unerlaubten Geschlechtsverkehr. — Das Konzil von Elvira oder Elna. — Mütter, die ihre Kinder zur Prostitution zwingen. — Ueber das Kupplergewerbe. — Das Keuschheitsgelübde und sein Bruch. — Welche Frauen Bischöfe und Priester bei sich haben durften. — Die häuslichen Gottheiten und ihre geheime Verehrung. — Prostituierte, welche eine Ehe eingingen, nachdem sie ihr Gewerbe aufgegeben hatten. — Frauen, die bis zu ihrem Tode im Ehebruch gelebt hatten. — Die einmalige Begehung des Ehebruchs und ihre Folgen. — Wenn eine Frau mit Einwilligung ihres Mannes Ehebruch beging. — Verführer der Jugend. — Das Konzil von Neocaesarea. — Eunuchen wider Willen. — Der Eintritt in das Heiligtum wird den Frauen vom Konzil zu Laodicaea verboten. — Das Konzil zu Tyrus. — Athanasius und die Frau mit dem leichtfertigen Lebenswandel. — Das Konzil von Toledo. — Der Patriarch Polemon. — Konzil von Karthago. — Der zwölfte Kanon des römischen Konzils. — Das Konzil von Basel. — Ein einzigartiges Kapitel aus der Geschichte der Konzilien.

Wir haben gesehen, wie sich die Lehre der primitiven Kirche zu den Ausschweifungen und Unmässigkeiten verhielt; wir haben auch gesehen wie sich die Kirchenväter einmütig der Aufgabe widmeten, ihre Anhänger zu einem keuschen Leben zu erziehen. Da die Kirche im Prinzip vollkommene Keuschheit von ihren Anhängern forderte, so konnte sie prinzipiell zu der Prostitution keinerlei vermittelnden Standpunkt einnehmen. Um in ihrer Morallehre konsequent zu bleiben, durfte sie die Prostitution weder billigen, noch als legales Faktum anerkennen; und doch wurde sie vor den Thoren der Kirche ebenso gut ausgeübt, wie früher auf den Stufen der Tempel. Die Prostituierten waren für die Kirche nur gewöhnliche Sünderinnen, die durch Gnade und Bussübungen ihren Weg zum Heile finden konnten; auch die Kuppler waren für sie nicht sündhafter als andere Sündige. So blieb es denn den Beichtvätern vorbehalten, je nach Lage der Dinge eine Busse festzusetzen und Absolution zu erteilen; die Busse musste öffentlich vollstreckt werden, gerade so wie auch die Sünde öffentlich war. Die Kirche beschäftigte sich zunächst überhaupt nicht mit der Frage der Prostitution und die Konzilien erwähnen sie nicht vor dem fünfzehnten Jahrhundert. Sie scheinen die Diskussion über diesen heiklen Gegenstand ausdrücklich vermieden zu haben, um sich nicht mit den Erscheinungen einer menschlich begreiflichen Leidenschaft auseinandersetzen zu müssen. Man gewinnt den Eindruck als ob sich die Konzilien immer daran erinnert hätten, dass Magdalena eine Frau von leichtfertigem Lebenswandel gewesen sei, und dass die Prostituierten ebenso viele Märtyrerinnen gestellt haben als die Prinzessinnen.

Indessen darf man doch annehmen, dass die Kirche vom praktischen Standpunkte aus, die legale Prostitution zuliess oder mindestens die Augen vor ihrem Bestehen verschloss. Diese Anschauung findet sich zwar nicht in dem Texte eines Konzils oder einer Synode ausdrücklich ausgesprochen, wohl aber in den Schriften Augustins. In seiner Abhandlung über die Ordnung (12. Kapitel des 2. Buches) sagt er: „Wenn ihr die Prostitution unterdrückt, dann werdet ihr alles durch die Heftigkeit der Leidenschaft zerstören.“ Hieronymus scheint in einem Briefe an Furia die Ansicht Augustins über die unglücklichen Opfer und die Notwendigkeit der Prostitution zu teilen; er überhäuft sie keineswegs mit Vorwürfen über ihr Leben, sondern ermutigt sie nur, ihrem Wandel zu entsagen: „Die Hure im Evangelium, die durch ihre Thränen getauft ist (meretrix illa in Evangelio baptizata lacrmiss suis) und mit ihren Haaren die Füsse des Heilandes trocknete, ist gerettet worden und doch war sie nicht schöner, als sie verderbt war.“ An einer andern Stelle desselben Briefes reicht Hieronymus den deklassierten Frauen gleichsam seine Hand, indem er zu ihnen spricht: „Wir fragen die Christen nicht, wie sie anfangen, sondern wie sie enden." An einer andern Stelle giebt Hieronymus (in dem Briefe an Fabiola) eine rein geschäftsmässige Definition der Prostitution, wie vor ihm schon der Rechtsgelehrte Ulpian: „Die Curtisane ist ein Weib, das sich den Lüsten mehrerer Männer hingiebt" (Meretrix est quæ multorum libidini patet). In den kanonischen Büchern der Apostel und in den apostolischen Konstitutionen, die uns am klarsten die Lehrmeinung der ersten Christengemeinden darstellen, ist von der Prostitution im engern Sinne nur an einer einzigen Stelle die Rede. In den kanonischen Büchern der Apostel verbietet das sechste dem Bischof und den Priestern, ihre Frauen zu verjagen, selbst unter einem religiösen Vorwande und droht denen die Exkommunikation an, die sich auf irgend eine Weise dem Bande der Ehe zu entziehen suchen. Der achtzehnte Kanon verbietet, in den Priesterstand Bigamen aufzunehmen, solche Leute, die zweimal verheiratet waren. Der dreiundzwanzigste Kanon ordnet die Absetzung der Pfarrgehilfen an, die sich ihres Geschlechtes beraubt hatten, aus Furcht vor der Sünde oder aus irgend einem andern Grunde. Der vierundzwanzigste Kanon verbietet derartige Experimente auch den Laien und schliesst sie dafür auf drei Jahre vom Gottesdienst aus. Der einundsechzigste Kanon verbietet, Personen, denen Ehebruch oder Hurerei nachgewiesen war, in den Priesterstand aufzunehmen. Der siebenundsechzigste Kanon droht die Exkommunikation demjenigen an, der einer Jungfrau Gewalt angethan hat und zwingt den Schuldigen, die Verletzte zu heiraten.

In den apostolischen Konstitutionen, die dem im Jahre 67 erwählten Papste Clemens zugeschrieben werden, aber zweifellos erst im dritten Jahrhundert nach den Ueberlieferungen der primitiven Kirche rekonstruiert sind, findet man Verhaltungsmassregeln für die christlichen Jungfrauen, denen sie folgen mussten, um sich von den heidnischen Weibern zu unterscheiden. Vor allem mussten die Christinnen in der Oeffentlichkeit jene Toilette vermeiden, die der Schreiber jenes Kodex die Insignien der Prostitution nennt; das Haar durfte nicht künstlich aufgesteckt und mit Pomaden gesalbt werden; die Kleidung durfte nicht kostbar sein, hohe Schuhe und goldene Ringe waren verboten; die Frauen mussten auf der Strasse das Haupt verschleiert tragen, durften das Gesicht nicht pudern und mussten die Augen niederschlagen; die beiden Geschlechter durften nicht zusammen in demselben Bade baden; Frauen sollten nur in das Frauenbad gehen und sich dort beim Baden sehr zurückhaltend zeigen, sie sollten niemals zu viel baden, niemals am hellen Tage und wenn es möglich sei, nicht einmal alle Tage! (Lavet modeste, verecunde et moderate, non autem supervacue, neque nimis, neque saepius, neque meridie, immo, si fieri potest, non quotidie.)

In dem siebenten Buche der Konstitutionen spricht sich der Gesetzgeber ganz klar über die vornehmsten Fleischessünden aus und unterscheidet dabei die Verfehlungen gegen die Natur und gegen das Gesetz, zu denen er den Ehebruch und die Prostitution rechnet. Es ist dies der erste kanonische Text in dem die Prostitution graden Weges als eine der verdammenswerten Formen der Unreinheit hingestellt wird. An einer andern Stelle der Konstitutionen wird es den Christen untersagt, obscöne Worte zu gebrauchen, lüsterne Blicke umher zu werfen und sich dem Weine zu ergeben, denn davon, so heisst es, rührten der Ehebruch und die Prostitution her (Non eris turpiloquens neque injector oculorum, neque vinolentus; hinc enim scortationes et adulteria oriuntur). Endlich verfügt das Kirchengesetz noch, dass die Gläubigen die ausschweifenden Menschen fliehen sollten.

Aehnlich wie apostolische Konstitutionen haben dann auch die Beschlüsse der Konzilien sich mit der Prostitutionsfrage beschäftigt. Das berühmte Konzil von Elvira in Roussilon, über das uns übrigens Einzelheiten nicht erhalten worden sind und das von einzelnen Forschern ins Jahr 250, von anderen ins Jahr 324 gesetzt wird, hat uns eine Anzahl von Beschlüssen über diesen Gegenstand gegeben. Der zwölfte Artikel schliesst Mutter, Verwandte und andre von der Kommunion aus, wenn sie ihre Töchter zur Prostitution verleitet haben; er exkommuniziert gleichfalls alle diejenigen, die Kupplerdienste geleistet haben. (Si lenocinium exercuerit eo, quod alienum vendiderit corpus vel potius suum.) Der dreizehnte Kanon spricht dieselbe Strafe gegen diejenigen aus, die ein Keuschheitsgelübde gebrochen haben. Der vierzehnte Artikel lautet: Mädchen, die ihre Reinheit nicht bewahrt haben, ohne ein Gelübde abgelegt zu haben, sollen nach einem Jahre Busse wieder in die Christengemeinde aufgenommen werden, wenn sie ihren Verführer heiraten; die Busszeit wird auf fünf Jahre angesetzt, wenn sie mit mehreren Männern Umgang gepflogen haben. Diesen Artikel, der als zu streng von den folgenden Konzilien modifiziert worden ist, sieht also die Prostitution wie eine Art Ehebruch an. Nach dem siebenundzwanzigsten Artikel durfte ein Bischof oder ein anderer Geistlicher seine Schwester oder seine Tochter bei sich haben, vorausgesetzt dass sie Jungfrau war, aber keine fremde Frau. Im Artikel einunddreissig wird gesagt, dass die jungen Leute, die sich nach der Taufe einem unregelmässigen Lebenswandel hingeben nur nach vollstreckter Busse und nach eingegangener Ehe in die Christengemeinschaft wieder aufgenommen werden dürfen. Der neunundvierzigste Artikel dieses Konzils hat indirekten Bezug auf die Prostitution, indem er die Gläubigen ermahnt, kein Götzenbild in ihren Häusern zu dulden und auch dann sich vom Götzendienst fernzuhalten, wenn sie bei dem Versuche ihre Sklaven vom Götzendienst abzuhalten, Gewaltthätigkeiten zu fürchten hätten. Diese Häusergötzen waren nichts anders als jene kleinen obscönen Götter, die man im Altertum zum Schutze der Liebe anzurufen pflegte. An einer andern Stelle haben wir nach Augustin und andern Kirchenvätern bereits die alten Gottheiten geschildert, die man früher in den Schlafzimmern aufzustellen pflegte. Im vierundvierzigsten Artikel des Konzils wird ausdrücklich vorgeschrieben, dass man ein Weib in die Gemeinde aufnehmen soll, selbst wenn sie sich früher prostituiert hatte, nur wurde ihre Ehe mit einem Christen gefordert (meretrix quae aliquando fuerit et postea habuerit maritum.) Damit ist der Beweis geliefert, dass die Kirche die unauslöschliche Schmach, die das römische Recht auf die Prostitution gelegt hatte, nicht anerkannte. Der dreiundsechzigste Artikel bedroht die Frauen wegen Abtreibung der Leibesfrucht mit dauernder Exkommunikation; ebenso der vierundsechzigste, die Frauen, die bis zu ihrem Tode im ehebrecherischen Verhältnis lebten. Der siebenundsechzigste Abschnitt verbietet den Frauen bei der Strafe der Exkommunikation, Komödianten und Musikanten in ihrem Gefolge zu haben. Nach dem neunundsechzigsten müssen alle diejenigen, die ein einziges Mal Ehebruch getrieben haben, eine fünfjährige Busszeit durchmachen und können nicht eher wieder zum Gottesdienst zugelassen werden, ausgenommen im Falle einer tötlichen Krankheit. Der siebenzigste Abschnitt macht in der Frage des Ehebruchs eine ausserordentlich wichtige Unterscheidung, die auch für die Beurteilung der Prostitution von grosser Bedeutung ist. Er ordnet an, dass ein Weib, welches mit Zustimmung ihres Mannes Ehebruch getrieben hat, dauernd exkommuniziert wird, selbst auf ihrem Totenbette; wurde das Weib aber von ihrem Gemahl verschmäht, so wurde die Busszeit auf zehn Jahre heschränkt. Der einundsiebenzigste Abschnitt exkommuniziert endlich dauernd diejenigen, die sich mit Kindern vergangen hatten (stupratoribus puerum.)

Das Konzil von Elvira hat demnach die Prostitutionsfrage ein für alle Mal erschöpfend behandelt, und wirklich ist keine Kirchenversammlung bis zum trentinischen Konzil in eine Erörterung dieser Frage eingetreten. Nur hie und da findet man einen isolierten Artikel, der die Vorschriften des Konzils von Elvira wieder in die Erinnerung bringt oder in einzelnen Punkten ergänzt. Immerhin sind auch diese einzelnen Paragraphen nicht ohne Bedeutung für die Sittengeschichte Auf dem Konzilium von Nicäa im Jahre 325, das sich mit der Haeresie der Valesianer beschäftigte, wurde eine bezeichnende Vorschrift erlassen; man weiss, das die Valesianer allen ihren Eifer daran setzten, Männer zu Eunuchen zu machen, und es wird im ersten Artikel dieses Konzils erklärt, das derjenige, der im Falle einer Krankheit durch den Arzt oder auf gewaltsame Weise durch Barbaren oder Ketzer zum Eunuchen gemacht wurde, im priesterlichen Stande bleiben darf, während dagegen jemand der sich selbst verstümmelt hat, oder zur Verstümmelung seine Einwilligung gab, nicht mehr Priester bleiben darf. Daneben bestimmt aber dasselbe Konzil, dass die Priester keine anderen Frauen als ihre Mütter, ihre Schwestern, ihre Tanten bei sich haben dürften, ausgenommen ganz alte Personen. Das

Konzilium von Laodicäa im Jahre 364, das sich vorzugsweise mit dem Leben der Priester befasste, verbietet allen Frauen ohne Unterschied in das Heiligtum einzutreten ohne sich über den Grund zu diesem Verbote auszusprechen, oder eine Ausnahme zuzulassen. Ein Artikel des Konzils von Nicäa, der neunundzwanzigte, zeigt uns indessen sehr klar den Grund dieser Bestimmung: Ne mulier menstruata ingrediatur ecclesiam neque sumat sacram communionem, donec complentur dies illius mundationis et purificationis, quamvis sit in regum mulieribus. So bestimmte dieses Konzil, obschon früher ein bedeutendes Kirchenlicht gesagt hatte: Sanctarum feminarum corpora templa sunt; in den Anfängen der christlichen Kirche stand freilich im allgemeinen das Weib nicht in besonders hoher Achtung, wie denn ein Konzilium folgende allgemeine Charakteristik des weiblichen Geschlechts giebt: „Das Weib ist die Pforte der Hölle, der Weg zur Unzucht, der Stachel des Skorpions, ein unnützlich Geschlecht!" (Femina janua diaboli, via iniquitatis, scorpionis percussio, nocivum genus).

Das Konzilium von Tyrus im Jahre 353 beschäftigte sich mit der auffallenden Bosheit eines Frauenzimmers (muliercula libidinosa ac petulans), das auf Veranlassung der Arianer falsche Anschuldigungen gegen Athanasius, Patriarchen von Alexandrien, erhoben hatte. Das Weib, das wie allgemein bekannt war, einen sehr lockern Lebenswandel führte, wurde vor das Tribunal der versammelten Kirchenväter geführt und erklärte dort, Athanasius habe ihr, obschon sie das Gelübde der Keuschheit abgelegt hatte, Gewalt angethan. Athanasius wurde sodann in Begleitung eines Priesters Namens Timotheus in den Versammlungssaal geführt, und man vernahm ihn zu der Anschuldigung, die das Weib gegen ihn aussprach; darauf that er garnicht, als ob ihn die Sache etwas anginge, vielmehr als ob er der Angelegenheit vollkommen fern stehe. An seiner Stelle nahm Timotheus das Wort und sagte mit ruhiger Bestimmtheit: „Weib, ich bin niemals in Deinem Hause gewesen!" Darauf erhob sie ihre Anklage von neuem, stritt sich lebhaft mit dem Timotheus, streckte ihre Hand hoch und schwur bei einem Ringe, den sie von Athanasius erhalten zu haben behauptete, dieser habe ihre Tugend verletzt. Die versammelten Kirchenväter empfanden schliesslich das Skandalöse dieser Verhandlung und liessen das lügenhafte Weib, das so böse in seine eigene Schlinge gegangen war, abtreten; nichts destoweniger wurde Athanasius auf diesem Konzil mit zwanzig Jahren Kirchenbann belegt. Diese Kirchenversammlung entschied definitiv, dass der Eintritt in ein Haus, in dem Priester wohnten, allen Frauen ein für allemal verboten sein solle. Das Konzilium von Karthago erweitert diese Maasregel dahin, dass es vorschrieb, die Priester und diejenigen, die das Keuschheitsgelübde abgelegt hätten, sollten nicht ohne Spezialerlaubnis des Bischofs zu Jungfrauen oder Witwen gehen dürfen, zum allermindesten nicht ohne Begleitung.

Wir haben schon darauf hingewiesen, dass sich die ersten Christen sehr lebhaft gerade um die Bekehrung der Prostituierten bemühten, aber in diesem Bestreben gingen sie häufig viel zu weit und nahmen Weiber in die Gemeinde auf, denen es mit der Abschwörung ihres bisherigen Lebens keineswegs ernst war Die Konzilien sahen sich deshalb genötigt, Garantien für Reue und Busse zu verlangen, bevor sie eine Prostituierte in die Gemeinde aufnahmen Augustinus berichtet uns über solche Konzilbeschlüsse an zwei Stellen seiner Schriften ganz genau. War aber einmal die von dem Konzilium vorgeschriebene Reue und Busse geleistet worden, dann stand auch eine Dirne vor Gott und der Christengemeinde den andern Mitgliedern durchaus gleich, vorausgesetzt, dass sie thatsächlich ihren früheren Gewohnheiten entsagt und sich verehelicht hatte. Das ist auch die Meinung des Konzils von Toledo im Jahre 750: Licet fuerit meretrix, licet prostituta, licet multis corruptoribus exposita, si nuptiale incontaminatum fœdus servaverit, prioris vitæ maculas posterior munditia diluit. Vorehelichen Geschlechtsverkehr betrachtete dieses Konzil nicht als Ehebruch, wie sonst die Kirchenlehre verlangte, sondern als einfache Unmässigkeit (et quidem talis coitus luxuriæ, sed non adulterii).

Die Bekehrungen der Frauen aus öffentlichen Häusern waren ausserordentlich zahlreich, denn die Kurtisanen ergriffen zum Teil mit Begierde die Hand, die ihnen eine völlige Rehabilitation darbot. Indess verzieh die Kirche lediglich diejenigen fleischlichen Sünden, die vor der Taufe begangen worden waren, während dagegen diejenigen, die der Handlung folgten, einen unauslöschlichen Schandfleck darstellten; schon deshalb weil niemand, der zu der Prostitution in irgend welchen Beziehungen gestanden hatte, in den Priesterstand aufgenommen werden konnte. Tarisius, Bischof von Konstantinopel, schreibt im Jahre 787 in einem Briefe an das zweite Konzil von Nicäa, dass er wohl Kurtisanen und Wüstlinge gesehen habe, die durch die Busse gebessert worden seien, (meretrices et publicanos receptos per pœnitentiam), aber wenn jemand nach der Taufe, sei es Mann oder Weib, bei der Prostitution oder dem Ehebruch (in scortatione aut adulterio) betroffen worden sei, so sei er nicht mehr zu priesterlichen Handlungen fähig gewesen. Unter den Kirchenvätern und Gelehrten, die sich vorzugsweise mit der Bekehrung gefallener Frauen abgaben, nennen wir den Patriarchen Polemon, den die Kirchengeschichtsschreiber merkwürdigerweise fast immer mit Stillschweigen übergehen. Sogar nach seinem Tode soll er noch wunderbare Bekehrungen bewirkt haben, und Gregor von Nazianz hat in schönen griechischen Versen ein Wunder dieser Art erzählt, das gegen Ende des vierten Jahrhunderts grossen Eindruck machte: ein junger lebenslustiger Mensch rief vor einer Kirche, deren Thür offen stand, eine Dirne an. Das Weib folgte eilfertig seinem Rufe, erblickte aber plötzlich in der Kirche das Bildnis Polemons, der ihr mit starrem Auge folgte. Erschreckt liess das Weib von seinem Vorhaben ab, bekehrte sich am folgenden Tage und soll schliesslich im Geruche der Heiligkeit gestorben sein. Basilius, Bischof von Ancyra erzählte diese Geschichte auf einem Konzilium: ex illa patrata est, nisi enim vidisset scortum iconem Polemonis, nequaquam a stupro cessasset. Ein anderer Bischof, Nicephorus von Dyrrhachium, schlug darauf gleich vor, man müsse einen so wunderthätigen Heiligen unbedingt verehren.

Nach manchen Stellen aus der Geschichte der Kirchenväter und der Konzilien möchte man beinahe auf den Gedanken kommen, als ob die Leidenschaften früher viel hitziger gewesen seien und unwiderstehlicher als heute Vielleicht hatte die Leichtfertigkeit der antiken Sitten und die vollständige Auslebung der Triebe auf das geschlechtliche Leben allerdings eine anomal exzitierende Wirkung. Augustinus hat in seinen Bekenntnissen mit glühenden Farben die furchtbaren Seelenkämpfe geschildert, die er in fleischlichen Versuchungen durchkämpft hat: „Mein Herz," so sagt er, „war ganz flammend, ganz kochend und schäumte über vor Lust am Fleisch." (Et jactabar, et effundebar, et ebulliebam per fornicationes meas). Hieronymus schildert in seinem Briefe an Furia die heftigen Stürme der Leidenschaften bei jungen lebenslustigen Männern: „Non Aetni ignes, non Vulcania tellus, non Vesuvius et Olympus tantis ardoribus æstuant, ut uveniles medullæ vino plenæ et dapibus inflammatæ; nihil hic inflammatj corpora aut titillat membra genetalia, sicut indigestus cibus ructusque convulsus." Die Kirche bemühte sich daher, die Leidenschaften einer strengen Herrschaft zu unterwerfen und sie durch Nüchternheit und frugalen Lebenswandel zu bändigen; sie übersah durchaus nicht, wie schwer es war, das menschliche Temperament, die langgenährten Ideen und alten Gebräuche der antiken Welt, die die Prostitution weder für sittlich verwerflich, noch für unerlaubt angesehen hatten, zu ändern („Simplicem fornicationem non esse per se malam neque illicitam," Augustinus, Contra Faust., II. c. 13). Es wird uns überliefert, dass die Leidenschaften bei den ersten Christen häufig so ungebändigt waren, dass sie von der Kirche zum Lupanar eilten; die Kirche suchte vergeblich durch schweren Fluch einem solchen Treiben Einhalt zu thun. Infame meretricis et Christi corpus uno et eodem tempore contractare.

Sogar Bischöfe, Diakone und andere priesterliche Funktionäre hatten häufig nicht die Kraft, sich von derartigen Ausschweifungen fern zu halten. Das Konzilium von Karthago empfiehlt im Jahre 390 allen Priestern und sonst zu gottesdienstlichen Handlungen berufenen Männern sorgfältig über ihre Reinheit zu wachen und sich, wenn sie vermählt waren, von der Berührung ihrer Frauen fern zu halten (pudicitiae custodes, etiam ab uxoribus se abstineant, ut in omnibus et ab omnibus pudicitia custodiatur, qui altari deserviunt). Man darf annehmen, dass diese Enthaltsamkeitsvorschriften, für verheiratete Priester sich immer nur auf gewisse Zeiten erstreckten, denn die Kirche war an sich der Ehe

4*

durchaus nicht feindlich, wie denn auch ein paphlagonisches Konzil schon ziemlich früh das Anathema über denjenigen ausgesprochen hat, der die Ehe bekämpfte. So sehr war die Kirche bemüht, die immer drohenden Gefahren von ihren Gläubigen fern zu halten, dass man zu den Agapen häufig arme Greise und Greisinnen einlud und sie gleichsam als Tugendwächter zwischen die jungen Leute beiderlei Geschlechts plazierte. So sehr die Kirche demnach darum bemüht war, die Keuschheit in der neuen Gemeinde aufrecht zu erhalten, so scheint sie doch wenigstens bis zu dem fünften Jahrhundert gegen die christlichen Laien von grosser Liberalität gewesen zu sein, denn sie gestattete ihnen, auch wenn sie verheiratet waren, eine Konkubine zu nehmen. Der siebzehnte Artikel des Konziliums von Toledo im Jahre 400 bedroht denjenigen mit der Exkommunikation, der Frau und Konkubine zu gleicher Zeit besitzt, nicht aber denjenigen, der sich vorübergehend mit einer Frau abgiebt oder zur Bezwingung seines Temperaments einer Konkubine bedarf: Qui non habet uxorem et pro uxore concubiniam habet, a communione non repellatur; tantum ut unius mulieris aut uxoris aut concubinae (ut ei placuerit) sit conjunctione contentus. Auch das Konzilium von Rom im Jahre 1059, sah die Beziehungen der Christen zu Konkubinen noch mit denselben Augen an, denn es verdammte in seinem zwölften Artikel, lediglich den abwechselnden Verkehr mit einer Ehegattin und einer Konkubine. Nach der Auffassung des Katholizismus begann deshalb für den Mann Ehebruch und Hurerei erst mit dem Verkehr mit zwei Frauen; ähnlich degradierte der Verkehr mit mehreren Männern die Frauen zur Prostitution, wobei indess die mittelalterlichen Kasuisten ziemlich weitherzig zu urteilen pflegten, denn einer von ihnen will erst dann dem Weibe das Brandmal der Prostitution aufgedrückt wissen, wenn sie mit dreiundzwanzigtausend verschiedenen Männern verkehrt hat; für einen andern bedarf es dazu nur vierzig bis sechzig.

Eigentlich grundlegende Massnahmen gegen die Prostitution sind von keinem Konzilium ergriffen worden; sie scheinen sie vielmehr als ein notwendiges Uebel betrachtet zu haben, bei dem man sich auf die Beschneidung der gröbsten Auswüchse beschränken müsse; indessen haben sie auch darüber keine festen Regeln aufgestellt, schon um sich nicht im Gegensatz zu den Fundamentallehren der christlichen Moral zu stellen. Thomas von Aquino hatte indirekt den entscheidenden Punkt der Frage dadurch berührt, dass er sagte, der Mensch strebe vergeblich nach Vollkommenheit in einer Welt, deren Schöpfer das Uebel zugelassen habe. Daraus ist leicht eine allgemeine Zulassung der legalen Prostitution abzuleiten. War einmal die Notwendigkeit dieser Prostitution zugegeben, so durften sich die Konzilien der Aufgabe nicht entziehen, allgemeine Vorschriften zu ihrer Reglementierung zu erlassen. Indessen finden sich in den Akten der Konzilien doch erst im sechzehnten Jahrhundert entscheidende Maassregeln ausgesprochen; man darf aber aus diesen Stellen trotz ihrer vergleichsweisen Neuheit auf den Charakter der kirchlichen Neutralität gegen diese wichtige soziale Frage schliessen. Es war auf dem Konzil von Mailand unter dem Episkopat des Karl Borromäus, dass die vereinigten Kirchenfürsten einen eigenen Paragraphen in ihre Akten aufnahmen; es heisst darin: „Damit die Prostituierten von den ehrbaren Frauen sofort zu unterscheiden sind, sollen die Bischöfe darüber wachen, dass sie bei öffentlichem Auftreten mit einem besonderen Gewande, das ihren schimpflichen Stand kennzeichnet, bekleidet sind, es soll Ihnen, wenn sie fremd sind in der Stadt, nicht erlaubt sein, die Nacht in Gasthöfen und Herbergen zu verbringen, ausser, wenn ihr Weg sie dazu zwingt und auch dann nur für einen Tag. In jeder Stadt sollen die Bischöfe dafür sorgen, dass diesen Geschöpfen ein Quartier weit von den Kathedralen und den belebten Stadtvierteln angewiesen werde, wo sie alle miteinander wohnen können; verlassen sie diesen Ort und wohnen sie länger als einen Tag unter irgend einem Vorwande in einem anderen Hause der Stadt, so sollen sie streng bestraft werden, ebenso wie die Hausbesitzer in deren Haus sie angetroffen werden."

Die polizeilichen Maassregeln zur Durchführung dieser Bestimmung werden den Fürsten und Magistraten übertragen. Die Behörden sollen auch den Frauen dieser Art den Gebrauch kostbarer Steine, goldener und silberner Schmucksachen und seidener Kleider untersagen. Ihnen lag besonders die Austreibung aller derjenigen auf, die das schimpfliche Gewerbe des Kupplers betrieben.

Wir haben dieses Kapitel aus den Konstitutionen des mailändischen Konzils hier vollständig wieder gegeben, weil es in der Geschichte der Konzilien einzig dasteht und uns zeigt, wie die kirchlichen Machthaber einträchtig mit den weltlichen Behörden zusammen arbeiteten an der Organisation und Reglementation der öffentlichen Prostitution, sie aber nicht ausrotteten oder auch nur mit ihrem Bannfluch bedrohten.

VII. Kapitel.

Prostitution und Theater. — Die heroische Tragödie wird durch das leichte Lustspiel ersetzt. — Kampf der Kirche gegen das antike Theater. — Ihre Feindschaft gegen die dramatischen Autoren — Wie die Prostitution mit dem Theaterwesen znsammenhing. — Die Pantomimen.— Andere scenische Darstellungen. — Die Schauspielerinnen. — Erotische Tänze bei den Griechen. — Die Arten der Tänze. — Römische Tänze. — Seiltänzer und Akrobaten. — Theater und Variété. — Rückblick auf die Unsittlichkeit des antiken Theaterwesens.

Wenn sich, wie wir gesehen haben, die kirchlichen Autoritäten durch ihre Konzilienbeschlüsse und Schriften so tolerant gegen die legale Prostitution zeigten, so kämpften sie doch ohne Unterlass gegen die Erscheinungen, die sie für deren Ursachen hielten. Da ist zunächst zu erwähnen, ihr Kampf gegen Cirkus- und Theaterspiele, mit denen Tänze, Pantomimen und Musikaufführungen verknüpft waren. Wir haben früher schon von dem Charakter dieser Tänze und Pantomimen gesprochen und darauf hingewiesen, dass Cirkus und Theater in der antiken Welt in engen Beziehungen zur Prostitution standen, Es kann als unbezweifelt gelten, dass in der spätern Zeit das Theater bei Griechen und Römern auf die öffentlichen Sitten einen entscheidenden Einfluss ausübte. Nur so kann man die Heftigkeit begreifen, mit der sich die kirchlichen Gelehrten und Gesetzgeber gegen die Theater und alles was damit in Zusammenhang stand, wandten. Obschon der Polytheismus ohne Zweifel einen grossen Einfluss auf die Entstehung des Theaters hatte und obschon in den populären Dramen der Griechen und Römer ihre Mythologie versinnbildlicht wurde, obschon mit einem Worte die Tragödien ursprünglich eine Form des religiösen Mysteriums waren, so hätte sich die Kirche doch wohl schwerlich gegen die tragischen und lyrischen Werke eines Aeschylus, eines Sophokles und Euripides gewandt; aber in der Epoche in der das Christentum entstand, war diese ernste und grossartige Literatur durchaus in Verfall geraten und hatte einer ganz anders gearteten dekadenten Kunst Platz gemacht. Das Theater war besonders unter dem Einfluss der spätgriechischen und römischen Lustspieldichter direkt zu einer Vergnügungsanstalt herabgesunken. Der klassische Geist war verflogen, das Variété nahm überhand, von einer ernsten Kunstausübung konnte nicht mehr die Rede sein, und man ging nicht in das Theater, um sich zu läutern und zu erbauen, sondern um sich an den dreisten Scherzen der Schauspieler zu ergötzen und sich die halberloschenen Sinne kitzeln zu lassen. Hier war ein Punkt, an dem die ersten Christen unbedingt von ihrem Standpunkte aus, ansetzen mussten. Sie suchten daher das Theater ebenso zu zerstören, wie die heidnischen Tempel, aber die Tempel leisteten nicht so lange Widerstand wie die Theater. Uebrigens machte später der christliche Theaterhass keinerlei Unterschied zwischen der ernsten Tragödie und dem lüsternen Kommödienspiel letzter Ordnung. Die christlichen Vorschriften standen in gewisser Uebereinstimmung mit dem römischen Gesetze, das jeden Schauspieler infam machte; sie schlossen ihn von der Kommunion aus, ebenso wie die Dichter und Musiker, die dem Theater ihre Kräfte zur Verfügung stellten. Ueber den Ursprung und das Wesen des Theaters scheinen sich übrigens die Kirchenväter nicht gerade sehr viel Gedanken gemacht zu haben, denn in den Bannflüchen, die Tertullian, Laktanz, Cyprian und andere dagegen geschleudert haben, findet sich nicht einmal eine einzige Anspielung auf jene Bacchusfeste, die die Wiege der dramatischen Kunst gewesen sind.

Es handelt sich nicht darum, hier alle Anklagen und Beschwerden der Kirche gegen das Theaterspiel zu sammeln, sondern wir müssen nur zeigen, welche Gründe die christlichen Bischöfe zu ihrer auffallenden Theaterfeindlichkeit veranlassten. Als dieser Kampf begann, fühlte der blasierte Geschmack des antiken Publikums kein Vergnügen mehr an den Vorstellungen der Werke des Aristophanes, Menander, Eupolis, Plautus und der anderen athenischen und römischen Dichter, die man weniger häufig auf der Scene als in den Bibliotheken fand. Es handelte sich vielmehr um die lüsternen Spiele, die lediglich der schmutzigen Phantasie einer verderbten Volksmenge dienstbar gemacht waren. Dieser Geschmacksänderung ist es auch zuzuschreiben, dass wir von den wahrhaft grossen Komödiendichtern des Altertums so ausserordentlich wenig überliefert erhalten haben. Von Menander ist uns fast gar nichts geblieben, von Philemon, Eupolis und anderen griechischen Komödiendichtern noch weniger; Plautus wäre ebenso der Vergessenheit anheim gefallen wie Menander, wenn nicht ein glücklicher Zufall uns zwanzig seiner Komödien erhalten hätte, die uns einen Begriff von der Art geben, mit der die griechische und römische Lustspieldichtung gerade auch das Problem der Prostitution auf der Bühne behandelt. Dass von Aristophanes verhältnismässig viel geblieben ist, verdanken wir vielleicht d Umstande, dass die Kirchenväter in seinen Verspottungen der altgriechischen Götter ein willkommenes Hilfsmittel ihrer Agitation sahen; ebenso dürfen wir vermuten, dass Lucian ihnen willkommene Waffen darbot und deshalb Gnade vor ihren Augen fand. Zeigte sich schon die Kirche ausserordentlich streng gegen die Komödiendichter, so war sie noch unnachsichtiger gegen die Schauspieler selbst. Wer sich auf einer Bühne gezeigt hatte, war mit unauslöschlischer Schmach behaftet und konnte nur dann in die Christengemeinschaft aufgenommen werden, wenn er Busse that und das Schauspielergewerbe abschwor. „Wenn irgend ein Komödiant," so sagt die apostolische Konstitution im zweiundreissigsten Kapitel des achten Buches, „sei es nun ein Weib oder ein Mann, ein Cirkuskutscher, ein Gladiator, ein Läufer, ein Theaterdirektor, ein Athlet, ein Chorist, eine Harfenspielerin, ein Lyraschläger, ein Seiltänzer oder sonst jemand in den Schooss der Kirche aufgenommen werden will, so muss er auf sein Gewerbe verzichten, oder er bleibt von der Gemeinschaft der Gläubigen ausgeschlossen." In gleicher Weise traf die Exkommunikation alle diejenigen, die in irgend welchen Beziehungen zum Theater standen, oder durch Dienste, die sie ihm leisteten, ihren Lebensunterhalt erwarben. Wir haben schon bei einer früheren Gelegenheit darauf hingewiesen, was sich bei den Frühlingsfesten im grossen Cirkus zu Rom abzuspielen pflegte, wo einmal die Anwesenheit Catos das Volk von dem Signal zum Beginn der Vorstellung abgehalten hatte. Aber trotz Cato, trotz den Ermahnungen der Philosophen und den Edikten der Konsuln wurden die Frühlingsfeste immer noch in der gleichen Weise gefeiert; Laktanz, der sie beschreibt, giebt uns zugleich ein Bild von den Schwierigkeiten, die es zu besiegen galt, um diese Vergnügungen einzudämmen. Noch bis ins dritte Jahrhundert der christlichen Aera wurden diese Feste mit unglaublicher Pracht in Rom gefeiert. Das Volk gab sich dabei den grössten Freiheiten hin und das Ganze erinnerte an die orgiastischen Bacchuszüge einer längst vergangenen Zeit.

Die comœdia togate wandte sich nur an die gebildetsten Schichten der Gesellschaft, folglich an ein wenig zahlreiches Publikum; trotzdem verdammte Cyprian in seinem hundertdritten Briefe die ganze griechische und römische Luftspieldichtung mit ihren Personen, Intriguen, ihren Ehebruchsmotiven, ihren lustigen Spässen, ihren Hausfreunden, ihren bald trottelhaften, bald unkeuschen Hausvätern. „Alle diese Schauspieler," so sagt er, „die in religiösen oder weltlichen Stücken auftreten, wühlen den Schmutz des Theaters auf, nicht allein weil die Stücke, die sie darstellen, unkeusch sind, sondern weil es auch ihre Bewegungen und ihre Gesten sind, und weil häufig die Schaustellung nichts ist, als ein auf die Scene übertragener Akt der Prostitution" (actores omnes, cum sacri tum profani, spurcitiam scenae exagitant, non modo quod fabulæ obscœnæ in scena agerentur, sed etiam quod motus gestusque essent impudici, atque adeo prostibula ipsa in scenam sæpe venirent et sub scena prostarent)

Wir haben früher schon nach den Ueberlieferungen der erotischen Dichter geschildert, in welchem engen Zusammenhange die Prostitution mit dem antiken Theaterwesen stand; freilich pflegten die ehrbaren Frauen, Familienmütter und Matronen nur selten den Schaustellungen beizuwohnen; aber Kuppler und Kupplerinnen, berühmte Kurtisanen und populäre Hetären, wohlfrisierte Jünglinge und Spadonen hatten freies Feld und nützten jede Theatervorstellung aus, ein Geschäftchen auf eigene Hand abzuschliessen. Die besten Sitze und die grössten Bogen im Theater waren den männlichen und weiblichen Mitgliedern der Prostitution eingeräumt, und diese kokettierten von da aus mit den Besuchern des Hauses. Im Kampfe gegen die Uebelstände, die sich mit dem Theaterwesen entwickelt hatten, schoss das Christentum über die Grenze hinaus, indem es das Theater ganz und gar vernichten wollte.

Boten schon die Zuschauer und Schauspieler während des Theaters häufig einen überaus freien Anblick, so war doch die Komödie ein in der That harmloses Spiel, im Vergleich mit den Pantomimen, die eine förmliche Huldigung für die Prostitution darzustellen pflegten. Bei den Griechen wurden diese scenischen Aufführungen, die bald stumm waren, bald dialogisiert, bald mit Tanz und bald mit Gesängen durchsetzt, mehr und mehr zu Nachahmungen der sämtlichen Bacchus- und Panfeste. Dass die Gesänge dabei häufig über die Grenzen des Zulässigen hinausgingen, wird man bei einiger Kenntnis der Bacchuszüge ohne weiteres begreifen. Durch ihre Uebertragung auf die Scene hatten diese Feste wohl etwas an ihrer Derbheit, nicht aber an ihrer Lascivität verloren. Gerade die mythologischen Pantomimen waren immer am meisten geeignet, die Sinne der Zuschauer zu reizen. Xenophon hat uns in seinem Gastmahl eine solche Pantomime beschrieben, aber man kann sich aus seiner Darstellung keinen Begriff von den Ausartungen machen, denen diese Veranstaltungen später anheimfielen. Einigen Anhalt für die Art ihrer Ankündigung bietet uns das Plakat eines syrakusanischen Theaterdirektors, der das Publikum zu einer Pantomime einlud. Er machte bekannt: „Mitbürger, Ariane wird in dieser Pantomime in ihr Brautgemach eintreten; Bacchus, der mit den Göttern gezecht hat, wird sie dort überraschen, und es werden auch die Intimitäten der Hochzeitsnacht vorgeführt werden.“ Man kann sich denken, dass die scenische Darstellung nicht gerade hinter dieser Ankündigung zurückblieb. In ganz ähnlicher Weise stellte man die Erzählungen von Pasiphaë, von Leda, von Ixion und landeren mythologischen Figuren dar. In der Regel wurden die Frauenrolen von jungen Männern dargestellt, die nach dem starken Ausdruck des Hieronymus bereits in ihrer Jugend die Grenze der Geschlechter überschritten hatten: In scenis theatralibus unus atque idem histrio nunc mollis in Venerem frangitur, nunc tremulus in Cybelem. Weiter spricht dann derselbe Autor von den impuris motibus scenicorum. Es wird uns übereinstimmend berichtet, dass derartige Schaustellungen sich in jenen Zeiten eines ganz ausserordentlich starken Zulaufes zu erfreuen hatten.

Obschon die meisten Frauenrollen, wie wir schon sagten, von Männern dargestellt wurden, so finden wir auf dem antiken Theater doch auch Schauspielerinnen, allerdings nur zu dem Zwecke, den blasierten Theaterbesuchern einen Sinnkitzel zu bereiten. Diese Komödiantinnen waren ausserordentlich gering geachtet und standen so ungefähr auf der niedrigsten sozialen Stufenleiter. Prokop hat uns in seiner Geschichte das Bild einer Theaterkurtisane gezeichnet, die sowohl durch ihre Kunst als auch ihre Schönheit im sechsten Jahrhundert zu ausserordentlichem Ruhm gelangte; diese geschichtliche Stelle beweist uns, dass das Theater zu jener Zeit, trotz der lebhaften und beständigen Anstrengung der christlichen Kirche noch keiner durchgreifenden Reform unterworfen war. Prokop sagt, dass dieses Mädchen schon in frühester Jugend einen lebhaften Drang zum Theater verspürt habe und sich, obschon freigeborenen Standes, frühzeitig in die Listen der Prostituierten habe eintragen lassen, um nur ihre Sehnsucht nach den Brettern befriedigen zu können. Sie trat in fast jedem Stücke auf, häufig fast ganz nackt oder nur mit einem leichtem Schleier bekleidet.

Tertullian, Basilius und eine ganze Reihe anderer Kirchenschriftsteller wüten förmlich gegen das Theater und erklären es mit kurzen Worten für eine Schule der Unkeuschheit. In lateinischer Uebertragung lautet eine der markantesten Stellen: „Orchestra quæ abundat spectaculis impudicis publica et communis schola impudicitiae iis qui assident, et tibiarum cantus et cantica meretricia insidentia audientium animis, nihil aliud persuadent, quam ut omnes foeditati studeant et imitentur citharistarum aut tibicinum pulsus.“

Indessen bleibt zu bemerken, dass alle diese Schriftsteller so sehr sie auch das Theater verschmäht hatten, doch immerhin einer Beschreibung dieser Abscheulichkeit wie das Beispiel lehrt, nicht gerade abgeneigt gewesen sein müssen. Arnobius meint, man könne derartige Aufführungen gar nicht ruhig ansehen; Cyprian sagt, die Pantomimen seien die Kunst, mit den Händen alle Obscönitäten der Fabeln und der Mythologie auszudrücken; Laktanz behauptet, die theatralische Pantomime habe überhaupt nur den Zweck, in andrer Form alle Vorgänge des geschlechtlichen Lebens wiederzugeben; impudici gestus, quibus infames feminae imitantur libidines quas saltando exprimunt;) Salvian verzichtet auf eine Beschreibung der Einzelheiten und sagt, es sei unmöglich alle diese abscheulichen Dinge wiederzugeben; Arnobius macht dazu noch die Bemerkung, dass er gar nicht begreifen könne, wie die Anhänger des alten Glaubens ihre eigenen Götter durch derartige Darstellungen so herabziehen könnten, wie man denn z. B. Venus, die in Rom so viele Tempel und Standbilder besass und als die Stammmutter verehrt wurde, als eine Kurtisane darzustellen pflege (saltatur Venus et per affectus omnes meretriciae vilitatis impudica exprimitur imitatione bacchari.)

Hauptsächlich wandten sich die christlichen Eiferer gegen den Tanz. Lucian hatte vom Tanz behauptet, sein Ursprung reiche bis zu der Wiege der Menschheit zurück und er sei mit der Liebe zugleich geboren. Er hatte erzählt, dass nach einer bithynischen Fabel, Priap, der mit der Erziehung des Mars beauftragt war, seinen Schüler mehr im Tanz als in den Waffen unterrichtet habe, um gleichermassen die physischen Kräfte und den kriegerischen Charakter auszubilden. Deshalb wurde auch immer der zehnte Teil, der für den Mars bestimmten Kriegsbeute dem Priap dargebracht. Die kriegerischen Tänze waren freilich schon seit langer Zeit fast ganz aufgegeben; was einst den Mut der Lacedämonier gestählt hatte, das hat in späterer Zeit zum Untergang des Griechentums ganz unzweifelhaft beigetragen. Die religiösen Tänze waren kalt, ernst und stumm, aber der Tanz des Theaters war ausgelassen, lärmend und lasciv; er ergriff wie eine Art Wut die Greise wie die jungen Leute und man sah Tänzer, die vom Morgen bis zum Abend sich im wilden Wirbel drehten. Diese Tänze erregten bei den Zuschauern eine Art von Delirium, und je wilder die Bewegungen auf der Bühne wurden, um so aufgeregter wurde die Menge, mochte sie nun aus Greisen oder Jünglingen, aus Männern oder Weibern bestehen. Lucian schildert uns einen alten Philosophen, der mit weissem Haupte sich unter einer Schaar von Kurtisanen und Lebemännern dem wilden Vergnügen hingab. Es war nichts Seltenes, dass sich die Schaaren der Tänzer in ihrer stets wachsenden Aufregung schliesslich die Kleider vom Leibe rissen und die Haare lösten. Lucian, der ausgesprochene künstlerische Instinkte hatte, sagt: „Der Tanz soll die Sitten und die Leidenschaften schildern; er hat keine Grenzen, alles kann man durch ihn darstellen, er ist ein Schauspiel, in dem alles andere vereinigt ist, Instrumente und Rhythmus, Sologesang und Chöre.“ Man kann aus dieser Stelle entnehmen, von welcher Bedeutung diese Kunstgattung für das damalige Leben war und wie die Christen von ihrem Standpunkte aus Recht haben mochten dagegen einzuschreiten.

Alle die Arten der auf dem Theater oder bei Gastereien beliebten Tänze hier aufzuführen, würde uns viel zu weit führen; mit Vorliebe behandelten sie, wie wir schon sagten, Stoffe aus der Mythologie. Die meisten betrafen das Liebesleben der Venus. Die Geschichte dieser Göttin und ihre unzählichen Liebeshändel wurden choreographisch dargestellt. Auch Athene gab vielfach Stoff ab für derartige Darstellungen. Man nannte diese Tänze zum Theil Epiphallos, Hedion und Hedukomos; lakonischen Ursprungs war die Brydalika, die nur von Weibern in wunderlichen Masken getanzt wurde; bei den Lamptrotera waren alle Tänzerinnen nackt und gaben sich den grössten Tollheiten hin; der Höhepunkt des sogenannten Strobilus, war der, dass alle Mitwirkenden sich ihre Kleider über den Kopf werfen mussten; der Kidaris war ein obscöner Tanz der Arkadier. Der Apokinos lässt sich etwa mit dem im Morgenlande üblichen Bauchtanz vergleichen. Die Sybaritike entspricht vollständig ihrem Namen; beim Mothon gab man sich allen möglichen Arten von Freiheiten hin; und so gab es der Tänze noch viele. Ueber die Einzelheiten kann man sich in den Spezialwerken über die griechischen Tänze leicht unterrichten.

Die Römer hatten den lasciven Charakter der antiken Tanzaufführungen noch um ein beträchtliches gesteigert. Jeder Tänzer und jede Tänzerin von Ruf erfand für sich neue Arten von Tänzen. Einzelne davon erreichten einen hohen Grad von Popularität. Seneca beklagt sich über einen ausgelassenen Tanz ausdrücklich. Die Geschicklichkeit der Tänzer und Tänzerinnen muss ausserordentlich gross gewesen sein, wenn wir nach den Schilderungen, die uns überliefert sind, uns darauf einen Schluss erlauben dürfen. Die Tänzer waren mehr oder weniger zugleich Akrobaten. Xenophon schildert uns in seinem Gastmahl eine junge Tänzerin, die den Ueberschlag nach hinten auf freier Scene ohne die Hände zu gebrauchen, vollführen konnte. Nach den Aufführungen, so wird uns überliefert, waren denn auch alle Mitwirkenden fast halbtot vor Erschöpfung. Einige Fresken in Herkulanum zeigen uns derartige Tanzscenen, bei denen alle Mitwirkenden nackt aufgetreten zu sein scheinen. Auch Suidas erwähnt nackte Tänze, bei denen machmal die Tänzer allerhand obscöne Atribute trugen.

Es begreift sich, dass bei einem derartigen Charakter dieser Aufführungen die Mitwirkenden ziemlich geringe Ansprüche auf die Achtung ihrer Mitbürger machen konnten. So waren denn auch in den ersten Jahrhunderten des römischen Theaters die Schauspieler sehr verachtet, konnten nicht nur aus der Bürgerschaft ausgeschlossen, sondern sogar auf Befehl des Censors ausgewiesen werden. In älteren Zeiten hatte man auf der Scene keinen Mann in Frauenkleidern geduldet und der Unterschied der Geschlechter wurde nur durch die Verschiedenheit der Masken angedeutet. Aber mit diesem Gebrauche hatte man dann bald gebrochen, und die Prostitution hatte ihren siegreichen Einzug in die Theater gehalten. Ausser einigen wirklich bedeutenden Schauspielern waren alle anderen Mitwirkenden an den Aufführungen in die bürgerliche Acht gethan. Irgendwelcher Unterschied zwischen den ganz gewöhnlichen Helfershelfern der Prostitution und den Schauspielern, oder zwischen den Insassinnen der öffentlischen Häuser und den Schauspielerinnen bestand nicht. Arnobius drückt sich über diesen Punkt mit einer Deutlichkeit aus, die sich nur lateinisch wiedergeben lässt: „In feminis fierent meretrices, sambucistriæ, psaltriæ, venalia ut prosternerent corpora, vilitatem sui populo publicaent, in lupanaribus promptæ, in fornicibus obviæ, nihil pati renuentes, ad oris stuprum paratæ."

Auch unter den Angehörigen des Theaters, unter dem leichten Völkchen der Bühne, fand der Christenglaube sehr bald Anhänger und Anhängerinnen. Man weiss aber, dass der Kampf der Christen gegen das Theater ebenso wenig erfolgreich war, wie der gegen die unverhüllte Prostitution. Die Gründe für das Entstehen beider, ebenso wie für das Vergehen lagen ausserhalb der Einflusssphäre der christlichen Lehre.

VIII. Kapitel.

Ziele des Christentums bei der Reform der öffentlichen Sitten. — Von der Steuer, welche die Prostituierten im römischen Reiche bezahlten. — Die Prostituiertensteuer unter Heliogabal. — Die Entrichtung der Prostituiertensteuer. — Grabschrift eines Steuereinnehmers. — Alexander Severus bestimmt die Prostituiertensteuer zu Zwecken des öffentlichen Wohles. — Verbot der männlichen Prostitution. — Fünfjährige Umlagetermine für die Prostituiertensteuer. — Edikte Konstantins des Grossen über die Erhebung der Prostituiertensteuer. — Philosophische Proteste gegen diese Steuer. — Theodosius II. lässt die Steuer auf Kuppelei aus dem Steuertarif streichen. — Die Vorrede seines Gesetzes über die Kuppelei. — Die Dirnen bleiben steuerpflichtig. — Einschätzung der Prostituierten. — Von der Rücksichtslosigkeit der Steuereinnehmer. — Die Reformen des Kaisers Anastasius. — Wie Anastasius mit den Steuerpächtern umspringt. — Die Steuer erscheint wieder unter Justinian. — Nachsicht dieses Kaisers gegen die Dirnen. — Die Kaiserin Theodora. — Zufluchtshaus für gefallene Mädchen in Konstantinopel. — Die fünfhundert Schützlinge der Kaiserin — Ihr Schicksal. — Vergebliche Versuche.

Es bleibt uns noch der Einfluss zu betrachten, den das Christentum auf die römische Rechtsprechung und auf jene kaiserlichen Dekrete ausübte, die sich mit der Prostitution befassten. Die Beschlüsse der Konzilien blieben nicht ohne Wirkung, und alle christlichen Kaiser von Konstantin bis auf Justinian haben sich bemüht, der Prostitution möglichst enge Grenzen zu ziehen. Man kann indessen nicht in Zweifel darüber sein, dass die Kaiser ungefähr ähnlich darüber dachten, wie jene Kirchenväter, die diese soziale Erscheinung als ein notwendiges und unheilbares Uebel hinstellten, das man nur einzudämmen, beziehungsweise zu verheimlichen habe. Auf der andern Seite versuchten sie allerdings die Quelle des Uebels dadurch zu verstopfen, dass sie die Kuppelei unter ausserordentlich strenge Strafen stellten. Die Absicht der damaligen Staatsmänner in Uebereinstimmung mit den kirchlichen Behörden ging offenbar dahin, darnach zu trachten, wie man die Fortschritte der Prostitution vermindern, ihre Herrschaft eindämmen und ihre Quellen nach Möglichkeit verstopfen könne. Dass man es aber nicht völlig unterdrücken könne und daher nur das eine Mittel habe, ihr Reich durch einen scharfen Strich von dem Reich der bürgerlichen Welt abzuscheiden, das war die damalige offizielle Meinung.

Bevor wir uns auf die Betrachtung der Einzelheiten dieses polizeilichen Kampfes einlassen, müssen wir noch an einige, aus römischer Zeit gebliebene Gebräuche erinnern, die wir zum Teil schon früher erwähnt hatten. Wir meinen den Zoll und die Lustralsteuer, welche die Prostituierten im römischen Reiche seit Caligulas Zeiten zu entrichten hatten. Diese Abgaben blieben bis auf Anastasius I. bestehen; meistens wurden die Einnahmen daraus zur Gründung irgend welcher Anstalten für das öffentliche Wohl verwendet. Was die Steuerstrafe anlangt, die man den Prostituierten im alten Rom auferlegt hatte, so trug sie vielleicht ursprünglich den Charakter einer Kopfsteuer, wurde aber unter Caligulas Regierung in eine regelrechte Gewerbesteuer umgewandelt; indem der achte Teil des Verdienstes von den Dirnen an den Fiskus abgeliefert werden musste. Auf diese Weise wurden selbstverständlich die Einnahmen aus der Prostitutionssteuer je nach dem grösseren oder geringeren Umfange der Prostitution selber schwankend. Um die Einnahmen zu steigern, belegte Caligula auch noch alle diejenigen mit einer Abgabe, die als Kuppler oder Beherberger in irgend welchen Beziehungen zur Prostitution standen; aber über diese Art von Steuer berichtet man uns nichts genaues, und man darf deshalb wohl annehmen, dass sie nicht dauernder Natur war. Caligulas Absicht war es jedenfalls nicht, durch die Erhebung einer hohen Steuer auf eine Verbesserung der öffentlichen Sittlichkeit hinzuwirken; im Gegenteil gab dieses Steuersystem der Prostitution einen gewissermassen offiziellen Charakter. Die Zeiten hatten sich eben geändert, seit des Tiberius strengen Gesetzen gegen die Prostituierten aus patricischem Stande. Die von Caligula eingeführten Steuern wurden unter den folgenden Herrschern nicht wieder abgeschafft, nur dass man ihre Erhebung in der einen oder andern Form zeitweilig änderte.

Wir haben an einer früheren Stelle gesehen, dass der wilde Heliogabal um die Einkünfte aus der Prostitution zu vermehren, sogar Lupanare in seinen eigenen Palästen eröffnet und für deren Benutzung bestimmte Taxen festgesetzt hatte. Die Prostituiertensteuer, meretricium, wurde allen auferlegt, die sich mit der Prostitution befassten. Kuppler und Kupplerinnen trugen dazu bei, ebenso wie die verderbten Kinder, die sogar grössere Summen ablieferten, als die öffentlichen Frauenzimmer. Das Geld, das auf diese Weise zusammengebracht wurde, warf man nicht mit den übrigen Vectigalien zusammen, sondern führte es in den Listen gesondert, unter dem Namen Aurum Lustrale; worauf diese Bezeichnungen eigentlich gingen, ob sie so etwas wie Sühnopfer bedeuten sollte, oder ob sie mit der populären Bezeichnung für öffentliche Freudenhäuser zusammenhing, das ist nicht genau zu unterscheiden. Die Eintreibung dieser Steuer war nicht immer leicht, und die Steuereinnehmer waren ohne Zweifel mit einer gewissen Machtvollkommenheit ausgerüstet, durch die sie zur Erreichung ihres Zieles gelangten. Uebrigens war das Amt des Steuereinnehmers keineswegs übel berufen, was man daraus schliessen kann, dass in den Grabinschriften der Titel mehrfach erwähnt ist.

Die Prostitution brachte dem Staatsschatze zu grosse Summen ein, als dass man leicht hätte darauf verzichten können. Alexander Severus bestimmte, dass die Einnahmen zu nützlichen öffentlichen Einrichtungen aufgewendet werden müssten: er verwendete sie deshalb zur Wiederherstellung des Theaters, des Cirkus, des Amphitheaters und des Stadiums, sodass also diese den Vergnügungen des Volkes geweihten Bauwerke auf Kosten der Prostitution unterhalten wurden. Lampridius, der uns die Geschichte dieser Reform überliefert hat, sagt dabei, dass Alexander Severus daran gedacht hatte, die jugendlichen Hilfstruppen der öffentlichen Ausschweifung aus Rom zu vertreiben; aber er fürchtete, dass er dadurch das Laster nur in die Schlupfwinkel verscheuchen, nicht aber unterdrücken würde, wie denn auch der Geschichtsschreiber der Cäsaren ganz richtig bemerkt, dass die Menschen immer das am liebsten thun, was ihnen verboten ist. Da übrigens Alexander Severus die Steuer auf den dreissigsten Teil des unter Heliogabal erhobenen Betrages beschränkte, so darf man annehmen, dass er thatsächlich nur die reine Lustralsteuer eintreiben liess. Unter dem Kaiser Philippus, der seine Vorliebe für das Christentum nicht verbarg, wurde die Steuer auf männliche Prostitution aufgehoben, weil diese Art Ausschweifung durch ein kaiserliches Edikt im Prinzip, wenn auch nicht in der That, abgeschafft wurde. Später wurde die Steuer wie die andern Gewerbesteuern in Rom nur noch alle fünf Jahre veranlagt, sie wurde Chrysargyrum genannt, ein Wort, das aus der griechischen Bezeichnung für Gold und Silber zusammengesetzt ist, wahrscheinlich um anzudeuten, dass die Steuer teils nach dem Goldfuss, teils nach dem Silberfuss bezahlt wurde, und nach der verschiedenen Art der Prostitution verschieden hoch bemessen war.

Genauere Angaben über die Höhe der Prostitutionssteuer fehlen uns. Wichtig zur Beurteilung der damaligen Verhältnisse ist der Umstand, dass die Steuerzahlung überhaupt dem Gewerbe eine Art öffentlichen Charakter verlieh. Da die Steuer alle fünf Jahre veranlagt wurde, so stand es den Steuerträgern frei, vorher zu erklären, dass sie ihr Gewerbe aufgeben wollten. Die Eintreibung der Steuern war höchst wahrscheinlich gleichzeitig der Sittenpolizei übertragen worden. wie man aus mehreren Grabinschriften ersehen konnte. Die eine davon ist einem Manne, Namens Valerianus gewidmet und von seiner Tochter ihm dargebracht worden. Darin wird nicht nur der Stand und die Beschäftigung des Vaters angegeben, sondern es werden auch seine Vatertugenden lebhaft gerühmt.

Zosimus, ein griechischer Historiker, der sehr gegen die Christen eingenommen war, warf Konstantin dem Grossen mit bittern Worten vor, dass er eine neue Prostitutionssteuer eingeführt habe. Wahrscheinlich irrt aber dieser Schriftsteller, der damit dem christlichen Herrscher eins anhängen wollte, denn die Existens der Steuer lässt sich seit der Zeit Caligulas durchaus sicher nachweisen. Konstantin hatte die Absicht, die Steuer sowohl, wie auch die öffentliche Sanktion des Gewerbes abzuschaffen, kam aber damit, wie es scheint, nicht zum Ziele. Daraus ihm nun den Vorwurf der Förderung der Prostitution zu machen, ist jedenfalls nicht gerechtfertigt. Uebrigens hatten bereits seit dem zweiten Jahrhundert die Philosophen häufig und voll Entrüstung gegen die abscheuliche Steuer und die daraus abzuleitenden Folgerungen protestiert. Justin beschuldigte in seiner Apologie für die Christen, die etwa um die Mitte des zweiten Jahrhunderts geschrieben ist, die Kaiser sehr energisch, weil sie den Prostituiertenzoll empfingen: „Wie unsere Vorfahren," so sagt er, „sich von grossen Rinder- und Schafherden ernährten, so erzieht man heute Kinder und Weiber zu einem schimpflichen Gewerbe, und die Menge dieser Weiber, der Cinöden und der übrigen Lüstlinge, zahlen eine Steuer, die ihr euch nicht schämt anzunehmen!"

Erst Theodosius II. konnte die Pläne des Konstantin zum Teil ausführen, indem er bei der fünfjährigen Steueraufstellung die Taxe für die Kuppler unterdrückte: er hätte auch die Taxe nicht aufrechterhalten können, nachdem er das Kupplergewerbe verboten hatte. In dem Edikt, das diesem Gegenstande gewidmet ist und das für Kuppelei sehr erhebliche Strafen androhte, schont der Kaiser auch seine Vorgänger gar nicht; in dem Schriftstück, das aus dem Jahre 439 stammt, sagt er unter anderem folgendes: „Die Gewissenlosigkeit unserer Vorfahren hat schwere

Uebelstände bestehen lassen, dadurch, dass sie die Kuppelei auf Grund fünfjähriger Steuerveranlagungen gewissermassen offiziell autorisiert hat.“ In demselben Schriftstück wirft der Kaiser die Frage auf, ob es den Kupplern erlaubt sei, in der Hauptstadt des östlichen Kaiserreiches zu wohnen und ob der öffentliche Staatsschatz, Steuern von ihnen annehmen dürfe. Theodosius entfernte also die Taxe auf Kuppelei, liess aber die auf der eigentlichen Prostitution ruhende bestehen. Das Chrysargyrum wurde deshalb auch fernerhin mit grosser Strenge eingetrieben und zwar alle vier Jahre, nicht wie früher alle fünf Jahre. Die Veranlagung wurde sehr sorgfältig vorgenommen, in der Weise,, dass in jedem Quartier und in jedem Hause die Einwohner ihre Existenzmittel nachzuweisen hatten und gegebenen Falls einen Teil davon an die kaiserliche Kasse abführen mussten. Diejenigen, die die Taxe nicht zahlen konnten aus übergrosser Armut, entgingen meistens nicht der brutalen Behandlung der Steuereinnehmer. Zosimus erzählt, dass die Eintreibung der Steuern unter Konstantin so streng gehandhabt wurde, dass Mütter ihre Kinder verkauften und Väter ihre Töchter zur Prostitution anhielten, um nur die Steuereintreiber befriedigen zu können. Spätere Geschichtsschreiber stimmen in den Berichten über die Verwendung dieser Steuer nicht ganz überein. Sie betraf später übrigens nicht nur die Angehörigen der städtischen Prostitution und wurde nicht nur alle vier Jahre, sondern sogar jährlich erhoben. Darin aber stimmen alle Geschichtsschreiber überein, dass die Eintreibung der Steuern stets mit ausserordentlicher Strenge vorgenommen wurde, und dass mit ihr eine Art Generalpächter betraut war. Cedrenus, ein Kompilator aus dem elften Jahrhundert sagt, dass sich in der Stadt, in den Vorstädten und benachbarten Dörfern immer ein grosser Jammer erhoben habe, wenn die Steuereintreiber nahten; das Land habe nach ihrer Anwesenheit ausgesehen, wie wenn ein grosser Heuschreckenschwarm darüber hingegangen sei. Man kann wohl annehmen, dass die Prostituierten und die Schaar, der mit ihr in Verbindung Stehenden, bei dieser Gelegenheit ganz besonders hart angefasst wurden. Euagrius sagt im neununddreissigsten Kapitel des zweiten Buches seiner Kirchengeschichte, dass man in die Lupanare und in die Wirtschaften eindrang, um die Prostituierten zu kontrollieren; aber man begnügte sich damit nicht, sondern suchte mit Gewalt möglichst viele Leute der Prostitution zu überführen; man zwang sie dann, einen Schein zu lösen, der einmal ihnen die Erlaubnis zur Ausübung des Gewerbes gab und zweitens eine Art Steuerquittung darstellte.

Anastasius hatte in seinem Kampfe gegen die Prostitution einige Erfolge aufzuweisen, wenigstens wenn wir Urteilen eines anonymen Schriftstellers glauben dürfen. Er war über die scheusslichen Zustände bei der Erhebung der Prostitutionssteuer unterrichtet und hatte beschlossen dem Skandal ein Ende zu machen. Vergebens versuchte ein geschickter

Mann Namens Thucydides das Chrysargyrum zu verteidigen und nachzuweisen, dass eine solche Steuer ebenso nützlich wie gerecht sei; Anastasius erachtete sie als unmoralisch und ungerecht und schaffte sie durch ein Gesetz ab, in welchem er zugleich befahl die Register der Steuereinnehmer zu verbrennen. Diejenigen, die auf diese Weise eines hohen Einkommens verlustig gegangen wären, nämlich die Generalsteuerpächter, setzten ihre Hoffnung auf einen Regierungswechsel und glaubten, dass dann die Prostitutionssteuer sofort wieder von Neuem eingeführt würde. Aber Anastasius blieb in diesem Punkte fest und die Geschichte überliefert uns sogar ein artiges Histörchen, wie er die gierigen Generalpächter an der Nase herumführte. Er that nämlich so, als ob er vielleicht doch geneigt sei, die Steuer wieder einzuführen, vernichtete aber dann die rasch entflammte Freude der würdigen Männer durch eine sehr entschiedene öffentliche Erklärung, in welcher er über den durchaus verdammenswerten Charakter derartiger Staatseinnahmen nicht den geringsten Zweifel liess.

Indessen muss doch wohl die Prostitutionssteuer nicht ganz abgeschafft worden sein, denn sie existierte immerhin noch unter der Regierung Justianians, obschon sie in öffentlichen Steuerlisten nicht mehr ausdrücklich aufgeführt war. Justinian erwähnt sie auch nicht in seinem Erlass gegen die Kuppler; man darf annehmen, dass sie lediglich auf weibliche Prostitution gelegt war. Im Uebrigen widerrief dieser Kaiser einige alte römische Gesetze, nach denen es den Adeligen verboten war, Theaterdamen und Prostituierte zu ehelichen; er selbst heiratete Theodora, die Tochter einer Prostituierten letzten Ranges, die selbst unter den Kurtisanen eine grosse Rolle gespielt hatte und zweifellos ihrer Mutter durchaus würdig war. Bevor dieses Weib den kaiserlichen Thron erklomm, war sie bei der Ausführung ihres schimpflichen Gewerbes von Stadt zu Stadt gezogen, und Justinian scheint sich immer daran erinnert zu haben, dass seine Frau früher mehrfach wegen ihres schlechten Lebenswandels bestraft worden war. Theodora selbst scheint nach Mitteln gesucht zu haben, um gefallenen Frauen den Wiedereintritt in die Gesellschaft möglich zu machen; es wird uns berichtet, dass sie, vielleicht mit den Geldern, welche die Prostitutionssteuer aufbrachte, ein grosses Hospiz geschaffen hat, in dem Prostituierten eine Zuflucht finden konnten. Aber diese gute Absicht wurde dadurch zum Teil vereitelt, dass Theodora 500 Weiber dort mit Gewalt einsperren liess; die Opfer ihrer Willkür zogen vielfach den Tod dem langweiligen Leben in dem schön eingerichteten aber klösterlich langweiligen Gebäude vor. Prokop, der uns darüber einiges überliefert hat erzählt nicht, ob die Kaiserin Theodora ihren moralischen Launen noch mehr derartige Opfer gebracht hat.

IX. Kapitel.

Die auf die Prostitution bezügliche Gesetzgebung der christlichen Kaiser. — Die Ausübung der Prostitution wird für ein legales Gewerbe angesehen. — Infamierung der öffentlichen Mädchen. — Widernatürlicher Geschlechtsverkehr und Prostitutionssteuer. — Gesetz über die Entführung heiratsfähiger Mädchen. — Inhaberinnen und Kellnerinnen von Kneipen können nicht wegen Ehebruchs belangt werden. — Verbot des Verkaufs von christlichen Sklavinnen zum Zwecke der Prostitution. — Widernatürlicher Geschlechtsverkehr wird mit der Todesstrafe bedroht. — Theodosius der Jüngere als Verteidiger der Prostituierten. — Die Prostituiertensteuer wird auf das Betreiben des konstantinopolitanischen Praetors Florentius abgeschafft. — Kaiser Justinian. — Sein Gesetz gegen die Kuppelei. — Der geheime Mädchenhandel in Konstantinopel. — Gesetz über die öffentlichen Bäder. — Die Nachfolger Justinians.

Die Gesetzgebung der christlichen Kaiser veränderte an den Zuständen der römischen Prostitution fast gar nichts. Dieser Krebsschaden am öffentlichen Leben konnte durch strenge Repressionsmassregeln nicht geheilt werden; man musste ihn vielmehr, und das entspricht ganz der damaligen Auffassung, der eigenen Heilung überlassen. Man war von der Notwendigkeit der Prostitution durchaus überzeugt und glaubte in ihr einen Schutz gegen Gewaltthaten, Ehebruch und Verführung ehrbarer Frauen zu haben. Dieser Ansicht war ja auch die primitive Kirche; wir haben schon oben erwähnt, wie sich die Konzilien zur Frage der Prostitution stellten. Im Prinzip verdammten sie sie wohl, thatsächlich änderten sie an ihrem Bestande so gut wie gar nichts. In den Gesetzbüchern des Theodosius und Justinians giebt es kein Spezialgesetz, das sich auf die Prostitution bezieht, aber einige Vorschriften sollten offenbar ihre Weiterverbreitung in engen Grenzen halten. Die weibliche Prostitution wurde unter allen Umständen geduldet, sie wurde als Gewerbe aufgefasst und hat dafür Gewerbesteuer zu entrichten; anders verfuhr man gegen die männliche Prostitution und ebenso gegen die Kuppelei. Gegen diese letztere haben die Nachfolger des Konstantins mehrfach strenge Gesetze erlassen, und auch die kirchlichen Autoritäten haben es nicht an verschiedenen strengen Vorschriften darüber fehlen lassen.

So darf man also geradezu in den Gesetzbüchern jener Zeit und auch im Sinne der Kirche eine legale und eine illegale Prostitution unterscheiden. Nach den eingehenden Vorschriften, die Ulpianus aufstellt, kann man ebenfalls darauf schliessen, dass er die Prostitution als ein durchaus legales Rechtsgeschäft ansah, das bestimmten polizeilichen Regelungen und Spezialgesetzen unterworfen war. Weiterhin bestimmte der Rechtsgelehrte, dass eine Prostituierte sogar unter Anrufung der Obrigkeit auf der Erfüllung eines Versprechens bestehen könne, welches ihr in ihrer Eigenschaft als Prostituierte gemacht worden war. Auf diese Weise kommt er zu dem Schluss, dass die Prostituierte auf ihren Lohn einen Anspruch hat und dass sie diesen Lohn auf anständige Weise erwirbt, obschon ihr Gewerbe an und für sich unanständig sei. (Illam enim turpiter facere, quod sit meretrix, non turpiter accipere, cum sit meretrix Dig. XII, 5) Man wird es daher nicht erstaunlich finden, dass die Rechtsgelehrten in Uebereinstimmung mit den Gelehrten der Kirche die legale Prostitution durch ihre Vorschriften gewissermassen rehabilitierten.

Vor der konstantinischen Zeit waren die Prostituierten von Gesetzeswegen infam und Diocletian und Maximian hatten diese Gesetze wieder aufgefrischt, um die öffentlichen Sitten zu verbessern. Diese Gesetze hatten den freigeborenen Bürgern die Ehe mit freigelassenen Frauen verboten, ganz gleichgiltig, ob sie als Prostituierte gelebt hatten, oder nicht; sie hatten gleichermassen den Senatoren und ihren Söhnen die Ehe mit patricischen Frauen untersagt, die sich der Prostitution gewidmet hatten. Später war die Infamität den Bediensteten der Kuppler und den Insassinnen der öffentlichen Häuser auferlegt worden, um der skandalösen Verbindung zwischen Senatoren und solchen Mädchen, die durch die Prostitution reich geworden waren, ein Ende zu bereiten.

Konstantin hatte die Päderastie, die bis dahin allgemein öffentlich im Schwange war, mit Strafe bedroht. Was bis dahin nur als eine gewöhnliche Ausschweifung angesehen wurde, war nunmehr zu einer kriminellen Handlung gestempelt worden. Diese grosse Reform, die schon von Alexander Severus angebahnt worden war, wurde von den Kirchenautoritäten unterstützt und gebilligt. Indessen darf man doch nicht übersehen, dass Gefängnis, Geld und Ehrenstrafen kein radikales Heilmittel gegen einen derartigen Uebelstand waren. Es handelte sich lediglich darum, dass jetzt der Staat nicht mehr durch sein stillschweigendes Zusehen derartige Gebräuche sanktionierte; nach diesem Gesetz versteht es sich auch, warum Konstantin die Steuer auf männliche Prostitution aufgehoben hat. Er ging noch weiter, indem er die Strafandrohungen des claudischen Senatsbeschlusses gegen freigeborene Frauen, die sich mit Sklaven und Freigelassenen abgaben, verschärfte: er wollte auf diese Weise eine allgemein gebräuchliche Prostitutionsform treffen, die darin bestand, dass schamlose Patrizierinnen ihre Liebhaber aus der Schaar der Zirkuskutscher und Gladiatoren aussuchten.

Konstantin hatte nicht bis zu seiner Bekehrung zum christlichen Glauben gewartet, um die allgemeine Sittenlosigkeit auf gesetzlichem Wege, wenn auch mit zweifelhaftem Erfolge zu bekämpfen. Unter den Exzessen war der Mädchenraub besonders verbreitet und je mehr sich die Stiftung von Frauenklöstern im ganzen Reiche verbreiteten, um so häufiger waren derartige Attentate. Es kam sogar vor, dass die jungen Mädchen, die das Keuschheitsgelübde ablegen wollten, unter ihren Verwandten und den Freunden der Familie Leute fanden, die einem solchen Raube durchaus geneigt waren. In der am 1. April 320 publizierten Lex Si quis wurde jeder, der ein junges Mädchen, sei es mit oder ohne ihre Einwilligung, entführte, mit schwerer Strafe bedroht; derselben Strafe sollte ein Mädchen verfallen, das zu der Entführung seine Zustimmung gegeben hatte. Das Gesetz setzt keine Strafe ausdrücklich fest, sondern überlässt deren Ausmass dem freien Ermessen des Richters. Kaiser Konstantin beseitigte diese Unsicherheit und setzte durch ein neues Gesetz vom November 349 fest, dass die Schuldigen bei einer derartigen Sachlage enthauptet werden sollten. Der Rest des ursprünglichen Gesetzes bedurfte keiner Auslegung, da es sehr gut spezialisiert war. Es war darin bestimmt, dass Familienfreunde, Wärterinnen und andere Personen, die dem Mädchen zur Entführung geraten hatten, dadurch bestraft werden sollten, dass man ihnen heisses Blei in den Mund goss; so wurde der Teil des Körpers, der zu einem so grossen Verbrechen geraten hatte, auf immer geschlossen. Mädchen, die bei ihrer Entführung nicht um Hülfe gerufen hatten, sollten des Rechts auf die väterliche und mütterliche Erbschaft verlustig gehen. Für den Fall, dass der Entführer sich mit den Eltern des Kindes ins Einvernehmen gesetzt hatte, um ihr Stillschweigen und für sich Straflosigkeit zu erlangen, sollte jedermann das Recht haben, ihn anzuzeigen und durch die öffentliche Gewalt verfolgen zu lassen. Der Denunziant sollte eine bestimmte Entschädigung erhalten, und die Eltern in derartigen Fällen auf eine einsame Insel verbannt werden. Helfershelfer des Entführers waren mit derselben Strafe bedroht, wie er selbst; standen sie zu ihm in einem Dienstverhältnis, so konnten sie zum Feuertode verurteilt werden.

Es versteht sich, dass dieses Gesetz sich nur auf freigeborene Kinder bezog, denn die Entführung von Freigelassenen oder Sklaven konnte lediglich eine Zivilklage zur Folge haben, trotzdem dies der in der christlichen Lehre ausgesprochenen Gleichberechtigung der Menschen widersprach. So genoss eine im Sklavenstande geborene Frau durchaus nicht des gleichen Schutzes ihrer Person oder ihrer Ehre wir eine Freigeborene. Deshalb nimmt auch Konstantin die Inhaberinnen und Kellnerinnen öffentlicher Wirtschaften ausdrücklich aus in den Gesetzen über Ehebruch. Das Christentum that gar nichts, um den schlechten Ruf, in dem die Aufwärterinnen in den Wirtschaften standen zu verbessern. Eine Dienerin die sich dem Gaste hingab wurde einer Prostituierten durchaus gleichgeachtet. In dem Gesetz Quae adulterium wird von den Kellnerinnen folgendermassen gesprochen: Sic vero potantibus ministerium praebuit — womit zweifellos nicht nur das Bedienen mit Speise und Trank gemeint sein soll. Für eine freigeborene Frau war es der schlimmste Schimpf, wenn man ihr vorwarf, sie sei so wie eine Kellnerin.

Auch das konstantinische Gesetz über die Ehescheidung nahm Bezug auf die Prostitution, indem unter den Scheidungsgründen die nach der Ehe ausgeübte Kuppelei aufgeführt wurde; eine Frau, die Kuppelei betrieben hatte, verwirkte damit das Recht auf ihre Mitgift und auf das in der Ehe gewonnene Vermögen. (Cod. Theod. lib. III. tit. 16. De repud.) So lebhaft die Bemühungen Konstantins waren eine durchgreifende Sittenpolizei einzuführen, so gelang ihm das doch nicht, denn die Demoralisation hatte alle Stände der damaligen Gesellschaft ergriffen. Konstantinopel hatte in jeder Strasse seine Lupanare, Weiber und Männer, die aus der Unzucht ein Gewerbe machten, wohnten in jedem Hause, und Abends strichen die Kurtisanen um die Kirchen, wie ehemals in Rom um die Theater. Die beiden Söhne Konstantins des Grossen, Konstantius und Konstanz widmeten sich mit grossem Eifer aber mit gleich geringem Erfolge wie ihr Vater, dem Kampfe gegen die überhandnehmende Unsittlichkeit. Sie verboten den Verkauf christlicher weiblicher Sklaven zum Zwecke der Unzucht; durch ihr Gesetz vom Juli 343 bestimmten sie, dass Sklaven, die von christlichen Eltern abstammten oder selbst Christen geworden waren, nur von Leuten die demselben Glauben angehörten, gekauft werden konnten; die Käufer hatten sich über ihren Glauben auszuweisen. Dieses Gesetz enthielt allerdings einige dunkle Stellen, denn man weiss nicht, ob der erste Besitzer solcher Sklaven, wenn sein Eigentumsrecht vor dem Dekret der Kaiser bereits bestand, das Recht hatte, sie zum Dienste in einem öffentlichen Hause zu zwingen. Si quis feminas, quæ se dedicasse venerationi christianae legis sanctissimae dignoscuntur, ludibriis quibusdam subjicere voluerit et lupanaribus venditas faciat vile ministerium prostituti pudoris explere, nemo alter easdem coëmendi habeat facultatem . . .

Es versteht sich aber ganz von selbst, dass das Eigentumsrecht der Kuppler und Bordellhalter an christlichen Sklavinnen so lange unbeanstandet blieb, bis die Frage eines eventuellen Verkaufes erhoben wurde; in diesem Falle war der Herr einer Sklavin, die erklärte, sie gehöre zum christlichen Glauben, nicht mehr in der Lage, sie auf öffentlichem Markte zum Verkauf zu stellen, denn er durfte sie nur an jemanden verkaufen, der nachweislich ebenfalls der christlichen Gemeinde angehörte. Der Gelehrte Godefroy erklärte in seinen Kommentaren zu dem theodosianischen Kodex, dass er dieses Gesetz als ein kluges Mittel zur Eindämmung des Sklavenhandels und zur allmähligen Abschaffung der Prostitution ansehe; denn auf Grund dieses Gesetzes hatten die Opfer der Prostitution immerhin ein Mittel, sich von hilfsbereiten Mitgliedern der christlichen Gemeinde loskaufen zu lassen. Es entspann sich unter den Christen ein förmlicher Wettlauf darum, ihr Vermögen zum Loskauf von christlichen Sklavinnen, die zur Prostitution gezwungen waren, hinzugeben. Ambrosius sagt, dass es der Kirche mehr am Herzen lag, Frauen zu erretten, die zur Ehrlosigkeit, als Männer, die zum Tode verurteilt waren.

Die Kaiser Konstantius und Konstanz gingen in ihrer Sittengesetzgebung noch weiter, indem sie jeden Mann, der sich widernatürlicher Unzucht hingab, mit der Todesstrafe bedrohten Es war dies eine Wiederauflebung der alten Lex Scantinia, die man seit sechs oder sieben Jahrhunderten nicht mehr angewandt hatte. Das neue Gesetz bestimmte die Natur des Verbrechens nicht genau und setzte auch auf die einzelne Art des Verbrechens keine genaue Strafe fest, überliess vielmehr die Würdigung des Thatbestandes und Abmass der Strafe dem freien Ermessen des Richters. Dieses Gesetz stand in direktem Gegensatze zu der Auffassung, die die Römer von der sittlichen Qualifikation des widernatürlichen Geschlechtsverkehrs gehabt hatten. Es muss aber bemerkt werden, dass der Text dieses Gesetzes uns nicht in einwandsfreier Form gehalten ist. (Cod. Just. lib. IX. tit. q. a d leg. Jul. de adult.)

Theodosius der Jüngere, der die Gesetze des römischen Kaiserreiches kodifizieren liess, hatte nicht die Absicht, die Sittenpolizeivorschriften weiter auszubauen, erklärte sich aber als den obersten Verteidiger aller Opfer der Kuppelei, die er mit noch grösserer Strenge als seine Vorgänger verfolgte. Wenn Mädchen von ihren Herrn, oder sogar von ihren eigenen Eltern zur Prostitution gezwungen werden sollten, so brauchten sie nur den Schutz der Bischöfe, der Richter oder der Polizeibeamten anzurufen; liessen ihre Verfolger auch dann nicht ab von ihrem Thun, so konnten sie zur Verbannung und zur Zwangsarbeit in Bergwerken verurteilt werden (Cod Theod. lib. XV, tit. 8, De lenonib). Das Gesetz setzt diese Strafen ausdrücklich als die leichtesten an. Einige Jahre später führte Theodosius mit seinem Amtsgenossen Valentinian zusammen einen entscheidenden Schlag gegen die Prostitution, indem er die Gewerbesteuer der Kuppelei abschaffte. Die Anregung zu dieser Vorschrift empfing der Kaiser von dem berühmten Verwalter der Prätur Konstantinopel, Florentius, der mit Schrecken gesehen hatte, wie gerade die Kuppelei in der Reichshauptstadt überhand genommen hatte. Den Ausfall den die Staatskasse durch die Abschaffung dieser Gewerbesteuer erleiden musste, erbot sich Florentius aus eigenem Vermögen zu decken. Die beiden Kaiser nahmen die Anerbieten an und erwähnten diese Thatsache zum Dank in dem Gesetz, das sie erliessen Das Gesetz beschränkt sich nicht auf die Abschaffung der Kupplersteuer, sondern wollte indirekt die Prostitution selbst treffen. Es hiess in dem Texte: „Wenn fernerhin jemand versucht, Sklavinnen, die ihm oder einem Dritten angehören, zur Prostitution zu zwingen, oder freigeborene Frauen, dann sollen die Sklaven freigelassen werden, die freigeborenen Frauen aber von ihrem Kontrakt entbunden sein. Die Urheber des Skandals sollen mit Ruten geschlagen und aus der Stadt verwiesen werden." Die Behörden waren angewiesen, mit äusserster Strenge über die Anwendung dieses Gesetzes zu wachen. Indess darf man nicht übersehen, dass die individuelle Prostitution dadurch in keiner Weise berührt war. Die Frauen, die sich auf eigene Faust einem unsittlichen Lebenswandel widmen wollten, hatten höchstens einige polizeiliche Vorschriften gegen sich, z. B. die, dass sie nicht in der Nähe der vornehmern Quartiere der Stadt wohnen durften. (Cod Just. L. Mimæ, De episc. obed.).

Der theodosianische Kodex, der ungefähr ein Jahrhundert lang in Kraft war, scheint in Bezug auf die Prostitutionsvorschriften keinerlei Modifizierungen unterworfen zu sein; es blieb bei diesen Vorschriften bis zur Regierungszeit Justinians, der die meisten gesetzlichen Vorschriften seiner Vorgänger in Kraft beliess. Wie Theodosius, so ging auch er gegen die Kuppler mit äusserster Strenge vor, und setzte so den indirekten Krieg, den die christlichen Kaiser seit mehr als zwei Jahrhunderten gegen die Prostitution führten, fort. Sein erster Erlass gegen die Kuppelei ist deshalb bemerkenswert, weil er uns in den Motiven ziemlich genaue Darstellung des geheimen Mädchenhandels in Konstantinopel um das Jahr 535 giebt. Dieses Gesetz resumiert gleichsam alles, was die kaiserliche und christliche Jurisprudenz gegen die Prostitution unternommen hatte, und was wir in Vorstehendem in seinen Einzelheiten bereits betrachtet haben. Es wurde datiert aus dem Konsulat Belisars im Jahre 535 und war an alle Behörden des östlichen Kaiserreichs gerichtet, mit dem Befehle, es durch wiederholte Bekanntmachungen thatsächlich zur Kenntnis des Volkes zu bringen. Aber dies ausführliche und strenge Gesetz konnte den Mädchenhandel und die Kuppelei nicht vollständig unterdrücken, sondern veranlasste die raffinierten Kuppler nur, bei ihren Geschäften noch vorsichtiger zu sein. Sie verlangten beim Abschluss des Geschäftes nicht nur hohe Kaution, sondern nahmen ihren Opfern auch in der Regel einen schweren Eid ab, den diese meistens nicht zu brechen wagten. Nach dem Buchstaben des damaligen Gesetzes gelang es den Kupplern auch in der Regel, die Kaution wirksam zu verwenden. Justinian sah sich deshalb veranlasst, in diesem Punkte sein Gesetz durch eine Novelle zu ergänzen (Authent. collat. V. tit. 6, nov. 51). Veranlasst wurde diese Novelle durch eine Denkschrift des Präfekten Johannes. Nach dem Wortlaut der neuen Verfügung konnte jemand, der einen solchen Schwur einem Mädchen abgenommen hatte, zu einer Strafe von zehn Pfund Gold verurteilt worden; Richter und Beamte, die bei einer Ableistung eines derartigen Schwurs hilfreiche Hand geleistet hatten, waren mit derselben Strafe bedroht. Selbstverständlich wurde der Eid selbst ohne Weiteres für hinfällig erklärt.

Das war nicht die einzige und nicht die letzte Massregel, die der Kaiser Justinian zur Bekämpfung der Prostitution traf; er verfehlte nicht, auch auf strenge Inhaltung der alten Vorschriften über die öffentlichen Bäder hinzuwirken und ergänzte sie sogar in einer Reihe von wesentlichen Punkten. Die öffentlichen Bäder der Männer waren bereits damals von den Frauenbädern getrennt; Justinian verfügte aber, dass auch in den Privatbädern eine Trennung nach Geschlechtern durchgeführt wurde. Nur verehelichte Personen durften zusammen baden. Frauen durften aber nicht mit andern Männern zusammen im Bade sein und auch nicht einmal mit ihren eigenen Kindern. Männer, die mit fremden Weibern zusammen badeten, konnten durch den Verlust der Mitgift ihrer Frauen bestraft werden. Aehnliche Vorschriften kann man im Kodex Justinianus noch mehrfach auffinden. (Cod. Just. De repud. l. 1 et nov. 22 De nupt.)

Die Nachfolger Justinians fügten seiner Gesetzgebung nur sehr wenig hinzu und erhöhten nur die Strafe auf Kuppelei mehrfach. Was die Prostituierten selbst anbetraf, so standen sie gewissermassen unter staatlichem Schutz, wurden allerdings in Konstantinopel und anderen grossen Städten sehr genau überwacht und strengen Polizeivorschriften unterstellt.

Geschichte der Prostitution.

Christliche Aera.

Frankreich.

I. Kapitel.

Gallier und Kymrer vor dem Eroberungszuge Julius Caesars. — Die Prostitution konnte bei diesen Völkern keine regelmässige und dauernde Einrichtung sein. — Wie die Germanen Frauen behandelten, die der Prostitution überführt worden waren. — Die Ehe bei den Kelten. — Der Frauensenat. — Die dem weiblichen Geschlechte bei den Galliern zugebilligte Superiorität. — Die Flussprobe. — Der Rhein als „Richter". — Privatleben der gallischen Frauen. — Die Grundsätze ihres Verhaltens. — Die tugendhafte Chiomara. — Ehrenbeleidigungsklagen wurden vor einem aus Frauen zusammengesetzten Gerichte erledigt. — Abscheu der Germanen und Gallier vor Prostituierten. — Gastfreundschaft bei den Galliern. — Der druidische Gottesdienst. — Götter niederen Ranges. — Gallische Theogonie. — Einzelne Gottheiten. — Geschichte der schönen Camma. — Wie Eponina ihrem Gemahl Sabinus Treue hielt. — Sittenlosigkeit bei den Galliern. — Galliens Eroberung durch Julius Caesar. — Zerstörung des druidischen Kults. — Die Prostitution bei den Galloromanen. — Beginnende Korruption der keltischen Race. — Die Kurtisane Crispa. — Eindringen der Franken. — Sittenreinheit der fränkischen Stämme. — Salisches Recht.

Es ist fast unmöglich nach den uns überlieferten Quellen über den moralischen Charakter der Gallier und Kymrer, die fünfzehn oder sechzehn Jahrhunderte vor der christlichen Aera Gallien bewohnt haben, ein Urteil zu fällen; wissen wir doch nicht einmal etwas Genaueres über den Ursprung dieser Völkerschaften. Natürlich kann man deshalb auch über die Spuren der Prostitution bei ihnen nur mehr oder weniger unbestimmte und unbegründete Hypothesen aufstellen. Durchgehen wir die kleine Zahl der lateinischen und griechischen Schriftsteller, die uns die primitive Tradition von den ersten Einwohnern Galliens überliefert haben, so können wir ihnen entnehmen, dass damals eine legale Prostitution dort nicht bestand; aber wir haben Anlass anzunehmen, dass mit dem druidischen Gottesdienste eine Art religiöser Prostitution verbunden gewesen ist. Was die gastliche Prostitution anbetrifft, so darf man vermuten dass sie bei diesem stolzen und gastfreundlichen Volke keineswegs im Schwange war. Indessen darf man sich wohl doch keine zu übertriebene Vorstellung von der Reinheit der gallischen Sitten machen.

Nach den Ueberlieferungen spielte das Weib unter den Galliern eine ausserordentlich grosse Rolle; wir haben es da wohl noch mit Resten der sogenannten Mutterherrschaft zu thun, mit deren Wesen eine legale Prostitution unvereinbar erscheint. Unter diesen Umständen hatte eine Frau nicht einmal das Recht, sich einem anderen hinzugeben oder zu verkaufen. Wenn Prostitution wirklich betrieben worden ist, so kann es sich nur um isolierte und seltene Fälle handeln. Zweifellos gab es auch unter den Galliern und den Kymrern Männer und Weiber, die einer lockeren Lebensführung geneigt waren, aber die sozialen Einrichtungen und die strenge Kontrole des Stammeslebens haben ihnen zweifellos enge Grenzen gezogen. Gewerbsmässige Prostitution bestand sicher nicht. Wir wissen von den alten Germanen, bei denen die Frauen aus verwandten Ursachen eine ganz ähnliche soziale Stellung einnahmen, dass diejenigen, die bei einem Akte der Prostitution ertappt wurden, der Stammeszugehörigkeit verlustig gingen Manchmal wurden derartige Frauen sogar gesteinigt. Nach der Darstellung des Athenäus wählten die jungen Mädchen bei den Kelten ihre Männer frei. Bei irgend einer festlichen Gelegenheit führten die Eltern eine heiratsfähige Tochter den jungen Männern vor und überliessen ihr die Wahl unter den Bewerbern. Während die jungen Männer sich einem Trinkgelage hingaben und vor den jungen Mädchen mit ihren kriegerischen Thaten paradierten, war diesen Gelegenheit gegeben, ihre Wahl zu treffen. Am Ende des Gelages erklärte das Mädchen, welchen der Teilnehmer es gewählt hatte und brachte ihm zugleich Waschwasser; wahrscheinlich sollte durch diese Waschung symbolisch die Reinheit des nunmehr beginnenden ehelichen Verhältnisses angedeutet werden. Entsprechend den sozialen Verhältnissen in der Periode des Mutterrechts spielten unter den Galliern die Frauen auch in öffentlichen Angelegenheiten eine ausserordentliche, grosse Rolle. Es gab sogar eine Art von Frauensenat, der aus sechzig Repräsentantinnen der sechzig vornehmsten gallischen Gaue gebildet war. Dieser Senat, dessen Existenz bis etwa ins zwölfte Jahrhundert vorchristlicher Zeit zurückgreift, übte einen grossen Einfluss auf die politischen Verhältnisse des Landes aus.

In den Zeiten, bis zu welchen unsere geschriebene Ueberlieferung zurückreicht, hatte der Mann über sein Weib und seine Kinder das Recht über Leben und Tod; man darf wohl annehmen, dass in gewissen schweren Fällen von diesem Rechte auch in seiner strengsten Form Gebrauch gemacht wurde Wenn dem Manne Zweifel an seiner Vaterschaft aufgekommen waren, so setzte er das neugeborene Kind unmittelbar nach der Geburt in einen grossen Schild, den er in die Fluten des nächsten Flusses stiess Trug die Flut den Schild mit dem Kinde auf das Ufer, wo die Mutter seiner harrte, dann war der Beweis für deren Schuldlosigkeit geliefert; kam das Kind aber in den Fluten um, dann war damit bewiesen, dass der Fluss die Frucht des Ehebruches nicht tragen wollte, und die Mutter musste ihrerseits die Todesstrafe erdulden. Diese schreckliche Strafe zeigt uns aber ganz deutlich, dass doch derartige Fälle vorgekommen sein müssen, da sonst ein derartiges Gesetz und ein derartiger Brauch keinen Sinn gehabt hätten.

Unter den Flüssen stand der Rhein besonders in dem Rufe gegen die ungetreuen Frauen von unbestechlicher Strenge zu sein; die Urteilssprüche, die dieser Fluss sprach, galten als durchaus sicher. In einem seiner Briefe spricht der Kaiser Julian von diesem alten Aberglauben, den er an den Ufern des Rheins beobachtet hatte. Eine Stelle in einem alten Schriftsteller sagt, dass die Anwohner des Rheins jedes neugeborene Kind der Flussprobe auszusetzen pflegten. Ehebrüche müssen bei den Galliern, wie bei den alten Germanen sehr selten gewesen sein; ereignete sich aber der Fall, dann hatte der Mann nicht nötig vor einem Gericht Klage zu erheben, da er Richter und Strafvollstrecker in einer Person war. Severa illic matrimonia, sagt Tacitus.

Allgemein herrschte bei den Galliern Einzelehe; die Häupter und die hervorragensten Mitglieder der Clans hatten aber in der Regel mehrere Frauen zum Zeichen ihrer Würde, nicht aus Lust an der Ausschweifung wie Tacitus ausdrücklich bemerkt. Das Klima Galliens, eines Landes, das mit Sümpfen und dichten Wäldern bedeckt war, war in der That einem ausschweifenden Leben ebenso wenig günstig, wie das Temperament der Bewohner. Die Frauen lebten ziemlich zurückgezogen und waren von den religiösen und kriegerischen Stammeshandlungen ausgeschlossen. Uebereinstimmend wird uns gemeldet, dass sie stolz und voller Selbstbewusstsein gewesen seien. Gemäss dem in dem Volke verbreiteten

Grundsatz, dass eine Frau nur einem Manne angehören durfte, scheute man sich in Gallien allgemein zu einer zweiten Ehe zu schreiten. Das Gesetz gestattete indessen Witwen die Wiederverehelichung, wie man schon aus dem Grundsatze des bei einigen Stämmen üblichen Gewohnheitsrechtes entnehmen kann, wonach eine Frau Strafe erleiden sollte, wenn sie zwei Männern, die gleichzeitig lebten, zugleich angehörte. Die tugendhafte Chiomara, von der uns Plutarch in seinen Abhandlungen von berühmten Frauen erzählt, verletzte lieber die Heiligkeit des Völkerrechtes, als dass sie den Urheber ihrer Entehrung geschont hätte. Chiomara war die Frau des Ortiagontes, Häuptlings der asiatischen Gallier oder Galater, die von den Römern im Jahre 565 unterworfen waren. Plutarch erzählt uns nicht, ob Chiomara schön war, aber er teilt uns mit, dass sie von dem römischen Hauptmann, der sie zur Gefangenen gemacht, durch Vergewaltigung tötlich beleidigt worden war. Sie that so, als ob sie die Beleidigung still über sich ergehen lassen würde; als aber ihr Gemahl Lösegeld für sie schickte, da sagte sie in ihrer gallischen Sprache, dass auch sie ein Lösegeld zu fordern habe. Geschickt lockte sie den römischen Hauptmann in einen Hinterhalt und liess ihm von den Leuten des Ortiagontes, die sie zu ihrem Gemahl zurückbegleiten sollten, den Kopf abschlagen. Ihr Gemahl, dem sie das blutende Haupt überbrachte war entrüstet über den Mord, der das Völkerrecht verletzte, sie aber sagte: „Gewiss, habe ich das Völkerrecht verletzt, aber ich konnte es nicht ertragen, dass ausser Dir ein Mann auf der Erde lebte, der sich hätte rühmen können, mich besessen zu haben."

Wenn der Ehebruch schon so selten bei den Galliern war, so hat man begründete Ursache zur Annahme, dass auch die Prostitution dort nicht häufig vorkam. Uebrigens stand den Frauen nach druidischem Recht das Urteil in Beleidigungssachen zu. Duclos, der diese Eigenthümlichkeit in einer Abhandlung über die Druiden erwähnt, fügt hinzu, dass in einem Vertrage zwischen den Galliern und Karthagern aus der Zeit Hannibals, bestimmt worden war, dass wenn ein Gallier sich von einem Karthager für beleidigt hielt, die Sache vor den Magistrat von Karthago ausgefochten werden musste, dass hingegen wenn ein Karthager sich für beleidigt hielt, die gallischen Frauen als Richter fungieren sollten. Es existierte demnach ein Tribunal von Frauen, das in Beleidigungssachen Urteile fällte. Die barbarischen Völker waren nicht weniger empfindlich in gewissen Punkten, als die Griechen und Römer, und von allen Beleidigungen, die man einer Frau zufügen konnte, war die schwerste, sie eine Prostituierte zu nennen. Wir werden später sehen, dass Rotharis, König der Lombarden, auf eine solche Beleidigung eine schwere Strafe setzte. Derartige Wortbeleidigungen scheinen um so häufiger gewesen zu sein, je unbegründeter sie in den Thatsachen waren. Wenn aber die gallischen Frauen die Rechtsprechung in Beleidigungsprozessen inne hatten, dann mussten sie notwendiger Weise auch Kenntnis von den Thatsachen der Prostitution haben, da sie sonst ja eine derartige Beleidigung nicht zu würdigen gewusst hätten.

Die Gastfreundschaft war, wie wir schon bemerkt haben, bei den Galliern ausserordentlich ausgebildet; sie hielten es für ein strafwürdiges Verbrechen, einem Fremden die Thüre zuzuschliessen oder einem Gaste, nachdem sie ihn aufgenommen hatten, Uebles zuzufügen. Der Gast wurde Bruder, Freund und geheiligte Person; aber seine erste Pflicht war, das Ehebett des Mannes zu respektieren, der ihn herzlich aufgenommen hatte. Der Gallier war viel zu eifersüchtig auf seine Mannesehre, um jemals sich zu Konzessionen auf dem Gebiete der gastfreundlichen Prostitution herbeizulassen. Auch die religiöse Prostitution hatte sicherlich in dem reinen druidischen Kult, der einen durchaus metaphysischen und mysteriösen Charakter trug, keinen Platz. Die Druiden waren Philosophen, meistens bejahrte Männer, die in tiefer Einsamkeit gemeinsam lebten. Mit ihren Stammesgenossen kamen sie nur selten und bei Gelegenheit der hohen religiösen Feste zusammen. Der Gottesdienst war nicht pompös und nicht auf Aeusserlichkeiten berechnet; häufig waren Menschenopfer damit verbunden. Uebrigens waren die Druiden nicht allein Priester, sondern in ihren Händen ruhte auch die Gesetzgebung, ein Teil der Verwaltung und die öffentliche Erziehung; sie unterrichteten in den Wissenschaften und in den heiligen Lehren ihrer philosophischen Religion. Hie und da fand man bei den Galliern auch weissagende Jungfrauen; sie verbargen sich in Höhlen und pflegten nachts, meistens wenn ein Gewitter am Himmel stand, ihre Weissagungen auszusprechen. Trotz des hohen Rufes, mit dem man die berühmte Velida umkleidet hat, darf man annehmen, dass diese Druidinnen im Allgemeinen alt und hässlich waren. Nach Plinius erschienen sie bei den Ceremonien ganz nackt, den Körper mit Oel gesalbt und schwarz gefärbt. (Toto corpore oblitæ quibusdam in sacris et nudæ incedunt, Aethiopum colorem imitantes. Plinius, Hist. nat. lib. XXII.)

Wenn auch die religiöse Prostitution in dem erhabenen druidischen Kultus keinen Raum fand, so kann man doch annehmen, dass es nebenbei noch Altäre für gewisse Gottheiten zweiten Ranges gegeben hat, und bei den Galliern werden sich zweifellos auch der Prostitution zugeneigte Naturen, wie bei allen anderen Völkern gefunden haben, wenn sie auch seltener und weniger auffallend waren. So wird uns berichtet, dass hie und da Leute auftauchten, die die Darbringung der Jungfrauenschaft als ein den Göttern angenehmes Opfer erklärten; auch sollen unter den Druidinnen einzelne gewesen sein, die mit dem Geschäfte der Weissagungen auch noch etwas anderes verknüpft haben. Vielleicht führt ein Teil der mittelalterlichen Märchen von den bösen Frauen und Feen, die in den Wäldern hausten, auf die Erinnerungen an einzelne dieser Druidinnen zurück; indessen, irgend etwas Sicheres darüber anzugeben, ist niemand in der Lage.

Ueber die Theogonie der Gallier ist uns nur ausserordentlich wenig und sehr Unzuverlässiges überliefert worden. Man hat infolgedessen über die Attribute der Gottheiten keine näheren Angaben, und es sind uns zum Teil nur die Namen überliefert worden. Indessen darf man aus einzelnen aufgefundenen Bildwerken schliessen, dass diese Gottheiten häufig in ihrer Versinnbildlichung nicht dezenter waren, als die von Italien und Griechenland. So wurde die Göttin Onuava, welche die Archæologen des 17. Jahrhunderts mit der persischen Gottheit Mithra zusammengeworfen haben, dargestellt durch einen Frauenkopf mit grossen Ohren und zwei mächtigen ausgespannten Flügeln, auf dem Haupte zwei Schlangen, die gleichsam eine Krone bildeten. Dieses Bildnis stellt allegorisch die sinnliche Lust dar, die sich bald hier bald dort hin wendet und überall einschleicht, um ihre Opfer zu finden. Die emblematische Schlange spielt überhaupt in der druidischen Religion eine grosse Rolle, und man schrieb dem Auffinden und dem Besitze eines ovalen fossilen Steines von brauner oder weisser Farbe, den man das Schlangenei nannte, eine besonders glückbringende Kraft zu. Dieses Schlangenei gab den Menschen, die es besassen, nach der Meinung der damaligen Zeit, eine besondere Vermehrungskraft. Der Gott Gourm wurde dargestellt als ein nackter Hermaphrodit mit einem Hundskopfe. Die Göttin der Liebe, deren gallischen Namen die Römer, als sie ihren Kultus mit dem der Venus verbanden, durch das Wort Murcia ausdrückten, hatte weiter keine Personifikation als einen schwarzen Stein oder Granitfelsen in konischer Form. Der Gott Marun, den die Römer mit ihrem Mars identifizierten, war der besondere Beschützer bei Reisen im Gebirge; als Attribut hatte man ihm einen Phallus gegeben.

Von den Vorstellungen, die sich die Gallier von ihren Göttern machten, ist uns zu wenig überliefert worden, als dass wir daraus irgend welche Rückschlüsse auf die Verbreitung der Prostitution bei ihrer Völkerschaft machen könnten. Man weiss nur, dass besonders in der Bretagne an die Existenz von mächtigen Riesen geglaubt wurde, die sich in besonderen Nächten Ausschweifungen hingaben. Auch sollte es Gottheiten geben, die Nachts die Reisenden halb mit Schmeichelei halb mit Gewalt zu ihren Diensten zwangen. Augustinus spricht in seinem Gottesstaate davon, dass überall die Meinung verbreitet wäre, dass gewisse Dämonen, die man bei den Galliern Dusinen nannte, schlafenden Personen allerhand böse Träume vorgaukelten. Augustinus meint, dass die Existenz dieser Dämonen, die an der Erregung von lasciven Träumen ihre Freude hatten, von zu vielen Personen bezeugt worden sei, als dass man ihre Existenz in Zweifel ziehen könne. Zur Sittengeschichte der Gallier dürfen wir noch anführen, was Strabo im vierten Buch seiner Naturgeschichte sagt, nämlich, dass die Gallier, Frauen sowohl als Männer, ausserordentlich putzsüchtig gewesen seien; so die einen, wie die andern erschienen sie immer beladen mit Ketten, goldenen Ringen, goldenen Gürteln und anderen Schmuckstücken. Die höchststehenden Personen, die von vornehmster Abkunft, trugen sogar Diademe und Kronen, die mit Edelsteinen verziert waren. Nun ist es aber eine allgemein bekannte Thatsache, dass die Luxus-Industrie bei primitiven Völkern fast regelmässig in irgend welchen Beziehungen zum sexuellen Leben steht.

Wir haben schon an dem Beispiel der Chiomara gesehen, dass die eheliche Treue eine der vornehmsten Tugenden der gallischen Frauen war. Plutarch erzählt uns noch die Geschichte einer anderen Galaterin Namens Camma, die eine der schönsten Frauen ihrer Nation gewesen sein soll. Der Gallier Sinorix entbrannte in heftiger Liebe zu ihr; da er aber wusste, dass sie ihm unter keinen Umständen angehören würde, so lange ihr Mann lebte, tötete er ihren Gemal, der ein Römer war und sich Sinatus nannte. Camma flüchtete in einen Tempel der Diana. Dorthin folgte ihr Sinorix; Camma bezwang mit äusserster Anstrengung ihre Abneigung gegen den Mörder ihres Gemals und gab anscheinend ihre Zustimmung dazu, sein Weib werden zu wollen; aber am Hochzeitstage reichte sie ihm den Giftbecher, den sie dann nach ihm zur Hälfte ausleerte. Sie starb mit einem Fluch gegen den Mörder ihres Gemals auf den Lippen. Die Treue der Eponina zu ihrem Gemal Sabinus ist noch erhabener, als die der Camma, weil sie sich über zehn Jahre erstreckte. Und doch waren die Gallier, die ihren Frauen eine solche Liebe einzuflössen verstanden, ihrerseits gar keine Muster von Treue. Der grosse Geschichtsschreiber Michelet sagt in seiner Geschichte Frankreichs, sie seien von sehr leichten Sitten gewesen und hätten sich in ihren Eingebungen blind vom Zufall leiten lassen. Wenn die Gallier ihre Frauen respektierten, so respektierten sie das eigene Geschlecht um so weniger und gaben sich vorzugsweise nach grossen Festlichkeiten starken Verirrungen gegen die Natur hin, und doch kann man nicht sagen, dass sich diese Zustände als das Produkt einer überfeinerten Civilisation, wie bei den Römern und Griechen, bei ihnen eingestellt hätte. Diodorus von Sizilien beschreibt uns solche Gelage und die Ausschweifungen der Gallier. Der griechische Text lautet in der lateinischen Uebersetzung folgendermassen: Feminae licet elegantes habebant, nimium tamen illorum consuetudine afficiuntur, quia potius nefariis masculorum stupris, et humi ferarum pellibus incubantes, ab utroque latere cum concubinis volutantur. Et quod omnium indignissimum est proprii decoris ratione posthabita, corporis venustatem aliis levissime prostituunt, nec in vitio illud ponunt, sed potius cum quis oblatam ab ipsis gratiam non acceperit, inhonestum sibi id esse dicunt. Es wird uns auch ausdrücklich überliefert, dass Fälle von Bestialität bei den Galliern sehr häufig gewesen seien.

Das war etwa der moralische Zustand Galliens als Julius Caesar das Land der römischen Herrschaft unterwarf; das leichte und impressionable Naturell der Gallier gestattete ihnen eine ausserordentlich schnelle Gewöhnung an die Sitten ihrer Besieger; sie wurden Römer, behielten aber alle ihre Fehler und Eigenschaften; von Marseille aus waren sie übrigens griechischen und auch phönizischen Einflüssen zugänglich gewesen. Nach der Unterwerfung unter das Römerreich herrschte römische Sitte und römische Lebensauffassung in ganz Gallien bis tief nach Belgien hinein. Auch der druidische Gottesdienst musste römischen Vorbildern weichen, aber länger noch als zwei Jahrhunderte blieben Spuren davon erhalten. Römische und griechische Sitten, römische Gesetzgebung und der ununterbrochene Verkehr mit Griechen und Römern veränderten die Lebensgewohnheiten des Volkes von Grund aus. Ueber den Zustand der Prostitution bei den Galloromanen ist uns nichts Genaueres überliefert worden; wir dürfen aber annehmen, dass auch in diesem Punkte keine wesentlichen Unterschiede zwischen gallischen und römischen Gebräuchen bestehen blieben. Möglich und wahrscheinlich ist es, dass die gallischen Frauen, deren Stolz und Zurückhaltung uns von allen antiken Schriftstellern bezeugt wird sich fern hielten; aber es gab nach der römischen Invasion Ausländerinnen genug im Lande. Alle Gouverneure, Offiziere und Verwaltungsbeamte, die von Rom aus nach Gallien geschickt wurden, führten eine Menge von Tross mit sich. Der leichte Charakter der gallischen Bevölkerung wird sich bald in diese Veränderung gefügt haben, und es steht fest, dass die Gelage des Julius Sabinus zu Langres nicht hinter denen des Lucullus zu Rom zurückstanden.

Ohne Zweifel machte sich die Veränderung in den Sitten, die mit der römischen Okkupation in Gallien einzog, auf dem Lande nicht so bemerkbar wie in den Städten; aber römische Götter und Göttinnen wurden überall mit demselben Eifer verehrt. Herkules, Bacchus, Venus, Isis und Priap hatten bald überall Tempel und Statuen, und zogen durch die eigene Art ihres Kultus eine Menge von Verehrern an. Die Gallier zeigten eine ausgesprochene Vorliebe grade für diese Gottheiten, die am ehesten ihrer leichterregbaren Sinnlichkeit zusprachen. Das was in solchen Fällen immer zu geschehen pflegt, ereignete sich auch hier: dass das unberührte und naive Volk sehr bald die äusserste Stufe von Ausschweifungen erklomm, die in einer überfeinerten Civilisation geboren waren. Man muss die Gedichte des Ausonius, eines Gelehrten aus Bordeaux, der der Lehrer des Kaisers Gratian war, lesen, um sich einen Begriff von der rasch fortschreitenden Korruption der gallischen Bevölkerung machen zu können. Ausonius billigt diese lockeren Sitten keineswegs, aber er beschreibt sie so, wie ein Mann, der sie selbst durchlebt hatte. Alles was eine erregte menschliche Phantasie an Ausschweifungen ersinnen kann, ist in diesen Gedichten des Ausonius geschildert worden und zwar mit nicht weniger Kraft, als was Juvenal und Horaz geschrieben. Die Gedichte des Ausonius an die berühmte Kurtisane Orispa sind vielleicht das Stärkste was von derartiger Litteratur aus der Antike auf uns gekommen ist. Welche Veränderungen in diesem Leben der Eintritt der Franken und ihres eigenartigen salischen Rechts hervorriefen, das werden wir im Folgenden sehen.

II. Kapitel

Die Franken. — Freigeborene Frauen und Sklavinnen. — Die Lage der freigeborenen Frauen bei den Franken. — Eine legale Prostitution existierte nicht bei den Franken. — Die Konkubinen. — Religiöse Prostitution war den Franken unbekannt. — Die Frühlingsfeste mit ihren Ausschweifungen. — Ursprung der Narrenfeste. — Fränkische Gastfreundschaft. — Die Lage der verwitweten Frauen. — Der Jungfrauenpreis bei den Burgundern. — Heiratsgeld und Heiratsgut. — Gesetz zum Schutz der weiblichen Schamhaftigkeit. — Der Kodex des Rotharis. — Die Beleidigungen einer Frau. — Feine Unterscheidungen. — Der Prostitutionsmarkt. — Die Härte der ripuarischen Gesetze gegen Verletzungen weiblicher Ehre und Schamhaftigkeit. — Die zwei Grade der Strafe der Kastration. — Die Jurisdiktion der Barbaren in Sachen der Prostitution. — Dekret des Dekaredes, Königs der Wisigothen.

Die Franken hatten, als sie in die Geschichte eintraten, die Periode des Mutterrechts bereits überwunden und erkannten keine Suprematie des weiblichen Geschlechts an. Bei ihnen war die Frau nicht, wie bei den Galliern und bei den Germanen, mit einem gewissen Nimbus umgeben, sondern sie hielt sich fern von allen öffentlichen Angelegenheiten und stand beständig unter väterlicher und ehemännlicher Gewalt. Bei dem rohen und rauhen Volke hatte sich kaum ein bemerkenswerter Grad von Prostitution gezeigt; wo immer sie einmal auftauchte, da blieb sie sorgfältig in der Verborgenheit.

Der fränkische Stamm teilte sich in zwei grosse Klassen, diejenige der Freigeborenen und diejenige der Sklaven. Wahrscheinlich gehörten die letzteren den Ueberbleibseln irgend eines unterworfenen Stammes an. Die Scheidelinie zwischen diesen beiden Klassen wurde mit besonderer Deutlichkeit unter den Frauen gezogen. Unfreigeborene Frauen gehörten einem Herrn an, freigeborene nur ihren Eltern oder ihrem Gatten. Eine Frau und eine Tochter, eine Verheiratete oder eine Witwe hatte niemals das Recht, über sich selbst zu disponieren, sondern stand stets unter Vormundschaft. Der Clan in seiner Gesamtheit konnte Rechenschaft über ihr Verhalten fordern, wenn eine der Verantwortung gegen ihren Mann oder gegen ihren Vater ledig war. Unter diesen Umständen konnte eine fränkische freigeborene Frau überhaupt nicht wagen, sich der Prostitution hinzugeben, weil sie dadurch ihre Stellung verloren hätte und auf den Rang einer Sklavin herabgedrückt worden wäre; da andrerseits jede Sklavin ihren Herrn besass, so konnte diese gleichermassen sich nicht dem Ersten Besten hingeben, ohne dafür von ihrem Herrn zur Verantwortung gezogen zu werden. Uebrigens können wir auch hier wieder die Bemerkung machen, dass zu allen Zeiten und in allen Ländern die Frauen das sind, was die Männer aus ihnen machen; die Franken aber waren trotz ihrer rauhen Sitten und ihres kriegerischen Mutes keineswegs zur Sinnlichkeit geneigt. Ihre Ehen waren unlöslich und dienten dem einzigen Zwecke, möglichst viele männliche Kinder zu erzeugen; um diesem Ziel nahe zu kommen, nahmen die Franken neben ihren Frauen öfter noch eine Konkubine in ihr Haus auf, die zweifellos zumeist aus dem Sklavenstande gewählt wurde. Die fränkischen Frauen führten im Allgemeinen ein sehr zurückgezogenes Leben, nährten und erzogen ihre zahlreichen Kinder, führten das ganze Hauswesen und folgten ihren Männern weder in den Krieg, noch auf die Jagd, noch in die Stammesversammlungen. Sie spannen das Garn und webten selbst ihre Gewänder, bereiteten die Mahlzeit und hüteten das Haus. Das Volk befand sich noch in der Periode der fast reinen Naturalwirtschaft und der geschlossenen Hauswirtschaft.

Auch in der Religion der Franken findet sich nichts, was einer religiösen Prostitution besonders günstig gewesen wäre. Die Religion war ein roher Naturgottesdienst, bei dem die Elemente, Wasser, Feuer, Erde, Sturm, Mond und Sonne, angebetet wurden. Viel Genaueres ist uns über diese Religion nicht erhalten geblieben, und das, was Gregor von Tours uns darüber erzählt hat, hat keinen grossen Wert. Spuren des Kultus mögen sich in der Bevölkerung erhalten haben, und sind wenigstens für längere Zeit hindurch nachweisbar. So werden z. B. in einer Aufzählung heidnischer Gebräuche, die infolge der Synode von Leptines im Jahre 743 aufgestellt wurde, wilde Feste im Monat Februar erwähnt, in denen man vielleicht den Ursprung des Karnevals zu suchen hat. In den Denkwürdigkeiten der Akademie von Brüssel sagt Desroches über diese Festlichkeiten: „Gegen Ende des Monats Januar verkleideten sich die Weiber in Männer und die Männer in Weiber; sie nahmen Häute und Hörner und verwandelten sich so in wilde Tiere. Alle liefen durch die Strassen, heulten, sprangen und begingen tausenderlei Tollheiten." Das war der Ursprung der Narrenfeste, die in der christlichen Kirche bis ins achtzehnte Jahrhundert dauerten. In dem Indiculus der Aberglauben, der uns eher fränkischen als gallischen Ursprunges zu sein scheint, wird von Frauen erzählt, die den Mond verehrten und das Herz der Männer verzehrten; man nannte sie Strien und sie erschienen den Franken so verdächtig, dass sie sie des geheimen Einverständnisses mit bösen Geistern beschuldigten. Wir werden annehmen dürfen, dass diese Strien, die im dichten Walde wohnten, dort eine Art von Prostitution ausübten.

Die Franken waren berüchtigt, weil sie keinerlei Rücksicht auf Eidschwüre nahmen, und trotzdem beachteten sie sorgfältig die Regeln der Gastfreundschaft, wie uns Salvin versichert. Aber diese Gastfreundschaft setzte keinerlei Verkehr des Gastfreundes mit der Frau oder den Dienerinnen des Hauses voraus; diese vermieden vielmehr, sich zu zeigen, während die beiden Männer aus einem Kruge zu trinken pflegten und häufig ihre Schmuckstücke gegenseitig austauschten. Nicht nur, dass die Franken ihre Frauen, Töchter und Sklavinnen nicht zur Prostitution mit ihrem Gastfreunde zwangen, waren sie im Gegenteil ausserordentlich eifersüchtig; dabei hatte sowohl der Mann wie der Vater und der Herr das Recht über Leben und Tod der Sklavin, Tochter oder Gemalin. Von diesem Rechte wurde häufig Gebrauch gemacht, und ein Mann, der seine Frau getötet hatte, lediglich, um eine andere heimzuführen, wurde nur dadurch gestraft, dass er seine Waffen ablegen musste. Dass eine Frau, die Ehebruch getrieben hatte, getötet wurde, war ein durchaus selbstverständlicher Rechtssatz.

Wir haben schon oben erwähnt, dass eine Witwe dem ganzen Clan für ihren sittlichen Lebenswandel verantwortlich blieb. Wollte sie sich wieder verheiraten, so musste sie eine Art von Zoll oder Busse zahlen an diejenigen, die dem Verstorbenen am nächsten gestanden hatten, oder an den Fürsten und König des Stammes und dieser Zoll bestand in $3^1/_2$ Goldstücken. Das burgundische Gesetz sagt, dass eine Witwe, die mit irgend einem Manne Umgang gepflogen hatte, keinerlei Entschädigung dafür zu beanspruchen habe und auch nicht die Ehe verlangen könne, weil die Prostitution sie unwürdig gemacht habe, einen Mann zu ehelichen oder auch nur eine Entschädigung zu erhalten. Dasselbe Gesetz billigt aber einer freigeborenen Burgundin, die von einem Barbaren oder von einem Römer verführt worden war, das Recht auf eine Entschädigung von fünfzehn Goldstücken zu; immerhin blieb ein derartiges Weib der allgemeinen Missachtung preisgegeben. Ein Franke oder ein Burgunder, der ein freigeborenes Mädchen heiraten wollte, war verpflichtet, ihr vor der Ehe eine gewisse Entschädigung zu zahlen und dieser Ehegebrauch hat sich bis auf die heutige Zeit erhalten, obschon seine Bedeutung durch die Symbolisierung der christlichen Kirche einigermassen verändert worden ist. Ursprünglich war sie vielleicht weiter nichts als eine gewisse Entschädigung für den Verlust der Jungfrauenschaft, das einzige Gut, das die Frau damals besass. Eine Mitgift, die der Mann bei der Heirat empfing, legte ihm nur die Verpflichtung auf, die Frau zu ernähren. Starb die Frau, so fiel die Mitgift wieder an die Familie der Frau zurück. Geschenke, die der Mann der Familie seiner Frau machte, waren im Grunde genommen kaum etwas anderes als ein Kaufpreis, den er für den Besitz der Frau zahlte.

Das Gesetzbuch schützte die Frauen in allen Fällen, in denen ihre Schamhaftigkeit verletzt werden konnte; aber die Frauen hatten die Verpflichtung, sich dieses Schutzes würdig zu zeigen. Wir dürfen deshalb annehmen, dass die vorhin erwähnten seltenen Prostituierten dieses Schutzes entraten mussten. Aus einem Artikel des salischen Gesetzes geht hervor, dass eine Untersuchung angeordnet werden konnte, wenn eine Frau sich beim Richter über die Verletzung ihrer Schamhaftigkeit beklagte. Es ist klar, dass jemand, der der Verletzung eines Weibes angeklagt war, sich mit der Behauptung verteidigen konnte, die Frau sei unwürdig, den Schutz des Gesetzes zu geniessen. Uebrigens wurde Beleidigung der Frauen, wenn es überhaupt zu einem Urteil kam, sehr streng bestraft. Daraus geht nun wieder hervor, mit welcher Verachtung die Franken auf Prostituierte herabblickten. Was das Untersuchungsverfahren anlangt, so können wir daraus nur aus anderen Ueberlieferungen schliessen; die prozessualen Gepflogenheiten des fränkischen Volkes liessen den Eid, den Zweikampf und Zeugenbeweis zu.

Von dem salischen Gesetz, das zu verschiedenen Zeiten und in verschiedenen Gauen kodificiert worden ist, finden sich mannigfaltige Abweichungen; besonders zahlreich sind diese Abweichungen im dreiunddreissigsten Abschnitt, der von den Strafen handelt, die auf verletzte

Frauenehre gesetzt waren; man kann daraus schliessen, dass in der Beurteilung der Prostitution Verschiedenheiten vorhanden waren. In dem von Karl dem Grossen herausgegebenen Gesetzbuche ist die Strafe von 7500 Denare auf 800 Denare herabgesetzt, an andern Stellen des Gesetzes sogar auf 600. Vergleiche über den Geldwert dieser Strafe anzustellen, hat keinen grossen Wert. Aber wir können schliessen, dass die Strafe an sich sehr hoch war, wenn wir beachten, dass eine Strie, die überführt war, Menschenfleisch gegessen zu haben, nur eine Busse von achthundert Denare zu zahlen hatte.

So verschiedenartig die barbarischen Gesetzgeber die Strafen für einzelne Vergehen festsetzten, so stimmten sie doch darin überein, dass es die schwerste Beleidigung für eine freigeborene Frau sei, wenn man sie der Prostitution beschuldigte; alle Gesetzgeber stimmen aber auch darin überein, dass dem Beleidiger die Führung des Wahrheitsbeweises zugebilligt werden musste, indess ist der Text des salischen Gesetzes sehr kurz und sehr dunkel. Wir haben aber in dem lombardischen Gesetz des Rotharis ein Kapitel, das ungefähr die gesammte fränkische Gesetzgebung über das heburgium enthalten mag. Das Gesetzbuch des Rotharis, das im Jahre 643 veröffentlicht wurde, stützt sich nachweislich auf das salische Gesetz und giebt uns mannigfaltige Fingerzeige zur Interpretation desselben. Nach diesem Kodex musste jemand, der ein Mädchen oder eine Frau mit lauter Stimme eine Prostituierte gescholten hatte, entweder eine Strafe zahlen, oder seine Aussage beweisen. Im ersten Falle musste er im Beisein von zwölf Schwurzeugen schwören, dass er die Beleidigung im Zorn ausgesprochen habe und sie nicht beweisen könne; darauf musste er eine erhebliche Geldstrafe zahlen und versprechen, eine solche Beleidigung nicht zu wiederholen. Bestand aber der Beleidiger auf seiner Beleidigung und behauptete, den Beweis erbringen zu können, dann wurde er zum Gottesurteil zugelassen und musste mit jedem kämpfen, den ihm die beleidigte Frau entgegenstellte. Wenn der Ausgang des Kampfes bewies, dass die Beleidigung begründet gewesen war, dann musste die Frau eine hohe Geldstrafe zahlen; wurde aber der Beleidiger besiegt, dann musste er sein Leben durch eine erhebliche Geldbusse loskaufen, deren Höhe nach dem Stande der Frau und nach der Schwere der Beleidigung verschieden bemessen wurde.

Soviel über wörtliche Beleidigungen, die im salischen Gesetze unter Strafe gestellt wurden; aber neben diesen wörtlichen Beleidigungen kannte das Gesetz auch noch thätliche Beleidigungen, gegen die es im Interesse der Frau einschritt. Diese thätlichen Beleidigungen zerfielen in drei Abteilungen, die man etwa so bezeichnen kann: Beleidigung durch Zerstörung der Haarfrisur, Beleidigung durch Berührung des Körpers und Vergewaltigung. Man weiss, dass sowohl bei den Frauen als auch bei den Männern der Franken die Haarfrisur als besonders geheiligt und unverletzlich galt. Eine schwangere Frau durch einen Fusstritt oder einen Faustschlag getötet zu haben, wurde weniger schwer bestraft, als wenn man ihr das Haar zerraufte. Wenn eine schwangere Frau infolge eines Schlages starb, so hatte der Totschläger nur zweiundzwanzig Goldstücke zu bezahlen, während er dreissig Goldstücke zahlen musste, wenn er ihr die Frisur zerstört hatte, sodass das Haar aufgelöst über die Schultern fiel. Berührte ein Mann die Hände oder den Finger einer freigeborenen Frau, in beleidigender und unkeuscher Absicht, so hatte er eine Strafe von sechshundert Denaren zu gewärtigen; ergriff er sie beim Arm, dann zwölfhundert Denaren; drückte er ihr den Arm unter dem Ellenbogen, vierzehnhundert Denare; berührte er sie am Knie oder an der Brust, achtzehnhundert Denare. Wer die Busse nicht bezahlen konnte, verlor nach dem Gesetz Nase oder Ohren. Indessen sind die Angaben über die Strafhöhe in den salischen Gesetzbüchern so ausserordentlich verschieden, dass man sie unmöglich mit einander in Einklang bringen kann oder eine zureichende Erklärung der Verschiedenheiten zu geben vermag. So ist in einer Ausgabe, die vielleicht die älteste ist, der Tod einer schwangeren Frau infolge von Misshandlungen mit einer Strafe von achtundzwanzigtausend Denare, gleich siebenhundert Goldstücken bewertet. Starb das Kind allein im Mutterleibe, so betrug die Strafe noch achttausend Denare oder zweihundert Goldstücke.

Vergewaltigungen waren sehr selten bei jenen Völkerschaften, die ihre Leidenschaft sehr wohl zu bezähmen vermochten. Wenn eine Verlobte auf dem Wege zu ihrem Manne von jemand unterwegs vergewaltigt wurde, so konnte der Urheber mit einer Strafe von achttausend Denaren oder zweihundert Goldstücken belegt werden (si quis puellam sponsatam ducentem ad maritum et eam in via aliquis adsalierit et cum ipsa violenter mœchatus fuerit). Wurde festgestellt, dass die Braut in den Verkehr eingewilligt hatte, so verlor sie die Rechte ihrer freien Geburt, falls sie freigeboren war. Dieselbe Strafe war darauf gesetzt, wenn ein Mann, der in Gesellschaft einer freigeborenen Frau reiste, ihr Gewalt angethan hatte; war er nicht freigeboren, so wurde er verstümmelt, oder zum Tode verurteilt. Das ripuarische Recht war gegen die Verübung von Sittlichkeitsverbrechen noch strenger als das salische. Die Entführung einer freigeborenen Frau durch einen Sklaven konnte überhaupt nicht durch eine Geldstrafe gesühnt werden. Ein adliger Entführer zahlte zweihundert Goldstücke. Ein Sklave, der die Sklavin eines anderen verführt hatte und ihren Tod verschuldet (das ripuarische Gesetzbuch sagt nicht, wie), verfiel der Verstümmelung, oder musste sich mit sechs Goldstücken loskaufen; wenn die Sklavin nicht an den Folgen der Verführung starb, so erhielt der Sklave einhundertzwanzig Rutenstreiche, oder musste an den Besitzer der Sklavin einhundertundzwanzig Denare zahlen. Die Strafe der Verstümmelung findet sich in diesen Gesetzbüchern sehr häufig;

man darf ohne Weiteres annehmen, dass sie nicht immer ein sicheres Todesurteil bedeuteten.

Was den Ehebruch anlangt, so wurde er bei jenen Völkerschaften mit unerbittlicher Strenge bestraft; man darf aber nicht annehmen, dass diese Strenge aus irgend welchen sittlichen Gründen angewendet wurde: die Wisigothen, Burgunder und Franken betrachteten den Ehebruch vielmehr als eine Art Raub an einem legitim erworbenen Objekt. Ein Diebstahl von vierzig Denaren hatte für den Freigeborenen nach salischem Rechte die Verstümmelung oder sechs Goldstücke Strafe zur Folge; der Raub einer verheirateten Frau wurde dagegen nach ripuarischem Rechte mit einer Busse von zweihundertzwanzig Goldstücken gesühnt. Wenn eine Frau in Abwesenheit ihres Mannes, den sie für tot halten konnte, in den Verkehr mit einem anderen Manne trat, und wenn der erste Gatte zurückkehrte, dann hatte er nach dem Gesetzbuch der Wisigothen das Recht nach Belieben über seine Frau und über seinen Nachfolger zu verfügen. Er konnte die Beiden entweder verkaufen, oder töten, oder sie begnadigen. Das ripuarische Recht entwirft uns ein furchtbares Bild von der Rache, die ein Mann zum Ausgleich seiner Rechte an einem glücklichen Rivalen ausüben durfte. Wenn er seine Frau beim Ehebruch überraschte und wenn der Ehebrecher Miene machte, ihm Widerstand zu leisten, dann hatte der Gemal das Recht, ihn zu töten, darauf musste er Zeugen herbeirufen und durfte den Körper des Erschlagenen in einen Winkel der Niederlassung werfen, wo er während vierzig Tagen sich neben dem Opfer seiner Rache aufhalten durfte. Er erklärte jeden Fragenden, unter welchen Umständen er das Urteil vollzogen hätte, und verkündigte die Gerechtigkeit seiner That. Nach Ablauf dieser vierzig Tage gab er den Leichnam der Familie des Erschlagenen zurück und musste seinerseits vor dem Richter erklären, dass er im Zustande der Selbstverteidigung einen Mann getötet habe, der Miene zum Widerstande gemacht hatte, anstatt ihn um Gnade zu bitten. Ebenso hatte ein Vater das Recht, einen Mann zu töten, den er bei der Entehrung seiner Tochter betraf. Wenn man ihn nicht auf der Stelle getötet hatte, so musste der Verführer an die Eltern des Mädchens eine Busse von eintausendachthundert Denare oder fünfundvierzig grosse Goldstücke bezahlen; aber das Gesetz giebt nicht an, ob er durch die Zahlung diesser Busse die Berechtigung zur Fortsetzung des intimen Verkehrs erlangt hatte, oder ob er gezwungen war, das Mädchen zu heiraten. Das burgundische Gesetz scheint diese Lücke im salischen Gesetz zu ergänzen, indem es bestimmt, dass eine Frau, die aus freien Stücken in die Wohnung eines Mannes gegangen sei und dort mit ihm verkehrt habe, keinen Anspruch auf Ehelichung machen könne. Der Mann brauchte nur den Eltern des Mädchens eine Busse zu zahlen und war dann seinerseits berechtigt zu heiraten, wen er wollte.

In dem salischen Gesetz finden wir keine einzige Spezialvorschrift über die Prostitution, aber nach dem ganzen Geiste dieses Gesetzbuches dürfen wir annehmen, dass sie nirgends gestattet war. In dem alten Gesetzbuche von Schleswig, das nicht ohne Einfluss auf die fränkischen Gesetze geblieben zu sein scheint, steht geschrieben, dass die Blutschande nicht bestraft wurde, wenn sie mit einem sittenlosen Weibe begangen wurde. Nur diejenige Frau, die ihren Körper nicht verkauft hatte, gehörte der Familie an und stand im Verwandschaftsverhältnis, dagegen diejenige, die sich verschiedenen Männern hingegeben hatte, hatte dadurch alle Beziehungen zu der Familie abgebrochen und stand ausserhalb des Gesetzes, an ihr konnte deshalb auch gar keine Blutschande verübt werden. Das alte gothische Gesetz, das ebenfalls Beziehungen zum salischen Reiche hat, bestimmte, dass eine Frau, die der Prostitution überführt war, aus dem Stamm ausgestossen wurde, was wohl einem Todesurteil in den meisten Fällen gleichgekommen ist. Das ripuarische Gesetz droht einem freigeborenen Mädchen, das sich mehreren Männern hingab, die Verbannung an; aber derjenige, der mit ihr ertappt worden war (si quis cum puella ingenua moechatus fuerit), büsste für die anderen mit und hatte die Summe von fünfzig Goldstücken zu zahlen. Diese Strafe kam nachgewiesenermaassen, dem Häuptling des Clans zu Gute. Eine eigene Vorschrift gegen die Prostitution ist in dem Rechte der Wisigothen enthalten, indem ein Dekret des Königs Rekaredes, der 586 den Thron bestieg, unter schwerer Strafe die Prostitution verbot. Rekaredes war Katholik und seine Dekrete waren wohl in Uebereinstimmung mit der kirchlichen Gewalt verfasst. Die kirchlichen Gesetzgeber verstanden offenbar, sich den Bedürfnissen der jeweiligen Staatsgewalt anzuschmiegen. Wir haben oben gesehen, dass sie im römischen Rechte keinerlei Massnahmen gegen die Prostitution veranlasst haben, weil das römische Recht die staatlich konzessionierte Prostitution anerkannte. Bei den barbarischen Völkerschaften, denen eine solche Nachsicht fremd war, konnte auch die Kirche gegen die Prostitution energischer auftreten.

Das Dekret des Rekaredes bestimmte unter anderem folgendes: Wenn ein freigeborenes Mädchen oder eine freigeborene Frau der öffentlichen Prostitution überführt war (meretrix agnoscatur) und wenn sie unerlaubte Beziehungen zu mehreren Männern pflegte, dann wurde sie auf Befehl der Ortsobrigkeit verhaftet und ausgewiesen, nachdem sie eine Strafe von dreihundert Stockschlägen überstanden hatte. Versuchte sie wieder in den Ort zurückzukehren und ihr Gewerbe wieder aufzunehmen, dann verfiel sie von Neuem einer Strafe von dreihundert Stockschlägen und wurde irgend einem armen Manne als Sklavin zugewiesen. Dieser Mann musste sie dann sorgfältig überwachen und sie daran verhindern, in dem Orte umherzugehen. Wenn eine weibliche Person sich der käuflichen Liebe ergab unter Zustimmung ihrer Eltern, und wenn sie durch ihr Gewerbe den Eltern den Lebensunterhalt verdiente, dann verfielen diese einer Strafe von hundert Stockschlägen (pro hac iniqua conscientia.)

Jede Sklavin, der man einen unsittlichen Lebenswandel nachgewiesen hatte, wurde mit dreihundert Stockschlägen bestraft und ihr das Haupthaar abgeschnitten. Darauf wurde sie ihrem Herrn zurückgegeben und dieser musste sie aus der Stadt entfernen; wollte ihr Herr sie nicht verkaufen und ihr erlauben, wieder in die Stadt zurückzukehren, so sollte er selbst öffentlich mit dreihundert Stockschlägen bestraft werden; die Sklavin wurde dann in diesen Fällen einem Herren überwiesen, der für ihren Lebenswandel haftbar gemacht wurde. Lag der Fall vor, dass die Sclavin sich prostituierte zum Vorteile ihres Herrn, (adquirens per fornicationem pecuniam domino suo) dann wurde der Herr gleichfalls mit dreihundert Stockschlägen bestraft. Wandte irgend ein Richter aus Nachlässigkeit oder in Folge von Korruption das Dekret nicht an, so verfiel er selbst strenger Strafe: ausser seiner Absetzung konnte ihn die Einwohnerschaft des Ortes zu hundert Stockschlägen und zu einer Geldstrafe von dreissig Goldstücken an seinen Nachfolger verurteilen.

III. Kapitel.

Die Franken hielten sich von den Einflüssen der gallo-romanischen Korruption frei. — Chlodwigs Uebertritt zum Christentum. — Zustand der fränkischen Gesellschaft. — Stand der Prostitution unter den Merovingern. — Die Gynaeceen. — Konkubinat und Prostitution. — Physische und moralische Verfassung der Franken. — Generationsgottheiten der Franken. — Frikka. — Sittliche Verfassung der Franken nach ihrem Uebertritt zum Christentum. — Die Adeligen. — Die Masse des Volkes. — Anstrengungen des gallischen Klerus zur moralischen Hebung der Franken. — Die Lage der Frau bei den Franken. — Ehen nach salischem Rechte. — Die Morgengabe. — Eheleben bei den Franken. — Häufiges Vorkommen des Konkubinats unter den ersten merovingischen Königen. — Nachsichtiges Verhalten der kirchlichen Autoritäten. — Verschiedene Arten von Eheschliessungen. — Von der fränkischen Familie. — Die Bastarde des Hauses. — Beschreibung eines fränkischen Gynaeceums. — Zusammenhang mit den orientalischen Harems. — Das Gynaeceum bei den Römern des östlichen Reichs. — Das Gynaeceum bei den merovingischen und karolingischen Königen. — Die Kapitularien Karls des Grossen. — Versch[illegible]ene Arten der Gynaeceen.

Die Franken, die wie die Gallier seit der Mitte des fünften Jahrhunderts immer mehr Fortschritte gemacht hatten, vermischten sich anfangs wenig mit den von ihnen unterworfenen Galloromanen; sie bewahrten ihre Sitten, ihre Religion und ihre Gebräuche ohne sich durch die Berührung mit der glänzenden Civilisation, die sie in den eroberten Städten antrafen, beeinflussen zu lassen; sie lehnten alles ab, was nicht von ihren Vorvätern ihnen überliefert war und schienen ihre wilde Individualität unter diesen verschiedenen Rassen, verschiedenen Religionen und verschiedenen Staatseinrichtungen auf gallischem Gebiet bewahren zu wollen. Zu gleicher Zeit versuchten sie auch nicht, in die Lebensgewohnheiten der unterworfenen Völkerschaften einzugreifen, sondern überliessen diese sich ganz selbst. Die strenge Scheidungslinie zwischen den Galliern und den Franken wurde besonders deutlich auf juristischem Gebiete, da die Franken für sich das salische Recht einführten, während die Gallier nach dem theodosianischen Kodex ihr Recht suchten und fanden. Die Franken hatten gar nicht die Absicht, ihr eigenes nationales Gesetzbuch den unterworfenen Völkerschaften aufzuzwingen, ebensowenig nahmen sie natürlich das Recht ihrer Hörigen und Sklaven an. Danach darf man also die sichere Vermutung aufstellen, dass die Prostitution, die in den galloromanischen Städten eine legale Existenz geführt hatte, unter denselben Bedingungen auch nach der fränkischen Eroberung fortbestand.

Die ersten Häuptlinge der fränkischen Stämme waren von katholischen Bischöfen nach Gallien gerufen worden, die ihre Autorität lieber unter der Herrschaft von Barbaren aufrecht erhalten, als ihre Bischofssitze dem Arianismus ausliefern wollten, der durch die römischen Behörden begünstigt wurde. Auf Grund eines mit den kirchlichen Autoritäten geschlossenen geheimen Vertrages, schonte die fränkische Horde Kirchen, Klöster und den christlichen Kultus. Sie drang nicht in die Städte ein, die sie mit Gewalt erobert hatten, oder die ihnen die Thore freiwillig geöffnet hatten; sie lagerte sich vielmehr vor den Städten, in den Dörfern, einzelnen Gehöften und in kleinen Schanzen oder auch in Wagenburgen; so waren sie immer zum Losschlagen bereit, lebten abgeschlossen und flohen jede Berührung mit den eingeborenen Galliern oder den römischen Kolonen. Eine wirkliche Vermischung der Rassen und der Sitten begann erst, nachdem Chlodwig und seine Sigambrer zum Christentum übergetreten waren. Damals dachten die Franken daran, sich in Neustrien und Austrasien festzusetzen; auf Grund ihres Kriegsrechtes, nach welchem dem Häuptling des siegreichen Stammes der eroberte Grund und Boden als Eigentum zufiel, gründeten sie dort eine neue Gesellschaft, von der die Galloromanen bald vollständig aufgesogen wurden; indem die Franken Christen wurden, wurden sie zugleich auch

Galloromanen, ohne indessen die Merkmale ihrer Abstammung vollständig verwischen zu können. In den zwei Jahrhunderten unter der merovingischen Herrschaft bildete sich so das ursprüngliche Frankenreich, in dessen Kultur das Christentum eine verhältnissmässig sehr grosse Rolle spielte. Von Chlodwig bis auf Karl den Grossen waren die Bischöfe die eigentlichen Gesetzgeber, und das kirchliche Recht verdrängte mehr und mehr den justinianischen Kodex und die teutonischen Gesetze. Die Prostitution entbehrte der staatlichen Anerkennung, aber die Ausschweifungen waren darum nicht seltener und nicht weniger übertrieben. Zwar gab es keine eigentlichen Prostituierten, wenigstens nicht in den Bischofsstädten, aber überall hielten sich die einigermassen wohlhabenden Franken auf ihren Gütern (feudum und mansio) eine Art von Harem; diese konkubinische Prostitution ersetzte jede andere Art von Prostitution.

Als die Franken in das nunmehr unterworfene Gallien einzogen, führten sie, wie wir schon oben gesagt haben, ein durchaus zurückhaltendes und keusches Leben: weder ihr Temperament, noch ihre Lebensgewohnheiten, noch endlich ihre wirtschaftlichen Umstände konnten sie zu einem ausschweifenden Leben veranlassen. Indessen verehrten die Franken in Freia oder Frikka eine Göttin der Fruchtbarkeit, der sie, wenn wir einzelnen Zeugnissen trauen dürfen eine Art Venuskultus gewidmet haben. Auch der Kultus des Liber und der Libera mag mit hineingespielt haben. Augustin zitiert eine merkwürdige darauf bezügliche Stelle aus Varro, die folgendermassen lautet: Liberum a Liberamento appellatum volunt, quod mares in coeundo, per ejus beneficium, emissis seminibus, liberentur. Hoc idem in feminis agere Liberam, quam etiam Venerem putant, quod et ipsas perhibeant semina emittere, et ob hoc Libero eandem virilem corporis partem in templo poni, femineam Liberae. Erst als Chlodwig sich hatte taufen lassen, begann der Kampf gegen die alten Gottheiten. Das Christentum der Franken war anfangs nichts als ein wüster und grober Aberglaube, der sich auf die Ausübung einer Reihe von äusseren Ceremonien beschränkte. Immer war es ein Punkt, an dem die zielbewussten und emsigen Vertreter der Kirche einsetzen konnten. Besonders eifrig waren die Priester in einer Reform der altfränkischen Ehegebräuche: vom König abwärts hatten alle fränkischen Männer eine Reihe von Konkubinen, die einander in der Herrschaft folgten, oder auch oftmals darin abwechselten. Die Kirche ihrerseits gestattete nach übereinstimmenden Konzilienbeschlüssen den Laien nur eine einzige Frau, beziehungsweise eine einzige Konkubine, letzteres nach dem Gebrauch des römischen Rechtes. Die Priester hatten dasselbe Vorrecht, und Bischöfe wie auch andere Geistliche machten davon Gebrauch. Indessen wollten die Franken sich einer derartigen Beschränkung nicht unterwerfen und fuhren fort in irgend einem verborgenen Teil ihres Hauses ein Frauengemach sich zu halten. Es ist alter und allgemein verbreiteter barbarischer Brauch durch die Zahl der Frauen die eigene vornehme Abstammung und den Reichtum zu offenbaren. Auch bei den Franken war im niederen und ärmeren Volke Einehe die Regel, weil die Leute eben nicht die Mittel für die Ernährung mehrerer Frauen aufbringen konnten. Dafür machte aber wieder in den niederen Ständen die Ehescheidung keinerlei Schwierigkeit.

Es wird uns überliefert, dass sich die Franken mit äusserster Hartnäckigkeit den Eingriffen der Kirche in ihre privaten Verhältnisse entgegengestemmt haben. Sie trugen gern die Ausgaben für den Kultus, machten dem Klerus kostbare Geschenke, gaben mit offener Hand Mittel zur Erbauung und Ausschmückung von Kirchen, wollten aber dafür in ihrem privaten Leben keinerlei Kontrolle unterworfen sein. Als jetzt die Priester begannen, für die Grundzüge des christlichen Eherechtes Propaganda zu machen, hatten sie keineswegs die Frauen dabei auf ihrer Seite, denn wenn irgend ein Franke mit der Exkommunikation bestraft wurde, so fielen die Folgen ebenso sehr auf die Frau als auf ihn selbst. Hatte ein Franke sein Weib oder seine Konkubine fortgejagt und zwang ihn ein Urteil des Bischofs, sie wieder bei sich aufzunehmen, so war er viel eher geneigt, sie zu töten, als ihr wieder die Thüren des Hauses zu öffnen.

Der Gebrauch, ein oder zwei Konkubinen zu halten, war bei den Franken unter den ersten Königen so stark verbreitet, dass ein Mann schon wirklich sehr arm sein musste, wenn er sich mit einem Weibe begnügte. Müde des ewigen und unfruchtbaren Kampfes, schloss die Kirche endlich beide Augen vor diesen Thatsachen und trieb ihre Nachsicht sogar soweit, dass sie den Vornehmen den andauernden Verkehr mit mehreren Frauen erlaubte. Salvinus, der ein Gallier war und etwa um die Mitte des fünften Jahrhunderts schrieb, sagt uns, dass die kirchliche Nachgiebigkeit in diesem Punkte insofern falsch ausgelegt wurde, als die meisten der Menschen, die im Konkubinat lebten, sich thatsächlich für verheiratet hielten und ausser ihren Sklavinnen kein Weib nahmen. (ad tantam res imprudentiam venit, ut ancillas suas multi uxores putent, atque utinam sicut putantur esse quasi conjuges, ita solæ haberentur uxores. Salvianus, De gubern. Dei. lib. IV, c. De concubinis). Derselbe Schriftsteller macht ausdrücklich darauf aufmerksam, dass die Kirche diese Gebräuche duldete, weil sie angeblich der Meinung war, das Zusammenleben der Männer mit Konkubinen sei immer noch dem Bestehen einer weitverbreiteten Prostitution vorzuziehen. Der Papst Leo breitete gegen das Ende des fünften Jahrhunderts in einem Briefe an den Bischof von Narbonne den Mantel christlicher Nachsicht über diese Gebräuche, indem er sagte: Mädchen, die mit der Einwilligung ihrer Eltern sich verheirateten, brauchten sich keinen Vorwurf daraus zu machen, wenn die Frauen, die ihr Mann früher besass, nicht regelrecht verheiratet waren, „denn es ist etwas anderes, verheiratete Frau, etwas anderes Konkubine.

zu sein." Bemerkenswert ist übrigens, dass das Wort Konkubine in dieser Zeit, in der es sehr oft angewandt wurde, überwiegend im guten Sinne gebraucht wurde, man kann sogar sagen, dass es in der Einzahl stets im guten Sinne, in der Mehrzahl dagegen häufig beleidigend ausgesprochen wurde.

Nach dem Zeugnis des Abtes von Cordemoy in seiner Geschichte von Frankreich bezeichnet bis auf die Zeit Karls des Grossen das Wort Konkubine eine Frau, die regelrecht verheiratet war, nur dass die Hochzeit mit weniger Formalitäten und wenig feierlich begangen worden war. Einer der feinsten alten französischen Juristen, Cujas, sagt, dass das Konkubinat ein durchaus legitimes Verhältnis gewesen sei, so, dass eine Konkubine ebensowohl wie eine Frau wegen Ehebruches belangt werden konnte. Gleicherweise diente diese Einrichtung dazu, um die Heirat zwischen Personen verschiedenen Standes, die sonst nicht angängig war, zu ermöglichen. Obschon die eigentliche Ehe über dem Konkubinat stand, so war doch andrerseits wiederum ein grosser Unterschied zwischen einer Konkubine und dem, was man nach neuerem Sprachgebrauch eine Maitresse nennt. In einzelnen Teilen des Frankenreichs nannte man das Konkubinat direkt eine Halbheirat oder eine Heirat zur linken Hand. Indessen darf man doch nicht übersehen, dass Cujas in der Beurteilung dieser sozialen Erscheinung mehr als zulässig ist vom römischen Standpunkte ausging, denn in der That besass das fränkische Konkubinat keineswegs immer den Charakter einer Halbehe, den ihm die römische Jurisprudenz zuschrieb. Besonders war das der Fall, nachdem die Galloromanen in ihrer Weise den fränkischen Brauch adoptiert hatten. In der Regel war die Konkubine eine Dienerin oder eine Sklavin; musste sie ihre Vorrechte nicht mit einer andern Frau teilen, dann konnte das Verhältnis einen der Ehe ähnlichen Charakter einnehmen. Die Franken und besonders ihre Häuptlinge nahmen ihre Konkubine nach altem Rechte, indem sie dafür das übliche Hochzeitsgeld spendeten; auf diese Weise war ihnen immer die Möglichkeit einer leichten Scheidung gegeben. Die Kirche verhielt sich nach ihrer gewöhnlichen Politik diesen Gebräuchen gegenüber zunächst ganz indifferent. Sie suchte irgend welcher Entscheidung sorgfältig aus dem Wege zu gehen und hat uns wenig über diese Verhältnisse überliefert. Man darf daher wohl annehmen, dass wenigstens unter dem ersten fränkischen Königshause unter einer Konkubine eine Frau verstanden wurde, die sich lediglich nach salischem Rechte mit dem Mann verehelicht hatte: secundum legem salicam et antiquam consuetudinem. Da das Konkubinat seiner Natur nach dem kirchlichen Sakramente fremd war, so hing sein Bestehen auch nur von dem Willen der beiden vertragschliessenden Personen ab.

Mehr als drei Jahrhunderte hindurch war also die Familie der Franken so geordnet, dass neben einer von der Kirche anerkannten Frau eine oder mehrere Konkubinen im Haus gehalten wurden. Die salische Eheform war nur beim Mädchen fränkischer Abkunft gebräuchlich, die Männer der gleichen Abkunft in der Form des Konkubinats ehelichten. Nach der damals bereits herrschenden gesellschaftlichen Auffassung standen aber diese Konkubinen den nach katholischen Ritus verheirateten legitimen Frauen nach. Kinder, die einem Konkubinat entsprossen waren, hatten zwar nicht dieselben Rechte, wie die Sprösslinge einer legitimen Ehe, aber sie besassen doch eine Art Halblegitimität, und ihr Ursprung bildete für sie keinerlei Makel oder Schande. Auch unter den Konkubinen gab es gewisse Rangstufen: diejenigen von ihnen, die fränkischer Abkunft und freigeboren waren, hielten sich für ebensowohl verheiratet, wie wenn die Kirche ihren Ehevertrag sanktioniert hätte; andere, die aus dem Sklavenstande hervorgegangen waren und einer fremden Rasse angehörten, konnten niemals Anspruch auf dieselben Ehren wie eine kirchlich angetraute Gattin machen.

Alle Frauen, die zu einem Hause gehörten, sei es als Gattin, Konkubine oder Sklavin, lebten in einem inneren Gemache des Hauses, in welches niemand ohne Erlaubnis des Hausherrn Zutritt hatte. Dieses Frauengemach hiess bei den Galloromanen Gynäceum. Das Wort wurde nach den verschiedenen Dialekten in verschiedener verstümmelter Form gebraucht. In der Regel war das Gynäceum in mehrere verschiedene Zimmer eingeteilt; oft umfasste es verschiedene Werkstätten und einen grossen Schlafsaal, in dem die Frauen alle miteinander schliefen. Die Herrin des Hauses, ob sie nun kirchlich angetraut war oder nur die erste Konkubine, hatte die Arbeit der Frauen zu überwachen. Diese Arbeit umfasste sämmtliche häusliche Geschäfte und die Herstellung der Stoffe und Kleidungsstücke, nur die Bearbeitung des Eisens blieb den Männern vorbehalten, alles andere hatten die Frauen zu besorgen (muliebre opus). Papias sagt, dass das Gynäceum häufig als Textrinum, d. h. Werkstätte bezeichnet wurde, weil die Frauen dort mit der Weberei beschäftigt waren (quod ibi conventus feminarum ad opus lanificii exercendum conveniat). Aehnliche Einrichtungen bestanden übrigens auch bei den orientalischen Römern; in Konstantinopel waren sie sogar ausserordentlich verbreitet, sodass man fast annehmen kann, dass aus ihnen die bekannten muhamedanischen Harems hervorgegangen seien. Nach dem Vorbilde der byzantinischen Kaiser hatten auch die merovingischen und karolingischen Könige ihre Gynäceen auf ihren ländlichen Besitzungen, meist besetzt mit einer reichen Anzahl von Frauen. Das Kapitularium De villis zählt die verschiedenen Beschäftigungsarten auf, die in diesen grossen Werkstätten gepflegt wurden. Ergänzungen dazu giebt ein anderes Kapitularium aus dem Jahre 813. (feminæ nostræ quæ ad opus nostrum servientes sunt . . . in genecio ipsius, nendi, cusandi, texendi, omnique artificio muliebris edoctus).

Wie wir schon erwähnt haben, war der Eintritt in das Gynäceum Unberufenen durchaus verboten. Nach germanischem Rechte musste jemand, der mit einem Mädchen aus dem Gynäceum eines andern gegen ihren Willen Umgang gepflogen hatte (si cum puella de genecio priore concubuerit aliquis contra voluntatem ejus), sechs Goldstücke Strafe zahlen. Der Text dieser gesetzlichen Vorschrift steht nicht ganz fest, immerhin kann über ihr Vorhandensein und ihren Sinn kein Zweifel entstehen. Karl der Grosse hat in einem Nachtrage zu diesem Gesetze die Unsicherheit entfernt, die in der Auslegung des Textes „gegen ihren Willen" bestand (si quis alterius puellam de genicio violaverit). Die Gynäceen waren nicht alle von gleicher Einrichtung, sondern verschieden, je nach der Art der Arbeiten, die darin vorgenommen werden mussten. Aber auf alle Fälle ist es falsch, wenn man meint, dass diese fränkischen Gynäceen irgend wie mit römischen Lupanaren in Vergleich gestellt werden könnten. Aus dem Gesetzbuche der Lombarden geht vielmehr mit aller Deutlichkeit hervor, dass man jedem Ueberhandnehmen von Ausschweifungen in den Gynäceen mit wirksamen Mitteln entgegenzutreten versuchte. Freilich später, etwa gegen das zehnte Jahrhundert, wurde der Ausdruck Gynäceum direkt für öffentliche Häuser angewandt. Das Halten eines Gynäceums muss ziemlich kostspielig gewesen sein; im fünfundsiebzigsten Kapitel einer Synode von Meaux, die von Ducange angeführt wird, spricht man von Laien, die Kuppelei verrichtet hatten und die sich für deren Benutzung eine gewisse Pacht ausbedungen hatten, um ihre Hunde und Gynäceen zu unterhalten. Mit der Veränderung der Wirtschaftsweise und nach dem Entstehen der einzelnen Gewerbe verloren die Gynäceen ihre ökonomische Bedeutung und bald auch ihre Existenz. Das aufblühende Gewerbe und der immer weitergehende Handel machte die geschlossene Hauswirtschaft überflüssig. Aber das Leben der Frau spielte sich bei den Franken auch fernerhin immer in der Gemeinschaft mit anderen Frauen ab; selbst, als das erstarkende Rittertum das weibliche Geschlecht äusserlich mit einem gewissen romantischen Zauber umgeben hatte, blieb das Privatleben der Frau doch immerhin in sehr enge Grenzen geschlossen. Aber der Gebrauch, Konkubinen zu halten, wurde mehr und mehr eingeschränkt, zu Gunsten einer wirklichen Einzelehe.

IV. Kapitel.

Das Konkubinat bei den fränkischen Königen. — Chlotaris I. — Ingunde und Aregunde. — Karibert, König von Paris. — Markovieva und Meroflede. — Ingoberg und Theudechilde. — Kariberts Brüder. — Gontran, König von Orleans und Burgund. — Chilperich, König von Soissons. — Audowera. — Fredegunde. — Galeswinde. — Dagobert I. — Pipin und seine Konkubine Alpaïs. — Lambert wird von Dodo, dem Bruder der Alpaïs ermordet. — Sittenlosigkeit des Bischofs Bertchram von Bordeaux. — Brunhilde. — Karl der Grosse. — Seine Konkubinen Moltegarde, Gerswinde, Regina and Athalinde. — Seine Töchter. — Das Kartularium der Abtei Lorsch. — Der Roman von Einhard und Emma, der Tochter Karls des Grossen. — Karls Kapitularium gegen die Prostitution. — Verdächtige Personen im Kaiserpalast. — Die Funktionen der Wachtoffiziere. — Bestrafung leichtfertiger Weiber und ihrer Mitschuldigen. — Die Pferdehändler als Beschützer der Prostitution. — Das Kapitularium von 805. — Die Geschichte der Lenogesilus. — Karls Nachfolger. — Die Kreuzesprobe. — Kaiserin Judith. — Theutberga, die Frau des lothringischen Königs Lothar wird des Incestes beschuldigt. — Ihr Ritter siegt bei der Heisswasserprobe. — Theutberga wird vor das Gericht des Königs geführt. — Ihre Geständnisse und Widerrufe. — Das Konzil von Metz. — Lothar wird exkommuniziert. — Sein Tod.

Die Könige aus dem ersten fränkischen Herrschergeschlecht waren in ununterbrochenem Kampfe mit den kirchlichen Behörden, weil sie ohne Genehmigung der Bischöfe ihre Konkubinen nahmen und wieder verstiessen; den Bischöfen gelang es trotz aller Anstrengung nicht, den Franken die kirchliche Auffassung von der Heiligkeit der Ehe einzuflössen. Die Geschichte der ersten Frankenkönige ist ausgefüllt mit den Erzählungen von ihren Kriegen, ihren Verbrechen und ihren Ausschweifungen; Kriege und Verbrechen freilich erregten nicht so sehr den Zorn der kirchlichen Eiferer als die Liebesabenteuer dieser Männer. Indessen bleibt der Skandal in der Regel auf das Gynäceum beschränkt und wird infolge dessen nicht besprochen. Von den Ausschweifungen der Frankenkönige kann man sich nur schwer eine Vorstellung machen; bezeichnend für sie ist die naive Erzählung Gregors von Tours von den Ehen des Königs Chlotaris eines Sohnes von Chlodwig, der eingestandener Massen sieben Frauen oder Konkubinen besass. Er war bereits mit Ingunde verheiratet; eines Tages sprach diese Frau, wie Gregor uns überliefert, zu ihrem Gemal, er möge doch für ihre Schwester ebenfalls einen so edlen und reichen Mann erwählen. Chlotaris ging darauf zu Aregunde, so hiess die Schwester seiner Gemalin und entbrannte in Liebe zu ihr. Er heiratete sie und kehrte dann zu Ingunde zurück mit den Worten, er habe keinen würdigeren Gemahl für ihre Schwester gefunden als sich selbst. Ingunde sei, so wird uns überliefert, auch ganz mit diesem Schritte einverstanden gewesen.

Die Söhne des Chlotaris waren, wie er selbst, durchaus polygam veranlagt. Der älteste, Karibert, König von Paris, war mit Ingoberg verheiratet, einer Frau von vornehmer Abkunft. Sie hatte, wie uns erzählt wird, zwei junge Mädchen in ihrem Dienste, Töchter eines armen Handwerkers; die eine Namens Markovieva trug das geistliche Gewand; die zweite hiess Meroflede, und der König war stark in sie verliebt. Weil Ingoberg eifersüchtig auf ihren Einfluss beim Könige war, so fasste sie den Entschluss, durch eine Erinnerung an ihre niedrige Abkunft die beiden Schwestern in den Augen des Königs herabzusetzen; aber diese Intrigue scheiterte, da Karibert sein Weib verstiess und nacheinander Meroflede und Markovieva ehelichte. Bald aber begnügte er sich nicht mit ihnen, sondern nahm noch eine dritte Frau aus dienendem Stande, Namens Theudechilde, deren Vater Hirte war. Obgleich nur eine Konkubine letzter Ordnung, bemächtigte sie sich doch des Schatzes, als König Karibert starb, ohne einen Leibeserben zu hinterlassen. Kariberts Brüder wetteiferten mit ihm in der Zahl der Ehen, die sie abschlossen. Gontran, König von Orleans und Burgund wechselte trotz der Frömmigkeit, die er an den Tag legte, seine Frauen ebenso oft wie Karibert, und befasste sich häufig mit Konkubinen ganz niederen Standes, ohne dass die Bischöfe ihm Vorwürfe wegen dieses Lebenswandels gemacht hätten. Chilperich, König von Soissons und derjenige, dem die damaligen Geschichtsschreiber die meiste Zahl von Frauen zuschreiben, pflegte seine Ehen nach fränkischem Rechte abzuschliessen. Eine dieser Frauen, Namens Audowera hatte in ihrem Dienste ein junges fränkisches Mädchen, Fredegunde, ebenso hervorragend durch ihre Schönheit, wie durch ihre Skrupellosigkeit. Chilperich entbrannte in heftiger Liebe zu ihr. Fredegunde aber wollte sich nicht mit der Stellung einer Konkubine niedriger Ordnung begnügen. Als Audowera in der Abwesenheit ihres königlichen Gemals ein Kind gebar, da redete Fredegunde im Einverständnis mit einem Bischhof, dessen Dienste sie sich gesichert hatte, der geistig etwas beschränkten Königin zu, mit eigenen Händen ihr Kind bei der Taufe über das Taufbecken zu halten. Nun konnte aber nach der Lehre der Kirche die Stellung des Pathen nicht mit der des Ehegatten vereinigt werden. Als daher Chilperich aus dem Kriege zurückkehrte, musste er seine Ehe mit Audowera lösen, weil ihm nach kirchlichem Gebot der eheliche Verkehr mit einer Pathin seines Kindes nicht gestattet war. Audowera nahm hierauf den Schleier und ging in ein Kloster; an ihrer Stelle bestieg Fredegunde den fränkischen Königsthron, allerdings zunächst nur für wenige Monate. Chilperich nahm nämlich Galeswinde, die Tochter des Gothenkönigs zur Gemalin und musste deshalb alle seine früheren Beziehungen zu den anderen Frauen abbrechen. Bald aber knüpfte er wieder mit Fredegunde an und liess um ihretwillen die Königin nachts erdrosseln. Fredegunde, die er darauf heiratete, führte an dem Königshofe ein geradezu sprichwörtlich wildes Leben.

Die Geschichte fast aller merovingischen Könige zeigt uns, dass diese keineswegs vor einem Morde oder vor einer anderen Gewaltthat zurückschreckten, um entweder eine Konkubine zu erlangen oder sich von einer solchen zu befreien. Sie lebten auf ihren grossen königlichen Gütern fern von den Blicken ihres Volkes, das kaum etwas von dem wilden Treiben an dem Hofe erfuhr. Das Leben in den Königsschlössern trug einen durchaus orgiastischen Charakter. Dagobert I., der ohnedies nicht zu einem hervorragenden Regenten geschaffen war, befleissigte sich in seinem Privatleben keiner grösseren Zurückhaltung als seine Vorgänger; sein Minister scheint sich um die Privatsitten des Fürsten, der Kirchen baute, Kloster gründete und Reliquien sammelte, während er zu gleicher Zeit in der Zahl seiner Konkubinen dem Könige Salomo nachstrebte, (luxuriæ supramodum deditus, tres habebat instar Salomonis reginas et plurimas concubinas. Fredegar, Chron.), durchaus nicht gekümmert zu haben. Von Zeit zu Zeit wagte es ein Bischof gegen einen der Könige den Kirchenbann auszusprechen, häufig nicht ohne üble Erfahrungen für seine eigene Person dabei zu machen; Prætextat, Bischof von Rouen, wurde durch einen Abgesandten der Fredegunde ermordet; Didier, Bischof von Vienne wurde gesteinigt, Lampert wurde ermordet, weil er Pipin zur Verstossung seiner Konkubine Alpaïs veranlassen wollte. Vielfach waren aber die Bischöfe, die ihre Aufgaben darin sahen, auf die Sittenverbesserung bei anderen einzuwirken, selbst durchaus keine Tugendspiegel. Gregor von Tours schildert uns im achten und neunten Buche seiner Schriften, unter anderen einen Bischof Bertchram von Bordeaux, der nicht nur Dienerinnen und verheiratete Frauen entehrte, sondern sogar seine Blicke auf das Weib des Königs zu werfen wagte. Als Columban, Abt von Luxeuil, sich an den Hof Theoderichs II., Königs von Burgund, begab, um ihm wegen seines Lebenswandels Vorwürfe zu machen und ihn zur Verstossung seiner Konkubine aufzufordern, da schrieb sogar der Papst, Gregor V. an die Königin Brunhild und forderte sie auf, die unverschämten Priester zu bestrafen (sacerdotes impudici ac nequiter conversantes). Brunhild hatte schon früher ihren Enkel Theoderich II. mit einer grossen Schar von Konkubinen umgeben. Sie und die Königin Fredegunde rivalisierten miteinander in ihren Lastern und Verbrechen. Bekannt ist die Erzählung von dem dramatischen Tode Brunhildens, die wegen Beleidigung der Soldaten Chlotaris II., eines Sohnes der Königin Fredegunde, an den Schweif eines Pferdes angebunden und zu Tode geschleift wurde.

Es würde viel zu weit führen, wenn wir hier die Geschichte des Familienlebens aller der Könige und Königinnen aus den beiden ersten Häusern der fränkischen Herrscher anführen wollten; aber um zu zeigen, wie verbreitet die doch nur leicht bemäntelte Vielehe in der damaligen Zeit war, dürfen wir auf Karl den Grossen hinweisen, der vier legitime Frauen und fünf oder sechs Konkubinen hatte, ungezählt die Menge von rasch vorübergehenden Liebschaften. Seine Konkubinen, deren Namen uns Einhard überliefert hat, waren nicht wie seine Frauen, adliger oder fürstlicher Abkunft; Einhard nennt uns Maltegarde, Gerswinde, Regina und Attalinde, die jede einzelne ihm mehrere Kinder geboren hat. Karl der Grosse liess diese Kinder mit sehr viel Sorgfalt erziehen und hat sie immer in seinem Palaste gehalten, weil er, wie er sagte, sich nicht von ihnen zu trennen vermochte. Man hat aus einer Stelle der Geschichte Einhards herauslesen wollen, dass Karl in einem verbrecherischen Verhältnis zu seinen Töchtern gestanden habe, indessen stützt sich diese Annahme auf gar zu vage Angaben. Eine Tochter namens Emma hat indessen Einhard geheiratet. In einem Kartularium der Abtei Lorsch, das etwa im zwölften Jahrhundert geschrieben wurde, ist uns die romantische Erzählung von dieser Ehe überliefert worden.

Vielleicht steht mit dieser Erzählung, die auf mündliche Tradition zurückgeht, ein Kapitularium Karls des Grossen in Verbindung, in welchem er Frauen von leichtsinnigem Lebenswandel aus dem Bereich des kaiserlichen Residenzlagers verbannt. Karl ordnet an, dass jeder Offizier des Palastes genau Obacht geben soll, damit nicht irgend ein unbekannter

Mann oder eine leichtfertige Frau sich in die Gemeinschaft des Haushaltes einschleiche. Desgleichen wird in dem Kapitularium eine genaue Untersuchung des Personals der königlichen Domänen und der Stadt gefordert. Es war ausdrücklich verboten, ohne behördliche Erlaubnis irgend jemanden zu verbergen; gab jemand einem Diebe, einem Mörder, oder Ehebrecher Obdach, so musste er ihn im Falle der Entdeckung auf seinen Schultern bis auf den Marktplatz tragen, wo er an einen Schandpfahl angebunden wurde. Hatte ein Sklave gegen die Vorschriften gehandelt, so musste er ebenfalls den von ihm Verborgenen zum Marktplatz tragen, und wurde dort gestäupt; handelte es sich um eine Prostituierte, der man heimlich Unterkunft gewährt hatte, so musste derjenige, der die Vorschrift übertreten hatte, sie ebenfalls auf seinen Schultern auf den Marktplatz tragen, wo sie dann gemeinsam mit Ruten gepeitscht wurden. Aus diesem Kapitularium können wir ersehen, mit welcher Energie Karl der Grosse gegen die Prostitution auftrat, da er sie nicht nur in seiner Residenz unterdrückte, sondern sie nicht einmal in der bescheidenen Hütte des niedrigsten Sklaven zulassen wollte.

Mit der Kirche stand Karl auf einem viel zu gutem Fusse, als dass er von ihr irgend welche Einwendung gegen seinen Lebenswandel zu fürchten gehabt hätte. Er vermied immer behutsam jeden öffentlichen Skandal und duldete in seiner Umgebung keinerlei Ausschweifungen. In einem Kapitularium von 805 verbietet er ausdrücklich den Personen beiderlei Geschlechts, Ehebruch, Hurerei, Sodomie und andere Sünden gegen die Ehe zu begehen. Zur Begründung des Verbotes fügte er an, dass ein Volk, welches sich den Lüsten ergebe (multæ regiones, quæ dicta inlicita et adulteria vel sodomicam luxuriam vel commixtionem meretricum sectatæ), nicht gesund bleiben könne und seinen kriegerischen Mut verliere. Wer der verbotenen Ausschweifung überführt wurde, verlor seinen Rang und musste ins Gefängnis wandern. In dem Kapitularium Karls des Grossen finden wir keine eigentliche Massregel gegen die Kuppelei, obschon sie die Verfolgungen durch die theodosianischen und justinianischen Kodices überdauert hatte. Es existiert indessen ein Kapitularium mit ungewisser Datierung, das Massregeln gegen die Kuppelei zu enthalten scheint. Es bestimmt, dass die Priester, Diakone und andere geistliche Personen kein fremdes Weib in ihrem Hause aufnehmen dürften; ferner wird bestimmt, dass überhaupt Geistliche nicht in öffentlichen Wirtshäusern essen oder dort eintreten sollen; und dann findet sich folgender Artikel: Ut mangones et cociones et nudi homines qui cum ferro vadunt, non sinantur vagari et deceptiones hominibus agere. In diesem Text ist zweifellos das Wort nudi in irgend einer Weise verderbt, wahrscheinlich soll es Kuppler bedeuten. Kuppler gab es, obschon unter anderem Namen, in damaliger Zeit ganz sicherlich; man kann z. B. nachweisen, dass im ganzen Mittelalter die Pferdehändler sich nicht darauf beschränkt haben, Pferde, Maultiere und Esel zu kaufen und zu verkaufen, sondern dass sie auch den lukrativen Mädchenhandel daneben betrieben. Zwar ist es bemerkenswert, dass die lateinischen Ausdrücke für Kuppler und Kuppelei bei den katholischen Schriftstellern des merovingischen und karolingischen Frankenreichs ausserordentlich selten gebraucht werden; aber es wäre doch wohl voreilig, aus der Abwesenheit der Worte gleich die Abwesenheit der Thatsache selbst schliessen zu wollen. In den Listen der Heiligen trifft man merkwürdiger Weise auf den Namen eines Kupplers; es giebt da einen gewissen Lenogesimus. Dieser Name deutet ganz unzweifelhaft daraufhin, dass er in zwei Bestandteile, leno und gesimus zerfällt, von dem das erste das Gewerbe, der zweite den Namen des Mannes bezeichnet. In der Heiligengeschichte wird darüber folgendes berichtet: Lenogesimus, der in der Zeit Chlotars II. (619) lebte, lockte eine Jungfrau, Namens Agneflede in seine Zelle und veranlasste sie, den Schleier zu nehmen; sie lebten von da an zusammen. Dem König wurde hinterbracht, dass ein gewisser Lenogesimus durch Beschwörung eine Jungfrau verführt habe und mit ihr in einem unkeuschen Verhalten lebte (modo legitima conjugia violantes, inter se invicem nefandis studiis commiscentur). Chlotar forderte die Beiden vor Gericht, wurde aber durch ein Wunder davon abgehalten, sie zu bestrafen. Als nämlich Lenogesimus in Abwesenheit des Königs in den Palasthof kam, beklagte er sich über die grosse Kälte; er bat darauf Leute, die einen Backofen heizten um etwas Feuer, aber Agneflede hatte nichts, worin sie das Feuer wegtragen konnte; auf den boshaften Rat, sie möge doch ihren Mantel dazu nehmen, trug sie in der That die glühenden Kohlen fort, ohne dass ihr Gewand verbrannt wäre!! Das wurde natürlich als ein Wunder angesehen, dem König hinterbracht und diente so dazu, den Ruf der beiden Leute so zu mehren, dass Lenogesimus zum Heiligen avancierte; Agneflede hat es nicht zu dieser Ehre gebracht.

Die Nachfolger Karls des Grossen erliessen wahrscheinlich mehrere Kapitularien gegen die Prostitution; aber sie sind uns nicht überliefert worden. Ein Kapitularium, das uns noch erhalten ist, erwähnt eine merkwürdige Strafe für leichtfertigen Lebenswandel. Jede Frau, die der Prostitution überführt wurde, konnte damit bestraft werden, vierzig Tage lang nackt vom Kopf bis zum Gürtel umhergehen zu müssen, während ein Täfelchen an ihrer Stirn, die Art ihres Verschuldens angab. Jedermann hatte das Recht eine Frau der Prostitution, des Ehebruchs oder eines anderen Vergehens anzuklagen. Der Richter nahm die Klage an und gab ihr Folge; aber die Rolle des Anklägers konnte einige Unannehmlichkeiten zur Folge haben, die es ratsam erscheinen liessen, nur sehr vorsichtig vorzugehen. Der Ankläger musste nämlich seine Behauptung beweisen, entweder durch einen Zeugenbeweis, oder durch die Probe mit kochendem Wasser, oder mit heissem Eisen, oder endlich durch den Zweikampf. Die angeklagte Frau liess sich dabei von einem Ritter vertreten. Am ungefährlichsten war noch die sogenannte Kreuzesprobe, bei der es weniger auf den Zufall als auf die körperliche Kraft ankam: derjenige der beiden Gegner, der am längsten in der Haltung des gekreuzigten Jesu aushalten konnte, gewann den Rechtshandel, der andere musste Strafe bezahlen und die Busse auf sich nehmen, die auf dem behaupteten Vergehen stand. Fand die angeklagte Frau keinen Vertreter, der sich an ihrer Statt den Proben aussetzen wollte, so musste sie sich selbst, ohne Rücksicht auf ihr Geschlecht und ihre Schwäche, ihnen unterziehen. Bei der Kreuzesprobe kam es sehr häufig vor, dass die Frau, obgleich sie in der Regel schwächer war, den Sieg davon trug. Mit Vorliebe wurde die Kreuzesprobe auch angewendet, wenn eine Frau behauptete, ihr Gatte erfülle seine ehelichen Pflichten nicht, während er es bestritt. (Si qua mulier proclamaverit quod vir suus numquam cum ea coisset, exeant inde ad crucem, et, si verum fuit, separentur.) Häufig nahm eine des unsittlichen Lebenswandels angeklagte Frau lieber die harten Strafen auf sich, als dass sie die Proben über sich ergehen liess.

Eins der bemerkenswerten Beispiele dieser Proben fand gegen das Jahr 858 bei Gelegenheit der Ehescheidung Lothars, des Königs von Lothringen statt. Dieser Fürst, der zweite Sohn des Kaisers Lothar, hatte vor seiner Heirat mit Theutberge ein junges Mädchen, Namens Waltraute geliebt; als diese ihm einen Sohn geboren hatte, wünschte er seine legitime Ehe aufzulösen. Es fanden sich Zeugen, welche Theutberge des unerlaubten Verkehrs mit ihrem Bruder Hugbert beschuldigten und sich nicht scheuten, darüber ganz genaue Einzelheiten zu verbreiten. (Fratrem suum Hucbertum sodomitico scelere sibi commixtum). Theutberge wählte darauf einen Ritter, der sich an ihrer Stelle der Probe des heissen Wassers unterzog. Die Probe bestand darin, dass ein Stein in einen Kessel mit kochendem Wasser gelegt wurde; der Ritter griff mit dem entblössten Arme in das Wasser hinein und holte den Stein heraus. Sein Arm wurde sofort mit einem Sack umhüllt, auf den der Richter sein Siegel klebte; nach Verlauf von drei Tagen öffnete man den Sack und da der Arm unverletzt gefunden wurde, so war dadurch die Unschuld Theutbergens nachgewiesen.

Aber Lothar und Waltraute bestanden auf der Trennung der Ehe und zweifelten demgemäss die Beweiskraft der Probe an; man versuchte eine neue Probe herbeizuführen; dann aber brachte Lothar im Januar 860 die Sache dadurch zu einem kurzen Ende, dass er sechzig, ihm sehr ergebene Männer zu einem feierlichen Gerichte unter seinem eigenen Vorsitze im Königspalaste von Aachen versammelte. Theutberge erschien vor diesem Gerichtshofe und gestand dort, dass ihr Bruder Hugbert sie in der That vergewaltigt habe (non tamen sua sponte, sed violenter sibi inlatum). In einer zweiten Sitzung des Gerichtshofes blieb Theutberge auch einen Monat später bei dieser Aussage: Profiteor quia germanus meus Hucbertus clericus me adulecentulam corrupit et in meo corpore, contra naturalem usum, fornicationem exercuit et perpetravit. Theutberge wurde verurteilt, nach Auflösung ihrer Ehe in einem Kloster Busse zu thun; sie zog aber bald darauf ihr Geständnis wieder zurück und wandte sich an den Papst Nikolaus I., um gegen die ungerechte Verurteilung zu protestieren. Der Papst beauftragte zwei Bischöfe damit, die Sache zu untersuchen und ein Konzilium zu leiten, das sich zur Entscheidung der Angelegenheit in Metz versammelte. Das Konzil bestätigte den Urteilsspruch der ersten Richter. Der Papst aber schleuderte gegen den König Lothar den Bannfluch und kassierte die Entscheidung des Konzils von Metz, indem er erklärte, es sei weniger ein Konzil als ein Ort der Prostitution gewesen (tanquam adulteris faventem prostibulam appellari decernimus), weil man dort den Ehebruch begünstigt habe. Lothar kümmerte sich nicht viel um den Bannfluch des Papstes und behielt Waltraute bei sich; aber der Papst appellierte dann an die Fürsten und Bischöfe, um den König Lothar mit aller weltlichen und geistlichen Macht zu bekämpfen. Nikolaus berief sich auf das kanonische Recht, nach welchem es verboten war, dass ein Mann gleichzeitig mit einer Frau und einer Konkubine zusammenlebte. Lothar liess ihm darauf die Antwort zukommen, seine Frau habe bereits vor der Ehe sich prostituiert; aber der Erzbischof Odo erwiederte ihm darauf, ein Ehemann könne die Scheidung nicht verlangen, wenn er mit einer Frau, die im vorehelichen Geschlechtsverkehr gelebt habe, längere Zeit ohne Reklamation zusammen gewesen sei.

Lothar lebte indessen mit Waltraute weiter, sah sich aber von seinen Nachbarn bedroht, und Hugbert selbst hatte seine Abtei St. Moritz verlassen, um für die heftigen Anklagen, gegen ihn und gegen seine Schwester, an dem König Rache zu nehmen. In dem Augenblick, wo sich der Sieg an seine Fahnen heftete, wurde Hugbert getötet; ein Gesandter des Papstes riet Lothar, sich mit seiner legitimen Gemalin auszusöhnen und seine Konkubine zu verjagen. Lothar gab nach, hatte aber kaum Theutberge wieder bei sich aufgenommen, als sie von Neuem floh und bei Karl dem Kahlen Sicherheit für ihr Leben erbat. Nikolaus exkommunizierte darauf feierlich Lothar, der noch einen letzten Versuch machte, seine Frau des Ehebruchs anzuklagen und dafür durch einen Zweikampf den Beweis zu erbringen suchte. Dieses letzte Mittel gelang ihm nicht und er verbannte darauf Waltraute in die Abtei Remiremond. Nikolaus hatte ihn nach Rom gefordert, um den Kirchenbann von ihm zu nehmen; unterwegs erfuhr Lothar, dass der Papst gestorben sei und Hadrian II. als Nachfolger erhalten habe. Dieser neue Papst war weniger unerbittlich als sein Vorgänger. Er erwartete den König Lothar im Kloster Monte Cassini und liess ihn schwören, dass er mit der exkommunizierten Waltraute keinerlei fleischlichen Umgang gepflogen habe. Obschon Lothar drei Kinder von seiner Konkubine hatte, schwur er doch alles, was der Papst von ihm verlangte. Nachdem der Bann von ihm genommen war, eilte er wieder nach Lothringen zurück, um sich mit Waltraute zu vereinigen, wurde aber unterwegs von einem plötzlichen Tode hinweggerafft. Dieser grosse Kampf zeigt uns, dass das im salischen Rechte und in anderen germanisch fränkischen Rechtsbüchern erlaubte Konkubinat mehr als drei Jahrhunderte hindurch trotz der Bemühungen der Kirche in Kraft geblieben war.

V. Kapitel.

Brief des Bischofs Bonifacius an den Papst Zacharias über den Sittenzustand in den Klöstern zur Zeit der merovingischen Herrschaft. — Die Ordensregeln Columbans. — Bischofsfrauen. — Ursachen des ausschweifenden Lebens in den Klöstern. — Einfluss der priesterlichen Unsittlichkeit auf die Laienwelt. — Die Weltpriester. — Goliathskinder. — Testament Turpios, Bischofs von Limoges. — Die Mönche von Moyen-Moutier und Senones. — Der Eunuche Nicetas. — Die Mission des Abtes Humbert nach Konstantinopel. — Gobuin, Bischof von Châlons. — Versuche des Papstes Gregors VII. zur Hebung der Sittlichkeit in Frankreich. — Sein Sendschreiben an die Bischöfe. — Litterarische und künstlerische Darstellungen des ausschweifenden Mönchslebens aus jener Zeit. — Allgemeine Korruption. — Das Jahr 1000. — Alle Schriftsteller jener Zeit stimmen in den Schilderungen der Sittenlosigkeit überein. — Sodomie in allen Klassen der Bevölkerung. — Die Normannen. — Einfluss ihrer Sitten auf die von ihnen unterjochten Völker. — Wie Emma, die Frau des aquitanischen Herzogs Wilhelm, sich an ihrer Nebenbuhlerin, der Gräfin von Thouars, rächte. — Wie Ebles an seinem Oheim und Vormund Bernard Rache nahm. — Die Bussbücher. — Ehevorschriften und Regeln des ehelichen Lebens. — Die Blutschande und ihre Bestrafung. — Kindesmord und Abtreibung der Leibesfrucht. — Widernatürliche Unzucht. — Bestialität. — Klagen des Pariser Abtes Peter über die Sittenlosigkeit.

Man muss bis auf die Zeit Ludwigs VIII. gehen, um eine auf die Prostitution bezügliche königliche Ordonnanz aufzufinden; aber aus der Abwesenheit spezieller Gesetze über diese Materie darf man nicht schliessen, dass der Sittenzustand während dieser mehr als drei Jahrhunderte solche Reglements unnötig gemacht hätte und dass etwa die Prostitution unter dem moralisierenden Einflusse der christlichen Kirche aus Frankreich verschwunden wäre. Wenn uns auch die Denkmäler der damaligen Rechtspflege fehlen, die vielleicht existiert haben, aber in den Sammlungen der königlichen Botschaften nicht mehr enthalten sind, so können wir doch aus dem Urteil der Zeitgenossen feststellen, dass die Sitten niemals verderbter und niemals reformbedürftiger gewesen waren als gerade in jener Zeit. In dieser Periode unaufhörlicher Kriege, beständiger Eroberungszüge und sozialer Veränderungen, waren die gesetzgeberischen Werke sehr selten und zeichnen sich durch einen oberflächlichen Zug aus: den Bedürfnissen des Augenblicks angepasst, überlebten sie den Augenblick nicht; es ist uns aus jener Zeit kein allgemeines Gesetzbuch, wie etwa das Karls des Grossen, oder Ludwigs des Heiligen überliefert worden. Die Könige folgten einander zu rasch und fühlten sich zu unsicher auf ihrem Throne, als dass sie an eine sorgfältige Verbesserung der öffentlichen Sitten hätten denken können; sie hatten weder die Zeit noch auch die Absicht an den Institutionen ihrer Vorgänger zu rütteln. Man weiss, wie beschränkt die Macht der damaligen Könige überhaupt war, wie beschränkt auch der Einfluss der Büreaukratie. Man kann annehmen, dass von Karl dem Grossen bis auf Ludwig den Heiligen das Verhältnis der Polizei zur Prostitution stationär geblieben und keinen Aenderungen unterworfen gewesen ist; die Prostitution ihrerseits wurde dagegen durch das indifferente Verhalten der Behörden sehr ermutigt und breitete sich rasch im Volke aus. Während wir also bei der Untersuchung der damaligen Zeit kaum Spuren einer behördlichen Reglementierung der Prostitution entdecken, finden wir dagegen unzählige Zeugnisse, für den gleichzeitigen Verfall der Sitten.

Die ärgste Korruption war seit den Zeiten der Merovinger in die meisten Klöster eingedrungen. Bonifacius, Bischof von Mainz, schrieb im Jahre 742 an den Papst Zacharias: „Die Bisthümer sind fast immer an unsittliche Laien oder an ausschweifende Priester gegeben, die auf ihre Weise ihr Leben geniessen; unter denen, die sich Diakone nennen, habe ich Leute gefunden, die von Kindheit auf ein ausschweifendes Leben führten und den abscheulichsten Lüsten huldigten.“ (Inveni inter illos diaconos quos nominant, qui a pueritia sua semper in stupris, semper in adulteriis et in omnibus semper spurcitiis viam ducentes, sub tali testimonio venerunt ad diaconatum; et modo in diaconatu, concubinos quatuor, vel quinque, vel plures noctu in lecto habentes). Die Reformatoren der religiösen Orden brachten es auch nicht über einige kleine Massregeln gegen die allgemeine Sittenverderbnis hinaus. Kolumban, der um diese Zeit seine Ordensregeln aufstellte, hatte darin folgende strenge Klausel aufgenommen: „Wird jemand im eifrigen Gespräch mit einer Frau ohne Zeugen ertappt, so wird er bei Wasser und Brot zwei Tage eingesperrt oder empfängt zweihundert Rutenhiebe.“ Auch die strengste Regel wurde durch die Praxis bei diesem ausschweifenden Volke sehr gemildert. Skandale über schamlose Vorgänge in Klöstern waren damals an der Tagesordnung. Die Konzilien und Synoden konnten mit ihren weisen Vorschriften den Leidenschaften der Mönche keine Zügel anlegen, Leidenschaften, die um so unwiderstehlicher hervorbrachen, jemehr man sie einzudämmen suchte. Hieronymus bereitete in der damaligen Zeit die Forderungen des Priestercölibats für die katholische Kirche vor; er wollte die Frauen vollständig aus den Augen der an dem Gottesdienst beteiligten Personen verbannt wissen; ebenso klagte Veranus, Bischof von Lyon, im Jahre 585, dass ein verheirateter Mann doch nicht geeignet zur Abhaltung des Gottesdienstes sei. Die „Bischöfinnen“, die Frauen der Bischöfe, verschwanden allmählig und wurden nicht länger geduldet; der vollständige Cölibat wurde zur Grundbedingung des kirchlichen Lebens gemacht und Weibern der Eintritt in Männerklöster genau so untersagt, wie den Männern der in Frauenklöster.

Aber diese Vorschrift blieb vollständig auf dem Papiere stehen. Die kirchliche Autorität reichte nicht hin, um die Erlasse auch in Wirklichkeit umzusetzen. Fast alle Klöster waren mehr oder weniger Stätten eines ziemlich ausgelassenen Lebens, und zwei oder drei Mal in jedem Jahrhundert versuchte man eine allgemeine oder partielle Reform darin durchzuführen. Das Publikum erfuhr von den Vorgängen innerhalb der Klöster selten etwas Genaues, sondern musste sich mit vagen und dunkeln Gerüchten begnügen. Wenn ein Bischof einmal den Entschluss gefasst hatte, die Vorgänge zu untersuchen und die Uebelstände abzustellen, dann breitete er in der Regel den Mantel der christlichen Liebe über die Ergebnisse seiner Untersuchung aus. Die besondere Veranlassung zu dem wüsten Leben in den Klöstern war durch die Nachbarschaft und den häufigen gegenseitigen Besuch zwischen Frauen- und Männerklöstern gegegeben: Bald hatte der Abt oder Prior des Mönchsklosters zu gleicher Zeit die Leitung eines Frauenklosters, bald übte andrerseits die Aebtissin eines Frauenklosters eine Art Oberaufsicht über ein Mönchskloster aus. Diese beständigen Beziehungen zwischen den beiden Geschlechtern führten naturgemäss zu einer Menge von Uebelständen, die trotz aller Bemühungen nicht ausrottbar erschienen. Die Sittenverlotterung der Klöster hatte einen bemerkenswerten Einfluss auf die Laien, die sich nicht veranlasst sahen, tugendhafter zu leben, als ihre Beichtväter. Auch der Weltpriesterstand gab keineswegs ein besseres Beispiel. Ein Mönch, Namens

Martinian aus Rabais sagt im zehnten Jahrhundert von den Priestern seiner Zeit: „Gebietet Euch ein Gesetz, ein Weib zu nehmen, oder Beziehungen zu Weibern zu unterhalten? Euern Körper, der eine Wohnstätte Gottes sein soll, durch die verschiedenste Art von Ausschweifungen zu Grunde zu richten?“ Dieser Martinian, der sein unveröffentlichtes Buch boshafter Weise „Das Lob der Mönche“ tituliert hat, warf den Geistlichen vor, sie führten ein durchaus ungeregeltes Leben und besudelten sich durch alle nur erdenkbaren Ausschweifungen. Berthollet, ein Jesuitenpater, muss in seiner grossen Geschichte von Luxemburg zugestehen, dass die Kleriker des elften Jahrhunderts durchaus die Heiligkeit ihres Berufes vergessen hatten und weit entfernt waren von jener Keuschheit, die in der primitiven christlichen Kirche in so hohem Ansehen gestanden hatte: „Da sie mit dem Volke lebten, so glaubten sie, es bestehe kein Unterschied zwischen ihnen und den Laien, und überredeten sich leicht, dass sie Frauen nehmen müssten.“ Diese Art sittenloser Priester nannte man damals Goliathskinder. Diejenigen Kreise des Priesterstandes, die noch nicht von der allgemeinen Sittenverderbnis ergriffen waren, beklagten auf das Tiefste diesen Verfall; so schreibt der Bischof Turpio von Limoges, der im Jahre 944 starb, voll Bitterkeit in seinem Testamente (Bibl. Cluniac): „Wir, die wir hätten sollen einen musterhaften Lebenswandel führen, wir haben das Volk verderben helfen, und anstatt Hirten des Volkes zu sein, haben wir gelebt wie reissende Wölfe!“

Es ist hier nicht der Ort, um alle die schweren Laster aufzuführen, die von den Klerikern ausgeübt wurden, weil sie glaubten, ihnen, die das Recht der Lossprechung der Sünder in der Hand hatten, sei alles erlaubt; wir versuchen nicht erst in die Archive der Klöster einzudringen und die lange Liste derjenigen aufzustellen, die reformiert, exkommuniziert oder unterdrückt wurden wegen der abscheulichen Lebensführung ihrer Insassen: es genügt festzustellen, dass es vielleicht keine einzige bekannte Abtei giebt, in der nicht zu irgend einer Zeit einmal strenge Massregeln gegen die überhandnehmende Sittenlosigkeit ergriffen werden mussten. Um nur einzelne Beispiele aus tausend dergleichen Art herauszugreifen, wollen wir auf die Mönche von Moyen-Moutier und anderen lothringischen Klöstern hinweisen, die einen solchen sittenlosen Lebenswandel führten, dass sie im zehnten Jahrhundert auf Befehl des deutschen Königs ausgewiesen wurden; die Nachfolger, die man ihnen gab, machten sich freilich dadurch bekannt, dass sie an Sittenlosigkeit ihre Vorgänger noch übertrafen. In einem Chronikmanuskript des Johann von Bayon, das in einer Bibliothek in Nancy aufbewahrt wird, kann man lesen, dass die Mönche von Moyen-Moutier sich gegen die Ketzerei eines griechischen Eunuchen Namens Nicetas erhoben, der in Konstantinopel die Verstümmelung aller für das Mönchsleben bestimmten Leute empfohlen hatte. Diese verderbten Mönche, die einen schmachvollen Verkehr mit jungen

Leuten vom Lande unterhielten, bildeten sich ein, dass die Ketzerei des Nicetas weiter um sich greifen und sie vielleicht in ihren Vergnügungen stören würde. Sie beauftragten daher ihren Abt Humbert nach Konstantinopel zu gehen und dort diese Ketzerei zu bekämpfen. Der Abt führte seinen Auftrag zur vollen Zufriedenheit der Mönche aus, denn er besiegte den Nicetas in Konstantinopel in einer öffentlichen Disputation, indem er ihm vorwarf, die Mönche in Priester der Cybele zu verwandeln.

Wir brauchen nicht weiter in die Geheimnisse solcher Klöster einzudringen, sondern können auf ein Wort eines Mönches aus dem elften Jahrhundert hinweisen, der behauptet, dass alle Klöster Stätten der Prostitution seien. Gregor VII., der sich sehr viel um die Hebung der Kirchenzucht in Frankreich bemühte, sagte 1047 in einem Rundschreiben an die französischen Bischöfe: „Bei Euch wird Recht und Gerechtigkeit mit Füssen getreten. Man hat sich daran gewöhnt, die abscheulichsten Laster auszuüben. Anstatt dass sie eine Ausnahme bilden sollen, sind sie bei Euch zur Gewohnheit geworden.“ Man kann sich die Entrüstung dieses Reformpapstes vorstellen, wenn man bedenkt, dass er es zu thun hatte mit einem Mauger, Erzbischof von Rouen, der nach der Darstellung eines zeitgenössischen Schriftstellers geradezu entsetzliche Verbrechen beging, oder mit einem Enguerrand, Bischof von Laon, der sich über Enthaltsamkeit und Reinheit der Sitten direkt lustig machte, mit Ausdrücken, die, wie Guibert von Nogent sagt, des verworfensten Seiltänzers würdig gewesen wären; oder mit einem Manasses, Erzbischof von Reims, der, wie ein Zeitgenosse sagt, ein wildes Tier war, ein Scheusal, bei dem keine einzige Tugend seine Laster aufwog. Obschon diese Prälaten vom Papste streng bestraft wurden, so übte doch ihr Lebenswandel einen ausserordentlich schlechten Einfluss auf den Klerus aus; man erstaunt über die Strenge der Vorschriften Gregors, und besonders gegen seine Einführung des Cölibats regte sich überall eine heftige Opposition; viele Priester äusserten laut, dass sie lieber auf ihr Amt, als auf die Ehe verzichten wollten; die meisten von ihnen waren entweder verheiratet, oder hatten Konkubinen oder sonstige Beziehungen. Yves von Chartres erwähnt in seinen Briefen einen gewissen Prälaten, der es ganz öffentlich mit zwei Weibern hielt und im Begriffe stand ein drittes noch zu nehmen. Trotz den strengen päpstlichen Dekreten lebte der Klerus nach wie vor im Konkubinat und verweigerte hartnäckig dem Papste den Gehorsam. Orderic Vital erzählt, dass der Erzbischof von Rouen, der einige unsittliche Priester exkommuniziert hatte, mit Steinwürfen verfolgt wurde. Die Bastarde von Priestern und Mönchen liefen überall umher und ihre Väter scheuten sich nicht, ihnen Mitgiften zu geben, Legate auszusetzen, sie zu verheiraten und auf Kosten der Kirche zu bereichern. Es gab keine einzige Diezöse, in der man nach dem Urteil damaliger Schriftsteller zehn keusche und sittenstrenge Priester hätte finden können; es gab kein einziges Kloster, in dem die

Ordensvorschriften streng beobachtet wurden und die Mönche so lebten, wie es ihnen vorgeschrieben war.

Das wüste Leben der Mönche und Kleriker wurde, wie wir schon erwähnt haben, von den Laien nur zu gern nachgeahmt, aber den Priestern schien auch nicht einmal etwas daran zu liegen, dass ihr Ruf nicht angegriffen wurde. Priester waren gut Freund mit den Sängern, die sich in ihren satirischen Gedichten und Liedern über ihre Sittenlosigkeit lustig machten, mit Malern, die auf Gemälden und Miniaturen Scenen aus dem Klosterleben darzustellen pflegten und mit Bildhauern, die aus demselben Milieu sich ihre Stoffe zu sammeln pflegten. Das war der beliebteste Gegenstand für Litteratur und Kunst. Die Unkeuschheit der Mönche, ihre Sinnlichkeit und Schamlosigkeit gaben den Künstlern immer neuen Stoff zu ihren Darstellungen. Es ist uns kein Zeugnis überliefert worden, dass die Geistlichen einmal energisch gegen derartige Angriffe Front gemacht hätten; sie erfreuten sich im Gegenteil an den Darstellungen ihrer eigenen Schande und liessen häufig die sittenlosen Gedichte sogar in ihre Gebetbücher einheften. Auch an dem Klostermobiliar und an den Gerätschaften der Kirche konnte man vielfach Darstellungen unzüchtiger Art sehen. Bei allen diesen unzüchtigen Darstellungen spielten Mönchskutte und Nonnenrock immer eine grosse Rolle. Viel ist uns allerdings von diesen Antiquitäten nicht überliefert worden, da die Prüderie der neuen Zeit vieles zerstört hat; grade das Beste und Bemerkenswerteste ist ihr zum Opfer gefallen und nur noch den Archaeologen von Beruf ist bekannt, was früher auf diesem Gebiet geleistet worden ist. Immerhin giebt es viele heute noch bestehende kirchliche Darstellungen, deren Inhalt man nicht einmal mit Worten andeuten kann.

Die Laienwelt war, so sagten wir, nur zu geneigt, den sittenlosen Priestern gute Schüler zu stellen und in ausgelassenem Leben mit den Mönchen und Klerikern zu wetteifern. Von den Geschichtsschreibern der damaligen Zeit werden uns darüber eine Reihe bemerkenswerter Einzelheiten überliefert. Man kann aber begreifen, dass schliesslich diese wilden Ausschweifungen eine Art von Reaktion hervorrufen mussten, und so sehen wir denn, dass man allgemein im Jahre 1000 an ein bevorstehendes Ende der Welt und an die Wiederkunft des Antichristen dachte. Dieser Aberglaube trug freilich auch nicht zur Sittenverbesserung bei, jedermann wollte im Gegenteil von den irdischen Genüssen noch so viel haben, wie er nur irgend erreichen konnte. Der Sittenverfall nahm ganz ungewöhnlich grosse Dimensionen an, und die Dichter der damaligen Zeit stimmen ganz mit einigen ernstenhaften Sittenpredigern überein, wenn sie darauf hinweisen, dass die Menschheit unerhörte Fortschritte im Bösen gemacht habe. Die geschlechtlichen Ausschweifungen hatten geradezu gigantische Masse angenommen, und die vielen Legate und Testamente, die im Hinblick auf den als nahe bevorstehend gedachten

Weltuntergang gemacht wurden, sind angefüllt mit allerhand reuevollen Selbstbezichtigungen. Die Spender fühlten sich so sehr belastet von ihren eigenen Sünden, dass sie oft ihr ganzes Vermögen der Kirche gaben, um nur Sündenvergebung zu erlangen. Allerdings darf man nicht übersehen, dass diese Leute ihr Hab und Gut häufig in Priesterhände legten, die noch unreiner waren, als ihre eigenen. „Wohin man auch immer schaut," so sagt Raul Glaber in seiner Chronik (4. Buch, 9. Kapitel.), „überall sieht man, dass in der Kirche wie im Leben eine völlige Verachtung des Rechtes und der Gesetze herrscht, man lässt sich von seinen Leidenschaften völlig treiben." Orderic Vital sagt in seiner Kirchengeschichte, 8. Buch, dass die Generationen ums Jahr 1100 sich Ausschweifungen hingegeben haben, die bis dahin völlig unerhört gewesen seien, denn nachdem einmal das kritische Jahr 1000 überschritten war, glaubte man nunmehr aller Verantwortung ledig zu sein und das Recht zu haben, allen Lüsten zu folgen.

Hin und wieder trifft man einmal auf einige näher angegebene Details dieser Sittenlosigkeit, während im allgemeinen diese Schriftsteller nur sehr undeutliche Angaben darüber machen. Bei einem anonymen Dichter heisst es in einem Klageliede über den Verfall der Sitten der damaligen Zeit: „Jetzt verachten die Menschen, die ein skandalöses, ausschweifendes und sodomitisches Leben führen und uns bestehlen und beleidigen, die ehrbaren Leute, deren Sitten streng geregelt sind." Die Ausschweifung und die Sodomie waren demnach die verbreitetsten Laster in allen Schichten der Bevölkerung, bei den Grafen und Baronen, wie bei den letzten Hörigen und Sklaven, im Schatten der Klostermauern, wie in den Palästen der Aebte und Bischöfe. Der Diakonus Peter tadelte im Namen des Papstes Leo IX. im Jahre 1049 auf dem Konzil zu Reims die Priester und Laien heftig wegen ihrer abscheulichen Sittenlosigkeit. Die üblen Gewohnheiten waren in Frankreich so verbreitet und eingerissen, dass der Abt Heinrich von Clairvaux im Jahre 1177 an den Papst Alexander III. schrieb: „Das alte Sodom ist aus seiner Asche wieder auferstanden." Orderic Vital weist an mehreren Stellen seiner Geschichte darauf hin, dass die Verbreitung dieses Lasters zusammenhing mit dem Eindringen der Normannen in die verschiedenen gallofränkischen Provinzen; „Die Lasterhaften," so sagt er in seinem 8. Buche, „herrschten im ganzen Lande und gaben sich zügellos der Befriedigung ihrer Begierden hin, die wert gewesen wären auf dem Holzstoss des Henkers zu verbrennen, übten ohne Scheu die schlimmsten Laster von Sodom aus." (Tunc effeminati passim in orbe dominabantur, indisciplinate debacchabantur, sodomiticisque spurcitiis fœdi catamtiæ, flammis urendi, turpiter abutebantur.) Darüber kann allerdings kaum ein Zweifel bestehen, dass die sodomitischen Gewohnheiten, die zur Zeit der Kreuzzüge wieder auflebten in Frankreich durch die Normannen eingeführt wurden; überall wo dieses Volk seine Spuren hinterlassen hat, stösst man auch auf die gleichen Laster.

Abbo behauptet freilich in seinem Gedichte von der Belagerung von Paris durch die Normannen, alle Menschen in Frankreich hätten jenen Lastern gehuldigt, aber es ist doch wohl richtiger, dass man deren Verbreitung den Normannen zuschreibt. Die Normannen standen von jeher in dem Rufe, sich der männlichen Prostitution ausgiebig bedient zu haben; es wird uns überliefert, dass sie in eroberten Städten sich nicht scheuten, Männern ihren Lüsten dienstbar zu machen; sie respektierten daneben weder Greise noch Greisinnen, d. h., diese töteten sie ohne Mitleid; aber jüngere Leute schonten sie sorgfältig und teilten sie als Beute untereinander aus. Der Mönch Richer erzählt uns von einem Einfalle der Normannen in die Bretagne im neunten Jahrhundert, bei dem sie Männer sowohl als auch Frauen und Kinder massenhaft fortführten: „Alle alten Leute beiderlei Geschlechts," so sagt er, „töteten sie, die Kinder aber führten sie in die Gefangenschaft ab und die Frauen, die ihnen schön genug erschienen, wurden geschändet." Man kann sich denken, welcher Schrecken den Normannen vorauslief, wenn sie irgend einen Einfall machten; sie entvölkerten ganze Provinzen, blühende Städte verödeten vollständig, wenn sie wieder abgezogen waren, die Ufer der Flüsse, in denen sie mit ihren flachen Kähnen hinaufgefahren waren, wurden in Wüsteneien verwandelt; das Schlimmste war vielleicht, dass sie ihre Sittenlosigkeit überall im Volke verbreiteten und ihm Laster übermittelten, die nicht mit ihnen wieder verschwanden. Als die Normannen sich in England festsetzten, behandelten sie die dort ansässige Bevölkerung keineswegs besser. Sie töteten zwar nicht alle Greise, aber sie verdarben die jungen Männer und schändeten die Frauen, deren edelsten ihrer wilden Soldateska zu Diensten sein mussten („Nobiles puellæ despicabilium ludibrio armigerorum patebant et ab immundis nebulohibus oppressæ dedecus suum deplorabant." Orderic Vital).

Die anderen Provinzen Frankreichs standen damals freilich sittlich nicht viel höher. Die herrschende Bevölkerungsklasse führte im allgemeinen einen sehr ausschweifenden Lebenswandel und legte sich darin keinerlei Beschränkungen auf. Emil de la Bédollière erzählt uns in seiner Geschichte des Sitten- und des Privatlebens der Franzosen zwei bemerkenswerte Episoden, aus denen wir einen Schluss auf die Lebensführung der damaligen herrschenden und vornehmen Kreise ziehen können. Im Jahre 990 entstand das Gerücht, dass Wilhelm IV., Herzog von Aquitanien in ehebrecherischen Beziehungen zu der Frau eines Grafen von Thouars gestanden hatte, dessen Gastfreundschaft er in Anspruch genommen hatte. Emma, die Frau Wilhelms, suchte nach einer Gelegenheit, um sich an ihrer Rivalin zu rächen. Eines Tage sah sie, dass diese mit geringer Bedeckung in der Umgegend des Schlosses Talmont spazieren ritt. Emma stürzte sich mit einer grossen Schaar von Stallknechten und Kammerdienern auf sie, riss sie zur Erde und überhäufte sie mit Flüchen und Verwünschungen; dann überliess sie die unglückselige Frau ihrer Begleitung und veranlasste diese, der Reihe nach die Gräfin zu vergewaltigen. Am andern Morgen warf man die halbtote Frau fast unbekleidet auf die Strasse. Der Graf von Thouars konnte sich weder beklagen, noch Rache nehmen; er nahm seine geschändete Frau wieder bei sich auf, während Wilhelm die seinige in das Schloss von Chinon verbannte. Ein ähnlicher Vorfall spielte sich im Jahre 1086 ab. Ebbes, der Erbe des Grafen von Comborn in Aquitanien verlangte, als er majorenn geworden war, sein Schloss und seine Besitzungen von seinem Onkel und Vormund Bernhard. Dieser verweigerte die Herausgabe. Ebbes raffte darauf eine Menge Kriegsvolk zusammen und belagerte das Schloss, welches Bernhard vergeblich zu verteidigen suchte. Nach wenig Tagen drang Ebbes in das Schloss ein, traf dort seine Tante Namens Gercilla und vergewaltigte sie sofort vor den Augen seines Kriegsvolkes (Patrui uxorem coram multis fœdavit. Vergl. Histoire des mœurs et de la vie privée des Francs t. II. p. 343 und t. III. pag. 83. Bibliotheca nova manuscriptorum, edd. Labbe)

Ueber diese furchtbaren Thatsachen erstaunt man nicht, sondern ist vielmehr geneigt, noch an viel schrecklichere zu denken, falls es möglich ist, wenn man die alten Bussbücher durchgeht, denn darin finden sich die meisten Zeugnisse über die Prostitution im Mittelalter. Dort sehen wir Schilderungen der unglaublichsten Art und es wird dort beschrieben, dass sich die ausschweifende Bevölkerung keineswegs auf unerlaubten Beziehungen zwischen beiden Geschlechtern beschränkte. Wenn ein Schriftsteller meint, dass man zur Ehre der Menschheit annehmen muss, derartige Abscheulichkeiten hätten sich nur sehr selten gefunden und seien nur zufällig einmal entstanden, so ist darauf zu erwiedern, dass uns derartiges auf jeder Seite der Bussbücher entgegen tritt. Dort sind die verschiedensten Laster mit ihren verschiedenen Strafen vollständig genau angegeben und klassifiziert. Das hätte aber offenbar keinen Zweck und Sinn, wenn derartiges nicht oft vorgekommen wäre. Wir können hier diese Thatsachen nicht alle einzeln aufführen und auch eine Uebersetzung aus der lateinischen Sprache ist durchaus unangängig; einzelnes hat sich übrigens in den Moralvorschriften der katholischen Kirche noch aus jener Zeit erhalten. In den primitiven Kodices, die für Beichte und Busse massgebend waren, muss man unterscheiden zwischen den Thatsachen, die sich auf das Eheleben beziehen und denen, die sich auf den Incest, auf widernatürliche Laster und auf Bestialität beziehen. Die Vorschriften der Kirche über das Eheleben, gestatten uns nun wieder einen Rückschluss auf die Sitten, die damals in dem Verhältnis vom Manne zum Weibe herrschten. Reginon (II. Buch) spricht von Vorschriften über das Benehmen während der Brautnacht (eadem nocte pro reverentia ipsius benedictionis in virginitate permaneant); weiter hören wir von Strafen im Poenitential von Fleury, wenn ein Mann ungewaschen aus dem Ehebette in die Kirche geht (maritus qui cum uxore sua dormierit, lavet se antequam intret in ecclesia); ebenso umgekehrt mulieres menstruo tempore non intrent ecclesiam; im Poenitential von Angers finden wir folgende Vorschrift und Strafandrohung: in tempore menstrui sanguinis qui tunc nupserit, triginta dies poeniteat; ebenfalls regnete es Kirchenstrafen für diejenigen, die nicht am Sonntag, an hohen Feiertagen, drei Tage vor der Kommunion und vier Wochen lang vor Ostern und Weihnachten strenge Enthaltsamkeit übten. War es bei Verfehlungen gegen diese Vorschriften sogar nicht beim gewöhnlichen Geschlechtsverkehr geblieben, dann waren die Strafen noch härter und die Busszeit länger (si quis cum uxore sua retro nupserit, quadroginta dies poeniteat; si in tergo, tres annos, quia sodomiticum scelus est, — so heisst es im Poenitential von Angers —. Die Ehe sollte eben nichts anderes sein, als eine legale Verbindung der beiden Geschlechter zum Zwecke der Kindererzeugung. Ionas, Bischof von Orleans drückt das in seinen Gesetzen für die Laien folgendermassen aus: Oportet ut legitima carnis copula causa sit prolis non voluptatis, et carnis commixtio procreandorum liberorum sit gratia, non satisfactio vitiorum.

Der Incest war unter den mannigfaltigsten und abscheulichsten Arten verbreitet. Wir finden dort den Verkehr von Kindern mit ihren Müttern, und es wird sogar angegeben, dass Mütter die Unschuld ihrer jungen Söhne nicht respektierten; auch der Verkehr zwischen Geschwistern und zwischen Vätern und ihren Töchtern muss ziemlich häufig gewesen sein. Es standen Kirchenstrafen von zehn und fünfzehn Jahren auf solchen Vergehungen. Qui cum matre fornicaverit quindecim annis; si cum filia et sorore duodecim — si adolescens sororem quinque annos, et si matrem septem, et quamdiu vixerit, numquam sine pœnitentia vel continentia. — Si mater cum filio parvulo fornicationem imitatur, si mater cum filio suo fornicaverit, tribus annis pœniteat (Pœnitentiale von Fleury und Angers).

Kindsmord und Abtreibung der Leibesfrucht waren damals ausserordentlich verbreitet; es gab Männer und Weiber, die eigene Medikamente zu diesem Zweck verkauften; herbarii viri, mulieres interfectores infantum. Mit anderen Mitteln machte man wiederum die Frauen unfruchtbar und die Männer impotent. Auch Liebestränke fabrizierte man massenhaft, um das sexuelle Leben bis zu einer unerhörten Potenz zu steigern. Interrogasti de illa femina quæ menstruum sanguinem suum miscuit cibo vel potui et dedit viro suo, ut comederet? Et quæ semen viri sui in potu bibit? Tali sententia feriendæ sunt sicut magi. (Pœnitential des Raban Maur.) — Illa quæ semen viri sui in cibo miscet, ut inde plus ejus amorem accipiat, annos tres pœniteat (Pœnitential von Fleury).

Die Vergehen gegen die Natur waren ausserordentlich zahlreich, und die Bussbücher setzten eine Menge von Strafen für die verschiedenen Laster fest. Die einfache Sodomie (siquis fornicaverit sicut sodomitæ) zog eine Busse von vier Jahren nach sich, aber das Alter der Sündigen gab Veranlassung, feine Unterscheidungen in diesen Strafen zu machen. Das Kind, der Jüngling und der erwachsene Mann wurden nicht gleich bestraft, wenn sie Gleiches verbrochen hatten. Pueri sese invicem manibus inquinantes, dies quadraginta pœniteant. Si vero pueri sese inter femora sordidant, dies centum; majores vero tribus quadragesimis (Pœnitential von Angers). Die widernatürlichen Laster der Frauen wurde gerade so streng bestraft, wie die der Männer; aus den verschiedenen Angaben können wir ermessen, dass die Laster, zumal unter den Nonnen, ausserordentlich verbreitet waren. Mulier cum altera fornicans, tres annos. Sanctimonialis femina cum sanctimoniali per machinatum polluta, annos septem. — Mulier qualicumque molimine aut per ipsam aut cum altera fornicans, septem annos. – Si quis semen in os miserit, septem annos pœniteat (Pœnitentiale von Fleury und Angers). Häufig verband sich der Incest mit den Verbrechen gegen die Natur und erschwerte so einmal das Vergehen und dann die Strafe. Sodomie unter Geschwistern zog eine fünfzehnjährige Busszeit nach sich. Qui cum fratre naturali fornicaverit per commixtionem carnis, ab omni carne se abstineat quindecim annis (Pœnitential von Fleury).

Alle Arten von Bestialität, die man kaum ausdenken kann, finden sich in den Bussbüchern angegeben und zeigen uns, wie verbreitet dieses Laster war, obschon das weltliche Gesetz es mit dem Tode bestrafte. Alle Arten von Tieren scheint man damals den wüsten Gelüsten dienstbar gemacht zu haben, und die Register der Parlamente sind angefüllt von den Namen solcher Leute, die mit Hunden, Kühen, Schweinen, Gänsen und anderen Tieren verbrannt worden sind. In einem Briefe von Raban Maur an Reginbold, Erzbischof von Mainz, wird die Bestialität ausführlich behandelt: Tertia quaestio de eo fuit, qui cani feminae inrationabiliter se miscuit, et quarta de illo, qui cum vaccis saepius fornicatus est? Qui cum jumento vel pecore coierit, morte moriatur. Mulier quae succubuerit cuilibet jumento simul interficiatur cum eo. (Capitul. Baluze, t. II. append. col. 1378). Aus einigen Poenitentialen stellen wir folgende charakteristische Liste zusammen: cum jumento, cum quadrupede, cum animalibus, cum pecude, cum pecoribus u. s. w. u. s. w.

In mehreren Kapitularien werden die Bischöfe und Priester aufgefordert, sich ganz besonders dem Kampfe gegen diese Art Laster zu widmen, die auf dem Lande ebenso wie in den Städten verbreitet waren. Darin stimmt die damalige Gesetzgebung überein, dass eine derartige Verirrung unbedingt mit dem Tode bestraft werden müsse. Man tötete damals regelmässig auch die Tiere, weil man fürchtete, dass aus dem Verkehre scheussliche Monstren entstehen könnten.

Besonderen Abscheu empfanden die Autoritäten der damaligen Zeit vor der sogenannten fornicatio inter femora, die wohl ganz ausserordentlich verbreitet gewesen sein muss. Ducange hat uns sehr interessante Einzelheiten darüber aus einer Verfügung des Königs Eduard I. von England mitgeteilt. Wahrscheinlich stammt diese Verfügung aus dem Beginne des zwölften Jahrhunderts. Ein Mann namens Simon hielt sich eine Konkubine, mit der er niemals in regelmässigen Geschlechtsverkehr getreten war; eines Tages wurde er inflagranti bei der fornicatio inter femora ertappt, da seine Konkubine, die geheiratet werden wollte, ihre Freunde aufmerksam gemacht hatte. Juratores dicunt quod prædictus Simon semper tenuit dictam Matildam ut uxorem suam, et dicunt quod numquam dictam Matildam desponsavit. Dem Simon liess man darauf die Wahl unter drei Strafen: entweder sollte er der Mathilde ein Eheversprechen geben, oder dem Tode verfallen, oder die ehelichen Pflichten ihr gegenüber erfüllen (vel ipsam Matildam retro osculare). Simon gab dem Weibe das Eheversprechen, wollte aber nicht anders als vordem mit ihr verkehren (inter femora). In dem Lexikon englischer Gesetze von Thomas Blount findet man Näheres über den Fall.

Zur Zeit Eduards I. von England herrschte in Frankreich gleichfalls der eben gekennzeichnete Brauch des geschlechtlichen Verkehrs. Auf beide Länder passte das, was der berühmte Dichter Abbo in seinem Gedichte von der Belagerung der Stadt Paris den Bewohnern Frankreichs vorwirft, dass sie nämlich hochmütig seien, der Venus zuviel opferten und dem Kleiderluxus huldigten. Ebenso tadelt er, dass auch die Nonnen ein unkeusches Leben führten und dass allzuviele Beispiele von widernatürlichem Geschlechtsverkehr anzutreffen seien. Zwei Jahrhunderte später wiederholt der Abt Peter von Celles in seinen Briefen (lib. IV, ep. 10) dieselben Vorwürfe und sagt, dass Paris die Sitten des Landes zu Grunde richte: „Wie verführerisch und verderblich bist du, Paris! Wie deine schlechten Sitten die jungen, unerfahrenen Männer verderben! Wie viele Verbrechen Du begehen lässt!" Abt Peter scheint einen klaren Einblick in die Zusammenhänge der Prostitution mit anderen Lastern und Verbrechen gehabt zu haben

VI. Kapitel

Die Lage der Prostituierten und der Frauen von leichtfertigem Lebenswandel vor der Regierung Ludwigs VIII. — Sprachgebrauch der Prostitution im elften Jahrhundert. — Uebergang lateinischer Worte ins Französische. — Wunderliche Etymologien. — Das Patois und die Worte aus dem Sprachgebrauch der Prostituierten. — Das putagium. — Putus und puta. — Die Liebesbrunnen. — Der Liebeshof von Soissons. — Putage, putinage und putasserie. — Maquerellagium, maquerellus und maquerella. — Vom Ursprung des Wortes maquereau. — Borde, bordel und bordeau. — Die Bordellieren. — Die schweifende Prostitution. — Garcio und garcia. — Ribaldus und ribalda. — Andere Namen. —

Wenn auch die Sittenverderbnis in dieser Epoche des Mittelalters alles überschritten hatte, was in früheren Zeiten vorgekommen war, so fehlt trotz alledem eine legale Prostitution, jene als Industrie ausgeübte käufliche Liebe; wenigstens existiert sie nicht unter den Augen und unter der Fürsorge der feudalen Polizei. Weder prinzipiell noch rechtlich war sie zugelassen; wo sie sich fand, da konnte sie nur im Geheimen und Verborgenen ihre Geschäfte machen, auf das persönliche Risiko von Frauen, die das Elend oder die Zügellosigkeit in dieses Gewerbe getrieben hatte. Von den Obrigkeiten, der zu Städten erweiterten Gemeinden, konnte sie eben so wenig Unterstützung und Schutz verlangen, wie in den ländlichen Herrschaften. Man hielt sie nicht für notwendig, oder auch nur nützlich und betrachtete ihre Existenz als eine Beleidigung für die ganze Gesellschaft. Trotzdem braucht man keineswegs anzunehmen, dass die im Verborgenen ausgeübte Prostitution nicht sehr umfangreich gewesen sei, denn auch die strengsten Vorbeugungsmassregeln und die brutalsten Unterdrückungsmittel vermochten diesem Uebel keinen Abbruch zu thun. Unter dem Zwange der sozialen Verhältnisse trieb alles mehr und mehr dahin, der Prostitution einen gewissermassen offiziellen Charakter zu verleihen. Man kann die Lage der Frauen, die sich einem leichtfertigen Lebenswandel hingaben, in jener Gesellschaft, welche ihnen feindlich entgegentrat und sie doch nicht entbehren konnte, welche sie ununterbrochen verfolgte und doch niemals unterdrücken konnte — man kann die Lage dieser Frauen mit der der Juden vergleichen, welche auch das weltliche wie das kirchliche Recht gegen sich hatten, alle Tage eingesperrt, beraubt und verbannt werden konnten und trotzdem immer wieder zu ihren Bänken, zu ihren Wuchergeschäften und ihren sonstigen gewinnbringenden Thätigkeiten zurückkehrten. Vor der Herrschaft Ludwigs VIII. oder derjenigen Philipp Augusts besass die Prostitution keinerlei anerkannte Existenz in dem Staate; unter dem König Philipp August wurde der rex ribaldorum geschaffen, der, wie wir später sehen werden, zweifellos der oberste Agent der Prostitution war.

Es ist ausserordentlich schwer, etwas über die Gepflogenheiten und das Ansehen der käuflichen Liebe in diesen Zeiten allgemeiner Korruption zu sagen, die trotz aller Ausschweifungen dieses Gewerbe nicht aufkommen lassen wollte. Der Abt, der Bischof, der Baron, der Feudalherr konnten in ihren Häusern sich eine Art von Harem auf ihre Kosten, oder die ihrer Vasallen halten; nach dem Ausdruck eines Schriftstellers aus dem elften Jahrhundert hielt sich jeder Grossgrundbesitzer in seinem Gynäceum ebenso viele Frauen wie Hunde in seinem Hundestall. Aber öffentliche Lupanare, die jedermann offen standen und unter der Leitung eines Mannes oder einer Frau zur Ausbeutung der käuflichen Liebe als Gewerbe dienten, kamen nur in kleinerer Zahl und an solchen Orten vor, wo die fürstliche oder städtische Gewalt von den alten Gebräuchen abwich und beide Augen vor den Thatsachen verschloss. In Paris und einigen andern grossen Städten wurde der Einrichtung öffentlicher Häuser in den Vororten und in gewissen bestimmten Bezirken keine grossen Schwierigkeiten in den Weg gelegt, bis eines schönen Tages irgend ein Skandal die Obrigkeit veranlasste, mit der ganzen

Strenge des Gesetzes einzuschreiten und die Häuser wieder zu unterdrücken. Es gab dort ausserdem vereinzelte Prostituierte, die sich nicht in einem öffentlichen Hause aufhielten, sondern ihr Gewerbe auf eigene Rechnung und Gefahr betrieben: diese wohnten in der Regel innerhalb der feineren Quartiere der Stadt und gaben sorgfältig acht, dass von ihrem Gewerbe niemand etwas erfuhr. Unter diesen Umständen begreift es sich, dass der öffentlichen Häuser und dem privaten Leben derartiger Frauen in den geschriebenen Ueberlieferungen aus jenen Epochen sehr selten Erwähnung gethan wird. Die Prostitution in der Zeit vom achten bis elften Jahrhundert trägt keinerlei ausgeprägten eigenartigen Charakter, obschon sie sich von der früherer Zeiten in einzelnen Punkten unterscheiden mochte. Man muss sich, wenn man sie beschreiben will, auf eine Reihe von einzelnen Thatsachen stützen, die untereinander nicht in Verbindung stehen und eigentlich nur die Verschiedenheiten örtlicher Gebräuche bezeugen. Aber auch diese Thatsachen, die wir den Akten der Gemeinden und den Vorschriften der städtischen Polizeibehörden entnehmen können, sind zu selten, als dass man ein genaues Bild mit ihrer Hülfe zeichnen könnte. Will man darthun, wie es sich um die Prostitution im feudalen Frankreich verhielt, dann darf also man nicht auf diese Akten allein Bezug nehmen, sondern muss sich auch noch nach anderen Hülfsquellen der Darstellung umsehen.

Da ist denn nun die Sprache, die uns einige Anhaltspunkte gewährt. Die populäre Sprache des elften Jahrhunderts, ein schlechtes Lateinisch, aus dem allmählich die französische Sprache hervorging unter dem Einflusse der Dialekte des Nordens und des Südens von Frankreich, wandte neue Worte für neue Dinge und Ideen an und gewährt uns auf diese Weise eine Menge von kostbaren Andeutungen, unter denen wir viele auf unser Thema bezügliche auffinden können. Vom neunten Jahrhundert ab hat der Wortschatz der Prostitution eine vollständige Umwandelung durchgemacht. Er ist nicht sehr zahlreich, setzt sich aber aus Provinzialismen zusammen, ganz neuen Worten, die mehr aus dem Munde des Volkes als aus den Federn der Schriftsteller hervorgegangen zu sein scheinen. Es ist ja klar, dass die rein lateinischen Worte nicht mehr zur Bezeichnung aller der Einrichtungen und Zustände ausreichten, die mit der Umwandlung der Gesellschaft allmählich entstanden waren; das Volk emanzipierte sich Schritt für Schritt von den lateinischen Ausdrücken, mit denen die Schriftsteller und literarisch Gebildeten noch immer auskamen, sein Sprachgefühl schuf den neuen Begriffen neue Worte und prägte jedem seinen eigentümlichen Charakter auf. So sehen wir denn in dem vulgären Latein die meisten Worte entstehen, die später auch in das Französische übernommen wurden und sich in der Volkssprache bis auf den heutigen Tag erhalten haben; die Prostitution kann nun einmal keinen Anspruch darauf machen, in der Sprache der Feingebildeten die groben Ausdrücke ihres eigenen Idioms weiter verbreitet zu sehen. Bemerken wollen wir ein für allemal, dass die ersten Schriftsteller, Dichter und Geschichtsschreiber fortfuhren, sich des klassischen Lateins zu bedienen, selbst wenn sie gelegentlich auf die Thatsachen der Prostitution zu sprechen kamen; aber in den aus im Lateinischen wenig geübten Händen hervorgegangenen Dokumenten und in den für die Kenntnisse des ganzen Volkes bestimmten obrigkeitlichen Vorschriften bediente man sich schon früh der landläufigen Ausdrücke und sah von dem Wortschatz des klassischen Altertums vollständig ab. Die Worte, die damals im Zusammenhange mit den Thatsachen der Prostitution geprägt wurden, stehen heut vielfach in einem sehr zweifelhaften Ansehen; aber man darf nicht vergessen, dass sie im Mittelalter zumeist durchaus naiv angewendet wurden und keinen infamierenden Nebensinn hatten. Man nahm eben damals wie man zu sagen pflegt, kein Blatt vor den Mund und hegte wenig Rüksicht auf die Keuschheit der Ohren. Deshalb ist auch das Altfranzösische so reich an feinen und pikanten Worten, die sich auf die Prostitution beziehen und seit der Zeit Ludwig XIV. aus den Kreisen der vornehmen Welt vollständig verbannt worden sind.

Die Prostitution, die von den lateinisch Gebildeten noch immer meritricium, wie im klassischen Latein genannt wurde, ein Wort das allmählich durch meretricatio und meretricatus ersetzt ward, wurde in der Volkssprache als putagium oder puteum oder putaria bezeichnet. Dieses Wort scheint durchaus neueren Ursprungs zu sein, und wir glauben nicht, trotz der Autorität des gelehrten Scaliger, der davon in einer Note seine Bemerkungen zu den Gedichten Virgils spricht, dass man putagium auf das alte lateinische Wort putus zurückführen muss. Putus findet sich bei den klassischen Schriftstellern hie und da und bedeutet klein. Bei den Alten wurde das Wort putus gewöhnlich gebraucht, wenn man eine Schmeichelei an jemanden, z. B. an ein Kind richtete. Auch die Lehrer nannten mit Vorliebe ihre Schüler und Schülerinnen mit diesem Worte: im letzteren Falle sagte man puta. Von diesem Worte waren ganz natürlich die verkleinernden Ausdrücke putillus und putilla abgeleitet, und Plautus gebraucht in der dritten Scene des dritten Aktes seiner Asinaria das Wort putillus in demselben Sinne, wie „mein Täubchen", „mein Kätzchen", „mein Sperling" und so weiter, wie es dem Vokabularium verliebter Leute entspricht. Mehrfach gebrauchte man auch, wie z. B. Horaz in seinen Satiren, die Form pusus und pusa, von denen dann pusillus und pusilla abgeleitet waren. Wir neigen indessen der Ansicht zu, dass das Wort putagium eher abzuleiten ist von dem Ausdruck puteus, das etwa „Brunnen" bedeutet und einen ganz guten Sinn giebt: einmal kann man doch die öffentliche Prostitution mit einer Art Brunnen vergleichen, aus dem jederman Wasser schöpfen kann, andererseits waren thatsächlich die gemeinsamen öffentlichen Brunnen in jeder Stadt und in jedem Stadtviertel der Versammlungsort aller Mädchen, die auf Abenteuer ausgingen. Immer war es ein Brunnen an belebten öffentlichen Orten, wo die Prostituierten sich versammelten; sie erinnerten sich vielleicht auch daran mit Vorliebe, dass Christus die Magdalena an einem Brunnen getroffen hatte. An dem Brunnen trafen sich nach allgemeinem und auch heute noch bekanntem Gebrauche alle Abende zahlreiche Frauen, die dort alle möglichen Gespräche führten, ihre Liebeshändel erzählten und auf Abenteuer ausgingen. „Zum Brunnen gehen" das hatte seinen ganz besonderen Nebensinn; verliebte Leute pflegten überall „zum Brunnen" zu gehen und dort die Objekte ihrer Liebe zu begrüssen. Die Brunnen waren Zeugen vieler Seufzer und vieler Thränen. Piganiol, der von dem Liebesbrunnen spricht, nach dem eine bekannte Strasse in Paris benannt worden ist, wo die Prostitution ihren Hauptsitz hatte, sagt, dass dieser berühmte Brunnen seinen Namen einer Bestimmung verdanke, die er mit allen Brunnen in Städten und bewohnten Orten gemeinsam habe, nämlich der Bestimmung als Zusammenkunftsort für die Jünglinge und Mädchen zu dienen, die unter dem Vorwande Wasser zu schöpfen zu ihm gingen, um dort zu tändeln. Dieser Liebesbrunnen zu Paris, der erst gegen Ende des siebzehnten Jahrhunderts zugeschüttet worden ist, muss thatsächlich eine ausserordentlich grosse Zahl von Liebesgeschichten sich haben abspielen sehen; die Tradition erzählt in verschiedenen Fassungen die Geschichte eines Edelfräuleins aus der Familie Hallebic, die sich unter der Herrschaft Philipp Augusts darin ertränkt hat. Man erzählt sich ausserdem von verschiedenen Liebhabern, die sich aus Verzweiflung oder Eifersucht in ihn stürzten, um dort den Tod zu finden. Glücklichere Liebhaber pflegten gleichsam ihre Dankbarkeit diesem Brunnen auszudrücken und liessen ihn herausputzen, ihn mit einer Ballustrade aus Eisen umgeben, neue Stufen einsetzen und anderes mehr.

Wenn man die Geschichte aller merkwürdigen Brunnen aufzeichnen könnte, die sich fast in jeder Stadt fanden, dann würde das sicherlich vieles Licht auf die Entwickelung der Prostitution werfen und uns zeigen, dass im Mittelalter das putagium fast immer mit den öffentlichen Brunnen in Verbindung stand, die heutzutage ja fast alle verschwunden sind. Man könnte nachweisen, dass die Brunnen dieser Art in Paris in allen Strassen oder nahe bei allen Strassen existiert haben, in denen Dirnen wohnten. Beschränken wir uns auf die Bemerkung, dass die ribaudes von Soissons, die im zwölften Jahrhundert eine sprichwörtliche Berühmtheit besassen, ihre Sitzungen an einem solchen Brunnen abhielten. „Der Liebeshof oder Himmelshof von Soissons," so erzählen Lacroix und Martin in der Geschichte von Soissons, „lag am Eingange der Brunnenstrasse; er bestand in einem weiten Hofe der von niedrigen Gebäuden umgeben war und zu dem man auf steinernen Treppen hinaufschritt. Früher ging dieser Hof, in den man durch eine dunkle Allee eintrat, bis an die Ufer des Flusses; in der Mitte befand sich ein Brunnen von sonderbarer Konstruktion.“ Wir brauchen wohl kein Zeugniss mehr dafür zu suchen, dass die Worte putagium, puteum und putaria nichts anders bedeuteten als einen Gang am Abend zum Liebesbrunnen. Besonders in den südlichen Provinzen Frankreichs wandte man mit Vorliebe die Bezeichnung putaria an. In den Rechtsbüchern der Stadt Asti liest man: Si uxor alicujus civis Astensis olim aufugit pro putaria cum aliquo . . . (Collat. 12, cap. 7.) Das Wort puteum wurde vorzugsweise in der Provinzsprache gebraucht, die aus puteum ein Synonym von putagium machte. Was dieses Wort anbetrifft, welches wahrscheinlich das allerälteste war, so fand es seinen Eintritt sogar in die Sprache der Gesetze. Man findet es in den Gerichtsbeschlüssen und häufig auch in den königlichen Ordonnanzen. Es genügt die Erwähnung einer dieser Ordonnanzen, in der gesagt wird, dass das putagium der Mutter dem Sohne nicht seine Erbrechte raubt, weil der in der Ehe geborene Sohn immer als legitim zu gelten hat: quod generaliter dici solet, quod putagium haereditatem non adimit, intelligitur de putagio matris. Das Wort putagium konnte sich nur auf die Prostitution einer Frau beziehen. Die französische Sprache hat dann das Wort putagium in putage, puta in pute und putena in putain umgewandelt. Die beiden letzten Worte finden sich gleichzeitig, wie wir aus der Chronik des Orderic Vital entnehmen können.

Der Ausdruck putage findet sich sehr häufig in der alten französischen Sprache, besonders in den Romanen und in den Geschichten der Troubadoure im Sinn von putagium. In dem von Ducange gesammelten Bruchstücken wird der Sinn sehr deutlich erläutert; das Wort selbst ist in der französischen Sprache nicht erhalten geblieben und findet sich nur in den Worten putinage und putasserie, die das Vokabularium des niederen Volkes bewahrt hat, ohne den Worten ihre Nüance zu lassen. Zwei Verse aus dem Roman Vacces geben uns einen Einblick in die wirkliche Anwendung des Wortes putage:

Maint homme a essellié et torné à servage,
Et mis par povreté mainte feme au putage.

Der Roman Renard leiht dem Worte putage einen Sinn, der sich dem des modernen putanisme annähert:

Grant deshonnour et grant hontage
Fistes-vous et grant putage.

Der Roman Amile und Amy bedient sich desselben Wortes:

A mal putaige doit li siens cors livrez!

Endlich wendet der Roman Athis das Wort an, um damit den Zustand einer Frau zu bezeichnen, die sich der öffentlichen Prostitution hingegeben:

Et sa femme estoit, marieé,
Benoite ne espousee

Qui puis la trairoit à putage,
A mauvaistié ne à hontage
Qu' on le fesist mourir à honte,
Sans en faire nul autre conte.

Wir sehen davon ab, eine gleiche Anzahl von Stellen für den Gebrauch und die Bedeutung des Wortes pute zu sammeln, das seine Bedeutung und seinen Ursprung in der Anwendung der Volkssprache bewahrt hat. Das Wort wurde im bösen Sinne gebraucht, wie man aus folgenden Versen des Romans von Garin de Loherain entnehmen kann:

Or, m'avez-vos lesdengiée vilment,
Et clamé pute, oyant toute la gent.

Wir werden später sehen, wie teuer die Anwendung dieses Wortes auf die Frauen im Allgemeinen dem Dichter Jean de Meung zu stehen kam.

Das lenocinium, dieser treue und unzertrennliche Begleiter des meretricium, hatte mehr Schwierigkeit seinen Namen zu ändern; da das Gewerbe in der Regel von Frauen ausgeübt wurde, so verwandelte man zunächst das Wort in lenonia, das in die Sprache des zwölften Jahrhunderts überging und sich in der Form lenoine französierte. Aber das Volk fand bald eine ihm mehr angemessene Bezeichnung für das Geschäft des Kupplers in dem Worte maquerellagium, das in dem alten Französisch zu maquerellage wurde, heute noch in der gewöhnlichen Sprache existiert und sogar seinen Platz im Dictionnaire der Akademie gefunden hat. Vor maquerellagium hatte man schon die Ausdrücke maquerellus, maquerella, maquereau und maquerelle gebildet. Die gelehrtesten Sprachforscher haben sich grosse Mühe gegeben, dem Ursprunge dieser Worte nachzuforschen, die von dem lateinischen nichts anderes als die Form entlehnt haben. Nicot und Menage haben nach Analogien für das Wort gesucht und gemeint, dass maquereau mit dem Worte maculae zusammenhing. Tripaut hat darauf hingewiesen, dass in Rom die Wasserträger, aquariolus, das Privilegium des lenociniums besassen und meint, dass aus diesem Worte durch einfaches Vorsetzen eines m schliesslich das französische Wort entstanden sei. Andere Sprachforscher wieder haben hingewiesen auf das hebräische Wort machar, das „verkaufen" bedeutet und in der That ja sehr wohl mit dem Gewerbe im Zusammenhange stehen könnte, welches den Menschenhandel betreibt. Aber gerade diese letzten beiden Sprachforscher hätten für ihre Vermutung Beweise beibringen müssen; in einzelnen Urkunden des Mittelalters wird freilich darauf hingewiesen, dass man den Juden mit besonderer Vorliebe das Kupplergewerbe vorwarf.

Wieder andere Sprachforscher wollen das Wort maquerellus in Verbindung bringen mit dem Namen eines Fisches Makrele. Es müsste demnach die Bezeichnung für den Kuppler infolge eines Wortspiels entstanden sein, welches so allgemeine Verbreitung erlangte, dass es schliesslich vollständig in den Ideenkreis des Volkes eingedrungen wäre; es lassen sich indes auch sonst einige Vergleichspunkte auffinden: sowie die Makrele um die Heringsschwärme herumzieht und sie gleichsam in die Netze des Fischers hineintreibt, während sie sich gleichzeitig von ihrem Fleische nährt, so kann man ja auch den Kuppler als jemanden bezeichnen, der Frauenzimmer in ihr Unglück stösst und sich zugleich von ihrer Schande mästet. Spürt man dem Ursprung des Wortes maquerellus weiter nach, dann kann man auch darin denken, dass aus dem Zeitwort moechari ein Hauptwort moecharellus gebildet worden ist, was etwa „Anreizer zu einem liederlichen Lebenswandel" bedeuten würde.

Ebenso wie lenocinium und meretricium hatte auch das Wort lupanar nur in der Sprache der Schriftsteller Anwendung gefunden; die Volkssprache hat es nicht übernommen, weil die Sache selbst gar zu unbekannt war. Das Volk wusste nichts von solchen Einrichtungen. Die Schlupfwinkel der Prostitution in den fränkischen Städten hatten nichts gemein mit den grossen und luxuriös eingerichten Lupanaren Roms. Man bezeichnete die Höhlen ohne Unterschied mit den Namen borda und bordellum, die dann im Dialekte des zwölften Jahrhunderts zu borde, bordel und bordeau wurden. Das Wort ist nichts anderes als die französierte Form des sächsischen Wortes „bord"; das hat zu der leichten etymologischen Deutung geführt, dass das bordel nichts anderes sei, als ein Haus, das am Strande des Meeres oder am Ufer des Wassers lag. Aber diese Häuser lagen doch nicht immer in der Nähe eines Flusses oder des Meeres, dafür liesse sich kein moralischer oder sanitärischer Grund finden. Häufig freilich hatte sich die Prostitution an den Flussufern angesiedelt, zumal als die Schifffahrt auf den Flüssen eine grosse Anzahl von Kaufleuten, Passagieren und Schifferknechte an einzelnen Orten zusammenführte. Mit borda bezeichnete man vielmehr eine einzeln stehende Hütte, meistens an einem Wege oder einem Bache ausserhalb der Ringmauern der Stadt in einer Vorstadt oder auf dem Lande. Man unterschied borde von dem Worte für städtisches Haus, wie man aus folgendem Vers des Romans von Auberg erkennen kann.

Ne trouvissiez ni borde ni maison.

Ebenso heisst es in dem Roman von Garin:

Ni a meson ne borde ne mesnil.

Solche borde waren in der Regel mit einem kleinen Garten, oder einem Felde verbunden; in einem Kontrakt aus dem Jahre 1292, den Ducange in seinem Glossarium citiert, wird gesagt, dass der Abt verpflichtet war, auf den Klostergütern jedem Stadtbewohner, der dort eine borde machen wollte, ein Stück Land zu geben. Die aus der Stadt verbannte Prostitution flüchtete sich in diese borden, die fern von dem Machtbereiche der städtischen Polizei lag und keinerlei Anlass zu Skandalen gaben. Diese ländlichen Residenzen waren nur zu gewissen Jahreszeiten und zu gewissen Tagen von ihren Inhabern oder Mietern bewohnt, aber die Prostitution fand dort zu jeder Zeit eine sichere Zuflucht. Die Lebemänner, welche die Frauen in den borden besuchen wollten, fanden leicht eine Ausrede für irgend eine Wanderung vor den Thoren der Stadt. Aus dem Worte borde entstand dann das verkleinernde Wort bordel, das der allgemeine Name für die Orte wurde, an denen man öffentliche Unzucht trieb, ganz gleich, ob sie auf dem Lande oder in dem Innern der Stadt lagen. Das Patois kennt noch mehrere Umformungen dieses Wortes, so z. B. bordeel, bordiau, bordeau, bordelet, bordeliau.

Soviel bordels auch ausserhalb der Stadtmauern existierten, so gab es daneben doch noch eine schweifende Prostitution, deren Mitglieder nicht einmal die Mittel besassen, um eine borde zu mieten oder zu kaufen und darum ähnlich wie die lupæ und suburranæ Roms die Unzucht auf öffentlichem Wege betrieben: femmes séant aux haies, es issues des villages, filles de chemin, femmes de champs (Vergl. Carpentier, Supplem. zu Ducange).

Diejenigen Weiber, die ihren Wohnsitz in den borden oder bordels hatten, bezeichnete man als Bordelieren oder Bourdelieren. Aber es war nicht ihre einzige Bezeichnung. Wir haben schon früher gesehen, dass man sie in tadelndem Sinne auch putes und putains nannte. Das Altertum hatt schon im Namen bei den Prostituierten angedeutet, welche Art von Gewerbe sie betrieben, welches ihre soziale Stellung und ihre Herkunft sei; das that die Sprache dieser Zeit nicht mehr. Vom Ende des zwölften Jahrhunderts ab, wandte man auf sie im Allgemeinen im schlechten Sinne den Namen garcia oder gartia an, der im französischen zu garce oder garse wurde und bis auf den heutigen Tag noch auf dem Lande als Bezeichnung für ein unverheiratetes Mädchen gebräuchlich ist. So liest man z. B. in den Abrissen der Geschichte von Bresse, von Guichenon auf Seite 203: Si leno vel meretrix, si gartio vel gartia alicui burgensi convitium dixerit . . .; und in dem Verzeichnis der Privilegien der Stadt Seissel aus dem Jahre 1285 heisst es: Si gartia dicat aliquid probo homini et mulieri . . . Diese Bezeichnung, die in der Prosa und der Poesie des dreizehnten bis siebzehnten Jahrhunderts fast auf jeder Seite wiederkehrt, wurde nur ausnahmsweise in ihrem ursprünglichen Sinne gebraucht und konnte nur dann als Beleidigung gelten, wenn sie mit einem bestimmten Adjektivum zusammengebraucht wurde. Man sieht übrigens schon aus dem oben citierten Auszug aus Guichenon, dass die Bezeichnung garcia, selbst wo sie im üblen Sinne gebraucht wurde, von der für Prostituierte, nämlich meretrix, abweicht, indem man darunter mehr ein umherstreichendes Mädchen verstand. Guichard, der beweisen wollte, dass alle Sprachen vom Hebräischen abstammen, wollte das Wort garce von einem hebräischen Worte herleiten, das „sich prostituieren" bedeutet;

er übersah dabei aber, dass das Wort garcia viel älter ist, als die schlimme Bedeutung, die man ihm später beigelegt hat! Noch im dreizehnten Jahrhundert finden wir garcia in dem Sinne von Dienerin, ancilla, häufig gebraucht. Der Sachverhalt ist einfach so, dass garce die weibliche Form des Wortes gars darstellt, welches seinerseits wahrscheinlich gallischen Ursprunges war und auf wars zurückgeht. Wars bedeutete einen heiratsfähigen Mann. Von dem Worte gars leitete man im lateinischen das Wort garsio, mit welchem man Kammerdiener, Nichtsthuer, Dieb und dergleichen Leute bezeichnete. Dieses Wort giebt uns den besten Beweis dafür, dass eine ursprünglich ganz harmlose Wurzel allmählich im Munde des Volkes einen immer schlechteren Sinn erhält.

Das waren nicht die einzigen Bezeichnungen, die das Mittelalter für die Prostituierten gebrauchte: man wandte auch noch an fornicariae und fornicatrices, prostibulariae, prostantes, gyneciariae, lupanariae, ganeariae, alles küchenlateinische Ausdrücke. Die drei letzten Worte waren Synonyme und bezeichneten die Orte, an denen sich Frauen von leichtfertigen Lebenswandel aufhielten: ganea, lupanar und gynecium. Die Bezeichnung prostantes vom Verbum prostare deutete an, dass die Frauen sich verkauften; die prostibulariae waren durch diesen Namen als solchen gekennzeichnet, die sich prostituierten; die fornicariae und fornicatrices waren Weiber, die Hurerei trieben und zur Hurerei anreizten. Diese verschiedenen Ausdrücke gingen nicht in die französische Sprache über, dafür aber eine Reihe von anderen, die einen weniger ausgeprägten lateinischen Charakter trugen, wie die folgenden: ribaude meschine, femme folle, femme de vie. Der Ausdruck femme de vie, femina vitae, scheint, abgesehen von seinen zweifellosen lateinischen Wortursprung, auf eine spezifisch gallische Obscönität zurückzuführen. Die Bezeichnung femme folle oder femme folieuse, mulier follis oder mulier fatua geht zurück auf jene Narrenfeste von denen wir oben schon als dem letzten Reflex der Mysterien der antiken Prostitution sprachen. Die meschine war ursprünglich nichts anderes als eine kleine Dienerin, eine Aufwärterin, Haussklavin; die ribaude dagegen eine Art Trossweib, Marketenderin, Soldatenmädchen, Lagerschwärmerin. An einer anderen Stelle haben wir auseinanderzusetzen, was die ribauds unter Philipp August waren, die sich thatsächlieh eine Art von König (roi des ribauds) erwählten. Mit den etymologischen Untersuchungen über Wurzel und Ursprung des Wortes ribaud, dessen Anklänge sich in allen europäischen Sprachen finden, wollen wir uns hier nicht aufhalten; es sind ganz lange Abhandlungen darüber verfasst worden, und es werden auch fernerhin wohl noch Ströme von Tinte zu ähnlichen Untersuchungen aufgewendet werden. Bisher aber ist ein allgemein befriedigendes Resultat noch nicht zu verzeichnen gewesen. Wir neigen der Ansicht zu, dass das Wort auf die gallische Wurzel baux oder baud zurückgeht, die soviel wie lebenslustig bedeutet und auch in den Formen baude d. h. Freude und ébaudir d. h. sich erfreuen, ergötzen ins Französische übergegangen ist. Der Familienname Baux (die Lebenslustigen bedeutet das Wort), den man im Sprachgebiet des Languedoc bis ins 6. Jahrhundert zurückverfolgen kann, bezeugt uns schon das Alter des Wortes. In der englischen Sprache finden wir das Wort baud wieder; es bedeutet dort Kuppler. Im Italienischen stossen wir auf die Form baldo, womit man einen unbesonnenen, kühnen, auch wohl zu Gewaltthaten geneigten Menschen bezeichnet. Rebaldus, zusammengesetzt aus der emphatischen Praeposition re und dem Wurzelwort baux, baud oder bould ist dann mit rebaux zusammen gebraucht worden. Ribaud und ribaldus haben sich zu derselben Zeit französiert und lateinisiert. Im guten Sinne wurden diese Worte eigentlich nur bis zur Regierungszeit Philipp Augusts angewendet, später gebrauchte man sie ganz vorwiegend in einem hässlichen, tadelnden Tone. Früher bedeutete das Epitheton ribaud einen rüstigen Mann, einen lustigen Menschen von tüchtiger physischer Konstitution, zumal auch für die Liebe geschaffen. Später aber wandte man es nur auf Thunichtgute und Wüstlinge an. Alle anderen Sprachen adoptierten dann das Wort in seinem depravierten Sinne; ebenso erging es auch den Kompositis mit dem Worte ribaux. Im Französischen wurde ribaudie zu einem Synonym von Prostitution, ebenso wie Mathias Villani in seiner Chronik (lib. IV. cap. 91) den Ausdruck ribaldaglia in diesem Sinne anwendet. Von ribaud wurde dann ribaude, ribalda, abgeleitet; aber diese beiden Bezeichnungen hatten stets den infamierenden Sinn, sind also offenbar erst entstanden, als auch die Maskulinform bereits die Bedeutungsänderung hinter sich hatte. Nach dem Gewohnheitsrechte von Bergerac war es, auf freigeborene und höherstehende Frauen angewendet, eine ausserordentlich schwere Beleidigung; bei niedrigstehenden Personen galt es nicht für so schwer beleidigend, vorausgesetzt, dass es nicht in Verbindung mit einem Hinweis auf irgend ein bestimmtes Faktum gebraucht wurde. Diese sonderbare Bestimmung aus dem Gewohnheitsrechte von Bergerac ist uns durch jene Benediktiner überliefert worden, die das Werk des Ducange fortsetzten. In der späteren Zeit ist ribaude, von welchem Worte ganz folgerichtig ribaudaille und ribauderie abgeleitet wurden, die bevorzugte Bezeichnung für Frauen die einen unregelmässigen Lebenswandel führten.

Das Wort meschine, das sehr häufig auf Weiber angewandt wurde, die auf ihren Körper besonders stolz waren (femmes folles de leurs corps) hatte zunächst mehr einen wohlwollend neckischen als einen beleidigenden Sinn; ihm voraus ging die Anwendung der Form meschin Unzweifelhaft keltischen Ursprungs hat sich dies Wort in der Form mesquin bis ins Neufranzösische erhalten; seine ursprüngliche Bedeutung war kleiner Diener, junger Sklave. Wie Ducange an mehreren Citaten nachweist, finden wir die Formen meschinus und mischinus in einer ganzen Reihe von Klosterkartularien seit dem zehnten Jahrhundert: sie bedeuten dort ebenfalls junge Diener, im besondern Kammerdiener oder Leibdiener. In diesem engeren Sinne wurde es besonders in der Sprache des zwölften Jahrhunderts verwendet, aber auch damals immer noch ohne jede böse Nebenbedeutung. Im Roman von Garin finden wir es an sehr vielen Stellen, aber immer in guter Bedeutung, wie beispielsweise im folgenden Verse:

Vous estes jones jovenciaux et meschins.

Frühzeitig bekam dagegen die Femininform einen prægnanteren Sinn, wie man aus folgendem, ebenfalls im Garinroman enthaltenen Verse ersehen mag:

Au matin lievent meschines et pucelles.

In der ferneren Zeit geht der Bedeutungswechsel in diesem Sinne seinen Weg weiter, und schon gegen den Beginn des dreizehnten Jahrhunders scheint die infamierende Bedeutung ganz festgestanden zu haben; Beweis dafür ist uns eine Stelle aus dem bekannten Opus von Wilhelm Guiart, wo es in vier charakteristischen Versen folgendermassen heisst:

Des sains corporaux des yglises
Fesoient volez et chemises
Communement à leurs meschines,
En depit des œuvres divines.

Ducange führt noch aus einem Manuscript aus der Bibliothek von Coislin einen alten Poeten an, um zu zeigen, dass man späterhin gerne meschine und dame einander entgegensetzte; an einer bezeichnenden Stelle definiert dieser selbe Dichter Stand und Aufgabe einer meschine in der folgenden Weise:

En la chambre ot une meschine
Qui moult est de gentille orine.

in einer Ordonnanz, die sich auf den Abt von Bonne-Esperance bezieht, billigt man diesem kirchlichen Würdenträger eine Summe von 20 Goldstücken „für seine Verwaltung, für einen Diener und eine meschine" zu. So sehen wir denn wieder eine Spaltung in der Bedeutung des Wortes: auf der einen Seite bedeutete es nunmehr schlechthin eine Dienerin, die den gewöhnlichen Pflichten ihres Standes nachzukommen hat, wie sie in den hundert neuen Vorschriften Ludwigs XI. vorgeschrieben sind: Die meschine hat die gewöhnliche Hausarbeit zu verrichten, die Betten zu machen, Brot zu backen und anderen Dienst zu verrichten." Auf der anderen Seite aber fanden wir das Wort als Bezeichnung für verworfene Frauen, die sich dem ersten besten feilbieten und ihm gegen Bezahlung ihre Huld schenken. Ganz dementsprechend wendete sich auch die Bedeutung des Substantivums meschinage: ursprünglich ein Synonym von service und schlechthin jedes Dienstverhältnis bezeichnend wurde seine Bedeutung immer mehr im üblen Sinne verengt, bis er schliesslich nur noch für die besondere geschlechtliche Dienstleitung der

Prostitution in Gebrauch war. Das meschinage d. h. der Dienst in Schänken und Kneipen wurde übrigens, ähnlich wie im römischen Rechte, schon in den Vorschriften und Verordnungen Ludwigs des Heiligen für infam erklärt; indessen finden wir in denselben Rechtsquellen Vorschriften, dass ein Mädchen, welches sich zur meschinage verdingte, von Rechtswegen ebenso wie ihre Brüder und Schwestern beim Tode des Vaters erbberechtigt sein sollte (Liv. I., cap. 138).

Diese franko-lateinische Nomenklatur der Prostitution müssen wir noch durch einen Ausdruck bereichern, der italienischen Ursprungs ist und durch die Troubadours etwa im elften Jahrhundert nach Frankreich verpflanzt wurde. Das Wort ruffian weist schon durch seine ganze Struktur auf meridionalen und nichtbarbarischen Ursprung hin. Ménage will seine Ableitung von einem berühmten italienischen Kuppler namens Rufo behaupten, ohne zu bedenken, dass das Wort doch offenbar viel älter ist, als dieser Rufo selbst. Andere Etymologen, die nicht geneigt waren, sich der hier vorgeschlagenen Ableitung anzuschliessen, haben bei Terenz einen Mann namens Rufus entdeckt, der ebenfalls das Kupplergewerbe betrieb. Ducange kommt der Wahrheit vermutlich näher mit seinem Hinweis darauf, dass nach den Bemerkungen von François Pithou und Woverenus zu Petronius die römischen Prostituierten Perrücken trugen, welche ruffæ genannt wurden. Wir wollen darauf hinweisen, dass man auch noch an eine andere Ursprungsmöglichkeit, nämlich an eine Entstehung aus den Zusammensetzungen von rufia oder rufi mit anus denken kann. Freilich haben sich die Gelehrten mit diesen Möglichkeiten und Vermutungen keineswegs begnügt, sondern noch eine ganze Anzahl von Konjekturen aufgestellt. Es würde kaum von Interesse für unsere Leser sein, wollten wir sie hier alle anführen und diskutieren: für uns haben diese sprachlichen Untersuchungen nur den einen Zweck, dass wir mit ihrer Hilfe gewisse dunkle Partien aus der Geschichte der Prostitution aufzuhellen vermögen. Bei den Sprachforschern, die anderen Zielen zustreben, treten diese Gesichtspunkte dagegen vollkommen in den Hintergrund. Sie stützen sich deshalb auch lediglich auf die Gesetze ihrer philologischen Wissenschaft, spüren den Lautwandlungen nach, nicht ohne manchmal dabei bedenklich in die Irre zu gehen. Die Sprachforschung kann und wird jederzeit ein wichtiges Vehikel kulturgeschichtlicher Forschung sein, aber auch sie muss hinwiederum ihre Ergebnisse und Forschungsresultate beständig durch die Kulturgeschichte kontrolieren, um sich nicht ins Nebelhafte zu verlieren. Vor allen Dingen hat die Philologie auf den Gebieten, die von der Schriftsprache naturgemäss nicht oft und nicht in den besten Quellen in ihren Kreis gezogen wurden, immer mit den nachträglich oft absurd erscheinenden Willkürlichkeiten der Volkssprache zu rechnen. Thut sie das nicht, vernachlässigt sie mit anderen Worten die kulturhistorische Kontrole, so kommt sie häufig zu wunderlichen Resultaten, die deshalb nicht richtiger werden, weil sie mit grossem Aplomb und gewaltigem wissenschaftlichen Apparat vorgetragen werden.

Kehren wir zu dem hier zu behandelnden Worte ruffian, ruffianus zurück, so scheint thatsächlich, die Ableitung von der Zusammensetzung rufi anus und rufia anus sehr vieles für sich zu haben. Man bezeichnete thatsächlich mit ruffian nicht nur einen Kuppler, sondern ebenso häufig, wenn nicht häufiger einen Mann von liederlichem, ausschweifendem Lebenswandel, einen Wüstling, einen Menschen, der Weiber aushielt und an verrufenen Orten verkehrte. Wie dem aber auch immer sei, in den italienischen Schriftstellern des Mittelalters finden wir fast immer die ruffiani mit den Prostituierten zusammen genannt (ruffiani et meretrices). Ducange und Carpentier zitieren aus jenen Schriftstellern einige hochinteressante Stellen; in einer davon wird ruffian positiv als Synonym für Kuppler (leno) angewendet: quilibet et quaelibet leno, qui et quae vulgariter ruffiani dicuntur. Ins Französische scheint das Wort nicht vor dem dreizehnten Jahrhundert aufgenommen zu sein, und recht in Gebrauch kam es eigentlich erst im fünfzehnten Jahrhundert, als die Italianismen mit Macht in die Sprache des damaligen Frankreichs eindrangen. Niemais ist das in verschiedenen Nuancierungen angewandte Wort in den Wortschatz der feierlichen Rede aufgenommen worden und stets hat es seinen vulgären Charakter beibehalten.

Endlich bleibt uns noch ein Wort zu erwähnen übrig, das von mysteriösen Gebräuchen der Prostitution Zeugnis ablegt. Wie Aberglaube und Prostitution stets in innigem Verbande mit einander standen, dass haben wir schon an früheren Stellen ausgeführt; hier sei nur noch einmal daran erinnert, wie die eigenartige soziale Stellung ihren Angehörigen auch auf ihre Denkweise von entscheidendem Einfluss war: die Psychologie der Prostitution ist durchaus eigenartig. Die der Prostitution ergebenen Weiber denken und fühlen anders als die gesellschaftlich über ihnen Stehenden; die Isolierung zu der sie verdammt sind, der Ausschluss aus den anderen Volkskreisen, sogar aus den niederen, aus denen sie zumeist stammen, äussert sich nicht allein in ihrer Lebensführung, sondern auch in ihrer Lebensauffassung. In ihrem Sprachgebrauch finden wir dafür vollgiltige Beweise. So hiessen die Orte, an denen sich die Prostituierten ihrem Gewerbe hinzugeben pflegten, die Bordelle, im figürlichen Sinne clapiers, claperii, weil sich ihre Insassinnen wie die Kaninchen scheu verbargen. Denn nach Ménage ist clapier nichts anderes als eine leichte Umformung des lateinischen Wortes lepus, vulgärlateinisch in lapus, lapinus, clapinus verwandelt; von lapinus, clapinus stammt dann wieder lapiarium und clapiarium. Nach Ducange nannte man ursprünglich die vor den Kaninchenbauen aufgestellten Fangeisen clapa, eine Bezeichnung, die dann auf die Baue selbst übertragen wurde. Nach anderen Sprachforschern soll clapier dagegen auf die griechische Wurzel kleptein zurückgehen, die „sich verbergen" bedeutet; auch an das lateinische lapis hat man gedacht, weil die Kaninchenbaue zumeist unter Steinen angelegt werden. Indessen kommt es hier weniger auf die Richtigkeit der einen oder anderen etymologischen Deutung an, als auf die Feststellung, dass man die Sitze der Prostitution in Beziehung setzte mit den Höhlen der Kaninchen. Wir brauchen dabei nicht erst ausdrücklich auf den sexuellen Nebensinn einer derartigen Wort- und Begriffsverbindung hinzuweisen.

So haben wir schon aus dem bisher betrachteten Material eine bemerkenswerte Fülle von interessanten Aufklärungen über die Zustände der Prostitution im alten Frankreich und über die Art ihrer Beurteilung in und durch das Volk gewonnen. Weitere Untersuchungen werden uns noch neue Aufschlüsse geben, wenn schon wir gerade dieser Seite unserer Aufgabe nicht allzuviel Raum widmen können. Wir unterbrechen deshalb zunächst den Gang dieser sprachwissenschaftlichen Nachforschungen, um die Ergebnisse in anderer Form zusammenzufassen und dann von neuem den hier angesponnenen Faden wieder aufzunehmen.

VII. Kapitel

Die Sitten des Volkes unter den Königen vor Ludwig IX. — Beklagenswerte Fortschritte der Sodomie. — Ein Bild von den pariserischen Sitten zu Ende des zwölften Jahrhunderts. — Die Schüler der Universität. — Die Thermen Julians. — Auf den Kirchhöfen. — Studenten und Prostituierte. — Die ersten Insassinnen der Abtei Saint-Antoine-des-Champs. — Die Schutzpatronin der Dirnen. — Korporative Organisation der Prostituierten. — Hurenzunft. — Der Versöhnungskuss der Prostituierten aus dem Gefolge des königlichen Hofes. — Die Bemühungen Ludwigs IX. um Eindämmung der Prostitution. — Das Haus der Gottestöchter. — Wie Ludwig der Heilige einen Ritter strafte, der in einem Hurenhause ertappt worden war. — Unterdrückung der öffentlichen Häuser und Verbannung der Prostituierten. —

In den Sammlungen der königlichen Ordonnanzen während der Regierungszeit des dritten über Frankreich herrschenden Hauses findet sich vor Ludwig dem Heiligen keine einzige auf die Prostitution bezügliche, daraus darf man, wie wir schon erwähnt haben, nicht den Schluss ziehen, die Prostitution sei aus Frankreich verschwunden gewesen, oder die staatliche Gewalt habe sich gar nicht um sie gekümmert und sie weder präventiv noch repressiv überwacht. Wir glauben vielmehr, dass die Sittenlosigkeit während der schweren Feudalkriege noch mehr zugenommen hatte, denn das Land wurde während jener Zeit schrecklichen Verwüstungen unterzogen und der Fortschritt der Kultur wurde fast völlig verhindert. Wir glauben ferner, dass die alte Gesetzgebung über die Prostitution nichts an ihrer Strenge verloren hatte, dass aber die Ausübung der Gesetze in dieser wildbewegten Zeit zweifellos stark vernachlässigt wurde. Man hatte genug zu thun, die Städte gegen äussere Feinde zu verteidigen, und so musste man über manche Unordnung im Innern hinwegsehen. Eine Art erzwungene Toleranz hatte so der Prostitution gestattet in den Städten an Boden zu gewinnen, zumal in Paris, wo sie sich wie die anderen Gewerbe zünftig organisiert hatte und, sei es mit Billigung oder wenigstens nicht gehindert, von der Stadt, sogar eigene Zunftordnungen aufgestellt hatte. Es wäre leicht zu beweisen, dass unter den Königen vor Ludwig IX. die öffentliche Sittlichkeit ärger verfallen war, als später und wir könnten mehr als einen Zeugen dafür aufführen, der uns aus jener Zeit heraus bestätigt, dass die reglementierte Prostitution sich stark vermehrt und so zu sagen den Bedürfnissen der pariserischen Bevölkerung angepasst hatte.

Von einem gewissen Standpunkte aus, kann man freilich dem Wachsen der Prostitution, sogar eine Art von Verbesserung der Sitten zuschreiben; denn seitdem die Normannen sich mit den eingeborenen Franken und den Galloromanen vermischt hatten, war der widernatürliche Geschlechtsverkehr in allen Schichten der Bevölkerung ausserordentlich verbreitet. Wilhelm von Nangis, der uns in seiner Chronik den tragischen Tod zweier Söhne und einer Tochter Heinrichs I., Königs von England erzählt — die Königskinder ertranken mit einer grossen Zahl englischer Ritter im Meere — stellt diesen Schiffbruch als eine Art von Gottesgericht dar und scheut sich nicht zu sagen, dass die Opfer zum grössten Teil sodomitischen Lastern ergeben waren (omnes fere sodomitica labe dicebantur et erant irrititi). Wie wir schon früher erwähnt haben, trat dieses schlimme Laster besonders bei den Mönchen auf, und obwohl die Kirche bemüht war, jeden öffentlichen Skandal möglichst zu vertuschen, so musste sie doch von Zeit zu Zeit mit Bannstrafen gegen ihre nächsten Angehörigen einschreiten. Wir werden später sehen, dass der Bannfluch des Papstes Bonifacius VIII. und die Massnahmen Philipps, des Schönen gegen den Templerorden im wesentlichen nichts anders waren, als eine sittenpolizeiliche Massregel gegen die unter dem Ordensgewande der Templer überall ausgeübte Sodomie. Auch verschiedene religiöse Sekten, die damals entstanden und eine sehr lebhafte Propaganda entfalteten, huldigten der Sodomie. Mit Feuer und Schwert versuchten von Zeit zu Zeit der Klerus und die weltlichen Behörden gegen dieses Laster aufzutreten, das so sehr im Volke verbreitet war. Unter den verschiedensten Namen entstanden immer wieder bis tief ins vierzehnte Jahrhundert hinein allerhand Sektenbewegungen, von denen wirklich manche nichts anderes waren als Verbindungen von Leuten, die bösen geschlechtlichen Lastern huldigten. Wenn man sich diese Zustände vergegenwärtigt, so kann man es begreifen, dass man damals die weibliche Prostitution geradezu als ein Erlösungsmittel gegen jene furchtbaren Verfehlungen gegen die Natur ansah. Jakob von Vitry hat in seiner Geschichte des westlichen Europas (Kapitel 7) die merkwürdige und bezeichnende Thatsache überliefert, dass öffentliche Mädchen, die auf der Strasse Kleriker anhielten und sie zum Mitgehen einluden, ihnen auf ihre Weigerung hin, das Wort Sodomiten in das Angesicht schleuderten: „Dieses schreckliche Laster," so fügt er hinzu, „dieses Gift und diese Pest sind in dieser Stadt so sehr verbreitet und so unausrottbar, dass jemand, der sich eine oder mehrere Konkubinen hält, noch als ein Mann von musterhaftem Lebenswandel gilt."

Ebenso wird von Vitry, der uns diese sehr wichtige Bemerkung über den Sittenzustand von Paris zu Ende des zwölften Jahrhunderts überliefert hat, noch im einzelnen genauer beschrieben, wie es sich mit der Prostitution in dem Universitätsviertel verhielt: „In demselben Hause," so sagt er, „findet man oft Schulen in den oberen Stockwerken und Bordels in den unteren; in der ersten Etage erteilen die Professoren ihren Unterricht und zu ebener Erde üben die käuflichen Weiber ihr Gewerbe aus, und so kann es kommen, dass sich in die Diskussionen der Gelehrten die Streitigkeiten der Prostituierten untereinander oder mit ihren Kunden mischen." Das Quartier der Collegien und der Schulen war zu jener Zeit nur von Lehrern und Schülern bewohnt, daher es denn auch bis auf den heutigen Tag das lateinische Quartier heisst; die Studenten, die meistens im Alter von zwanzig bis fünfundzwanzig Jahren standen und allen Nationen angehörten, bildeten eine Art von undisziplinierter Armee von manchmal gegen einhundertfünfzigtausend Individuen, die jeden Eingriff der Stadtverwaltung in ihre Vorrechte energisch zurückwies. Die Schüler beschützten die Freudenmädchen, die sich in ihren Quartieren niedergelassen hatten, und die Universitätsbehörden wagten jedenfalls nicht, gegen dieses Treiben aufzutreten. Jakob von Vitry hat uns nach der Natur ein ausserordentlich lebensvolles Bild von dem Treiben in den Studentenvierteln von Paris gezeichnet. Er scheint auch der etwas anrüchigen Meinung gewesen zu sein, dass „Jugend sich austoben" müsse und dass deshalb ernsthafte Massregeln gegen den sexuellen Verkehr der Studenten und Dirnen sei es unzweckmässig, sei es fruchtlos seien und gewesen seien. Welche Verhältnisse noch in der romantischen Zeit des neunzehnten Jahrhunderts zwischen Studenten und Grisetten im Quartier latin in Paris herrschten, das mag man, um etwas vorzugreifen, dem bekannten Meisterwerke Murgers: Scènes de la vie de Bohème entnehmen. Diese

Schilderungen betreffen Zustände, die nun auch länger als ein halbes Jahrhundert zurückliegen, sind aber so lebenswahr, so voll von fein eindringenden psychologischen Beobachtungen und Bemerkungen, dass sie zu den wichtigsten kulturgeschichtlichen Dokumenten, wahrhaften „menschlichen Dokumenten" im Balzacschen Sinne, unseres Jahrhunderts gehören. Murger ist für den Forscher auf dem Gebiete der Sittengeschichte des neunzehnten Jahrhunderts, wenigstens soweit der Boden von Paris in Frage kommt, ungefähr dasselbe, was Boccaccio mit seinem unerreichten und kulturgeschichtlich unschätzbaren Dekamerone für das Florenz der Renaissancezeit geworden ist. Kein Volkspsycholog kann an solchen Denkmälern achtlos vorübergehen. Wahrscheinlich war aber die sesshafte Prostitution nicht die einzige, die unter dem Schutze der studierenden Jugend von Paris stand, sondern auch die schweifende Prostitution, die den Bedürfnissen jener Zeit entsprach, flüchtete sich von Zeit zu Zeit an diese sicheren Stätten. Die Pariser Universität und ihre Studenten wachten eifrig über die Vorrechte ihres Viertels und wiesen, wie wir schon sagten, jeden Eingriff der städtischen Gewalthaber energisch zurück. Das Studentenviertel bot der schweifenden Prostitution freilich nicht den einzigen Zufluchtsort, sie hatte noch eine andere Stätte, die eben so unverletzlich und während der kalten und rauhen Jahreszeit noch bequemer war. Der Palast der Thermen des Julian, in dem die ersten fränkischen Könige ihren Hof gehalten hatten, war seit Jahrhunderten nicht mehr bewohnt und bot mit seinen gewaltigen Ruinen, die von Gärten Weinbergen umgeben waren, der Prostitution willkommene Schlupfwinkel. Noch heute sieht man im Quartier latin zu Paris auf dem altehrwürdigen Boulevard St. Michel die düsteren Ruinen aufragen, die Ueberreste des ältesten Baudenkmals der Stadt. Heutzutage hat man in den noch besser erhaltenen und sorgfältig restaurierten Teilen das sehr interessante und und bedeutende Museum Cluny untergebracht, in dem die Ueberreste der gallo-romanischen Kultur gesammelt sind. In den Werken eines zeitgenössischen Dichters wird uns bestätigt, dass diese Stätte der schweifenden Prostitution früherer Zeiten einen willkommenen Schlupfwinkel bot. Johann von Hauteville, der uns von diesem Gebrauch des alten Palastes unter der Herrschaft Ludwig VII. und Philipp Augusts erzählt, beschreibt die Vorgänge und in seinem düsteren Gedichte Archithrenius heisst es: „In dem dichten Dunkel der Bäume, die den Tag zur Nacht machen, spielten sich die Liebesbeziehungen ab, und häufig legen dort die Menschen den letzten Rest von Scham ab; denn derjenige, der etwas Schlechtes thun will, der sucht das Dunkel und seine Scham liebt es, sich mit den Schleiern der Nacht zu verhüllen." Philipp August schenkte die Ruine im Jahre 1218 seinem Kammerherrn Heinrich, wahrscheinlich, damit er sie mit Mauern umgeben und die Prostitution von dort vertreiben sollte. Dieselbe Absicht leitete Philipp auch, als er einen grossen Kirchhof in Paris, den die Prostitution zum Schauplatze ihrer Thaten gemacht hatte, mit einer Mauer umgeben liess. Wilhelm der Bretone spricht in seinen epischen Gedichte Philippida, ebenfalls von der Entweihung des Friedhofes mit folgenden Worten: Et quod pejus erat, meretricabatur in illo (lib. I. vers. 441).

Aehnlich ging es an allen Orten zu, die in der Nähe der Umfassungsmauer der Stadt lagen: die Prostitution schlägt überall ihren Wohnsitz anf. In der grossen Chronik von Saint-Denis ist uns eine Stelle überliefert, die sich auf die Zeit der Herrschaft Philipp Augusts bezieht: „Die käuflichen Weiber setzten sich an den Rändern der Stadt und in den Winkeln der Strassen fest und gaben sich dort für geringen Preis jedermann hin, ohne Scham und Reue darüber zu empfinden.“ Das ist die einzige Stelle aus den Schriftstellern des dreizehnten Jahrhunderts, in der wir eine Angabe über die Preise der damaligen Prostitution finden; obschon uns nichts Genaueres in diesen Worten geschildert wird, kann man doch nicht daran zweifeln, dass der Preis, wohl infolge der ausserordentlich starken Konkurrenz, sehr gering war. Die Prostitution hatte auch noch einen anderen Markt ausserhalb der Stadt auf dem Wege nach Vincennes in einem mit Büschen und niedrigen Gehölz bestandenen Platzes vor dem Thore Saint-Antoine. Dubreul bemerkt in seinen Altertümern von Paris, dass jener Ort der gewöhnliche Schauplatz von Sittenverbrechen war, welche die Schüler straflos an den Frauen, Töchtern und Kammermädchen der Bürger von Paris vornahmen. Man errichtete anfangs ein steinernes Kreuz in der Mitte dieses übelberüchtigten Gehölzes, erreichte aber damit nur, dass nur noch eine grössere Anzahl von Weibern und Lebemännern dorthinzog, um unter dem Vorwande einer Pilgerfahrt sich den grössten Ausschweifungen hinzugeben. Die Ueberlieferung erzählt, dass eines Tages ein berühmter Prediger, Foulques von Neuilly, Abt von Saint-Denis, mitten in diese Schaar hineingetreten sei und sie ermahnt habe, ihr sittenloses Leben aufzugeben; eine Menge von Frauen soll auch auf sein Wort gehört und ein Frauenkloster gegründet haben; es wird aber auch noch erzählt, dass dieses Kloster in der Zeit seiner Entstehung um 1190 unter seinem Dach ebenso viel Männer wie Frauen vereinigt habe, woraus man wohl entnehmen kann, dass trotz der beredten Predigten die Prostitution sich in anderer Form auch in seinen Mauern festsetzte.

Ausser dieser schweifenden Prostitution, die in der Umgegend der Stadt ihr Gewerbe ausübte, gab es in verschiedenen Quartieren und in gewissen Strassen der Stadt sogenannte bordeaux und clapiers, die vor der Stunde, zu der das Feuer ausgelöscht werden musste, zahlreiche Besucher empfingen und dafür an den Staat eine Abgabe entrichteten, die gewisse Aehnlichkeit mit dem römischen vectigal hatte. Die Beweise für diese Thatsachen fehlen für jene Epoche, da wir sie aber später in

Hülle und Fülle vorfinden, so dürfen wir annehmen, dass sie aus den Zeiten vor der Regierung Ludwigs des Heiligen verloren gegangen sind. Die mündliche Ueberlieferung, die man niemals unberücksicht lassen darf, zumal bei Gegenständen, die doch nur ungern dem Papier anvertraut werden, in den Zeiten, zu denen sie gehören, — die mündliche Ueberlieferung, deren Zeugnisse im siebzehnten Jahrhundert durch Sauval gesammelt worden sind, sagt uns, dass schon lange Zeit vor der Regierung Ludwigs IX. die öffentlichen Weiber ihre eigenen Statuten, ihr eigenes Gewand und sogar ihre eigene Gerichtsstätte gehabt haben. Diese Ueberlieferung hatte sich unter den Prostituierten lebendig erhalten und sie behaupteten noch zu Sauvals Zeiten, dass der Magdalenentag gefeiert sei zu Zeiten, wo ihre Vorgängerinnen noch eine Korporation bildeten und ihre eigenen Strassen und Einrichtungen besassen, sogar schon vor der Zeit als Ludwig der Heilige sie zwang, gewisse Kleider zu tragen, zur besseren Unterscheidung von ehrbaren Frauen. Unglücklicherweise sind in der gedruckten Ausgabe des Sauvalschen Werkes die Einzelheiten über dieses Thema, die er versprochen hatte, nicht enthalten; sie sind mit der berühmten Abhandlung über die Bordels zu Paris infolge der Prüderie seiner Herausgeber daraus entfernt worden. Aber es ist unmöglich anzunehmen, dass Sauval die Beweise für die Existenz solcher Statuten der Prostitution nicht vor Augen gehabt habe; vermutlich hat er sogar die Statuten selbst gekannt, die vor der Redaktion des Gewerbebuches von Etienne Boileau gesetzliche Kraft besassen. Dieser Boileau hat in seiner Sammlung der Privilegien und Gewohnheitsrechte der Künste und Gewerbe der Prostitution überhaupt keine Erwähnung gethan; er hasste sie so sehr, dass er ihr auch in seinem Werke entgegenarbeiten wollte dadurch, dass er ihr nicht das geringste Plätzchen einräumte. Die Statuten des putage, die man hie und da noch in Kulturgeschichten auffindet, waren gewohnheitsrechtlich, also schwerlich von den Königen gebilligt und aufgestellt. Aus der Thatsache, dass die Insassen des Bordes eine Korporation unter der Iurisdiction eines roi des ribauds bildeten, muss man unbedingt annehmen, dass diese Zunft auch Statuten besessen hat. Der Titel eines Königs des Gewerbes konnte nur dann einen Sinn haben, wenn seine Wahl und seine Funktionen statutenmässig festgelegt waren. Die ribaldi hatten ihren roi des ribauds gerade so wie die Krämer ihren Krämerkönig und andere Gewerbe den ihren besassen (roi des merciers, roi des ménétriers u. s. w.).

Wir werden später sehen, dass den Prostituierten von Paris, mit Ausnahme vielleicht der Statuten, nichts fehlte zu einer wirklichen beruflichen Organisation. Infolge des Verlustes der Statuten wissen wir leider nichts über die Voraussetzungen des Eintrittes in die Korporation, über die Stufen des Lehrlingswesen, die Taxe für das Publikum, die Abgaben an den Fiskus, die Almosen und Strafen, mit einem Worte, über die innere Organisation des Gewerbes; aber wir haben genaue Nachrichten über die Quartiere und Strassen, in denen die Prostituierten wohnten. Ueber die Unterscheidungsmerkmale in der Kleidung, an denen man sie aus der Schar der ehrbaren Frauen herauskennen konnte, über die Stunden, in denen sie ihr Gewerbe ausüben durften; über die Kleidergesetze, die man ihnen auferlegte, und über manche andere Punkte giebt uns eine Anekdote Aufklärung, die aus der Chronik von Geoffroy herausgezogen ist: „Als die Königin Margarete einmal in der Kirche weilte, erblickte sie, während sich die Teilnehmer am Gottesdienste untereinander den Versöhnungskuss gaben, eine reichgekleidete Frau und gab ihr ebenfalls einen Kuss, weil sie sie für ehrbar verheiratet hielt. Diese Frau war aber nur eine Prostituierte, die sich in dem königlichen Zuge befand. Als die Königin über ihren Irrtum aufgeklärt war, beklagte sie sich bei dem Könige darüber, der den Dirnen verbot, in Paris das Kopftuch oder die Kapuze zu tragen, damit sie auf diese Weise besser von den legitim verheirateten Frauen unterschieden werden konnten.“ Diese sonderbare Anekdote, die sich in einer Chronik mit dem Endjahre 1184 findet, kann sich nicht auf die Regierungszeit Ludwigs des Heiligen und auf die Königin Margarete beziehen, weil der Verfasser der Chronik schon sechzig Jahre vor der Heirat Ludwigs des Heiligen mit Margarete von der Provence gestorben ist. Die Thatsache, die dem Verfasser der Chronik in seinem limousinischen Kloster zu Ohren gekommen ist, trägt das ganz unzweifelhafte Datum 1172, einer Zeit, in der Margarete, die Tochter Ludwigs VII. und der Königin Konstanze mit Heinrich, dem Sohne des englischen Königs verlobt war. Man darf also annehmen, dass sich die Geschichte auf diese Prinzessin bezog.

Es ist bemerkenswert, dass der hier erwähnte Vorfall nur in der Chronik des Predigers von Vigeois erwähnt worden ist, dem verschiedene Historiker mit Geoffroy von Beaulieu verwechselt haben, um eine Eigentümlichkeit in die Zeit Ludwigs IX. zu versetzen, die zweifellos schon der Regierung Ludwigs VII. angehört und beweist, dass dieser König bereits gegen die Prostituierten Massregeln ergriffen hat, von denen uns Einzelheiten nicht überliefert worden sind. Aus der Erzählung können wir verschiedene sehr interessante Folgerungen ableiten. Zunächst: befand sich die Prostituierte, die der Chronikenschreiber mit dem Beiwort königlich ausgezeichnet, unter den Freudenmädchen, die zum Hofe gehörten und die wir bis in die Zeit des Königs Franz I. unter derselben Bezeichnung antreffen? oder war es nur eine der gewöhnlichen Frauen, die unter der Herrschaft des roi des ribauds stand und Mitglied seiner königlichen Korporation war? Ferner ist bemerkenswert, dass Ludwig VII. durch sein Reglement über die Kleidung der öffentlichen Freudenmädchen gewissermassen die Existenz der Prostitution in Paris legalisierte und die Ausübung des Gewerbes gestattete. Endlich ist noch darauf hinzuweisen, dass der Gemahl dieser Königin Margarete, der vorhin schon erwähnte Heinrich den Beinamen „mit dem kurzen Mantel“ trug. Dieser Beiname ist aber vielleicht darauf zurückzuführen, dass er den öffentlichen Frauen das Tragen einer Kapuze oder eines langen Mantels verbot. Auf alle Fälle ist es bemerkenswert, dass sich seit jener Zeit diejenigen Prostituierten von Paris, die der Korporation angehörten, mit kurzen Kleidern bekleideten, gerade so, wie die römischen Prostituierten mit der Toga und nicht mit der Stola gingen.

Die Korporationen der Freudenmädchen war demnach zur Zeit des Königs Ludwigs VII. in einer Blüte, die sich deutlich genug in dem Kleiderluxus ihrer Mitglieder offenbarte. Sauval sagt an einer anderen Stelle seiner inhaltsreichen Kompilation ausdrücklich, dass die Statuten dieser Korporation bis zum Jahre 1560 in Kraft geblieben seien. Da wir die Statuten nicht mehr besitzen, so können wir auch für die Existenz des Magdalenenvereins, die uns von Sauval überliefert wird, keine Beweise erbringen; wir wissen nicht, in welchem Stadtteil er bestand, welches seine Vorrechte waren und welche Feste er zu feiern pflegte. Vermutlich jedoch hatte dieser Verein seinen Hauptsitz in einer kleinen, der Magdalena geweihten Kirche, die etwa aus dem elften Jahrhundert stammt und später dem heiligen Nikolaus zugewiesen wurde. Die Stätte dieser Kirche, die in der grossen französischen Revolution zerstört wurde, ist jetzt mit Privathäusern bedeckt.

Alle Prostituierten erwählten Magdalena zu ihrer Schutzpatronin, ohne sich Kopfschmerzen darüber zu machen, dass die Legenden ihnen verschiedene Heilige unter diesem Namen darboten. Vielleicht weihten sie auch ihren Kultus jener ägyptischen Maria, die vor ihrer Bekehrung eine berühmte Prostituierte gewesen war. Eine alte Ueberlieferung lehrt uns, dass die Kapelle dieser Heiligen von den öffentlichen Frauen besonders bevorzugt wurde; seit ihrer Gründung im zwölften Jahrhundert pflegten dort die Prostituierten ihren kirchlichen Verpflichtungen nachzukommen. Erst im Jahre 1660 liess ein Pfarrherr aus dieser Kapelle ein gemaltes Fenster entfernen, auf dem dargestellt war, wie jene Maria auf einem Schiff den Seeleuten die Ueberfahrt durch Dienste der Liebe bezahlte.

Als Ludwig IX. den Thron bestieg, war zwar nicht sein erster Gedanke, die legale Prostitution, die überall in dem Königreiche geduldet, wenn nicht erlaubt war, zu unterdrücken; er versuchte aber doch wenigstens ihren Umfang einigermassen einzuschränken. „Niemals,“ so sagt Sauval, „gab es mehr Dirnen als im Anfang des dreizehnten Jahrhunderts in dem Königreiche und doch hat man sie niemals früher strenger bestraft.“ Auch der Erzbischof von Paris, Wilhelm von Seligny, beteiligt sich an dem Kampfe gegen die Prostitution. Der König Ludwig IX. stiftete damals ein Zufluchtshaus für solche Prostituierte, die ihr Gewerbe aufgeben wollten. Derartige Stiftungen scheinen die auf Sittenverbesserungen erpichten

Kronenträger zu allen Zeiten für besonders wirksame Mittel im Kampfe gegen die Prostitution gehalten zu haben. Ganz abgesehen aber davon, dass man derartige Erscheinungen des sozialen Lebens natürlich nicht mit solchen immer vereinzelt bleibenden Mittelchen aus der Welt zu schaffen vermag, sollten schon die von der Geschichte überlieferten Erfahrungen von diesen Versuchen abhalten. Wir erinnern daran, welche betrübenden Erfolge die Kaiserin Theodora in Byzanz mit ähnlichen Häusern zu ihrer Zeit machen musste, wir erinnern ferner daran, dass, wie wir oben auseinandersetzten, auch in Paris die früheren Versuche durch Klostergründungen den Kampf gegen eine soziale Erscheinung zu führen, gescheitert waren. Im günstigsten Falle verpflanzte man die Prostitution von der Strasse in ein Haus, machte doch aber damit zugleich den Anreiz dazu auf die einzelnen Individuen entschieden nicht geringer. Das von Ludwig IX. gegründete Haus stand in der Strasse Saint-Jacques und gehörte seinem Beichtvater und Kaplan Robert Sorbon, den er an die Spitze des Zufluchtshauses stellen wollte; später wurde aber das Haus, weil es so nahe an den Hochschulen lag, in ein anderes Stadtviertel verlegt und zu einem förmlichen Kloster ausgestaltet. Noch später wurde auch ein Hospital hinzugefügt, es lag dort, wo in der Zeit der Revolution, das kairische Viertel angelegt wurde. Im Innern der Umfassungsmauer, die die ganze Anlage festungsartig umgab, gab es grosse Gärten; das ganze Gebäude nannte man die Maison des Chartriers; im Volksmunde hiess es auch das Haus der Gottestöchter, wahrscheinlich mit einer boshaften Anspielung auf die Nonnen, die auch nicht immer einen züchtigen Lebenswandel zu führen pflegten, wie das Volk wohl wusste. Ein satirischer Dichter aus jener Zeit, Rutebeuf, macht sich lustig über diese Gottestöchter und findet, dass der Name recht schlecht zu ihrem Vorleben passt. Er sagte:

Diex a non de filles avoir,
Mès je ne poy oncques savoir
Que Diex eust fame en sa vie! . . .

Ein anderer Schriftsteller, Joinville, erzählt uns, dass der König die bekehrten Dirnen nicht nur mit diesem Hause, sondern auch mit einer Rente von jährlich vierhundert Goldstücken zu ihrem Unterhalte beschenkt habe. Diese Rente war nach dem damaligen Werte des Geldes ausserordentlich hoch. Die Zahl der Gottestöchter überstieg im Anfang nicht zweihundert, wuchs dann aber immer mehr und mehr an, dadurch, dass immer mehr Frauen, die die Lust zu ihrem Gewerbe verloren hatten, sich dort hinzogen. Als Leiter des Klosters funktionierte ein Priester, der vom Bischof von Paris angestellt wurde. Es blieb nicht bei dieser einzigen Stiftung, sondern der König richtete nach dem Zeugnis von Joinville noch mehrere derartige Beguinenhäuser in den verschiedenen

Teilen seines Landes ein. „Et fist mettre en plusieurs liex de son royaume mesons de beguines et leur donna rentes pour elles vivre et commanda l'en que en y receust celles qui voudroient fere contenance à vivre chastement."

Trotz seiner Bemühungen, gelang es natürlich dem Könige Ludwig IX. nicht, eine Reformation der Sitten durchzuführen, die in der Zeit der Kreuzzüge ausserordentlich verwildert waren; die Kreuzfahrer, welche aus jenem Feldzuge zurückkehrten, richteten sich nach dem Vorbilde der Muselmanen förmliche Harems ein und besetzten sie mit Sklavinnen, die sie auf irgend einem Sklavenmarkt Asiens erstanden hatten. Joinville bezeugt dies ausdrücklich und sieht darin die verhängnisvollste Folge der Kreuzzüge. „Le commun peuple se prist aux foles femmes." Die Sittenverwilderung war auch die Ursache, warum Ludwig IX. auf seinem Kreuzzuge in die Gefangenschaft der Orientalen geriet. Nach seiner Befreiung entliess er eine Reihe von Heerführern, weil er erfuhr, dass sie ihre Freudenhäuser in unmittelbarer Nähe seines Zeltes eingerichtet hatten. Vergeblich versuchte er in seinem Lager auf Ordnung zu halten und die Freudenmädchen daraus zu vertreiben, seine strengsten Befehle wurden nicht eingehalten und das bezeugte nur die Ohnmacht dessen, der sie gegeben hatte. Während er in Cäsarea sein Lager aufgeschlagen hatte, urteilte er nach den Gesetzen des Landes über einen Ritter, der in einem Bordel überrascht worden war. Der Schuldige hatte zwischen zwei gleichstrengen Ehrenstrafen zu wählen: entweder musste er sich von der Dirne, bei der man ihn gefunden hatte, nur mit dem Hemd bekleidet, an einem Strick durch das ganze Lager führen lassen, oder er musste sein Streitross und seine Rüstung hergeben und wurde aus dem Heere des Königs ausgewiesen. Der Ritter zog die letztere Strafe vor und ging seines Weges. Machtlos sah, trotz seines guten Willens, Ludwig IX. der immer stärker anwachsenden Unsittlichkeit in seinem Heerhaufen zu. Als er endlich aus Palästina wieder zurückgekehrt war, hatte er den Entschluss gefasst, der Prostitution in seinem Heimatlande ein für alle Mal ein Ende zu bereiten, und zwar sowohl in den nördlichen als auch in den südlichen Provinzen. In einer Ordonnanz aus dem Dezember 1254 findet sich neben verschiedenen andern weniger wichtigen Vorschriften ein Artikel, der völlige Unterdrückung der Prostitution und die Verbannung der Dirnen ausspricht; es heisst darin: „Es sollen alle Dirnen aus den Gemeinden ausgeschlossen werden, sowohl aus den Dörfern, als aus den Städten, wenn sie durch die Obrigkeit ermahnt sind und ihnen das Verbot ihres Gewerbes übermittelt wurde; dann soll ihnen durch die Ortsrichter oder durch sonstige obrigkeitliche Personen ihr Vermögen weggenommen werden; jemand, der an eine Dirne sein Haus vermietet, oder sie in seinem Hause aufnimmt, soll dem Grafen seiner Landschaft, oder dem Vogt, oder dem Richter soviel

Strafe zahlen, wie die Miete, die er aufnahm, in einem Jahre betrug." („Item soient boutées hors communes ribaudes, tant de champs comme de villes; et, faites les monitions ou défenses, leurs biens soient pris par les juges des lieux ou par leur autorité, et si soient depouillées jusqu' à la cote ou au pélicon; et qui louera maison à ribaude ou recevra ribaude en sa maison, il soit tenu de payer au bailly du lieu, ou au prevost, ou au juge, autant comme la pension, le loyer, vaut en un an.") Aber auch dieser energische Versuch zur Unterdrückung der Prostitution blieb aus begreiflichen Gründen fast vollkommen erfolglos.

VIII. Kapitel.

Der rex ribaldorum. — Untersuchungen über die Gerechtsame, den Rang und die Bestimmung dieses Offiziers des königlichen Hauses. — Analogie zwischen den ministeriales palatini am Hofe Karls des Grossen mit den reges ribaldorum. — Attribut der ministeriales palatini. — Ribaldus oder ribaud. — Philipp August organisiert die Ribauden. — Zeugnisse von der Tapferkeit und Unerschütterlichkeit dieser Truppe. — Welche Ehrungen und Vorteile die Stellung des rex ribaldorum brachte. — „Nackt wie ein ribaud." — Allmähliche Verminderung der Wichtigkeit der Stellung. — Die ribaudie. — Die Stellung des Ribaudenkönigs am königlichen Hofe. — Untersuchungen über die Einkünfte dieser Leute. — Crassus Joë, Ribaudenkönig unter Philipp dem Langen. — Johann Guérin, Ribaudenkönig des Herzogs von der Normandie und Aquitanien. — Die Rechte der Ribaudenkönige. — Johann Boulart und Pernette la Basmette. — Der Ribaudenkönig musste ein treuer und unbestechlicher Beschützer der Person des Königs sein. — Coquelet. — Proben der Ergebenheit des edlen Herrn von Grignaux, Ribaudenkönigs unter Franz I. — Die Ribaudenkönige und ihre Vasallen. — Umwandlung der Stellung des Ribaudenkönigs am französischen Hofe. — Die

Damen der Freudenmädchen am Hofe. — Olive. — Cæcilie de Viefville. — Colin-Boule, Ribaudenkönig beim Herzog **Philipp dem Guten von Burgund.** — Der **Kuratus** von Notre Dame d' Abbeville als **Ribaudenkönig.** — **Balderic**, **Ribaudenkönig** bei **Heinrich II.** von England und der **Normandie.** — Attribute der Ribaudenkönige in den Provinzialstädten. — **Anton** von Sagiac, Kommissar des Ribaudenkönigs von Mâcon und Colette, die Frau Peter Talons. —

Das Amt des Ribaudenkönigs wird in der Geschichte nicht vor der Regierungszeit Philipp Augusts erwähnt, obschon es seiner Art nach sehr wohl schon zur Zeit Karls des Grossen hätte bestehen können. Der Ribaudenkönig, rex ribaldorum, war zweifellos von Anfang an der oberste Richter über die Prostitution am Hofe der französischen Könige. Eine lange Reihe von Gelehrten, von Jean Dutillet bis auf Goye de Longuemare, haben sich in tiefgründigen Untersuchungen und langen Abhandlungen mit der Frage beschäftigt, welches die Stellung, die Aufgabe, der Rang, und das Ansehen dieses sonderbaren Offiziers am königlichen Hofe war; sie haben Ordonanzentexte zitiert, neue Thatsachen ans Licht gezogen, die Akten durchstöbert und aus einer Fülle von einander zum Teil widersprechenden Einzelheiten ein klares Bild herauszuschälen versucht. Eine Uebereinstimmung in ihrer Auffassung haben sie jedoch nicht erzielt: das Urteil über das sonderbare Amt schwankt noch immer, und während die einen seine vielfältigen und ausgedehnten Funktionen systematisch zu übertreiben suchen, streben andere wieder dem entgegengesetzten Ziele zu. Auch wir haben uns hier näher mit dem so oft schon untersuchten Gegenstande zu befassen und wollen gleich vorweg bemerken, dass wir das Amt des Ribaudenkönigs mit dem des modernen Sittenpolizeikommissars in Vergleich stellen. Zu diesem Ergebnis gelangt man, wenn man die lange Geschichte dieses Hofamtes durchmustert, das auf das innigste zusammenhängt mit der Geschichte der Prostitution in Frankreich.

Fast alle Gelehrten, die vom Ribaudenkönig gehandelt und den Versuch gemacht haben, seine Funktionen zu definieren, haben sich in den Schlussfolgerungen aus ihren Untersuchungen mehr oder weniger getäuscht, weil sie immer nur eine Seite des Amtes betrachteten. So stellt sich nach Jean Boutillier, der um das Jahr 1460 seine Somme rurale schrieb, der Ribaudenkönig dar als der Vollstrecker der Urteile und Befehle der Marschälle und ihrer Praefekten, in letzter Linie des Königs; Jean le Ferron macht ihn zum ersten Gehilfen des königlichen Haushofmeisters; Carondas bezeichnet ihn als den Gehilfen oder Kommissar des Palastpraefekten; Claude Fauchet sieht in ihm den Thürschliesser des königlichen Palastes, Bellevorest den Praefekten des königlichen Hauses, Ragueau den Grossmeister der öffentlichen Dirnen, Etienne Pasquier den Bailli oder Seneschall der Ribauden. Jeder giebt so dem Ribaudenkönig eine besondere Physiognomie, eine mehr oder weniger beschränkte Macht, eine grössere oder geringere Würde; dabei übersehen die Schriftsteller aber ganz und gar, dass das Amt zweifellos im Laufe der Entwicklung starken Wandlungen unterworfen war. Die Institution umfasste im Laufe der Zeit die allerverschiedensten und allerabsonderlichsten Funktionen. Stellen wir die Urteile und Beschreibungen der verschiedenen Geschichtsforscher und Rechtsgelehrten neben einander, so ergiebt sich, dass kein einziger von ihnen sich klar gemacht hat, was das Amt des Ribaudenkönigs ursprünglich bedeutete und in welcher Weise es durch das Entstehen anderer Hofämter allmählich verwandelt wurde. Der Ribaudenkönig hörte auf zu existieren, als seine Funktionen anrüchig zu werden begannen, als anderen Aemtern ein Teil seiner ursprünglichen Befugnisse übertragen wurde. Der letzte Ribaudenkönig am französischen Hofe musste es noch erleben, dass nach so vielen vorausgegangenen Beschränkungen seiner Machtvollkommenheiten auch noch die Aufsicht über die „Prostitution im Gefolge des Hofes“ (prostitution suivant la cour) den Händen einer Aufseherin über die Freudenmädchen (dame de filles de joie) anvertraut wurde.

Wir haben schon an einer früheren Stelle darauf aufmerksam gemacht, dass nach einem uns erhalten gebliebenen Kapitularium Karls des Grossen die ministeriales palatini, die Hausoffiziere, an seinem Hofe annähernd ähnliche Funktionen ausübten, wie die Ribaudenkönige vier Jahrhunderte später. Thatsächlich hatten die ministeriales palatini, aus denen die Grossoffiziere der Krone hervorgegangen sind, die Pflicht, jede verdächtige Person, ob Mann oder Weib, aus dem Gebiete des kaiserlichen Hoflagers auszuweisen: zumal die Vagabonden (gadales) und die Prostituierten (meretrices) unterstanden der Jurisdiktion der ministeriales palatini; sie urteilten in Rechtsfragen dieser Kategorien als einzige Instanz. Das war nun aber auch die hervorragendste Funktion des Ribaudenkönigs, und deshalb kann man sagen, dass der erste Inhaber dieser Würde nicht unter Philipp August, sondern bereits unter Karl dem Grossen ernannt worden sei. Ganz naturgemäss wurde das Amt zunächst auf den grossen Landgütern (villæ) des Königs geschaffen, jenen Zentren der Agrikultur und Manufaktur, aus deren Erträgnissen in erster Linie der Aufwand des königlichen Hofes bestritten wurde. Die Sklaven und Sklavinnen, die auf diesen verschiedenen Pfalzen gehalten wurden, hatten keinerlei eigenes Verfügungsrecht, weder über ihren Körper noch über ihre Zeit, und man war immer bemüht, Arbeitsscheu und Prostitution aus ihren Reihen fernzuhalten: ihre Arbeit, ihre Gesundheit, ihr Lebenswandel standen beständig unter patriarchalischer Aufsicht. Besonders wichtig war es daher, dass sich kein Fremdling in die Gynæceen und die Schlafsäle einschlich; die Regelmässigkeit und Ordnung des gemeinsamen Lebens hätte durch das Eindringen fremder, unzuverlässiger und vielleicht sittlich minderwertiger Individuen gelitten. Dabei muss man im Auge behalten, dass auf manchen königlichen Pfalzen mehrere Tausend Sklaven beiderlei Geschlechts gehalten wurden. Der Offizier, der Fremdlingen den Eintritt in die geschlossene Hauswirtschaft zu wehren verpflichtet war, war natürlich zunächst der Thürschliesser oder Schlüsselwart; sein Amt umfasste aber wohl auch noch gleichzeitig die Funktionen des Oberkellermeisters, des Oberkämmerers und des Seneschalls. Von dem Ribaudenkönig der späteren Zeit unterscheidet ihn demgemäss nichts als der Name.

Die merovingischen und karolingischen Könige zogen mit zahlreichem Gefolge von Offizieren und Dienerschaft beständig von einer grossen Domäne zur anderen, um dort Hof zu halten; zu dem Schwarm ihrer Gefolgschaft fanden sich dann regelmässig fremde Weibsleute schaarenweise ein, Weiber, die Geld verdienen und aus der Unzucht ein Gewerbe machen wollten. Deshalb musste eine spezielle und dauernde Behörde zur Aufrechterhaltnng der Ordnung in diesen Massen eingesetzt werden, eine Behörde, die auch zugleich für prompte Exekution etwa ergangener Befehle oder Urteile Sorge zu tragen hatte. Daher schuf man das Amt der ministeriales palatini, der obersten Hausoffiziere, die das Recht über Leben und Tod gegen jedermann hatten, der Unruhe oder Unordnung im königlichen Palaste anstiftete. Aimoin sagt (liv. V, cap. 10), dass Ludwig der Kahle eine ungeheuer grosse Zahl von Weibern aus dem Königspalaste vertrieben habe, die angeblich alle im Dienste der Königin oder der Schwestern des Königs standen (omnen cœtum femineum, qui permaximus erat, palatio excludi indicavit); nur eine kleine Zahl von Dienerinnen nahm man von dieser Massregel aus, weil man sie für den Hofdienst für notwendig erachtete. Aber ohne Zweifel vermehrte sich die Zahl der Weiber am Hofe bald wieder; immer blieb es das Ziel der Sehnsucht leichtfertiger Weiber, im Hofgesinde einen Unterschlupf zu finden. So war denn auch ein Amt mit ähnlichen Funktionen wie die des rex ribaldorum schon frühzeitig notwendig, wenn schon es erst später diesen Namen erhielt.

Erst unter der Regierung Philipp August wurde der Name populär, bald aber auch fast nur noch im schlimmen Sinne gebraucht. Ueber die Etymologie von ribaldus und ribaud haben wir an einer früheren Stelle bereits gehandelt; ursprünglich bezeichnete man ohne Unterschied des Geschlechts damit die Nichtsthuer, Gauner, Diebe und Bettler, die beständig um das Heer- oder Hoflager des Königs herumzuschleichen pflegten. Dieser Haufen undisciplinierbarer Menschen war gerade in den Zeiten der Kreuzzüge ausserordentlich rasch und stark gewachsen; war doch sogar der Trupp der Diener, Marketender und Marketenderinnen, Pferdeknechte und Satteljungen, kurz der Tross, immer weit stärker als die Schaar der Kombattanten. Unter dem Trossvolke gab es natürlich auch ausserordentlich viele Weiber, die ganz ausschliesslich zur Ausübung der Prostitution mitliefen und ihr Gewerbe durch keinerlei vorgeschützten anderen Beruf zu verbergen bestrebt waren. Nach vielen vergeblichen früheren Versuchen, den Schwarm, der den Heeren folgte, aufzulösen und zu verjagen, wollte sich Philipp August durch eine gewisse Organisation der ribaudie von dem Uebel freimachen; er formte deshalb aus ihr besoldete Haufen und machte sich so diese Schaaren dienstbar, die vorher vielfach den eigenen Heeren viel gefährlicher geworden waren, als den Feinden und dem Feindeslande. Ueber die Art und Weise, wie er diese Organisation anlegte und durchführte, haben uns die Geschichtsschreiber so gut wie gar nichts überliefert: nur so viel scheint festzustehen, dass er ihnen möglichste Freiheit verstattete und ihnen besonders erlaubte, soviele Weiber mitzunehmen, wie sie wollten; auch über ihre mordbrennerische Art der Kriegführung scheint der König bereitwilligst hinweggesehen zu haben. Wie dem aber auch sei, bei verschiedenen Gelegenheiten zeichneten sich die Ribauden durch ihre Tapferkeit, ihre Findigkeit und Zuverlässigkeit so sehr aus, dass Philipp August schliesslich aus ihnen eine Art von Elitetruppe bildete und ihr vorzugsweise den Schutz seiner eigenen Person anvertraute. Die Chronisten sagen, dass er gegen die Mörder, die die Alten vom Berge beständig gegen ihn ausschickten, sich „Ribauden des allerchristlichsten Königs“ gehalten habe. Auf allen seinen Kriegszügen begleiteten die Ribauden Philipp August und deckten ihn mehrfach mit ihren eigenen Körpern. Wilhelm der Bretone beschreibt sie in seiner Philippide als unbezähmbare Helden, die vor keiner Gefahr zurückschrekten und bei ihrer sprichwörtlichen Tapferkeit sogar die Schutzwaffen verschmähten:

Et ribaldorum nihilominus agmen inerme,
Qui nunquam dubitant in quævis ire pericla.

An einer anderen Stelle führt der Dichter sie uns reich mit Beute beladen vor:

Nec munus armigeri, ribaldorumque manipli,
Ditati spoliis, et rebus, equisque subibant.

Als Philipp August nach der Unterwerfung Poitous zur Belagerung von Tours schritt, beauftragte er einen Ribaudenhauptmann (duce ribaldo) mit dem Aufsuchen einer Furt in der Loire; der Mann entledigte sich seiner Aufgabe mit wunderbarer Geschicklichkeit (quasi per miracula), das Heer ging über den Fluss und die Ribauden (ribaldi regis nennt Rigord sie), die immer die ersten beim Sturm waren (qui primos impetus in expugnandis munitionibus facere consueverunt), griffen die Stadtmauern sofort mit ihren Leitern an; ohne einen ernsten Widerstand zu wagen, ergab sich darauf Tours dem Könige.

Nach diesen und anderen Zeugnissen waren die Ribauden Philipp Augusts eine kampferprobte und zuverlässige Truppe, aber wenig discipliniert und beständig zu jeder Gewaltthat geneigt. Der König sah ihnen, in Anbetracht ihrer Verdienste, manches nach und bestand nicht auf strickter Innehaltung der für die übrigen Truppenteile vorgeschriebenen disciplinären Forderungen und Vorschriften; um aber die Schaaren, die kaum auf die Befehle ihrer Führer zu achten gewohnt waren und sich, wenn sie nicht in der Schlacht standen, die Zeit mit tollen Ausschweifungen aller Art zu verkürzen pflegten, wenigstens einigermassen im Zaume zu halten, unterstellte sie der König einem der Grossoffiziere des Hofes und zwar demjenigen, der als Wächter über die Ordnung und Ruhe des königlichen Hauses traditionell mit der grössten Fülle disciplinärer Gewalt ausgerüstet war. Dieser Offizier trat mit dem ganzen Pompe seiner angesehenen und gefürchteten Stellung den zügellosen Ribauden entgegen; in seinem Gefolge befanden sich immer ein Prügelmeister und ein Henker; seinen Urteilssprüchen pflegte die Ausführung auf dem Fusse zu folgen: ein Todesurteil sprach er ebenso leicht und häufig aus, als eine leichtere Disciplinarstrafe, die in der Regel in einer Geldbusse zu seinem eigenen Vorteil bestand. So stand ihm auch ein Anteil an der Beute zu, welche die Ribauden aus ihren Kriegszügen heimschleppten und er masste sich sogar die Verfügung über die von jenen gemachten Kriegsgefangenen an. In der Liste, der in der Schlacht bei Bouvines 1214 gefangen genommenen Edeln stösst man auf folgende Bemerkung: „Rogerus de Wafalia. Hunc habuit Rex Ribaldorum, quia dicebat se esse servientem.“ Diese von Ducange zitierte Stelle belehrt uns aber nicht darüber, welche militärische Funktionen der Ribaudenkönig zu erfüllen hatte und ob er, wie die Führer der anderen Heeresschaaren, an der Spitze seiner Leute in die Schlacht zog. Einiges Licht auf diese Frage wirft eine Stelle aus dem Roman von der Rose, der im dreizehnten Jahrhundert von Wilhelm von Lorris verfasst worden ist und uns ein sehr instruktives Zeitgemälde bietet; es heisst da:

Faux-semblant, par tel convenant,
Tu seras à moy maintenant,
Et à nos amis aideras,
Et point tu ne les greveras,
Ains penseras les enlever
Et tous nos ennemis grever.
Tien soit le pouvoir et le baux,
Car le roy seras des ribaux.

In diesen Zeilen ist, wie schon Pasquier ganz richtig angegeben hat, der Ribaudenkönig als ein militairischer Befehlshaber gezeichnet und nicht als eine civile Amtsperson. Man darf indessen wohl, um das Richtige zu treffen, annehmen, dass er sowohl das eine wie das andere war, zumal, wenn man sich immer wieder vor Augen hält, was denn eigentlich die Ribauden vor ihrer Organisation durch den König Philipp August waren. Ein Befehlshaber, der ihnen nicht zugleich in der Eigenschaft als Richter entgegengetreten wäre, hätte sie zweifellos nicht in den Schranken einer wenn auch noch so lockeren Disciplin zu halten vermocht: nur die Furcht vor der unmittelbar vollstreckbaren Strafe konnte diese Leute bändigen. Alle Schriftsteller jener Zeit sind voll von Erzählungen, aus denen hervorgeht, wie schwierig und gefährlich das Amt eines Ribaudenkönigs war. Hören wir beispielsweise Wilhelm von Neubrige (lib. V, cap. 2), der uns die Ribauden folgendermassen schildert: „Gewisse verlorene Menschen von jener Sorte, die sich Ribauden nennen;" hören wir weiter Mathieu Paris: „Diebe, Bannbrüchige, Flüchtlinge, Exkommunizierte, die man in Frankreich gemeinhin unter dem Namen Ribauden zusammenfasst." Aber an keiner Stelle ist das Leben der Ribauden besser beschrieben worden, als in der Chronik von Longport, wo der Prior der Abtei den Johann von Montmirel fragt, was er denn in der Welt zu thun gedenke. „Ich will Ribaude werden," entgegnete ihm keck der junge Mann, der es später noch zu einem bedeutenden Kirchenlichte brachte. „Ist es möglich!" schrie der Abt erstaunt und erschreckt auf; „treibt es Dich wirklich in die Reihen dieser Leute, die vor Gott und den Menschen ein Greuel und ein Scheuel sind? Weisst du nicht, dass du, um in ihren Reihen etwas zu gelten, wie sie Verbrechen begehen, wie sie fluchen und schwören, würfelspielen und eine Schrift bei dir tragen (tabellam comportare), eine Konkubine mit dir herumschleppen (pellicem circumducere) und immer voll des süssen Weines sein musst?" Man hat keinen Grund zu der Annahme, dass dies Gemälde übertrieben düster gezeichnet worden wäre.

Nach dem Tode Philipp Augusts scheint das Ribaudencorps, wahrscheinlich infolge von Revolten, wieder aufgelöst worden zu sein, denn wenn wir ihnen auch in den Kreuzzügen und den anderen Feldzügen noch vielfach begegnen, so unterscheiden sie sich doch späterhin ganz und gar nicht mehr von den gewöhnlichen Trossknechten: sie waren schlecht bewaffnet und so schlecht gekleidet, dass um das Jahr 1230 das Sprichwort aufkommen konnte: „Nackt wie ein Ribaude", wie man aus einer von Ducange zitierten, noch nicht gedruckten Chronik entnehmen kann. Wilhelm Guirat, der in seinem historischen Gedicht von den Royaux lignages die Ribauden ebenfalls auf die Scene stellt, malt sie in den düstersten Farben. An der einen Stelle heisst es:

Bruient soudiers et ribaus,
Qui de tout perdre sont si baus.

An einer anderen:

Ribauz, qui volentiers oidivent,
Par coustume d' antiquité,
Queurent aux murs de la cité.

An einer dritten endlich:

Ribaus, qui del'ost se departent,
Par les chans çà et là s'espardent:
Li uns une pilete porte;
L'autre, croc ou massue torte.

Es sind keine regulären Truppen mehr, keine festbesoldeten Krieger, sondern Räuber, die das Land brandschatzten, im Gefolge des königlichen Heerhaufens als Abenteuerer, Schnapphähne und Wegelagerer auftauchen. Bis auf die Zeiten Karls V. hatte Frankreich unter diesen zügellosen Horden zu leiden und zu seufzen.

Der Ribaudenkönig hatte demnach wahrlich kein beneidenswertes Amt, zumal, wenn das Heer im Felde stand; er übte eine strenge und rasche Justiz aus und wohnte häufig sogar der Strafvollstreckung bei, um den Akt feierlicher und eindrucksvoller zu machen. Aber seine Macht und sein Einfluss nahmen im gleichen Masse ab, wie die der geordneten Militairjustizpflege wuchsen; der Ribaudenkönig war und blieb zunächst immer der Person des Königs attachiert und musste sich demgemäss beständig in der Nähe von dessen Hauptquartier aufhalten. Schon aus diesem Grunde ging ein Teil der Militairgerechtigkeitspflege in die Hand der verschiedenen Abteilungskommandanten und ihrer respektiven Stellvertreter über. Gegen das Ende des vierzehnten Jahrhunderts stand der Ribaudenkönig unzweifelhaft den Marschallsauditeuren nach; Jean Boutillier weisst sogar darauf hin, dass er deren Urteile lediglich zu vollstrecken hatte. Zu der Zeit also, in der Boutillier seine Somme rurale redigierte war der Ribaudenkönig thatsächlich nur noch ein Schatten dessen, was er früher bedeutet hatte, sein Titel selbst war damals schon nichts weniger als ein Ehrentitel und die Einkünfte, die er aus seiner Stellung zog, dienten auch nicht gerade dazu, sein Ansehen zu mehren. Nach Boutillier bezog er von den Bordellwirten und den Insassinnen der Bordelle eine feste wöchentliche Abgabe. Aber das ist noch nicht alles: der Ribaudenkönig des königlichen Hofes musste seine Machtsphäre immer mehr verengt sehen, denn ausserhalb seines Wirkungskreises wurden von grossen Adeligen, von städtischen Behörden, ja sogar von den Dirnen selbst andere Ribaudenkönige ernannt. Ueberall dort, wo es eine ribaudie gab, gab es auch einen Ribaudenkönig. Die Qualifikation als „König" stand herkömmlicherweise jedem Leiter einer Korporation zu, besonders solchen, die an mehreren Orten zugleich oder über die Angehörigen verschiedener Gewerbe ein Aufsichtsrecht ausübten. Da die Ribaudie immer aus Individuen der verschiedensten Arten bestand, sowohl Dirnen, als Bordellhaltern, Kupplern, und Lebemännern, Bettlern und Vagabonden, so besass sie natürlich ihren „König." Es scheint ziemlich sicher zu sein, dass der Ribaudenkönig des königlichen Hofes seinerseits eine Art von Oberherrschaft über die anderen Ribaudenkönige, von denen wir oben sprachen, besass.

Claude Fauchet giebt uns in dem ersten Buche seiner Beschreibung der Herrschaften und Städte Frankreichs ein interessantes, wenn auch nicht in allen Punkten vollständiges Bild von dem Amte, der Thätigkeit und den Einkünften des rex ribaldorum und des königlichen Hauses; danach hatte er im wesentlichen hauspolizeiliche Funktionen zu erfüllen und darauf zu sehen, dass keine unberechtigte Person, zumal zur Nachtzeit in die königliche Hofhaltung eindrang. Am Hofe Ludwigs XII. hat Fauchet noch einen Ribaldenkönig in Amt und Würden gesehen, kennt aber die Geschichte des Amtes und seiner Vertreter nicht genau genug, um uns etwas von ihrem früheren Einfluss und den Gründen der Machtverkürzung erzählen zu können. Anderes Material finden wir in den Akten der königlichen Rechnungskammer, aus denen beispielsweise Etienne Pasquier einige interessante Stellen ausgezogen hat; in einem Memorial von 1285, ebenso in einer Rechnung von 1312 werden uns detaillierte Angaben über Höhe und Art ihrer Einkünfte überliefert; in einem Memorial aus der Regierungszeit Philipps des Langen (1317) wird der Ribaudenkönig Crasse Joë, direkt als Chef der Palastpolizei bezeichnet. Aber damals war das Amt bereits subaltern geworden, der Inhaber hatte keinerlei eigene Verantwortung und konnte keine selbstständigen Verfügungen treffen, er hatte „bei Hofe keinen Mund" (bouche en cour), wie der prägnante Ausdruck damaliger Zeiten lautet. Auch in der beständigen Verkürzung der Bezüge zeigt sich, dass der Ribaudenkönig immer mehr an Bedeutung verlor: im Jahre 1324 empfing er, wie aus noch vorhandenen Rechnungen ersichtlich ist, zwanzig Sous; nach einer Ordonnanz Philipps von Valois wird 1350 diese Summe auf fünf Sous pro Tag herabgesetzt; eine Verfügung Karls VI. setzt ihn gar im Jahre 1386 auf vier Sous für alle seine Funktionen.

Indessen blieb dem Amte bis zu seiner völligen Unterdrückung im Anfange des sechzehnten Jahrhunderts doch immer noch ein Rest von Ansehen, und Dutillet bemerkt ausdrücklich, dass es lange Zeit hindurch von Edelleuten aus guter Familie versehen worden ist. Die Geschichte berichtet uns aber auch von einem Ribaudenkönig, der mitsamt seinem Profossen zur Strafe des Prangers, wahrscheinlich wegen Verbrechen im Amte, verurteilt worden ist. Eine Rechnung vom Hofe des Herzogs von der Normandie und Aquitanien, eines Sohnes von Karl V., enthält folgende Bemerkung zu einem Ausgabenposten: „An Johann Guérin, Ribaudenkönig, für seine und seiner drei Gehilfen Ausgaben, während sie den früheren Ribaudenkönig Guillet und seine Profossen von

Corbeil nach Sedan überführten, um sie dort an den Pranger zu stellen." Man darf wohl annehmen, dass dieser so bestrafte Ribaudenkönig nicht zum königlichen Hofe gehörte, sondern an einem anderen Orte wirkte und nur der Jurisdiktion des königlichen Hauses und damit der des dort fungierenden Ribaudenkönigs unterstand. Aus mehreren Rechnungen und anderen Angaben geht hervor, dass auch Gerichtshöfe die Exekution ihrer Urteile dem Ribaudenkönig anzuvertrauen pflegten. So finden wir einmal 68 pariserische Sous angewiesen, die der Ribaudenkönig einem Henker auszahlen sollte, der einen Verbrecher namens Johann Boulart gehenkt und eine Frau namens Pernette la Bosmette wegen eines Diebstahls lebendig verscharrt hatte. Führte der Ribaudenkönig die schrecklichen Todesurteile auch nicht in eigener Person aus, sondern bediente er sich dazu seines Profossen, so blieb er doch für die ordnungsmässige Exekution haftbar.

Die Ribaudenkönige mussten immer getreue und zuverlässige Anhänger des Königtums sein, denn die Sicherheit des Hofes war von ihrer Amtsführung wesentlich abhängig. So nimmt es uns denn auch nicht Wunder, dass ein Ribaudenkönig, ein besonders treuer Diener des Monarchen, vor Schmerz bei der Beisetzung Karls VI. im Jahre 1380 plötzlich verschied. Der letzte Träger der Würde, Jean Talleran, Herr von Grignaux, gab ein Zeichen seiner Treue dadurch, dass er dem jungen Herzog von Angoulême, der feurig in Marie von England verliebt war, den Rat gab, er möge sich doch nicht der Gefahr aussetzen, dem alternden König Ludwig XII. zu einem direkten Leibeserben zu verhelfen; dieser Rat war sozusagen das politische Testament des Amtsinhabers, denn unter Franz I. verlor die Stelle jede Bedeutung. Mit seinem Rate an den zukünftigen Souverain hatte aber der Ribaudenkönig die Schranken seines Amtes keineswegs überschritten, denn nach den Angaben mehrerer Gelehrten hatte er von jeder verheirateten Frau, die im unerlaubten Verkehr mit einem anderen Manne stand, eine Abgabe von fünf Goldsous zu verlangen: er musste deshalb in der Frage des Ehebruchs kompetten sein. Ob der Ribaudenkönig des Hofes an den Einnahmen der lokalen Ribaudenkönige Teil hatte, ist mindestens zweifelhaft. Dass die Freudenmädchen, die im Gefolge des Hofes lebten, ihm eine bestimmte Abgabe zu entrichten hatten, beruht auf dem Grundsatze des Feudalismus, wonach jeder unter der Feudalherrschaft Stehende seinem Herrn eine Art Zehnten zu leisten verpflichtet war. Nach Boutillier und Ragueau mussten die Vasallen des Ribaudenkönigs wöchentlich zwei Goldsous abgeben. Jean le Ferron behauptet sogar, der Ribaudenkönig habe, trotz seinen wichtigen Funktionen und seiner hohen Hofstellung, den Dirnen, die zur Verfügung des königlichen Hauses gehalten wurden, Quartier gewährt. Man wird geneigt sein, diese Bemerkung als wahr und den Thatsachen entsprechend anzuerkennen, wenn man bedenkt, dass unmittelbar nach der Abschaffung der Würde des Ribaudenkönigs am Hofe eine sogenannte „Dame der Freudenmädchen des Hofes“ (dame des filles de joie suivant la cour) auftaucht, die demnach eine ähnliche Stellung einnahm, wie sie Jean le Ferron dem Ribaudenkönige zuschreibt. Dutillet überliefert uns noch die Einzelheit, dass die Freudenmädchen des Hofes während des Monats Mai dem Ribaudenkönige zu Willen zu sein (faire son lit) verpflichtet waren.

Nachdem die Würde des Ribaudenkönigs mit dem guten Herrn von Grignaux zu Grabe getragen war, „lag,“ wie Rabutaux sagt, „die Obhut über die Freudenmädchen des Hofes einer Dame, und häufig einer Dame hoher Abkunft, ob.“ Im Jahre 1535 bekleidete eine gewisse Olive Sainte diesen Posten; sie erhielt von Franz I. ein Geschenk von neunzig Livres, „zu ihrer Unterstützung und zum Unterhalt jener Mädchen, damit sie regelmässig dem Hofe folgen könnten.“ (Vergleiche die Angaben im Glossarium von Ducange und Carpentier). Es sind uns eine Reihe von Verfügungen und Anweisungen aus der Zeit zwischen 1539 und 1546 überliefert worden, aus denen unter anderem hervorgeht, dass die Freudenmädchen das Recht hatten, im Monat Mai dem König ein Bouquet zu überreichen, zum Zeichen, das der Frühling und die Zeit der Liebe wiedergekehrt sei. Unter dem Datum des 30. Juni 1540 lässt Franz I. der Cécile von Viefville fünfundvierzig Livres mit der Bestimmung überreichen, einen Teil solle sie behalten, einen Teil unter die unter ihrer Obhut stehenden Freudenmädchen für das nach alter Sitte überreichte Maibouquet verteilen. Rabutaux irrt aber wohl, wenn er diese Cécile von Viefville als eine Herzogin von Vieuville bezeichnet, denn dieses Geschlecht erhielt unter Heinrich III. erst das Marquisat und gar erst unter Ludwig XIV. die Herzogswürde. Auch Champollion-Figeac, der die Geschichte in seinen ausgewählten historischen Anmerkungen (Bd. 4, Seite 479) mitteilt, scheint der Meinung von Rabutaux nicht beizutreten. Die Institution dieser Oberaufseherin der Freudenmädchen bestand aber noch im Jahre 1558, denn aus dieser Zeit hat Goye de Longuemare ein Edikt Heinrichs II. (vom 2. Juli des genannten Jahrs) beigebracht, in welchem verschiedene Missstände gerügt werden. Aus dem Text der Verfügung geht hervor, dass sich damals eine Reihe von Dirnen, die nicht in die Rolle der Freudenmädchen des Hofes eingetragen und damit der Aufsicht der Dame unterstellt waren, Zutritt zum Hofe zu verschaffen gewusst hatten. So waren also die Funktionen des Ribaudenkönigs am französischen Hofe allmählich verwandelt und schliesslich als ein Rest ehemaliger Herrlichkeit einer Oberaufseherin der Freudenmädchen übertragen worden.

Andere Ribaudenkönige, die bestimmt von dem des königlichen Hofes ressortierten, findet man in der Geschichte aller Städte und auch in der vornehmer Geschlechter. So gab es einen Ribaudenkönig am burgundischen Hofe, dessen Funktionen nach denen seines Kollegen am französischen Königshofe geregelt waren. Unter dem Herzog Philipp dem Guten bekleidete ein gewisser Colinboule das Amt, ein Name, der nicht gerade auf vornehme Abstammung hindeutet. Im Jahre 1423 hatte der Titel des Ribaudenkönigs schon viel von seinem Glanze eingebüsst, und der Kuratus von Notre-Dame d'Abbeville brauchte sich durch die Uebertragung der Würde eines Ribaudenkönigs durch die Jongleure nicht besonders geehrt zu fühlen. Jedem, der mit den Verhältnissen der Ribaudie einigermassen vertraut war, konnte der Titel nicht allzuviel Respekt einflössen. Die Zeiten waren vorüber, wo die Qualität seiner Klientele dem Offiziere nichts von seinem persönlichen Ansehen raubte. In einer Charte von Heinrich II. von England und der Normandie, der 1154 regierte, ist die Rede von einem Ribaudenkönig der „guten alten Zeit"; der Offizier, der das Amt bekleidete und bei dem König sehr in Gnaden stand, hiess Balderic, des Guilleberts Sohn; er wird bezeichnet als der „Aufseher der öffentlichen Mädchen in dem Lupanare zu Rouen" (custos meretricum publice venalium in lupanare de Roth.).

In den Provinzstädten lag dem Ribaudenkönig teils die Rechtssprechung, teils die Urteilsvollstreckung in Sachen der Ribaudie ob. Ein altes Register im Stadthause von Bordeaux besagt, dass jeder Verurteilte dem Ribaudenkönig übergeben wurde, damit er ihn durch die Stadt führe und mit guten Ruten peitsche. Metz besass gleichfalls seinen Ribaudenkönig, der aber niemals besonders hervortrat. Der Ribaudenkönig der Stadt Laon lebte nicht immer im besten Einvernehmen mit dem Bailli von Vermandois: im Jahre 1270 wurde sein Profoss, Poincard (Poinçardus, præpositus ribaldorum) vor das Tribunal des Bailli gefordert unter der Anklage, mit zwei Leuten namens Jean le Croseton und Wiet Lipois Gewaltthätigkeiten gegen die Abtei von Laon und ihren Abt verübt zu haben (vergl. Olim, herausgegb. durch den Grafen von Beugnot, I. Teil, p. 813). Dieser Anlass führte zweifellos zur Unterdrückung des Amtes in der Stadt Laon, denn Philipp III. weist in einer Ordonnanz von 1283 den Bailli von Vermandois an, die Thätigkeit eines Ribaudenkönigs in Laon unter keinen Umständen fernerhin zu dulden, sei es öffentlich oder im geheimen (quod clam vel palam vel sub aliquo simulato colore non permittat regem ribaldorum in villa Laudunensi). Die Verfügung war keineswegs allgemein gehalten, denn noch im Jahre 1483 besass die Stadt Saint-Amand einen „König der Freudenmädchen", namens Jakob Godunesme. In Toulouse nahm der Henker den Titel eines Ribaudenkönigs an. In dem Gewohnheitsrecht von Cambrai findet sich ein ganz genau spezialisierter Tarif, in dem aufgezeichnet war, wie viel Gebühren dem Ribaudenkönig von Frauen und Mädchen zustanden, die sich dauernd oder vorübergehend, in der Stadt oder vor ihren Thoren für Geld hingaben. Diese Gebühren einzutreiben, war nicht immer eine leichte Aufgabe und der Ribaudenkönig stiess mit seinen Gehilfen häufig auf einen erbitterten Widerstand. Bei einer solchen Affaire büsste ein gewisser Anton von Sagiac, der sich Ribaudenkönig von Mâcon nannte, sein Leben ein, als er im Jahre 1380 im Dorfe Beaujeu fünf Sous Taxe von einer verheirateten Frau eintreiben wollte, die er des Ehebruchs bezichtigte. Peter Talon (Calcis), der Mann dieser Frau, die den Namen Colette trug, und sein Bruder Etienne, kamen dem Weibe zu Hilfe. Anton de Sagiac war übrigens ein Ribaudenkönig niedrigsten Ranges und ein schlimmer Bursche, der durch die Drohung mit dem Gefängnis von den Prostituierten und solchen Frauen, die er der Prostitution bezichtigte, Geld zu erpressen pflegte. In dem erwähnten Falle lief die Geschichte aber übel für ihn ab: der Bailli von Mâcon eröffnete eine Untersuchung der Affaire, die aber die völlige Unschuld der Colette an den Tag brachte (contra veritatem imponens quod ipsa cum alio quam viro occubuerat) und auch das schamlose Treiben Antons enthüllte (se gerens pro ribaldo et se dicens de ordine seu de statu goliardorum seu buffonum). Die Angeklagten wurden freigesprochen; in der Urteilsausfertigung war aber nicht gesagt worden, dass er kein Recht gehabt hätte, die fünf Sous von Colette zu verlangen, wenn sie eben Ehebruch getrieben hätte (super qualibet muliere uxorata adulterante sibi competere et posse exigere quinque solidos et pro eisdem dictam talem mulierem de suo tripide pignorare). Der König von Frankreich scheint im Gegenteil durch die Unterzeichnung dieses Freispruchs den Anspruch auf eine Gebühr, den der getötete Ribaudenkönig von Mâcon gestellt hatte, sachlich durchaus anzuerkennen (de talique et alio vili quæstu).

IX. Kapitel.

Stand der Prostitution nach der Ordonnanz von 1254. — Einführung der Sittenpolizei. — Die Laden oder Organisationen der öffentlichen Dirnen. — Ordonnanz von 1256. — Die Tavernen werden allmählich zu Bordellen. — Organisation der öffentlichen Freudenmädchen durch Ludwig IX. — Kleidervorschriften für öffentliche Dirnen. — Statuten der Barbiere. — Die Badediener. — Statuten der Fleischhauer. — Tod Ludwigs des Heiligen. — Philipp der Kühne. — Ordonnanz von 1272. — Die Nadeln und goldenen Gürtel. — Freudenmädchen in Toulouse. — Guter Ruf ist besser als goldener Gürtel. — Philipp der Schöne. — Der Turm von Nesle. — Philipp und Gautier de Launey. — Jean Buridan. — Der Esel Buridans. — Zustand der Sitten nach den Kreuzzügen. — Hic und Hoc. — Die Tempelritter.

Ludwig IX. hatte, wie wir oben schon berichteten, eine Ausrottung der Prostitution in Frankreich versucht. Aber seine Ordonnanz von 1254, in der er die Vertreibung aller Dirnen anbefahl, wurde niemals scharf angewendet, weil sie nicht ausgeführt werden konnte. Die einzige Folge war, wie vorauszusehen und erklärlich, die, dass die

Prostituierten ihr Gewerbe ein wenig heimlicher betrieben und unter allerhand Deckmäntelchen den schweren ihnen angedrohten Strafen zu entgehen suchten; um nicht beim flagranten Delikt überrascht zu werden, wendeten sie die verschlagensten Listen an. Wenn auch die Zahl der Prostituierten vorübergehend zurückgegangen sein mag, so blieb die Institution selbst doch bestehen und wusste sich trotz mancher Anstrengungen der staatlichen Autoritäten sehr wohl zu halten. Unter dem Schutze obrigkeitlicher Reglements konnte sie freilich hinfort nicht mehr ausgeübt werden, derum aber suchte sie, statt in bestimmten bekannten und kenntlichen Häusern, ihre Zuflucht unter der ehrbaren Bevölkerung aller Stadtviertel. Welchen verhängnisvollen Einfluss ein solcher Zustand ausübte, braucht nicht eingehender geschildert zu werden. Ein allgemeiner Kniff der verfolgten Prostituierten war ein äusserlich „gottwohlgefälliges" Leben zu führen und die Kirchen recht fleissig zu besuchen. Manche traten auch direkt in fromme Orden ein — nicht gerade mit der Absicht ihre Sitten im Kloster zu änderen.

Es konnte denn auch den Behörden nicht lange verborgen bleiben, dass dieser Zustand noch weit bedenklicher war, als der frühere. Eine Sittenverbesserung war ganz und gar nicht zu verzeichnen: die Prostitution hatte lediglich einmal wieder ihre Form und ihr Angesicht verändert. Nach wie vor war es leicht, eine Dirne an vielen kleinen Merkmalen aus tausend ehrbaren Frauen herauszukennen, nach wie vor fanden Prostituierte und Lebemänner Gelegenheit in Hülle und Fülle, sich zusammenzufinden. Indessen war es unzweifelhaft, dass bei dieser Lage der Dinge ehrbare Frauen viel eher Nachstellungen und Zudringlichkeiten ausgesetzt waren. Besonders die jungen Burschen trieben die Belästigung ehrbarer Frauen geradezu als eine Art von Sport mit grosser Vorliebe.

„Es geschah vornehmlich aus diesem Grunde," so sagt Delamare in seinem Traité de la Police, „dass man das Verhalten der Polizei gegen die Prostitution veränderte. Hinfort duldete man die unglücklichen Opfer der Sittenlosigkeit, aber man suchte sie zu gleicher Zeit, zum Schutze der ehrbaren Frauen, schon durch ihre Tracht kenntlich zu machen und das Publikum sozusagen mit der Nase darauf zu stossen. Man wies ihnen bestimmte Strassen und Quartiere an, schrieb die Kleider vor, die sie tragen durften und bezeichnete die Stunden, an denen sie von den Strassen verschwinden mussten Diese Stelle aus dem Traité de la Police ist deshalb so wichtig und beachtenswert, weil sie uns ein bestimmtes Datum für die Einrichtung der Sittenpolizei angiebt, während wir in keinem zeitgenössischen Schriftsteller, in keiner Ordonnanz, sei es einer königlichen oder einer städtischen, darüber etwas erwähnt finden; aber der gelehrte Delamare hat auch alle anderen Quellen für die Kenntnis unseres Rechtslebens, die alten Register der Parlamente durchforscht, vornehmlich die des Parlaments oder Gerichtshofs von Châtelet, und er würde eine solche Angabe nicht gemacht haben, ohne vollgiltige Beweise vor Augen zu haben. Wahrscheinlich hat er sie dem Statut der Pariser Hurenzunft entnommen (corporation des femmes folles de leur corps), Statuten die Sauval ausdrücklich zitiert und die zu jener Zeit redigiert worden sein müssen, als alle Zünfte, Bruderladen und dergleichen Organisationen ihre Privilegien sorgsam registrierten und bei den Behörden eintragen liessen. Wir besitzen zwar eine Ordonnanz von 1256, welche die Ausübung der legalen Prostitution reguliert; aber darin findet sich nichts darüber, dass den Freudenmädchen bestimmte Strassen und Quartiere angewiesen waren und ebensowenig, dass besondere Kleidervorschriften ihnen ihre Tracht vorgezeichnet hätten. Da indessen aus späteren Ordonnanzen klar und unwiderleglich hervorgeht, dass derartige Vorschriften wirklich bis ins Einzelne hinein ausgearbeitet und auch publiziert waren, so geht man wohl nicht fehl, wenn man ihren Ursprung auf Ludwig den Heiligen oder vielmehr auf Etienne Boileau zurückführt, wenigstens so weit die Stadt Paris dabei in Frage kommt. Etienne Boileau wurde im Jahre 1258 zum Polizeimeister ernannt; aber er stand schon vorher beim Könige in hohem Ansehen, und der Monarch hatte bei den verschiedensten Anlässen seinen Rat eingeholt; wenn Boileau im Châtelet, dessen Stelle noch jetzt in Paris erhalten ist, zu Gericht sass, so kam der König häufig und liess sich an seiner Seite nieder, um den Verhandlungen zu folgen und den Urteilsspruch zu vernehmen. Delamare erwähnt ausdrücklich, dass sich Boileau die grössten Verdienste um die gewerbliche Organisation der Pariser Bevölkerung erworben hat; er war es auch, der die ersten Zunftordnungen in Paris ausarbeitete oder wenigstens redigierte. Da liegt denn doch die Vermutung sehr nahe, dass er seine organisatorischen Bestrebungen auch auf eine Regelung der nahezu unhaltbar gewordenen Prostitutionszustände ausgedehnt hat.

Demnach verstand sich Ludwig IX. zu einer Modifikation seiner Ordonnanz von 1254: ein paar Worte, die hinzugefügt wurden, veränderten anscheinend gar nicht viel an ihr — in Wirklichkeit sagte sie aber danach ungefähr das gerade Gegenteil ihres früheren Sinnes. Am Schluss des VII. Kapitels haben wir die entscheidende Stelle aus der Ordonnanz von 1254 ausführlich angegeben: 1256 finden wir aber eine Menge von an sich zum Teil ganz annehmbaren Einzelvorschriften über die Prostitution, die doch im ganzen nichts anderes bedeuten, als die Anerkennung der vorher so energisch bekämpften Institution. Der zweijährige Kampf gegen ein soziales Uebel hatte mit einer vollständigen Niederlage der staatlichen Autorität geendet, die befehdete Prostitution wurde legalisiert, indem sie einem Offizier des königlichen Hofes als oberstem Aufsichtsbeamten unterstellt wurde. Alle späteren Verfügungen in Sachen der Prostitution gründeten sich und nahmen Bezug auf diese Ordonnanz von 1256, und so darf man denn wohl, ohne in einen Irrtum zu verfallen, Ludwig den Heiligen als den Schöpfer der Sittenpolizei in Frankreich bezeichnen. Die anderen Paragraphen der erwähnten Verfügung von 1256 stehen insofern mit dem hier zunächst betrachteten im Zusammenhange, als sie von den sonst stark geübten Lastern des Würfelspiels, der Völlerei und dergleichen handeln und auch darüber gewisse polizeiliche Anordnungen treffen Aus dem Zusammenhange ergiebt sich, dass man damals keine Veranlassung hatte, einen wesentlichen Unterschied zwischen einem Gasthause und einem Bordell zu machen. Nach dieser Auffassung beurteilte man denn auch die Leute, welche Gasthäuser zu frequentieren pflegten: ein Mann in öffentlicher Stellung und einer, der etwas auf sich und seine Reputation hielt, durfte es jedenfalls nicht thun.

Diese Missachtung des Wirtshauses und des Wirtshauslebens erklärt sich einmal aus den sozialen Zuständen jener Zeiten, die ein Wirtshausleben im modernen Sinne überflüssig machten, und sodann daraus, dass gerade in jenen Tagen die Rechtsgelehrten das römische Recht wieder zu studieren begannen; wie aber dieses Recht über die Tavernen und das Leben darin zu urteilen pflegte, das haben wir schon an einer früheren Stelle ausführlich darzulegen Gelegenheit und Veranlassung gehabt. Indessen ist folgendes bemerkenswert: zu derselben Zeit, wo eine königliche Verfügung so absprechend über die Wirtshäuser sich äusserte, veröffentlichte der Præfekt von Paris die Statuten der Zunft der Taverniers oder Gastwirte. Da aber nach den damaligen Grundsätzen des gewerblichen Lebens jedermann Gastwirt werden konnte, wenn er nur genug Mittel besass, um sich in die Zunft einzukaufen, so war der Stand immer durch die Zugehörigkeit einer Menge zweifelhafter Existenzen belastet. Vorgeschrieben war den Wirten eigentlich nur, dass sie ihren Wein in loyalen Gemässen verzapfen mussten: im übrigen konnten sie die Pforten ihrer Häuser der Ribaudie und ihren Schützlingen beliebig öffnen. Von dieser Freiheit machte man denn auch beiderseits den ausgiebigsten Gebrauch, und in der kurzen Periode des intensiven Kampfes gegen die Prostitution bildeten die Wirtshäuser die bevorzugten Schlupfwinkel der gehetzten Dirnen und ihres Anhangs. Alle Bordelle wurden einfach, um der Gefahr der polizeilichen Schliessung zu entgehen, in Tavernen umgewandelt. Delamare fügt seiner Schilderung dieser Zustände noch die Bemerkung an, dass erst in der kurzen Zeit der versuchten Unterdrückung der Prostitution die Sprache jene infamierenden Worte aufnahm, durch welche diejenigen, die das Gewerbe ausübten, in den Augen des Volkes tief herabgesetzt wurden.

In Bezug auf die Organisation der Prostitution durch und unter Ludwig IX. sind wir mehr oder weniger auf Konjekturen angewiesen; aber die Thatsache des Bestehens der Organisation selbst ist unzweifelhaft; sie hat sich ohne wesentliche Aenderungen auch unter den folgenden Herrschern erhalten. Immer und immer wieder kommt man später auf die Verfügungen Ludwigs IX. zurück, wenn man etwas an der Prostitution zu reglementieren suchte. Wir haben keinen einzigen Beleg dafür in den Ueberlieferungen aus jener Zeit auffinden können, aus dem mit Sicherheit hervorginge, dass damals die Dirnen auch äusserlich bereits von den ehrbaren Frauen durch kennzeichnende Merkmale in der Kleidung, wie etwa die Juden von der christlichen Bevölkerung, unterschieden wurden. Aber man darf doch wenigstens mit einem relativ hohen Grade von Wahrscheinlichkeit vermuten, dass eine Polizei, die für die Juden solche Kleidervorschriften erliess, deren auch für die Prostituierten ausgesonnen hat. Ueber die Judentracht sind uns aus dem Jahre 1269 ganz genaue Bestimmungen überliefert worden, auf die im Einzelnen einzugehen, uns hier zu weit führen dürfte. Wir werden uns gewiss nicht allzuviel von der historischen Wirklichkeit entfernen, wenn wir annehmen, dass besondere Kleidervorschriften damals den Dirnen den Gebrauch bestimmter Stoffe, bestimmter Sorten von Pelzwerk und bestimmten Schmuckes untersagten. Die erste uns überlieferte Verordnung, in welcher von derartigen Regelungen der Toilette die Rede ist, datiert aus dem Jahre 1360 und ist in dem Livre vert ancien du Châtelet, dem alten grünen Buche des Châtelet, enthalten. Dieses Buch umfasst die Akten der Præfekten von Paris. In dieser Verordnung, die offensichtlich nichts ist, als eine Wiederholung und Neueinschärfung einer viel älteren gleichartigen, verbietet der Præfekt von Paris bei Strafe der Konfiskation den Mädchen und Frauen, die aus der Preisgabe ihres Körpers ein Gewerbe machen, das Tragen von Stickereien und anderen Schmuck auf ihren Kleidern und Hüten, von Perlen und pelzgefütterten Mänteln, von silbernen oder goldenen Ohrgehängen und Perlen. Er stellt den Frauenzimmern zugleich eine Frist von acht Tagen, nach deren Ablauf die Schergen der Præfektur unnachsichtlich derartige verbotene Gegenstände im Betretungsfalle konfiszieren würden; nur an den für den Gottesdienst bestimmten Orten sollte von der Einziehung der Sachen Abstand genommen werden. Jede Uebertretung dieser Vorschriften zog überdies eine Geldstrafe von fünf pariserischen Sous nach sich.

Etienne Boileau, der mehrfach bereits erwähnte Praefekt von Paris, der mit seiner Abneigung gegen die Prostitution ganz dem Beispiele des Königs Ludwig IX. folgte, scheint sich die grösste Mühe bei der Eindämmung des Lasters in der Hauptstadt Paris gegeben zu haben. In seinem Zunftbuche, das die Statuten aller gewerblichen Organisationen enthielt, kommen allerdings, wie wir bereits erwähnten, keine darauf bezüglichen Daten vor; aber wir haben doch Grund zu unserer Vermutung: in den Zunftbüchern gewisser Gewerbe, die in die Zeiten Boileaus zurückreichen, obschon sie vielfach erst von späteren Königen sanktioniert worden sind, finden sich nämlich mancherlei Anzeichen, dass in jenen frühen Tagen schon die Frage der Sittenpolizei ernsthaft diskutiert wurde.

So heisst es in dem Statut der Barbiere, das im Jahre 1371 die königliche Sanktion erhielt, aber in seinen Grundzügen aus früherer Zeit stammt, dass es den Meistern des Gewerbes verboten war, Frauen, welche sich der Prostitution ergaben, in ihren Häusern Unterschlupf zu gewähren; geschah es dennoch, so riskierten die Leute, dass ihnen ihr gesammtes Handwerkszeug und das Mobiliar ihrer Rasierstuben abgepfändet und mit Beschlag belegt wurde. Solche in Beschlag genommene Sachen wurden dann zu Gunsten der königlichen Schatulle oder der Stadtkasse öffentlich meistbietend versteigert. Indessen schreckten die Barbiere, die häufig zugleich Bademeister waren, trotz der hohen und schweren Strafen nicht immer vor einer Begünstigung der Prostitution zurück, sintemal sich dies Geschäft sehr einträglich zu gestalten pflegte. Immer neue Verordnungen sollten dem überhandnehmenden Unfug steuern, ohne dass indessen erhebliche Erfolge zu verzeichnen gewesen wären. Erhöhte Gefahren erhöhten eben nur die Preise, welche sich die „gefälligen" Barbiere für ihre unsauberen Praktiken auszubedingen pflegten. In anderen Statuten finden wir andere aber ebenso charakteristische Vorschriften; so heisst es z. B. in dem Zunftbuche der Fleischer von Paris aus dem Jahre 1381, dass es jedem Angehörigen der ehrsamen Zunft streng verboten war, eine übelbeleumdete Person ohne offizielle Einwilligung des Obermeisters und der Zunftsschöffen zu ehelichen; handelte er ohne Autorisation, so wurde er aus den Reihen der eigentlichen Schlächter entfernt und durfte nur noch auf einer bestimmten Brücke in Paris eine Bank mit minderwertigem Fleisch halten. Nicht weniger streng waren die Bestimmungen im Buche der Wäscherinnenzunft, einer bedeutenden und immer sehr angesehenen Organisation in Paris: war dort einmal eine anrüchige Person durch Betrug und Vorspiegelung falscher Thatsachen in die Zunft hineingeraten, so wurde sie energisch und mit ziemlich harten Mitteln wieder ausgestossen. (Sauval, II. Bd. Seite 147).

Alle Anstrengungen Ludwigs IX. und seiner Minister, die Prostitution einzuschränken, scheinen keinen grossen Erfolg gehabt zu haben; gegen das Ende seines Lebens machte sich der bigotte Herrscher allerhand kummervolle Vorwürfe, dass er nicht energisch genug gegen das Laster eingeschritten sei und kam wieder auf seinen Lieblingsplan zurück, es mit Stumpf und Stil auszurotten. Vor seinem zweiten Kreuzzug, auf welchem er seinen Tod finden sollte, machte er sich noch an die Ausführung seiner Lieblingsidee. Am 25. Juni 1269 schrieb er von Aigues-Mortes an den Abt Matthias von Saint-Denis und an den Grafen Simon von Nesle: „Wir haben übrigens die vollkommene Unterdrückung aller sichtbaren und deutlichen Prostitution angeordnet (notoria et manifesta prostibula), die mit ihrer Ansteckung unser ganzes Volk verseucht und soviele Opfer in den Schlamm ihres Verderbens hinabzieht; wir haben befohlen, sie in den Städten und auf dem Lande zu verfolgen und unser

Königreich gründlich zu reinigen (terram nostram plenius expurgari) von allen ausschweifenden Menschen und öffentlichen Uebelthätern (flagitiosis hominibus ac malefactoribus publicis)." Der Tod verhinderte den König, irgendwelche Massregeln zur Durchführung seiner Absichten zu ergreifen. Die Prostitution trieb ruhig in der bisherigen Weise ihr Gewerbe weiter und würde es auch sicherlich gethan haben, wenn dem Eiferer auf dem Throne ein längeres Leben beschieden gewesen wäre: die alten, die Prostitution legalisierenden Ordonnanzen blieben in Kraft. In einem bemerkenswerten politischen Testament legte er seinem Sohne und Nachfolger die Grundsätze der von ihm geübten Regierungskunst dar und beschwor ihn, auf dem eingeschlagenen Wege weiter zu gehen. In der That versuchte Karl der Kühne, Ludwigs Sohn, den väterlichen Ermahnungen nach Möglichkeit zu folgen.

Im Jahre 1272 legte er einem Parlamente gewisse Prohibitivmassregeln gegen Völlerei, Spiel und Unzucht vor, die ganz den Grundsätzen seines Vaters entsprachen, der alles dieses gleichfalls im selben Maasse verabscheut und bekämpft hatte. Uns ist nur noch die Ausführungsordre zu dieser Verfügung des Königs an alle Baillis erhalten geblieben; darin werden sie aufgefordert, überall ein wachsames Auge auf die Sittlichkeit und den Lebenswandel des Volkes zu haben und in dem angedeuteten Sinne zu wirken. Gerade der Umstand, dass die Verfügung selbst nicht erhalten geblieben ist, berechtigt uns wohl zur Vermutung, dass man niemals ernsthaft versucht hat, sie auch durchzuführen. wahrscheinlich geriet sie schon noch unter der Regierung des Königs selbst vollkommen in Vergessenheit Das begreift man, wenn man weiss, dass ihr wichtigster Punkt die völlige Aufhebung aller Bordelle war: eine derartige Massnahme aber erschien allen niederen Instanzen als ein sehr gefährliches Spiel; sie begnügten sich deshalb allgemein mit der Publikation der Verordnung, duldeten dann aber stillschweigend, dass an dem Bestehenden nicht das Geringste geändert wurde. Höchstens, dass hie und da vielleicht ihrer allzugrossen Vermehrung ein wenig gesteuert wurde An starken Mitteln zur Unterdrückung der Prostitution und gleichzeitig zum Schutze der ehrbaren Frauen hatte jene Zeit offenbar ihre besondere Freude. In die Kategorie dieser Massregeln und Mittel gehören auch zwei Vorschriften, die Pasquier zitiert, ohne ihnen ein genaueres Datum, als die ungefähre Angabe der Zeit Ludwigs IX. zu geben. Wahrscheinlicher ist es, dass man erst unter Philipp den Dirnen das Tragen eines goldenen Gürtels verbot, sie dagegen zwang, auf der Schulter eine kleine Nadel sichtbar werden zu lassen. Je nach den verschiedenen Städten, in welchen sich eine offiziell anerkannte Ribaudie befand, wechselte wohl auch die Farbe dieser Nadel. Aehnlich finden wir an anderen Orten wieder, zum Beispiel in Toulouse, dass die Prostituierten auffallende Armspangen, Reifen und dergleichen zu tragen pflegten, respektive sie zu tragen verpflichtet waren. Pasquier definiert im 35. Kapitel seines 8. Buches die sittenpolizeilichen Massregeln jener Zeit dahin, dass von einer völligen Unterdrückung der Prostitution wohl oder übel Abstand genommen werden musste, dass man ferner, das kleinere Uebel wählend, eine gewisse autoritäre Reglementierung eintreten liess, und dass endlich gewisse kleinere Einschränkungsmassregeln sehr beliebt und oft angewendet waren. Auch auf die vorschriftsmässige Kennzeichnung der Dirnen durch besondere Schmuckgegenstände kommt Pasquier dabei ausführlich zu sprechen.

Auf diese Kleidervorschriften gehen einzelne Sprichwörter zurück, die im dreizehnten Jahrhundert sehr verbreitet waren, aber auch heute noch gebraucht werden. Eines davon heisst z. B.: „Ein guter Ruf ist besser als ein goldener Gürtel.“ Zur Zeit Philipps des Kühnen und Philipps des Schönen drang die orientalische Mode vergoldeter Gürtel und goldgewirkter Gewebe in Frankreich ein; die Kleidergesetze verboten darauf den Frauen aus niederem Stande und selbstredend auch, oder gerade den Ribauden diesen Schmuck, wie ihnen denn überhaupt genau so wie den römischen Meretrices goldenes und silbernes Geschmeide zu tragen untersagt war. Das Verbot, bestimmte Luxus- und Toilettengegenstände zu tragen, stiess bei den Bürger- und Handwerkerfrauen stets auf lebhafte Opposition und sie rächten sich dadurch, dass sie dem Luxus der Damen vom Hofe, die nicht immer ein exemplarisches Leben führten, ihren guten Ruf entgegenstellten. Verstösse gegen die Kleidervorschriften gehörten zu den alltäglichsten Ereignissen, und manche Frau trug den goldenen Gürtel ohne das Recht dazu zu haben. Der Praefekt von Paris konnte mit Konfiskation und Strafe drohen soviel er wollte, die Frauen machten sich ein förmliches Vergnügen daraus, seinen Schergen auf der Nase herumzuspielen und ihren Schmuck dennoch zu tragen. Die Ribauden thaten es darin allen anderen zuvor, obschon sie immer eine Gefängnis- oder Prügelstrafe dabei riskierten. Einzelne Schriftsteller haben behaupten wollen, die goldenen Gürtel hätten gerade umgekehrt als ein Erkennungszeichen der Frauen von leichtfertigem Lebenswandel gedient und die ehrbaren Frauen hätten sich demgemäss leicht mit dem Verbot abgefunden: diese Ansicht ist indess durchaus nicht haltbar und wir brauchen uns mit ihrer Widerlegung nicht abzugeben. Was die Spange auf der Schulter anlangt, so diente sie nicht lange als Erkennungszeichen der Prostituierten von Paris; Pasquier hat sie freilich noch im 16. Jahrhundert in Toulouse dem angedeuteten Zwecke dienend mit eigenen Augen gesehen. Er erwähnt ausdrücklich, dass das Herumlaufen mit einer Spange gleichbedeutend war mit der Absicht, seinen Körper zum Zwecke der Prostitution feilzuhalten.

Die unter den Nachfolgern Ludwigs des Heiligen so wohlgeordnete und reglementierte Prostitution hatteallmählich ihre Herrschaft immer weiter ausgedehnt und die Sitten waren mit der Zeit so locker geworden, dass die drei Schwiegertöchter Philipps des Schönen, Margarethe, Königin von Navarra, Johanna, Gräfin von Poitiers und Blanca, Gräfin de la Manche zu gleicher Zeit des Ehebruchs angeklagt und auf Befehl des Königs in demselben Gefängnis, Château-Gaillard, eingesperrt wurden. Der Prozess wurde hinter verschlossenen Thüren verhandelt, sodass nicht bekannt wurde, um welche Ausschweifung es sich eigentlich handelte; nur eine, Johanna von Burgund, die Gemalin des Grafen Philipps von Poitiers wurde ins Schloss Dourdan übergeführt, wohin ihr Gemal eilte, um ihr die Freiheit, wenn nicht die Ehre wiederzugeben. Margarethe, die am wenigsten Schuldige der drei Schwestern, wurde im Gefängnis erdrosselt aufgefunden, und Blanca wurde nach ihrer Freilassung von ihrem Gemal verstossen und in das Kloster Maubouisson gesteckt. Im Volke schrieb man den drei Frauen die fürchterlichsten Ausschweifungen zu; man sagte, dass sie sich alle drei in das Schloss Nesle, ausserhalb der Ringmauern von Paris, dort wo sich jetzt das Gebäude des Instituts von Frankreich erhebt, das damals der Gräfin von Poitiers gehörte, einquartierten um gemeinsam mit Studenten, die ihnen infolge ihrer Schönheit aufgefallen waren, Unzucht zu treiben. Die armen Kerle seien danach immer entweder vergiftet oder erdolcht worden, die Leichen habe man in den Fluss geworfen. Zwei Offiziere aus dem Hofstaate dieser Prinzessinnen, die Brüder Philipp und Gautier de Launay, wurden in Pontoise im Jahre 1314 vor Gericht gestellt und zum Tode des Zerreissens bei lebendigem Leibe verurteilt; das Urteil wurde auch ausgeführt und die schrecklichen Ueberreste der beiden Männer wurden, wie die der furchtbarsten Verbrecher, öffentlich am Galgen ausgestellt. Eine Namensgleichheit und ein daraus entspringender Irrtum drohte einen Augenblick sogar die Königin-Mutter in den Prozess zu verwickeln; aber Johanna von Navarra hatte nie einen Fuss in das Schloss Nesle gesetzt und vermochte sich leicht vor den Richtern zu rechtfertigen. Aber die Verbrechen ihrer Schwiegertöchter warfen doch auf sie ihren schwarzen Schatten und in der Phantasie des Volkes lebt sie fort als die Heldin der schauerlichen Verbrechen im Turme von Nesle. Robert Gaguin sagt in seinem Abriss der Geschichte Frankreichs: „Nach der falschen und irrtümlichen Ueberlieferung hatte diese Königin ihr Lager mit mehreren Studenten geteilt (aliquot scholasticorum concubitu usam); um ihr Vergehen zu verbergen hat sie dann die jungen Männer getötet und die Leichen durch ein Fenster ihres Zimmers in den Fluss gestürzt. Ein einziger Student, Johann Buridan, entging durch einen Zufall diesem Geschick und veröffentlichte darauf sein bekanntes Sophisma: „Reginam interficere nolite, timere bonum est.“ Dieses Sophisma, das man in der verschiedensten Weise deuten kann, ist des Gelehrten Buridan, den die Universität Paris als Philosophieprofessor im 14. Jahrhundert zu ihren Leuchten zählte, nicht recht würdig.

Da er (siehe die Bibl. belg. des Valère André, Seite 471) im Jahre 1320 Rektor der Universität Paris war, so kann er nicht gut sechs oder sieben Jahre zuvor einfacher Student gewesen sein. Was das Sophisma selbst anbetrifft, so kommen wir seiner Deutung wohl näher, wenn wir es folgendermassen schreiben: Reginam interfodere nolite, timere bonum est. An Stelle des Wortes interficere, das hier gar keinen Sinn ergiebt, setzen wir interfodere, oder interferire, interferre kurz irgend eines mit einer erotischen Bedeutung, wodurch dann gleich der Inhalt des Satzes deutlich in die Augen springt. Es ist nichts als eine sehr gut gemeinte Warnung für unerfahrene junge Männer und besagt, dass sie sich wegen der damit immer verknüpften Gefahren nicht mit Frauen aus vornehmen Häusern einlassen sollen.

Die Geschichte von dem Turm von Nesle war in Paris so allgemein bekannt und wurde so häufig erzählt, dass Brantôme ihrer in seinem Buche von den „Galanten Damen" Erwähnung thut. „Diese Königin", so referiert er, „hielt im Schlosse zu Nesle bei Paris Hof und pflegte von den Vorübergehenden in ihr Haus zu rufen, wer ihr wohlgefiel, gleich welchen Standes er war. Hatte sie dann von ihm erlangt, was sie begehrte, so liess sie die unglücklichen Opfer von der Höhe eines Turms, der heute noch (zu Brantômes Zeiten) steht, in die Fluten des Stroms hinabstürzen. Ich will nicht behaupten, dass das wahr ist, aber das Volk, wenigstens das von Paris erzählt es sich so." Vor Brantôme hatte bereits Villon auf die furchtbare Tragœdie in folgenden Versen seiner Ballade von den „Damen früherer Zeiten" angespielt:

Semblablement où est la peine
Qui commanda que Buridan
Fût jeté en un sac en Seine!

(Gleich jenem Orte, wo die Königin ist, die einst befahl, dass man Buridan in einem Sacke in die Seine stürze.)

Bemerkenswert ist, wie diese Geschichte abgeschwächt worden ist: anstatt der drei lüsternen und ausschweifenden Prinzessinnen, die sich die kecken und frischen Studenten von der Strasse holten und sie dann in der grauenhaftesten und hinterlistigsten Weise niedermetzeln liessen, kennt die Ueberlieferung nur noch die Königin, die in Buridan verliebt ist! Vielleicht hat dieser Mann auch in einer seiner bekanntesten Geschichten, in dem sprichwörtlich gewordenen Esel des Buridan auf seine Erlebnisse angespielt: er schildert darin einen Esel, der zwischen zwei gleich grossen und gleich saftigen Heuhaufen verhungert, weil er sich nicht entschliessen kann, den einen eher als den anderen zu berühren. Ob er damit sich nicht daran erinnert, hat, wie er einst zwischen drei gleich schönen und gleich begehrlichen Prinzessinnen gesessen hatte?

Wenn diese Prinzessinnen thatsächlich so hinter jungen Männern herliefen und sich ihre Liebhaber und zugleich ihre Opfer auf den

Strassen suchten, so darf man wohl nicht mit Unrecht vermuten, dass sie von ihren eigenen Männern vollständig vernachlässigt wurden. Eine unerhörte Sittenlosigkeit herrschte damals in Frankreich, und der durch die Kreuzzüge bekannt gewordene widernatürliche Geschlechtsverkehr zog immer weitere Kreise des Volks in seinen Bann: er drohte thatsächlich die gesamte Bevölkerung zu korrumpieren und zu Grunde zu richten. An einer anderen Stelle haben wir bereits eine Stelle aus der Geschichte des Occidents von Jakob von Vitry zitiert, worin er ein furchtbares Bild von den Sitten seiner Zeitgenossen entwirft. Ein zeitgenössischer Dichter, Prior der Abtei von Saint-Médard, wie man bemerken wolle, entwirft eine ähnliche Schilderung von dem Klosterleben in seinem Fabliau de sainte Léocade:

La Grammaire hic à hoc accouple;
Mais nature maldit le couple,
La mort perpétuel engenre
Cil qui aime masculin genre
Plus que le feminin ne face,
Et Diex de son livre l'efface.
Nature rit, si com moi semble,
Quand hic et haec joignent ensemble.
Mais hic et hoc, chose est perdue,
Nature en est tost esperdue . . .

So furchtbar hatte sich der widernatürliche Geschlechtsverkehr erwiesen und so sehr war er verbreitet, dass die natürliche Prostitution dagegen wirklich wie ein Heilmittel, oder wenigstens wie ein Palliativ angesehen werden konnte. Der Bestand der Gesellschaft selbst stand in Frage, als sich Philipp der Schöne, dem es weder an Einsicht noch an Energie fehlte, zu den schärfsten Massnahmen gegen die Sodomie entschloss; das war der erste Grund des Prozesses gegen den Templerorden. Freilich brauchen deshalb die anderen, genugsam bekannten, rein materiellen und politischen Gründe — der königliche Sittenreiniger war nämlich erpicht auf die ungeheueren Schätze, die der Orden im Laufe der Zeit aufgespeichert hatte — nicht aus der Rechnung zu verschwinden: das Eine schliesst das Andere in diesem Falle ganz und gar nicht aus. Die aufmerksame Lektüre der Original-Prozessakten, der wir uns unterzogen haben, zeigt deutlich, dass der König vor allen Dingen die Laster und Gottlosigkeit der Tempelherrn treffen wollte. Die neuere Geschichtsforschung ist nun freilich der Ansicht, dass solche Prozessakten über die Motive des Anklägers nur sehr ungenauen Aufschluss geben können: der französische König hätte müssen ein vollendeter Esel sein, wenn er seine gewinnsüchtigen und politischen Absichten als Ausgangspunkt seiner Anklage genommen hätte. Er that das, was in solchen Fällen die brutalen Erpresser immer zu thun pflegten und pflegen: er versteckte sich und seine Pläne hinter der moralischen Phrase! Aber, wie gesagt, die Verderbtheit der Tempelherrn soll damit durchaus nicht bestritten werden, es kann damit wohl seine Richtigkeit haben: nur ist es fraglich, ob den König sein auf einmal so lebhaft entflammtes Gewissen auch dann zu dem Prozess getrieben haben würde, wenn eine Vernichtung des Templerordens seinem politischen und finanziellen Interesse entgegen gewesen wäre! Auch Michelet, der berühmte Geschichtsschreiber Frankreichs, sagt in seinem vortrefflichen Werke: „Welche Meinung man sich auch immer von dem Templerorden und seiner ursprünglichen Prinzipien und Thaten gemacht haben mag, betrachtet man die letzten Jahre seiner Existenz mit ihrem Verfall der Sitten, dann kann man nur schwer ein vernichtendes Urteil zurückdrängen." Die Veröffentlichung der Originalaktenstücke beweisst mit zwingender Deutlichkeit, dass der Orden der Sitz geradezu teuflischer Lüste geworden war. Für Philipp den Schönen und den Papst Bonifacius VIII., die dasselbe Interesse an der Unterdrückung des Ordens hatten, war damit die Handhabe zu seiner Zerstörung gegeben: man richtete den Angriff gegen die notorischen Vergehen der Tempelherren und erreichte damit zugleich seine sehr realen Absichten. Irgend eine Chronik bringt das Ausbrechen des allgemeinen Unwillens gegen die Templer im Jahre 1307, das ein Aufflackern der Scheiterhaufen in ganz Europa zur Folge hatte, mit der Rache eines Weibes im Zusammenhang. Das Verhör des Grossmeisters und der 230 Ordensritter in Paris wurde nach Michelets Zeugnis sehr sorgsam und mit viel Bedacht durchgeführt; hohe kirchliche Würdenträger bildeten das Tribunal, und trotz des systematischen Leugnens aller Angeklagten darf man wohl die meisten Anklagepunkte, die sich auf sittenlosen Lebenswandel bezogen, als erwiesen gelten lassen. Die Natur der Vergehen und Verbrechen, die man den Templern vorwarf, war übrigens dem Volke wohlbekannt und oft und lange besprochen worden.

Die Templer waren ganz allgemein verrufen; ihr Stolz, ihre Habsucht, ihre Eitelkeit, ihre Bosheit, ihre Trunksucht waren geradezu sprichwörtlich geworden: „Trinken und fluchen wie ein Templer," das war ein durchaus volksgebräuchlicher Ausdruck. Wenn auch die satyrischen Dichter sich vielfach mit den Lastern der Ritter befassten, so wusste man doch nicht, bis zu welchem Grade die Sittenlosigkeit in den Reihen des Ordens vorgeschritten war. Die ersten Zeugen gegen die Templer hatten sich freiwillig gemeldet; aus ihren Aussagen und den Verhören, denen die Ritter alle einzeln unterworfen worden, geht folgendes mit ziemlicher Gewissheit hervor: bei der Aufnahme in den Orden küssten sich der Receptor und der Recipiend nicht nur auf den Mund, sondern auch auf andere, häufig die obscönsten Körperteile (aliquando in virga virili); vorausgegangen war meistens eine förmliche Absage an das Christentum und ein Bespeien des Kruzifixes; darauf verbot in der Regel der Pathe dem neuaufgenommenen Ritter jeden Umgang mit Weibern, gestattete ihm aber die Ausführung der furchtbarsten Laster mit seinen neuen Brüdern. Zwischen manchen Ordensrittern sollen gleichsam feste Verhältnisse bestanden haben: in einer Art von stolzen Prostitution lebten sie und bezeichneten jeden Angriff darauf als eine freche und schamlose Verleumdung. Manche Ritter, die eingeschüchtert oder gekauft waren, gaben Einzelheiten zu; die anderen leugneten beharrlich alles ab, oder erklärten wenigstens, dass sie jedenfalls nicht an derartigen Scenen teilgenommen hätten, wenn sie wirklich vorgekommen seien; sie beriefen sich auch wohl auf die Statuten des Ordens, die indess sehr dunkel und mystisch waren und von niemandem erläutert wurden. Huguet von Baris erzählte, dass er bei der Feier seiner Aufnahme bis auf das Hemd entkleidet gewesen sei; der Bruder der ihm bei der Anlegung des Ordensgewandes geholfen habe, habe ihn dann plötzlich auf den Mund und auf obscöne Körperteile geküsst: frater P. levavit ipsi testi vestes ante et retro. Mathieu von Tilley sagt dagegen, dass bei seiner Aufnahme von ihm verlangt worden sei, das Christentum abzuschwören und das Kruzifix zu bespeien; sodann habe er müssen den aufnehmenden Bruder küssen praecepit quod oscularetur eum in carne nuda, et discoperuit se circa femur. et ipse fuit osculatus eum in ance circa illum; darauf sei das Spiel noch weiter getrieben worden: quod deberet eum osculari ante circa femoralia. Darauf brach man das Verhör mit ihm ab. Jean de Saint-Just, dem man vorgeworfen hatte, er habe gewisse Körperteile des ihn aufnehmenden Ordensbruders geküsst, antwortete mit Entrüstung, dass er sich nie zu einer derartigen Infamie hergegeben hätte.

Viele Templer sagten, sie seien nach ihrer Aufnahme wiederholt zur Teilnahme an der Prostitution mit Brüdern aufgefordert und dazu autorisiert worden; aber alle leugneten ab, irgend etwas selbst begangen zu haben und erklärten sogar, dass nach ihrer Meinung die Sodomie im Templerorden nicht stärker verbreitet sei, als in irgend einem Mönchkloster. Johann von Saint-Just sagte aus: Deinde dixit ei quod poterat carnaliter commisceri cum fratribus ordinis et pati quod ipsi commiscerentur cum eo; hoc tamen non fecit, nec fuit requisitus, nec scit, nec audivit quod fratres ordinis committerent peccatum prædictum. Die Aussage Rudolfs von Taverne ist noch eingehender und interessanter, weil man ihm in Hinblick auf sein Keuschheitsgelübde, das den Verkehr mit Angehörigen weiblichen Geschlechts unmöglich machte, geraten hatte, seine Lüste auf eine andere Weise zu befriedigen. Deinde dixit ei quod, ex quo voverat castitatem, debebat abstinere a mulieribus, ne ordo infameretur; verumtamen secundum dicta puncta, si haberet calorem naturalem, poterat refrigerare et carnaliter commisceri cum fratribus ordinis, et ipsi cum eo: hoc tamen non fecit, nec credit quod in ordine fieret. In der nicht minder eingehenden Darlegung des Gerhard von Causse findet sich ein eklatanter Widerspruch. Zuerst sagte er, jeder Ordensbruder, der sich der Sodomie schuldig gemacht hätte (si essent convicti de crimine sodomitico), wäre zu lebenslänglicher Gefangenschaft verurteilt worden, und die Brüder hätten, um allen Gefahren zu entgehen, nachts beständig Licht in ihren Schlafsälen brennen lassen (et quod tenerent lumen in loco, in quo jacerent, de nocte, ne hostis inimicus daret eis occasionem delinquendi); und später gab er zu, es sei nach seiner Aufnahme ein Bruder zu ihm gekommen und habe ihm gesagt, wenn er gar zu sehr unter den Qualen der Enthaltsamkeit leide, dann solle er doch nicht zu Weibern gehen, um dem Orden keine Schande zu machen, sondern sich lieber mit seinen Kameraden abgeben (dixit eis quod si haberent calorem et motus carnales, poterant ad invicem carnaliter commisceri, si volebant, quia melius erat quod hoc facerent inter se, ne ordo vituperaretur, quam si accederent ad mulieres.) Aber auch dieser Templer erklärte lebhaft, dass er selbst nie diesem Rate gefolgt sei.

Die furchtbaren Folgen des Prozesses gegen den Templerorden sind bekannt: eine Menge Ordensbrüder starben durch Henkershand. Aber vollständig verschwand der Orden doch nicht, sondern er lebte im Geheimen mit denselben Sitten und Lastern weiter, wenigstens wenn man einigen Angaben gleichzeitiger Chronisten Glauben schenken darf, die freilich keinen Anspruch auf unbedingte historische Zuverlässigkeit machen können. Untersucht man nach sorgfältiger Prüfung der Akten und der sonstigen Ueberlieferungen vom Templerorden die Ursachen, die ihn in den furchtbaren moralischen Sumpf hineingeführt haben, so ergiebt sich folgendes: der lange Aufenthalt im Orient und die stete Berührung mit Völkerschaften, bei denen die Sodomie endemisch ist, hatte die Templer angesteckt; dazu kam die Furcht vor den schrecklichen Geschlechtskrankheiten, mit denen in jenen Ländern fast alle Dirnen behaftet waren. Um nicht von ihnen befallen zu werden, hatten sich die Templer der widernatürlichen Befriedigung ihres Geschlechtstriebes in der geschilderten Weise zugewendet.

X. Kapitel.

Die Prostitutionsquartiere von Paris. — Topographie der pariserischen Prostitution im Mittelalter. — Die verschiedenen Strassen und ihre Charakteristik.

Zur Geschichte der Prostituiertenquartiere von Paris haben wir nur sehr wenig Nachrichten; kaum können wir ihre Lage mit einiger Sicherheit in einigen Epochen vor dem sechzehnten Jahrhundert feststellen. In den Akten (instrumenta) der Praefektur, in den verschiedenen Gerichtsrechnungen und Protokollen, in den Kartularien der Pfarreien und Klöster und sogar in alten poetischen Werken ist uns indessen seit dem dreizehnten Jahrhundert wenigstens hie und da eine sichere Spur gewiesen worden. Aus diesem Material müssen wir uns also sozusagen die Topographie der mittelalterlichen pariserischen Prostitution herauskonstruieren, eine Aufgabe, die weder leicht, noch besonders dankbar ist. Und dazu kommt noch, dass von den einzelnen Strassen recht wenig Interessantes und Pittoreskes zu vermelden ist; das Ganze muss sich notgedrungen auf eine Art von Katalogisierung beschränken, die wir so kurz und so unterhaltend, wie es nur immer möglich ist, zu gestalten gedenken. Es sind uns nämlich fast gar keine Einzelheiten erhalten geblieben und kein zeitgenössischer Schriftsteller hat es in jenen Tagen für nützlich und wertvoll gehalten, uns die Stätten der Prostitution mit feinem Pinsel zu malen. Daraus folgt dann weiter, dass wir leider auch über die örtliche Organisation, die Reglementierung an den einzelnen Stätten und alles derartiges sehr mangelhaft unterrichtet sind. Was man über diesen Gegenstand beibringen will, ist meist doch nichts anderes als Vermutung, die sich auf Rabelais und selbst Regnier zu stützen pflegt. Aber das wenige, was wir erforschen können, muss wenigstens gesagt werden.

Im Mittelalter, der Zeit der Privilegien und Traditionen, hatte jedes Gewerbe sein eigenes Quartier, seine gewissen Strassen, denen es den Namen gab; dort waren die Werkstätten, Läden und Schaufenster der betreffenden Zunftmeister, dort allein stellten sie ihre Waare her und boten sie zum Kaufe feil. In alten Städten begegnet man auf Schritt und Tritt den Erinnerungen an diese Vergangenheit: Bäckerstrassen, Spenglergassen, Fleischbank, Kannengiesserstrassen, Müllergänge, Beutelgassen, Schmiedeberge und was dergleichen Namen mehr sind, sprechen deutlich genug. Die Prostitution, die ein zünftiges Gewerbe gleich den übrigen bildete, hatte nicht das gleiche Interesse daran, nur in gewissen Stadttheilen und einzelnen Strassen ihren Sitz zu haben, sondern wollte ihre Netze überall auswerfen können. Daraus entspann sich dann der langwierige und in seinen einzelnen Phasen hochinteressante Kampf zwischen der gewerblichen Prostitution und der Gewerbepolizei: diese verlangte Beschränkung auf einzelne Strassen, womöglich einzelne Häuser, jene strebte beständig nach Erweiterung und Ausdehnung ihres Herrschaftsbereichs. So wogt der Kampf jahrhundertelang hin und her, und die Prostitution bietet allen Autoritäten keck die Stirne: weder vom Erzbischof, noch vom Praefekten, noch vom Parlamente, ja nicht einmal vom Könige lässt sie sich dauernd in ihre Schranken zurückweisen. Allen Verfügungen, Urteilen, ja selbst der brutalen Gewalt der Schergen stemmt sie sich entgegen und giebt ein Terrain, das sie einmal besetzt hat, erst nach einem hartnäckigen und ermüdenden Kriege auf; ohne Unterlass kehrt sie dorthin zurück, wo man sie zu vertreiben sucht und verlässt nie vollständig eine gewonnene und dann wieder verlorene Position.

Der Natur des Gewerbes entsprechend zogen die Prostituierten in der Regel die dunkelsten, schmierigsten Strassen den hellen und luftigen, leicht zu übersehenden Oertlichkeiten vor. Gerade so wie die Juden in ihr Ghetto und die Leprösen in ihre Pesthäuser eingepfercht waren, ohne dass sie bei schwerer Strafe zu bestimmten Stunden ausserhalb angetroffen werden durften, geradeso hatte auch die Prostitution ihre streng überwachten Stätten, an denen sie mit den Angehörigen der Ribaudie zusammen hauste. Einen gesetzlichen Grund zur Heimlichthuerei besass sie freilich nicht mehr, seitdem sie staatlich autorisiert und reglementiert worden war.

Die älteste Quelle, die uns etwas über die Lokalitäten der Pariser Prostitution vermeldet, ist ein in Versen geschriebener Monolog eines gewissen Guillot aus dem dreizehnten Jahrhundert; er ist uns nur durch dieses Gedicht mit dem Titel Dit des Rues de Paris (Erzählung von den Strassen von Paris) bekannt. Das Gedicht wurde zum ersten Male im Jahre 1754 durch den Abt Lebeuf veröffentlicht. Er hatte das Manuskript in Dijon entdeckt und deponierte es in der Bibliothek des Abbés Fleury, Kanonikus von Notre-Dame. Später hat man das Werk häufig wieder herausgegeben und bedient sich seiner als der wichtigsten Urkunde für die Topographie von Paris im dreizehnten Jahrhundert. Verfasst wurde das Werk zweifellos, wie aus dem Inhalt selbst hervorgeht, um das Jahr 1270, denn es wird darin eine Person mit Namen genannt, die nachweislich noch im Jahre 1283 gelebt hat. Die Benutzer des Werkes, das aus einer gereimten Aufzählung pariserischer Strassen besteht, scheinen, soviel sie sich auch mit dem Gegenstande beschäftigt haben, bisher noch garnicht bemerkt zu haben, dass der Verfasser ganz offenbar keinen Strassenkatalog verfassen, sondern nur die Lustbarkeitsorte, d. h. eben die Strassen der Prostitution zusammenstellen wollte. Was er damit bezweckte und welche Absichten ihn leiteten, ob moralische oder unmoralische, das können wir heute natürlich nicht mehr feststellen und geht aus dem Texte selbst nicht hervor, wenn man nicht aus der Thatsache selbst seine Schlüsse ziehen will, dass die dreihundert Verse des Originals mit wenigen Ausnahmen nur von Dirnenstrassen handeln. Ausser der Wiedergabe der Namen schwingt er sich an wenigen Stellen zu ein paar Bildern auf, die nicht gerade von einem geläuterten Geschmack zeugen. Jedesmal, wenn er auf seiner fingierten Reise an ein von der Polizei geduldetes Bordell kommt, dann macht er irgend eine Bemerkung, sei es auch nur über die Lage oder das Aussehen des Hauses. In Summa führt er in den drei Hauptquartieren von Paris nicht weniger als zwanzig „verdächtige" Strassen auf. Um eine Probe von seinen Versen und seiner Sprache zu geben, sei hier einiges angeführt; so sagt er z. B. über ein Haus in der Nähe der kleinen Brücke:

La maint une dame loudière
Qui maint chapel a fait de feuille.

Der Wortlaut könnte darauf hindeuten, dass die Dame nur eine biedere und ehrbare Hutmacherin gewesen sei; man muss aber wissen, dass das Wort loudière im alten Französich fast gleichbedeutend mit prostituée ist: von Hüten konnte da gar keine Rede sein, wenngleich nicht abgestritten werden kann, dass das Weib in den Mussestunden, die ihr das Hauptgewerbe gewährte, vielleicht Hüte angefertigt haben mag.

Von einem anderen Hause heisst es in unserem Texte:

Je descendi tout bellement
Droit à la rue des Cordèles:
Dame ia: le descord d'elles
Ne voudroie avoir nullement.

Danach scheinen die dort wohnenden Damen nicht gerade sanften Gemüts gewesen zu sein, wenn der Dichter nichts so sehr fürchtet, wie einen Streit (descord) mit ihnen.

Um Frauen von ähnlicher Zungenfertigkeit und Streitlust anzutreffen, muss Guillot ein paar Strassen weiterziehen; von denen aus der kleinen Severinstrasse sagt er:

. . . Mainte meschinete
S'y louent souvent et menu
Et font batre le frou velu
Des fesseriaux, que nus ne die.

Weiter heisst es an einer anderen Stelle, wo allerdings der Text weniger dunkel als verderbt zu sein scheint:

Une femme d'espital
Une autre femme folement
De sa parole moult vilment . .

Unser Dichter, welcher fürchtet, in den Streit verwickelt zu werden, nimmt schleunigst Reissaus und trifft in der Syphorianstrasse ein Weib, das zugleich Wahrsagerin und Prostituierte ist; sie nennt sich Marie und es heisst von ihr, wie folgt:

La rue de la Chaveterie
Trouvay. N'allay pas chez Marie,
En la rue Saint-Syphorien,
On maignent li logiptien.
Et puis la rue de Noyer,
On plusieurs dames, por louier
Font souvent battre leurs cartiers.

So wandert denn Guillot strassauf und strassab, findet überall Frauen und Mädchen von demselben Gewerbe aber sehr verschiedenen Qualitäten und sucht ihnen allen in seinen Versen gerecht zu werden. Die einen behandelt er gut und lobt sie, über die anderen geht er rasch hinweg oder findet gar gegen sie eine bosshafte bissige Bemerkung. Sein Buch ist trotz aller Einförmigkeit des Gegenstandes doch immerhin nicht ganz ohne Kunst und Abwechslung geschrieben, sodass man es auch heute noch sehr wohl einmal durchblättern kann. Endlich ist nun denn, so schliesst es, nach langer, langer Irrfahrt Guillot an das Ziel seiner Wanderung gekommen; da besinnt er sich gleichsam auf sich selbst und sagt:

Où il a maintes tencheresses
Qui ont maint homme pris au brai.

Allen Schmutz der Stadt hat er durchwühlt, in allen Winkeln der Prostitution sich herumgetrieben, aber dann rühmt er sich seiner Reimereien und dediciert sie — Christus als dem Herrn des reinen Firmaments und seiner Mutter, der Himmelskönigin, eine Naivetät, die in jenen Zeiten durchaus nichts ungewöhnliches oder auffälliges hatte.

Gegen Ende des vierzehnten Jahrhunderts vollführte ein anonymer Schriftsteller einen merkwürdigen Streich: er plünderte nämlich das Buch von Guillot in der unverfrorensten Weise aus, indem er einfach die inzwischen veralteten und veränderten Strassennamen durch die zu seiner Zeit gebräuchlichen ersetzte und im übrigen auch die Reime einigermassen modernisierte. Henry Geraud hat dieses zweite Dit nach einem Manuscripte aus dem Nationalarchiv publiziert; er setzt es nach der allgemeinen Steuerkatastrierung der pariser Bevölkerung auf das Jahr 1292 an. Dieses Kataster enthält übrigens, wie wir gleich hier bemerken müssen, keinerlei Spezialangaben über die Prostitution; damit ist bewiesen, dass die Dirnen zu jener Zeit wenigstens an der ausser den gewöhnlichen Steuern umgelegten Taille nicht participierten. Der Nachdichter Guillots hat seine Hauptaufgabe darin gesehen, den originellen alten Dichter zu reinigen und alles „Anstössige“ aus ihm zu entfernen. Dadurch wird die Sache ja nun durchaus nicht wertvoller für den Kulturhistoriker, aber man kann andererseits nicht leugnen, dass der Anonymus die Fabel seiner Geschichte ganz geschickt erfunden habe: er fingiert nämlich, er sei eben erst in Paris angekommen und habe bei der Notre-Dame-Kathedrale seine Frau verloren. Um sie wiederzufinden, durchirrt er 310 Strassen der Stadt, in denen ihm unzählige Frauen begegnen; er schaut sie alle aufmerksam prüfend an, vermag aber seine eigene bis zum Schluss nicht darunter zu entdecken. Da ruft er aus:

Tant l'ay quise, pue j'en suis las!
Or la quiere qui la voudra:
Jamais mon corps ne la querra.

Nach dem Dit von Guillot versiegen beinahe alle unsere Quellen und es vergeht fast ein Jahrhundert, bis eine Verfügung des Præfekten von Paris uns wieder einmal etwas von der Topographie der Pariser Prostitution meldet. Diese von Delamare mitgeteilte Verfügung datiert vom 18. September 1367; es werden darin die Strassen bestimmt, in denen die Prostituierten ihrem Geschäfte obliegen können, ohne eine Strafe zu verwirken. Man merkt darin bereits die Strömung, die sich nachher unter der Regierung Karls V. erst recht durchsetzte. Der Præfekt fordert alle Weiber, die ein leichtfertiges Leben führen, auf, ihre Wohnung in einem Bordell zu nehmen, und ihren Verkehr auf gewisse genau bezeichnete öffentliche Plätze und Strassen zu beschränken. Es sind fast dieselben Orte, die Guillot schon ein Jahrhundert früher bezeichnet hatte, nur sind es ihrer jetzt viel weniger, denn die Polizei strebte energisch danach, die Zahl der Prostituierten und der von ihnen benutzten Lokalitäten zu vermindern. Der Præfekt verbietet auch ausdrücklich, dass ein Mann — und in diesem Falle kann es sich wohl nur um reiche und vornehme handeln — einer Dirne in irgend einem anderen als den bezeichneten Quartieren eine Wohnung miete; geschah es dennoch, so konnte der Mietspreis als Strafe eingezogen werden. Den Weibern war es gleichermassen verboten, ausserhalb der konzessionierten Strassen Häuser zu erwerben; die Uebertretung dieses Verbots konnte mit der Konfiskation des gekauften Hauses bestraft werden. Ging eine Prostituierte ausserhalb der erlaubten Grenzen ihrem Gewerbe nach, so konnte sie auf Betreiben von zwei Nachbarn verhaftet und verurteilt werden. Ward ihr eine Uebertretung nachgewiesen worden, dann erhielt sie meistens Stadtverweis, nachdem man ihr 8 pariserische Sous als Taxe für die Agenten der Polizei abgenommen hatte. Allem Anscheine nach wurden die polizeilichen Massregeln oft und mit grosser Strenge ausgeführt.

Die Stätten, die der Præfekt von Paris der Prostitution zu ihrem Gebrauche angewiesen hatte, waren meist eine Art von Höfen und nicht ganze Strassen; ganz ähnlich wurden später die sogenannten Wunderhöfe, Zufluchtsasyle für Bettler, Lumpensammler, aber auch für Diebe und anderes Gesindel eingerichtet. Von derartigen Gebäuden sind uns zahlreiche Spuren und noch mehr Ueberlieferungen erhalten geblieben. Manche von ihnen wurden durch Anbauten allmählich sehr vergrössert und wuchsen zu förmlichen Burgen aus. Zu ihrem Wachstum trug auch bei, dass in ihnen zeitweise die Gesellen und anderen Angehörigen bestimmter Gewerbe hausten, wie die der Fleischer, die im Mittelalter nicht in besonderer Achtung standen.

Es ist eine interessante, aber ebeso mühevolle wie zeitraubende Aufgabe, die heutigen Strassennamen von Paris, und ähnlich natürlich auch jeder anderen Grossstadt, bis in die Zeit ihres Ursprungs zurückzuverfolgen. Sehr häufig erhält man bei derartigen Untersuchungen Einblicke auch in die topographischen Verhältnisse der Prostitution in früherer Zeit. Ein Beispiel: die rue Chapon in Paris trägt ihren Namen, der noch heute zu finden ist, nach einem ihrer Bewohner aus dem dreizehnten Jahrhundert, einem gewissen Robert Beguon, Begon oder Capon, der vermutlich ein Bettlerkönig war, denn begon oder beguon scheint von beguinus abgeleitet, zu sein, das Bettler bedeutet, englisch begging; capon kommt her von capus, ein Vogelname und ist das Synonym von beguon. So hat also ganz natürlich diese Strasse einen Namen erhalten, der zugleich für ihre Bewohner, ihr Leben und ihr Gewerbe charakteristisch geblieben ist.

Auch bei Strassen, die weder im Guillot noch in einer der Verordnungen der Præfektur angeführt sind, lohnen sich derartige Untersuchungen. Sie zeigen uns zunächst, dass trotz allen Versuchen, die Prostitution aus dem Centrum der Stadt, der cité, zu verbannen, auch dort sich Häuser, ja Strassen mit Dirnen vorfanden. Das in der Nähe liegende Val d'amour (Liebesthal) von Glatigny, eine hervorragende Stätte mittelalterlicher Unzucht, mag durch das böse Beispiel verderblich eingewirkt haben; nach dem Ausdrucke alter Schriftsteller zogen sich die Ribauden mit Vorliebe dorthin, pour commettre le péchié, d. h. um allerhand Unfug, wenn nicht Schlimmeres zu treiben. Man geht deshalb nicht zu weit, wenn man sagt, dass das ganze Gewirre von Gassen und Gässchen in der Altstadt von Paris, das heute natürlich längst verschwunden ist und modernen Quartieren Platz gemacht hat, im Mittelalter ein förmliches Theater der Prostitution gewesen ist. Die engen Durchgänge, die weiten, oft düstern und gegen Beobachtungen von aussen abgesperrten Höfe lockten natülich die lichtscheue Gesellschaft jeder Art heran. Von der heutigen Rue de Perpignan wissen wir, dass sie damals Charui hiess nach einer Kneipe Char doré (de carro aurico) „zur goldenen Karre"; Guillot hat von dieser Kneipe mit folgenden Worten gesprochen:

En Charui — bonne taverne achiez ovri.

Alle Kneipen dieser Art waren nichts anderes als Bordelle. Neben der erwähnten befand sich vermutlich ein grosser Rosengarten, denn die späteren Namen der Strassen deuten darauf hin. (Champrousiers, Champflory, Champrosy). Vielleicht waren allerdings auch diese Namen nur — Onomatopöien.

Der Eingang in die alte Rue de Glatigny hiess im engeren Sinne Val d'Amour, Liebesthal. Sie lag am Hafen Saint-Landry und bestand aus einer Reihe von kleinen, niedrigen Häusern, deren zermürbte Fundamente bis ans Wasser herniederreichten, während sie sich mit ihren schiefen und zerfallenden Wänden aneinanderlehnten, als ob sie sich gegenseitig vor dem Zusammenbruch bewahren wollten. Das Val d'Amour war ein privilegierter Sitz der niedrigsten Prostitution, die sich ja immer, wie wir schon an anderer Stelle bemerkten, mit Vorliebe an die Flussläufe zieht. Die Strasse, die sich hinter den übelberufenen Häusern hinzog, hiess zeitweise Rue du Port-Saint-Landry-sur-l'Yeau, dann auch Rue de Fumier. Die Familie von Ursins scheute sich trotz der ganz eindeutigen Nachbarschaft nicht, in dieser Strasse ein grosses Wohnhaus, oder, wie man schon damals in Frankreich von den Häusern vornehmer Leute sagte: ein Hôtel zu erbauen. Juvenal des Ursins, Vogt der Kaufleute und Kanzler von Frankreich unter Karl VI. wohnte hier lange Zeit; er war in seinen Tagen unzweifelhaft eine der bedeutendsten Persönlichkeiten des Landes, aber seine Anwesenheit hatte auf die Nachbarschaft seines Hauses nur insofern einen Einfluss, als die Strasse hinfort nach ihm und seiner Familie Rue des Ursins genannt wurde, ohne dass ihr Charakter sich irgendwie verändert hätte. Guillot giebt uns an, dass die Rue des Marmousets stark von Ribauden oder noch ärgerem Gesindel frequentiert wurde; eine Liste der Strassen von Paris, die nach dem Urteile Lebeufs etwa um das Jahr 1450 aufgestellt zu sein scheint, erwähnt sie unter dem Namen Rue des Marmouzètes; wir wissen aber auch ferner, dass ein grosses Haus diesen selben Namen führte (domus Marmosetarum); man gelangte zu ihm über eine Reihe aussen herumführender Stufen und es hat bis zum 16. Jahrhundert existiert: liegt da die Vermutung nicht nahe, dass wir es bei ihm mit einem Ribaudenhofe zu thun haben? Aehnliche Konjekturen mögen erlaubt sein bei der sogenannten cour Fleury (Fleuryhof) und der maison Coquatricis (Couquatrixhaus). Im alten Französisch bedeutete, wie der gelehrte Herausgeber des Rabelais, De l'Aulnaye, bemerkt, Cocquartis, Cocatrix, Coquatrix, soviel wie Prostituierte.

Aus einem interessanten Aktenstücke, einem Arreste, den Félibien und Lobineau, die Verfasser der grossen Geschichte von Paris, aus dem Staube des Parlamentsarchivs ausgegraben haben, erfahren wir die bemerkenswerte Thatsache, dass mindestens zur Zeit seiner Abfassung (15. Juni 1367) die Strassen, in denen Bordelle bestanden, als foraines, d. h. als solche angesehen wurden, die der gewöhnlichen Strassenpolizei nicht unterstanden.

Ausser den hier einzeln erwähnten hatte die Prostitution in Paris natürlich noch eine Menge anderer Zufluchtsstätten; die schweifende Prostitution suchte in der City mit Vorliebe besonders zwei Plätze auf: der eine war eine kleine Insel, die man im fünfzehnten Jahrhundert Ile de Gourdaine, drei Jahrhunderte früher Ile aux Vaches (Kuhinsel) nannte; der andere war eine kleine Bodenerhebung im östlichen Teile, schlechthin „das Terrain" genannt. Entstanden war der Hügel aus dem Erdreich, das man bei der Fundamentierung der Kathedrale Notre-Dame ausgehoben hatte. Seit dem Jahre 1285 finden wir für diesen Platz auch die Bezeichnung: la Motte aux Papelards, Motta Papeladorum; was die Papelards waren, lehrt uns ein Zitat aus einer Rede von Robert de Sorbon: Imo propter hoc dicuntur papelardi, quia frequentant confessiones. Was den oben erwähnten Namen der kleinen Insel anbetrifft, so waren die Ausdrücke goudine, gourgandine, gordane nichts anderes als Synonyme für Prostituierte. Auf der Insel wurden übrigens unter der Herrschaft Philips des Schönen die Templer verbrannt, und der Ort scheint vorzugsweise zur Vollstreckung der Urteile an Sittenverbrechern benutzt worden zu sein. In dem Universitätsviertel, das soviele enge Strassen und Gassen, soviele geschlossene Höfe, unbewohnte Felder, bordes und Tavernen enthielt, fand die Prostitution je und je bequeme und sichere Schlupfwinkel. Aus Aktenstücken einer späteren Zeit ersehen wir, dass in jenem

Quartiere der Stadt das Gewerbe der Unzucht ganz ausserordentlich stark blühte, was ja auch bei der Zusammensetzung der Bevölkerung nicht gerade Wunder nehmen kann. Die Ordonnanzen Ludwigs des Heiligen hatten für den ganzen Bezirk ursprünglich nur zwei Orte für die Zwecke der gewerbsmässigen Prostitution konzediert; aber schon Guillot führt uns sechs oder sieben namentlich an, und zeitgenössische Schrifsteller, wie Jakob von Vitry behaupten gar, jedes einzelne Haus sei mehr oder weniger ein Bordell gewesen. Alain de l'Ile, der Universalgelehrte, ein bekannter Polyhistor, bemerkte mit schmerzlicher Resignation, dass die Studenten zu seiner Zeit lieber die Schönheiten junger Mädchen, als die des Cicero zu betrachten pflegten. Besonders hart urteilt dieser Gelehrte über die Vlamen, die er als ganz ausserordentlich korrumpirt schildert: sie liebten, so sagt er, festes Fleisch, wilde Ausschweifungen und hatten lockere Sitten. Einiges aus dem ausgelassenen Treiben jener Menschen und Zeiten erfahren wir aus dem Pantagruel des Rabelais, dem wir ausserdem entnehmen können, dass die Ortspolizei noch im siebzehnten Jahrhundert vor den Vorrechten der Universität halt machte: der Schatten eines Studenten, so meldet der feine Beobachter, habe die Schergen schon in die Flucht getrieben. Das hatte nun zur natürlichen Folge, dass sich die Prostituierten mit Vorliebe unter den Schutz von Studenten flüchteten, um den Nachstellungen und Chikanen der Polizei zu entgehen. Alle Orte im Universitätsviertel, von denen wir wissen und nachweisen können, dass sie den Zwecken der gewerblichen Unzucht dienten, können wir hier schon aus Rücksicht auf den uns zur Verfügung stehenden Raum nicht anführen. Es genügt ein Verweis auf Rabelais und seine Kommentatoren, die zur Topographie der Prostitution im alten quartier latin manchen schätzenswerten Beitrag geliefert haben. Soviele Zeugnisse uns auch überliefert worden sind, aus jedem einzelnen geht hervor, dass die Freudenmädchen in keinem anderen Bezirke der Stadt Paris im Mittelalter auch nur annähernd so zahlreich vertreten waren, wie im Studentenviertel. Die Studenten hatten für die Prostituierten einen eigenen Ausdruck gefunden und nannten sie generell chière-lie. Manche Geschichtsschreiber von Paris haben sich durch die späteren Namen der Strassen auch in diesem Viertel vollständig irreführen lassen und behaupten wollen, mit den Dirnengassen könne es gar nicht so schlimm gewesen sein. Sie übersehen dabei aber, dass bei dieser Namengebung vielfach die Volksetymologie mitgespielt hat, sodass anscheinend ganz harmlose Namen bei genauerer Prüfung doch auf einen pornographischen Sinn zurückweisen. Ein Beispiel mag das lehren: es gab im Studentenviertel eine Bordet-Strasse; da wird nun behauptet, sie führe diesen Namen nach einem Manne Peter de Bordelis, der dort im zwölften Jahrhundert wohnte; pathetisch berichten die Verfasser des grossen „Historischen Wörterbuchs der Stadt Paris“: „es ist ein allgemein verbreiteter Irrtum, aus der

Aehnlichkeit des Namen darauf zu schliessen, dass die Strasse früher den Zwecken der gewerblichen Unzucht gedient habe.“ Nun wissen wir aber zufällig aus uns erhalten gebliebenen Akten, dass die Strasse nicht nach dem Manne, sondern der Mann nach der Strasse benannt worden ist; und diese Strasse umfasste eben eine Reihe von Borden, über deren Bestimmung wir uns an einer früheren Stelle bereits ausführlich ausgelassen haben. So ist es also mit der schönen Ehrenrettung nichts; und wie in diesem Falle, so ist es noch in unzähligen anderen ebenfalls.

Es bleibt uns noch die Lage einzelner Ribaudenhöfe, Wunderhöfe, Cours des Miracles, wie man sie nannte, zu erörtern übrig. Wunderhöfe hiessen sie, weil des Morgens aus ihnen immer eine grosse Anzahl von Blinden, Lahmen, Bresthaften, Taubstummen u. s. w. auf Bettel auszogen, die — merkwürdiger, oder auch nicht merkwürdiger Weise — Abends lachend, singend, froh und lustig mit dem leichtgewonnenen Raube heimzukehren pflegten, um am anderen Morgen die lukrative Mummerei von neuem vorzunehmen. Diebe, Strolche, Bettler, Nichtsthuer, Spieler und anderes Gelichter bevölkerte diese Ribaudenhöfe, daneben Geschöpfe, die vom Weibe eigentlich nur den Namen beibehalten hatten, um ihn zu entehren. Der älteste derartige Hof war der der grossen Truanderie, von wo aus man förmliche Kolonien nach anderen Stadtteilen aussandte, wenn die Polizei die Erlaubnis zur Errichtung eines ähnlichen Hofes erteilt hatte. Neben zwei besonders grossen Filialen des Haupthofes zählte man noch etwa zwanzig derartige Schlupfwinkel des Lasters, Elends und Verbrechertums. Sauval hat einmal den Haupthof besucht und beschreibt ihn uns mit ziemlicher Genauigkeit als einen geradezu entsetzlichen Ort des Verbrechens, der Schamlosigkeit und Prostitution, die hier die niederste Stufe erreichte, die ihr überhaupt zu erreichen möglich war. Nach einer Schilderung des lebensgefährlichen und widerwärtigen Zugangs zu der Cour des Miracles sagt Sauval: „Ich fand dort ein altes, baufälliges, entsetzlich schmutziges Gebäude, von ganz geringen Dimensionen, nur vier Toisen im Geviert, dass aber doch von fünfzig verschiedenen Haushaltungen mit einer geradezu unübersehbaren Schaar von ehelichen, unehelichen und geraubten Kindern, bevölkert war.“ Weiter sagt Sauval: „Die am wenigsten hässlichen Weiber und Mädchen gaben sich für zwei Liards hin, andere für einen mässigeren Preis, die meisten für nichts. Manche gaben auch den Männern Geld, um von ihnen Kinder zu bekommen, die sie dann durch Anleitung zum Betteln in ihrem Interesse ausnutzen wollten.“ Der Tarif, den Sauval hier anführt ist ja gewiss ausserordentlich niedrig, man muss jedoch den Wertunterschied des Geldes von damals und heute dabei mit in Anschlag bringen; daraus ergiebt sich denn, dass zwei Liards ungefähr vierzig bis fünfzig Pfennige nach unserem Münzfusse ausmachen würden. Nach allem, was uns überliefert worden ist, scheint der Preis der Prostitution niemals niedriger gewesen zu sein, als Sauval ihn hier angiebt.

Man begreift, dass sich diese Sorte der Prostitution, das kosmopolitische Gesindel, allen Einflüssen der Sittenpolizei zu entziehen wusste. Viele von diesen schmutzstarrenden, ekelhaften und hässlichen Frauenzimmern hatten Zigeunerblut in ihren Adern. Wie sehr sie zur Verbreitung der furchtbarsten Geschlechtskrankheiten beigetragen haben, bedarf nach den vorausgehenden Schilderungen keiner näheren Erörterung mehr. In der Nähe eines Mirakelhofs war eine abendliche Wanderung stets mit gewissen Fährlichkeiten verknüpft. Widerstand jemand den Lockungen, Klagen, Beschwörungen, Bitten, Drohungen und Verwünschungen der Weiber, so griffen sie häufig zu dem Mittel der schamlosesten Erpressung, indem sie laut behaupteten, der Mann habe sich ein Attentat auf ihre „Ehre" zu Schulden kommen lassen Ohne eine gehörige Schröpfung ging es in einem solchen Falle nie ab, und der Ueberfallene konnte noch glücklich sein, wenn man ihm wenigstens die Kleider auf dem Leibe liess. Derartige „Sitten" wurden vom Vater auf den Sohn, von Mutter auf die Tochter vererbt. Schon die Kinder wurden in der unerhörtesten Weise korrumpiert und ausgebeutet; ihre ersten Handlungen in der Welt waren oft schon Akte der Prostitution. Aus dem Schlamm des Lebens in diesen Häusern konnte sich kein Individuum wieder retten, wenn es einmal einen Fuss hineingesetzt hatte. Es bedarf kaum der ausdrücklichen Erwähnung, dass mit der entsetzlichen Prostitution an diesen Orten auch alle jene niedrigen Industrien verknüpft waren, die schon die alten Huren von Rom praktizierten: das Salbenmischen, die Liebestrankfabrikation, die Wahrsagerei, Sterndeuterei, der Amulettenhandel und was dergleichen mehr ist

Man darf keineswegs annehmen, dass etwa die Hausbesitzer in einer Strasse, die dem Verkehre der Dirnen freigegeben war, gegen die Ausübung der gewerblichen Unzucht irgend etwas einzuwenden gehabt hätten. Im Gegenteil! Wir besitzen noch einen Teil der Akten eines fast ein Jahrhundert lang dauernden Prozesses, in dem sich der Streit um die Baillehoé-Strasse dreht: die Hausbesitzer zogen grossen Nutzen aus den Vermietungen an Prostituierte und waren beständig eifrig darauf bedacht, dass ihnen ihr kostbares Privilegium nicht geraubt würde. In dem erwähnten Prozess, dessen Spuren wir da und dort in den Akten des Parlaments verfolgen können, standen sich auf der einen Seite die Hausbesitzer und Mieter, auf der anderen der Kuratus und die Kanoniker von Saint-Merry gegenüber. Von Zeit zu Zeit griff auch der König oder ein Præfekt von Paris einmal mit einem Erlass in den Gang dieses Prozesses ein, natürlich nur mit dem Effekt, dass die Leidenschaften der Kämpfenden noch mehr entfesselt wurden. Das Parlament suchte den Prozess immer auf die lange Bank zu schieben, wollte sichtlich einer

Entscheidung aus dem Wege gehen und hielt deshalb die Parteien fortwährend hin: bald ordnete es eine Untersuchung an, bald fällte es ein vorläufiges Urteil, bald erliess er eine Verfügung, kurz, es mochte nicht gern alte Rechte, die sich auf die Gesetzgebung Ludwigs des Heiligen und auf eine lange Gewohnheit stützten, aberkennen Eine Verfügung vom 24. Januar 1388 giebt uns Aufschluss über den Stand der Sache; sie ist herausgegeben von Félibien und Lobineau und findet sich in ihrer Geschichte von Paris (IV. Teil, Seite 538). Danach hatten der Kuratus und die Kanoniker von Saint-Merry eine königliche Verordnung erwirkt, durch die die Prostitution in der Baillehoé-Strasse ein für alle Mal verboten wurde; in einem Befehl des neugewählten Præfekten von Paris, Johann von Folleville, war ausserdem den Dirnen aufgegeben worden, sofort ihre Wohnungen in dieser Strasse zu verlassen. Da aber die Prostituierten der Unterstützung der Hausbesitzer sicher waren, so beeilten sie sich gar nicht sonderlich, dem Befehle zu folgen; darauf schickte dann der Præfekt seine Häscher, die sie mit Gewalt vertrieben, und Mauerer, welche die Thüren der Zimmer vermauern mussten Sofort erhoben natürlich die in ihren Interessen bedrohten und über den Missbrauch der Gewalt aufs tiefste erbitterten Hausbesitzer Beschwerde beim Parlament und verklagten gleichzeitig auch die mehrfach erwähnten Geistlichen wegen Irreführung der Behörden. Die würdigen Hausbesitzer und Bordellhalter hatten dreien ihrer Kollegen, den Herrn Jaques de Braux, genannt Jacobin, Philippe Gibier und Guillaume de Nevers Vollmacht erteilt, und der an Wechsel- und Zwischenfällen so reiche Prozess begann.

Die Geistlichen behaupteten, Ludwig der Heilige habe verboten, dass Ribauden in „anständigen“ Strassen wohnten; der damals amtierende Præfekt von Paris habe aber entschieden, die Baillehoé-Strasse gehöre zu diesen „anständigen“ Strassen, er habe somit mit Recht die Prostituierten vertrieben und die Hausbesitzer mit der gesetzlichen Strafe, dem Vierfachen des Mietzinses, belegt. Weiter fügte man hinzu, die Strasse liege ganz in der Nähe grosser und bekannter Verkehrsadern, es wohnten in ihr nicht nur eine Anzahl ehrsamer Bürger und Bürgerinnen, sondern auch die Kapläne und Kanoniker der nahen Kirche Saint-Merry; das habe bereits zu vielen Unzuträglichkeiten geführt und werde es auch fernerhin thun, denn wenn ein Ribaude dort einmal einen Menschen ermorde, so könne er sich in die nahe Kirche flüchten; überhaupt dürften in einer so „anständigen und ehrbaren“ Strasse keine Dirnen wohnen.

Die biederen Hausbesitzer, die um ihren hohen Hauszins fochten, erwiderten darauf, im allgemeinen sei es viel besser, wenn die Prostituierten im Inneren der Stadt als weit draussen wohnten; die Strasse sei zudem recht eng, winklig und dunkel und eigne sich deshalb ebenso vortrefflich zu den Zwecken der Unzucht, wie wenig zu anderen Geschäften; ferner hätten von jeher Dirnen in dieser Gasse gewohnt, es habe sich demnach ein Gewohnheitsrecht herausgebildet. Sie erinnerten daran, dass Hugues Aubriot, unter Karl V., Præfekt von Paris, bei einer Visitation der Bordelle verschiedene Lokalitäten geschlossen habe, aber gerade die in der Baillehoé-Strasse habe bestehen lassen, weil „schämige Leute eher dorthin, als anderswohin zu gehen wagten". Auch die Kirche habe, so erklärten die Hausbesitzer weiter, von dem Bestehen der Bordelle in der Baillehoé-Strasse direkten Vorteil, weil dadurch die Grundrente bedeutend steige. Endlich zitierten sie noch Aktenstücke, aus denen sie zu beweisen unternahmen, dass Ludwig der Heilige die Einrichtung von Bordells in jener Strasse ausdrücklich gewünscht habe. Was ferner den Weg zur Kirche anlange, so habe man einen anderen, breiteren und viel bequemeren Zugang und brauche nicht durch die schmale Gasse zu gehen; auch das „Allerheiligste" brauche man nicht durch die Strasse zu tragen, obschon man bei anderen derartigen Strassen durchaus auch daran keinen Anstoss nähme. Um nun noch mit den in solchen Diskussionen üblichen moralischen Gründen aufzuwarten, wiesen dann noch die edlen Bordellhalter und Hurenwirte darauf hin, es sei doch sehr gut, dass die Bordells in der Nähe der Kirche lägen, denn auf diese Weise werde der Kirchenbesuch der Dirnen entschieden gefördert. In ihrer Entgegnung bemerkte darauf die andere Partei, sie wolle an die stachlige Frage der Nachbarschaft von Kirche und Hurenhaus lieber nicht rühren; sie erwähnte nur, dass in einer Verfügung Ludwigs des Heiligen den Prostituierten ausdrücklich untersagt war, in der Nähe von Kirchen zu hausen; zum gleichen Thema zitierte sie aus dem römischen Rechte folgenden Satz: Deterius est quod penes sacrosanctas ædes morentur.

Wann der langwierige Prozess endgiltig erledigt worden ist, wissen wir nicht ganz genau; wahrscheinlich war es aber eine der letzten Regierungshandlungen des Königs Heinrichs des VI. von England und Frankreich, dass er im Jahre 1424 eine Entscheidung zu Gunsten der prozessierenden Geistlichen traf. Ob das freilich an den Zuständen etwas änderte, ist mindestens sehr zweifelhaft; man darf annehmen, dass die Prostitution einen so lange verteidigten Posten nicht so bald aufgab. Der Kuratus von Saint-Merry rächte sich an einem Prozessgegner, wie uns noch überliefert worden ist, durch eine schwere Kirchenstrafe, die er wegen angeblichen Fleischgenusses am Freitag über ihn verhängte. Aber damit begnügten sich die rabiaten Geistlichen nicht, sondern sie setzten schliesslich sogar eine Aenderung des Namens der Strasse durch. Mit dem ursprünglichen Namen Baillehoé, dessen Orthographie übrigens schwankend ist, hatte nämlich die Volksetymologie allerhand indecente Vorstellungen verknüpft.

Aus den Akten des vorhin ausführlich erwähnten Prozesses ergeben sich noch einzelne nicht unwichtige Aufschlüsse zur Geschichte der mittelalterlichen Prostitution in Frankreich. Wir erfahren nämlich, dass die Strassen, in denen gewerbsmässig Unzucht ausgeübt wurde, Nachts durch Thore abgesperrt wurden; ferner, dass die Mietspreise in solchen Strassen übernormal hoch zu sein pflegten; endlich etwas über die Beziehungen von Kirche und Bordell, die für die erstere unter Umständen beträchtliche finanzielle Vorteile boten. Anmerken wollen wir zum Schluss noch, dass nach dem Gewohnheitsrecht jeder Bürger gegen eine Prostituierte eine Klage anstrengen konnte, worin er verlangte, dass sie den Schauplatz ihres Gewerbes aus der Nähe seiner Behausung verlegte; nötigenfalls wurde dem Urteil des Gerichtshofes in solchen Sachen durch das Eingreifen der Schergen der Præfektur Nachdruck verliehen.

XI. Kapitel.

Steuerbuch der Stadt Paris. — Der Ribaudenkönig der Königin Marie. — Ysabeau l'Espinete. — Johanne aus der Normandie und andere Prostituiertennamen.

Wir haben bereits darauf hingewiesen, dass das Steuerbuch der Stadt Paris aus dem Jahre 1292 keine direkt auf die Prostitution bezügliche Angabe enthält; wenn man aber die Listen genauer untersucht; so findet man einzelne Stellen, in denen vermutlich unter einer Art von Decknamen Thatsachen erwähnt worden sind, die sich auf die Prostitution beziehen. Immerhin bleibt das bestehen, dass die Dirnen in ihrer Qualität als Mitglieder der Ribaudie von allen aussergewöhnlichen Umlagen zu Gunsten der königlichen Kasse ausgenommen waren; sie zahlten, ausser ihren Strafen, nur in ihrer Eigenschaft als Mietherinnen in Stadthäusern. Wie die Abgaben damals umgelegt und wie sie erhoben wurden, darüber wissen wir unglücklicherweise so gut wie garnichts; so ist es z. B. schwer verständlich, wieso und warum Paris, damals schon eine Stadt von ungefähr 400000 Einwohnern, unter der Regierung Philipps des Schönen nur 15200 Steuerpflichtige zählte, die nach den Berechnungen des gelehrten Henri Geraud nur 12218 Livres und 14 Sous aufbrachten. Wahrscheinlich waren unter den 15200 die wohlhabensten, gehörig mit Privilegien ausgestatteten Bürger nicht inbegriffen; aber auch die allerärmsten können aus verschiedenen einleuchtenden Gründen nicht wohl in der Zahl enthalten gewesen sein. Dulaure nimmt an, dass die Steuer garnicht nach den Köpfen der Bevölkerung umgelegt war, sondern das die Zahl 15200 garnichts anderes bedeute, als die vorhandenen Feuerstellen, die der Besteuerung zu Grunde gelegt worden seien; wenn das aber wirklich der Fall gewesen wäre, dann ist nicht einzusehen, warum die Steuerliste gewissenhaft die Zahl der in jedem Hause anwesenden Personen, der Kinder, Dienerschaft u. s. w. angiebt. Wir vermuten dagegen, dass nur solche Personen von der Steuer erfasst wurden, die zu ebener Erde wohnten und über eine der bekannten alten Doppelthüren oder Fenster verfügten. Diese Annahme, der keine der bekannt gewordenen Thatsachen entspricht, würde nämlich das grosse Missverhältnis zwischen Steuerpflichtigen und Einwohnern gut erklären; von den Steuerpflichtigen sind kaum der zehnte Teil Frauen.

Aus der Steuerrolle von 1272 erfahren wir eine durch mehrere praefektorale Verordnungen bestätigte Thatsache, dass die Dirnen nur zu bestimmten Stunden des Tages in die verrufenen Strassen kamen, um dort in ihren gemieteten Zimmern der Ausübung der Unzucht obzuliegen. Nachts wohnten sie nicht in denselben Strassen. Wir müssen sie also in den Steuerrollen der benachbarten Strassen wiederfinden und können sie leicht an der gleichmässigen Steuerveranlagung herauskennen. Ferner ergiebt sich, dass sie vielfach einen Haushalt führten, ja sogar verheiratet waren.

Bevor wir die Steuerrolle weiter prüfen, wollen wir auf eine besonders interessante Stelle darin aufmerksam machen, die bisher der Aufmerksamkeit der Bearbeiter vollkommen entgangen zu sein scheint. Es findet sich nämlich in den auf das Quartier Saint-Germain-l'Auxerrois bezüglichen Listen ein „Ribaudenkönig der Königin Marie", roy des ribauds de la royne Marie, erwähnt (Vergl. Livre de la Taille, pag. 5 der Ausgabe mit Kommentar von H. Geraud). Was hat es mit diesem Ribaudenkönig für eine Bewandtnis? Auf keinen Fall haben wir es bei ihm mit einem Offizier des französischen Königshofes zu thun; diese Vermutung, wenn sie auftauchte, würde schon durch die Betrachtung des lächerlich niedrigen Steuersatzes hinfällig gemacht, zu dem der Mann veranlagt worden war: er zahlte nämlich nicht mehr als ein armseliger Bettler und Wäscher. Die Lösung des Rätsels ist vielmehr auf folgendem Wege zu suchen: wir haben schon an einer früheren Stelle darauf hingewiesen, dass jede Cour de Ribaudie sich ihren Ribaudenkönig zu bestellen pflegte, der etwa die Funktionen eines Portiers auszuüben hatte, also wirklich nur eine Karrikatur der früheren höfischen Ribaudenkönige war. Der hier erwähnte Mann mit dem pomphaften Titel gehörte zu einem der verrufensten und niedrigsten Ribaudenhöfe. Was die „royne Marie“, die Königin Marie, anbetrifft, so war das entweder eine Dirne oder eine alte Kupplerin, der ihre Hausgenossen und Kunden eine hohe Würde verliehen hatten; auf keinen Fall kann man annehmen, dass jener famose Ribaudenkönig in irgendwelchen Beziehungen zu der Königin Marie von Brabant, der Witwe Philipps des Schönen gestanden hat, die zu jener Zeit lebte. Aus der Notiz ersehen wir aber, dass einzelne Ribaudenkorporationen gerade so wie die Wäscherinnen und andere Gewerbe sich ihre Königin gaben. Wahrscheinlich wurde der Königintitel der Leiterin eines Ribaudenhofes übertragen; in der Regel freilich nannte man die Spelunken in der pittoresken Volkssprache Abteien und die wüstesten Weiber Aebtissinnen oder Priorinnen.

Kommen wir wieder auf die in der Steuerliste verzeichneten Frauen ohne bestimmt angegebenes Gewerbe, die in der Nähe oder gar in verrufenen Strassen wohnten, so finden wir da eine ganze Anzahl die gleichmässig zu dem Satze von 12 Deniers veranlagt waren. Die Namen sind zum Teil recht wunderlich: wir finden eine Florie du Boscage, eine Ysabeau l'Espinète, eine Johanna aus der Normandie, eine Edeline l'Enragiée, eine Aliz la Bernée und noch viele andere mehr, die alle hier aufzuführen unseren Raum ungebührlich beanspruchen hiesse. In anderen Strassen finden wir wieder Frauen unter allerhand Decknamen, die auch wohl gewerbsmässig Unzucht trieben, aber offenbar bessere Geschäfte gemacht haben müssen, da sie zu 2, 3, selbst 5 Sous veranlagt wurden. In den verrufenen Strassen findet man neben diesen Weibern eigentlich nur die Angehörigen der niedersten Gewerbe, Fischer, Packträger und dergleichen. Dagegen entdeckt man in den Namensverzeichnissen lebhafterer und besserer Strassen häufig auch nicht eine einzige zur Steuer herangezogene Frau. Nur eben in der Umgegend der Bordellstrassen finden wir sie. Wenn wir in einer der bekanntesten verrufensten Bordellstrassen auf Namen von Leuten stossen, die mit 22 Sols, ja sogar mit 36 und 38 zur Steuer veranlagt wurden, darunter auch Frauen, so haben wir es dabei wohl mit Bordellhaltern zu thun, deren Pensionärinnen und Ausbeutungsopfer wir dann in den benachbarten Strassen antreffen.

Bemerkenswert ist jedenfalls, dass, wie uns die Steuerlisten mit aller Evidenz zeigen, die Prostituierten in den meisten Fällen noch irgend einen Nebenberuf ausübten. Delamare, der das Gebiet des mittelalterlichen französischen Rechtes sehr genau durchforscht hat, macht darauf aufmerksam, dass nach alten Rechtsanschauungen alle infamierenden Bestimmungen der Gesetze und Verordnungen auf die Weiber nur dann

Anwendung finden konnten, soweit sie in der Ausübung der gewerblichen Prostitution begriffen waren; zu anderer Zeit gewannen sie fast die Qualitäten der ehrbaren Frauen zurück. Das wäre also eine Art Zweiseelentheorie.

Aus dem zwieschlächtigen Charakter des Lebens, das diese Frauen führten, darf man schliessen, dass die Polizei sich solange um sie gar nicht zu kümmern hatte, solange sie die Vorschriften beachteten: Prostituierte waren sie erst von dem Augenblick ab, wo sie ihren Fuss in die zu dem Gewerbe bestimmten Häuser setzten. Verliessen sie diese Häuser wieder, so waren sie gleichsam gereinigt. Aus diesem Gebrauche erklärt man sich einen Spruch des Magistrats von Bordeaux, der einen Mann wegen Schändung einer öffentlichen Dirne zum Galgen verurteilte. Das merkwürdige Urteil ist von Angelo Stefano Garoni in seinem Werke: Commentaria in titulum de meretricibus et lenonibus Const. Mediol. angeführt. Delamare sagt in seinem Traité de la Police, dass die Hurenhäuser den Prostituierten lediglich zur Ausübung ihres Gewerbes dienten, während ihre Wohnungen davon abgesondert waren; lediglich aus sittenpolizeilichen Gründen und der besseren Ueberwachung wegen habe man diese Häuser eingerichtet; jede Art von Prostitution ausserhalb der dazu bestimmten Gebäude sei ihnen verboten gewesen, (nach dem Livre vert ancien des Châtelet, fol. 159); Zuwiderhandlungen seien mit gesetzlichen Strafen geahndet worden. Delamare fügt hinzu, dass die Dirnen in der Regel erst am späten Abend die verrufenen Häuser aufzusuchen pflegten, damit man sie nicht erkannte.

Später setzte man die Zeit, während der die Bordelle dem Besuche geöffnet waren, reglementarisch fest, und zwar auf die Stunden von Sonnenaufgang bis zum Sonnenuntergang. Ob Listen über die in solchen Häusern verkehrenden Weiber geführt wurden, lässt sich nicht bestimmen; dagegen darf man als sicher annehmen, dass sie eine bestimmte Abgabe an die Stadtkasse oder an den Ribaudenkönig des königlichen Hofes zu leisten hatten. Der Vogt von Paris erliess unter dem 17. März 1374 eine Verfügung, wonach die Dirnen bestimmte Häuser bei einer Strafe von zwanzig pariserischen Sous um 10 Uhr Abends zu verlassen hatten. Da die Strafe nach dem heutigen Geldwert etwa zwanzig Franks beträgt, so darf man wohl annehmen, dass man damals die Tageseinnahme der Dirnen auf diesen Betrag einschätzte; von der Strafsumme stand die Hälfte vermutlich den Schergen des Châtelets zu. Später wurde ihre Festsetzung dem Ermessen des Richters überlassen, der häufig auf den drei- und selbst vierfachen Betrag erkannte, woraus denn wieder zu schliessen ist, dass auch Frauen aus höheren sozialen Schichten dem Besuche jener Häuser huldigten, denn eine simple Dirne würde man wohl schwerlich zu einer so erheblichen Geldstrafe verurteilt haben, reiche Frauen dagegen zahlten gerne auch hohe Bussen, wenn sie damit die

Geheimhaltung ihres Thuns erkaufen konnten. Am 30. Juni 1395 erliess der Vogt von Paris eine neue Verfügung, wonach alle Dirnen gehalten waren, die Prostitutionshäuser zu verlassen, sobald die Stunde des Feuerlöschens geschlagen hatte; gegen Uebertretungen waren Gefängnis- und Geldstrafe angedroht, deren Festsetzung dem Ermessen des Richters beziehungsweise des Polizeichefs vorbehalten blieb. Delamare, der diese Verfügung in dem Livre rouge ancien des Châtelets gefunden hat, fügt eine auch sonst bestätigte Besonderheit hinzu, wonach das Verlassen der Bordells im Winter auf 6 Uhr und im Sommer auf 7 Uhr festgesetzt war; diese Verfügung wurde alle zwei Jahre von neuem publiziert.

Wie festen Fuss die Prostitution dort, wo sie einmal zugelassen war, zu fassen pflegte, mag man daraus erkennen, dass es eines zwei Jahrhunderte langen Kampfes bedurfte, um sie aus einer Strasse zu vertreiben, die ihr von Ludwig IX. geöffnet worden war. Es handelte sich um die Chaponstrasse zu Paris. Am 18. September 1367 hatte der Præfekt von Paris in einer Bekanntmachung sie von neuem den Dirnen zur Verfügung gestellt; der Bischof von Mâcon erhob dagegen Beschwerde beim König Karl V, denn die Bischöfe von Mâcon, zugleich Grafen von Châlons, besassen seit mehreren Jahrhunderten ein grosses Haus in einer benachbarten Strasse, das durch den Verkehr der Prostituierten entwertet wurde. Der Bischof, der auch Mitglied des Kronrates war, warf bei dem Herrscher seinen ganzen Einfluss für die Aenderung dieser Zustände in die Wagschale. Karl V. erliess denn auch 1368 oder 1369 eine Verfügung gegen die Prostitution, die sich auf den bekannten ersten Akt Ludwigs des Heiligen stützte. Aber die Anwendung auf eine einzige Strasse war in dem Gesetze, das den Charakter eines allgemeinen Verbots getragen hatte, wie wir oben näher auseinandergesetzt haben, nicht gerechtfertigt. Sauval überliefert uns denn auch, dass die Prostituierten der königlichen Ordonnanz, die zu Gunsten des Bischofs ergangen war, Widerstand entgegensetzten, und sich auf das ihnen von Ludwig selbst erteilte Privileg beriefen, wonach ihnen die Chaponstrasse zur Ausübung ihres Gewerbes freigegeben war. Den Bischöfen von Châlons gelang es denn auch trotz allen Bemühungen nicht, die Dirnen aus der Strasse zu vertreiben, so zähe hielten sie an einmal erteilten Vorrechten fest. Nach Sauvals Angaben zogen sie erst im Jahre 1556 aus der Chaponstrasse aus, als einmal wieder die Bordelle in ganz Paris abgeschafft wurden.

Auch in anderen Fällen, wenn es sich darum handelte, dass die Prostituierten eine bis dahin verbotene Strasse für ihr Gewerbe in Anspruch nehmen wollten, nützten königliche Erlasse nicht eben viel. Wenn die Dirnen sich einmal irgendwo einnisteten und festsetzten, dann waren sie weder durch Drohungen, noch durch Strafen wieder zu vertreiben Dabei zeigte sich, dass sie sich gegen die konzessionierten Strassen im allgemeinen ziemlich ablehnend vernielten; gewiss war es ihnen, oder wenigstens einem Teil von ihnen zuwider, an den allgemein bekannten und verrufenen Orten zu verkehren: die Neuheit übte auch auf sie ihren oft geschilderten Reiz aus. So riskierten sie denn fortgesetzte Konflikte mit Gesetz und Polizei, um an unerlaubten Orten ihr Gewerbe auszuüben. Im Jahre 1381 ordnete Karl VI. die Anwendung der Bestimmungen Ludwigs des Heiligen gegen solche Leute an, die Wohnungen an Prostituierte in nicht freigegebenen Strassen vermieteten. Die Verfügung, die an den Præfekten von Paris gerichtet ist, war vom 3. August datiert und stützte sich auf die schon öfter angezogenen generellen Bestimmungen gegen die Prostitution, die auch hier wiederum speziell angewendet werden sollten. Sofort erhoben natürlich, wie in dem vorhin geschilderten Fall mit der Chaponstrasse unter Karl V., die Interessenten, vor allem die Hausbesitzer, lebhafte Einwendungen. Der Præfekt wird wohl anfangs bemüht gewesen sein, den Anordnungen des Königs Geltung zu verschaffen, aber seine Bemühungen blieben vergeblich und allen Anstrengungen der Polizei zum Trotz florierte die Prostitution in den von der Ordonnanz bezeichneten Strassen weiter. Sie alle gehörten zu dem von Philipp August der Stadt angefügten Vorort Reaubourg, einem alten Sitze der Ribaudie. Mitten in diesem Orte befand sich der Maubué-Brunnen, dessen Name allein schon vielsagend ist, denn maubué bedeutet unsauber.

In dem Erlass, durch den der Præfekt von Paris gewisse Strassen dem Verkehr der Dirnen zu entziehen sucht, macht er zugleich darauf aufmerksam, dass andere ihnen freigegeben seien, aber er führt sie nicht namentlich an, vermutlich, um keine Præjudizien zu schaffen oder nicht mit anderen königlichen Verfügungen in Widerspruch zu geraten. Den Erlass hat Ducange im Wortlaut aus dem Livre vert nouveau des Châtelets ausgezogen. Die Dirnen machten sich das Fehlen der ausdrücklichen Bezeichnung konzessionierter Strassen insofern zu Nutzen, als sie nun in alle Strassen eindrangen, die ihnen in jenem Aktenstück nicht ausdrücklich verboten waren. Der Præfekt sah sich deshalb veranlasst, im Jahre 1381 eine Ergänzung seines Erlasses zu publizieren, der uns von Ducange in seinem Glossarium mitgeteilt worden ist; er hat ihn, allerdings mit dem Datum 1395, aus dem Livre noir des Châtelets ausgezogen. In dem neuen Akte wurden sieben Strassen ausdrücklich genannt; besonders auffallend ist dabei die Erwähnung der Chaponstrasse, deren Geschichte wir weiter oben mitgeteilt haben; vermutlich war inzwischen ein Gerichtsurteil ergangen, das die königliche Verfügung, die sich auf jene Strasse bezog, für rechtsungiltig erklärt hatte

Auch in der Folgezeit blieben in den nichtkonzessionierten Strassen von Paris Bordells bestehen, und bis zum Jahre 1565 scheint die Præfektur keine ernsthaften Schritte dagegen unternommen zu haben. In jenem

Jahre erliess dagegen, wie schon kurz erwähnt, Karl IX. wieder ein allgemeines Verbot der Prostitution. Vorausgehen, soviel uns überliefert ist, nur zwei Spezialhandlungen in Sachen bestimmter Strassen, von denen die eine ein alter Sitz der Prostitution, die andere dagegen ungesetzlich okkupiertes Terrain war. Die betreffenden Verfügungen sind am 14. September 1420 während der Belagerung von Paris durch die Engländer von Karl VI. erlassen worden, wurden aber schon von Heinrich VI, König von England und Frankreich auf Vorstellung der Interessenten wieder verändert. (Vergleiche das von Delamare aus dem Livre noir des Châtelets ausgezogene Aktenstück). Gleichzeitig wurde aber die Massregel auf andere Strassen angewendet, und dem Præfekten aufgegeben, den „unwiderruflichen Willen des Königs“ auszuführen; über den Erfolg mag man daraus urteilen, dass mindestens die eine der neu erwähnten Strassen, wie uns bestimmt überliefert worden ist, der Prostitution auch fernerhin erhalten blieb. Eines muss an den Erlassen jener Zeit auffallen: Heinrich VI. spricht davon, dass die konzessionierten Häuser nicht bewohnt seien, also nur zur Ausübung des Gewerbes gedient haben können; in der Præfekturverfügung von 1395 wird dagegen festgesetzt, dass die Prostituierten in den Bordells auch wohnen sollen. In dieser wichtigen Frage muss also die Gesetzgebung gewandelt worden sein. Die Dirnen durften demnach nicht mehr in beliebigen Stadtteilen wohnen, sondern mussten vollständig und dauernd in den Bordells verweilen. Dass sie dazu nicht geneigt waren, geht aus der Verfügung Heinrichs VI. indirekt hervor. Auch aus einem von Sauval zitierten Urteil des Parlaments, vom 14. Juli 1480 ersieht man, dass die Prostituierten sich mit Vorliebe von den konzessionierten Häusern und Strassen fernhielten und lieber anderswo ihrem Gewerbe nachgingen. In dem Urteil (Antiquités de Paris, tom. III. pag. 652) wird den Prostituierten verboten, in einer gewissen Strasse zu wohnen und anbefohlen, in „die alten Bordelle“ zu ziehen. Vermutlich hatte sich dem Præfekten von Paris die Ueberzeugung aufgedrängt, dass eine polizeiliche Ueberwachung der Dirnen erst dann wirksam sein könne, wenn man sie gezwungen hatte, dauernd in jenen Häusern zu wohnen, in welchen sie bis dahin nur während der Tagesstunden ihr Gewerbe auszuüben pflegten.

Zu der Topographie der Prostitution von Paris gehört auch eine Angabe der Orte, wo die schweifende Prostitution ihre Zuflucht zu finden pflegte. Darüber wird freilich in den offiziellen uns erhaltenen Aktenstücken so gut wie gar nichts mitgeteilt. Und doch gab es der Strassen, in denen die schweifende Prostitution zu finden war, gar viele; von manchen sind uns die charakteristischen Bezeichnungen, die das Volk für sie fand, noch erhalten geblieben und können uns nun als gute Wegweiser dienen. Ausser den an einer früheren Stelle bereits geschilderten Mirakelhöfen, die förmliche Centralpunkte für allerhand verdächtiges und ausschweifendes Gesindel bildeten, kann man mindestens noch zwanzig übelberüchtigte Strassen anführen. In der Regel lagen sie unweit der konzessionierten Dirnenstrassen und der Mirakelhöfe, sodass die Ribauden sich leicht und bequem dorthin begeben konnten, ohne von den Blicken und Rufen des Publikums getroffen zu werden. Die Zurufe, französisch: huées, scheinen sogar einer Strasse den Namen gegeben zu haben. Die Hueleu-Strasse war von jeher der Prostitution geöffnet; sie trägt ihre Bezeichnung nicht, wie man angenommen hat und wie Abbé Lebeuf beweisen wollte, von einem Ritter Hugo Lupus (altfranzösisch: Hue-leu), der im zwölften Jahrhundert lebte und einer benachbarten Kirche verschiedene Zuwendungen machte, sondern von den Zurufen (huées), mit denen die Passanten dort begrüsst zu werden pflegten. Die Volksetymologie liebte solche Benennungen. Zur Unterstützung unserer Ansicht können wir uns auf eine Bemerkung im Dictionnaire historique de la ville de Paris berufen, wo die Verfasser sagen: „Sobald ein Mann eine solche Strasse betrat, wusste man, was er dort wollte, und forderte die Strassenjugend auf: Hue-le! d. h. verspotte ihn!" Die Hueleu-Strasse stand in dem allerschlechtesten Rufe in Paris, und auf sie zielten in erster Linie die Repressivmassregeln Karls IX. ab. Gute Autoren versichern uns, dass die Kinder in Paris „au loup" (zum Wolfe), oder verderbt: houloulou zu schreien pflegten, wenn ein Mann auf der Strasse eine Dirne anzureden wagte oder eine Prostituierte sich am Tage mit den Zeichen ihres Gewerbes am Gewande öffentlich sehen liess.

Es würde zu weit führen, wollten wir alle verrufenen Strassen unter ihrem wirklichen oder ihrem durch die Volksetymologie umgestalteten Namen hier angeben; nur soviel sei erwähnt, dass fast alle Strassen und Gassen in der Nähe der von Philipp August ausgebauten Stadtmauer der schweifenden Prostitution als bequeme Schlupfwinkel dienten; dort bot sie allen Gesetzen und Polizeivorschriften Trotz. Manche Namen trugen in der Volkssprache eine abgekürzte, selbstverständlich obscöne Bezeichnung; so gab es dort eine Strasse Tireo . . ., deren Namen man nicht ganz auszusprechen pflegte und die auch so in Urkunden erscheint. Als einst Maria Stuart, die Gemahlin Franz' II. durch sie hindurchritt und sich über den merkwürdigen Namen bei einem Offizier ihrer Begleitung erkundigte ohne naturgemäss eine andere als ausweichende, aber immerhin gerade dadurch deutliche Antwort zu erhalten, soll sie sehr indigniert gewesen sein. Was auch immer an dieser Anekdote ist, die Saint-Foix nach lokalen Ueberlieferungen aufgezeichnet haben will, so steht jedenfalls fest, dass man im Jahre 1809 den merkwürdigen Beschluss fasste, diese Strasse Tireo . . . fernerhin Maria-Strasse zu nennen.

Die Volksetymologie hat uns auf dem Gebiet von Altparis die sonderbarsten Strassenbezeichnungen überliefert; wir verzeichnen davon als Beispiele: Rue de la Truanderie, du Puits d'Amour, de Poilec . . . de Merderel, de Putigneuse, de Pute-y-musse, die z. T. in ihrer Bedeutung gar nicht wiederzugeben sind. Nur die Truanderiestrasse hat ihren Namen länger als sechs Jahrhunderte bewahrt, alle anderen haben ihre Bezeichnungen längst geändert. Die Rue du Puits d'Amour, d. h. die Liebesbrunnenstrasse, trug ihren Namen von einem jener Brunnen, deren Bedeutung für die Prostitution und ihre Geschichte schon an einer früheren Stelle auseinandergesetzt wurde. Dieser Brunnen stand mitten auf dem kleinen Platz Ariane, dessen ursprünglicher Name wohl Place de la Royne d. h. Königinnenplatz, nach irgend einer Ribaudenkönigin, gewesen sein dürfte. Die Poilec . . . strasse hat man später in eine Pelikanstrasse, dann in der Revolutionszeit bei der allgemeinen Prüderie, die damals herrschte, in Rue Purgée, d. h. die gereinigte, entsühnte Strasse umgetauft. Bequemer machte man es sich mit der Merderelstrasse, der man den Namen Verderet- oder Verdeletstrasse beilegte; lange Zeit nachher noch hat sie aber ihren alten Charakter bewahrt. Dagegen ist Rue Pute-y-Musse, d. h. die Strasse, wo Dirnen sich bergen, allmählich immer vornehmer geworden und der Rue du Petit-Muse von heute sieht man es nicht an, welches Treiben hier früher einmal herrschte. Die Strassen, in denen die schweifende Prostitution ihr Quartier aufgeschlagen hatte, zeichneten, wie man kaum noch zu bemerken braucht, nicht gerade durch Sauberkeit und Ordnung aus, es waren vielmehr die abscheulichsten, widerwärtigsten aller Strassen und Gassen. Bis in die Mitte des 17. Jahrhunderts dauerte dieser Zustand an; erst dann unternahm die Gesundheitspolizei einige Schritte gegen die gemeingefährlichen Pesthöhlen. Die Prostitution ihrerseits scheint in jenen Zeiten keinerlei Bedürfnis gefühlt zu haben, an den Zuständen etwas zu ändern, obschon sie doch wenig später das Beispiel höfisch-vornehmen und zugleich lasterhaften Lebens nahe vor Augen hatte.

XII. Kapitel.

Kleidervorschriften Philipp-Augusts. — Gesetzgebung der französischen Könige gegen kostbare und überladene Kleidung. — Die Ribaudenköniginnen. — Verbote der Pariser Praefektur und gerichtliche Urteile. — Urteil vom 26. Juni 1420. — Verordnung des Königs Heinrich VI. — Gerichtsurteil über die Kleidung der Fräulein vom 17. April 1426. — Die Liebesköniginnen und Liebesprinzessinnen. — Das Ordinarium von Paris. — Silberne Gürtel. — Inventarien. — Verordnung Heinrichs VI. — Von Bordellhaltern und Kupplern. — Bettlerbitte.

Wir haben gesehen, dass der Præfekt von Paris den Dirnen und Freudenmädchen durch seine Verfügung vom Jahre 1360 das Tragen von silbernen und goldenen Schmuckstücken, von Stickereien, Perlen und Pelzwerk untersagt hatte. Diese Verordnung ist zwar die älteste dieser Art, die wir im mittelalterlichen Frankreich finden, hatte aber zweifellos bereits Vorgänger, die uns nur nicht in den Archiven überliefert worden sind. Philipp August war der erste König, der dem Kleiderluxus auf gesetzgeberischem Wege entgegentrat, zugleich aber auch mit der bestimmten Absicht, die soziale Hierarchie nach Abstammung, Rang und Vermögen schon äusserlich in der Kleidung deutlich hervortreten zu lassen. Wir dürfen deshalb, obschon uns keine Einzelheiten dieser Kleidergesetzgebung erhalten geblieben sind, ohne weiteres annehmen, dass Dirnen und Freudenmädchen des Privilegiums beraubt wurden, sich so wie ehrbare Frauen zu kleiden. Etwas mehr wissen wir von den Massnahmen des Königs Philipps des Schönen, und wir können demnach das urkundliche Auftreten von Kleidervorschriften in Frankreich in das Jahr 1294 setzen. In diesem Gesetz handelt es sich offensichtlich nicht um Frauen mit lockerem Lebenswandel, aber wir können getrost annehmen, dass sie doch auch nicht gerade privilegiert worden sind: war es den Bürgern und Bürgerinnen verboten, bestimmte Stoffe, Farben und Schmuckstücke zu tragen, so doch jenen vermutlich ebenfalls. Wie streng und tief einschneidend die Gesetzgebung war, mag man daraus ersehen, dass sich die Unterthanen der verbotenen Kleidungsstücke und Schmucksachen, auch wenn sie sie schon vor der Publikation der Verfügung besassen, innerhalb eines Jahres „entledigen“ sollten. Die Schwierigkeiten bei der Durchführung eines derartigen Gesetzes sind evident; lebhafte Opposition machten vor allen auch die Ribaudenköniginnen, indem sie bemerkten, eine auf die ehrbaren Frauen abzielende Gesetzesbestimmung gelte nicht ohne weiteres auch für sie, und der König von Frankreich hätte sie gewiss nicht durch die Vorschrift, keine Kleider im Werte von mehr als „12 Sols“ Wert zu tragen, entehren wollen.

Auf die Gesetzgebung Philipps des Schönen gehen alle anderen Massnahmen, die sich auf die Kleidung beziehen, zurück: man änderte an ihr, entsprechend dem Wandel in den Lebensgewohnheiten und der Mode nur Einzelheiten. Erhalten geblieben ist uns eine Verfügung aus dem Jahre 1367, die sich auf die Frauen der Stadt Montpellier bezieht und minutiöse Einzelvorschriften in Bezug auf die Toilette der Frauen enthält; aber auch sie kann nicht wohl ohne Vorläuferinnen gewesen sein, denn dem Geiste der Zeit würde es widersprechen, wenn Paris in der langen Zeit von 1294 bis 1367 von allen derartigen Massnahmen ganz verschont geblieben wäre. Wir haben aber vorhin schon erwähnt, dass uns in der That nur die Præfekturverfügung von 1360 erhalten geblieben ist. Die Ueberlieferung, wenn auch nicht die authentischer Geschichtsquellen, erwähnt aus der Zwischenzeit, die von uns auch schon an einer anderen Stelle erwähnte Spezialvorschrift über das Tragen goldener Gürtel, die sich übrigens als eine Auslegung und Erweiterung einer bereits von Philipp dem Schönen getroffenen Bestimmung darstellt. Aber die Dirnen waren weit entfernt, dem Verlangen des

Præfekten schnelle und widerspruchslose Folge zu leisten, sie scheinen vielmehr einen erbitterten und zähen Widerstand geübt zu haben, der sich manchmal wohl gar zur offenen Revolte steigerte. Das können wir nämlich aus der Thatsache schliessen, dass im Laufe des fünfzehnten Jahrhunderts eine ganze Reihe neuer Præfekturerlasse über den gleichen Gegenstand erschienen, denen viele und stets verschärfte Gerichtsurteile gegen Uebertretungen zur Seite gingen. So verfügte der Præfekt unter dem 8. Januar 1415 von neuem, dass allen Prostituierten das Tragen von goldenem und silbernem Schmuck, von „ehrbarem" Pelzwerk, von Perlen und goldenen Gürteln, silbernen Schuhspangen und anderen Toilettenεinzelheiten bei Strafe der Konfiskation und gerichtlicher Verurteilung verboten sei. Acht Tage Frist war ihnen gestellt, sich der betreffenden Sachen zu entledigen; nach Ablauf dieser Zeit sollten die Schergen der Polizei sie im Uebertretungsfalle an jedem Ort, mit alleiniger Ausnahme der Kirchen, verhaften und ins Châteletgefängnis verbringen: zunächst sollten ihnen dort die verbotenen Kleidungsstücke abgenommen und darauf sie selbst der gerichtlichen Aburteilung unterstellt werden. Erneut und unter Trompetenschall in allen Strassen und Gassen der Stadt verkündet wurde diese Verfügung im Jahre 1419, ein deutlicher Beweis dafür, wie wenig sie bis dahin beachtet worden war; auch den Bemühungen der Polizeischergen konnte es nicht gelungen sein, den zähen Widerstand gegen die unbeliebten Anordnungen zu brechen.

Der höchste Gerichtshof des Landes hielt trotz dem Bürgerkriege, der Pest und der Hungersnot, die damals in den Grenzen des Reiches wüteten, die Kleidervorschriften für die Prostituierten für eine so wichtige Angelegenheit, dass er durch Beschluss vom 26. Juni 1420 der Praefekturverfügung beitrat und sie ausdrücklich billigte, indem er ihre Bestimmungen in einzelnen Punkten sogar noch vervollständigte. Aber auch das nützte nur sehr wenig oder gar nichts, denn nach kaum fünf Jahren sah sich die Praefektur zur erneuten Veröffentlichung ihrer Verfügung veranlasst: die Schaar der Ribauden war offensichtlich ganz ausserordentlich schwer im Zaume zu halten und setzte allen Massnahmen der staatlichen Autoritäten einen heftigen und zähen Widerstand entgegen. Die Prostituierten wollten nun einmal auf ihre Toilettenfeinheiten nicht verzichten und suchten nötigenfalls durch leichte modische Veränderungen die obrigkeitlichen Verordnungen hinfällig zu machen.

Die Konfiskation verbotener Kleidungsstücke und Toilettenartikel muss zu jener Zeit einigermassen lukrativ gewesen sein, denn sie bildete einen Teil der Einnahmen des Praefekten von Paris; erst Heinrich VI., König von England und Frankreich modifizierte die Sache in der Weise, dass hinfort die Erträgnisse aus derartigen Konfiskationen nicht mehr dem jeweiligen Praefekten sondern dem Fiskus zufallen sollten. (Vergl. Rec. des Ordonn. des rois de la 3. race). Ein neuer Beschluss des Parlaments in Sachen der Kleidungsgesetzgebung ist vom 17. April 1426 datiert: er erweitert in manchen Hinsichten die früheren Vorschriften nicht unerheblich. Interessant ist, dass der französische Hof im fünfzehnten und sechzehnten Jahrhundert, also gerade in der Zeit immer erneuter und verschärfter Gesetze gegen den Luxus, selbst ein sehr verschwenderisches Leben führte und geradezu phantastische Summen für prächtige Kleidung auszugeben pflegte: manche Stoffe waren ebenso wie gewisse Stickereien ausschliesslich dem Gebrauche der königlichen Prinzen und Prinzessinnen vorbehalten; aber die Prostituierten, die sich häufig als Prinzessinnen und Königinnen der Liebe bezeichneten, kehrten sich wenig an die Vorschriften und nahmen, wenigstens in ihren bestimmten Strassen, ähnliche Privilegien für sich in Anspruch. Ausserhalb ihrer Standquartiere mögen sie sich freilich auch wohl zurückgehalten haben, um den spähenden Augen der Polizeibeamten und dem Unwillen des Publikums zu entgehen, das, wie wir schon mitgeteilt haben, ihnen durchaus nicht wohlgesinnt war und sich häufig nicht mit blossen Verbalinjurien gegen vorübergehende Dirnen begnügte.

Von Zeit zu Zeit griffen deshalb, schon um dem Unwillen des Volkes Rechnung zu tragen, die Polizeibeamten eine unvorschriftsmässig gekleidete Dirne auf und brachten sie vor den Richter. Aber es ging auch damals, so wird uns ausdrücklich überliefert, wie so häufig: nicht gerade die Schuldigsten wurden erwischt, denn sie waren, wie ja leicht erklärlich ist, nicht die Aermsten und hatten immer ein Paar Geldstücke in den Taschen, um die Schergen „blind zu machen.“ Die Aufgegriffenen waren gewöhnlich nicht übertrieben kostbar gekleidet; manchmal trug die Konfiskation im Châteletgefängnis nicht einmal genug ein, um den Schergen den üblichen Anteil einzubringen. Sauval und Delamare haben durch Auszüge aus dem Dominium von Paris den aktenmässigen Beweis für die Armut der gewöhnlichen Opfer der Kleidervorschriften erbracht. Aus den Urkunden geht hervor, dass man Prostituierte nur dann zu verhaften und anzuklagen pflegte, wenn sie sich in unvorschriftsmässigen Toiletten auf öffentlichen Strassen herumzutreiben wagten, also war es ihnen wohl gestattet im Inneren ihrer Häuser zu tragen, was ihnen beliebte; sogar auf den Bordellstrassen scheint man ihren Neigungen in dieser Beziehung kein Hinderniss in den Weg gelegt zu haben. Auf dem Châtelet war man übrigens im amtlichen Verkehr mit eingelieferten Dirnen ausserordentlich diskret; manche Prostituierte konnte deshalb noch lange nachdem sie begonnen hatte, ihr Gewerbe auszuüben, für eine ehrbare Person gelten, wenn nicht ein Zufall ihr Geheimniss enthüllte. Was das Verfahren mit konfiszierten Gegenständen anlangt, so wurden sie geradeso behandelt wie herrenlose Fundobjekte: nach Ablauf von vierzig Tagen wurden sie auf offenem Markte an den Meistbietenden versteigert; der

Erlös wurde, wie wir schon erwähnten, ursprünglich zwischen dem Könige, der Stadt und den Polizeibeamten geteilt.

Sauval hat nicht alle Angaben, die sich in den alten Rechnungen der Stadt Paris über derartige Versteigerungen finden, mitgeteilt und analysiert: aber er hat wenigstens darauf hingewiesen, und es ergiebt sich, dass sie keineswegs häufig waren, denn mehrere Jahre hindurch wird in den Akten der Præfektur auch nicht eine einzige erwähnt. In der Rechnung des Jahres 1446 finden wir, um ein Beispiel anzuführen, eine solche Bemerkung, wonach eine Reihe von Gegenständen, die man einer Prostituierten namens Guyonne la Forgière abgenommen hatte, zu Gunsten des Fiskus versteigerte. Nach allem, was uns überliefert ist, scheinen die Polizeibeamten besonders gegen das Tragen von goldenen Gürteln eingeschritten zu sein; darüber haben wir urkundliche Nachrichten aus den Jahren 1454, 1457, 1460, 1461 und 1464. In den folgenden Jahren liessen die Verhaftungen wegen des Gürteltragens nach, man darf daher wohl annehmen, dass die Polizei in diesem Punkte allmählich nachsichtiger wurde. Interessante kulturgeschichtliche Einzelheiten erfahren wir aus mehreren Aktenstücken, von 1457 und 1459: darin werden nämlich alle die Gegenstände aufgeführt, die man einzelnen verhafteten Weibern konfisziert hat. Im ersten Falle handelt es sich um eine offenbar ganz verarmte Person, die kaum noch ein anständiges Kleidungsstück auf dem Leibe trug; die andere dagegen, die beim Verlasssen der Kirche, vermutlich auf Verlangen und Denunziation des Publikums, in Polizeigewahrsam geführt wurde, war recht reich gekleidet und trug neben anderem verbotenem Schmuk einen doppelten Gürtel, eine Korallenkette und ausserdem ein Buch; daraus ersehen wir, dass sie, die sich übrigens Laurence de Villers nannte, des Lesens kundig gewesen sein muss, was damals unter den Prostituierten eine sehr seltene Ausnahme war. Besonders reich an Konfiskationen muss nach den uns überlieferten Rechnungsbüchern das Jahr 1460 gewesen sein, wennschon auch da die Einnahmen aus den nachfolgenden Versteigerungen sehr geringe Erträge brachten. Aus verschiedenen Angaben, die manchmal mit einer gewissen weitschweifigen Geschwätzigkeit gemacht zu sein scheinen, geht deutlich hervor, dass zu jenen Zeiten sehr oft verheiratete Frauen sozusagen im Nebenamte das Gewerbe der Prostitution ausübten.

Die Stellung der Prostituierten zu den Kleidervorschriften war sehr eigenartig: einmal strebten sie immer darnach, sich so zu kleiden, wie die ehrbaren Frauen, dann aber wollten sie doch auch wieder die Aufmerksamkeit der Männer leicht auf sich lenken und endlich einander durch den Glanz ihrer Toiletten ausstechen. Weil ihnen Ringe, Armbänder und Ohrgehänge verboten waren, so entschädigten sie sich auf eine andere originelle Weise, indem sie allerhand Amulette und religiöse Gegenstände, Kreuze, geweihte Medaillen und dergleichen trugen; aber die Polizei wollte natürlich derartige offenbare Uebertretungen ihrer Vorschriften nicht dulden und erwartete deshalb häufig die anscheinend so frommen Damen an den Thüren der Kirchen, um sie in das Polizeigefängnis abzuführen. Unter Ludwig XI., der selbst einen förmlichen Missbrauch mit Medaillen trieb, scheint man ganz besonders streng gegen die Frauenzimmer vorgegangen zu sein und hat ihnen, wie wir urkundlich feststellen können, die Schmuckstücke ohne jede Rücksicht auf ihren angeblichen frommen Zweck, oder ihre symbolische Bedeutung abgenommen. Man konfiszierte die verbotenen Gegenstände nicht nur, sondern verurteilte gleichzeitig die Weiber dann auch noch zu nicht unerheblichen Geldstrafen. So verhängte man im Jahre 1463 eine Busse von nicht weniger als fünf Sols und vier Deniers pariserisch über eine gewisse Jehanneton de Buisson; nach heutigem Geldwert ist das mehr als zwanzig Mark: verbrochen hatte das Weib nichts weiter, als dass sie ein verbotenes Schmuckstück, übrigens einen geweihten Gegenstand, getragen hatte. Mit gleicher Schärfe liess Ludwig XI. die Polizei gegen solche Weiber einschreiten, die sich in Männerkleidern auf der Strasse umhertrieben. Von der Vollstreckung eines solchen Urteils liest man in den Akten aus dem Jahre 1471: einer gewissen Johanne la Thibaude waren Männerkleider zu Gunsten der königlichen Kasse abgenommen und versteigert worden. Zu welchem Zwecke die Dirnen Männerkleider anzulegen pflegten, kann man nicht mehr entscheiden, zweifellos war es aber wohl ein unsittlicher.

Neben den Ribauden übten zu allen Zeiten die Kuppler ihr Geschäft trotz den strengsten Strafandrohungen aus. Sie wurden selten ernsthaft verfolgt und noch seltener vor Gericht gestellt und bestraft. Wenn einmal die Klagen der Nachbarschaft oder der allgemeine öffentliche Unwille gar zu sehr anschwoll, dann schritt man pro forma einmal ein und that so, als ob man ein Exempel statuieren wollte; in Wirklichkeit kam aber meistens nur eine Geldstrafe, eine Konfiskation des Hauses und eine Verbannung, ein Stadtverweis heraus. In sehr vielen Fällen wurde das Verfahren sogar nach Erlegung einer tüchtigen Busse eingestellt; das Kupplergeschäft war aber einträglich genug, um die Betroffenen in den Stand zu setzen, das Geldopfer leicht zu bringen. Alle Bordellhalter und diejenigen, die den Dirnen einzelne Zimmer zur Verfügung stellten, ferner diejenigen, die ihnen gewerbsmässig Geld oder Möbel oder Kleidung zu Wucherzinsen verschafften, die mit einem Worte von ihnen lebten, wurden toleriert, wenn nicht gar geschützt; man war der Ansicht, dass ihre Thätigkeit eine gewisse Regelung der Prostitution ermögliche oder erleichtere. So sah man es denn nicht ungern, wenn sich die Dirnen der Autorität eines Ribauden oder einer Ribaudin unterstellten. In der Regel trugen diese Personen einen höchst ehrbaren Decknamen und übten ihr Gewerbe unter dem Mantel höchster Ehrbarkeit aus: bald bezeichneten sie sich als Portier oder als Zimmervermieterin, bald als Gastwirte oder als Händler: immer aber waren es Leute in reiferem Alter, manche dem Greisenalter nahe, von einer gewissen Repraesentationsfähigkeit, guter Redefertigkeit und sicherem Auftreten. Das hinderte freilich nicht, dass sie den Fährlichkeiten des Gefängnisses, des Prangers, der Verbannung, ja sogar des Galgens nach den Traditionen des römischen Rechts ausgesetzt blieben. Das französische Gesetz bestimmte gegen überführte Kuppler die Todesstrafe, eine Strafe, die allerdings so gut wie niemals angewandt wurde, obwohl sie im Kriminalrecht bestehen blieb. Die Ansichten der Rechtsgelehrten haben über dieses Verbrechen, das vom moralischen Standpunkte aus anders zu beurteilen ist, als vom formal-juristischen nicht gewechselt. Der berühmte Josse de Damhoudère, dessen juristisches Handbuch der Rechtspraxis des ganzen sechzehnten Jahrhunderts zu Grunde lag, verlangt die Bestrafung der überführten Kuppler durch Körperstrafen und Verbannung je nach den Gebräuchen der einzelnen Orte und der Schwere des Vergehens.

Die alten Kriminalisten stimmen in der Ansicht überein, dass die Strafandrohung im Gesetze belassen ist, um dem Ueberhandnehmen der Unzucht dadurch entgegenzuwirken, dass man ihre kühnsten Vorkämpfer und Agenten in gewissen Schranken hält. So spricht sich z. B. der gelehrte Jean Duret in seinem 1583 zu Lyon herausgegebenen Traité des peines et amendes (Abhandlung über die Strafen) aus, ebenso der schon vorhin erwähnte J. de Damhoudère. Lagen besonders schwere Begleitumstände vor, so wurde auch manchmal, wie uns überliefert wird, die Todesstrafe vollzogen. Duret verlangt sie in den Fällen, in welchen sich die Blutsverwandten eines Mädchens der Kuppelei schuldig machten. Ein anderer Rechtsgelehrter aus jener Epoche, Claude Lebrun de la Rochette widmet in seinem Handbuch des Zivil- und Strafprozesses den verschiedenen Arten der Kuppelei und den Gesichtspunkten, aus denen heraus ihre Beurteilung und ihre Bestrafung zu erfolgen habe, ein ganzes Kapitel. Nachdem er auf die schweren im Gesetze vorgeschriebenen Strafen hingewiesen hat, bemerkt er dann, dass die gerichtliche Praxis sich allgemein leichteren Strafen zugewendet habe. In dem Gegensatz zwischen den idealen Rechtsforderungen und den realen Erscheinungen des täglichen Lebens hatten eben die letzteren den grösseren Einfluss ausgeübt. Nach den uns erhalten gebliebenen Akten und nach sonstigen Ueberlieferungen dürfen wir annehmen, dass die sonst ziemlich milde urteilenden Gerichtshöfe nur dann keine Schonung übten, wenn es sich um Verkuppelung unbescholtener Mädchen handelte. Was dagegen die Bordellhalter und Bordellhalterinnen anlangt, so gestand man ihnen stillschweigend jede nur mögliche Nachsicht zu und bediente sich ihrer sogar, um die Polizeivorschriften mit ihrer Hilfe besser durchführen zu können. So erfand man geradezu die Bezeichnung maquerelles publiques für offiziell geduldete Bordellhalterinnen. Ducange zitiert ein Dokument, in dem diese Funktion und Qualifikation bezeugt wird: in domo cuiusdam maquerellae publicae in villa Valentianis etc. Eine solche maquerella publica konnte selbstverständlich nicht ohne Vorwissen der kommunalen Behörden ihre Thätigkeit entfalten.

Königliche Ordonnanzen, Præfekturerlasse, Parlamentsverfügungen hatten zu verschiedenen Malen sich mit der Kuppelei im allgemeinen befasst, sie scharf verurteilt und mit strengen Strafen bedroht, ohne mildernde Umstände anzuerkennen. Delamare analysiert eine Ordonnanz vom Jahre 1367, in der Männern und Frauen jede Art von Kuppelei bei Strafe des Prangers, der Brandmarkung und der Verbannung untersagt wurde. In diesem Aktenstücke wurden die Bordellhalter nicht ausdrücklich von den Strafverfügungen ausgenommen. Alle auf die Hausmiete Bezug nehmenden öffentlichen Vorschriften berührten mehr oder minder deutlich die Frage der Kuppelei: das Gewerbe konnte nur von Hausbesitzern oder direkten Mietern ausgeübt werden. Das Præfekturedikt vom 8. Januar 1415, das im Jahre 1419 wörtlich erneuert wurde und den Dirnen das Bewohnen der sogenannten ehrbaren Strassen untersagt, verbietet andererseits den Hausbesitzern und allen übrigen Personen in solchen Strassen an Dirnen zu vermieten, bei Strafe des Prangers, der Brandmarkung mittels glühenden Eisens und der Ausweisung. Diese Strafen werden am häufigsten angedroht und auch wohl, wenn es einmal zu einem ernsten Urteilsspruche kam, vollzogen. In anderen Fällen verhängte man über die Schuldigen auch die öffentliche Auspeitschung oder liess ihnen ein Ohr abschneiden; aus gewissen Ueberlieferungen kann man auch den Schluss ziehen, dass einzelne Kupplerinnen bei lebendigem Leibe begraben worden sind. Ferner können wir aus einer Stelle des Stadthaushaltsbuches für Paris vom Jahre 1428 schliessen, dass nach einem derartigen Urteilsspruch das Vermögen der betroffenen Person konfisciert, das Haus, das den Schauplatz des Verbrechens gebildet hatte, zerstört wurde. Es entsprach einem tief in das Altertum zurückreichenden Gebrauche, ein durch ein Verbrechen besudeltes Haus zu zerstören und den Platz eine Zeit lang unbebaut zu lassen, um ihn zu reinigen. Die Dauer dieses Zustandes wurde in der Regel durch den Urteilsspruch selbst bestimmt.

Je nach Lage der Sache, nach den Gebräuchen, Sitten und Gewohnheitsrechten der verschiedenen Orte wechselten, wie wir schon erwähnt haben, die Strafen, die über Kuppler und Kupplerinnen verhängt wurden. Unter den Fällen, die uns aus Paris überliefert worden sind, findet sich kein einziger, bei dem es sich um einen Kuppler handelt, dafür aber zahlreiche, bei denen Kupplerinnen eine Rolle spielen. In der Stadt gab es 20 bis 25 Stätten, an denen derartige Personen an den Pranger gestellt, gepeitscht und eines Ohres beraubt werden konnten. Sogar der Erzbischof von Paris besass eine solche Exekutionsstelle, und es wird uns berichtet, dass vielfach Frauen es mit seiner Gerichtsbarkeit zu thun hatten: daraus ergiebt sich, dass trotz vielfachen Bemühungen die Prostitution auf dem erzbischöflichen Gebiete der Stadt Paris, nicht ausgerottet worden war. Im Jahre 1399 spielte vor dem Gerichte des Erzbischofs ein Prozess: eine Frau war angeklagt, mehrere verheiratete und verlobte Männer bei sich aufgenommen und sie sogar durch besondere Botschaft zu ihrem Besuche verleitet zu haben; der Gerichtshof sprach sein Urteil dahin aus, dass sie an den Pranger gestellt werden sollte, dort sollte ihr ferner das Haar versengt und ein Schandmal eingebrannt werden; sodann sollte sie aus der Stadt verwiesen und ihre gesamte Habe konfisziert werden. (Vergl. Capilli in dem Glossarium von Ducange und Carpentier). Ein anderes Weib war angeklagt, ein junges unbescholtenes Mädchen an einen Kanonikus der Kathedrale verkuppelt zu haben; man verurteilte sie zum Pranger, zur Brandmarkung und zur dauernden Verbannung.